J. RIZZI

DER BROCKHAUS IN FÜNFZEHN BÄNDEN

DER BROCKHAUS

in fünfzehn Bänden

Achter Band

Koo – Lz

F.A. BROCKHAUS
Leipzig · Mannheim

Redaktionelle Leitung: Marianne Strzysch, Dr. Joachim Weiß

In Band 15 ist die Redaktion vollständig genannt.

Einbandgestaltung: James Rizzi

Einbandtypographie: Jürgen Sauerhöfer

Herstellung: Günter Schwab

Typographische Konzeption: Norbert Wessel

Satz: Bibliographisches Institut & F. A. Brockhaus AG
(PageOne Siemens Nixdorf)
und Mannheimer Morgen Großdruckerei
und Verlag GmbH

Druck: Neue Stalling GmbH, Oldenburg

Bindearbeit: Großbuchbinderei Lachenmaier, Reutlingen

Papier: 120 g/m² holzfrei, mattgestrichen, chlorfrei
der Papierfabrik Aconda Paper S. A., Spanien

Die Deutsche Bibliothek – CIP-Einheitsaufnahme
Der **Brockhaus**: in 15 Bänden /
[red. Leitung: Marianne Strzysch; Joachim Weiß]. –
Leipzig; Mannheim: Brockhaus.
Bd. 8. Koo – Lz. – 1999
ISBN 3-7653-2358-6

ISBN für das Gesamtwerk 3-7653-2350-0
Band 8: 3-7653-2358-6

Printed in Germany

Koog *der,* eingedeichtes Marschland an der schleswig-holstein. W-Küste. (→ Landgewinnung)

Koolhaas, Rem, niederländ. Architekt, *Rotterdam 17. 11. 1944; Vertreter des Dekonstruktivismus; baute u.a. das Niederländ. Tanztheater in Den Haag (1986/87).

Kooning, Willem de, amerikan. Maler niederländ. Herkunft, *Rotterdam 24. 4. 1904, †East Hampton (N. Y.) 19. 3. 1997; seit 1926 in den USA, einer der führenden Vertreter des abstrakten Expressionismus; kehrte in neueren Werken zum gegenständl. Expressionismus zurück.

Koons [ku:nz], Jeff, amerikan. Künstler, *York (Pa.) 21. 1. 1955; beruft sich auf die ästhet. Strategien der Pop-Art; inszeniert vulgäre Kaufhausobjekte, deren Geschmacklosigkeit er auf die Spitze treibt. Seine Liaison mit dem italien. Pornostar Ilona Staller stilisierte er um 1990 als öffentl. Ereignis.

Ko|operation [lat.] *die,* **1)** *allg.:* Zusammenarbeit.

2) *Wirtschaft:* als betriebl. K. die Zusammenarbeit zw. den Aufgabenträgern in einer Organisation; als zwischenbetriebl. K. die Zusammenarbeit rechtlich selbstständiger Unternehmen bezüglich einzelner Projekte oder Unternehmensbereiche (z.B. Forschung und Entwicklung, Vertrieb). Formen zwischenbetriebl. K. sind u.a. Gemeinschaftsunternehmen, Konsortium, strateg. Allianz.

Ko|operationsprinzip, Grundsatz der Umweltpolitik, nach dem gesellschaftl. Gruppen am umweltpolit. Willensbildungs- und Entscheidungsprozess möglichst frühzeitig beteiligt werden. Durch eine **Kooperationslösung** mit Verträgen und Absprachen im Sinne von Selbstverpflichtungen soll umweltschädl. Verhalten vermieden werden.

Koopman, Ton, niederländ. Organist, Cembalist und Dirigent, *Zwolle 2. 10. 1944; lehrt an den Konservatorien in Amsterdam und Rotterdam; v.a. Interpret der Musik des 17. und 18. Jahrhunderts.

Koopmans, Tjalling Charles, amerikan. Volkswirtschaftler niederländ. Herkunft *s'Graveland (Prov. Nordholland) 28. 8. 1910, †New Haven (Conn.) 26. 2. 1985; Prof. in Chicago (1946–55) und an der Yale University (1955–81); erhielt 1975 mit L. W. Kantorowitsch für Arbeiten zur Theorie der optimalen Allokation der Ressourcen den Nobelpreis für Wirtschaftswissenschaften.

Tjalling C. Koopmans

ko|optieren [lat.], jemanden durch eine Nachwahl zusätzlich in eine Körperschaft aufnehmen.

Ko|ordinaten [lat.], **1)** *Astronomie:* → astronomische Koordinaten.

2) *Mathematik, Physik:* Größen, durch die die Lage von Punkten und Punktmengen (z.B. Kurven, Flächen) in der Ebene oder im n-dimensionalen Raum in einem **K.-System** festgelegt wird. Am häufigsten ist das **kartes. (rechtwinklige) K.-System.** Im Fall der Ebene ($n = 2$) besteht es aus zwei zueinander senkrechten Zahlengeraden **(K.-Achsen),** dem sog. **Achsenkreuz.** Ihr gemeinsamer Schnittpunkt wird **Ursprung, Nullpunkt** oder **K.-Anfangspunkt** genannt. Die Orientierung der Achsen ist so festgelegt, dass die positive x-Achse durch eine Drehung entgegen dem Uhrzeigersinn in die positive y-Achse übergeht. Es sei

Willem de Kooning: »Vorort in Havanna« (1958; Privatbesitz)

P ein Punkt der Ebene. Schneidet die Parallele durch P zur y-Achse die x-Achse in x_P **(x-K., Abszisse)** und die Parallele durch P zur x-Achse die y-Achse in y_P **(y-K., Ordinate),** so kann man dem Punkt P eineindeutig das Zahlenpaar (x_P, y_P) zuordnen. Das kartes. K.-System im (dreidimensionalen) Raum ist ähnlich aufgebaut. Es besteht jedoch aus drei K.-Achsen, die paarweise rechtwinklig zueinander sind. – Kartes. K. und **schiefwinklige K.,** bei denen die K.-Achsen eines K.-Systems nicht rechtwinklig zueinander stehen, werden als **Parallel-K.** bezeichnet. Neben diesen werden **krummlinige K.** (bzw. K.-Systeme) angewendet: Bei **Polar-K.** wird die Lage eines Punkts durch seinen Abstand vom Nullpunkt (Radiusvektor φ) und den Winkel (Polarwinkel r) festgelegt, den der Leitstrahl mit einer festen Achse, der Polarachse, einschließt. Die ebenen Polar-K. lassen sich zu räuml. **Zylinder-, Kugel-** u.a. **K.** erweitern. Besonderen Zwecken dienen **ellipt.** oder **parabol. K.,** bei denen die Punkte der Ebene oder des Raumes als Schnittpunkte von Scharen von Kegelschnitten mit gemeinsamen Brennpunkten festgelegt werden. – Der Übergang eines K.-Systems in ein anderes **(K.-Transformation)** ist durch Transformationsgleichungen möglich.

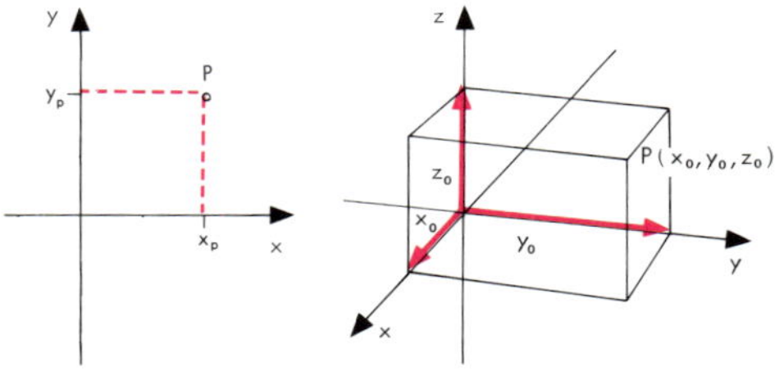

Koordinaten 2): Kartesische Koordinaten in der Ebene (links) und im Raum

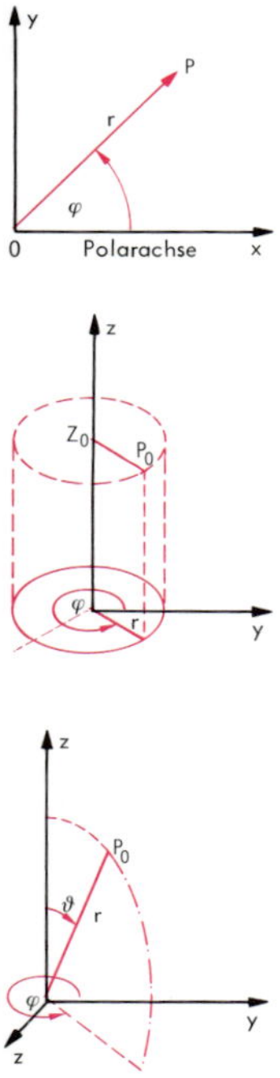

Koordinaten 2): ebene Polarkoordinaten, Zylinderkoordinaten und Kugelkoordinaten (von oben)

Koordination [lat.] *die,* **1)** *allg.:* Zuordnung, Beiordnung.

2) *Chemie:* in Komplexverbindungen und im Kristallgitter die Anordnung (Struktur und Bindungsverhältnisse) der benachbarten Atome, Ionen und Atomgruppen (Liganden) um das Zentralatom oder -ion.

3) *Physiologie* und *Psychologie:* das vom Zentralnervensystem gesteuerte, den jeweiligen Gegebenheiten angepasste, geordnete und harmon. Zusammenspiel der Skelettmuskeln. Auch das harmon. Zusammenwirken rhythm. Bewegungsabläufe zweier oder mehrerer zentralnervöser Automatismen, z.B. beim Schreiben oder bei der Bedienung einer Maschine.

Ko|ordinationsverbindungen, chem. Verbindungen höherer Ordnung, bei denen ein **Zentralatom** von mehreren Atomen, Ionen oder Molekülen, den **Liganden,** umgeben ist. Die Zahl der Liganden **(Koordinationszahl)** ist unabhängig von der Wertigkeit des Zentralatoms und hängt vom verfügbaren Raum ab. K. bilden regelmäßige räuml. Anordnungen, z.B. Tetraeder mit der Koordinationszahl 4. Die aus Zentralatom und Liganden bestehende geschlossene Atomgruppe wird kurz als **Komplex** bezeichnet und bei den Formelzeichen durch eckige Klammern zusammengefasst, z.B.: Natriumhexafluoroaluminat (Kryolith), $Na_3[AlF_6]$. Die K. bilden eine große Gruppe der →Komplexverbindungen. – Bei den K. handelt es sich meist um Komplexionen, seltener um ungeladene Komplexe. Das Zentralatom (oder -ion) ist häufig ein Schwermetallion (meist ein Übergangsmetall-Kation), kann aber auch ein Nichtmetallatom sein. Es gibt neutrale, anionische und (seltener) kationische Liganden, z.B. Halogenid-, Hydroxid- und Cyanidionen oder Wasser-, Ammoniak- und Kohlenmonoxidmoleküle. Liganden können schwache heteropolare Bindungen (Ion-Ion-Bindung, Ion-Dipol-Bindung) zum Zentralteilchen ausbilden oder durch gemeinsame Elektronenpaare (koordinative chem. Bindung) fester gebunden sein (ältere, aber vielfach gebräuchl. Bez.: **Anlagerungs-** bzw. **Durchdringungskomplexe**). Theoretisch beschrieben werden die Bindungsverhältnisse der Komplexverbindungen heute v.a. mit der →Ligandenfeldtheorie. K. mit sog. mehrzähnigen Liganden, die mehrere Koordinationsstellen am Zentralteilchen besetzen, heißen →Chelate. Mehrkernige K. enthalten mehrere Zentralatome.

Von besonderer Bedeutung sind heute u.a. Komplexe mit organ. Liganden; viele Spurenelemente sind im Körper als K. an Proteine oder einfachere Ringsysteme gebunden (z.B. Hämoglobin, Chlorophyll). Industriell werden K. zur Bildung gefärbter Komplexe für die Kolorimetrie und Textilfärbung sowie für Wasch- und Reinigungsmittel, Korrosionsschutzmittel, in der Polymerisationstechnik und chem. Analyse angewendet.

Ko|ordinatograph [lat.-grch.] *der* (Koordinator), in der Geodäsie, Photogrammmetrie u.a. verwendetes Gerät zum genauen Kartieren von Punkten oder Abgreifen von Koordinaten.

Kootenay ['ku:tneɪ] *der,* linker Nebenfluss des Columbia River in Kanada und den USA, 781 km lang, entspringt in den kanad. Rocky Mountains, durchfließt im SO von British Columbia den K. National Park (1378 km²), mündet bei Castlegar.

Kopais *die,* oberirdisch abflusslose Beckenlandschaft in Böotien, Griechenland, nimmt den Seeboden des ehem. Kopaissees ein. Der durch starke Wasserstandsschwankungen und unterird. Abfluss charakterisierte See wurde 1883–92 durch Entwässerungskanäle trockengelegt und in Ackerland (Baumwollanbaugebiet) umgewandelt.

Kopaivabaum (Kopaibabaum, Copaifera), Gattung der Caesalpiniengewächse im trop. Amerika und Afrika; Bäume mit paarig gefiederten Blättern. Das Holz führt Balsam (Kopaivabalsam), Ausgangsstoff für Kopaivabalsamöl (Fixateur bei der Seifenparfümierung).

Kopenhagen: Wahrzeichen der Stadt ist die 1913 von dem dänischen Bildhauer Edvard Eriksen geschaffene Bronzefigur der »Kleinen Meerjungfrau«

Kopal [span.-indian. copal »Harz«] *der* (Kopalharz), Sammelbez. für Harze, die in Afrika, Südamerika und auf den Philippinen gegraben werden (fossile K.), z.T. aber auch von Bäumen wie dem Kopalbaum, einem in Indien heim. Flügelfruchtgewächs, und der Kaurifichte gewonnen werden. Verwendung als Spachtelmasse und für Lacke.

Kopalfichte, → Kaurifichte.

Kopeke [russ.] *die,* kleinste Währungseinheit in Russland; 1 K. = $^1/_{100}$ Rubel; 1535–1719 in Silber, 1656–63 und 1701–1924 in Kupfer, ab 1926 in Aluminiumbronze geprägt.

Kopenhagen: Die 1619–40 im holländischen Renaissancestil erbaute Börse

Kopelent, Marek, tschech. Komponist, * Prag 28. 4. 1932; seit 1965 künstler. Leiter des Ensembles »Musica Viva Pragensis« und Mitgl. der Prager Gruppe »Neue Musik«; bezieht in seine Musik, die sich aus differenzierten Klangflächen aufbaut, auch sprachl. und gestische Elemente ein; schrieb Orchesterwerke (»Musique concertante« für Violoncello solo, 12 Violoncelli und Orchester, 1992), Kammermusik und Vokalwerke.

Lew Kopelew

Kopelew, Lew Sinowjewitsch, russ. Literaturwissenschaftler und Schriftsteller, * Kiew 9. 4. 1912, † Köln 18. 6. 1997; Propagandaoffizier im 2. Weltkrieg; 1945 zu zehn Jahren Lagerhaft verurteilt, 1956 rehabilitiert; danach v.a. als Übersetzer (bes. dt. Literatur) tätig; lebte in der Bundesrep. Dtl. (1981 aus der Sowjetunion ausgebürgert, 1990 rehabilitiert), erhielt 1981 den Friedenspreis des Börsenvereins des Dt. Buchhandels; schrieb u.a. den autobiograph. Roman über den 2. Weltkrieg »Aufbewahren für alle Zeit« (1975), Erinnerungen (»Und schuf mir einen Götzen«, 1978; »Tröste meine Trauer«, 1981), »Ein Dichter kam vom Rhein. Heinrich Heines Leben und Leiden« (1981), »Der Wind weht, wo er will« (Prosa, 1988).

Kopenhagen Stadtwappen

Kopenhagen (dänisch København), Hauptstadt Dänemarks, am Öresund im O der Insel Seeland und auf Amager, 471 300 Ew. (ohne die weitgehend integrierte, aber verwaltungsmäßig selbstständige Enklave Frederiksberg und die nördlich anschließende Nachbarstadt Gentofte), als Agglomeration 1,346 Mio. Ew.; K. ist königl. Residenz, Sitz der Ministerien, des Folketing (Parlament), des Obersten Gerichtshofs, des Europ. Umweltamtes, eines ev.-luther. und eines kath. Bischofs, hat Univ. (gegr. 1479), TH, Ingenieurakademie, Veterinär- und Landwirtschaftshochschule, PH, zahnärztl., pharmazeut., Handelshochschule, Akademie der Wiss., königl. Akademie der schönen Künste, königl. Konservatorium, Opernakademie, bed. Bibliotheken, Theater, Museen (Thorvaldsen-, National-Museum, Glyptothek, Hirschsprungsche Sammlung dän. Kunst, Louisiana-Museum); Vergnügungspark Tivoli (eröffnet 1843). Wichtigste Handels- und Ind.stadt Dänemarks: Werften, Motorenbau, Kabelwerke, Textil- und Bekleidungs-, chem., Nahrungsmittel, graf., Papier-, Porzellanind., Großbrauereien. Bed. Hafen, Fährverbindungen nach Malmö und Bornholm; Flottenstützpunkt; internat. Flughafen in Kastrup auf Amager. – Die 1971 auf einem ehem. Kasernengelände im Stadtteil Christianshavn als »soziales Experiment« gegr. »Freistadt Christiania« erhielt 1986 von der Reg. einen begrenzten legalen Status.

Stadtbild: Bed. sind u.a. die im holländ. Renaissancestil erbaute Börse (1619–40), Trinitatiskirche (1637–56) mit Rundem Turm (1642; früher Sternwarte), Holmens- (1619), Erlöserkirche (1682–96);

die Frederikskirche (Marmorkirche, 1749–1894); die klassizist. Frauenkirche (urspr. die älteste Kirche; Dom) und die Schlosskirche (beide 19. Jh.); die Grundtvigkirche (1921–26) und das Rathaus (1892–1905); zahlr. Schlösser, v.a. Schloss Rosenborg (1610–26), Schloss Christiansborg (1732–40; wieder aufgebaut 1907–20) und das Rokokoschloss Amalienborg (1754–60). Wahrzeichen der Stadt ist die Bronzefigur der »Kleinen Meerjungfrau« (von E. Eriksen, 1913) auf einem Felsen am Hafen.

Geschichte: Das im 11. Jh. erstmals als Fischerdorf Havn erwähnte K. (urspr. Købmandshavn »Kaufmannshafen«) kam im 12. Jh. in den Besitz des Bischofs Absalon (Bau einer Burg) und erhielt 1254 Stadtrecht. Unter König Erich VII. wurde K. 1416 Hptst. der seit 1397 vereinigten drei nord. Reiche (Kalmarer Union); seit 1443 königl. Residenz (starke Bautätigkeit unter König Christian IV. [1588–1648]). Brände (1728, 1795) und die Beschießung der Stadt durch brit. Kriegsschiffe (1807) richteten große Zerstörungen in K. an. 1894 Eröffnung des Freihafens.

🕮 Fleischer, F.: *K. Kulturhistor. Führer. Neumünster 1987.*

Kopenhagener Deutung, die von N. Bohr und W. Heisenberg 1926/27 gegebenen Antworten auf die erkenntnistheoret. Grundfragen der modernen Quantentheorie (→ Quantenmechanik). Die K.D. interpretiert das Quadrat der Wellenfunktion $|\psi(r,t)|^2$ eines quantenmechan. Problems als Wahrscheinlichkeit für sein »potenzielles« Verhalten; erst im Augenblick der Messung wird eine Entscheidung für ein »aktuelles« Verhalten getroffen.

Kopenhagener Porzellan, Porzellan der 1774 gegr. Porzellanmanufaktur in Kopenhagen (zw. 1780 und 1800 Blütezeit unter dt. und frz. Einfluss). Berühmteste Schöpfung ist das Service »Flora Danica« (1790–1802) für die Kaiserin Katharina II. von Russland.

Köpenick, Stadtbezirk von Berlin.

Köpenickiade *die,* svw. Streich, Gaunerei, benannt nach der Besetzung des Rathauses in Köpenick am 16. 10. 1906 durch den arbeitslosen Schuhmacher W. Voigt, der in Hauptmannsuniform den Bürgermeister verhaftete und die Stadtkasse beschlagnahmte. Roman von W. Schäfer (1930); Schauspiel von C. Zuckmayer (1931, verfilmt).

Köpenickiade

*Nachdem der Flickschuster Wilhelm Voigt (*1849, †1922) seinen dreisten Auftritt im Köpenicker Rathaus absolviert hatte, bei dem er in Hauptmannsuniform mithilfe einiger Soldaten, die ihm zufällig begegneten, den Bürgermeister verhaften ließ und die Stadtkasse mit 4000 Reichsmark konfiszierte, wurde er elf Tage später verhaftet. Das Urteil, vier Jahre Gefängnis, wurde per Gnadenerlass des Kaisers auf zwanzig Monate reduziert. Seinen Lebensabend verbrachte er dann geruhsam in Luxemburg und lebte dort von einer Rente, die ihm eine glühende Anhängerin, eine Berliner Witwe, ausgesetzt hatte.*

Nikolaus Kopernikus: Kopie (um 1840) eines Gemäldes von Tobias Stimmer (um 1572) an der astronomischen Uhr im Straßburger Münster

Köper [zu niederländ. keper »Balken«, »Sparren (im Wappen)«] *der* (frz. Croisé oder Serge, engl. Twill), *Textiltechnik:* eine der drei Grundbindungen (→ Bindung) in der Weberei sowie in K.-Bindung hergestellte Gewebe, deren charakterist., schräg verlaufende Streifenstruktur **(K.-Grat)** durch die Berührung der Bindungspunkte in der Diagonalen entsteht. Typische K.-Gewebe sind z.B. Covercoat, Drell und Gabardine.

Kopernikus (Copernicus) [latinisiert aus: Koppernigk], Nikolaus, Astronom und Mathematiker, *Thorn 19. 2. 1473, †Frauenburg (heute Frombork) 24. 5. 1543; wurde nach astronom., mathemat. und humanist. Studien 1491–94 in Krakau in das ermländ. Domkapitel zu Frauenburg aufgenommen, setzte seine Studien in Bologna (1496–1500), Rom und Padua fort (Kirchenrecht, Medizin) und promovierte 1503 an der Univ. Ferrara (kanon. Recht); K. lebte nach seiner Rückkehr 1506–12 als Berater seines Onkels, des Bischofs von Ermland, im Schloss zu Heilsberg und übernahm ab 1510 die Verwaltungsaufgaben eines Domherrn zu Frauenburg. Hier arbeitete er seine neuen Ansichten über den Bau des Sonnensystems aus. Nach einem kurzen vorläufigen Bericht über seine astronom. Annahmen (1514) verfasste er »Sechs Bücher über die Umläufe der Himmelskörper« (»De revolutionibus orbium coelestium libri VI«), in denen er das

kopernikan. Weltsystem begründete, nach dem im Ggs. zu dem geozentr. Weltsystem des Ptolemäus die Sonne der von der Erde und den anderen Planeten umkreiste Mittelpunkt des Sonnensystems ist. Grundlage seiner Theorie bildete die Erklärung der tägl. Umdrehung des Fixsternhimmels durch die Eigendrehung der Erde und deren jährl. Umlauf um die Sonne, allerdings benutzte er noch die aristotel. Forderungen nach (exzentr.) Kreisbahnen sowie die →Epizykeltheorie. Erst 1543 wurde sein Hauptwerk, mit einer sinnentstellenden Vorrede des protestant. Theologen A. Osiander (*1498, †1552) versehen, veröffentlicht und 1616 auf den Index gesetzt. Obwohl K. keine exakten Beweise für die Rotation der Erde erbringen konnte, stellte sein heliozentr. Weltsystem eine grundlegende Veränderung der Weltsicht dar **(kopernikan. Wende)**; erst die Einführung der Planetenbahnen als Ellipsen durch J. Kepler verhalfen dem heliozentr. Weltbild zum Durchbruch.

📖 HAMEL, J.: *Nicolaus Copernicus. Leben, Werk u. Wirkung. Heidelberg u. a. 1994. – Nicolaus Copernicus (1473–1543). Revolutionär wider Willen, hg. v.* G. WOLFSCHMIDT, *Ausst.-Kat. Zeiss-Großplanetarium, Berlin. Stuttgart 1994.*

Kopf (Caput), *Anatomie:* beim Menschen und bei den Wirbeltieren, z.T. auch bei Wirbellosen (Insekten und manche Weichtiere) der vom Rumpf abgesetzte, vordere bzw. obere Körperteil, der Gehirn, Sinnesorgane und den Eingang zu Verdauungs- und Atmungsorganen umschließt. Das Skelett des K. der Wirbeltiere ist der →Schädel. Der Gehirnteil ist von der derben, sehnigen **K.-Schwarte** und der gefäßreichen behaarten **K.-Haut** bedeckt. (→Gesicht)

Kọ̈pf, Gerhard, Literaturwissenschaftler und Schriftsteller, *Pfronten 19. 9. 1948; seine überlieferte und erfundene Geschichte erzählenden Romane verbindet der imaginäre Handlungsort Thulsern (»Innerfern«, 1983; »Die Strecke«, 1985; »Die Erbengemeinschaft«, 1987; »Eulensehen«, 1989).

Kopfblutgeschwulst (Kephalhämatom), geburtsbedingter Bluterguss unter die Knochenhaut des Schädels; bildet sich innerhalb von Wochen ohne Behandlung zurück. Im Unterschied zur **Geburtsgeschwulst** ist die K. durch die Knochennähte begrenzt.

Köpfchenschimmel (Mucor), Gattung der Jochpilze; bilden auf Mist, feuchtem Brot u.a. organ. Substraten weißgraue Schimmelrasen.

Kọpff, August Adelbert, Astronom, *Heidelberg 5. 2. 1882, †ebd. 25. 4. 1960; gab zur einheitl. Bearbeitung der Präzisionsbeobachtungen der Fixsternörter den »Dritten Fundamentalkatalog des Berliner Astronom. Jahrbuchs« (1937) heraus.

Kopffüßer (Tintenfische, Tintenschnecken, Cephalopoda), höchstentwickelte Weichtierklasse mit etwa 750 marinen, meist räuberisch lebenden Arten, zu der die größten wirbellosen Tiere gehören. Der Körper ist plump, flach gedrückt oder lang gestreckt, die Mantelhöhle mündet mit einem Trichter nach außen. Am Kopf acht (Achtfüßer) oder zehn (Zehnfüßer) saugnapf- oder hakenbesetzte, äußerst bewegl. Arme zum Ergreifen der Beutetiere und meist hoch entwickelte Linsenaugen, z.T. sehr groß (bis 40 cm Durchmesser). K. schwimmen mit seitl. Flossen, Flossensäumen oder mittels des Trichters, aus dem das in die Mantelhöhle aufgenommene Wasser mit großer Kraft ausgestoßen wird (Rückstoßprinzip). Dabei kann Tinte (Sepia) abgegeben werden. K. sind vielfach zu lebhafter Farbänderung der Haut fähig, tiefseebewohnende K. oft mit Leuchtorganen ausgestattet, die Schalen meist innerlich oder reduziert. K. sind getrenntgeschlechtig. (→Kraken, →Kalmare)

Kopfgrippe, volkstümliche Bez. für die epidem. →Gehirnentzündung.

Kopfholz, als Flechtmaterial verwendetes Holz von regenerationsfähigen Laubbäumen (Weiden, Pappeln, Hainbuchen u.a.), die alle 3–10 Jahre geköpft werden.

Kopfhörer, elektroakustischer Wandler zur Umwandlung tonfrequenter Wechselspannungen oder auch digitalisierter Tonsignale in akust. Schwingungen, die direkt ins Ohr abgestrahlt werden. K. sind meist als Doppel-K. ausgeführt und werden durch einen Bügel an die Ohren gedrückt. Ist der Kopplungsraum, d.h. der von der schwingenden Membran des K. und dem Ohr umschlossene Raum, nach außen hin durch eine schalldichte Polsterung abgeschlossen, spricht man von einem **geschlossenen System.** Beim **offenen System** sorgen schalldurchlässige Schaumstoffkissen für einen Abstand zw. Ohr und Membran. Die Membran kann ebenso wie beim Lautsprecher durch ein elektrodynam., elektrostat., elektromagnet. oder piezoelektr. System in Schwingungen versetzt werden, wobei das elektrodynam. System mit Schwingspule am weitesten verbreitet ist. Bei **HP-Köpfhörern** wird die Piezoelektrizität von synthet. Hochpolymeren ausgenutzt, die als dünne Folien unmittelbar die Membran bilden.

Kopfjagd, das Erbeuten von Menschenköpfen als Kraft bringende mag. Trophäen, bei Naturvölkern **(Kopfjägern)** verbreitet.

Kopfsauger (Echeneiformes, Discocephali), Ordnung der Knochenfische, bei denen die erste Rückenflosse zu einer lamellenförmigen Saugscheibe umgewandelt ist; mit ihr saugen sich die K. an Haifischen, Thunfischen u.a. fest; sie entfernen auch Hautparasiten. Einzige Familie der K. sind die **Schiffshalter** (Echeneidae) mit acht Arten.

Kopfsauger: Schiffshalter (Länge bis 1 m)

Kopfschmerz (Kopfweh, Cephalgie), dumpfe, diffuse, anfallartig auftretende oder chronische Schmerzempfindungen im Bereich des knöchernen Schädels; u.a. bei nervösen Erschöpfungszuständen, Erkrankungen innerer Organe, des Gehirns, Stoffwechselstörungen, chron. Vergiftungen, Bluthochdruck, Halswirbelleiden und Brechungsfehlern der Augen. K. ist eines der wichtigsten Symptome bei organ. Hirnleiden, bes. bei Tumor; bedarf bei häufigem Auftreten der ärztl. Klärung. Oft handelt es sich um psychovegetative Störungen oder um →Migräne.

Kopfschuppen, Hautabschuppung am behaarten Kopf bei →Seborrhöe.

Kopfsteuer, einfachste Form der Personensteuer, bei der jeder Steuerpflichtige ohne Rücksicht auf seine Einkommens- und Vermögensverhältnisse mit dem gleichen Betrag besteuert wird. Der K. liegt die Idee zugrunde, dass sie als Äquivalent für öffentl. Leistungen erhoben wird, an denen jeder Büger gleichermaßen teilhat. Die in Dtl. 1930 eingeführte **Bürgersteuer** war eine grob abgestufte K.; sie wurde 1942 in die Einkommensteuer einbezogen.

Kopfstimme, *Musik:* die hohe Lage der menschl. Stimme, bei der die Kopfresonanz wesentlich ist; erweitert den Stimmumfang der Bruststimme.

Kopfwelle, die Stoßfront einer Druckwelle (→Mach-Kegel).

Kopie *die,* **1)** *allg.:* durch ein Vervielfältigungsverfahren hergestelltes Duplikat; Ab- oder Durchschrift eines Schriftstücks oder einer Zeichnung.

2) *Drucktechnik:* bei der Druckformherstellung die Übertragung einer Vorlage (Positiv oder Negativ) auf die Druckform oder auf Pigmentpapier.

3) *Kunst:* originalgetreue Nachbildung eines Kunstwerks von fremder Hand (im Unterschied zur Replik) zu Studienzwecken oder auf Bestellung eines Auftraggebers, auch in betrügerischer Absicht (→Fälschung).

Kopieren, *Fertigungstechnik:* →Nachformen.

Kopierverfahren, Sammelbez. für reprograph. Verfahren, durch die mithilfe von Licht von ebenen Vorlagen (Schriftstücke, Zeichnungen u.a.) Wiedergaben (Ablichtungen, Kopien) und Vervielfältigungen hergestellt werden. Man unterscheidet **Trocken-K.** (elektrostat., photoelektr., thermograph. Verfahren) und **Nass-K.** (fotograf. Verfahren). Bei **fotografischen K.** verwendet man Silberhalogenidemulsionen für die Kopierschicht, wobei man neben der Reproduktion von Strichvorlagen (graf. Vorlagen) auch Halbtonbilder ohne Verwendung eines Rasters tonwertgetreu wiedergeben kann. Normalerweise erhält man von einer Negativvorlage eine Positivabbildung (Umkehrung der Helligkeitswerte; **Negativ-Positiv-Verfahren**). Beim **Positiv-Positiv-Verfahren** verwendet man entweder Direktpositivmaterialien oder man führt eine Umkehrverarbeitung durch (Umkehrentwicklung, z.B. für Aufsichtskopien vom Diapositiv, zum Duplizieren eines Films mit Laufbildern). Die bisher genannten Verfahren erfordern i. Allg. die Verarbeitung in einer Dunkelkammer.

Bei den **thermograph. Verfahren** verwendet man gegen Wärmestrahlen empfindl. Kopiermaterialien (z.B. Thermofaxverfahren). Das Dry-Silver-Verfahren erfordert eine Belichtung mit sichtbarem Licht, die Kopie wird dann durch Erwärmen auf 130°C entwickelt. **Lichtpausen,** bes. nach dem Diazotypieverfahren, werden v.a. von Bau- und Konstruktionszeichnungen hergestellt (→Lichtpause). Die **photoelektr.** und **elektrostat. Verfahren** (→Elektrofotografie, →Xerographie) haben sich wegen ihrer Schnelligkeit durchgesetzt. Zu den neueren Entwicklungen zählen **digitale Laserkopiersysteme,** bei denen die Vorlage in einem Scanner durch CCD-Sensoren (→CCD) zeilenweise abgetastet und über einen Analog-Digital-Wandler in digitale Informationen umgewandelt wird. Von der Abtasteinheit wird die Information über eine Datenleitung zum Drucker weitergeleitet, von einem Laserstrahl auf einen zuvor elektrostatisch aufgeladenen Zwischenträger zeilenweise aufgetragen und anschließend auf unbeschichtetes Papier oder Folie (Overheadfolien) übertragen (indirekt-elektrostatisches Prinzip). Daneben ist das Fernkopieren (→Telefax) entwickelt worden. – Bei der Herstellung von Druckplatten wird das Druckbild vom Film (Positiv- oder Negativfilm) auf die lichtempfindl. Plattenschicht durch Belichtung übertragen. Filmlose (elektrofotograf.) Verfahren übertragen direkt von der Vorlage auf die elektrostat. aufgeladene Plattenschicht. Bei den »Computer-to-plate«-Verfahren wird das Druckbild direkt aus dem digitalen Datenbestand durch (Laser-)Belichtung auf die Druckfolie oder -platte übertragen.

Kopisch, August, Maler und Schriftsteller, *Breslau 26. 5. 1799, †Berlin 6. 2. 1853; ging nach Besuch der Kunstakademien in Prag und Wien 1823 nach Italien, wo er zus. mit dem Maler E. Fries auf Capri die Blaue Grotte wiederentdeckte; ab 1833 lebte er in Berlin, später in Potsdam. Volkstümlich und humorvoll sind seine Schwänke, Sagen, Novellen und Gedichte, u.a. »Die Heinzelmännchen von Köln«.

Kopit ['kɔpɪt], Arthur, amerikan. Schriftsteller, *New York 10. 5. 1937; satir. und absurde Dramen (»Oh Vater, armer Vater, Mutter hängt dich in den Schrank, und ich bin ganz krank«, 1960; »Indianer«, 1969; »End of the world«, 1984; »Nirvana«, 1991).

Kopp, Georg von (seit 1906), kath. Theologe, *Duderstadt 25. 7. 1837, †Troppau 4. 3. 1914; wurde 1881 Bischof von Fulda, 1887 Fürstbischof von Breslau, 1893 Kardinal; war maßgeblich an der Beilegung des Kulturkampfs beteiligt.

Georg von Kopp

Kopparberg [-bærj], VerwBez. (Län) in Mittelschweden, 28 193 km², (1995) 291 200 Ew.; Hptst.: Falun; umfasst die Landschaft Dalarna.

Koppe, Heinrich, Meteorologe und Luftfahrtmesstechniker, *Nordhausen 26. 3. 1891, †Braunschweig 9. 11. 1963; arbeitete für die Sicherheit des Flugverkehrs, entwickelte eine systemat. Lehre des Führens von Luftfahrzeugen mithilfe techn. Mittel (Blindflugverfahren, Selbststeuerung).

Koppel, 1) *Landwirtschaft:* eingezäuntes Land-, bes. Weidestück.

2) *Musik:* bei Orgel, Cembalo und Harmonium eine Vorrichtung, die es ermöglicht, die Register des einen Manuals auch von einem anderen **(Manual-K.)** oder vom Pedal **(Pedal-K.)** aus zu spielen. **Oktav-K.** bewirken das Mitklingen der höheren oder der tieferen Oktave des angeschlagenen Tons.

Koppelgetriebe, das →Gelenkgetriebe.

Koppeln, →Navigation.

Koppelungsgeschäft, Vertrag, bei dem der Verkäufer eine Ware oder der Lieferant eine Leistung nur unter der Bedingung abgibt, dass der Erwerber gleichzeitig noch eine andere sachlich oder handelsüblich nicht zugehörige Ware oder Leistung abnimmt. K. können gegen die guten Sitten verstoßen und nichtig sein. Nichtig ist z. B. die Koppelung zw. Grundstückskaufvertrag und Architektenvertrag zugunsten eines bestimmten Architekten.

Kopplung, 1) *Elektronik:* die Übertragung von elektr. Signalen oder Leistungen von einem Stromkreis auf einen anderen. Man unterscheidet gewünschte und nicht erwünschte Kopplung. **Gewünschte K.** werden nach der Art des Koppelglieds unterschieden und v. a. zwischen Verstärkerstufen angewendet. Danach gibt es z. B. **galvan. K.** (Übertragung erfolgt durch ohmsche Widerstände), **kapazitive K.** (wird mithilfe von Koppelkondensatoren, meist in Verbindung mit Widerständen [RC-Kopplung], erreicht) und **induktive K.** (erhält man mittels Spulen, meist mit anderen Gliedern kombiniert, z. B. mit Kondensatoren zur LC-Kopplung). **Nicht erwünschte K.** treten als Ursache für die einseitige oder wechselseitige Beeinflussung von elektr. Stromkreisen auf. Die K. erfolgt dabei durch elektromagnet. Felder oder durch galvan. Verbindungen. Der Grad der K. kann durch Kopplungsfaktoren beschrieben werden. Nicht erwünschte K. rufen u. a. Störspannungen hervor, die die Arbeitsfähigkeit von Anlagen beeinträchtigen können.

2) *Physik:* wechselseitige Beeinflussung zweier physikal. Systeme, bei der durch mechan. oder elektromagnet. Koppelglieder (Federn, elektromagnet. Felder u. a.) Energie übertragen wird; z. B. führt die durch eine Feder zw. zwei Pendeln übertragene Schwingungsenergie zu **gekoppelten Schwingungen.** Die Stärke der K. wird durch sog. **K.-Konstanten** ausgedrückt. In der Kernphysik sind die K. zw. den Spins und den Bahndrehimpulsen der Elektronen für die energet. Verhältnisse in der Atomhülle und damit die →Feinstruktur der Spektrallinien maßgebend.

Kopra [tamil.-portugies.] *die,* getrocknetes, grob zerkleinertes, festes Nährgewebe der Kokosnuss; ist sehr fettreich und liefert durch Auspressen Kokosfett.

Koprolithen [grch.], fossile Exkremente, meist von Fischen oder Sauriern.

Koprophagen [grch.] (Kotfresser), Tiere, die sich von den Exkrementen anderer Tiere (bes. Pflanzenfresser) ernähren; z. B. Fliegenlarven, viele Käfer.

Kopten [arab.], die arabisch sprechenden christl. Nachkommen der alten Ägypter; leben bes. in dem Abschnitt des Niltals zwischen El-Minja und Kena sowie in Kairo und Alexandria.

koptische Kirche, die christl. Nationalkirche Ägyptens; im 5. Jh. (seit 567 eigene Patriarchen) nach Ablehnung der Beschlüsse des Konzils von Chalkedon (→Monophysiten) entstanden. Sie führt ihre Tradition auf den Evangelisten Markus zurück und beansprucht, die wahrhaft orth. Kirche Ägyptens zu sein. Oberhaupt der k. K. mit rd. 6 Mio. Mitgl. ist der »Papst von Alexandria und Patriarch des Stuhles von Sankt Markus« mit Sitz in Kairo. Die liturg. Sprachen sind Koptisch und Arabisch, Ausbildungsstätte ist (neben zwei Mönchsfakultäten) die theolog. Hochschule bei Kairo.

📖 GERHARDS, A. *u.* BRAKMANN, H.: *Die k. K. Einführung in das ägypt. Christentum. Stuttgart 1994.*

koptische Kunst, die Kunst der christl. Nachkommen der Ägypter des Altertums, die hellenistisch-röm., byzantin., syr. und arab. Einflüsse aufnahm, seit dem 5. Jh. eine eigene Formensprache ausbildete und bis ins 9. Jh. eine Blütezeit erlebte. Sie beeinflusste die Kunst im christl. Nubien und Äthiopien, auch die frühe ir. und die merowing. Kunst. Die Kirchenbauten wurden meist mit Kuppeln überwölbt, beliebt war die Dreikonchenanlage. Bed. Baukunst der Frühzeit sind die Basiliken von Deir al-Abiad (5. Jh.) und von Abu Mena (6. Jh.). Die in Klosterkirchen z. T. erhaltenen Wandmalereien, die Bauplastik, Textilarbeiten, Grabsteinreliefs, Elfenbein- und Holzschnitzereien neigen zu ornamentaler, flächenhaft linearer Gestaltung mit z. T. antik-myth. Gehalt, dann auch christl. Thematik.

koptische Kunst (von links): Aus Kalkstein gefertigte Grabstele eines Jünglings aus Antinoe, Mittelägypten (4. Jh.; Recklinghausen, Ikonenmuseum); Himmelfahrt Christi, Apsismalerei aus einer Kapelle in Bawit, Oberägypten (7. Jh.; Kairo, Koptisches Museum)

📖 ZALOSCER, H.: *Zur Genese der k. K. Ikonographische Beiträge. Wien u. a. 1991.* – *Ägypten, Schätze aus dem Wüstensand. Kunst u. Kultur der Christen am Nil, hg. v.* M. VON FALCK *u.* F. LICHTWARK, *Ausst.-Kat. Gustav-Lübcke-Museum, Hamm. Wiesbaden 1996.*

koptische Sprache, die im 3. Jh. entstandene Schriftsprache der Kopten, geschrieben mit grch. Alphabet, die jüngste Entwicklungsform des Ägyptischen mit zahlr. griechischen Fremdwörtern. Die k. S. wurde im MA. vom Arabischen verdrängt, hat aber als Kirchensprache bis in die Gegenwart Bedeutung. – Die **kopt. Literatur** besteht v. a. in Übersetzungen religiösen Schrifttums; bekannt ist bes. der Handschriftenfund von Nag Hammadi aus dem 4. Jahrhundert.

Kopula [lat. »Band«] *die, Sprachwissenschaft:* konjugierte Verbform, die die Verbindung zw. Subjekt und Prädikat herstellt: Die Rose *ist* rot.

Kopulation *die,* **1)** *Biologie:* →Begattung.

2) *Gartenbau:* →Veredlung.

kor... [lat.], Nebenform von →kon... vor Wörtern, die mit r beginnen: *Korrespondent.*

Koraisch (Kuraisch), arab. Stamm, der in Mekka seinen Wohnsitz hatte; ihm gehörte Mohammed an ebenso wie die Kalifen aus der Dynastie der Omaijaden und der Abbasiden.

Korakan [tamil.], trop. Getreidegras; eine kleinkörnige Hirse.

Korallen [lat.] (Korallentiere, Blumentiere, Anthozoen, Anthozoa), formenreiche Gruppe meeresbewohnender Hohltiere; meist dem Untergrund fest ansitzende Einzeltiere oder Tierstöcke **(K.-Stock);** von Polypengestalt. Vom Mund führt ein Schlundrohr in den weiten Darmraum. Von der Leibeswand springen in regelmäßiger Anordnung Scheidewände **(Septen)** vor, die mehrere taschenartige Räume, die **Radialkammern,** bilden. Die Septen enthalten Verdauungsdrüsen, Nesselfäden und die Geschlechtszellen. Aus der bewimperten Larve geht wieder ein Polyp hervor. Die K.-Stöcke entstehen durch ungeschlechtl. Vermehrung (Knospung); die Einzeltiere bleiben durch

Korallenbaum: Der aus Südamerika stammende Korallenstrauch wird häufig als Kübelpflanze kultiviert

Ernährungskanäle in Verbindung. Zahlr. K. scheiden ein chitiniges, hornartiges oder kalkiges Außenskelett ab, das riffbildend sein kann (→Korallenbauten). Nach der Zahl der Arme werden unterschieden: **Hexakorallier** (sechsstrahlige Polypen: Seerosen, Riff-K., Dörnchen-K., Zylinderrosen, Krustenanemonen) und **Oktokorallier** (achtstrahlige Polypen: Blau-K., Rinden-K., Seefedern, Weiße Horn-K.). Zu Letzteren gehört die Gatt. **Edelkoralle (Corallium),** bei der um ein strauchförmig verzweigtes, blutrotes, weißes oder schwarzes Kalkskelett ein rindenförmiger lebender Körper mit den weißen Polypenkelchen sitzt. Das Skelett wird zu Schmuck verarbeitet.

Korallenbaum (Erythrina), Gattung der Schmetterlingsblütler in den Tropen und Subtropen, Bäume und Sträucher; kultiviert wird der **Korallenstrauch** (Erythrina crista-galli) mit scharlachroten Blüten mit bis 5 cm langer Fahne.

Korallenbäumchen (Solanum pseudocapsicum), auf Madeira beheimatetes Nachtschattengewächs; bis 1 m hoher Strauch mit 1 cm großen weißen Blüten und kirschgroßen roten, bei Zuchtformen auch orangefarbenen oder gelben Beeren; beliebte Topfpflanze.

Korallenbauten, Riffe und Inseln aus ungeschichteten Kalkablagerungen, die vorwiegend aus Skeletten von →Korallen bestehen **(Korallenkalk).** Die **Riffkorallen** leben im mindestens 20 °C warmen, sauerstoff- und nährstoffreichen, klaren und gut durchlüfteten Wasser mit ausreichendem Salzgehalt und genügender Lichtmenge (bis rd. 40 m Meerestiefe). Dem entspricht ihre geograph. Verbreitung in Küstennähe der warmen (trop. und subtrop.) Meere. An den Westküsten der Kontinente werden sie durch kühles Auftriebwasser und stärkere Flusswasserzufuhr behindert. Zwischen den gewachsenen Kalkstöcken und den Skeletten anderer Kalkbildner sammeln sich noch durch Brandung erzeugte Trümmer des Korallenkalkes an, dessen feinstes Zerreibsel den **Korallensand** bildet. Nach der Form unterscheidet man: **Korallenbank,** eine Untiefe, die von Riffkorallen bewachsen ist; **Saumriff,** das von der nahen Küste durch eine Wasserrinne (Riffkanal, -lagune) getrennt ist; **Wall-** oder **Barriereriff** mit einem größeren Abstand zum Land, z.B. →Großes Barriereriff, und **Atoll,** ein ringförmiges Korallenriff, das nach außen steil und nach innen flach abfällt; die von ihm umschlossene Lagune kann bis 75 km Durchmesser haben. Atolle sitzen auf dem Gipfel untermeer. Vulkane. – K., die sich steil aus 4000–6000 m Meerestiefe erheben, wo kein Korallenleben möglich ist, entstanden durch das Absinken der Meeresböden, deren geringe Sinkgeschwindigkeit dem Korallenwachstum ein Schritthalten ermöglicht. Andere K. aus der geolog. Vergangenheit kamen durch Gebirgsbildung in große Höhen (z.B. Dolomiten, Schwäb. Alb). Die zunehmende Verschmutzung des Meerwassers ist eine große Gefahr für den Bestand der K., u.a. durch Vermehrung des Korallen fressenden Dornenkronenseesterns.

📖 SCHUHMACHER, H.: *Korallenriffe. Verbreitung, Tierwelt, Ökologie. München u. a.* [4]*1991.*

Korallenbeere (Korallenmoos, Nertera granadensis), laubmoosähnl., zart krautiges Färberrötengewächs Südamerikas und Neuseelands, in Indonesien verwildert; mit rotgelben, perlenähnl. Beeren; Zimmerpflanze.

Korallenfische, bis zu 20 cm lange Fische aus versch. Familien, die an Korallenriffen leben; farbenprächtig; z.B. Korallenbarsche, Doktor-, Kaiser-, Drücker-, Koffer-, Kugel- und Lippfische.

Korallen|ottern (Korallenschlangen), Sammelbez. für amerikan., vorwiegend nachtaktive Giftnattern mit auffällig bunter Ringelung.

Korallenpilze, Bez. für Ständerpilze mit korallenförmigen Fruchtkörpern.

Korallentiere, →Korallen.

Korallenwurzel (Corallorhiza trifida), europ. Waldorchidee; ohne Blattgrün mit gelbl. Schuppenblättern.

Kor|alpe, Gebirgszug der Zentralalpen, Österreich, zw. Mur- und Lavanttal, im Großen Speikkogel 2140 m ü.M.

Koran [arab. »Lesung«] *der,* das hl. Buch des Islam, das die dem Propheten Mohammed zw. 608 und 632 n.Chr. durch den Erzengel Gabriel zuteil gewordenen Offenbarungen enthält. Der K. besteht aus 114 Abschnitten (Suren), ist in Reimprosa abgefasst und stellt das älteste arab. Prosawerk dar. Die erste Sure (»Fatiha«) bildet das Hauptgebet des Islam. Als Wort Gottes ist der K. für den Muslim unerschaffen, frei von Widersprüchen, sprachlich vollkommen und nicht wirklich in eine andere Sprache übersetzbar. Er beinhaltet persönl. Erlebtes, Erzählendes, Warnungen sowie die Verkündigung des Gerichts und der Einheit und Macht Got-

Das Wort **Koran** *ist von dem arabischen Wort »qara«, lesen, abgeleitet und heißt wörtlich: »er trug vor«. Der Koran ist also ein Text zum Vorlesen, der vor allem kultischen Zwecken dient. Er wird auch Schrift, »kitab«, genannt. Das Wort »Sure«, wahrscheinlich »Reihe« oder »Text«, bezeichnet einen der 114 Abschnitte des Korans.*

Koran

Eine den biblischen zehn Geboten vergleichbare Zusammenstellung ethischer Pflichten bietet Sure 17 (Vers 22–34):

»Setz nicht (dem einen) Gott einen anderen Gott zur Seite ... Und dein Herr hat bestimmt, dass ihr ihm allein dienen sollt. Und zu deinen Eltern (sollst du) gut sein ... Und gib dem Verwandten, was ihm (von Rechts wegen) zusteht, ebenso dem Armen und dem, der unterwegs ist! ... Und tötet niemand, den Gott (zu töten) verboten hat, außer wenn ihr dazu berechtigt seid! Wenn einer zu Unrecht getötet wird, geben wir seinem nächsten Verwandten Vollmacht (zur Rache). Er soll (aber) dann im Töten nicht maßlos sein ... Und tastet das Vermögen der Waise nicht an ... Und gebt, wenn ihr zumesst, volles Maß und wägt mit der richtigen Waage!«

tes. Mit seinen Rechtsvorschriften (rd. ein Siebtel des Textes) bildet er die Grundlage des islam. Rechts (→Scharia).

Koran

Das strenge Alkoholverbot kann sich nicht auf den Koran stützen, denn dort wird vor allem das Maßhalten empfohlen. Bei Totschlag, Ehebruch oder Diebstahl drohen harte Strafen. Aufgrund der Vorgaben des Koran sind Steinigungen, Peitschenhiebe oder das Abhacken von Gliedmaßen möglich. »Wenn eine Frau und ein Mann Unzucht begehen, dann verabreicht jedem von ihnen hundert (Peitschen)-Hiebe! Und lasst euch im Hinblick darauf, dass es (bei dieser Strafverordnung) um die Religion Gottes geht, nicht von Mitleid mit ihnen erfassen, wenn anders ihr an Gott und den jüngsten Tag glaubt« (Sure 24,3).

📖 RISSE, G.: *»Gott ist Christus, der Sohn der Maria«. Eine Studie zum Christusbild im K. Bonn 1989.* – NAGEL, T.: *Der K. Einführung – Texte – Erläuterungen. München ²1991.* – KHOURY, R. G.: *Der Islam. Religion, Geschichte, Kultur. Mannheim u.a. 1993.*

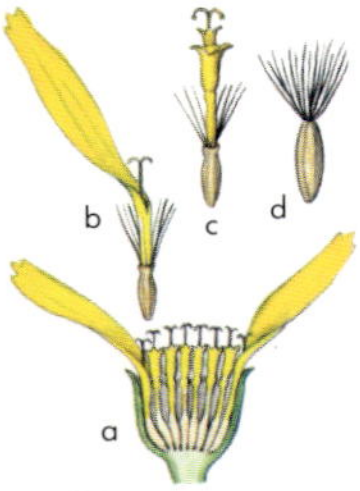

Korbblütler:
Arnika; a Längsschnitt durch einen Blütenkopf, b Zungenblüte, c Röhrenblüte, d Frucht

Koratplateau [-plato] (Khoratplateau), flachwelliges Hochland in NO-Thailand, das nach W und S in etwa 1000 m hohen Steilstufen (maximal 1328 m) abfällt; von Trockenwald, an den gebirgsartigen Stufen von Regenwald bestanden; Anbau von Reis und Maniok, Viehhaltung; Salzgewinnung.

Korb, leichter, fester, nachgiebiger Behälter aus geflochtenem (→Flechtarbeit) Material.

Korbach, Krst. des Kr. Waldeck-Frankenberg, Hessen, auf der Waldecker Hochfläche, 24300 Ew.; Museum; Gummi-, Metall-, Elektroindustrie. – Spätgot. Pfarrkirchen St. Kilian und St. Nikolai, Rathaus (1377 ff.) mit Rolandssäule. – K., urspr. (8. Jh.) ein befestigter Königshof, erhielt 1075 Stadtrecht.

Korbball, dem Basketballspiel ähnl. Korbspiel; je Mannschaft 7 Spieler, Spielzeit 2×15 min.

Korbblütler (Körbchenblütler, Kompositen, Asteraceae, Compositae), eine der größten Pflanzenfamilien (Zweikeimblättrige) mit über 20000 Arten; meist Kräuter oder Stauden; Blüten in charakterist. Blütenständen: der gemeinsame Blütenboden trägt meist viele Einzelblüten (Röhren- oder Zungenblüten oder beide Formen zus.), die von einem gemeinsamen Hüllkelch umgeben sind (Körbchen); Früchte (→Achäne) häufig mit Flugeinrichtungen. Zu den K. gehören u.a. zahlr. Nutzpflanzen (Artischocke, Schwarzwurzel, Sonnenblume), Heilpflanzen (Arnika, Huflattich, Kamille) und Zierpflanzen (Aster, Dahlie, Gerbera, Strohblume).

Hilde Körber

Kurt Körber

Körber, 1) Hilde, österr. Schauspielerin, *Wien 3. 7. 1906, †Berlin (West) 31. 5. 1969; ab 1924 an Berliner Bühnen; arbeitete auch bei Film (ab 1936) und Rundfunk; leitete seit 1951 die Max-Reinhardt-Schule in Berlin.

2) Kurt Adolf, Ingenieur, Unternehmer, *Berlin 7. 9. 1909, †Hamburg 10. 8. 1992; entwickelte Maschinen zur automat. Zigarettenherstellung, mit denen er ein Weltmonopol errang, und gründete 1946 das Maschinenbauunternehmen Hauni-Werke Körber & Co. KG (seit 1987 Körber AG); gründete Stiftungen (→Körber-Stiftung) und (1961) den **Bergedorfer Gesprächskreis** über wirtschafts- und sozialpolit. Themen.

Körber-Stiftung, 1981 durch Zusammenlegung zweier Stiftungen des Hamburger Industriellen K. A. Körber gegr. Stiftung zur Unterstützung von Kunst und Kultur, Bildung und Erziehung, Fürsorge für Ältere und Kranke, Wissenschaft und Forschung sowie Völkerverständigung.

Korbflechterei, →Flechtarbeit.

Korbinian, Missionar und Wanderbischof, *bei Melun um 680, †Freising zw. 720 und 730; wirkte in Bayern; gilt als erster Bischof von Freising; Heiliger; Patron des Erzbistums München und Freising; Tage: 9. 9. und 20. 11.

Korbmarante (Calathea), Gattung der Marantengewächse im trop. Südamerika; Stauden mit am Grunde oft lang gestielten, großen, bunt gefärbten Blättern; einige Arten sind beliebte Zierpflanzen.

Korçë ['kɔrtʃə], Bezirks-Hptst. in S-Albanien, 835 m ü. M., 65300 Ew.; Tabak-, Textil- und Bekleidungs-, Nahrungsmittelind., Gerätebau.

Korčula ['kɔ:rtʃula], Adriainsel in Mitteldalmatien, Kroatien, 47 km lang, 6–8 km breit, 276 km², gebirgig; Hauptort ist K. (etwa 3000 Ew.), umgeben von Mauern und Bastionen (14.–16. Jh.), mit roman. Dom, got. Allerheiligenkirche (mit bemalter Kassettendecke) und Patrizierhäusern; Fremdenverkehr, Obst- und Weinbau, Fischerei.

Korczak ['kɔrtʃak], Janusz, eigtl. Henryk Goldszmit, poln. Kinderarzt und Sozialpädagoge, *Warschau 22. 7. 1878, †KZ Treblinka Aug. 1942; leitete zunächst ein jüd. Waisenhaus, dann versch. Kinderheime unter größter persönlicher Aufopferung. K. verfocht seine pädagog. Ideen, bes. das Eigenrecht des Kindes, auch in theoret. Schriften (»Das Recht des Kindes auf Achtung«, 1929); verfasste auch Kinderbücher. 1972 erhielt K. postum den Friedenspreis des Dt. Buchhandels.

Kord, Kazimierz, poln. Dirigent, *Pagórze 18. 11. 1930; 1980–86 Chefdirigent beim Sinfonieorchester des Südwestfunks Baden-Baden, 1989–91 Erster Gastdirigent und musikal. Berater des Pacific Symphony Orchestra California.

Korda ['kɔ:də], Sir (seit 1942) Alexander, brit. Filmregisseur und -produzent ungar. Herkunft, *Pusztatúrpásztó (bei Túrkeve, Bez. Jász-Nagykunszolnok) 16. 9. 1893, †London 23. 1. 1956; gründete 1932 in London die »London Film Production«; Regisseur u.a. von »Heinrich VIII.« (1932), »Rembrandt« (1936), Produzent von »Der dritte Mann« (1949) u.a.

Kordieren [von frz. corder »(zusammen)drehen«] *das,* →Rändeln.

Kordilleren [kɔrdi'lje:rən] (span. Cordilleras), Gebirgssystem im W des amerikan. Doppelkontinents, von der Beringstraße bis Feuerland, das längste Faltengebirgssystem der Erde (über 15 000 km lang). Die nordamerikan. K. bestehen aus mehreren Gebirgszügen (→Rocky Mountains, →Coast Ranges, →Cascade Range, Sierra Nevada, Sierra Madre), die durch Becken und Plateaus voneinander getrennt sind; höchste Erhebung ist der Mount McKinley (6193 m ü.M.) in der Alaskakette. Die K. von Südamerika, die **Anden** (span. **Cordilleras de los Andes**), sind 7500 km lang. Landschaftlich sind diese das mannigfaltigste Gebirge der Erde, da sie an fast allen Klimazonen Anteil haben. Sie werden von hohen (Aconcagua 6959 m ü.M.), z.T. vulkan. Gipfeln (Sajama 6520 m ü.M.) überragt. Im mittleren Teil nehmen die Anden eine größere Breite (bis 800 km) ein. Die weniger hohe Küstenkordillere ist nach N durch das Große Längstal Chiles vom Hauptkamm getrennt. Dieser teilt sich in die Westkordillere und die Ostkordillere, zw. denen sich in rd. 4000 m ü.M. eine abflusslose Hochfläche (Altiplano) mit vielen Salzpfannen und Seen (Titicacasee) erstreckt. Die Schneegrenze steigt von 700 m ü.M. auf Feuerland bis über 6000 m am Wendekreis und fällt bis zum Äquator wieder auf 4700 m.

Die K. bilden eine wichtige Klimascheide und die Hauptwasserscheide zw. dem Pazif. und dem Atlant. Ozean. Nur wenige Bahnlinien (→Transandenbahnen) und Straßen queren sie. Die K. sind reich an Erzen aller Art, bes. Kupfer, Zinn, Zink, Blei, Silber, sowie an Salz, Salpeter, Borax, Jod und Erdöl (am Anden- und Kontinentalrand).

kordofanische Sprachen, etwa 30 in der östl. Sudanzone (Afrika) gesprochene Sprachen; neben den Niger-Kongo-Sprachen Zweig der nigerkordofan. Sprachen. Sie sind z.T. durch ein System von Nominalklassenpräfixen und -suffixen charakterisiert (→Klassensprachen).

Kore [grch. »Mädchen«] *die,* in der archaischen grch. Plastik lang gewandete Mädchengestalt; auch als →Karyatide ein Gebälk tragend.

Korea (korean. Chosŏn), ehem. Staat in Ostasien, auf der **Halbinsel Korea** zw. dem Japan. und dem Gelben Meer (im S durch die K.-Straße von den japan. Inseln getrennt) und dem nördlich anschließenden Gebiet (v.a. am Japan. Meer) bis zu den Flüssen Yalu und Tumen, die die Grenze zu China bilden; seit 1948 geteilt in die Demokrat. Volksrepublik K. (Nord-Korea) und die Republik K. (Süd-Korea; zus. 222 025 km^2).

Landesnatur: Der N ist bestimmt durch Gebirgsketten (Vulkan Paektusan, 2744 m ü.M.). Die südlich anschließende Halbinsel grenzt als Pultscholle mit dem T'aebaekgebirge (im N bis über 2000 m), südlich mit den Diamantbergen (bis 1638 m) in einem Steilabfall ans Japan. Meer und geht in einer W-Abdachung in ein Küstentiefland zum Gelben Meer hin über. Der Scheitel der Pultscholle bildet die Hauptwasserscheide. Zahlr. Flüsse folgen in SW-Richtung der W-Abdachung. Die größeren Systeme (Hangang, Kŭmgang, Teadonggang) bilden breite Talungen, im S der Naktonggang, ein N–S-gerichtetes Becken (begrenzt vom T'aebaekgebirge und der nach SW abzweigenden Diagonalkette). Dem Tiefland an der S- und W-Küste sind rd. 3500 kleinere Inseln vorgelagert. – Das Klima steht unter Monsuneinfluss. K. ist ein Übergangsgebiet zw. kontinentalem Bereich mit kühl-gemäßigtem und maritimem mit subtrop. Klima. Die Temperaturen übersteigen im Sommer 20 °C und sinken im Winter, außer an der S-Küste, unter 0 °C; Hauptregenzeit ist von Juni bis September. Im N herrschen Nadelwälder mit Fichte und Lärche vor, die gegen S in Mischwälder mit Eiche, Ahorn und Buche übergehen.

Geschichte: Die Gründung eines legendären ersten Reiches (»Chosŏn«) wird auf das Jahr 2333 v.Chr. datiert. Als erste historisch fassbare polit. Einheit gilt das um 400 v.Chr. in NW-Korea entstandene Alt-Chosŏn, das Ende des 3. Jh. v.Chr. vom Reich Wiman-Chosŏn abgelöst wurde. Dieses wurde 108 v.Chr. von den chines. Han erobert. Im Lauf eines Prozesses, der in Stammesgemeinschaften seinen Ausgang nahm, bildeten sich im 1. Jh. n.Chr. die drei Reiche Koguryŏ, Paekche und Silla heraus (KARTE S. 16), dazu die sechs kleinen Kaya-Fürstentümer. Ihre Kultur war durch Konfuzianismus und Buddhismus geprägt. Im Kampf um die Vormacht setzte sich schließlich Silla durch, das mit Unterstützung von Truppen der chines. Tang-Dynastie 663 Paekche und 668 Koguryŏ unterwarf und K. unter seiner Herrschaft vereinte. Das im ehem. N-Koguryŏ um 700 entstandene Reich Parhae (chines. Pohai) wurde 926 von den tungus. Kitan vernichtet. Nach einer Phase territorialer Zersplitterung (9. Jh.) brachte das 918 vom Feldherrn Wang Kon in Nord-K. gegründete Reich Koryŏ (daher die europ. Bez. »Korea«) bis 936 ganz K. unter seine Oberhoheit, musste sich aber wiederholter Angriffe der Kitan erwehren. 1231, erneut 1232 fielen die Mongolen in K. ein, das sie bis Mitte des 14. Jh. beherrschten. Sie erzwangen korean. Waffenhilfe bei ihren Invasionsversuchen in Japan (1274 und 1281); seitdem verunsicherten japan. Piraten die Küsten von K. 1392 stürzte General Yi Songgye den König von Koryŏ und begründete die Yi-Dynastie (1392–1910), unter der K., nunmehr

Janusz Korczak

Kore
aus Marmor (um 520 v. Chr.; Athen, Akropolismuseum)

»Chosŏn« gen. (»Land der Morgenröte«, daher auch Chosŏn-Dynastie), v.a. im 15. Jh. eine kulturelle Blüte erlebte. Nach erfolglosen Invasionsversuchen japan. Heere unter Toyotomi Hideyoshi (1592–98) fielen seit 1627 die Mandschu in K. ein und zwangen das Land zur Anerkennung ihrer Oberhoheit, die bis 1894 bestand. Die ständige äußere Bedrohung veranlasste die Yi-Dynastie zu einer rigorosen Politik der Abschließung (1637–1876). Japan erzwang 1876 im Vertrag von Kanghwa die Öffnung mehrerer Häfen für den Handel; ähnl. Verträge folgten ab 1882 mit anderen Mächten (USA, Großbritannien, Dt. Reich und Russland). Als der korean. Hof zur Niederschlagung schwerer Bauernunruhen (1893/94, Tonghak-Bewegung) die chines. Schutzmacht zu Hilfe rief, geriet diese in Konflikt mit dem nach Hegemonie in K. strebenden Japan (Chinesisch-Japan. Krieg 1894/95) und musste das Land nach einer militär. Niederlage 1895 freigeben. 1897 nahm der korean. König den Titel eines »Kaisers von Taehan« (Groß-K.) an. Die Anlehnung an Russland löste den Russisch-Japan. Krieg (1904/05) aus. Nach dem Sieg Japans stand K. zunächst unter japan. Protektorat und wurde schließlich 1910 von Japan annektiert (als Generalgouvernement Chosŏn). Die wirtsch. Ressourcen des Landes wurden von Japan ausgebeutet. Nach der blutigen Niederschlagung einer Unabhängigkeitsbewegung (1919)

Korea zur Zeit der drei Königreiche

konstituierte sich unter Syngman Rhee (Yi Sŭngman) in Schanghai eine korean. Exilreg.; kommunist. Partisanengruppen unter Führung Kim Il Sungs wurden ab 1934 gegen die Japaner aktiv. Nach der japan. Niederlage im 2. Weltkrieg wurde K., dessen Unabhängigkeit die Siegermächte garantiert hatten, 1945 im nördl. Teil von sowjet. Truppen, im südl. Teil von amerikan. Streitkräften besetzt (Demarkationslinie am 38. Breitengrad). In Süd-K. richteten die USA zunächst eine Militärreg. (1945–48) ein; in Nord-K. begann die von Kim Il Sung geführte »Korean. Arbeiterpartei« unter sowjet. Schutz eine kommunist. Gesellschaftsordnung aufzubauen (1946 Bodenreform, 1947 Verstaatlichung der Ind.). Nach dem Scheitern amerikanisch-sowjet. Verhandlungen über eine gesamtkorean. provisor. Reg. (1946) und nach den nur in Süd-K. unter UN-Aufsicht durchgeführten freien Wahlen (1948) kam es zur Spaltung des Landes in die am 15. 8. 1948 konstituierte »Rep. Korea« im S und die am 9. 9. 1948 proklamierte »Demokrat. Volksrep. Korea« im N. Die Besatzungsmächte zogen sich 1948/49 aus Korea zurück. Nat. Konflikte und internat. Spannungen (Ost-West-Konflikt) lösten den →Koreakrieg (1950–53) aus. Die nach dem Waffenstillstandsabkommen (27. 7. 1953) aufgenommenen Friedensverhandlungen scheiterten 1954; die Verbindungen zw. Nord- und Süd-Korea wurden rigoros abgebrochen. Erst Anfang der 70er-Jahre kam es wieder zu unregelmäßigen Reg.kontakten zw. Nord- und Süd-K., die 1990 in Gespräche der MinPräs. über Fragen der friedl. Wiedervereinigung mündeten. Im Sept. 1991 wurden beide Staaten zeitgleich in die UNO aufgenommen; im Febr. 1992 ratifizierten sie einen Vertrag über Aussöhnung, Nichtangriff, Austausch und Kooperation. Weiteres →Korea, Nord-Korea (Geschichte), →Korea, Süd-Korea (Geschichte).

🕮 *Ostasien-Ploetz. Geschichte Chinas, Japans u. K.s zum Nachschlagen, bearb. v.* M. Haydt, *unter Mitwirkung v.* Claudius Müller *u. a. Freiburg im Breisgau u. a. 1986.* – Pews, H.-U.: *K. – Land der Morgenfrische. Gotha 1987.* – Lautensach, H.: *K., bearb. v.* K. Dege. *Berlin u. a. 1988. – K., hg. v.* R. Machetzki *u.* M. Pohl. *Stuttgart 1988.* – Göthel, I.: *Der Untergang des alten K. Wiesbaden 1996.*

Korea (Nord-Korea, amtlich korean. Chosŏn Minjujuŭi In'min Konghwaguk; dt. Demokrat. Volksrep. K.), Staat in Ostasien, umfasst den Festlandanteil und den N der Halbinsel K., grenzt im W an die K.-Bucht und entlang den Flüssen Yalu und Tumen an China, an der Tumenmündung auf wenige Kilometer an Russland, im O an das Japan. Meer, im S entlang einer Demarkationslinie um den 38. Breitengrad an Süd-Korea. 1997 wurde ein

Korea (Nord-Korea)

Fläche: 122 762 km²
Einwohner: (1995) 23,917 Mio.
Hauptstadt: Pjöngjang (P'yŏngyang)
Verwaltungsgliederung: 9 Prov. und 3 regierungsunmittelbare Städte
Amtssprache: Koreanisch
Nationalfeiertag: 9. 9.
Währung: 1 Won = 100 Chon
Zeitzone: MEZ +8 Std.

neuer Kalender eingeführt, der im Geburtsjahr von Kim Il Sung, 1912, beginnt.

Staat und Recht: Nach der Verfassung von 1972 ist Nord-K. eine Volksrep.; Staatsoberhaupt mit weitgehenden Vollmachten, Vors. der Nat. Verteidigungskommission und Oberbefehlshaber der Streitkräfte ist der vom Parlament auf vier Jahre gewählte Staatspräs. Als Vors. des Zentralen Volkskomitees, des höchsten Führungsorgans der Staatsgewalt, bestimmt er faktisch die Richtlinien der Politik. Der Verwaltungsrat unter Vorsitz des MinPräs. als eigentl. Reg. ist gegenüber dem Präs. und dem Zentralen Volkskomitee bloßes Verwaltungs- und Vollzugsorgan. Die Legislative liegt bei der Obersten Volksversammlung (687 Abg., für fünf Jahre gewählt), deren Ständiges Komitee die laufenden Geschäfte besorgt. Beherrschende Partei ist die Korean. Arbeiterpartei (KAP).

Landesnatur: →Korea (ehem. Staat).

Bevölkerung: Angaben über die fast ausschl. aus →Koreanern bestehende Bev. beruhen nur auf Schätzungen. Nach dem 2. Weltkrieg flohen etwa 2 Mio. Menschen in den S der Halbinsel, v.a. während des Koreakrieges. Dicht besiedelt sind v.a. die Ebenen im W des Landes. Auf dem Land sind die Lebensbedingungen offensichtlich noch schlechter als in den Städten, in denen (1995) etwa 61% der Bev. wohnen. Etwa 70% sollen nichtreligiös, 15% Anhänger des Schamanismus, 14% der Ch'ŏndogyo-Religion (Verbindung buddhist. und christl. Elemente), 1,5% Buddhisten, 1% Christen (meist kath.) sein. Die von Kim Il Sung begründete Ideologie des »Juche«, des ausschließl. Vertrauens auf die Kraft des korean. Volkes, prägt alle Bereiche des gesellschaftl. Lebens und gipfelt in der (religionsartigen) Verehrung seiner Person (des »Großen Führers«). – Es besteht allg. Schulpflicht (10 Jahre); 216 Hochschuleinrichtungen, darunter Univ. (gegr. 1946), TU, medizin. u.a. Hochschulen in Pjöngjang.

Wirtschaft, Verkehr: Die Wirtschaft wird seit 1946 von einer zentralstaatl. Planungskommission kontrolliert. Durch den Zusammenbruch des Handels mit den ehem. Ostblockländern, mit denen der größte Teil des Außenhandels getätigt wurde, trat ab 1990 eine allg. Verschlechterung der ohnehin meist prekären Wirtschaftslage ein. – Man forcierte v.a. den Ausbau der Schwerind. (Erzverhüttung, Maschinen- und Fahrzeugbau, chem. Ind., Schiffbau), die auf reichen Rohstoffvorkommen basiert. Gefördert werden Stein- und Braunkohle, Eisen-, Kupfer-, Wolfram-, Blei-, Zink- u.a. Erze, auch Graphit, Gold, Baryt, Cadmium und Salz. Erst seit den 1970er-Jahren wird die Konsumgüterind. verstärkt entwickelt. Wichtige Ind.standorte sind im W Sinŭiju, Pjöngjang, Haeju sowie an der O-Küste Ch'ŏngjin, Kimch'aek, Hŭngnam und Wŏnsan. – Durch die Teilung des Landes wurde Nord-K. vom damals überwiegend landwirtsch. strukturierten S abgeschnitten. Durch intensiven Ausbau der Landwirtschaft, die etwa 20% der Landesfläche nutzt, konnten diese nachteiligen Folgen zunächst weitgehend überwunden werden. Seit Ende der 1980er-Jahre kann die Selbstversorgung aber nicht mehr gewährleistet werden. Akuter Nahrungsmangel, in einigen Landesteilen sogar Hungersnot, trat nach den katastrophalen Überschwemmungen von 1995 und 1996 ein. Rd. 90% der landwirtsch. Nutzfläche (die Hälfte der Ackerfläche wird bewässert; Neulandgewinnung an der W-Küste) werden seit der Kollektivierung (1954–58) von rd. 3800 Produktionsgenossenschaften, die meist mit den Landgemeinden identisch sind, 5% von Staatsgütern bewirtschaftet; etwa 5% verblieben den Bauern als Eigentum. Hauptanbaugebiete sind die Ebenen der W-Küste; angebaut werden v.a. Reis, überwiegend auf Nassfeldern, ferner Mais, Hirse, Sojabohnen, Gerste, Weizen, Hafer, Kartoffeln, Obst, Baumwolle, Tabak. Für den Export bedeutsam sind die Kultivierung der Ginsengwurzel sowie die Seidenraupenzucht (Maulbeerbäume). Auch Obst- und Gemüsebau (in größeren Kulturen durch die Staatsgüter), Viehwirtschaft (gewinnt für die Ernährung der Bev. an Bedeutung), Fischfang und Fischzucht werden betrieben. – Die Eisenbahn verfügt als wichtigster Verkehrsträger über ein Streckennetz von 5045 km (zu 60% elektrifiziert). Das Straßen-

Staatswappen

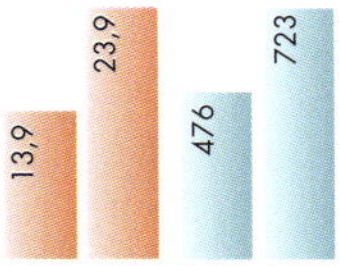

Bevölkerung (in Mio.) Bruttosozialprodukt je Ew. (in US-$)

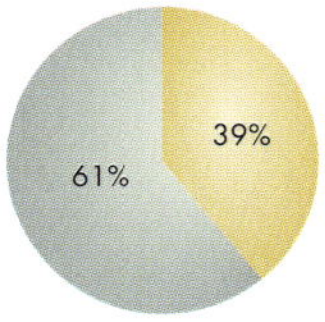

Bevölkerungsverteilung 1995

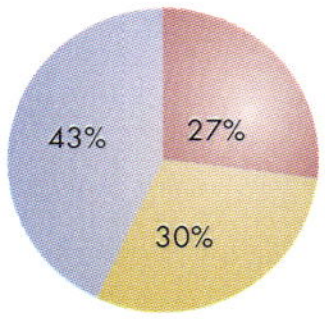

Bruttoinlandsprodukt 1994

2 B 15/8 E D C B A

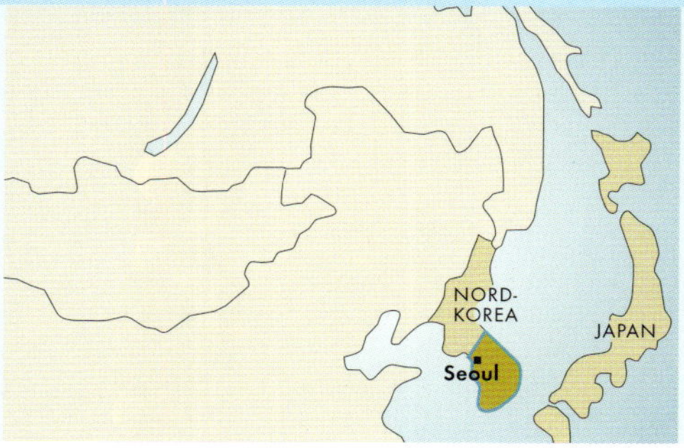

Korea (Süd-Korea)

Fläche: 99 263 km²
Einwohner: (1995) 44,995 Mio.
Hauptstadt: Seoul
Verwaltungsgliederung: 9 Prov. und 6 Städte mit Provinzstatus
Amtssprache: Koreanisch
Nationalfeiertag: 15. 8.
Währung: 1 Won = 100 Chon
Zeitzone: MEZ +8 Std.

netz wird auf etwa 23 000 km geschätzt. Wichtigste Seehäfen sind Namp'o (Hafen für Pjöngjang) am Gelben Meer, Wŏnsan, Ch'ŏngjin und Hŭngnam am Japan. Meer. Internat. Flughafen bei Pjöngjang.

Geschichte: Zur Entwicklung bis 1948 →Korea (ehem. Staat). Nach dem →Koreakrieg (1950–53) konzentrierte sich die herrschende Korean. Arbeiterpartei (KAP) auf den raschen Wiederaufbau mit sowjet. und chines. Hilfe (v.a. Industrialisierung im Rahmen unterschiedlich begrenzter Jahrespläne). Auf den machtpolitisch-ideolog. Konflikt zw. China und der Sowjetunion reagierte Nord-K. mit der von MinPräs. Kim Il Sung entwickelten »Juche«-Doktrin, die eine größere polit. Unabhängigkeit, wirtsch. Selbstständigkeit und »nat. Selbstverteidigung« propagierte. Nach Verabschiedung einer neuen Verf. (1972) übernahm Kim Il Sung (seit 1966 auch Gen.-Sekr. des ZK der KAP) das Amt des Staatspräs. Auch nach dem Zerfall der Sowjetunion hielt Nord-K. an seiner orthodox kommunist. Politik fest. Nach dem Tode Kim Il Sungs im Juli 1994 übernahm sein Sohn Kim Jong Il faktisch die Nachfolge. Die schleichende Ernährungskrise entwickelte sich 1997 zur Hungerkatastrophe.

Nachdem Nord-K. im März 1993 Sonderinspektionen von Atomanlagen durch die IAEA abgelehnt und mit der Kündigung des Kernwaffensperrvertrags gedroht hatte, kam es zu einem politisch-diplomat. Konflikt v.a. mit den USA. Nach langwierigen Verhandlungen schlossen beide Staaten am 21. 10. 1994 ein Rahmenabkommen, das eine Umstrukturierung des nordkorean. Atomprogramms binnen zehn Jahren vorsieht. Vor dem Hintergrund weiter bestehender Spannungen zw. Nord- und Süd-K. vereinbarten 1997 beide Staaten sowie die USA und China die Vorbereitung direkter Friedensverhandlungen.

📖 PAN, C.: *Nordkorea. Die ideolog. u. soziolog. Basis. Wien 1992.* – CHI, TAI-NAM: *Das Herrschaftssystem Nordkoreas unter besonderer Berücksichtigung der Wiedervereinigungsproblematik. Frankfurt am Main u.a. 1994.* – PARK, CHUN-SEO: *Die nordkorean. Pressepolitik ... Münster 1996.*

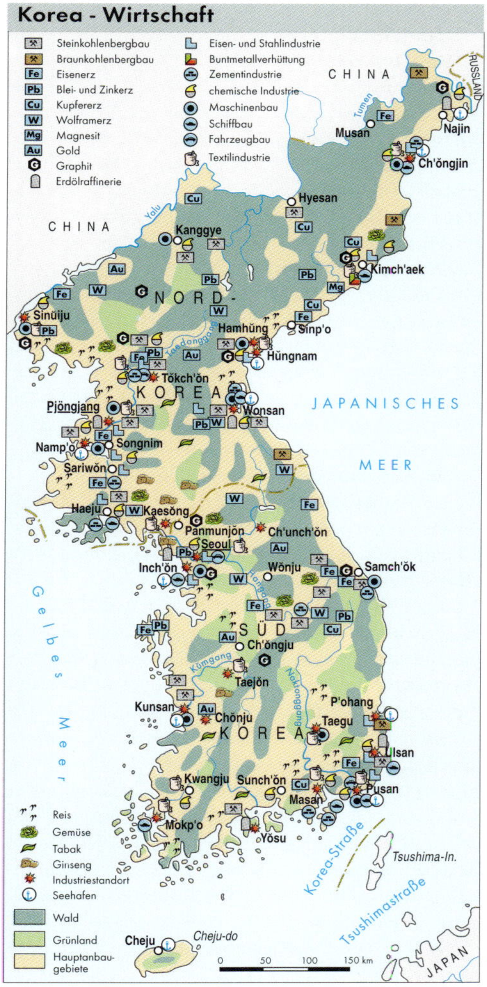

Korea (Süd-K., amtlich korean. Taehan Minguk; dt. Rep. K.), Staat in Ostasien, umfasst den S der Halbinsel K. südlich der Demarkationslinie am 38. Breitengrad einschließlich der vorgelagerten rd.

3500 Inseln; grenzt im W an das Gelbe Meer, im S an die K.-Straße, im O an das Japan. Meer und im N an Nord-Korea.

Staat und Recht: Nach der Verf. von 1987 ist Süd-K. eine präsidiale Rep.; Staatsoberhaupt und oberster Inhaber der Exekutive ist der auf fünf Jahre direkt gewählte Präs. (Wiederwahl nicht möglich). Er ernennt den MinPräs., der der Reg. vorsteht. Die Legislative liegt bei der Nationalversammlung (299 Abg., davon 237 direkt gewählt; 62 Mandate werden nach dem Proporzsystem an die Parteien vergeben). Einflussreichste Parteien sind Neue K.-Partei (NKP), Nationalkongress für neue Politik (NCNP), Vereinigte Liberale Demokraten (ULD), Demokrat. Partei (DP).

Landesnatur: →Korea (ehem. Staat).

Bevölkerung: Ethnisch besteht die Bev. fast ausschl. aus Koreanern (daneben wenige Chinesen). Dicht besiedelt sind die Küstenebenen; über 80% der Bev. wohnen in Städten. – Es besteht allg. Schulpflicht (9 Jahre), über 90% der Kinder besuchen danach die Oberstufe (3 Jahre). Süd-K. hat über 120 Institutionen mit Hochschulrang (allein 22 Univ. in Seoul). – Etwa 38% der Bev. sind nach staatl. Angaben Christen (überwiegend prot.), 10% Anhänger des traditionellen Schamanismus, 23% Buddhisten, 22% Konfuzianer, 2–3% Anhänger der Ch'ŏndogyo-Religion. Alle Religionsgemeinschaften sind rechtlich gleichgestellt. Nach 1945 wuchs der Anteil der christl. Kirchen stark; aus den prot. Missionskirchen gingen zahlr. unabhängige korean. Kirchen hervor.

Wirtschaft, Verkehr: Die nach dem 2. Weltkrieg mit ausländ. Hilfe durchgeführte rasche Industrialisierung brachte einen grundlegenden Wandel im vormals agrarisch ausgerichteten Land. Mit einem Pro-Kopf-Einkommen von (1995) 10076 US-$ (1960: 80 US-$) zählt Süd-K. zu den südostasiat. Schwellenländern (»Kleine Tiger«), v.a. dank dem verarbeitenden Gewerbe: chem., Elektronik-, Textil- und Bekleidungs-, Schuh-, Spielzeugind., Eisen- und Stahlerzeugung, Maschinenbau. In den 1980er-Jahren entwickelte sich v.a. der Schiffbau und der Automobilbau (Pkw-Export seit 1986 in die USA, seit 1991 verstärkt nach Europa) sowie die Bauwirtschaft. Verglichen mit Nord-K. ist Süd-K. relativ rohstoffarm. Gefördert werden Steinkohle, Eisen-, Wolfram-, Wismut-, Molybdän- u.a. Erze; bed. Titanerzvorkommen sind noch ungenutzt. 10 Kernkraftwerke liefern 40% der Elektroenergie. In der hoch mechanisierten Landwirtschaft dominieren kleinbäuerl. Betriebe (Durchschnittsgröße 1 ha). Auf rd. 65% der landwirtsch. Nutzfläche wird Reis angebaut, doch reichen die Ernten nicht zur Selbstversorgung aus. Daneben werden Gerste, Weizen, Mais, Hirse, Hülsenfrüchte, Sojabohnen, Kartoffeln, Tabak, Obst, Ginseng u.a. kultiviert; wichtig ist auch die Seidenraupenzucht. Süd-K. ist eines der führenden Fischfangländer der Welt (v.a. Hochseefischerei). Jährlich besuchen über 3,5 Mio. ausländ. Touristen, v.a. aus Japan, den USA und Taiwan, das Land. Hauptanziehungspunkte sind die Hauptstadt Seoul, die buddhist. Tempel in Kyongju, das Bergland sowie die rund 100 km vor der Küste gelegene Insel Cheju-do, die zu einem Touristenzentrum ausgebaut wurde. – Haupthandelspartner sind die USA, China, Japan, Dtl. und Großbritannien. – Das Eisenbahnnetz hat eine Länge von 6559 km, das Straßennetz von 61300 km, davon 1539 km Autobahnen. 1994 wurde mit dem Bau einer Hochgeschwindigkeitsbahnstrecke zw. Seoul und Pusan (420 km) begonnen. Wichtige Häfen besitzen außer Pusan noch P'ohang und Inch'ŏn. Die nat. Luftverkehrsgesellschaft Korean Air versieht den Inlandsdienst und bedient die internat. Flughäfen bei Seoul und Pusan sowie auf Cheju.

Geschichte: Zur Entwicklung bis 1948 →Korea (ehem. Staat). Nach dem →Koreakrieg (1950–53) lehnte sich Süd-K. politisch und militärisch weiterhin eng an die USA an (1954 In-Kraft-Treten eines Verteidigungsbündnisses, amerikan. Finanzhilfe). Der autoritär regierende Präs. Syngman Rhee wurde 1960 durch Studentenunruhen zum Rücktritt gezwungen; Neuwahlen brachten den Sieg der oppositionellen Demokrat. Partei. 1961 stürzte eine Militärjunta die Regierung und beseitigte die demokrat. Institutionen; die Macht übernahm General Park Chung Hee (seit 1962 Staatspräs.), der die autoritären Herrschaftsstrukturen durch mehrere Verf.änderungen stärkte. Nach dessen Ermordung (1979) wurde Choi Kyu Hah Staatspräs.; 1980 ließ sich General Chun Doo Hwan zum Staatspräs. wählen und versuchte dann, die Opposition auszuschalten (u.a. Todesurteil gegen den Oppositionsführer Kim Dae Jung, später unter internat. Druck begnadigt). Nach schweren Unruhen 1987 sah sich die Regierung gezwungen, die Direktwahl des Präs. wieder einzuführen; bei den Wahlen setzte sich Roh Tae Woo (Demokrat. Gerechtigkeitspartei, engl. Abk. DJP) durch (Amtsantritt Febr. 1988). Bei den Wahlen von 1992 und 1996 gewann die neu gebildete Demokratisch-Liberale Partei (DLP), die u.a. die früher regierende DJP und die oppostionelle Partei für Wiedervereinigung und Demokratie (PRD) vereinigte und sich 1995 in Neue K.-Partei (NKP) umbenannte, die Mehrheit der Mandate. Stärkste Oppositionspartei wurde 1992 die DP, 1996 der von der DP abgespaltene NCNP unter Kim Dae Jung. Im Dez. 1992 wählte die Bev. Kim Young Sam (DLP/NKP) zum Staatspräs. (Amtsantritt Febr. 1993). Ein Gericht verurteilte 1996 wegen Hochverrat und Korruption den früheren Präs. Chun Doo Hwan zum Tode (in le-

Staatswappen

ROK

Internationales Kfz-Kennzeichen

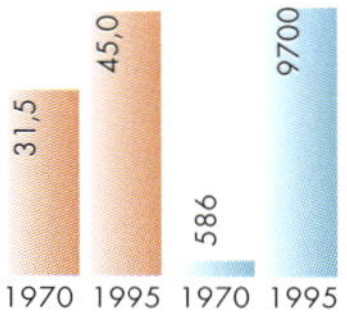

Bevölkerung (in Mio.) Bruttosozialprodukt je Ew. (in US-$)

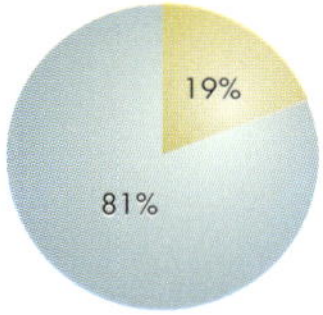

Bevölkerungsverteilung 1995

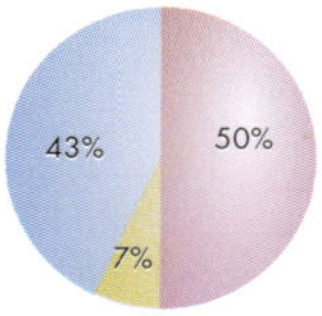

Bruttoinlandsprodukt 1993

benslängl. Haftstrafe umgewandelt) sowie seinen Nachfolger Roh Tae Woo zu langjähriger Haft; beide wurden im Dez. 1997 begnadigt. Im Febr. 1998 trat Kim Dae Jung (NCNP) das Amt des Staatspräs. an. Trotz Wiederaufnahme von Verhandlungen zw. Nord- und Süd-K. (unter Beteiligung von China und den USA) über einen Friedensvertrag 1997 brachen immer wieder (z. T. militär. bedrohlichen) Spannungen zw. beiden korean. Staaten auf (erneut 1999).

📖 DEGE, E.: *Entwicklungsdisponitäten der Agrarregionen Süd-K.s. Kiel 1982.* – KEILHAUER, A. *u.* P.: *Süd-Korea. Köln 1986.* – PASCHA, W.: *K. Eine Wirtschaft zw. Aufbruch u. Umbruch. Mannheim u. a. 1996.*

Koreakrieg, Kampfhandlungen in Korea zw. Streitkräften der Demokrat. Volksrep. Korea (Nord-Korea) einerseits und Truppen der Rep. Korea (Süd-Korea) sowie einer Streitmacht der UN andererseits (1950–53); ausgelöst durch den nordkorean. Vorstoß (25. 6. 1950) über die Demarkationslinie am 38. Breitengrad. Die Bedrohung des Status quo führte zum Eingreifen einer UN-Streitmacht (Beschluss im Sicherheitsrat vom 27. 6. 1950, bei Abwesenheit der UdSSR). Die USA trugen die militär. Hauptlast (Mitbeteiligung von 15 weiteren Staaten; Oberbefehl unter dem amerikan. General D. MacArthur 1950–51, dann unter General M. B. Ridgway). Die Nord-Koreaner eroberten zunächst große Teile Süd-Koreas bis auf das Gebiet um Pusan im SO. Die Militäraktion des UN-Truppenkontingents begann am 15. 9. 1950. Nach mehreren wechselseitigen Offensiven, wobei die Nord-Koreaner von China unterstützt wurden, stabilisierte sich im Frühjahr 1951 die Front um den 38. Breitengrad, der mit geringfügigen Änderungen im Waffenstillstand von Panmunjom (27. 7. 1953) wieder Teilungslinie wurde (Festlegung einer entmilitarisierten Zone und Einsetzung einer Waffenstillstandskommission). Der Versuch eines Friedensschlusses scheiterte 1954.

Koreaner, Volk auf der Halbinsel Korea und im angrenzenden Gebiet (bis nach China hinein) sowie auch in Usbekistan, Kasachstan, Japan, den USA und Kanada (insgesamt etwa 1,6 Mio. im Ausland); über 70 Mio. Angehörige. Kultur und Religion der K. sind v.a. vom Buddhismus und Konfuzianismus, in neuer Zeit vom Christentum geprägt.

koreanische Kunst, die Kunst der Halbinsel Korea. Sie zeigt trotz der deutl. kulturellen Abhängigkeit von China einen eigenen Charakter, v. a. in ihrem ausgeprägten Gefühl für die Linie. Beispiele der Bronzekunst (Dolche, Lanzen, Spiegel) zeigen häufig Tiermotive. Im 2. Jh. n. Chr. entstand im SO Koreas graue, hart gebrannte Keramik, Vorläufer der späteren Sillakeramik.

Aus der Zeit der drei Reiche sind neben der Kunst der Koguryŏperiode im NO (Königs- und Fürstengräber mit Wandmalereien, 4.–7. Jh.) aus dem alten Reich von Silla auch kleine Goldkronen (5./6. Jh.) sowie elegante Buddha-Bronzeplastiken des 6. und 7. Jh. und (graue) Keramiken zu nennen. Aus Paekche sind ebenfalls kostbare, feine Goldschmiedearbeiten erhalten (5./6. Jh.). Mit der Gründung des Großreiches Silla (668) erreicht die k. K. Mitte des 8. Jh. eine Blütezeit, u. a. mit dem Pulguksa (Tempel des Buddhareiches) bei Kyŏngju und dem Shakyamuni-Buddha (im benachbarten Höhlentempel Sŏkkuram).

Koryŏ (918–1392): Zahlr. Pagoden werden errichtet, u. a. die fünfstöckige Kaesimsa-Pagode (1009), das pagodenartige Grabmal des Priesters Hongbop (1007) und die zehnstöckige Pagode des Kyŏngchonsa (14. Jh.; heute in Seoul). Das älteste Wandgemälde (1379) befindet sich im Tempel Pusŏksa. Größtes Ansehen genießt die vollendete Koryŏkeramik. Feine Seladonkeramik wird seit Anfang des 11. Jh. hergestellt, Mitte des 12. Jh. wird die rein korean. Porzellaneinlegetechnik (Sanggam) entwickelt, bei der vor der Glasierung die Vertiefungen des Dekors mit weißem oder schwarzem Schlicker ausgefüllt werden.

Yi-Dynastie (1392–1910): Die grobkörnige Punchŏngkeramik (15. und 16. Jh.) steht in der Tradition der Seladonkeramik, daneben fertigt man u. a. weiße Ware mit blauem Dekor nach dem Vorbild der Mingkeramik. In der Baukunst werden v. a. Profanbauten (Paläste, Stadttore, Königsgräber, Schulen) ausgeführt, u. a. das Südtor von Seoul (1396). Die Malerei auf Papier und Seide steht unter chines. Einfluss (Song-, später Ming- und Qingkunst). Seit dem 17. Jh. entwickelt sich ein unabhängiger Stil mit realist. Genrebildern aus dem Volksleben. Im 20. Jh. werden auch westl. Einflüsse aufgenommen.

📖 FORMAN, W. *u.* BAŘINKA, J.: *Alte k. K. Prag 1962. – Korea. 2000 Jahre Kunstschaffen, Beiträge v.* CHEWŎN KIM *u. a. München 1966. – Kunstschätze aus Korea, hg. v.* R. GOEPPER *u. a., Ausst.-Kat. Museum für Kunst u. Gewerbe, Hamburg. Köln 1984. – Propyläen-Kunstgeschichte, Bd. 20:* FONTEIN, J. *u.* HEMPEL, R.: *China, Korea, Japan. Sonderausg. Frankfurt am Main u. a. 1985. – Meisterwerke aus China, Korea u. Japan, hg. v.* A. SCHLOMBS. *München u. a. 1995.*

koreanische Literatur. Mythen, Geschichte und Dichtung der altkorean. Völkerschaften wurden mündlich überliefert; chines. Schrift und Sprache blieben vom 5. Jh. bis ins MA. Medium der k. L. Fragmente altkorean. Dichtung, bes. die 25 Hyangga (»heimische Lieder«), stammen aus der Zeit des Großreiches Silla (668–918). Die Geschichtswerke »Samguk-sagi« (1145) und »Samguk-yusa«

koreanische Kunst

1

2

3

4

1 Vorratsgefäß aus der Jungsteinzeit mit kammartig eingepresstem Muster (um 5 000 v. Chr.; Seoul, Nationalmuseum) | **2** Der aus dem 8. Jh. stammende, vollständig restaurierte Tempel Pulguksa bei Kyongju in Südostkorea dokumentiert die Blütezeit des alten Reiches von Silla | **3** Die Wandmalerei mit einer Jagdszene aus dem »Grab der Tänzer« am Jalu-Fluss in Tongou (heute chinesisches Territorium) ist charakteristisch für die Koguryoperiode des 4.–7. Jh. | **4** Die goldene Königskrone aus dem »Goldkronengrab« in Kyongju stammt aus dem alten Reich von Silla (5./6. Jh.; Seoul, Nationalmuseum)

(13. Jh.) gehören bereits der Lit. des Reiches Koryŏ (918–1392) an, in der die chines. Sach- und Kunstprosa aufblühte. Korean. Dichtung hielt sich nur in der Poesie, v.a. im Changga (Langgedicht) und Sokyo (Volkslied). Mit der Erfindung der korean. Buchstabenschrift während der frühen Yi-Dynastie (1392–1910) begann eine neue Epoche mit dem Aufschwung der Lit. in korean. Sprache. Nach der Entwicklung einer nat. Poesie, dem Akchang (lyr. Hofgedicht mit Musikbegleitung), dem Kasa (Verserzählung) und dem volkstüml. Sijo (Kurzgedicht), das bis in die Gegenwart populär war, konnte sich ab dem 15. Jh. auch eine korean. Erzählprosa mit z.T. sozialkrit. Tendenz herausbilden. Anfang des 20. Jh. endete die klass. Lit. Koreas; unter dem Einfluss westl. Geistesströmungen kämpften die korean. Literaten für die Befreiung Koreas von der japan. Herrschaft (1910–45); es entstand eine Nationallit., die sich seit 1948 getrennt entwickelt: in Nord-Korea orientiert am sozialist. Realismus, in Süd-Korea z.T. im Rückgriff auf frühere Traditionen.

📖 *Neues Hb. der Literaturwissenschaft, hg. v.* K. VON SEE *u. a., Bd. 23: Ostasiat. Literaturen, hg. v.* G. DEBON. *Wiesbaden 1984. – Tradition u. Experiment. Beispiele zeitgenöss. k. L., hg. v.* H.-J. ZABOROWSKI. *Berlin 1985.*

koreanische Musik. Die k. M., die durchgehend pentatonisch ist, erfuhr starke chines. Einflüsse, da zw. dem 7. und 10. Jh. die chines. Tang-Musik in Korea Eingang fand (Musik chines. Herkunft sowie vor der Tangzeit nach Korea gekom-

Korinth: Einfahrt zum 1881–93 angelegten Kanal von Korinth, einer schleusenlosen, fast 25 m breiten Wasserstraße

mene Musik wird zur Unterscheidung von der Hyangak genannten Musik korean. Ursprungs als Tangak bezeichnet). Seit dem 6. Jh. wirkte die k. M. ihrerseits, bes. über ihr reichhaltiges Instrumentarium, auf die Musik Japans ein. Der autochthone Charakter der k. M. tritt nur in der Volksmusik zutage und beruht nicht nur auf sprachlich bedingten Stimmmodulationen; z. B. kennt die k. M. im Unterschied zur chines. Musik ternäre Taktarten. Beliebte Gattungen der Volksmusik sind Pansori (ep. Geschichten, mit Gesang vorgetragen) und Sanjo (Improvisationen für Soloinstrument mit Trommelbegleitung). Von der Aak (elegante Musik), die urspr. nur Hofmusik chines. Herkunft und erst später alle höf. Genres umfasste, wird heute nur noch die rituelle konfuzian. Musik zweimal jährlich aufgeführt. Der Kunstgesang der Literaten umfasst die bis heute gepflegten Gattungen Kagok (zyklische lyr. Gesänge), Sijo (kurze lyr. Gesänge) und Kasa (erzählende Lieder).

📖 ECKARDT, A.: *Musik, Lied, Tanz in Korea. Bonn 1968.* – LEE WHA-BYONG: *Studien zur Pansori-Musik in Korea. Frankfurt am Main u. a. 1991.*

koreanische Schrift, die einzige Schrift Ostasiens mit einem aus 10 Vokalen, 11 Diphthongen und 19 Konsonanten (darunter 5 Doppelkonsonanten) bestehenden Alphabet. Sie wurde in mehreren Stufen aus der chines. Schrift entwickelt.

📖 SCHMIDT, WOLFGANG G.: *Einführung in die k. S. Mit einem sprach- u. landeskundl. Abriß. Hamburg 1990.*

koreanische Sprache, agglutinierende, dem Japanischen nahe stehende Sprache in Korea, deren Sprachkultur vor Einführung der chines. Sprache und Schrift sich nur bedingt aus spärl. Zeugnissen der altkorean. Poesie in späteren Werken erschließen lässt. Die k. S. entwickelte sich aus der altaischen Puyŏsprache im mandschurisch-nordkorean. Raum und der Hansprache im zentral- und südkorean. Raum.

Koriander: Gartenkoriander (Höhe 30–60 cm)

📖 LEWIN, B. u. KIM, T. D.: *Einführung in die k. S. Heilbronn ^{3}1978.*

Koreastraße, etwa 160 km breite Meerenge zw. Korea und Japan, verbindet Ostchines. und Japan. Meer.

Korfanty, Wojciech, poln. Politiker, *Sadzawka (bei Kattowitz) 20. 4. 1873, † Warschau 17. 8. 1939; Journalist, 1903–12 und 1918 MdR, 1919–21 poln. Abstimmungskommissar für Oberschlesien, leitete dort im Mai 1921 den dritten poln. Aufstand.

Korfu (grch. Kerkyra), **1)** grch. Insel, 592 km², 105 000 Ew., die nördlichste der größeren Ionischen Inseln, durch eine seichte Meeresstraße vom Festland getrennt; im N Kalkgebirge (bis 906 m ü. M.), im S Hügelland mit Obst- und Gemüseanbau, Ölbaum- und Rebkulturen; Fremdenverkehr.

2) Hptst. der grch. Region Ionische Inseln und des VerwBez. (Nomos) K., an der Ostküste der Insel K.; 37 000 Ew.; Sitz eines grch.-orth. Metropoliten und eines kath. Erzbischofs; archäolog. Museum; Textilfabrik; Hafen, Flugplatz. – Das antike K. liegt im heutigen südl. Stadtgebiet. Von der antiken Unterstadt sind die hellenist. Stadtmauern sichtbar, freigelegt wurde v. a. der große Artemisaltar (25,40 × 2,70 m). Die Stadt bewahrt mit Festungsresten, Kirchen und Palästen noch viel vom Stadtbild der Venezianerzeit. – K., nach antiker Meinung das **Scheria** der Odyssee, wurde angeblich 734 v. Chr. von Korinth aus besiedelt. 229 v. Chr. stellte sich K. unter röm. Schutz. Im Früh- und Hoch-MA. gehörte es zu Byzanz, kam 1258 zum Königreich Sizilien und stand 1386–1797 unter dem Schutz Venedigs; wurde 1797 frz., 1799 russ., 1807 frz., 1809 von den Briten besetzt, 1815 brit. Protektorat und kam 1864 zu Griechenland; 1941–43 von italien., dann von dt. Truppen besetzt.

Koriander [grch. »Wanzenkraut«, wegen des Geruchs] *der* (Coriandrum), einjähriger, urspr. aus dem Mittelmeergebiet stammender Doldenblütler mit zwei Arten, darunter der **Gartenkoriander** (Coriandrum sativum); mit gestreiftem Stängel, weißen Blüten und pfefferkornähnl. Früchten, die wegen ihres Gehalts an äther. K.-Öl u. a. als Gurken- und Soßengewürz verwendet werden.

Kōrin, japan. Maler und Lackmeister; Mitgl. der Familie → Ogata.

Korinth (grch. Korinthos), Hptst. des VerwBez. (Nomos) K., Griechenland, im NO der Peloponnes, 22 700 Ew. K. liegt am **Golf von K.,** einem 130 km langen Meeresarm, der Mittelgriechenland von der Peloponnes trennt; der **Kanal von K.** (6,343 km lang, 24,5 m breit, 1881–93 angelegt) durch den **Isthmus von K.** verbindet ihn mit dem Saronischen Golf. – K. ist grch.-orth. Bischofssitz; hat Erdölraffinerie; chem. und elektrotechn. Ind. –

Die alte Stadt lag 5 km weiter südwestlich am Fuße des Burgfelsens Akrokorinth. Erdbeben haben die Stadt wiederholt zerstört. Von dem dor. Apollontempel (um 540 v. Chr.) sind Reste erhalten; andere freigelegte Bauten stammen aus röm. Zeit. – K., im 10. Jh. v. Chr. von Dorern gegr., war im Altertum nach Athen die reichste und bedeutendste Handelsstadt im südl. Griechenland. Als Mitgl. des Peloponnes. Bundes trieb es Sparta zum Peloponnes. Krieg. 395–386 v. Chr. führte K. mit Athen, Theben und Argos gegen Sparta den **Korinthischen Krieg.** 337 v. Chr. geriet K. unter die Herrschaft der Makedonier; nach ihrer Vertreibung hielt es zum Achaiischen Bund (seit 243 v. Chr.); 146 v. Chr. wurde K. von den Römern zerstört, erst 44 v. Chr. durch Cäsar als röm. Bürgerkolonie neu besiedelt. Paulus gründete hier eine Christengemeinde (→Korintherbriefe). Seit dem MA. stand K. unter der Herrschaft der Byzantiner, Kreuzfahrer, Venezianer, seit 1458 der Türken; 1829/30 kam es zu Griechenland. Nach dem Erdbeben von 1858 wurde Neu-K. (Nea Korinthos), 6 km nordöstlich der zerstörten Stadt, angelegt.

Korinth: Reste des dorischen Apollontempels (um 540 v. Chr.)

Korinthe *die,* kernlose, kleine, violettschwarze, getrocknete Weinbeere der Rebsorte Vitis minuta, zuerst in der Gegend von Korinth angebaut.

Korintherbriefe, Abk. **Kor.,** im N. T. zwei Briefe des Paulus (zw. 54 und 56) an die Gemeinde von Korinth; Thema des 1. K. ist der Kampf des Apostels um den Erhalt der Einheit der zerstrittenen jungen christl. Gemeinde (»Hohes Lied der Liebe«, I, 13); Thema des 2. K. die Begründung und Verteidigung seines Apostelamtes.

korinthischer Stil, →griechische Kunst, →Säulenordnung.

Koriolan, legendärer röm. Held, →Coriolanus.

Kōriyama, Stadt auf Honshū, Japan, 322 300 Ew.; Seidenspinnerei, Textilind., Maschinenbau.

Korjaken, Volk der Paläosibirier in NO-Sibirien, v. a. im N von Kamtschatka, 9 200 Menschen.

Korjaken, Autonomer Kreis der (russ. Korjakskij awtonomny okrug), autonomer Kreis im Gebiet Magadan, Russland, hauptsächlich im N der Halbinsel Kamtschatka, 301 500 km², (1995) 33 800 Ew. (1989: 16 % Korjaken, 62 % Russen, 7 % Ukrainer, ferner Tschuktschen, Itelmen, Ewenen); Hptst. ist Palana; Fischerei, Pelztierzucht und -jagd, Rentierhaltung; Braunkohlenabbau.

Kork: entrindete Korkeiche

Kork [span.], oberflächlich liegendes, meist braunes Schutzgewebe der pflanzl. Rinde, an Zweigen, Stämmen, Wurzeln, besteht aus lückenlos sich aneinander schließenden Zellen (K.-Zellen). Diese sind luftgefüllt und enthalten in ihren Zellwänden einen fettartigen Stoff, das Suberin, das die Wände für Gas und Wasser schwer durchlässig macht. Das K.-Gewebe ist für die Pflanze eine Schutzschicht gegen Verdunstung und Infektionen. – Der technisch verwendete K. stammt von der **K.-Eiche** (Quercus suber), die bes. in Portugal, Spanien, Algerien, Marokko, Tunesien, Südfrankreich, Korsika, Italien (Sardinien, Sizilien) wächst. Der in den ersten Jahren gebildete (»männl.«) K. ist wertlos. Ab dem 20. Jahr wird (»weibl.«) K. gebildet, der alle 8–12 Jahre in Platten vom Stamm geschält und zur Herstellung von Flaschenverschlüssen (Korken), Dekorations- und Dämmmaterial sowie Linoleum verwendet wird.

Korksäure (Suberinsäure), kristalline Dicarbonsäure [$COOH{-}(CH_2)_6{-}COOH$], die zur Herstellung von Polyamiden verwendet wird.

Kormophyten [grch.] (Cormophyta, Sprosspflanzen), die in Spross und Wurzel gegliederten, somit einen **Kormus** (Pflanzenkörper) besitzenden Pflanzen; Ggs.: →Thallophyten. K. sind Samenpflanzen und Farne.

Kormorane [frz.] (Scharben, Phalacrocoracidae), Familie meist schwarzer, in Kolonien brütender Ruderfüßer; Fischfresser. K. schwimmen und tauchen vorzüglich; sie nisten auf Klippen und Bäumen, an Küsten und Binnengewässern. In Europa heimisch ist u. a. der **Gewöhnliche K.** (Phalacrocorax carbo) mit weißen Wangen.

Kormorane: Gewöhnlicher Kormoran (Körperlänge 90 cm)

Korn, Arthur, Physiker, *Breslau 20. 5. 1870, †Jersey City (N. J.) 22. 12. 1945. 1904 gelang ihm die erste telegraf. Bildübertragung auf der Leitung München–Nürnberg–München, 1923 die drahtlose Bildübertragung von Rom nach Bar Harbour (USA).

Korn, 1) *allg.:* Bez. für Getreide, v. a. für die wichtigste Getreideart eines Landes (z. B. in Dtl. meist der Roggen, in den USA der Mais).

2) *Fotografie:* der bei Vergrößerung sichtbare Aufbau des Bildes aus einzelnen Silberhalogenidpartikeln. Im Allg. wächst die Körnigkeit mit der Empfindlichkeit des Materials. Das K. kann durch

Belichtung und durch Entwicklung beeinflusst werden.

Alexis Korner

3) *Waffentechnik:* der auf der Oberseite des Laufes oder Mantels nahe der Mündung angebrachte Teil der Visiereinrichtung.

Kornberg ['kɔ:nbə:g], Arthur, amerikan. Biochemiker, *Brooklyn (N. Y.) 3. 3. 1918; isolierte 1956 ein DNS-synthetisierendes Enzym, die K.-Polymerase, und erhielt dafür (mit S. Ochoa) 1959 den Nobelpreis für Physiologie oder Medizin.

Kornblume, eine →Flockenblume.

Kornbranntwein (Korn), aus Roggen, Weizen, Gerste, selten auch Buchweizen oder Hafer hergestellter Trinkbranntwein mit mindestens 32 (Doppelkorn, Edelkorn oder Kornbrand mindestens 38) Vol.-% Alkohol.

Hermine Körner

Körnen, das Einschlagen kleiner kegeliger Vertiefungen mit einem spitzen Werkzeug **(Körner)** in die Oberfläche eines Werkstücks, z.B. zum Markieren von Bohrungsmittelpunkten.

Korner *der* (engl. Corner, Schwänze), *Börsenwesen:* Situation bei Termingeschäften auf Effekten- und Warenmärkten, bei der am Erfüllungstag aufgrund eines übermäßigen Engagements (Leergeschäfte) der Baissiers oder durch systemat. Aufkäufe (Aufschwänzen) interessierter Kreise Materialmangel besteht, sodass sich die Baissiers zu stark gestiegenen Kursen eindecken müssen, um Wertpapiere liefern zu können.

Theodor Körner

Korner ['kɔ:nə], Alexis, brit. Rockmusiker (Gitarrist, Sänger), *Paris 19. 4. 1928, †London 1. 1. 1984; gründete 1961 die Rockmusikgruppe »Blues Incorporated«, aus der u.a. die »Rolling Stones« hervorgingen.

Körner, 1) Christian Gottfried, Jurist, *Leipzig 2. 7. 1756, †Berlin 13. 5. 1831, Vater von 3); wurde 1783 Oberkonsistorialrat in Dresden, seit 1815 im preuß. Staatsdienst; Freund und Verehrer des jungen Schiller, dem er 1785–87 in Loschwitz (heute zu Dresden) Obdach bot. Schrieb die erste zuverlässige Schillerbiographie (Einleitung zu seiner 12-bändigen Schillerausgabe, 1812–15).

2) Hermine, Schauspielerin, *Berlin 30. 5. 1878, †ebd. 14. 12. 1960; wirkte, zeitweise auch als Theaterleiterin, in Düsseldorf, München, Dresden, Berlin, Hamburg; spielte klass. Rollen und gilt als eine der letzten großen Tragödinnen.

Paul Kornfeld (Lithographie des österreichischen Malers Franz K. Delaville, 1925)

3) Karl Theodor, Schriftsteller, *Dresden 23. 9. 1791, ⚔ bei Gadebusch 26. 8. 1813, Sohn von 1); studierte in Freiberg und Leipzig, ging 1811 nach Wien. Hier errang er große Erfolge mit Lustspielen in Kotzebues Art und Trauerspielen (»Zriny«, »Rosamunde«, »Toni«) in der Nachfolge Schillers. 1813 schloss er sich dem Lützowschen Freikorps an. Seine Kriegs- und Freiheitslieder (»Mein Vaterland«, »Lützows wilde Jagd«) erschienen 1814 u.d.T. »Leyer und Schwert«.

4) Theodor, österr. General und Politiker, *Komorn 24. 4. 1873, †Wien 4. 1. 1957; Pionieroffizier, 1915–18 (als Oberst) Generalstabschef einer Armee an der Isonzofront, schloss sich nach seiner Pensionierung 1924 der österr. Sozialdemokratie an, die ihn im selben Jahr in den Bundesrat entsandte (Mitgl. bis 1934). Von Febr. bis Dez. 1934 und nach dem 20. 7. 1944 war er in Haft. Nach Wiedererrichtung der Republik war K. 1945–51 Bürgermeister von Wien und 1951–57 Bundespräsident.

Körnerkrankheit (ägyptische K.), das →Trachom.

Kornett [frz., zu cornette »Standarte«] *der,* früher jüngster Offizier einer Schwadron, der die Standarte trug.

Kornett [italien.-frz.] *das,* **1)** ein aus dem Posthorn durch Einbau von Ventilen entstandenes, um 1830 erstmals in Frankreich gebautes Blasinstrument; es wird im Bereich höherer Naturtöne gespielt. Am gebräuchlichsten sind das K. in der Stimmung B und das **Cornettino** in Es.

Kornett 1): Um 1860 in Frankreich gebautes Instrument in B-Stimmung (München, Musikinstrumentenmuseum im Münchner Stadtmuseum)

2) in der Orgel entweder eine den Zink nachahmende Zungenstimme oder eine gemischte Stimme mit Terz.

Korneuburg, Bezirks-Hptst. in Niederösterreich, am linken Donauufer, nordwestlich von Wien, 9700 Ew.; Stadtmuseum; bedeutendste Schiffswerft Österreichs, pharmazeut. und kosmet. Ind., Großdruckerei, Wärmekraftwerk. – Pfarrkirche St. Ägyd (13. Jh.), Augustinerkirche (1773 geweiht). – 1136 erstmals als Stadt erwähnt.

Kornfeld, Paul, Schriftsteller, *Prag 11. 12. 1889, †im Getto von Lodz 25. 4. 1942; schrieb expressionist. Tragödien (»Himmel und Hölle«, 1919; »Jud Süß«, 1930), Komödien, die bed. expressionist. Bekenntnisschrift »Der beseelte und der psycholog. Mensch« (1918) sowie den Roman »Blanche oder Das Atelier im Garten« (hg. 1957).

Korngold, Erich Wolfgang, österr. Komponist, *Brünn 29. 5. 1897, †Los Angeles 29. 11. 1957; errang großen Erfolg mit seiner Oper »Die tote Stadt« (1920); seit 1931 Prof. an der Wiener Musikakademie; emigrierte 1934 in die USA. Neben

Filmmusiken schrieb K. weitere Opern, Orchester- und Kammermusik.

Kornisch, die gegen Ende des 18. Jh. ausgestorbene →keltische Sprache von Cornwall.

Kornkäfer (Schwarzer Kornwurm, Sitophilus granarius, Calandra granaria), braunschwarzer, etwa 4 mm langer Rüsselkäfer, verbreiteter Schädling an Getreidevorräten; die Larve frisst das Korninnere von Gerste, Hafer, Mais, Roggen, Weizen, befällt auch geschälten Reis und Teigwaren.

Kornmotte (Nemapogon granellus), Art der Echten Motten; die Raupe **(Weißer Kornwurm)** frisst an versch. pflanzl. Stoffen, häufig auch an trocken gelagertem Getreide und wird dann zum gefürchteten Vorratsschädling.

Kornrade (Agrostemma githago), Nelkengewächs mit purpurfarbenen Blüten und großen giftigen Samen; früher lästiges Ackerunkraut, heute in starkem Rückgang.

Korntal-Münchingen, Stadt im Landkr. Ludwigsburg, Bad.-Württ., 17 200 Ew.; Werkzeugbau, Lackfabriken. – Korntal wurde 1819 von württemberg. Pietisten gegründet, 1975 mit Münchingen (seit Mitte des 12. Jh. urkundlich belegt) vereinigt.

Körnung, allg. das Vorhandensein von Körnern gleicher oder unterschiedl. **Korngröße** (Teilchengröße) in Pulvern, Stäuben, körnigen Gemengen (Minerale, Baustoffe, Schleifwerkzeuge), Dispersionen (Pigmente), Aerosolen (Abgase) u. a.

Kornwestheim, Stadt (Große Kreisstadt) im Landkr. Ludwigsburg, Bad.-Württ., im Strohgäu; 29 800 Ew.; Schuhind., Maschinenbau. – Evang. Pfarrkirche St. Martin (1516). – Seit 1931 Stadt.

Korolenko, Wladimir Galaktionowitsch, russ. Schriftsteller, *Schitomir 27. 7. 1853, †Poltawa 25. 12. 1921; lebte 1876–85 als Verbannter in Sibirien, schildert in seinen Erzählungen das Dasein bäuerl. Menschen: »Der Wald rauscht« (1886), »Der blinde Musiker« (1886). Literarisch und zeitgeschichtlich bed. sind seine Memoiren »Die Geschichte meines Zeitgenossen« (4 Bde., 1922).

Koroljow (Korolev), Sergej Pawlowitsch, sowjet. Raumfahrttechniker, *Schitomir 12. 1. 1907, †Moskau 14. 1. 1966; war Laboratoriumsleiter am Institut für Maschinenkunde der Akademie der Wissenschaften der UdSSR, entwickelte seit 1933 Raketen, Sputnik I (1957), Satelliten, Sonden, Raumfahrzeuge (Wostok 1961–63, Woschod 1964–65) und Trägerraketensysteme.

Koromandelküste (engl. Coromandel Coast), der um Madras gelegene Küstenabschnitt in SO-Indien, rd. 700 km lang.

Korona [lat. »Kranz«] *die,* **1)** *Astrophysik:* (Corona, Sonnenkorona), die weißlich leuchtende, strahlenförmige äußerste Schicht der Sonnenatmosphäre geringer Dichte, die die Sonne kranzartig umgibt und den stetigen Übergang zur inter-

Korona 1): Aufnahme der Sonnenkorona bei einer totalen Sonnenfinsternis

planetaren Materie bildet; ist mit dem bloßen Auge nur während einer totalen Sonnenfinsternis beobachtbar, kann mit einem →Koronographen untersucht werden. Die K. besteht aus einem Plasma hochionisierter Atome und freier Elektronen mit einer Temperatur von über 10^6 K. Form und Helligkeit der strahlenförmigen Strukturen **(K.-Strahlen)** variieren während eines Sonnenfleckenzyklus. Das Gesamtspektrum der K. ergibt sich als Überlagerung aus den Kontinua der sog. **K-Korona** und **F-Korona,** die zusätzlich Fraunhofer-Linien aufweist, sowie den Emissionslinien der **L-Korona.** Die K. ist eine starke Röntgenstrahlungsquelle und sendet Radiostrahlung v. a. im Meterwellenbereich aus.

2) *Hochspannungstechnik:* (Koronaentladung), Leuchterscheinung aufgrund einer selbstständigen →Gasentladung, die bei hohen elektr. Feldstärken an Oberflächen von Hochspannungsfreileitern (bes. an Spitzen und Kanten) auftritt und damit zu unerwünschten Energieverlusten führt.

3) *Meteorologie:* der →Kranz.

Koronargefäße, →Herz.

Koronar|infarkt, der →Herzinfarkt.

Koronarographie [lat.-grch.] *die* (Koronarangiographie), Röntgenkontrastdarstellung (Serie von Röntgenaufnahmen in schneller Bildfolge) der Herzkranzgefäße; dient der Diagnose von funktionellen Störungen und organ. Erkrankungen.

Koronarsklerose, Verkalkung der den Herzmuskel versorgenden Herzkranzgefäße; führt zu verschlechterter Blutversorgung des Herzmuskels und damit zur Minderung der Herzleistung.

Koronograph [lat.-grch.] *der,* astronom. Fernrohr zur Beobachtung der →Korona der Sonne und der Protuberanzen. Durch eine Blende B in der Brennebene des Objektivs L_1 aus streulichtfreiem Glas, die das Bild der eigentl. Sonnenscheibe abdeckt, wird eine künstl. Sonnenfinsternis erzeugt; so gelangt nur das Licht der Sonnen-

Kornmotte (Flügelspannweite 13 mm)

Kornrade (Höhe bis 1 m)

Sergej Koroljow

korona über die Feldlinse F durch die Irisblende I und die Linse L_2 in das Okular O.

Körös ['kørøʃ] *die* (dt. auch Kreisch, rumän. Criş), linker Nebenfluss der Theiß im Ungar. Tiefland, 303 km lang; Quellflüsse: Schwarze, Weiße und Schnelle Körös.

Körper [aus lat. corpus], **1)** *Algebra:* eine algebraische Struktur $(K, *, \circ)$ bestehend aus einer nichtleeren Menge K und zwei in ihr definierten Verknüpfungen $*$ und $\circ$ (z. B. Addition und Multiplikation), wobei $(K, *)$ eine kommutative Gruppe (mit 0 als neutralem Element bezüglich $*$) und $(K\backslash\{0\}, \circ)$ eine kommutative Gruppe (mit 1 als neutralem Element bezüglich $\circ$) bildet; die Verknüpfung $\circ$ ist distributiv bezüglich $*$. Einen K. mit den Verknüpfungen + und · bildet z. B. die Menge der rationalen Zahlen. Bildet eine Teilmenge K selbst wieder einen K. bezüglich der in K definierten Verknüpfungen, so spricht man von einem Unterkörper. Der K. der rationalen Zahlen ist ein Unter-K. des K. der reellen Zahlen. Endl. K. besitzen keine Unterkörper. Sie sind von Primzahlcharakteristik, d. h., es gibt eine kleinste rat. Zahl $p \neq 0$ mit $p \circ 1 = 0$.

2) *Geometrie:* ein von ebenen oder gekrümmten Flächen allseitig begrenzter Teil eines Raumes. Die Gesamtheit der Begrenzungsflächen ist die Oberfläche des K., der von ihm eingeschlossene Teil des Raumes sein Volumen. **Regelmäßige K. (platon. K.)** sind Vielflächner, die von ebenen, deckungsgleichen, regelmäßigen Vielecken begrenzt werden. Zu diesen gehören der von vier gleichseitigen Dreiecken begrenzte Tetraeder, der von sechs Quadraten begrenzte Würfel, der von acht gleichseitigen Dreiecken begrenzte Oktaeder, der von zwölf Fünfecken begrenzte Dodekaeder, der von zwanzig gleichseitigen Dreiecken begrenzte Ikosaeder. Zu den von gekrümmten Flächen begrenzten K. gehören Kugeln und Ellipsoide. Zylinder und Kegel werden sowohl von ebenen als auch von gekrümmten Flächen begrenzt.

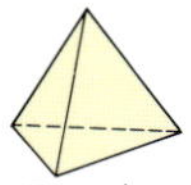
Tetraeder

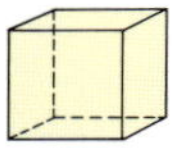
Würfel

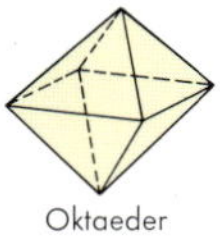
Oktaeder

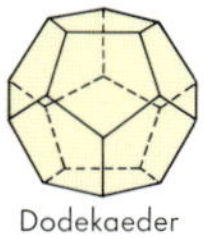
Dodekaeder

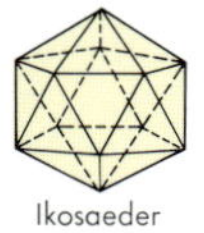
Ikosaeder

Körper 2): Regelmäßige Körper werden von ebenen deckungsgleichen Vielecken begrenzt

3) *Physik:* bestimmte Materiemenge mit beständiger **(starrer K.)** oder veränderl. **(deformierbarer, elast., plast. K.)** Gestalt. Neben diesen **festen K.** (→Festkörper) gibt es auch **flüssige K.** und **gasförmige Körper.**

Körperbehinderte, →Behinderte, →Schwerbehinderte.

Körperbemalung, bei vielen Völkern verbreitete Sitte, die Haut zu färben, zum Zeichen der Trauer oder Buße, als Stammes- oder Standeszeichen, Kriegsbemalung.

Körperfarbe (Oberflächenfarbe), →Farbe einer nicht selbstleuchtenden Fläche.

Körpergewicht, das von Geschlecht, Alter, Ernährungszustand, Körperlänge und endokrinen Faktoren abhängige Gewicht eines Individuums. Die Faustformel für die Berechnung des **Normal- oder Sollgewichts,** die **Broca-Formel,** kann nur als allg. Richtschnur gelten: Körperlänge (in cm) abzüglich 100 ergibt das Normalgewicht (in kg). Toleranzwerte von 10 % über oder unter dem Normalgewicht werden als nicht gesundheitsschädlich angesehen. **Übergewicht** und **Untergewicht** bestehen, wenn das K. über bzw. unter dem Toleranzwert liegt. Eine wesentl. Rolle spielt auch der Knochenbau, da die Knochen mit etwa 17,5 % am K. beteiligt sind.

Körpergröße, die vom Scheitel bis zur Sohle gemessene Länge des Menschen. Die normale K. beträgt beim Neugeborenen 48–54 cm, beim Erwachsenen etwa 150–190 cm. Frauen sind durchschnittlich 10 cm kleiner als Männer. Ein Zurückbleiben der K. unter der Altersnorm wird als **Minderwuchs** mit den Abstufungen **Kleinwuchs** (etwa 130–150 cm) und **Zwergwuchs** (etwa 80–130 cm) bezeichnet. Von Riesenwuchs spricht man, wenn die K. bei der Frau 185 cm, beim Mann 200 cm übersteigt.

Körperhaltung (Haltung), durch den Stützapparat des Körpers und die Innervation bestimmter Muskelgruppen bedingte aufrechte Körperstellung des Menschen. Das Zusammenwirken des aktiven (Muskeltonus) und des passiven Halteapparats (Knochen und Bänder) variiert je nach erbl. Veranlagung, Alter, Kräftezustand und psych. Verfassung des Betreffenden. Im medizin. Sprachgebrauch werden als **Haltungsfehler** die v. a. im Schul- oder Jugendalter auftretenden Abweichungen der Wirbelsäule nach vorn (Lordose) oder hinten (Kyphose) oder in seitl. Richtung (Skoliose) bezeichnet. Sie lassen sich jedoch bei rechtzeitigem Eingreifen (Gymnastik, orthopäd. Turnen) meist korrigieren. Im Unterschied dazu stehen die sog. sekundären Haltungsstörungen **(Haltungsschäden);** sie sind v. a. auf krankhafte (angeborene oder erworbene) Veränderungen des knöchernen Skeletts zurückzuführen (z. B. Wirbelsäulenverkrümmung bei der angeborenen Hüftgelenkluxation).

Körperschaft (Korporation), *Recht:* rechtsfähige Vereinigung von Personen zu einem gemeinsamen Zweck. Neben privatrechtl. K. (Verein, AG, GmbH, Genossenschaft) gibt es **K. des öffentl. Rechts (öffentlich-rechtl. K.)** als rechtsfähige Verbände zur Wahrnehmung staatl. Zwecke unter Staatsaufsicht, bes. im Bereich der Selbstverwaltung. Man unterscheidet Gebiets-K. (z. B. Gemeinde), Personal-K. (z. B. Berufskammern) und Verbands-K. (gemeindliche Zweckverbände). Die Mitgliedschaft kann freiwillig oder gesetzlich vorgeschrieben sein.

Körperschaftsteuer, Ertragsteuer auf die Einkünfte bestimmter Unternehmensformen. In Dtl.

sind gemäß K.-Ges. i.d.F. v. 11. 3. 1991 unbeschränkt steuerpflichtig: Kapitalgesellschaften, Erwerbs- und Wirtschaftsgenossenschaften, Versicherungsvereine auf Gegenseitigkeit, sonstige jurist. Personen des privaten Rechts, nichtrechtsfähige Vereine, Anstalten, Stiftungen und andere Zweckvermögen des Privatrechts und Betriebe gewerbl. Art von jurist. Personen des öffentl. Rechts. Von der K. befreit sind u.a.: Unternehmen des Bundes, kirchl., gemeinnützigen oder mildtätigen Zwecken dienende Körperschaften. Steuerbemessungsgrundlage ist der Gewinn, der grundsätzlich nach dem Einkommensteuer-Ges. und nach dem K.-Ges. ermittelt wird. Körperschaften mit Sitz im Inland unterliegen mit ihrem gesamten Welteinkommen der K., die übrigen Körperschaften nur mit dem Inlandseinkommen. In Dtl. gilt seit 1977 für die Ermittlung der individuellen Steuerschuld das Anrechnungsverfahren: Seit 1994 beträgt der Steuersatz für einbehaltene Gewinne 45% (vorher 50%), bei Ausschüttung wird eine Steuerbelastung von 30% (vorher 36%) hergestellt. Die K.-Gutschrift der Dividendenempfänger beträgt $^{3}/_{7}$ der empfangenen Bardividende. Diese K.-Gutschrift wird auf die Einkommensteuerschuld des Empfängers (Aktionärs) angerechnet. Liegt der persönl. Einkommensteuersatz des Empfängers niedriger, erhält er vom Finanzamt eine entsprechende Vergütung. 1995 betrug das Aufkommen der K. 18,14 Mrd. DM.

In *Österreich* wurde der einheitl. K.-Satz ab 1994 von 30% auf 34% erhöht. Aufseiten der Aktionäre entfällt normalerweise die bis dahin erfolgte Besteuerung der Dividendenbezüge natürl. Personen mit dem halben individuellen Einkommensteuersatz (»Halbsatzverfahren«), die Einkommensteuerschuld ist nunmehr durch die seit 1994 als Abgeltungsteuer erhobene Kapitalertragsteuer auf Dividenden (22%) abgegolten.

In der *Schweiz* besteuert der Bund im Rahmen der direkten Bundessteuer Ertrag und Kapital jurist. Personen, daneben sind kantonale »Ertragsteuern« von Kapitalgesellschaften und Genossenschaften zu entrichten, häufig versehen mit gemeindl. Zuschlägen.

📖 KOOP, M. J.: *Zur Gewinnbesteuerung von Körperschaften in der Europ. Gemeinschaft. Tübingen 1993.* – STRECK, M.: *Körperschaftsteuergesetz mit Nebengesetzen. München ^{4}1995.*

Körperschaftswald, Wald im Eigentum von Gemeinden, Gemeindeverbänden, Zweckverbänden, Stiftungen u.a. Körperschaften des öffentl. Rechts.

Körpersprache, die Gesamtheit des zur nichtsprachlichen Kommunikation rechnenden Ausdruckverhaltens des Menschen, z.B. Körperbewegung, -haltung, Gesichtsausdruck.

Körpertemperatur, die Temperatur im bzw. am Körper bei Mensch und Tier; bei den Kaltblütern ist sie von der Umgebungstemperatur abhängig, bei den Warmblütern hat sie eine komplizierte räuml. Verteilung, die außerdem rhythm. Tagesschwankungen unterliegt, mit einem annähernd gleich warmen Körperkern (das Innere des Rumpfes und Kopfes), in dessen Bereich die **Kerntemperatur** herrscht. Beim Menschen liegt die höchste Normaltemperatur bei Messung in der Achselhöhle (axillar) bei 36,9 °C und im Mastdarm (rektal) bei 37,4 °C. Sie schwankt beim gesunden Menschen im Tagesverlauf um etwa 0,2–1,2 °C. Die K. liegt bei den meisten Säugetieren zw. 36 und 39 °C, bei den Vögeln zw. 40 und 43 °C.

Körperverletzung, die Beeinträchtigung der körperl. Unversehrtheit eines Menschen. Das StGB schützt die körperl. Integrität und unterscheidet bei ihrer Verletzung: **einfache vorsätzl.** und **fahrlässige K.;** weiterhin **gefährl. K.** (mittels Waffe), **schwere K.** (Verlieren wichtiger Körperteile oder Körperfunktionen) und **K. mit Todesfolge,** die **Misshandlung von Schutzbefohlenen** (z.B. Kindesmisshandlung; §§223–226 StGB) sowie die **K. im Amt** (§340 StGB). Besondere Tatbestände bilden die Beteiligung an einer Schlägerei und die →Vergiftung (§§227, 229 StGB). K. ist mit Geldstrafe (nicht in allen Tatbeständen) oder Freiheitsstrafe im Höchstmaß bis zu fünf Jahren bzw. im Mindestmaß nicht unter drei Jahren (K. mit Todesfolge) bedroht. Fahrlässige und einfache vorsätzl. K. werden i.d.R. nur auf Antrag verfolgt. – Objektiv liegt eine K. auch bei ärztl. Eingriffen vor, allerdings sind diese bei Einwilligung des Verletzten grundsätzlich nicht rechtswidrig. – In *Österreich* wird die K. nach §§83–88 StGB bestraft; in der *Schweiz* gelten die Art. 122–129 StGB.

Korporal [frz.] *der,* Unteroffiziersdienstgrad in versch. Heeren (nicht im dt. Heer).

Korporation [lat. corpus »Körper«] *die,* **1)** →studentische Verbindung.

2) *Recht:* veraltet für →Körperschaft.

Korps [ko:r] *das,* **1)** (Corps), eine Art der →studentischen Verbindungen.

2) *Militärwesen:* Großverband (frühere Bez. Armee-K.) und militär. Führungsstelle der oberen Führung.

Korpus [lat.] (Corpus), **1)** *der, bildende Kunst:* der Leib Christi am Kreuz.

2) *das, Buchwesen:* Gesamtwerk zu einem Spezialgebiet (z.B. K. der Goethezeichnungen).

3) *der, Musik:* der Resonanzkörper der Saiteninstrumente oder die Schallröhre (ohne Mund- und Schallstück) der Blasinstrumente.

4) *die, Typographie:* (Garmond) ein Schriftgrad von 10 typograph. Punkten.

Korpuskarzinom, →Gebärmutterkrebs.

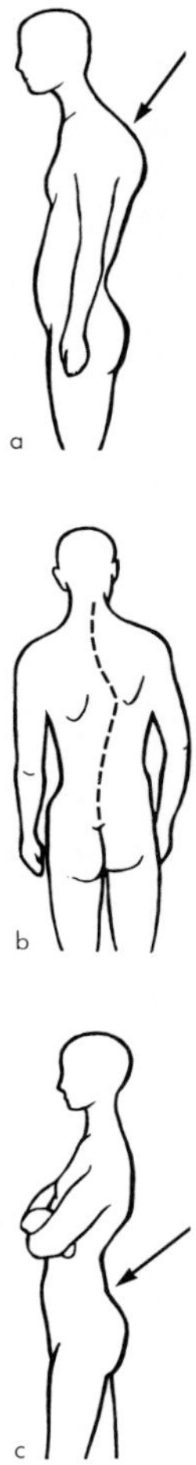

Körperhaltung: Haltungsfehler; a Kyphose, b Skoliose, c Lordose

Korpuskel [lat.] *das,* auch *die, Physik:* →Teilchen.

Korpuskularstrahlen (Teilchenstrahlen), aus materiellen, bewegten Teilchen bestehende Strahlen wie Elektronen-, Ionen-, Neutronen-, Alpha-, Beta-, Molekular- u. a. Strahlen.

Korrasion [lat.] *die,* das Abreiben, Abscheuern, Abschleifen des Untergrunds durch Wind, Wasser oder Eis mithilfe von Geschieben, Geröllen, Sand, auch Schnee. Die K. hat den Hauptanteil an der fluvialen Erosion. In Trockengebieten entstehen durch die vom Wind mitgeführten Sandkörner, den sog. **Sandschiff,** Windkanter (Dreikanter), Pilzfelsen u. a.

Korreferat [lat.] *das,* Nebenbericht, Gegenbericht, der sich (als Ergänzung) auf das Thema eines Hauptreferats bezieht.

Korreferent [lat.] *der,* Mitgutachter, Nebenberichterstatter.

Korrektor [lat.] *der,* Angestellter einer Druckerei oder eines Verlages, der den Schriftsatz auf Satzfehler prüft.

Korrektur [lat.] *die,* Verbesserung, Richtigstellung.

Korrelat [lat.] *das,* Gegenstand oder Begriff, der zu einem anderen in (ergänzender) Wechselbeziehung steht.

Korrelation [lat.] *die,* **1)** *allg.:* das Aufeinanderbezogensein zweier Begriffe.

2) *Biologie:* Wechselbeziehungen zw. Teilen, Organen, Zellen, Strukturelementen eines Organismus.

3) *mathemat. Statistik, Wahrscheinlichkeitstheorie:* die stochast. Abhängigkeit zweier Zufallsgrößen X und Y voneinander. Als Maß für die K. bestimmen z. B. die **Kovarianz** $\mathrm{cov}(X,Y)$ und der **K.-Koeffizient** ϱ den linearen Zusammenhang zwischen X und Y: $\varrho = \mathrm{cov}(X, Y)/\sqrt{\mathrm{V}(X)\,\mathrm{V}(Y)}$, mit $\mathrm{V}(X)$ als Varianz (→Streuung) von X. Im Falle einer Stichprobe mit n Messungen, den Ergebnissen x_i und y_i $(i=1,2,\ldots,n)$ und den Mittelwerten $\bar{x},\bar{y}$ von X,Y gilt:

$$\varrho = \sum_{i=1}^{n} (x_i - \bar{x})(y_i - \bar{y}) \Bigg/ \sqrt{\sum_{i=1}^{n} (x_i - \bar{x})^2 \sum_{i=1}^{n} (y_i - \bar{y})^2}.$$

Für ϱ gilt: $-1 \leqq \varrho \leqq 1$; je näher der Absolutwert von ϱ bei 1 liegt, desto stärker ist die K., Zufallsgrößen mit $\varrho = 0$ heißen unkorreliert. – Die **K.-Analyse,** ein Teilgebiet der mathemat. Statistik, untersucht K. (zeitabhängiger) stochast. Prozesse oder period. Zeitfunktionen unter Verwendung sog. **K.-Funktionen,** die die zeitl. Verzögerung zweier Prozesse zueinander berücksichtigen.

Korrespondent [lat.] *der,* **1)** kaufmänn. Angestellter für den Briefwechsel, z. B. als **Fremdsprachen-** bzw. **Wirtschafts-K.** (zwei Fremdsprachen, Ausbildung ein halbes bis drei Jahre).

2) *Publizistik:* angestellter oder freiberufl. Mitarbeiter von Nachrichtenagenturen, Informationsdiensten, Presse- und Rundfunkmedien, der nicht in der Hauptredaktion tätig ist; als **Ständiger K.** berichtet er von einem bestimmten Ort oder über spezif. Sachgebiete.

Korrespondenzprinzip, von N. Bohr abgeleitetes heurist. Prinzip, das eine Beziehung zw. den Gesetzen der klass. Mechanik und denen der →Quantentheorie herstellt. Nach dem K. muss für den Grenzfall stationärer Zustände mit großen Quantenzahlen die quantenmechan. Beschreibung in die klass. übergehen.

Korridor [italien.] *der,* **1)** *allg.:* Gang, Flur.

2) *Völkerrecht:* ein Gebietsstreifen, der fremdes Staatsgebiet durchquert, z. B. der durch den Versailler Vertrag (1919) errichtete Polnische K. (Zugang Polens zur Ostsee) oder der 1945 zw. den Besatzungsmächten vereinbarte Luftkorridor nach Berlin (West).

Korrosion [lat.] *die,* **1)** *Geomorphologie:* chem. Zerstörung und Zerfurchung (Auslaugung) des Gesteins durch fließendes Wasser, z. B. Karren- und Höhlenbildung (→Karsterscheinungen).

2) *Werkstoffkunde:* die Zerstörung von Metall durch chem. oder elektrochem. Reaktion mit seiner Umgebung. Die meisten Gebrauchsmetalle sind schon gegenüber Sauerstoff und Wasser unbeständig; ein aggressiveres korrodierendes Angriffsmittel ist z. B. Schwefeldioxid, das in den Abgasen von Ind.anlagen enthalten ist. **Chem. K.** der Metalle liegt beim Angriff von Medien ohne Ionenleitfähigkeit vor, z. B. trockenen Gasen oder Metallschmelzen; **elektrochem. K.** tritt bei Einwirkung von Ionenleitern auf, z. B. Lösungen von Salzen, Säuren und Alkalien, wobei es zu Phasengrenzflächenreaktionen zw. den metall. und festen, gasförmigen oder flüssigen K.-Medien kommt. Sind ein edleres und ein unedleres Metall durch Niet-, Schraub- oder Schweißverbindungen leitend miteinander verbunden, kommt es zur **Kontakt-K.** Einige unedle Metalle (z. B. Aluminium, Chromstähle) sind unter bestimmten Bedingungen (durch →Passivierung) unerwartet korrosionsbeständig. Die K. von Eisen heißt →Rost.

Korrosionsschutz, Maßnahmen zur Verhinderung der Korrosion metall. Werkstoffe durch Aufbringen von Schutzschichten gegen chem. oder elektrochem. Angriff **(passiver K.)** oder durch Anwendung sehr reiner oder legierter Werkstoffe, Einsatz von Korrosionsinhibitoren (z. B. Hydrazin, Amine, Thioharnstoffderivate) oder elektrochem. Schutzverfahren (kathodischer oder anodischer K.) sowie korrosionsschutzgerechtes Konstruieren **(aktiver Korrosionsschutz).**

Korruption [lat.] *die,* Bestechung, Bestechlichkeit; die durch korrupte Machenschaften und politisch-moral. Verfallserscheinungen gekennzeichneten Verhältnisse innerhalb eines Staats, einer Gesellschaft.

Korsage [-ʒə, frz.] *die,* auf Figur gearbeitetes versteiftes, oft trägerloses Kleideroberteil.

Korsak [russ.] *der* (Steppenfuchs, Alopex corsac), tagaktiver, kurzohriger Fuchs in den Steppen Zentralasiens.

Korsakow-Syndrom [nach dem russ. Psychiater S. S. Korsakow, *1854, †1900], psych. Krankheit, die v.a. mit hochgradigem Verlust der Merkfähigkeit verbunden ist und z.B. als Folge von chron. Alkoholismus auftritt.

Korschenbroich [-ˈbroːx], Stadt (seit 1981) im Kr. Neuss, NRW, 32100 Ew.; Textil-, Bekleidungs-, Metall verarbeitende Ind., Brauerei. – Wasserburg Schloss Myllendonk (14.–19. Jh.).

Korsen, die Bewohner Korsikas, entstanden aus einer Urbev. von (wahrscheinlich) Iberern und Ligurern durch Vermischung mit Karthagern, Etruskern, Römern, Mauren, Italienern und Franzosen. Ihre Sprache wurde seit dem 11. Jh. durch die Sprache der jeweils Herrschenden überlagert.

Korsett [frz.] *das, Mode:* Brust, Hüfte und Taille bedeckende, formende, durch Stäbe versteifte Unterkleidung, deren Vorläufer bis ins 18. Jh. Schnürbrust und Mieder waren.

Korsak: Der rötlich sandfarbene Fuchs besitzt keinen eigenen Bau, sondern benutzt verlassene Baue von Steppenmurmeltieren

Korsika (frz. La Corse), Insel im Mittelmeer, 8680 km², (1995) 259000 Ew., Region Frankreichs mit zwei Dép. (Haute-Corse und Corse-du-Sud), 170 km von der frz. Küste (bei Nizza) entfernt; Hptst. ist Ajaccio. – K. ist ein stark zertaltes, wildes Gebirgsland (im Monte Cinto 2710 m ü. M.) mit fruchtbaren, z.T. versumpften Küstenebenen im O. Die Westküste ist reich gegliedert. K. hat Mittelmeerklima. Der größte Teil der Insel wird von Macchie und Wald eingenommen. Wichtigste Wirtschaftszweige sind Landwirtschaft (bes. Schaf- und Ziegenzucht) und Fremdenverkehr. In den Küstenzonen gedeihen Wein, Zitrusfrüchte, Olivenbäume und Korkeichen, in höheren Lagen Edelkastanien und Obstbäume. Fischerei, v.a. auf Thunfisch und Sardellen.

Korsika: Bonifacio, die südlichste Stadt Korsikas, liegt auf einem 100 m aus dem Meer aufragenden Felsrücken

Geschichte: An der Küste von Etruskern, Griechen und Karthagern besiedelt, stand K. seit dem 5. Jh. v. Chr. unter karthag., seit 238 v. Chr. unter röm. Herrschaft, gehörte im 5./6. Jh. den Wandalen, später Byzantinern und Langobarden. Sarazenen und Mauren überfielen K. häufig. Nach deren Vertreibung durch Pisa und Genua stritten sich beide Städte um die Insel. 1735 machten die Korsen den Abenteurer Baron Theodor Neuhof zu ihrem König; 1755–59 war General P. Paoli Diktator. Genua verkaufte 1768 die Insel an Frankreich. Im 2. Weltkrieg war K. 1942/43 von dt. und italien. Truppen besetzt. Ende der 60er-Jahre verstärkten sich die Autonomiebestrebungen, vertreten von den Organisationen Union des kors. Volkes (UPC) und Nat. Front zur Befreiung K. (FLNC). 1982 erhielt K. ein Autonomiestatut, das 1992 erneuert und erweitert wurde. Die FLNC, die die Unabhängigkeit der Insel mit terrorist. Mitteln anstrebt, wurde 1983 verboten, tritt aber seit Beginn der 90er-Jahre mit neuen Anschlägen hervor.

📖 ROTHER, A.: *K. Natur u. Kultur auf der »Insel der Schönheit«. Köln ⁷1988.* – BIEHUSEN, K. W. *u.* NEPASCHINK, N.: *K. Köln 1991.*

Korso [italien.] *der,* Festzug geschmückter Wagen; auch breite Straße für Umzüge.

Korsør [kɔrˈsøːr], Stadt auf der Insel Seeland, Dänemark, am Großen Belt, 20100 Ew.; Autofähre nach Fünen, Langeland und Kiel; Eisengießerei, Werft, Maschinenbau, Glasfabrik, Nahrungsmittelindustrie. – Im 13. Jh. entstanden.

Kort-Düse [nach dem Konstrukteur L. Kort, *1888, †1958], feste, ringförmige Ummantelung einer Schiffsschraube, mit der düsenartig die Anströmgeschwindigkeit des Wassers zur Schraube erhöht wird; dadurch entsteht ein Druckabfall unmittelbar vor der Schraube, eine größere Druckdifferenz zum Schraubenstrahl und somit ein verbesserter Schub. Beim **Kort-Düsenruder** ist die K.-D. in das Ruder eingebaut, oder der schwenkbare Düsenring übt die Ruderwirkung aus.

Kort-Düse: Beim Kort-Düsenruder übt der schwenkbare Düsenring die Ruderwirkung aus

Kortisol *das,* → Cortisol.

Kortison *das,* → Cortison.

Kortner, Fritz, österr. Schauspieler und Regisseur, * Wien 12. 5. 1892, † München 22. 7. 1970; seit 1911 am Dt. Theater, seit 1919 am Staatstheater Berlin; Prototyp des expressionistischen Schauspielers (Glanzrollen: Geßler, Shylock, Richard III., Othello). 1933–49 Emigration (London, USA); schuf danach in Dtl. eine Reihe hervorragender Inszenierungen; schrieb Erinnerungen: »Aller Tage Abend« (1959) und »Letzten Endes« (hg. 1971).

Fritz Kortner

Kortrijk [-rɛjk] (frz. Courtrai), Stadt in der belg. Prov. Westflandern, an der Leie, 76 00 Ew.; Abteilung der Univ. Löwen, Kunstmuseum, Nationalmuseum für Leinen; Textil-, Elektronik-, Metall-, Uhrenind.; Flusshafen. – Spätgotisches Rathaus, St.-Martins-Kirche (13.–15. Jh.), Liebfrauenkirche (13. Jh.), Beginenhof (gegr. 1238), Belfried (13./14. Jh.). – K., das keltisch-röm. **Cortoriacum,** erhielt 1190 Stadtrecht. 1302 besiegten bei K. die flandr. Zünfte ein frz. Ritterheer (»Goldsporenschlacht«) und sicherten damit die Selbstständigkeit Flanderns.

Kortschnoi, Wiktor Lwowitsch, schweizer. Schachspieler russ. Herkunft, * Leningrad (heute Sankt Petersburg) 23. 6. 1931; unterlag 1978 und 1981 im Kampf um die Weltmeisterschaft A. Karpow, nahm sechsmal am WM-Kandidatenturnier teil; emigrierte 1976 aus der UdSSR.

Kortum, Karl Arnold, Schriftsteller, * Mülheim an der Ruhr 5. 7. 1745, † Bochum 15. 8. 1824; Arzt; schrieb und illustrierte das grotesk-kom. Epos in Knittelversen »Die Jobsiade oder Leben, Meinungen und Taten von Hieronymus Jobs dem Kandidaten« (3 Bde., 1784; von W. Busch 1874 illustriert).

Korund: Kristallbruchstück eines Rubins

Korund [ind.] *der,* trigonales Mineral der chem. Zusammensetzung α-Al_2O_3, farblos oder durch Beimengungen farbig, klar bis fast undurchsichtig, säulig, tonnenförmig und derb, Härte nach Mohs 9, Dichte 3,9–4,1 g/cm^3, kommt in tonerdereichen Tiefengesteinen und Pegmatiten sowie in metamorphen Gesteinen vor, in Seifen angereichert. Die klaren K. sind wertvolle Edelsteine: der rote **Rubin** (Färbung durch Chromoxid) und der blaue (Färbung durch Titanoxid und Magnetit), auch weiße oder gelbe **Saphir.** Der durch Eisenoxide getrübte gemeine K. ist Hauptbestandteil von Schmirgel (als Schleifmittel). Künstl. Rubine werden als Lagersteine in Uhren, künstl. Saphire als Abtaster in Tonabnehmersystemen verwendet.

Körung *die, Tierzucht:* Beurteilung männl. Nutz- und Haustiere im Zusammenhang mit ihrer Verwendung für die Zucht. Der Körzwang für landwirtsch. Nutztiere ist seit 1. 1. 1990 abgeschafft.

Korvette [frz. aus niederländ.] *die,* kleineres, voll getakeltes Segelschiff, später getakeltes Dampfschiff, Vorgänger der Panzerschiffe; heute mittelgroßes Kriegsschiff.

Korvettenkapitän, Marineoffizier im Rang des Majors.

Koryphäe [grch.], **1)** *der,* im alten Griechenland polit. oder militär. Führer, später der Chorführer in der Tragödie.

2) *die, bildungssprachlich:* hervorragender Fachmann, führender Wissenschaftler oder Künstler.

Kos [koːs] (italien. Coo, türk. İstanköy), grch. Insel des Dodekanes im Ägäischen Meer, vor der Küste Kleinasiens, 290 km^2, 20 400 Ew.; Hauptort: Kos (12 000 Ew.); bis 846 m hoch, im N fruchtbare Ebene mit Anbau u. a. von Wein, Zitronen, Feigen, Ölbäumen, Getreide; Fremdenverkehr. Im Altertum berühmt durch das urspr. Apollon geweihte Asklepiosheiligtum (seit dem 4. Jh. v. Chr.) und seine Ärzteschule (Hippokrates). 1523–1912 osmanisch, 1912–47 zum italien. Dodekanes.

Kos: Reste eines korinthischen Tempels (2. Jh. n. Chr.) des Asklepiosheiligtums

Kosaken [russ.-poln., von turktatar. kazak »freier Krieger«, »Abenteurer«], ursprünglich tatar., später ostslaw. kriegerische Gemeinschaften freier Reiterverbände am Rande der osteurop.

Steppenzone. Die K. rekrutierten sich v.a. aus russ. und ukrain. Bauern, die sich seit dem 15. Jh. der Leibeigenschaft bzw. dem wirtsch. Druck auf den Adelsgütern durch Flucht in die freien Steppen am mittleren und unteren Don entzogen. Seit dem 16. Jh. teilten sich die K. in zwei Gruppen: in die dem Moskauer Staat auf Dauer verbundenen städt. K., die am mittleren Dnjepr wohnten und sich v.a. der Grenzverteidigung, aber auch dem Handel widmeten, und in die Saporoger (»unterhalb der Stromschnellen«) K. am unteren Dnjepr (mit befestigtem Zentrum auf der Insel Sitsch; um 1550–1775), die von Beutezügen und etwas Landwirtschaft lebten und von denen fast alle anderen K.-Gruppen abstammen (u.a. Don-K., Ural-K.). Sie organisierten sich in Reiterheeren unter gewählten **Atamanen** (bei den Saporoger K. **Hetmanen**). 1648 erhoben sich die Saporoger K. unter S. B. M. Chmelnizki und versuchten, sich als unabhängiger Staat gegen Polen-Litauen, Osmanen und Krimtataren zu behaupten, gerieten jedoch allmählich unter die Oberhoheit des russ. Zaren. Katharina II. hob 1775 die Autonomie der Saporoger K. auf. Beginnend mit dem Feldzug Jermaks (1581), eroberten und erschlossen die K. Sibirien. Im zarist. Russland des 19. Jh. wurden die K. häufig zur Niederschlagung innerer Unruhen eingesetzt. Zu Beginn des 20. Jh. gab es elf K.-Heere. Nach der Oktoberrevolution hob die Sowjetreg. im Juni 1918 sämtl. Privilegien der K. auf; v.a. deshalb kämpfte der größte Teil der K. im Bürgerkrieg auf der Seite der Weißen (nach Sieg der Bolschewiki Emigration von etwa 30000 K.). Im 2. Weltkrieg wurden auf dt. Seite Freiwilligenverbände der K. gebildet, die von den westlichen Alliierten 1945 an die Rote Armee ausgeliefert wurden. Anfang der 90er-Jahre, bes. nach dem Zerfall der Sowjetunion (1991), lebte das lange Zeit nur folkloristisch (K.-Chöre) gepflegte Kosakentum wieder auf und organisierte sich auch wieder militärisch (Eingreifen in versch. lokale Konflikte).

📖 Schwarz, W.: *K. Kampf u. Untergang eines Reitervolkes. Neuausg. Frankfurt am Main u.a. 1992.* – Gröper, K.: *Die Geschichte der K. Wilder Osten 1500–1700. Sonderausg. Bindlach 1994.*

Koschenille [-'nilje] *die* (Cochenille, Kochenille), Bez. für getrocknete, zu Pulver zermahlene weibl. K.-Läuse, aus denen früher der Farbstoff Karmin gewonnen wurde.

Koschenillelaus [-'niljə-, span.-frz.] (Dactylopius cacti), etwa 1 (Männchen) bis 6 mm (Weibchen) große, in Mexiko beheimatete, auch auf den Kanar. Inseln eingebürgerte Schildlaus; Schädling an Opuntien. (→Koschenille)

koscher [jidd. von hebr. kascher »einwandfrei«], nach den jüd. Speisegesetzen rituell rein; zum Verzehr erlaubt.

Košice: Der Dom Sankt Elisabeth wurde 1390–1508 anstelle eines romanischen Vorgängerbaus errichtet

Koschnick, Hans, Politiker (SPD), *Bremen 2. 4. 1929; Verwaltungsbeamter, 1963–67 Innensenator von Bremen, 1967–85 dort Präs. des Senats und Erster Bürgermeister; 1975–79 stellv. Vors. der SPD; MdB 1987–1994; seit 1985 Vermittler in nat. und internat. Angelegenheiten, leitete von Juli 1994 bis März 1996 als Administrator den Wiederaufbau von Mostar; seit Okt. 1998 Bosnienbeauftragter der Bundesregierung.

Hans Koschnick

Kosciusko, Mount [maʊnt kɔzɪ'ʌskəʊ], höchster Berg Australiens, in den Snowy Mountains der Great Dividing Range (Austral. Alpen), 2230 m ü.M.; bedeutendstes austral. Wintersportgebiet, in einem Nationalpark (5316 km²) gelegen.

Kościuszko [kɔɕ'tɕuʃkɔ], Tadeusz, poln. Offizier und Freiheitskämpfer, *Mereczowszczyzna (Wolhynien, Weißrussland) 4. 2. 1746, †Solothurn 15. 10. 1817; kämpfte seit 1776 im amerikan. Unabhängigkeitskrieg, wurde dort General, kehrte 1784 nach Polen zurück, in dessen Armee er als General übernommen wurde. 1794 trat er an die Spitze des letzten Aufstands gegen die Teilungen Polens; er schlug die Russen bei Racławice (4. 4.), zwang die Preußen zur Aufhebung der Belagerung Warschaus, unterlag aber bei Maciejowice (10. 10.) der russ. Übermacht und geriet verwundet in Gefangenschaft. 1796 wurde er freigelassen und lebte im Ausland. Er wurde zu einer sehr populären Heldengestalt.

Tadeusz Kościuszko (zeitgenössischer Stahlstich)

Kosekans [lat.] *der,* eine →Winkelfunktion.

Kösen, Bad, →Bad Kösen.

Košice ['kɔʃitse] (dt. Kaschau, ungar. Kassa), Hauptstadt des Ostslowak. Gebietes, Slowakei, am Hernád, am O-Rand des Slowak. Erzgebirges,

Jerzy Kosinski

237300 Ew.; kath. Erzbischofssitz; Univ., TH, veterinärmedizin. Hochschule, Museen, Planetarium; Schwerind., Magnesitwerke, Elektronikindustrie; Flughafen. – Fünfschiffiger Dom Sankt Elisabeth (1390–1508) mit Elisabethaltar (1474–77, 48 Tafelgemälde); zahlreiche spätgot. und barocke Bauten prägen das Stadtbild; Teile der mittelalterl. Stadtbefestigung sind erhalten. – 1241 als Stadt, 1290 als königlich-ungar. Freistadt erwähnt, im MA. bed. Handelszentrum; im 17. Jh. zur Festung gegen die Osmanen ausgebaut; kam 1921 zur ČSR (1938–45 zu Ungarn).

Kosinski, Jerzy, amerikan. Schriftsteller poln. Herkunft, *Łódz 14. 6. 1933, †(Selbstmord) New York 3. 5. 1991; seit 1957 in den USA, beschrieb in zeitkrit. Romanen die Macht des Bösen im Einzelnen und in der Gesellschaft (»Der bemalte Vogel«, 1965; »Aus den Feuern«, 1968; »Chance«, 1970; »Cockpit«, 1975; »Flipper«, 1982).

Kosinus [lat.] *der,* eine → Winkelfunktion.

Kosinussatz, Lehrsatz der Trigonometrie, wonach für ein Dreieck mit den Seitenlängen a, b, c und dem Winkel γ, der der Seite mit der Länge c gegenübersteht, gilt: $c^2 = a^2 + b^2 - 2ab\cos\gamma$. Für $\gamma = 90°$ folgt der → pythagoreische Lehrsatz.

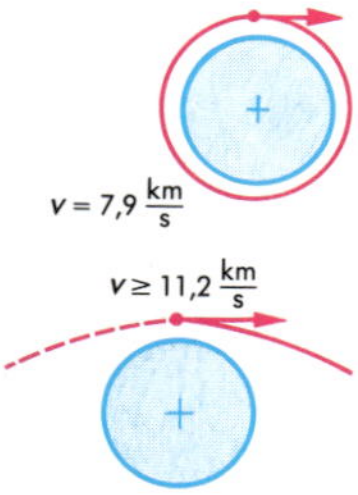

kosmische Geschwindigkeiten: erste (oben) und zweite kosmische Geschwindigkeit; v = Anfangsgeschwindigkeit, rote Linie = Flugbahn

Kosinzew, Grigori Michailowitsch, russ. Filmregisseur, *Kiew 22. 3. 1905, †Leningrad (heute Sankt Petersburg) 11. 5. 1973; gründete mit L. S. Trauberg und S. I. Jutkewitsch die avantgardist. Kinogruppe »Fabrik des exzentrischen Schauspielers« (1921); später Hinwendung zum Realismus; bekannte Filme: »Don Quichote« (1957), »Hamlet« (1964), »König Lear« (1970); auch Theaterregisseur.

Kosmetika

Die erste Großanlage zur Herstellung von Kosmetika entstand um 1800 v. Chr. In dieser Zeit arbeitete im altbabylonischen 300-Zimmer-Herrscherpalast von Mari, einer Stadt in Mesopotamien (heute der Ruinenhügel Tell Hariri am Mittleren Euphrat in Syrien), ein königliches Kosmetikunternehmen, das über eine große Destillieranlage verfügte. Wie die Buchführung des Keilschrifttontafelnarchivs verzeichnet, belief sich die monatliche Produktion auf mehrere Hundert Liter Destillate. Aus Ingwer, Oliven, Zypressen, Zedern, Weihrauch und Myrrhe u. a. wurden elf verschiedene Salben und Essenzen (sprich: Parfums) hergestellt.

Kosiol, Erich, Betriebswirtschaftler, *Köln 18. 2. 1899, †Salzburg 7. 9. 1990; befasste sich bes. mit Fragen der Unternehmens- und Organisationstheorie sowie des Rechnungswesens.

Werke: Kostenrechnung (1964); Bausteine der Betriebswirtschaftslehre, 2 Bde. (1973); Kosten- und Leistungsrechnung (1979).

Köslin, Stadt in Polen, → Koszalin.

Kosmas und Damianus, Märtyrer der diokletian. Christenverfolgung, nach der Legende Zwillingsbrüder und wunderbegabte Ärzte, Schutzpatrone der Ärzte, Apotheker und Kranken; Heilige, Tag: 26. 9.

Kosmetika [grch.], Sammelname für extern angewandte Präparate, zur Pflege der Haut und zur Verschönerung des Äußeren.

kosmetische Chirurgie, → plastische Chirurgie.

kosmisch [grch.], zum Weltall gehörig.

kosmische Geschwindigkeiten (astronautische Geschwindigkeiten), die Anfangsgeschwindigkeiten, die einem Raumflugkörper erteilt werden müssen, wenn er eine bestimmte Flugbahn erreichen soll. Schießt man einen Körper von einem wenig über der Erdoberfläche gelegenen Punkt mit der **ersten k. G. (Grenzgeschwindigkeit, Kreisbahngeschwindigkeit)** von 7,9 km/s in waagrechter Richtung ab, so beschreibt er eine Kreisbahn. Mit der **zweiten k. G. (Fluchtgeschwindigkeit)** von 11,2 km/s kann der Flugkörper den Bereich der Erde verlassen, bleibt jedoch innerhalb des Planetensystems. Ein von der Erde abgeschossener Körper verlässt das Gravitationsfeld der Sonne, wenn seine Anfangsgeschwindigkeit mindestens der **dritten k. G.** von etwa 16,6 km/s entspricht. Die **vierte k. G.** (etwa 100 km/s) ist die Geschwindigkeit, mit der ein Flugkörper von der Erde abgeschossen werden muss, damit er das Milchstraßensystem verlassen kann.

kosmische Hintergrundstrahlung (Drei-Kelvin-Strahlung, 3-K-Strahlung), 1948 von G. Gamow vorhergesagte und 1965 von A. A. Penzias und R. W. Wilson entdeckte Mikrowellenstrahlung kosm. Ursprungs. Sie hat eine Spektralverteilung, die der Strahlung eines schwarzen Körpers bei einer Temperatur von rd. 3 Kelvin (exakt 2,735 K) entspricht; das Maximum ihrer Strahlungsenergie liegt bei einer Wellenlänge von etwa 2 mm. Die k. H. wird als abgekühlter Rest der Wärmestrahlung gedeutet, die sich zu Beginn der Entwicklung des Weltalls (Urknall) mit dem extrem heißen und dichten Urplasma in therm. Gleichgewicht befand und von der Materie entkoppelt wurde, als diese durch die Expansion des Weltalls so weit abgekühlt war, dass sich aus Elektronen und Atomkernen neutrale Atome bildeten. Die hohe Isotropie der k. H. bestätigt das Urknall-Modell eines kosm. »Feuerballs«, erklärt jedoch nicht die Entstehung von Strukturen im Kosmos. Die mit dem Satelliten COBE (engl. **Co**smic **B**ackground **E**xplorer) erstmals nachgewiesenen Inhomogenitäten in der k. H. (Temperaturschwankungen in der Größenordnung von Millikelvin) sowie eine geringe dipolförmige Anisotropie der k. H. geben dazu Hinweise.

kosmischer Staub, eine Form der →interstellaren Materie.

kosmische Strahlung (Höhenstrahlung, Ultrastrahlung), sehr energiereiche Strahlung aus dem Weltraum, die auf die Erdatmosphäre trifft **(primäre k. S.)** und nach mannigfachen Umwandlungen in der Lufthülle **(sekundäre k. S.)** noch in der festen Erdrinde und im Meer nachweisbar ist. Sie wurde 1912/13 von V. F. Hess (früher **Hess-Strahlung**) und W. Kolhörster bei Ballonaufstiegen bis zu 5 km Höhe entdeckt.

Die primäre k. S. ist aufgrund ihrer kosm. Entstehung von besonderem astronom. Interesse. Sie besteht v.a. aus hoch energet. Partikeln, bes. Protonen (85 %) und α-Teilchen (14 %) sowie schweren Atomkernen. Die durch Kernreaktionen der Primärstrahlung mit den Luftmolekülen entstehende sekundäre k. S. enthält v.a. Pionen, die entweder über Myonen in Elektronen oder in zwei γ-Quanten zerfallen, oder über Stoßprozesse Baryonen erzeugen. Myonen stellen den Hauptteil der zur Erdoberfläche gelangenden Sekundärstrahlung dar (harte Komponente). Elektronen bilden in versch. Prozessen hoch energet. γ-Quanten, die ihrerseits Elektron-Positron-Paare erzeugen, sodass es zu einer kaskadenartigen Vervielfachung von Sekundärteilchen kommt. Die energiereichsten beobachteten Primärteilchen bilden ausgedehnte Luftschauer, die an der Erdoberfläche ein Gebiet von mehreren Quadratkilometern mit mehr als 10 Mrd. Ladungsträgern erzeugen. Die Intensität der k. S. steigt vom Äquator nach beiden magnet. Polen an, da die geladenen Teilchen niederer Energie durch das Erdmagnetfeld abgelenkt werden (→Breiteneffekt). Außerdem ist die Intensität der k. S. vom elfjährigen Zyklus der Sonnenaktivität (Sonnenflecken) abhängig. Sie nimmt mit zunehmender Sonnenaktivität ab **(Forbush-Effekt),** da der dann stärker werdende Sonnenwind (Protonen-, α-Teilchen, Elektronen niedriger Energie) durch sein Magnetfeld das Eindringen der k. S. in die Atmosphäre erschwert. Ein kleiner Anteil der k. S. wird von der Sonne erzeugt (Energie etwa 10^7–10^{10} eV). Die k. S. mittlerer Energie (10^{10}–10^{16} eV) stammt aus unserem Milchstraßensystem (von Supernovae und deren Überresten, den Pulsaren, sowie aus dem Kern der Milchstraße), während die energiereichste k. S. (bis 10^{20} eV) v.a. aus anderen Galaxien(-kernen) und Quasaren stammt. – Zur Untersuchung der k. S. werden meist Ionisations- und Nebelkammern sowie Szintillationszähler benutzt.

kosmo... [grch.], welt..., weltraum...

Kosmobiologie [grch.] (Astrobiologie, Ektobiologie, Exobiologie), **1)** Wissenschaft, die sich mit mögl. Lebensformen auf anderen Planeten im Weltall beschäftigt.

2) Wissenschaft, die sich mit den Einflüssen und Wirkungen auf den lebenden Organismus während des Aufenthalts im Weltraum befasst.

3) Wissenschaft, die die Beeinflussung biolog. Vorgänge auf der Erde durch kosm. Erscheinungen untersucht.

Kosmochemie [grch.], Wissenschaft von der chem. Zusammensetzung und den chem. Veränderungen der Materie im Weltall. Sie befasst sich v.a. mit der Verteilung der Häufigkeit der chem. Elemente in Meteoriten, Kometen, Planeten, Sternen, der interstellaren Materie u.a., die insbesondere durch spektroskop. Untersuchung der Strahlung selbstleuchtender Himmelskörper und durch chem. Analyse von Meteoriten bestimmt wird.

Kosmodrom [russ., zu grch. kósmos »Weltall« und drómos »Rennbahn«, »Laufplatz«] *das,* Name der Startplätze für Großraketen, v.a. von Trägerraketen für Raumflugkörper, in den Nachfolgestaaten der UdSSR; am bekanntesten ist Baikonur.

Kosmogonie [grch.] *die,* in der Religionsgeschichte die Mythen von der Entstehung der Welt und ihrer religiös fundierten Ordnung. Meist liegt den K. die Vorstellung von einem vorzeitl. Urstoff oder Urwesen zugrunde, aus dem oder durch dessen Umbildung die Welt entstanden sei. Nach altind. K. z.B. spaltete sich am Anfang der Welt ein Weltei spontan in zwei Hälften, die eine wurde der Himmel, die andere die Erde, der Eidotter die Sonne. – Von dieser Annahme ist die Anschauung von der »Schöpfung aus dem Nichts« (→Creatio ex nihilo) zu unterscheiden, nach der der Kosmos zunächst als Gedanke einer Gottheit konzipiert und dann durch deren Wort verwirklicht wird. – Die gnost. Erlösungsreligionen, der Materie feindl. gegenüberstehend, sehen die Welt als Werk eines dämon. Demiurgen, des Widersachers des guten, lichten Gottes. – Im Dschainismus und frühen Buddhismus fehlen Vorstellungen über die Entstehung des Kosmos. (→Kosmologie)

Kosmographie [grch.] *die,* Weltbeschreibung, bis ins 17. Jh. gleichbedeutend mit Geographie.

Kosmologie [grch.] *die,* Wissenschaft vom →Weltall als einem einheitl. Ganzen, die dessen Aufbau untersucht und die Fragen nach seinem Ursprung, der zeitl. Entwicklung und dem Alter zu beantworten sucht. Auch die Rolle des organ. Lebens im Weltall gehört zu ihren Problemstellungen. Die Entwicklung der K. ist eng mit den theoret. und techn. Fortschritten der Elementarteilchen- und Astrophysik verbunden, insbesondere mit der Entwicklung der modernen Beobachtungs- und Messtechnik (Großteleskope, Raumsonden u.a.) sowie der Radioastronomie, die zur Entdeckung von strahlungskräftigen quasistellaren Galaxien (→Quasar) in Entfernungen bis zu 16 Mrd. Lichtjahren geführt haben.

Die heute mehrheitlich anerkannten dynam. Weltmodelle basieren im Rahmen der allg. →Relativitätstheorie von A. Einstein und den darauf aufbauenden, von A. A. Friedman, A. G. Lemaître u. a. entwickelten homogenen relativist. Modellen auf dem →Hubble-Effekt, der die in den Spektren kosm. Objekte feststellbare →Rotverschiebung als allg. Expansion des Weltalls deutet. Eine weitere Annahme zum Verständnis des Weltalls als Ganzes ist die **Universalität der Naturgesetze:** Alle auf der Erde gefundenen physikal. Gesetze gelten an jedem Punkt des Raum-Zeit-Kontinuums sowie das **kosmolog. Prinzip,** nach dem das Weltall (im Großen gesehen) in allen Richtungen (Isotropie) und Entfernungen (Homogenität) im Wesentlichen gleich aussieht. Da der kosm. Raum nach der allg. Relativitätstheorie nicht den Gesetzen der euklid. Geometrie folgen muss, ist die Unendlichkeit des Raumes zweifelhaft geworden; moderne kosmolog. Theorien bevorzugen die Vorstellung, dass der Weltraum trotz Unbegrenztheit von endl. Gesamtgröße sei. Auch die Unendlichkeit der seit Beginn dieser Entwicklung verflossenen Zeit ist aufgrund der mit der Rotverschiebung verbundenen Dynamik infrage gestellt.

Nach der heute als kosmolog. Standardmodell angesehenen Theorie vom →Urknall liegt der Ursprung des Kosmos, den man sich als Urexplosion extrem verdichteter Materie vorstellt, etwa 10–20 Mrd. Jahre zurück. Aus dem Urplasma bildeten sich binnen weniger Sekunden die Elementarteilchen. Nach etwa 300 000 Jahren hörte die Wechselwirkung zw. Strahlung und Materie weitgehend auf. Ein Teil der Materie kondensierte zu den bekannten kosm. Objekten, während die Strahlung unbeeinflusst fortbestand. Ihre Energiedichte und damit ihre Temperatur sank aufgrund der Expansion des Universums auf den heutigen Wert von etwa 3 Kelvin. Diese, als →kosmische Hintergrundstrahlung bekannte Strahlung gilt neben dem Hubble-Effekt als wesentl. Stütze der Urknalltheorie, ebenso die beobachtete Häufigkeit der chem. Elemente im Weltall (75% Wasserstoff, 25% Helium und Spuren schwerer Elemente), die mit den theoret. Berechnungen zur Nukleosynthese, d.h. zur Erzeugung von Atomkernen aus Protonen und Neutronen bei den nach dem Urknall herrschenden extrem hohen Temperaturen, exakt übereinstimmt. Gegenwärtig wird ein inflationäres Urknallmodell favorisiert, wonach der Kosmos unmittelbar nach dem Urknall exponentiell expandierte, um sich danach in seiner Expansion zu verlangsamen, worauf die Bildung von Materieteilchen einsetzte. – Andere kosmolog. Modelle verzichten auf die Anfangssingularität des Urknalls, so das Modell des →inflationären Weltalls und die **Big-Bounce-Theorie** (W. Priester, H.-J. Blome, J. Hoell, 1989). Danach kontrahierte das urspr. homogene, isotrope und materiefreie Universum bis auf ein endl. Minimalvolumen, um hierauf (mit Materie erfüllt) nach dem »großen Aufprall« zunächst sehr schnell, dann relativ langsam zu expandieren. Historisch bedeutsam ist die **Steady-State-Theorie** (von H. Bondi, T. Gold, F. Hoyle, 1948/49), nach der das Weltall nicht nur an allen Orten, sondern auch zu allen Zeiten gleich aussieht. Damit umgeht man das Problem der kosmolog. Singularität, muss dafür aber eine kontinuierl. Materieerzeugung postulieren, um eine konstante Materiedichte in einem expandierenden Weltall aufrechterhalten zu können.

Die gegenwärtig wohl wichtigsten kosmolog. Probleme sind die Bestimmung der Expansionsgeschwindigkeit des Weltalls (Messung der Hubble-Konstanten) sowie die von der mittleren Massendichte des Kosmos abhängige Frage, ob das Universum weiter expandiert **(offenes Universum),** kontrahiert **(geschlossenes Universum)** oder abwechselnd expandiert und kontrahiert **(pulsierendes Universum).** Damit hängt die ebenfalls ungelöste Frage der relativist. Krümmung des Kosmos (eben, sphärisch, hyperbolisch) zusammen. Ein weiteres kosmolog. Problem betrifft die fehlende Masse im Universum: Nach der Theorie vom inflationären Weltall sollte die mittlere Materiedichte (beobachteter Wert etwa $3 \cdot 10^{-31}$ g/cm^3) nahe der sog. krit. Dichte von $5 \cdot 10^{-30}$ g/cm^3 liegen, der Grenze zw. Expansion und Kontraktion. Erklärungsvorschläge, in welcher Form die Materie vorliegen könnte, ziehen z.B. die kalte →dunkle Materie sowie →Neutrinos in Betracht. Weitere offene Probleme betreffen die Suche nach Fluktuationen in der kosm. Hintergrundstrahlung, die die Bildung der Strukturen im Weltall erklären könnten, sowie die Entstehung und Verteilung der Galaxien.

📖 HARRISON, E. R.: *K. Die Wissenschaft vom Universum. A. d. Engl. Darmstadt ³1990.* – KANITSCHEIDER, B.: *K. Geschichte u. Systematik in philosoph. Perspektive. Stuttgart ²1991.* – GOENNER, H.: *Einführung in die K. Heidelberg u. a. 1994.* – WEINBERG, S.: *Die ersten drei Minuten. Der Ursprung des Universums. A. d. Amerikan. Tb.-Ausg. München ¹¹1994.* – HAWKING, S. W.: *Eine kurze Geschichte der Zeit. Die Suche nach der Urkraft des Universums. A. d. Engl. Tb.-Ausg. Reinbek 391.–420. Tsd. 1996.*

kosmologischer Gottesbeweis, →Gottesbeweise.

Kosmonaut [russ., zu grch. kósmos »Weltall« und naútēs »Schiffer«] *der,* russ. Bez. für →Raumfahrer.

Kosmopolit [grch.] *der,* **1)** Weltbürger.

2) *Biologie:* Bez. für eine Tier- oder Pflanzenart, die in ihr zusagenden Lebensräumen über weite

Teile der Erde verbreitet ist; z.B. Einjähriges Rispengras, Stubenfliege.

Kosmopolitismus *der,* Weltbürgertum; Idee einer die ganze Menschheit umfassenden Gemeinschaft, der alle Menschen jenseits ethn., rass. und sprachl. Bindungen gleichwertig sind; vertreten v.a. in der Antike, von Humanismus, Freimaurertum, Liberalismus und Sozialismus.

Kosmos [grch. »Weltall«, eigtl. »Ordnung«, »Schmuck«] *der,* **1)** *Philosophie:* das →Weltall (Universum). In der antiken Naturphilosophie die harmon. und wohl gegliederte Ordnung des Weltalls (im Ggs. zu Chaos). Der Gedanke einer göttl. Anordnung trat zugunsten der Annahme zurück, dass die Welt als eine durch Vernunftprinzipien gegliederte Ordnung zu begreifen sei.

2) *Raumfahrt:* Name wiss. und militär. Satelliten der UdSSR bzw. Russlands (seit 1962).

Kosovo (alban. Kosovë), Provinz Jugoslawiens, in der Teilrep. Serbien, im SW an Albanien grenzend, 10 887 km², (1993) 2,043 Mio. Ew., Hptst. ist Priština. K. ist ein fast allseitig von Gebirgen umschlossenes Gebiet mit den Beckenlandschaften →Amselfeld und →Metohija als Kernräume. 90% der Bev. (Stand 1991) sind muslim. Albaner, 7% orth. Serben, ferner andere Volksgruppen (Montenegriner, Roma u.a.). K. ist wirtschaftlich wenig entwickelt. Wichtigster Wirtschaftszweig ist die Landwirtschaft mit Ackerbau (Mais, Weizen, Tabak, Zuckerrüben), Viehhaltung und Weinbau. Förderung von Silber- sowie Blei-Zink-Erzen und Braunkohle. Die Ind. ist auf die größeren Städte beschränkt. K. ist durch Bahn und Fernstraßen gut erschlossen.

Geschichte: Seit dem 8.Jh. v.Chr. von illyr. Stämmen besiedelt; im MA. Kerngebiet des serb. Großreiches; nach der Schlacht auf dem Amselfeld den Türken 1389–1459 tributpflichtig, 1459–1912 Teil des Osman. Reiches (»Wilayat K.«); in dieser Zeit Abwanderung der Serben und Nachrücken von islamisierten Albanern. 1913 unter Serbien und Montenegro aufgeteilt; gehörte nach der Gründung Jugoslawiens (1918) ganz zu Serbien. 1941–43 dt.-italien.-bulgar. Besatzung, danach kurzzeitig Teil von Großalbanien (unter dt. Protektion). Seit 1945 autonome Provinz (bis 1970 **K. und Metohija** gen.); seit 1981 anhaltende Unruhen zw. der alban. Bev. und der serb. Minderheit, Febr. 1989 bis April 1990 Ausnahmezustand mit drast. Einschränkung der Autonomie, die zw. Frühjahr 1989 und Juli 1990 schrittweise aufgehoben wurde. Trotz massiver Behinderung wurde Ende Sept. 1991 ein von Serbien für illegal erklärtes Referendum über die Unabhängigkeit und Souveränität erfolgreich durchgeführt (90% Zustimmung). Die 1989 gegr. »Demokrat. Liga für K.« errang bei den (inoffiziellen) Wahlen vom 24.5.1992 die absolute Mehrheit (66%); ihr Vors., Ibraham Rugova (*1944) wurde zum Staatspräs. gewählt. Kern des K.-Konflikts, im Abkommen von Dayton (1995) ausgeklammert, blieb die Statusfrage. Ab 1996 allmähl. Radikalisierung der Kosovaren (Träger: »Befreiungsarmee K.«, Abk. UÇK; gegr. 1996), ab 1998 Kämpfe, Massenvertreibungen und internat. Krise (u.a. Febr. 1999 K.-Konferenz in Rambouillet). Nach NATO-Militäraktion (Frühjahr 1999), »G8-Plan« und UN-Resolution (Grundsätze: v.a. Abzug der serb. Verbände, Rückkehr der Flüchtlinge/Vertriebenen, Stationierung einer UN-Friedenstruppe KFOR, keine Teilung des K.) wurde dem K. weitgehende Autonomie innerhalb Serbiens zugesagt.

📖 Kohl, C. von *u.* Libal, W.: *K. Gordischer Knoten des Balkan. Wien u.a. 1992.* – Malcolm, N.: *K. A short history. London 1998.* – *Krieg im K., hg. v.* Thomas Schmid. *Reinbek 1999.*

Kosovo Polje, serbokroatisch für →Amselfeld.

Kosovska Mitrovica [-tsa] (1982–91 Titova Mitrovica; alban. Mitrovicë), Stadt in Jugoslawien, in Kosovo, am N-Rand des Amselfeldes, 64 300 Ew.; chem., Textil-, Nahrungsmittelind.; nahebei der Bergbauort **Trepča** (Blei-Zink-Silbererzen).

Albrecht Kossel

Kossel, 1) Albrecht, Biochemiker, *Rostock 16.9.1853, †Heidelberg 5.7.1927, Vater von 2); entdeckte die →Nucleinsäuren und als deren Bestandteile die Purine und Pyrimidine, außerdem das Histidin; erhielt 1910 den Nobelpreis für Physiologie oder Medizin.

2) Walther, Physiker, *Berlin 4.1.1888, †Tübingen 22.5.1956, Sohn von 1); förderte entscheidend die Klärung des period. Systems der Elemente und die Deutung der heteropolaren chem. Bindung, begründete die Theorie des Kristallwachstums und entdeckte 1934 den **K.-Effekt,** das Auftreten von Röntgenstrahlinterferenzen, die in Kristallen durch Beugung am Kristallgitter erzeugt werden.

Lajos Kossuth (zeitgenössische Lithographie)

Kossuth ['koʃut], Lajos, Führer der ungar. Unabhängigkeitsbewegung von 1848/49, *Monok (Bez. Borsod-Abaúj-Zemplén) 19.9.1802, †Turin 20.3.1894; Jurist, trat auf dem Landtag von 1847/48 als Haupt der liberalen Opposition auf. Im März 1848 wurde er Finanzmin., im Sept. 1848 organisierte er als Präs. des Landesverteidigungsausschusses die Honvéd; nach der Thronentsetzung der Habsburger im April 1849 zum Reichsverweser Ungarns gewählt, musste er im Aug. abdanken (→Ungarn, Geschichte). Seitdem lebte er im Ausland. K. wird in Ungarn als Nationalheld verehrt.

Alexei Kossygin

Kossygin, Alexei Nikolajewitsch, sowjet. Politiker, *Sankt Petersburg 21.2.1904, †Moskau 18.12.1980; 1948–52 sowie seit 1960 Mitgl. des Politbüros (zeitweilig des Präsidiums) der KPdSU, bildete seit dem Sturz N. S. Chruschtschows (1964) als Min.-Präs. (1964–80) zus. mit L. I. Breschnew die Führungsspitze der UdSSR. Innenpolitisch widmete er sich bes. der Wirtschaftspolitik. Außenpolitisch war er u.a. 1966 als Vermittler im indisch-pakistan. Konflikt um Kaschmir tätig.

Kostanai, Stadt in Kasachstan, →Kustanai.

Kosten, 1) *Betriebswirtschaftslehre:* in Geldeinheiten bewerteter Verzehr von Produktionsfaktoren, der zur Erstellung und Verwertung der betriebl. Leistungen und zur Aufrechterhaltung der betriebl. Kapazitäten notwendig ist. Grundmerkmale der K. sind: 1) Es liegt ein mengenmäßiger Güterverbrauch vor; eingesetzte Güter sind z.B. Sachgüter, Dienstleistungen; 2) der Güterverbrauch muss leistungsbezogen sein; 3) er wird durch Multiplikation der verbrauchten Menge mit dem Geldbetrag je Mengeneinheit (Preis, Lohnsatz usw.) ermittelt. Die K. sind abzugrenzen von →Ausgaben und →Aufwendungen. – Die **K.-Theorie** untersucht die Faktoren, die die Höhe der K. beeinflussen: Zahl, Art und Güte der Produkte (Produktprogramm), Fertigungstyp (Einzel-, Serienfertigung u.a.), Kapazität der Anlagen und Arbeitskräfte (Betriebsgröße), Auslastung der gegebenen Kapazitäten u.a. Dabei interessieren bes. die günstigsten (optimalen) Kombinationen, für die die K. je Produkteinheit am niedrigsten sind. – Die in einem Betrieb entstehenden K. gliedern sich in **direkte** oder **Einzel-K.,** die unmittelbar auf das Produkt entfallen (z.B. Rohstoff-, Lohn-K.), und **indirekte K.** (→Gemeinkosten). Die **fixen K.** bleiben ohne Rücksicht auf den Auslastungsgrad des Unternehmens unverändert (z.B. Abschreibungs- und Miet-K.), die **variablen K.** ändern sich je nach dem Beschäftigungsgrad (z.B. Rohstoff- und Lohnkosten).

2) *Prozessrecht:* →Gerichtskosten, →Kostenpflicht.

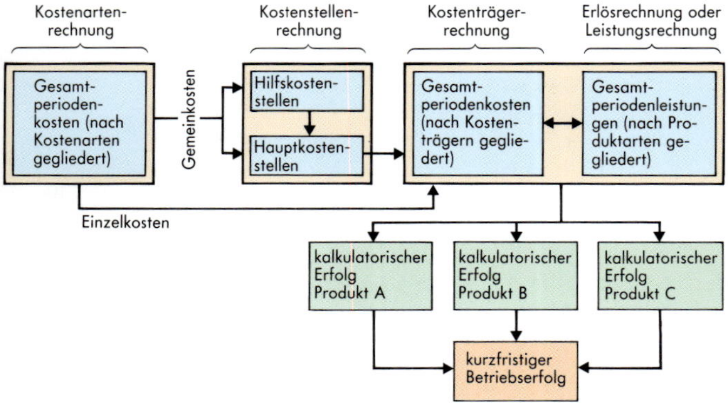

Kostenrechnung: Grundstruktur einer periodischen Betriebsabrechnung auf der Grundlage der Vollkosten

Kostendeckungsprinzip, Grundsatz, nach dem aus wirtschafts- und sozialpolit. Gründen nur kostendeckende Gebühren und Beiträge erhoben werden, findet v.a. im Kommunalabgaberecht bzw. in Betrieben und Einrichtungen der öffentl. Hand Anwendung.

Kostenmiete, im sozialen Wohnungsbau Höchstmiete für öffentlich geförderte und preisgebundene steuerbegünstigte Neubauwohnungen, die der tatsächl. Kostenentwicklung laufend angepasst wird (§8 Wohnungsbindungs-Ges.). Die K. wird durch eine Wirtschaftlichkeitsberechnung auf der Basis der »Zweiten Berechnungs-VO« unter Einbeziehung von Kapital-, Bewirtschaftungs- und Instandhaltungskosten ermittelt.

Kosten-Nutzen-Analyse, Instrument zur rationalen Beurteilung staatl. Ausgabenentscheidungen. Durch die K.-N.-A. werden Grundprinzipien der betriebswirtsch. Investitionsrechnung auf die Planung öffentl. Budgetentscheidungen übertragen. Anwendungsgebiet ist bes. der Vergleich von volkswirtsch. Nutzen und Kosten alternativer staatl. Investitionsprojekte. Problematisch ist v.a. der schwer zu beziffernde Nutzen öffentl. Investitionen, da er sich in vielfältigen, schwer quantifizierbaren Auswirkungen auf die Einzelwirtschaften und die Gesamtwirtschaft niederschlägt.

📖 HANUSCH, H.: *Nutzen-Kosten-Analyse. München* [2]*1994.*

Kostenpflicht, Pflicht, die in einem Rechtsstreit oder sonstigen gerichtl. Verfahren anstehenden Gerichts- und außergerichtl. Kosten zu tragen. Grundsätzlich gilt, dass die Kosten demjenigen aufzuerlegen sind, der im Verfahren unterlegen ist. Im Strafverfahren hat der Verurteilte die Kosten zu tragen, bei Freispruch die Staatskasse. Derjenige, der ein Rechtsmittel einlegt und unterliegt, hat die Kosten des Rechtsmittels zu tragen. Im Zivilprozess und im Verwaltungsstreitverfahren werden bei Teilunterliegen und Teilobsiegen die Kosten zw. den Parteien aufgeteilt.

Kostenrechnung, Teilgebiet des betriebl. Rechnungswesens; bildet zus. mit der Leistungsrechnung die Betriebsbuchführung. Im Ggs. zur Geschäftsbuchführung, die dem handels- und steuerrechtl. Jahresabschluss dient, wird die K. insbesondere dazu verwendet, die Wirtschaftlichkeit des Unternehmensprozesses zu kontrollieren.

Die K. gliedert sich in Kostenerfassung und Kostenverteilung. Die **Kostenerfassung** stellt die verbrauchten Gütermengen fest und bewertet sie mit geeigneten Preisen. Sie erfolgt in der **Kostenartenrechnung,** die die Kosten in Güter- und Verbrauchsarten einteilt (u.a. Materialkosten, Personalkosten, Abschreibungen, Zinsen). Sie knüpft an an den in der Geschäftsbuchführung dokumentierten Aufwendungen (jedoch ohne neutrale Aufwendungen wie z.B. Sonderabschreibungen, Spenden) sowie an denjenigen Kosten, denen keine Aufwendungen entsprechen (z.B. kalkulator. Unternehmerlohn, Zinsen für Eigenkapital). Die angefallenen Kosten werden in einem am Kontenplan orientierten Kostenartenplan erfasst.

In der Kostenstellen- und Kostenträgerrechnung schließt sich dann die Kostenverteilung (Kostenverrechnung) an. **Kostenstellen** sind die nach analyt. Zweckmäßigkeit abgegrenzten Leistungsbereiche des Unternehmens, z. B. Abteilungen, Werkstätten, Fertigungsstraßen. Mit den **Kostenträgern** sind die einzelnen Produkte (z. B. Absatzleistungen oder innerbetriebl. Leistungen) des Unternehmens gemeint, aus deren Erlösen die Kosten gedeckt werden. Wenn sich die Kostenarten den Kostenstellen oder Kostenträgern direkt zurechnen lassen, spricht man von **Einzelkosten,** ansonsten von **Gemeinkosten.** Die Gemeinkosten werden in der **Kostenstellenrechnung** mithilfe von Verteilungsschlüsseln (z. B. Raumgröße, Arbeits- und Maschinenzeiten) den Kostenträgern zugerechnet. Die Gemeinkosten werden in allgemeine Kostenstellen für den Gesamtbetrieb (z. B. für Heizung, Sozialeinrichtungen), Materialstellen (für Beschaffung, Prüfung, Lagerung, Ausgabe der Werkstoffe), Fertigungsstellen und Fertigungshilfsstellen (z. B. Reparaturwerkstatt), Verwaltungs- und Vertriebsstellen erfasst.

Die K. läßt sich danach unterscheiden, ob ihr eine vergangenheits- oder zukunftsorientierte Betrachtung zugrunde liegt. Die **Ist-K.** bezieht sich auf die nachträgl. Ermittlung und Verrechnung der tatsächlich angefallenen Kosten **(Istkosten).** Dagegen ist die **Plan-K.** zukunftsorientiert, indem sie für künftige Perioden Kostenvorgaben ermittelt **(Plankosten),** die den Istkosten regelmäßig gegenübergestellt werden. Weiter unterscheidet die K. zw. der vergangenheitsorientierten **Nachkalkulation,** die sich auf fertige und unfertige Fabrikate erstreckt, und die zukunftsbezogene **Vorkalkulation,** die für die Preisbildung gebraucht wird.

Bezogen auf den Sachumfang der verrechneten Kosten werden Voll-K. und Teil-K. unterschieden. Während bei der **Voll-K.** sämtl. Kosten auf die jeweiligen Bezugsgrößen (z. B. Kostenstellen, Kostenträger) verrechnet werden, berücksichtigt die **Teil-K.** nur die für den jeweiligen Zweck der K. relevanten Kosten. Eine Teil-K. ist z. B. die **Deckungsbeitragsrechnung,** bei der die Erlöse des Kostenträgers in die Betrachtung einbezogen werden: Die Differenz zw. dem zurechenbaren Erlös (z. B. Stückpreis) und den zurechenbaren Kosten (z. B. variable Stückkosten) des Kostenträgers bildet den **Deckungsbeitrag.** Damit ein Unternehmen keinen Verlust erleidet, müssen die Deckungsbeiträge (Bruttogewinn) so groß sein, dass die nicht zugerechneten Kosten gedeckt werden.

📖 *Kosten- u. Leistungsrechnung. Einführung in die Grundlagen, bearb. v.* J. CHRISTMANN *u.* H.-W. WITTHOFF. *Wiesbaden 1994.* – OLFERT, K.: *K. Ludwigshafen am Rhein* [10]*1996.* – ZIMMERMANN, G.: *Grundzüge der K., 2 Bde. München u. a.* [6]*1996.*

Kostensteuern, inhaltlich nicht eindeutig abgrenzbare betriebswirt. Bez. für alle Steuern, die »Kostencharakter« haben, d. h. mit der Leistungserstellung und Aufrechterhaltung der Betriebsbereitschaft verbunden sind, und bei der Kalkulation berücksichtigt werden (z. B. Grund- und Kraftfahrzeugsteuer). Den Ggs. bilden die gewinnabhängigen Steuern (z. B. Einkommen-, Körperschaft- und Gewerbeertragsteuer).

Kostroma: Glockenturm der im 17. Jh. erbauten Dreieinigkeitskathedrale des Ipatjew-Klosters

Kostenvoranschlag, bei einem Werkvertrag die dem Besteller vom Unternehmer vorgelegte Berechnung der bei Ausführung des Werkes entstehenden Kosten. Hat der Unternehmer die Gewähr für die Verbindlichkeit des K. übernommen, wird dieser Vertragsbestandteil, sodass die Vergütung nur in der vereinbarten Höhe zu entrichten ist. Im Normalfall ist ein K. jedoch unverbindlich; er hat dann die Pflicht des Unternehmers zur Folge, eine wesentl. Überschreitung des K. unverzüglich anzuzeigen (§ 650 BGB), worauf der Besteller kündigen kann.

Kostjọnki (Kostenki), nach dem Dorf K. bei Woronesch (Russland) benannter wichtiger Fundort der jüngeren Altsteinzeit; Reste von Behausungen und Bestattungen, u. a. zahlreiche Frauenstatuetten und Tierfiguren sowie Arbeitsgeräte aus Stein, Knochen und Elfenbein.

Kọstka, Stanislaus, poln. Jesuit, * Rostkow (Masowien) 28. 10. 1550, † Rom 15. 8. 1568; Patron Polens und der studierenden Jugend; Heiliger, Tag: 13. 11.

Kọ̈stritz, Bad, → Bad Köstritz.

Kostromạ, Hauptstadt des Gebiets K., Russland, an der oberen Wolga, 278 000 Ew.; Hochschulen; traditioneller Standort der Leinenind.; Maschinenbau, Holz-, Nahrungsmittelind.; bei K. Erdgaskraftwerk (3600 MW). – Epiphaniaskirche (1559–65), Ipatjew-Kloster (16. Jh.) mit Dreieinigkeitskathedrale (17. Jh.). – Das im 12. Jh. gegründete K. wurde Mitte des 13. Jh. Hptst. des Teilfürstentums K. und kam 1364 zum Großfürstentum Moskau; im 16. und 17. Jh. eine der größten Städte Russlands; ab 1778 Hptst. eines Gouvernements.

Koszalin: Die 1300–33 als gotische Backsteinbasilika erbaute Pfarrkirche Sankt Maria wurde im 19. Jh. erneuert

Kostrzyn ['kɔstʃin] (dt. Küstrin), Stadt in der Wwschaft Gorzów (Landsberg [Warthe]), Polen, an der Mündung der Warthe in die Oder, 16000 Ew.; Papierfabrik; Flusshafen, Eisenbahnknotenpunkt und Grenzübergang nach dem ehem. Stadtteil Kietz (heute Gemeinde in Brandenburg). – Reste der Stadtbefestigung. – K., 1232 erstmals erwähnt, kam 1252 an die Markgrafen von Brandenburg und war 1535–71 Hptst. der →Neumark. In der (mehrfach ausgebauten) Festung wurde 1730 Friedrich d. Gr. als Kronprinz gefangen gehalten und sein Freund H. H. Katte hingerichtet. Im 2. Weltkrieg fast völlig zerstört.

Erika Köth

Kostüm [italien.-frz.] *das,* **1)** *allg.:* die Kleidung in ihren einzelnen Teilen, v. a. das europ. Mode-K. als Fest-, Alltags- und Sonderkleidung. In dieser Bedeutung namengebend für die historisch-krit. Beschäftigung mit der Kleidung, die sich nach Anfängen im späten 18. Jh. im 19. Jh. als kulturgeschichtl. Disziplin der K.-Kunde etablierte und die auch für das Theater-K. grundlegend wurde. (→Kleidung)

2) *Mode:* zweiteilige Frauenoberbekleidung aus Rock und zugehöriger Jacke.

Kotfliegen: Scatophaga stercoraria, Männchen (Körperlänge etwa 8 mm)

Kosuth ['kɔsuθ], Joseph, amerikan. Künstler, *Toledo (Oh.) 31. 1. 1945; führender amerikan. Vertreter der Conceptart, untersucht v. a. das Verhältnis Begriff – Wirklichkeit und das Problem Kunst – Kunstkritik.

K.-o.-System, →Pokalsystem.

Koszalin [kɔ'ʃalin] (dt. Köslin), Hauptstadt der Wwschaft K. in N-Polen, in Hinterpommern, 13 km von der Ostsee entfernt, 111100 Ew.; kath. Bischofssitz; Ing.hochschule, Kartoffelforschungsinstitut; elektrotechn., elektron., Holz-, Lebensmittelind., Maschinenbau. – Reste der Stadtmauer, Pfarrkirche Sankt Maria, eine got. Backsteinbasilika (1300–33; im 19. Jh. erneuert, seit 1972 Kathedrale). – K., 1214 erstmals urkundlich erwähnt, erhielt 1266 lüb. Stadtrecht. Vom 15. bis 17. Jh. bischöfl. Residenz. Im Dreißigjährigen Krieg, beim Brand 1718 und 1945 wurde K. stark zerstört.

Köszeg ['kø:sɛg] (dt. Güns), Stadt in W-Ungarn, am Günser Gebirge, nahe der Grenze zu Österreich, 13300 Ew.; Textilind.; Fremdenverkehr. – Burg (14./15. Jh., nach Brand im Barockstil wieder aufgebaut); spätgot. Pfarrkirche St. Jakob (15. Jh.).

Kot (Exkrement, Fäzes, Faeces, Stuhl), durch den Darm ausgeschiedenes Verdauungsprodukt, bestehend aus Wasser, Darmbakterien, abgeschilferten Zellen der Darmschleimhaut, Sekreten der Verdauungsdrüsen, nicht resorbierten Nahrungsschlacken sowie Gärungs- und Fäulnisprodukten, die den typ. K.-Geruch ausmachen. Die braune Farbe ist durch die Abbauprodukte der Gallenfarbstoffe bedingt.

Kota Baharu, Hauptstadt von Kelantan, West-Malaysia, 219700 Ew.; Zentrum des Bewässerungsprojekts Kemubu; Textil-, Holz-, Nahrungsmittel- u. a. Ind.; Endpunkt des Ost-West-Highway (nach Pinang).

Kotabaru, Stadt in Indonesien, →Jayapura.

Kota Kinabalu (bis 1967 Jesselton), seit 1946 Hauptstadt von Sabah (Ost-Malaysia), an der NW-Küste Borneos, 208500 Ew.; anglikan. Bischofssitz; Lehrerseminar, geolog. Landesamt, Sabahmuseum; Ind.park; internat. Flughafen, Überseehafen. – Gegr. 1899.

Kotangens [lat.] *der,* eine →Winkelfunktion.

Kotau [chines.] *der,* tiefe Verbeugung mit Niederknien und Neigen des Kopfes bis zur Erde, in China (bis 1911) üblich vor Respektspersonen und im Kultus.

Kote [frz.] *die* (Höhenkote), *Topographie:* die Höhenzahl eines Geländepunktes über einer Bezugsfläche, z. B. über NN (Normalnull).

Kotelett [frz.] *das* (Rippenstück, landschaftlich auch: Karbonade), dicke Fleischscheibe mit anhängender Rippe von Kalb, Hammel, Schwein, Wild.

Koteletten [frz.], kurzer Schläfen- oder Backenbart.

Kotfliegen (Cordyluridae), Fliegenfamilie mit etwa 500 schlanken, oft stark behaarten Arten (5–15 mm lang), z. B. die Art Scatophaga stercoraria häufig auf frischen Exkrementen; die Larven anderer K. werden schädlich durch ihre Fraßgänge in Blättern und Stängeln.

Kotflügel, urspr. flügelartig abstehende Überdeckung der Räder offener Straßenfahrzeuge zum

Schutz der Insassen gegen hochgeschleuderten Straßenschmutz; die Bez. blieb trotz Wandels in Form und Funktion für den zur Abdeckung der Räder dienenden Teil der Karosserie erhalten.

Köth, Erika, Sängerin (Sopran), *Darmstadt 15. 9. 1927, †Speyer 20. 2. 1989; bes. Mozart- und Strauss-Interpretin.

Köthen, 1) Landkreis im RegBez. Dessau, Sa.-Anh., 480 km² und (1996) 72600 Einwohner.

2) Köthen (Anh.), Kreisstadt von 1) in Sa.-Anh., 31400 Ew.; FH Anhalt/Standort K., Inst. für Grundschulpädagogik der Univ. Halle; Naumann-Museum (Vogelkunde), histor. Museum; Kranbau, Maschinen-, Kesselbau, chem. Industrie. – Spätgot. Pfarrkirche Sankt Jakob (1400–1514) mit Fürstengruft, barocke Agnuskirche (1694–98) mit spätgot. Flügelaltar, klassizist. Pfarrkirche Sankt Marien (1826ff.); Renaissanceschloss (1597–1604). – 1115 erstmals erwähnt; 1603–1847 Residenz des Fürstentums Anhalt-Köthen.

Köthen (Anhalt): Spiegelsaal im 1597–1604 erbauten Renaissanceschloss

Köthen (Anhalt) Stadtwappen

Kothurn [grch.] *der,* traditioneller Bühnenschuh der Darsteller in der grch. Tragödie des Altertums. In der nachklass. Zeit wurde die Holzsohle sehr hoch, sodass der Schauspieler sich wie auf Stelzen bewegte. Die Darsteller der Komödie trugen den niedrigeren Soccus.

kotieren [frz.], ein Wertpapier zum amtl. Handel an der Börse zulassen.

Kotingas [span.] (Schmuckvögel, Cotingidae), Familie meisen- bis krähengroßer, träger, vorwiegend Früchte und Insekten fressender Sperlingsvögel in den Wäldern Mexikos bis N-Argentiniens; Männchen oft sehr bunt mit Kopfanhängen, Stimme klangvoll.

Kotka, Hafenstadt in S-Finnland, am Finn. Meerbusen, 56300 Ew.; Holzverarbeitung (Zellstoff, Papier), Holzausfuhr; bed. Transithafen für Russland. – Grch.-kath. Kirche von 1795.

Kotkäfer (Onthophagini), Gruppe meist afrikan. Blatthornkäfer mit kleinen bis mittelgroßen Arten. Beide Geschlechter legen gemeinsam 10–60 cm tiefe Stollen mit kurzen Seitenstollen an, in die sie Kotballen als Larvennahrung eintragen.

Koto *das,* auch *die,* versch. Typen der japan. Wölbbrettzither (6- oder 13-saitig); am häufigsten wird das Sō-no-K., kurz K. gen., gebraucht. Moderne K. sind 180–190 cm lang, haben 13 oder mehr Saiten, die durch bewegliche Stege gestimmt und mit Plektren gespielt werden.

Kotohira, Wallfahrtsort auf Shikoku, Japan, am Fuße des shintoist. Bergheiligtums Kompira; bed. Bau (1659) im Shoinstil mit Malereien von Maruyama Ōkyo (*1733, †1795); Holzschnitzereien (1. Hälfte 19. Jh.) im »Schrein der aufgehenden Sonne«; die Schreingebäude erstrecken sich über mehrere Kilometer bergan; Häuser aus der Meijizeit.

Kotor (italien. Cattaro), Stadt in Montenegro, Jugoslawien, an der Bucht von K. (Boka Kotorska; UNESCO-Weltkulturerbe) am Fuß des →Lovćen, 5300 Ew.; kath. Bischofssitz; Marinemuseum. – Die Stadt wird von der Festung Sveti Ivan (im Wesentlichen aus dem 16. Jh.) überragt. Kath. Tryphon-Kathedrale (12. Jh., mit Doppelturmfassade von 1681). In der Altstadt Patrizierhäuser und Paläste. – K., von grch. Kolonisten gegr., wurde 168 v. Chr. römisch, gehörte seit 476 zum Byzantin. Reich; im MA. ein selbstständiger Stadtstaat unter byzantin., serb., ungar. und bosn. Oberhoheit, kam 1420 an Venedig und gehörte 1797–1805 und 1814–1918 zu Österreich. Nach dem Erdbeben von 1979 wieder aufgebaut. BILD S. 40

K.o.-Tropfen, umgangssprachl. Bez. für versch. Mischungen (z. B. Schlafmittel zus. mit Alkohol), die aufgrund ihres synergist. bzw. potenzierenden Effekts bes. rasch dämpfend auf das Zentralnervensystem wirken. Sie werden meist in krimineller

Kotohira: Einer der Schreine des shintoistischen Bergheiligtums Kompira

Kotor: Blick auf die Bucht von Kotor am Fuß des Lovćen

Absicht, z.B. zur Betäubung von Menschen, eingesetzt.

Kotschinchina, → Cochinchina.

Kotyledone [grch.] *die,* → Keimblatt 1).

Kotzebue [-bu:], **1)** August von (seit 1785), Dramatiker, * Weimar 3. 5. 1761, † Mannheim 23. 3. 1819, Vater von 2); war 1781–95 im russ. Staatsdienst. Seit 1807 bekämpfte er Napoleon I. in den Zeitschriften »Die Biene« (1808–10) und »Die Grille« (1811/12). Seit 1817 russ. Kulturattaché und polit. Beobachter in Dtl.; in Schriften, bes. in seinem 1818 gegr. »Literar. Wochenblatt«, verspottete er die liberalen Ideen und patriot. Ideale der Burschenschaften. Er wurde von dem Studenten K. L. Sand ermordet. K. war einer der erfolgreichsten Bühnendichter seiner Zeit. Lustspiele (»Die beiden Klingsberg«, 1801; »Die dt. Kleinstädter«, 1803), »Das merkwürdigste Jahr meines Lebens« (Autobiographie, 2 Tle., 1801).

August Kotzebue (zeitgenössischer Stahlstich)

2) Otto von, russ. Seefahrer und Naturforscher dt. Herkunft, * Reval (heute Tallinn) 30. 12. 1787, † ebd. 15. 2. 1846, Sohn von 1); unternahm drei Weltreisen (1803–06, mit A. J. von Krusenstern, 1815–18, 1823–26); erforschte u.a. die Südsee und entdeckte den 1816 nach ihm ben. **Kotzebuesund** an der W-Küste Alaskas.

Kötzting, Stadt (seit 1953) im Landkreis Cham, Bayern, am Weißen Regen; 7300 Ew.; Kneippkurort; Holz-, Metallindustrie. – Seit 1412 alljährl. »Pfingstritt«, eine Bittprozession zu Pferde.

Michal Kovač

Kovač ['kɔvatʃ], Michal, slowak. Politiker, * Libuša 5. 8. 1930; 1953–70 (Ausschluss) Mitgl. der KP, seit 1989 Mitgl. der »VPN-Öffentlichkeit gegen Gewalt«, seit 1991 der »Bewegung für eine demokrat. Slowakei« (HZDS), Juni bis Dez. 1992 Präs. des Bundesparlaments der ČSFR; seit Febr. 1993 Staatspräs. der Slowakei.

kovalente Bindung, die Atombindung (→ chemische Bindung).

Kovarianz *die,* **1)** *Physik:* (Forminvarianz) die Unveränderlichkeit der Form von Gleichungen bei bestimmten Koordinatentransformationen.

2) *Statistik:* → Korrelation.

Kowa, Victor de, eigtl. V. Kowarzik, Schauspieler, * Hochkirch (bei Bautzen) 8. 3. 1904, † Berlin (West) 8. 4. 1973; Bonvivant- und Charakterdarsteller; viele Filme.

Sofja Kowalewskaja (zeitgenössische Lithographie)

Kowalewskaja, Sofja Wassilijewna, russ. Mathematikerin, * Moskau 15. 1. 1850, † Stockholm 10. 2. 1891; wurde 1889 in Stockholm die erste Mathematikprofessorin in Europa, förderte die Emanzipation der Frau in den Wissenschaften. Arbeiten zur Funktionentheorie und zur Theorie der partiellen Differenzialgleichungen.

Kowaljow, Sergej Adamowitsch, russ. Menschenrechtler, * Seredina-Buda (Gebiet Sumy, Ukraine) 2. 3. 1930; Biologe, Mitstreiter des russ. Bürgerrechtskämpfers A. Sacharow, nach Verlust seiner Arbeit (1970) 1974–84 wegen »antisowjet. Agitation« in Haft, arbeitete im Zuge der von M. S. Gorbatschow eingeleiteten Politik der »Perestroika« in versch. Organisationen und Funktionen für die Durchsetzung der Menschenrechte. K. unterstützte zunächst Präs. B. Jelzin, brach jedoch mit diesem nach dem militär. Vorgehen Russlands (Ende 1994) gegen Tschetschenien.

Kowalski, 1) Jochen, Sänger (Countertenor), * Wachow (bei Nauen) 30. 1. 1954; seit 1983 Mitgl. der Kom. Oper Berlin; als Opern-, Lied- und Oratoriensänger auch internat. geschätzt. Sein Repertoire umfasst v.a. Partien aus Werken der Komponisten des 17. und 18. Jh. (J. S. Bach, G. F. Händel, C. W. Gluck, W. A. Mozart), aber auch zeitgenöss. Komponisten.

2) Piotr, poln. Künstler, * Lemberg 2. 3. 1927; lebt seit 1953 in Paris. In den 60er-Jahren schuf er Skulpturen aus Kunststoff und Metall, in der Folgezeit gestaltete er Lichtplastiken und lichtkinet. Environments.

Kowary (dt. Schmiedeberg im Riesengebirge), Stadt in Niederschlesien, in der Wwschaft Jelenia Góra (Hirschberg), Polen, am N-Fuß des Riesengebirges, 12400 Ew.; Luftkurort mit radonhaltigen Quellen, Wintersportplatz; Porzellanind., Teppich-, Filzfabrik, Maschinenbau. – Spätgot. Kirche, Rathaus (1786–89). – Seit 1513 Stadtrecht.

Kowloon [kaʊ'lu:n], zu → Hongkong gehörige Halbinsel.

Koxitis [lat.] *die,* → Hüftgelenkentzündung.

Kōyasan, Berg auf der japan. Halbinsel Kii (Honshū), 985 m ü.M.; auf dem K. die 816 gegr. Klosterstadt K., eine der bedeutendsten Klostersiedlungen Japans. Der Haupttempel Kongōbuji wurde 1861 nach einem Brand wieder aufgebaut.

In der Halle des Mieidō befindet sich u.a. eine Skulptur des Kujako Myōō, eines »Königs des geheimen Wissens« in Gestalt eines Bodhisattva (1200); rd. 120 Tempel, ältestes erhaltenes Gebäude (Fudōdō) von 1198, Torgebäude (1705) mit Wächterfiguren, Schatzhaus mit über 5000 Kunstobjekten.

Kozhikode ['kəʊdʒɪkəʊd], Stadt in Indien, →Calicut.

Kożuchów [kɔ'ʒuxuf] (dt. Freystadt in Niederschlesien), Stadt in der Wwschaft Zielona Góra (Grünberg), Polen, am N-Rand des Schles. Landrückens, 9300 Ew.; Herstellung von Autoteilen, Lebensmittel-, Baustoffindustrie. – Reste der Stadtmauer, Renaissancehäuser. – Um 1270 im Zuge der dt. Ostsiedlung gegründet.

kp, Einheitenzeichen für →Kilopond.

KP, Abk. für **K**ommunistische **P**artei. **KPD,** →Kommunistische Partei Deutschlands; **KPdSU,** →Kommunistische Partei der Sowjetunion.

Kr, chem. Symbol für →Krypton.

kr., Abk. für **Kr**euzer.

Kra, Isthmus von, Landenge in Hinterindien, verbindet die Halbinsel Malakka mit dem asiat. Festland; an der schmalsten Stelle bis 75 m ü.M. und 40–50 km breit.

Kraal, →Kral.

Krabbe, *Baukunst:* got. Zierform, →Kriechblume.

Kōyasan: Um 1200 entstandene Holzskulptur des Kujako Myōō auf einem Rad schlagenden Pfau in der Halle des Mieidō im Tempel Kongōbuji

Krabben, 1) (Kurzschwanzkrebse, Brachyuren, Brachyura), Unterordnung der Zehnfußkrebse mit gedrungenem Kopfbruststück, unter das der zu einer kurzen Schwanzplatte (bei den Weibchen Brutraum für die Eier) umgebildete Hinterleib eingeschlagen wird. Die gestielten Augen und die Fühler können in kleinen Gruben geborgen werden. Das erste Rumpfbeinpaar trägt große Scheren. K. sind Grundbewohner, die sehr gut seitwärts laufen können. Zu den K. gehören u.a. die Familien Woll-, Gepäckträger-, Scham-, Schwimm-, Süßwasser-, Renn-, Winker-, Felsen- und Land-K., die Seespinnen und Taschenkrebse.

Friedrich Wilhelm Kraemer: Das 1977–80 erbaute Verwaltungsgebäude der Gas-, Elektrizitäts- und Wasserwerke AG in Köln

2) Handelsbez. für bestimmte →Garnelen.

Krabbentaucher, ein Schwimmvogel, →Alken.

Kracauer, Siegfried, amerikan. Publizist und Soziologe, *Frankfurt am Main 8. 2. 1889, †New York 26. 11. 1966; war bis zu seiner Emigration (1933 Frankreich, 1941 USA) als Architekt und Redakteur (1920–33 bei der Frankfurter Zeitung) tätig. In Amerika schrieb er filmtheoret. Werke und war Kritiker und Erzähler (»Soziologie als Wiss.«, 1922; »Die Angestellten aus dem neuesten Dtl.«, 1930; »Von Caligari bis Hitler«, engl. 1947, dt. 1958; »Theorie des Films«, 1960; »Ginster«, R., 1928).

Kracken ['krækən], →Cracken.

Krad, Kw. für →**Kraftrad.**

Kraemer ['krɛ-], Friedrich Wilhelm, Architekt, *Halberstadt 10. 5. 1907, †Köln 18. 4. 1990; gründete 1962 ein Architekturbüro in Braunschweig, ab 1974 in Köln; schuf v.a. Ind.- und Verwaltungsbauten, u.a. Jahrhunderthalle in Höchst (1960–62), Verwaltungsgebäude der Gas-, Elektrizitäts- und Wasserwerke AG, Köln (1977–80).

Emil Kraepelin

Kraepelin ['krɛ-], Emil, Psychiater, *Neustrelitz 15. 2. 1856, †München 7. 10. 1926; teilte die Psychosen in die Formenkreise Dementia praecox (→Schizophrenie) und manisch-depressives Irresein (→Manie, →Depression) ein.

Krafft (Kraft), Adam, Bildhauer, *Nürnberg um 1460, †Schwabach 1508/09; nach Lehrjahren am Oberrhein (u.a. in Straßburg) ab 1490 in Nürnberg. Er gehört zu den bedeutensten Bildhauern der dt. Spätgotik. In seinen späteren Werken gelangte er zu einer neuen, der Renaissancegesinnung entsprechenden Klarheit der Komposition und der plast. Gestaltung.

Adam Krafft: Selbstbildnis des Meisters als Tragfigur am 1493–96 erbauten Sakramentshaus in der Nürnberger Lorenzkirche

Werke (alle in Nürnberg): Epitaph des Sebald Schreyer mit Passionsreliefs am Chor der Sebalduskirche (1490–92); Sakramentshaus in der Lorenzkirche (1493–96; etwa 20 m hoch, mit heilsgeschichtl. Figuren und Reliefs sowie den Tragfiguren des Meisters und zweier Gesellen); Grabmäler in Nürnberger Kirchen; sieben Kreuzwegreliefs (1508, German. Nationalmuseum).

Richard Freiherr von Krafft-Ebing

Krafft-Ebing, Richard Freiherr von, Psychiater, *Mannheim 14. 8. 1840, †Mariagrün (heute zu Graz) 22. 12. 1902; grundlegende Forschungen auf dem Gebiet der Sexualpathologie und Kriminalpsychologie.

Kraft, 1) *allg.:* Energie, Vermögen, Fähigkeit, etwas zu bewirken, Stärke.

2) *Physik:* Grundbegriff der newtonschen Mechanik und, von dieser ausgehend, der klass. Physik, Formelzeichen $\boldsymbol{F}$; eine physikal. Größe, die bei der Wechselwirkung physikal. Systeme auftritt und bei frei bewegl. Körpern Ursache von Beschleunigungen, bei gebundenen Körpern Ursache von Deformationen ist. Der quantitative Zusammenhang zw. Bewegungsänderung (Beschleunigung $\boldsymbol{a}$) eines Körpers der Masse m und der einwirkenden K. ist definiert als: $\boldsymbol{F} = m \cdot \boldsymbol{a}$ (→newtonsche Axiome). Wirken auf einen Körper keine K., wird dessen Beschleunigung null, d.h., er verharrt im Zustand der Ruhe oder der gleichförmigen geradlinigen Bewegung. Aus der Wechselwirkungsnatur folgt, dass K. stets nur paarweise auftreten. Die K.-Wirkungen zweier Körper aufeinander sind gleich, aber entgegengesetzt gerichtet (»actio = reactio«). SI-Einheit der K. ist das →Newton (N).

Die K. ist ein Vektor. Zwei oder mehr in einem Punkt angreifende K. versch. Richtung kann man durch eine einzige K., die **Resultierende,** ersetzen. Algebraisch findet man sie durch vektorielle Addition, geometrisch, indem man zwei beliebige K. $\boldsymbol{F}_1$ und $\boldsymbol{F}_2$ längs ihrer Wirkungslinie so verschiebt, dass ihre Angriffspunkte zusammenfallen und $\boldsymbol{F}_1$ und $\boldsymbol{F}_2$ zu einem Parallelogramm ergänzt werden **(Kräfteparallelogramm).** Die Diagonale $\boldsymbol{F} = \boldsymbol{F}_1 + \boldsymbol{F}_2$ ist die resultierende Kraft. Mehr als zwei in einem Punkt angreifende K. lassen sich sukzessiv nach der Parallelogrammregel zusammensetzen und ergeben ein **K.-Eck (Kräftepolygon),** bei dem die Resultierende vom Anfangspunkt des ersten zum Endpunkt des letzten K.-Vektors weist. Umgekehrt lässt sich jede K. in zwei Komponenten zerlegen, z.B. bei krummliniger Bewegung in eine Komponente normal und eine tangential zur Bahnkurve **(Normal- und Tangential-K.).** Zwei gleich große, entgegengesetzt gerichtete Kräfte $\boldsymbol{F}$ und $-\boldsymbol{F}$ bilden ein **Kräftepaar,** das auf einen Körper ein →Drehmoment $\boldsymbol{M}$ ausübt. $\boldsymbol{M}$ ist gleich der Summe der statischen Drehmomente $\boldsymbol{M}_1 = \boldsymbol{r}_1 \times \boldsymbol{F}$ und $\boldsymbol{M}_2 = \boldsymbol{r}_2 \times (-\boldsymbol{F})$; dabei sind $\boldsymbol{r}_1$, $\boldsymbol{r}_2$ die von einem vorgegebenen Punkt **P** zu den Angriffspunkten der Kräfte $\boldsymbol{F}$ und $-\boldsymbol{F}$ weisenden Ortsvektoren. Mit $\boldsymbol{r}_1 - \boldsymbol{r}_2 = \boldsymbol{r}$ gilt $\boldsymbol{M} = \boldsymbol{r} \times \boldsymbol{F}$. Da der Angriffspunkt längs der Wirkungslinie einer Kraft verschoben werden kann, gilt damit auch $\boldsymbol{M} = \boldsymbol{r}_0 \times \boldsymbol{F}$, wobei $\boldsymbol{r}_0$ der senkrechte Abstand der Wirkungslinien der beiden Kräfte ist. Beliebig viele an einem starren Körper

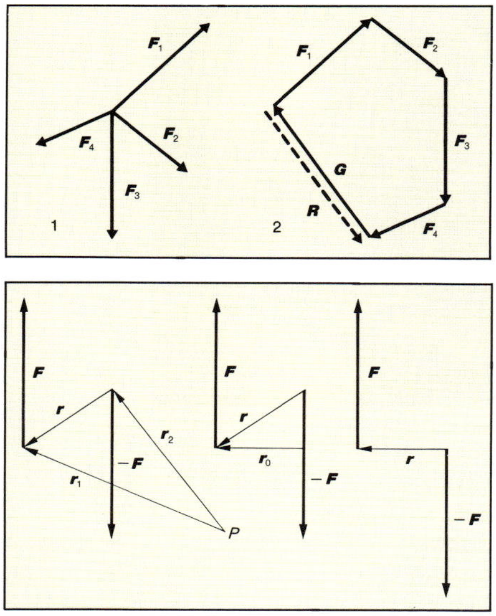

Kraft 2): Die in einem Punkt angreifenden Kräfte $\boldsymbol{F}_1$ bis $\boldsymbol{F}_4$ (1) addieren sich zur Gesamtkraft $\boldsymbol{R}$, die dieser entgegengerichtete Kraft $\boldsymbol{G}$, die das Krafteck schließt, bringt das Kräftesystem ins Gleichgewicht (2); darunter Drehmoment eines Kräftepaares

angreifende K. können stets durch eine Einzel-K. und ein Kräftepaar ersetzt werden.

An einem mechan. System können **innere** und **äußere K.** auftreten. Daneben unterscheidet man **eingeprägte K.**, die physikal. Ursprungs sind (z. B. die Schwer-K.), von den geometrisch bedingten →Zwangskräften. In Bezugssystemen, die sich gegenüber einem Inertialsystem beschleunigt bewegen, treten zusätzliche Trägheits-K., sog. **Schein-K.**, auf. Neben der **Schwer-K.**, den **elast. K.** (Rückstell-K., die der Auslenkung aus einer Ruhelage proportional sind) und den **Trägheits-K.** (z. B. →Corioliskraft, →Zentrifugalkraft), mit der die Körper einer Änderung ihres Bewegungszustandes widerstehen, kennt die klass. Physik die K. zw. ungleichnamigen (Anziehung) und gleichnamigen (Abstoßung) elektr. Ladungen und Magnetpolen (→Coulomb-Gesetz) sowie die in einem Magnetfeld auf eine bewegte Ladung ausgeübte K. (→Lorentz-Kraft), gleichbedeutend der K. zw. stromdurchflossenen Leitern. Die **Druck-K.**, die ein in ein Gefäß eingeschlossenes Gas auf die Wand ausübt, rührt von den Trägheits-K. her, die die Bewegungsänderung der Moleküle bei ihrem Stoß auf die Wand erzeugt. – Die Gesamtheit aller K.-Vektoren im Raum bildet ein K.-Feld (→Feld). Ist dieses wirbelfrei (rot $\boldsymbol{F} = 0$; →Rotation) heißt die K. konservativ; während bei **konservativen K.** (K.-Feldern) die Summe aus kinet. und potenzieller Energie konstant bleibt, nimmt die Gesamtenergie bei **dissipativen K.** (z. B. Reibungs-K.) ab.

Nach ihrem Ursprung lassen sich alle K. auf die mit den fundamentalen →Wechselwirkungen verbundenen Grund-K. zurückführen, zu denen die →Gravitation, die elektromagnet. und die starke Wechselwirkung (einschl. der →Kernkräfte) sowie die schwache Wechselwirkung gehören. Für den auch in der Kern- und Elementarteilchenphysik verwendeten K.-Begriff setzt sich zunehmend die allgemeinere Bez. der Wechselwirkung durch.

Kraft, 1) Adam, Bildhauer, →Krafft.

2) Victor, Philosoph, *Wien 4. 7. 1880, †Purkersdorf (bei Wien) 3. 1. 1975; einer der führenden Vertreter des →Wiener Kreises; arbeitete an einer metaphysikfreien Erkenntnistheorie (»Erkenntnislehre«, 1960) und an einer rational begründeten Moraltheorie (»Die Grundlagen einer wissenschaftl. Wertlehre«, 1937).

Kraftfahrstraße, →Kraftfahrzeugstraße.

Kraftfahrt-Bundesamt, Abk. **KBA,** in Dtl. dem Bundesverkehrsmin. unterstehende Bundesoberbehörde für den Straßenverkehr (Sitz: Flensburg), u. a. zur Typprüfung von Kfz und Auswertung der Erfahrungen im kraftfahrttechn. Prüf- und Überwachungswesen; errichtet durch Ges. vom 4. 8. 1951. Seit 1958 führt das KBA das **Verkehrszentralregister,** in dem u. a. der Entzug der Fahrerlaubnis, die Verhängung eines Fahrverbots, die gerichtl. Verurteilung wegen eines Verkehrsdelikts und Geldbußen von mehr als 80 DM wegen Verkehrsordnungswidrigkeiten erfasst werden. Die mit einem Punktsystem bewerteten Eintragungen sind je nach Schwere des Vorwurfs nach zwei, fünf oder zehn Jahren zu tilgen. Auskünfte erhalten die Betroffenen, für Verkehrssachen zuständige Gerichte und Verw.behörden.

Kraftfahrtversicherung (Autoversicherung, Kraftfahrzeugversicherung, Kraftverkehrsversicherung), Sammelbez. für versch. Versicherungsarten gegen Gefahren aus dem Gebrauch eines Kfz: 1) Die **Kraftfahrzeug-Haftpflichtversicherung** umfasst die Befriedigung begründeter und die Abwehr unbegründeter Schadenersatzansprüche für Personen-, Sach- und Vermögensschäden aus dem Gebrauch eines Kfz, die aufgrund gesetzl. Haftung gegen die Versicherten geltend gemacht werden. Die Mindestdeckungssummen in der Kfz-Haftpflicht betragen seit 1. 7. 1997 für Personenschäden 5 Mio. DM, für Sachschäden 1 Mio. DM und für Vermögensschäden 100 000 DM. Sie ist in der EU sowie in der Schweiz eine Pflichtversicherung für den Fahrzeughalter. Die Höhe der Versicherungsbeiträge richtet sich sowohl nach Merkmalen des Fahrzeuges wie auch des Fahrzeughalters. 2) Die **Fahrzeugversicherung** erstattet Schäden (zum Wiederbeschaffungswert) durch Zerstörung, Beschädigung oder Verlust des Kfz. In Form der Fahrzeug-Teilversicherung (Teilkaskoversicherung) deckt sie Schäden durch Brand, Explosion, Entwendung, Sturm, Hagel, Blitzschlag, Überschwemmung, Glasbruch, Zusammenstoß mit Haarwild sowie Kabelkurzschlüsse. Die Fahrzeugvollversicherung (Vollkaskoversicherung) deckt zusätzlich Schäden durch Fahrzeugunfall sowie durch mut- und böswillige Handlungen fremder Personen. Dies gilt für Verträge, die vor dem 29. 7. 1994 abgeschlossen wurden; in neueren Verträgen sind die Versicherer frei. 3) Die **Kraftfahrt-Unfallversicherung** (Insassenunfallversicherung) erbringt Entschädigungszahlungen, wenn durch den Gebrauch des Kfz beim Fahrer oder Mitfahrern Gesundheitsschäden oder Tod verursacht wurden. – Die K. ist nach der Lebensversicherung der zweitgrößte Bereich des Versicherungswesens.

📖 MIEBACH, F. W.: *Einführung in die K. Karlsruhe* [3]*1990.* – ASMUS, W.: *K. Ein Leitfaden für Praktiker. Wiesbaden* [6]*1994.*

Kraftfahrzeug, Abk. **Kfz,** selbstfahrendes, gleisfreies Landfahrzeug, das durch Maschinenkraft angetrieben wird (z. B. →Kraftwagen, →Kraftrad, →Traktor). Rechtsgrundlagen für Zulassung und Verkehr von K. sind in Dtl. das Straßenverkehrs-Ges. (StVG) vom 19. 12. 1952 (mehrfach geändert), die Straßenverkehrs-Zulassungs-

Ordnung (StVZO) i. d. F. v. 28. 9. 1988 und die Straßenverkehrsordnung (StVO) vom 16. 11. 1970 (mehrfach geändert).

K. mit einer Höchstgeschwindigkeit von mehr als 6 km/h und ihre Anhänger müssen durch Erteilung einer Betriebserlaubnis und durch Zuteilung eines amtl. Kennzeichens zum Betrieb auf öffentl. Straßen behördlich zugelassen sein; Zulassungsstellen sind die unteren Verwaltungsbehörden (Landkreise, kreisfreie Städte). – Die Betriebserlaubnis ist eine behördl. Anerkennung der Vorschriftsmäßigkeit eines Fahrzeugs, die zu erteilen (Rechtsanspruch) ist, wenn das Fahrzeug den Vorschriften der StVZO und der EWG-VO Nr. 3821 vom 20. 12. 1985 entspricht. Sie wird dem Hersteller serienmäßig gebauter K. nach einer Prüfung durch das Kraftfahrt-Bundesamt allg. durch Typschein erteilt. Die K.-Betriebserlaubnis für Einzelfahrzeuge muss durch den Hersteller bei der Zulassungsstelle beantragt werden. Das Zulassungsverfahren wird nach Vorlage des →Fahrzeugbriefs und dem Nachweis, dass eine Haftpflichtversicherung (→Kraftfahrtversicherung) für das K. besteht und die K.-Steuer gezahlt wurde, durch Aushändigung des →Kraftfahrzeugscheins oder Anhängerscheins und der Erteilung des amtlichen Kennzeichens (→Kraftfahrzeugkennzeichen) abgeschlossen. (→Versicherungskennzeichen) – K. und ihre Anhänger sind vom Halter regelmäßig auf ihre Vorschriftsmäßigkeit zu überprüfen. Dies geschieht i. d. R. durch die Techn. Überwachungsvereine einmal pro Jahr (bei Kraftomnibussen, Krankenwagen, Lkw über 2,8 t) oder alle zwei Jahre (bei Krafträdern, Pkw); die erstmalige Kontrolle neuer Pkws findet erst nach 36 Monaten statt.

In *Österreich* gilt das Kraftfahr-G. vom 23. 6. 1967 nebst mehrerer Durchführungs-VO. Die Vorschriften ähneln den dt. Bestimmungen. Insbesondere findet eine jährl. Begutachtung der Verkehrssicherheit von K. statt. In der *Schweiz* wird das K.- und Straßenverkehrsrecht durch das Bundes-Ges. über den Straßenverkehr vom 19. 12. 1958 und die VO über die Straßenverkehrsregeln vom 13. 11. 1962 geregelt.

Kraftfahrzeugbrief, der →Fahrzeugbrief.

Kraftfahrzeug|elektrik, alle für den Betrieb eines Kfz erforderlichen elektr. Anlagen. Die Spannung im elektr. System beträgt bei modernen Pkw 12 Volt, bei Lkw 24 Volt. Das gesamte elektr. Netz eines Kfz wird bei stehendem Motor von Batterien gespeist. Bei laufendem Motor erzeugt ein Generator (Lichtmaschine) ab einer bestimmten Motordrehzahl so viel Strom, dass die eingeschalteten elektr. Verbraucher von ihm versorgt werden können und die Batterie geladen wird. Über ein Zündschloss lässt sich das elektr. System zentral einschalten und der Motor mithilfe des Anlassers starten. Die wichtigsten elektr. Verbraucher sind Zündanlage, Kfz-Beleuchtung, Elektromotoren für Scheibenwischer, Gebläse u. a. sowie Heckscheibenbeheizung. – Zur **Kraftfahrzeugelektronik** gehören die im Kfz-Bau verwendeten elektron. Bauteile (Schaltkreise, Mikroprozessoren, Sensoren) und Geräte zur optimalen Steuerung von Zündung, Kraftstoffverbrauch, Schadstoffemission und zur Verschleiß- oder Ausfallanzeige wichtiger Aggregate.

Kraftfahrzeughaftung, →Straßenverkehrshaftung, →Kraftfahrtversicherung.

Kraftfahrzeughalter, der →Halter.

Kraftfahrzeugkennzeichen, zur polizeil. Registrierung eines Kraftfahrzeugs dienendes amtl. Kennzeichen. Es wird bei der zuständigen Zulassungsstelle unter Vorlage des Kraftfahrzeugbriefs (§ 23 StVZO) sowie des Nachweises einer ausreichenden Kraftfahrzeug-Haftpflichtversicherung (→Kraftfahrtversicherung) beantragt. Die amtl. K. müssen mit dem Dienststempel der Zulassungsbehörde versehen sein; sie bestehen aus bis zu drei Buchstaben für den Verwaltungsbezirk (Anlage I zur StVZO) und weiteren Buchstaben und Zahlen in fortlaufender Folge (Anlagen II und III der StVZO). Das Zulassungsverfahren wird durch die Ausfertigung und Aushändigung des Fahrzeugscheins abgeschlossen. Eigentümer und Halter von Kraftwagen haben bestimmte Meldepflichten zu beachten, so bei der nicht nur vorübergehenden Verlegung des regelmäßigen Standorts von mehr als drei Monaten oder bei Veräußerung (§ 27 StVZO). Wird das Kfz für länger als ein Jahr aus dem Verkehr gezogen, so hat der Halter dies der Zulassungsstelle anzuzeigen und das K. entstempeln zu lassen. Bei Fahrten ins Ausland (außer in die EU, wenn das Kfz ein Euro-Kennzeichen hat) ist das Nationalitätszeichen für Dtl. **(D)** anzubringen. Die Zeichen **CC** und **CD** dürfen nur von Angehörigen des diplomat. oder konsular. Korps geführt werden (internat. Gültigkeit), **EUR** von Diplomaten der EU. **Z** auf ovalem Schild wird vom Zoll auf 1 Jahr an Ausländer für inländ. Kfz verliehen, die ausgeführt werden sollen. ÜBERSICHT S. 45 ff.

Kraftfahrzeugschein, bei der Zulassung eines Kfz erteilte Urkunde, die auf den Namen des Halters ausgestellt ist und die polizeil. Zulassungsnummer sowie die wichtigsten techn. Daten des Kfz enthält. Der K. ist vom jeweiligen Benutzer des Kfz mitzuführen (§ 24 StVZO). Entsprechend: **Anhängerschein.**

Kraftfahrzeugsteuer, Steuer, die v. a. für das Halten von Kraftfahrzeugen (Kfz) oder Kfz-Anhängern zum Verkehr auf öffentl. Straßen erhoben wird (K.-Gesetz i. d. F. v. 21. 12. 1994). Besteuerungsgrundlage ist bei Krafträdern und Pkw der Hubraum, bei anderen Fahrzeugen das verkehrs-

Kraftfahrzeugkennzeichen Deutschlands (Stand Anfang 1997)*)

A	Augsburg
AA	Ostalbkreis [Aalen]
AB	Aschaffenburg
ABG	Altenburger Land
AC	Aachen
AE	Auerbach
AIC	Aichach-Friedberg
AK	Altenkirchen (Ww.)
AM	Amberg
AN	Ansbach
ANA	Annaberg
AÖ	Altötting
APD	Weimarer Land [Apolda]
AS	Amberg-Sulzbach
ASL	Aschersleben-Staßfurt
ASZ	Aue-Schwarzenberg
AUR	Aurich
AW	Ahrweiler
AZ	Alzey-Worms
AZE	Anhalt-Zerbst
B	Berlin
BA	Bamberg
BAD	Baden-Baden
BAR	Barnim
BB	Böblingen
BBG	Bernburg
BC	Biberach
BGL	Berchtesgadener Land
BI	Bielefeld
BIR	Birkenfeld
BIT	Bitburg-Prüm
BL	Zollernalbkreis [Balingen]
BLK	Burgenlandkreis
BM	Erftkreis [Bergheim]
BN	Bonn
BO	Bochum
BÖ	Bördekreis
BOR	Borken
BOT	Bottrop
BRA	Wesermarsch [Brake (Unterweser)]
BRB	Brandenburg an der Havel
BS	Braunschweig
BT	Bayreuth
BTF	Bitterfeld
BÜS	Gem. Büsingen am Hochrhein, Kr. Konstanz
BZ	Bautzen
C	Chemnitz
CB	Cottbus
CE	Celle
CHA	Cham
CLP	Cloppenburg
CO	Coburg
COC	Cochem-Zell
COE	Coesfeld
CUX	Cuxhaven
CW	Calw
D	Düsseldorf
DA	Darmstadt
DAH	Dachau
DAN	Lüchow-Dannenberg
DAU	Daun
DBR	Bad Doberan
DD	Dresden
DE	Dessau
DEG	Deggendorf
DEL	Delmenhorst
DGF	Dingolfing-Landau
DH	Diepholz
DL	Döbeln
DLG	Dillingen a. d. Donau
DM	Demmin
DN	Düren
DO	Dortmund
DON	Donau-Ries
DU	Duisburg
DÜW	Bad Dürkheim
DW	Dippoldiswalde
DZ	Delitzsch
E	Essen
EBE	Ebersberg
ED	Erding
EE	Elbe-Elster
EF	Erfurt
EI	Eichstätt
EL	Emsland
EM	Emmendingen
EMD	Emden
EMS	Rhein-Lahn-Kreis [Bad Ems]
EN	Ennepe-Ruhr-Kreis
ER	Erlangen
ERB	Odenwaldkreis [Erbach]
ERH	Erlangen-Höchstadt
ES	Esslingen
ESW	Werra-Meißner-Kreis [Eschwege]
EU	Euskirchen
F	Frankfurt am Main
FB	Wetteraukreis [Friedberg (Hessen)]
FD	Fulda
FDS	Freudenstadt
FF	Frankfurt (Oder)
FFB	Fürstenfeldbruck
FG	Freiberg
FL	Flensburg
FN	Bodenseekreis [Friedrichshafen]
FO	Forchheim
FR	Freiburg im Breisgau und Breisgau-Hochschwarzwald
FRG	Freyung-Grafenau
FRI	Friesland
FS	Freising
FT	Frankenthal (Pfalz)
FÜ	Fürth
G	Gera
GAP	Garmisch-Partenkirchen
GC	Chemnitzer Land [Glauchau]
GE	Gelsenkirchen
GER	Germersheim
GF	Gifhorn
GG	Groß-Gerau
GI	Gießen
GL	Rheinisch-Bergischer Kreis [Bergisch Gladbach]
GM	Oberbergischer Kreis [Gummersbach]
GÖ	Göttingen
GP	Göppingen
GR	Görlitz
GRZ	Greiz
GS	Goslar
GT	Gütersloh
GTH	Gotha
GÜ	Güstrow
GZ	Günzburg
H	Hannover
HA	Hagen
HAL	Halle (Saale)
HAM	Hamm
HAS	Haßberge
HB	Hansestadt Bremen
HBN	Hildburghausen
HBS	Halberstadt
HC	Hainichen
HD	Heidelberg und Rhein-Neckar-Kreis
HDH	Heidenheim
HE	Helmstedt
HEF	Hersfeld-Rotenburg
HEI	Dithmarschen [Heide]
HER	Herne
HF	Herford
HG	Hochtaunuskreis [Bad Homburg v. d. Höhe]
HGW	Hansestadt Greifswald
HH	Hansestadt Hamburg
HI	Hildesheim
HL	Hansestadt Lübeck
HM	Hameln-Pyrmont
HN	Heilbronn
HO	Hof
HOL	Holzminden
HOM	Saar-Pfalz-Kreis [Homburg]
HOT	Hohenstein-Ernstthal
HP	Bergstraße [Heppenheim (Bergstraße)]
HR	Schwalm-Eder-Kreis [Homberg (Efze)]
HRO	Hansestadt Rostock
HS	Heinsberg
HSK	Hochsauerlandkreis
HST	Hansestadt Stralsund
HU	Main-Kinzig-Kreis [Hanau]
HVL	Havelland
HWI	Hansestadt Wismar
HX	Höxter
HY	Hoyerswerda
IGB	Sankt Ingbert
IK	Ilmkreis
IN	Ingolstadt
IZ	Steinburg [Itzehoe]
J	Jena
JL	Jerichower Land
K	Köln
KA	Karlsruhe
KB	Waldeck-Frankenberg [Korbach]
KC	Kronach
KE	Kempten (Allgäu)
KEH	Kelheim
KF	Kaufbeuren
KG	Bad Kissingen
KH	Bad Kreuznach
KI	Kiel
KIB	Donnersbergkreis [Kirchheimbolanden]
KL	Kaiserslautern
KLE	Kleve
KM	Kamenz
KN	Konstanz
KO	Koblenz
KÖT	Köthen
KR	Krefeld
KS	Kassel
KT	Kitzingen
KU	Kulmbach
KÜN	Hohenlohekreis [Künzelsau]
KUS	Kusel
KYF	Kyffhäuserkreis
L	Leipzig und Leipziger Land
LA	Landshut
LAU	Nürnberger Land [Lauf a. d. Pegnitz]
LB	Ludwigsburg
LD	Landau in der Pfalz
LDK	Lahn-Dill-Kreis
LDS	Dahme-Spreewald
LER	Leer
LEV	Leverkusen
LG	Lüneburg
LI	Lindau (Bodensee)
LIF	Lichtenfels
LIP	Lippe
LL	Landsberg a. Lech
LM	Limburg-Weilburg
LÖ	Lörrach
LOS	Oder-Spree
LU	Ludwigshafen am Rhein
LWL	Ludwigslust

*) ohne Kennzeichen, die nicht mehr zugeteilt werden und künftig auslaufen. In Klammern [ ] die kennzeichengebende Kreisstadt

Kraftfahrzeugkennzeichen Deutschlands (Stand Anfang 1997; Fortsetzung)*)

M	München	NVP	Nordvorpommern	RÜG	Rügen	TS	Traunstein
MA	Mannheim	NW	Neustadt a. d. Weinstraße	RV	Ravensburg	TÜ	Tübingen
MB	Miesbach	NWM	Nordwestmecklenburg	RW	Rottweil	TUT	Tuttlingen
MD	Magdeburg			RZ	Herzogtum Lauenburg		
ME	Mettmann	OA	Oberallgäu		[Ratzeburg]	UE	Uelzen
MEI	Meißen	OAL	Ostallgäu			UER	Uecker-Randow
MEK	Mittlerer Erzgebirgskreis	OB	Oberhausen	S	Stuttgart	UL	Ulm und
MG	Mönchengladbach	OD	Stormarn [Bad Oldesloe]	SAD	Schwandorf		Alb-Donau-Kreis
MH	Mülheim a. d. Ruhr	OE	Olpe	SAW	Altmarkkreis Salzwedel	UM	Uckermark
MI	Minden-Lübbecke	OF	Offenbach am Main	SB	Saarbrücken	UN	Unna
MIL	Miltenberg	OG	Ortenaukreis [Offenburg]	SBK	Schönebeck		
MK	Märkischer Kreis	OH	Ostholstein	SC	Schwabach	V	Vogtlandkreis
ML	Mansfelder Land	OHA	Osterode am Harz	SDL	Stendal	VB	Vogelsbergkreis
MM	Memmingen	OHV	Oberhavel	SE	Segeberg	VEC	Vechta
MN	Unterallgäu [Mindelheim]	OHZ	Osterholz	SFA	Soltau-Fallingbostel	VER	Verden
MOL	Märkisch-Oderland	OK	Ohrekreis	SG	Solingen	VIE	Viersen
MOS	Neckar-Odenwald-Kreis	OL	Oldenburg (Oldenburg)	SGH	Sangerhausen	VK	Völklingen
	[Mosbach]		und Oldenburg, Kreis	SHA	Schwäbisch Hall	VS	Schwarzwald-Baar-Kreis
MQ	Merseburg-Querfurt	OPR	Ostprignitz-Ruppin	SHG	Schaumburg		[Villingen-Schwenningen]
MR	Marburg-Biedenkopf	OS	Osnabrück	SHK	Saale-Holzland-Kreis		
MS	Münster	OSL	Oberspreewald-Lausitz	SHL	Suhl	W	Wuppertal
MSP	Main-Spessart-Kreis	OVP	Ostvorpommern	SI	Siegen	WAF	Warendorf
MST	Mecklenburg-Strelitz			SIG	Sigmaringen	WB	Wittenberg
MTK	Main-Taunus-Kreis	P	Potsdam	SIM	Rhein-Hunsrück-Kreis	WE	Weimar
MTL	Muldentalkreis	PA	Passau		[Simmern/Hunsrück]	WEN	Weiden i. d. OPf.
MÜ	Mühldorf a. Inn	PAF	Pfaffenhofen a. d. Ilm	SK	Saalkreis	WES	Wesel
MÜR	Müritz	PAN	Rottal-Inn [Pfarrkirchen]	SL	Schleswig-Flensburg	WF	Wolfenbüttel
MW	Mittweida	PB	Paderborn	SLF	Saalfeld-Rudolstadt	WHV	Wilhelmshaven
MYK	Mayen-Koblenz	PCH	Parchim	SLS	Saarlouis	WI	Wiesbaden
MZ	Mainz und Mainz-Bingen	PE	Peine	SM	Schmalkalden-Meiningen	WIL	Bernkastel-Wittlich
MZG	Merzig-Wadern	PF	Pforzheim und Enzkreis	SN	Schwerin	WL	Harburg
		PI	Pinneberg	SO	Soest		[Winsen (Luhe)]
N	Nürnberg	PIR	Sächsische Schweiz	SOK	Saale-Orla-Kreis	WM	Weilheim-Schongau
NB	Neubrandenburg		[Pirna]	SÖM	Sömmerda	WN	Rems-Murr-Kreis
ND	Neuburg-Schrobenhausen	PL	Plauen	SON	Sonneberg		[Waiblingen]
	[Neuburg a. d. Donau]	PLÖ	Plön	SP	Speyer	WND	Sankt Wendel
NDH	Nordhausen	PM	Potsdam-Mittelmark	SPN	Spree-Neiße	WO	Worms
NE	Neuss	PR	Prignitz	SR	Straubing	WOB	Wolfsburg
NEA	Neustadt a. d. Aisch-	PS	Pirmasens und	ST	Steinfurt	WR	Wernigerode
	Bad Windsheim		Südwestpfalz	STA	Starnberg	WSF	Weißenfels
NES	Rhön-Grabfeld			STD	Stade	WST	Ammerland
	[Bad Neustadt a. d. Saale]	QLB	Quedlinburg	STL	Stollberg		[Westerstede]
NEW	Neustadt a. d. Waldnaab			SU	Rhein-Sieg-Kreis	WT	Waldshut
NF	Nordfriesland	R	Regensburg		[Siegburg]		[Waldshut-Tiengen]
NI	Nienburg (Weser)	RA	Rastatt	SÜW	Südliche Weinstraße	WTM	Wittmund
NK	Neunkirchen	RD	Rendsburg-Eckernförde	SW	Schweinfurt	WÜ	Würzburg
NM	Neumarkt i. d. OPf.	RE	Recklinghausen	SZ	Salzgitter	WUG	Weißenburg-Gunzen-
NMS	Neumünster	REG	Regen				hausen
NOH	Grafschaft Bentheim	RH	Roth	TBB	Main-Tauber-Kreis	WUN	Wunsiedel i. Fichtel-
	[Nordhorn]	RO	Rosenheim		[Tauberbischofsheim]		gebirge
NOL	Niederschlesischer	ROW	Rotenburg (Wümme)	TF	Teltow-Fläming	WW	Westerwaldkreis
	Oberlausitzkreis	RS	Remscheid	TIR	Tirschenreuth		
NOM	Northeim	RT	Reutlingen	TO	Torgau-Oschatz	Z	Zwickau
NR	Neuwied	RÜD	Rheingau-Taunus-Kreis	TÖL	Bad Tölz-Wolfratshausen	ZI	Löbau-Zittau
NU	Neu-Ulm		[Rüdesheim[1]]	TR	Trier	ZW	Zweibrücken

*) ohne Kennzeichen, die nicht mehr zugeteilt werden und künftig auslaufen. In Klammern [ ] die kennzeichengebende Kreisstadt (außer [1])

rechtlich höchstzulässige Gesamtgewicht und die Anzahl der Achsen. Das K.-Änderungsges. 1997 (in Kraft seit 1. 7. 1997) verstärkt die schadstoffemissionsbezogenen Elemente der Pkw-Besteuerung mit der Folge, dass die K. für emissionsarme und verbrauchsgünstige Pkw gesenkt wurde. Pkw, die mindestens die Schadstoffgrenzwerte für »Euro-3« und »Euro-4« (Richtlinien Vorschlag der Europ. Kommission vom 18. 6. 1996) einhalten, erhalten eine befristete Steuerbefreiung bis zum 31. 12. 2005, längstens jedoch bis zum Erreichen bestimmter Steuersätze. Diskutiert wird, die K. auf die Mine-

Kraftfahrzeugkennzeichen: Nationalitätszeichen im internationalen Kraftfahrzeugverkehr (Stand: Ende 1997)

A	Österreich
AFG	Afghanistan
AL	Albanien
AND	Andorra
ANG	Angola
AUS	Australien
AZ	Aserbaidschan
B	Belgien
BD	Bangladesch
BDS	Barbados
BF	Burkina Faso
BG	Bulgarien
BH	Belize
BIH	Bosnien und Herzegowina
BOL	Bolivien
BR	Brasilien
BRN	Bahrain
BRU	Brunei
BS	Bahamas
BY	Weißrussland
C	Kuba
CDN	Kanada
CH	Schweiz
CI	Elfenbeinküste
CO	Kolumbien
CR	Costa Rica
CY	Zypern
CZ	Tschechische Republik
D	Deutschland
DK	Dänemark
DOM	Dominikan. Republik
DZ	Algerien
E	Spanien
EAK	Kenia
EAT	Tansania
EAU	Uganda
EC	Ecuador
ER	Eritrea
ES	El Salvador
EST	Estland
ET	Ägypten
ETH	Äthiopien
F	Frankreich
FIN	Finnland
FJI	Fidschi
FL	Liechtenstein
FR	Färöer
GB	Großbritannien und Nordirland
GBA	Alderney
GBG	Guernsey
GBJ	Jersey
GBM	Insel Man
GBZ	Gibraltar
GCA	Guatemala
GE	Georgien
GH	Ghana
GR	Griechenland
GUY	Guyana
H	Ungarn
HK	Hongkong
HN	Honduras
HR	Kroatien
I	Italien
IL	Israel
IND	Indien
IR	Iran
IRL	Irland
IRQ	Irak
IS	Island
J	Japan
JA	Jamaika
JOR	Jordanien
K	Kambodscha
KS	Kirgistan
KSA	Saudi-Arabien
KWT	Kuwait
KZ	Kasachstan
L	Luxemburg
LAO	Laos
LS	Lesotho
LT	Litauen
LV	Lettland
M	Malta
MA	Marokko
MAL	Malaysia
MC	Monaco
MD	Moldau
MEX	Mexiko
MK	Makedonien
MOC	Moçambique
MS	Mauritius
MW	Malawi
MYA	Birma (Myanmar)
N	Norwegen
NA	Niederländische Antillen
NAM	Namibia
NIC	Nicaragua
NL	Niederlande
NZ	Neuseeland
OM	Oman
P	Portugal
PA	Panama
PE	Peru
PK	Pakistan
PL	Polen
PY	Paraguay
Q	Katar
RA	Argentinien
RB	Botswana
RC	Taiwan
RCA	Zentralafrikanische Republik
RCB	Republik Kongo
RCH	Chile
RH	Haiti
RI	Indonesien
RIM	Mauretanien
RL	Libanon
RM	Madagaskar
RMM	Mali
RN	Niger
RO	Rumänien
ROK	Süd-Korea
ROU	Uruguay
RP	Philippinen
RSM	San Marino
RT	Togo
RUS	Russland
RWA	Ruanda
S	Schweden
SD	Swasiland
SGP	Singapur
SK	Slowakische Republik
SLO	Slowenien
SME	Surinam
SN	Senegal
SP	Somalia
SY	Seychellen
SYR	Syrien
THA	Thailand
TJ	Tadschikistan
TM	Turkmenistan
TN	Tunesien
TR	Türkei
TT	Trinidad und Tobago
UA	Ukraine
UAE	Vereinigte Arabische Emirate
USA	Vereinigte Staaten von Amerika
UZ	Usbekistan
V	Vatikanstadt
VN	Vietnam
WAG	Gambia
WAL	Sierra Leone
WAN	Nigeria
WD	Dominica
WG	Grenada
WL	Saint Lucia
WS	Samoa
WV	Saint Vincent and the Grenadines
YU	Jugoslawien (Bundesrepublik)
YV	Venezuela
Z	Sambia
ZA	Südafrika
ZRE	Demokratische Republik Kongo (Zaire)
ZW	Simbabwe

ralölsteuer umzulegen. Das Aufkommen der K. (1995: 13,8 Mrd. DM) fließt den Ländern zu.

Kraftfahrzeugstraße (Kraftfahrstraße, früher Autostraße), eine ausschl. für Kfz, deren bauartbedingte Höchstgeschwindigkeit 60 km/h überschreitet, bestimmte öffentl. Straße.

Kraftfeld, *Physik:* →Feld.

Kraftfutter, →Futter.

Kraftlos|erklärung, gerichtl. Entscheidung, durch die Urkunden ihre Wirksamkeit entzogen wird; bes. durch Ausschlussurteil im Aufgebotsverfahren (→Aufgebot).

Kraftmaschine, Maschine zur Umsetzung einer Energieform (thermische, kinetische, elektrische Energie) in mechanische Energie zum Antrieb von Arbeitsmaschinen oder Fahrzeugen. Bei der Energieumwandlung werden treibende Kräfte erzeugt, die einen Kolben hin- und herbewegen (Hubkolbenmaschine) oder eine drehende Bewegung hervorrufen (→Kreiskolbenmotoren, →Turbinen, Elektromotoren). Nach der Art der ausgenützten Energiequelle unterscheidet man Wärme-, Wasserkraftmaschinen und Elektromotoren.

Kraftrad (von links): Motorrad Honda NSR 125 R (1996) und Motorrad Yamaha XVZ 1300 AT Royal Star Tour Classic (1996)

Kraftrad, Kw. **Krad,** zweirädriges, einspuriges Kraftfahrzeug zur Beförderung von Personen und/oder Gütern; auch mit Beiwagen (dann zweispurig).

In der Straßenverkehrs-Zulassungs-Ordnung (StVZO) werden sieben Arten unterschieden: K. i.e.S., meist **Motorräder** gen., mit a) einem Hubraum über 50 cm³ und einer Höchstgeschwindigkeit über 50 km/h (Fahrerlaubnis Klasse 1) sowie b) mit einer Nennleistung von nicht mehr als 25 kW (18 PS) und einem Verhältnis von Leistung zu Leergewicht von nicht mehr als 0,16 kW/kg (Klasse 1a), **Leicht-K.** (Hubraum von mehr als 50 cm³ bis 125 cm³, Nennleistung bis 11 kW (8 PS); Klasse 1b), **Klein-K.** (Hubraum bis 50 cm³, Höchstgeschwindigkeit bis 50 km/h; Klasse 4), **Fahrräder mit Hilfsmotor** (Hubraum bis 50 cm³, Höchstgeschwindigkeit bis 50 km/h; Klasse 4), **Motorfahrräder** oder **Mofas** (Höchstgeschwindigkeit bis 25 km/h bei einer max. Nenndrehzahl von 4800 U/min) und schließlich **Leichtmofas** (Hubraum max. 30 cm³, Höchstgeschwindigkeit bis 20 km/h, Leistung bis 0,5 kW). Das Tragen eines Schutzhelms ist bei allen K. Pflicht. **Motorroller** sind K. mit kleinen Rädern, verkleidetem Fahrwerk und freiem Einstieg zw. Lenksäule und Sitz. Nicht mehr üblich sind laut StVZO die Bez. **Moped** und **Mokick** für Kleinkrafträder mit max. 50 cm³ Hubraum und einer Höchstgeschwindigkeit von 40 km/h.

Alle K. haben im Prinzip gleiche Baugruppen. Der Antrieb erfolgt gewöhnlich über einen luft-, evtl. auch wassergekühlten Viertaktmotor; der früher übl. Zweitaktmotor wird nur noch bei leistungsstarken Sportmotorrädern (wassergekühlt) oder bei Leicht- und Klein-K. (luftgekühlt) eingesetzt. Der Rahmen besteht meist aus geschweißten Stahlrohren, Rennmaschinen haben auch Aluminiumfahrwerke. Gussfelgen sind an die Stelle von Speichenrädern getreten. Vorder- und Hinterrad haben unabhängig voneinander arbeitende hydraul. Bremsen; bei schweren Motorrädern wird vorn eine Doppelscheibenbremse und hinten eine Trommel- oder Scheibenbremse eingesetzt. Kupplung, Schaltgetriebe und Motorgehäuse bilden einen kompakten Block. Geschaltet wird bei größeren K. mit dem linken Fuß, bei Motorrollern und Mofas mit einer Drehgriffschaltung an der linken Lenkerseite. Die Kraftübertragung zum Hinterrad übernimmt entweder eine Rollenkette oder eine Kardanwelle. Bei Mofamotoren erzeugt ein Schwungradmagnetzünder die Zündspannung, größere K. sind mit Drehstromlichtmaschine, Batteriezündanlage und einem elektr. Anlasser ausgestattet; kleinere K. besitzen einen Kickstarter.

Kraftschluss, Sicherung der Verbindung zweier Teile dadurch, dass die Teile im Ggs. zum →Formschluss durch eine äußere Kraft, meist eine Reibungskraft, in ihrer gegenseitigen Lage gehalten werden, z.B. zw. Rad und Fahrbahn.

Kraftrad: Mofa »Swing 50« der Fahrzeug- und Motorentechnik GmbH Sachs (1996)

Kraftstoffe, meist flüssige oder gasförmige Treibstoffe zum Betrieb von Verbrennungsmotoren. Man unterscheidet zw. Vergaser-K. (→Ottokraftstoffe), →Dieselkraftstoffen und →Turbinenkraftstoffen. – In dem Bestreben, den Erdölverbrauch zu senken, sowie v.a. aus Umweltschutzgründen werden seit einigen Jahren **Alternativ-K.** für Otto- und Dieselmotoren auf ihre Eignung untersucht. Mittelfristig kommen →Flüssiggas (Autogas) und Alkohol-Benzin-Mischungen, langfristig

Kraftwagen (von links): Henry Fords Limousine »Tin Lizzy« mit Holzgerippekarosserie wurde 1908–27 mit einer Stückzahl von über 15 Millionen gebaut; der zweisitzige Rennwagen Bugatti 35 B stammt aus dem Jahr 1928

auch reine Alkohole (v.a. →Biokraftstoff) und Wasserstoff in Betracht.

Kraftverkehrsversicherung, die →Kraftfahrtversicherung.

Kraftwagen (Automobil), Kw. **Auto,** mehrspuriges Kraftfahrzeug zum Transport von Personen und/oder Gütern, zum Ziehen von Fahrzeugen oder zur Arbeitsleistung; angetrieben gewöhnlich durch →Verbrennungsmotor, seltener durch →Elektromotor oder eine Kombination von beiden (→Hybridantrieb). Man unterscheidet Personen-K. und Nutz-K. **Personen-K.** (Pkw) wurden früher meist nach der Größe des Hubraums unterteilt in **Kleinwagen** (bis 1,0 l), **Mittelklassewagen** (von 1,1–2,0 l) und **Oberklassewagen** (über 2,0 l). Die Übergänge zw. den einzelnen Kategorien sind heute jedoch fließend. Ein anderes Unterscheidungsmerkmal ist die Ausführung der →Karosserie: Der geschlossene Wagen wird als Vier- bis Sechssitzer mit 2–4 Türen gebaut **(Limousine),** mit erweitertem Innenraum **(Kombiwagen)** oder zweitürig, meist zweisitzig, sportlich geformt **(Coupé);** Heckraumklappen sind bei allen Ausführungen möglich. Der offene Wagen kommt vor als Renn- oder zweitüriger Sportwagen **(Roadster),** z.T. mit auf- und absetzbarem Dachaufbau **(Hardtop)** sowie zwei- oder viertürig mit zurückklappbarem Verdeck und versenkbaren Seitenfenstern **(Kabriolett).** Zu den **Nutz-K.** (Nkw) gehören Lastkraftwagen (Lkw), Kraftomnibusse (Bus) und Zugmaschinen (Straßenzugmaschinen, Sattelzugmaschinen, Ackerschlepper).

Fahrwerk: Am Rahmen oder an der selbsttragenden Karosserie **(Chassis)** sind die Aufhängungs- und Federelemente für die Räder angebracht. Die Räder waren früher meist vorn und hinten durch starre Achsen verbunden (heute noch bei Lkw und Anhängern). Bei Pkw werden hinten Starrachsen oder Einzelradaufhängungen, vorn fast ausschließlich Einzelradaufhängungen verwendet (Längs-, Schräg-, Doppelquerlenker- und McPherson-Federbein-Achse). Zur Federung dienen Blatt-, Schrauben- und Drehstabfedern, auch Luft- und Gasfedern, überwiegend mit hydraul. Stoßdämpfern. Die Wirkung der Federn wird häufig durch Stabilisatoren zur Beeinflussung des Eigenlenkverhaltens ergänzt. Durch Niveauregulierung kann, bes. bei Fahrzeugen mit Luft- und Gasfederung, eine lastunabhängige Fahrzeuglage erreicht werden. Das Einschlagen der gelenkten Vorderräder wird durch Drehung des Lenkrades bewirkt. Servolenkungen mit hydraul. Lenkkraftunterstützung finden zunehmende Verbreitung. Als Bremsen dienen beim Pkw vorwiegend Scheibenbremsen an der Vorderachse, Trommelbremsen oder, bei schnellen Wagen, Scheibenbremsen an der Hinterachse. Lkw sind meist mit Trommelbremsen ausgestattet. Zweikreisbremsanlagen sind vorgeschrieben. Bei Pkw und leichten Lkw ist eine hydraul. Bremsbetätigung, häufig mit Unterdruckverstärker, üblich; bei mittelschweren Lkw und Bussen wird eine hydraul. Bremsanlage mit Druckluftvorschaltung, bei schweren Lkw und Bussen eine reine Druckluftbremse verwendet. Als Räder dienen i. Allg. Scheibenräder aus gepresstem Stahlblech, seltener für Pkw Leichtmetallräder und für Lkw und Busse Stahlgussräder.

Kraftwagen

Wer hat den Scheibenwischer erfunden?

*Es war Prinz Heinrich (*1862, †1929), der Bruder des deutschen Kaisers Wilhelm II. Der Seeoffizier war auch ein begeisterter Automobilist und meldete mehrere Erfindungen zum Patent an. 1908 erhielt er das Patent für einen »aus einem nach Art eines Freiträgers ausladendem Abstreichlineal bestehenden Scheibenreiniger«. Das Gerät musste von Hand betrieben werden.*

Triebwerk: Den Motor mit den zu seinem Betrieb notwendigen Einrichtungen und allen Kraftübertragungsteilen rechnet man zum **Triebwerk.** Die vom Motor (→Ottomotor, →Dieselmotor, →Kreiskolbenmotor) erzeugte, als Drehmoment

4 B 15/8

Kraftwagen: Pkw und Lkw (1995) **und Pkw-Dichte** (Anzahl je 1 000 Ew.)

Staat	Personenkraftwagen		Lastkraftwagen
	Bestand in 1 000	je 1 000 Ew.	Bestand in 1 000
Belgien	4 266	426	503
Dänemark	1 685	325	342
Deutschland	40 499	496	3 640
Finnland	1 888	369	257
Frankreich	25 100	432	5 195
Griechenland	2 076	199	874
Großbritannien	24 307	417	3 157
Irland	990	278	142
Italien	29 850	522	2 756
Luxemburg	225	426	27
Niederlande	5 633	362	658
Österreich	3 594	450	313
Portugal	2 560	261	880
Russland	13 639*)	93	9 856
Schweden	3 631	413	322
Schweiz	3 229*)	446	299
Spanien	14 212	359	3 334
Japan	42 679*)	342	22 333
Süd-Korea	4 334	97	2 020
USA	147 171*)	562	42 298

*) Ende 1994

von der Schwungscheibe abgegebene Kraft wird über die K.-Kupplung (→Kupplung), das →Kraftwagengetriebe und, je nach Lage des Motors, entweder über die Kardanwelle (Frontmotor mit Hinterradantrieb) oder direkt (Frontmotor mit Vorderradantrieb; Heckmotor mit Hinterradantrieb, Heckantrieb) auf das →Ausgleichsgetriebe übertragen; dieses teilt das Drehmoment dann auf die Treibwellen mit den Treibrädern auf. Während vorn liegender Motor und angetriebene Hinterräder jahrzehntelang die Standardanordnung bildeten, hat der Frontmotor mit Vorderradantrieb bei kleinen bis mittleren Pkw große Verbreitung gefunden. Heckmotorenanordnung ist neuerdings bei Pkw selten, bei Bussen die Regel. Bei Gelände- und Baustellenfahrzeugen, zunehmend auch bei Pkw, wird oft Allradantrieb verwendet. Neuere Entwicklungen dienen v.a. der inneren und äußeren Sicherheit (z.B. →ABS), dem Umweltschutz (Geräuschminderung, Verringerung der Abgasemission, →Katalysator) und der größeren Wirtschaftlichkeit (Minderung von Kraftstoffverbrauch, Luftwiderstand und Wartungsaufwand).

Geschichte: Als Vorläufer des K. baute N.J. Cugnot 1769 den ersten dreirädrigen Straßendampfwagen mittlerer Größe, der als Zugmaschine für Artilleriefahrzeuge dienen sollte, sich aber nicht bewährte. Zw. 1825 und 1865 verkehrten in Großbritannien und Dtl. bereits Dampfwagen zur Personenbeförderung. Etwa um 1870 experimentierte S. Marcus in Wien an einem primitiven K. mit Verbrennungsmotor, der sich aber nicht durchsetzte. Verkehrsfähige K. schufen 1885 C. F. Benz und 1886, unabhängig davon, G. Daimler. Benz baute den ersten Dreiradwagen mit Benzinmotor und Kettenantrieb, Daimler den ersten Vierradwagen mit Verbrennungsmotor und Riemenantrieb. Die Basis für die ersten »Fahrzeugmotoren« bildete der von N. A. Otto 1876 entwickelte stationäre Viertaktmotor. Während sich der K. in Dtl. nur langsam durchsetzte, verkehrten 1890 die ersten Fahrzeuge von Panhard & Levassor sowie von Peugeot mit Daimlermotoren in Frankreich. 1893 brachte Benz seinen ersten vierrädrigen K. (»Benz Victoria«) mit Achsschenkellenkung heraus.

Die rasche Weiterentwicklung des K. war gekennzeichnet durch die Erfindung des Luftreifens von J. B. Dunlop (1888), des Spritzdüsenvergasers von W. Maybach (1893), die Einführung der Kraftübertragung mittels Kardanwelle durch die Brüder L. und F. Renault (1899 patentiert) sowie durch die Entwicklung der Kerzenzündung durch R. Bosch (1902). 1900/01 baute Maybach in der »Daimler-Motoren-Ges.« einen Wagen, den »Mercedes« (vier Zylinder, 35 PS, 72 km/h Geschwindigkeit), der als der erste moderne K. bezeichnet werden kann. In den USA wurde seit 1908 durch H. Ford der K. zur Massenware (Modell T [»Tin Lizzie«], von dem in 19 Jahren über 15 Mio. Exemplare ge-

Kraftwagen: Der erste Dreiradwagen mit Benzinmotor und Kettenantrieb wurde 1885 von Carl Benz gebaut; den ersten Vierradwagen mit Verbrennungsmotor und Riemenantrieb baute Gottlieb Daimler (im Bild rechts hinten sitzend) im Jahre 1886

baut wurden). 1912 wurde das von H. Föttinger entwickelte hydrodynam. Getriebe (→Druckmittelgetriebe) erstmals in einen K. eingebaut. 1913 begann H. Ford mit der Fließbandfertigung im K.-Bau. Die erste hydraul. Bremse wurde 1914 entwickelt (von M. Lockheed), die erste Scheibenbremse 1939 (von H. Klaue) und der erste Gürtelreifen war 1948 gebrauchsreif. 1964 ging der erste K. mit dem von F. Wankel entwickelten Kreiskolbenmotor in Serienproduktion. Die ersten K. mit elektron. Benzineinspritzung wurden 1967 vorgestellt; 1973 wurde eine mechanisch gesteuerte Variante mit kontinuierl. Einspritzung und eine elektronisch gesteuerte mit intermittierender Benzineinspritzung entwickelt. Der serienmäßige Einbau von Katalysatoren erfolgt seit 1984. Für Diesel-K. wurden seit Mitte der 1980er-Jahre versch. Rußfiltersysteme entwickelt. Schwerpunkte der heutigen Entwicklung sind alternative Antriebe wie Brennstoffzellen, Elektro- und Hybridantriebe sowie bes. sparsame K., z. B. bei Personen-K. das Drei-Liter-Auto, das nur noch drei Liter Brennstoff auf 100 km verbrauchen soll.

📖 *Ein Jh. Automobiltechnik, hg. v.* O. von Fersen, *2 Bde. Düsseldorf 1987–93; teilw. Neuausg.* – Seiffert, U. *u.* Walzer, P.: *Automobiltechnik der Zukunft. Düsseldorf 1989. – Die Chronik des Automobils, hg. v.* H.-O. Neubauer. *Gütersloh u. a. 1994. – Kraftfahrtechn. Taschenbuch, Redaktion:* H. Bauer. *Düsseldorf ^{22}1995. – Geschichte des Automobils, bearb. v.* M. Matteucci *u. a. Künzelsau 1995.*

Kraftwagengetriebe, ein Schaltgetriebe, mit dem das Übersetzungsverhältnis zw. Motor und →Ausgleichsgetriebe geändert wird, sodass der Motor bei jeder Fahrgeschwindigkeit in dem für Leistung oder Kraftstoffverbrauch jeweils günstigsten Drehzahlbereich arbeitet. Beim mechan. **Stufengetriebe** handelt es sich i. d. R. um ein mehrstufiges, manuell oder automatisch schaltbares Zahnradgetriebe. Zum Anfahren wird die größte Übersetzung geschaltet. Handschaltgetriebe sind i. d. R. als **Zweiwellenvorgelegegetriebe** ausgeführt. Dabei wird von der Kupplungswelle über ein Zahnradpaar zunächst eine Vorgelegewelle (→Vorgelege) angetrieben, von der die einzelnen Zahnradstufen auf die Abtriebswelle (Hauptwelle) wirken; durch unmittelbares Kuppeln der Abtriebswelle mit der Kupplungswelle kann ein direkter Gang geschaffen werden. Beim Rückwärtsgang wird die Bewegungsumkehr durch ein drittes Zahnrad zw. den Wellen erzielt. I. d. R. sind die meist schräg verzahnten Räder ständig im Eingriff; die Räder auf der Hauptwelle sitzen lose und werden je nach eingelegtem Gang durch eine drehfeste, längs verschiebbare Schaltmuffe mit der Welle gekuppelt. Bei **Klauengetrieben** stellen seitl. Klauen an Schaltmuffe und Zahnrädern die Verbindung her; lediglich für den Rückwärtsgang werden heute noch Schiebezahnräder eingesetzt. Bei den heute übl. **Synchrongetrieben** wird das Einrasten der Klauen erleichtert, indem durch Reibungskupplungen die Drehzahl von Schaltmuffe (d. h. Welle) und Zahnrad annähernd angeglichen (synchronisiert) wird; **Sperrsynchronisierung** bedeutet, dass Schaltmuffe und Zahnrad zwangsweise erst bei Gleichlauf gekuppelt werden können. Zusätzl. Zahnradstufen hinter oder vor dem eigentl. Getriebe bilden **Gruppengetriebe** mit verdoppelter Gangzahl (Lkw). **Umlaufgetriebe (Planetengetriebe)** werden als Schnellgang-Zusatzstufe (**Overdrive** beim Pkw) oder in Verbindung mit hydrodynam. Getrieben eingesetzt. Beim **halbautomatischen K.** (hauptsächlich für Lkw) geht der Kraftfluss vom Motor über Drehmomentwandler und Kupplung zum Stufengetriebe. Das Anfahren wird vereinfacht, die Zahl der Schaltungen durch den Wandler verringert, Schalterleichterung kann eine automat. Betätigung der Kupplung bei Berühren des Schalthebels bieten. **Automat. Getriebe** wählen, schalten oder stellen selbsttätig die für die jeweilige Fahrgeschwindigkeit vorgesehene Übersetzung ein **(Getriebeautomat).** Fahrzeuge mit automat. Getriebe haben kein Kupplungspedal: nach dem Wählen der Fahrstellung (einschl. Rückwärtsgang) mithilfe eines Wählhebels oder Druckknopfs wird nur noch Gas gegeben oder gebremst. Das Getriebe schaltet dann von selbst – abhängig von der Belastung – in den höheren oder niedrigeren Gang. Der Fahrer kann mit starkem Durchtreten des Gaspedals **(Kickdown)** die Fahrgeschwindigkeit, bei der von einem in den anderen Gang geschaltet wird, höher legen, sodass erst später hoch- und schon früher heruntergeschaltet wird. In der Neutralstellung ist der Motor von den Antriebsrädern getrennt; in Parkstellung bleibt der Motor über das automat. Getriebe mit den Antriebsrädern verbunden. **Getriebe mit selektiver Automatik** werden durch Stellen des Wahlhebels auf eine Zahl so beeinflusst, dass sie nur bis zum entsprechenden Gang hochschalten, was z. B. bei Talfahrt vorteilhaft sein kann.

Automat. Getriebe bei Fahrzeugen bestehen heute meist aus einem oder mehreren →Planetengetrieben, denen eine Strömungskupplung vorgeschaltet ist. Diese erlaubt das Anfahren aus dem Stillstand allein durch Gasgeben, kann aber nur ein Drehmoment abgeben, das gleich dem Eingangsdrehmoment ist. Die Drehmomentwandlung (meist Vergrößerung des Drehmoments) übernehmen die nachgeschalteten Planetengetriebe. Bei einem solchen Getriebe stehen die Zahnräder dauernd im Eingriff. Das Schalten bzw. das Einstellen einer anderen Übersetzung kann hier durch wahl-

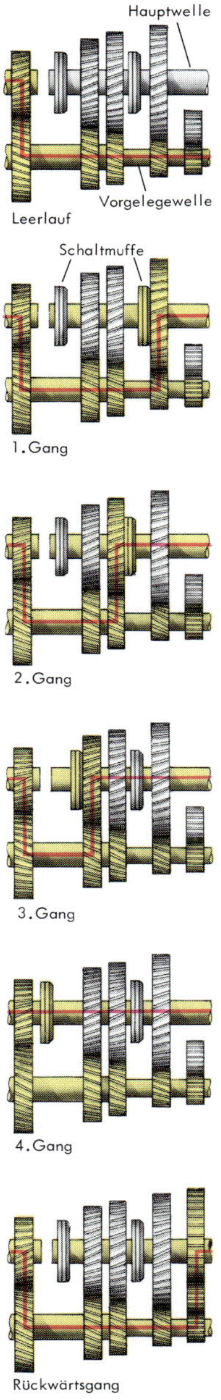

Kraftwagengetriebe: Funktionsweise eines Zweiwellenvorgelegegetriebes

weises Festhalten der einzelnen Bauteile (des Sonnenrades, des Hohlrades oder des Planetenradträgers) erfolgen, die alle drei mit je einer Welle bzw. Hohlwelle verbunden sind. Um den konstruktiven Aufwand klein zu halten, wird fast immer nur eine dieser Wellen als Antriebswelle benutzt. Durch Festhalten von jeweils einer der beiden anderen Wellen ergeben sich dann zwei Übersetzungen. Zusätzlich ist eine Verblockung des Getriebes möglich, wobei sich dieses als Ganzes dreht: Dadurch ergibt sich eine dritte »Übersetzung«, der direkte Gang (Antriebs- gleich Abtriebsdrehzahl).

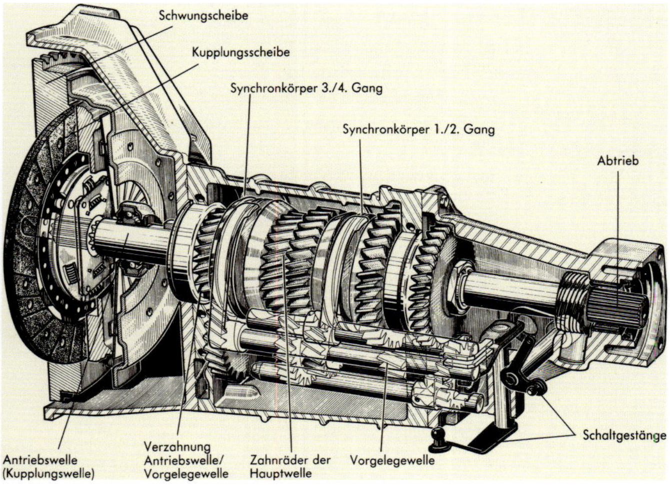

Kraftwagengetriebe: Schnittzeichnung eines 4-Gang-Synchrongetriebes

Die **Getriebesteuerung** erfolgt entweder rein hydraulisch durch Steuerdrücke, die von zwei Ölpumpen erzeugt werden, oder elektrohydraulisch, wobei die von Sensoren ermittelten Kenndaten (Getriebeabtriebsdrehzahl, Lastzustand, Motordrehzahl, Wählhebelstellung, Stellung des Programm- oder Kick-down-Schalters) an das Steuergerät weitergeleitet, verarbeitet und in entsprechende Ausgangssignale umgewandelt werden. Stufenlose Getriebe können als mechan., hydraul. oder elektr. Getriebe ausgeführt werden; stufenlose mechan. Getriebe erreichen eine stetig veränderbare Übersetzung meist mit Keilriemen und Riemenscheiben, die durch Fliehkraftgewichte und Servoeinrichtungen in Abhängigkeit von Fahrgeschwindigkeit und Gaspedalstellung verschoben wird.

Kragenechse (Länge bis etwa 90 cm)

Kraft-Wärme-Kopplung, Abk. **KWK,** die gleichzeitige Gewinnung von mechan. Energie (die i.d.R. unmittelbar in Elektrizität umgewandelt wird) und nutzbarer Wärme für Heizzwecke (Fernwärme) oder Produktionsprozesse (Prozesswärme) in einem thermodynam. Prozess in einer Anlage (Heizkraftwerk). Die KWK setzt grundsätzlich einen gleichzeitigen Bedarf von Elektrizität und Wärme voraus, wobei aus wirtsch. Gründen der Wärmebedarf den Gesamtprozess bestimmt. Vorteil der KWK ist die hohe Ausnutzung der eingesetzten Primärenergie (Nutzungsgrad 80–85 %, allerdings nur bei optimalem Verhältnis von Wärme- und Strombedarf).

Kraftwerk, techn. Anlage, in der durch Energieumwandlung Elektrizität erzeugt wird; kann in dieser Anlage auch Wärme ausgekoppelt werden (→ Kraft-Wärme-Kopplung), so bezeichnet man sie als Heizkraftwerk. Nach Energieträgern und Umwandlungsart unterscheidet man → Wärmekraftwerke (Dampf-K., → Kernkraftwerk, Diesel-K., Gasturbinen-K.), → Wasserkraftwerke, Solar- oder → Sonnenkraftwerke, → Windkraftwerke, → Gezeitenkraftwerke, Erdwärme- oder geotherm. Kraftwerke (→ geothermische Energie); nach der Art oder Dauer des Einsatzes Grundlast-K., Speicher-K. und Spitzenlast-K. Die primären Energieträger sind weltweit unterschiedlich an der Erzeugung elektr. Energie beteiligt. Den Hauptanteil stellt die Kohle, gefolgt von der Wasserkraft. Der Anteil von Erdöl und Erdgas nimmt zu, während der der Kernenergie aufgrund der gewandelten öffentl. Meinung zumindest stagniert.

Der Hauptanteil der elektr. Energie wird in **Groß-K.** erzeugt, die als Wärme-K. (einschl. Kern-K.) oder Wasser-K. ausgeführt, bei kontinuierl. Abgabe von Energie als → Grundlastkraftwerke betrieben werden. Belastungsspitzen werden von → Spitzenlastkraftwerken übernommen (Ausführung als Diesel-, Gasturbinen-, Speicherwasser-K.). **Speicherwasser-K.** sind Talsperren- oder Pumpspeicher-K. (Pumpspeicherwerke), wobei Letztere bes. wirtschaftlich zur Deckung von Belastungsspitzen eingesetzt werden. In belastungsarmen Zeitabschnitten wird elektr. Energie aus dem Netz entnommen und Wasser aus dem Unterbecken in ein hoch gelegenes Oberbecken gepumpt. Die potenzielle Energie des Wassers wird über Druckrohrleitungen den Maschinensätzen in der Spitzenbelastungszeit zugeführt.

📖 BOHN, T. *u.* BITTERLICH, W.: *Grundlagen der Energie- u. Kraftwerkstechnik. Gräfelfing u. a. 1982.* – STRAUSS, K.: *Kraftwerkstechnik zur Nutzung fossiler, regenerativer u. nuklearer Energiequellen. Berlin u. a.* ²*1994.*

Kragen, selbstständiges oder am Halsausschnitt von Mantel, Hemd, Jacke, Bluse befestigtes Gewandstück mit schmückender, wärmender oder bedeckender Funktion (→ Beffchen, → Halskrause, → Koller, → Stuartkragen).

Kragen|echse (Chlamydosaurus kingii), bis etwa 90 cm lange (rd. 23 cm Schwanz), gelblich braune Agame in Australien und Neuguinea;

spreizt bei Erregung einen breiten Hautkragen ab.

Kragenspiegel, auf beiden Kragenecken einer Uniform angebrachtes Stoffabzeichen, i. Allg. zur Kennzeichnung einer Truppengattung, seltener eines Dienstgrades.

Kragentiere (Branchiotremata, Hemichordata), Tierstamm der Deuterostomier mit in drei Abschnitte gegliedertem Körper und dreiteiliger Leibeshöhle. Alle K. leben als Strudler im Meer. Zwei Klassen: Eichelwürmer und Flügelkiemer.

Kragstein, *Baukunst:* aus der Mauer hervortretender, als Auflager dienender Stein (→Konsole, →Auskragung).

Kragujevac [-vats], Stadt in Jugoslawien, am Moravanebenfluss Lepenica, 147300 Ew.; orth. Bischofssitz; Univ., technisch-histor. Museum; Kraftfahrzeug-, Werkzeugmaschinenbau, elektrotechn., Konservenindustrie. – K. war 1818–39 Hptst. des Fürstentums Serbien.

Krähen, einige Rabenvogelarten aus der Gattung **Corvus:** in Europa die **Saatkrähe** (Corvus frugilegus), schwarz mit schillerndem Metallglanz, in Bäumen – auch in Städten – in Kolonien brütend, und die **Aaskrähe** (Corvus corone), ein Einzelbrüter im größten Teil der Alten Welt, bildet in Europa zwei Rassengruppen: im O die graue **Nebelkrähe** (Corvus corone cornix), im W die schwarze **Rabenkrähe** (Corvus corone corone).

Krähenbeere (Empetrum), Gattung heidekrautähnl. Sträucher; die rosa blühende **Schwarze K.** (Empetrum nigrum) mit nadelförmigen Blättern wächst auf Moorheiden; sie hat blauschwarze, säuerliche, essbare Beeren.

Krähenfuß (Coronopus), Gattung der Kreuzblütler; Kräuter mit fiederteiligen Blättern, kleinen weißl. Blüten in Trauben und runzligen Schötchen.

Krähen|indianer (engl. Crow [»Krähen«], Eigenbez. Absaroka), nordamerikan. Indianerstamm der Sioux; im 19. Jh. berittene Bisonjäger und Händler; jetzt in einer Reservation im Staat Montana/USA; etwa 6000 Angehörige.

Krähennest (früher auch Mastkorb), *seemänn.:* Bez. für den Ausguck am vorderen Schiffsmast, heute nur noch geschlossen und beheizt auf Schiffen in der arkt. und antarkt. Eisfahrt üblich; sonst ersetzt durch den Radarmast.

Krahl, Hilde, österr.-dt. Schauspielerin, *Slavonski Brod (Kroatien) 10. 1. 1917; Darstellerin lebensvoller Frauengestalten; ⚭ mit W. Liebeneiner; spielte am Theater (Berlin, Hamburg, Wien) und in Filmen (u. a. »Der Postmeister«, 1940; »Das Glas Wasser«, 1960).

Krähwinkel, Ortsname in A. Kotzebues Lustspiel »Die deutschen Kleinstädter« (1803), dann in J. Nestroys Posse »Freiheit in K.« (1849); Sinnbild einer spießbürgerl. Kleinstadt.

Kraichgau, Landschaft zw. nördl. Schwarzwald und Odenwald, Oberrheinebene und Neckar in Bad.-Württ., ein durch Löss- und Lehmbedeckung fruchtbares, dicht besiedeltes Muschelkalk- und Keuperhügelland (200–300 m ü. M.) mit intensiver Landwirtschaft, auch Weinbau; Industrie bes. in den Städten am Rand des K. (Bruchsal, Bretten, Wiesloch) und im zentralen Ort Sinsheim.

Kraichtal, Stadt im Landkr. Karlsruhe, Bad.-Württ., 14300 Ew.; Bäckerei-, Heimatmuseum; Kunststoff- und Textilverarbeitung, feinmechan. Ind. – Entstand 1971 durch Zusammenschluss der Städte Gochsheim und Unteröwisheim mit 7 weiteren Gemeinden.

Krain (slowen. Krajnska), Landschaft in Slowenien. Mittelpunkt ist das Becken um Ljubljana. Die **Ober-K.** (slowen. Gorenjsko) ist Alpenland (Triglav 2863 m ü. M.), die **Unter-K.** (Dolenjsko) mittelgebirgig und stark bewaldet; **Inner-K.** (Notranjsko) ist Karstgebiet im SW der Krain.

Geschichte: Seit dem späten 1. Jh. v. Chr. zur röm. Provinz Pannonien; ab 590 von Slowenen besiedelt, mit Kärnten im 8. Jh. an Bayern und in das karoling., später otton. Markensystem eingegliedert (Mark Friaul, seit dem 10. Jh. »Mark K.«). Gehörte 1173/80–1228 den Grafen von Andechs, 1282–1335 von den Grafen von Görz verwaltet; kam 1335 an Habsburg (seit 1394 Herzogtum; mit dt. Sprachinseln). Bis 1806 zum Hl. Röm. Reich; 1809–14 zu den Illyr. Provinzen Napoleons, 1815–49 zum österr. Königreich Illyrien, ab 1849 österr. Kronland; fiel 1918/19 an Jugoslawien. Inner-K. gehörte 1918/19–47 zu Italien.

Krähenbeere: Schwarze Krähenbeere (Höhe 15–45 cm)

Kraits (Bungarus), Gattung bis über 2 m langer, gefährl., nachtaktiver Giftnattern in S- und SO-Asien; kontrastreich geringelt.

Krajina [»Grenzgebiet«], serb. Name für das seit dem 16. Jh. von Serben westlich der Save besiedelte Gebiet in Kroatien, entlang der Grenze zu Bosnien und Herzegowina, Hauptort ist Knin.

Geschichte: Nach Errichtung der →Militärgrenze (1578) Ansiedlung von Wehrbauern, zumeist serb. Flüchtlingen, aus dem Osman. Reich zugefallenen Gebieten (daher »K.«); kam 1881 (wieder) zu Kroatien (weitgehende Autonomie für die K.-Serben); im 2. Weltkrieg unter dem Ustascha-Regime blutige Verfolgung der Serben. Nach dem Verlust der Autonomie im Aug. 1990 serb. Aufstand, der im Dez. 1990 zur Proklamation einer »Serb. Autonomen Region K.« und am 19. 12. 1991 mit der Annahme einer Verf. der »Serb. Republik K.« (SRK) zur Erklärung der Unabhängigkeit führte. Im serbisch-kroat. Krieg Juli–Dez. 1991 Schauplatz schwerer Auseinandersetzungen, wurde die K. von Serbien besetzt; März 1992 Stationierung von UN-

Hilde Krahl

Krakau: Die aus dem 11. Jh. stammende Kirche Sankt Adalbert am Alten Markt wurde bis ins 17. Jh. um- und ausgebaut; links dahinter die Türme der zum großen Teil im 13. Jh. erbauten gotischen Marienkirche

Schutztruppen und Erklärung zur Schutzzone. Ungeachtet eines zw. der SRK und Kroatien abgeschlossenen Waffenstillstandes eroberte Kroatien 1995 die K. zurück; die hier lebenden Serben flohen v. a. nach Serbien und Bosnien-Herzegowina.

Krakatau (Krakatoa, Rakata), vulkan. Insel in der Sundastraße, Indonesien, zw. Sumatra und Java, 15 km^2, 813 m hoch. Bildet mit zwei weiteren Inseln die Reste eines ehem. 2 000 m hohen Vulkans, der 1883 explodierte. Die ausgeworfene vulkan. Asche stieg bis in 50–80 km Höhe auf, verteilte sich hier über die ganze Erde und rief in der Atmosphäre noch drei Jahre später wahrnehmbare Dämmerungserscheinungen hervor. Beim Einsturz der bei dieser Eruption entstandenen Caldera bildete sich eine bis über 20 m hohe Flutwelle (Tsunami), die die Küsten W-Javas und SO-Sumatras verwüstete (36 000 Tote).

Krakau
Stadtwappen

Krakau (poln. Kraków), Hptst. der Wwschaft Kraków (Krakau), Polen, an der Weichsel, mit 746 000 Ew. die drittgrößte Stadt Polens; kath. Erzbischofssitz; zweitgrößtes poln. Wiss.- und Kulturzentrum; Jagiellon. Univ. (1364 gegr.), TU u. a. Hochschulen, Forschungsinstitute, Zweigstelle der Poln. Akademie der Wiss., Akademie für Bergbau und Hüttenwesen, Jagiellon. Bibliothek; über 20 Museen, Theater, botan. und zoolog. Garten; Maschinenbau, elektrotechn., pharmazeut., Textil-, Lebensmittel- u. a. Ind., Druckereien; im Stadtteil **Nowa Huta** großes Hüttenwerk. Verkehrsknotenpunkt mit Weichselhafen und Flughafen. – In der Altstadt (UNESCO-Weltkulturerbe) bed. Bauten: am Alten Markt u. a. Tuchhallen (14., 16. und 19. Jh.), got. Marienkirche (1226 bis 15. Jh.; Altar von Veit Stoß, 1477–89) und die Kirche St. Adalbert (11.–17. Jh.); auf dem Burgberg (Wawel; ehem. königl. Residenz) Schloss (Renaissanceneubau, 1507–36) und Dom (1320–64; bed. Kapellenanbauten des 15. und 16. Jh.), Krönungs- und Grabstätte der poln. Könige (u. a. Grabmal König Kasimirs IV. von Veit Stoß). – Das um 965 erstmals als Handelsplatz erwähnte K. wurde 1000 Bischofssitz; 1240/41 von Mongolen zerstört, 1257 nach Magdeburger Stadtrecht neu gegründet, trat 1430 der Hanse bei. 1320–1764 Krönungsstadt der poln. Könige, bis 1596 (Verlegung des poln. Hofes nach Warschau) auch Hptst. Polens; fiel mit der 3. Teilung Polens (1795) an Österreich und gehörte 1809–15 zum Herzogtum Warschau; durch den Wiener Kongress (1815) zum Freistaat (»Rep.«) erhoben (unter den Schutzmächten Österreich und Russland); nach der Niederschlagung eines nationalpoln. Aufstandes (1846) Österreich angeschlossen; kam nach dem 1. Weltkrieg wieder zu Polen, im 2. Weltkrieg 1939–44 Hptst. des →Generalgouvernements.

Kraken [norweg.] (Oktopoden, Octopoda), artenreiche Ordnung achtarmiger Kopffüßer mit kurzem, sackförmigem Körper und sehr bewegl., meist gleich langen Armen mit Saugnäpfen. Der **Gemeine K.** (**Oktopus,** Octopus vulgaris) der Küsten warmer Meere zeigt reichen Farbenwechsel und erreicht bis 3 m Länge; er wird zu Speisezwecken gefangen. Volkstümlich werden Riesenkalmare (→Kalmare) oft als K. bezeichnet.

Kraken: Der Gemeine Krake, auch Oktopus genannt, kann eine Länge von bis zu 3 m erreichen

Kraków [-kuf], Stadt in Polen, →Krakau.

Krakowiak [nach der Stadt Krakau] *der,* poln. Volkstanz, ein Paartanz im raschen $^2/_4$-Takt, mit synkopiertem Rhythmus und charakteristisch hüpfenden und stampfenden Tanzschritten; im 19. Jh. als Gesellschaftstanz beliebt; gilt als poln. Nationaltanz.

Kral [afrikaans aus portug.] *der* (Kraal), Rundlingssiedlung afrikan. Völker mit dem oft ebenso benannten Viehgehege in der Mitte.

Kraljević Marko [-vitç-; serbokroat. »Königssohn« M.], bulgar. Krali Marko, serb. Fürst, * etwa 1335, † 17. 5. 1395; seit 1371 Teilkönig um Prilep

(Westmakedonien), wurde seit dem 16. Jh. zum volkstümlichsten Helden der südslaw. Folklore.

Krall, Hanna, poln. Schriftstellerin, * Warschau 20. 5. 1932; versteht sich als Reporterin polnisch-jüdischer Schicksale, so in den Romanen: »Schneller als der liebe Gott«, auch u. d. T. »Dem Herrgott zuvorkommen« (R., 1943), »Die Untermieterin« (1985) sowie in »Existenzbeweise« (1995) und »Hypnose« (Erz., 1997).

Kralle, mehr oder weniger stark gekrümmte, zugespitzte epidermale Hornbildung oberseits der Zehenenden (diese überragend) bei vielen vierfüßigen Wirbeltieren; entspricht dem Huf der Huftiere und dem Nagel des Menschen und der Affen.

Krallen|affen (Krallenäffchen, Callithricidae), Familie baumbewohnender Affen in Süd- und Mittelamerika, mit spitzen Krallen, nur die Daumenzehe hat einen breiten Nagel; die Ohren tragen manchmal Haarbüschel, das Fell ist seidenweich und oft auffällig gefärbt, der Schwanz ist sehr lang. Die kleinsten K. sind die **Zwergseidenäffchen** (Gattung Cebuella). Weitere Gattungen: **Löwenäffchen** (Leontideus) mit langer Kopfmähne, **Pinseläffchen** (Callithrix) mit schwarzen oder weißen Ohrpinseln, **Silberäffchen** (Mico) und **Schnurrbart-Tamarins** (Tamarinus).

Kramář ['krama:rʃ], Karel, tschech. Politiker, * Hochstadt (heute Vysoké nad Jizerou) 27. 12. 1860, † Prag 26. 5. 1937; trat als Führer der tschech. Nationalbewegung und Panslawist für eine Einigung aller slaw. Völker ein. Im 1. Weltkrieg war er Vors. des tschech. Nationalausschusses. 1916 wurde er wegen Hochverrats zum Tode verurteilt, 1917 begnadigt. Von Nov. 1918 bis Juli 1919 war er der erste MinPräs. der Tschechoslowakei.

Kramer, 1) ['kreɪmə], Stanley, amerikan. Filmproduzent und -regisseur, * New York 29. 9. 1913; Filme (als Produzent): »Tod eines Handlungsreisenden« (1951), »12 Uhr mittags« (1952); (auch als Regisseur): »Flucht in Ketten« (1958), »Das Urteil von Nürnberg« (1961), »Das Domino-Komplott« (1976).

2) Theodor, österr. Lyriker, * Niederhollabrunn (NÖ) 1. 1. 1897, † Wien 3. 4. 1958; emigrierte 1939 nach Großbritannien, schrieb Gedichte, Balladen aus dem Leben von Außenseitern und von gesellschaftl. Randfiguren, u.a. »Die Gaunerzinke« (1929), »Verbannt aus Österreich« (1943), »Einer bezeugt es« (hg. 1960).

Krämer-Badoni, Rudolf, Schriftsteller, * Rüdesheim am Rhein 22. 12. 1913, † Wiesbaden 18. 9. 1989; schrieb Zeitromane (»In der großen Drift«, 1949, Neuf. 1961), Essays; auch Theater-, Kunstkritiker.

Krammetsvogel, volkstüml. Bez. für die Wacholderdrossel (→ Drosseln).

Krampf (Spasmus), unwillkürl. Kontraktionen einzelner Muskeln oder Muskelgruppen, die durch unterschiedl. Reize ausgelöst werden. Rasch aufeinander folgende und nur kurzfristige Kontraktionen werden als **klon. Muskel-K. (Klonus)** bezeichnet, Kontraktionen von längerer Dauer und stärkerer Intensität dagegen als **ton. Muskel-K.,** z. B. bei Tetanie. Der schmerzhafte ton. K. einzelner Muskelgruppen **(Krampus)** wird durch Überdehnung überbeanspruchter, ermüdeter Muskeln verursacht, z. B. Wadenkrämpfe.

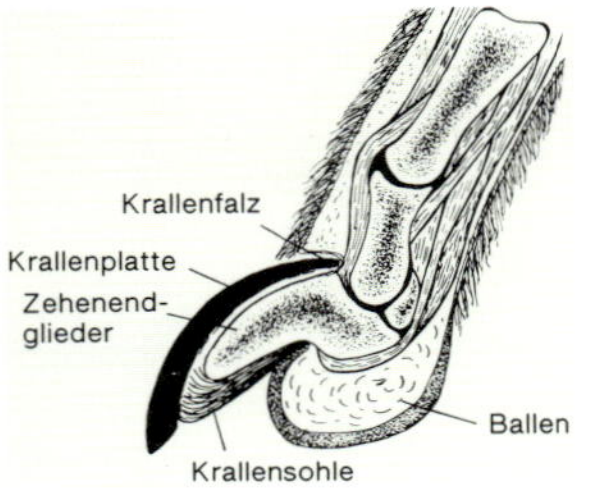

Kralle: Längsschnittzeichnung einer bekrallten Zehe eines Hundes

Krampf|adern (Varizen, Aderknoten), durch Stauung des Blutrücklaufs entstandene, krankhaft erweiterte (oberflächl.), geschlängelte Venen, bes. an den Beinen. Ursachen sind Bindegewebsschwäche, Insuffizienz der Venenklappen, chron. Stauungszustände (z. B. stehende Tätigkeit, Schwangerschaft, Abflussbehinderungen). Die Behandlung besteht v. a. in der Anwendung von Stützverbänden oder Kompressionsstrümpfen, bei stärkerer Ausprägung in einer Verödung oder chirurg. Entfernung der betroffenen Venen.

Krampus, → Knecht Ruprecht.

Kramskoi, Iwan Nikolajewitsch, russ. Maler, * Ostrogoschsk (bei Woronesch) 8. 6. 1837, † Sankt

Iwan N. Kramskoi: Lew Nikolajewitsch Graf Tolstoj (1873; Moskau, Tretjakow-Galerie)

Kran (von links): Fahrbare Containerbrücke; Autodrehkran mit teilweise ausgefahrener Teleskophubvorrichtung; Schwimmkran im Hafenbetrieb

Petersburg 5. 4. 1887; Mitbegründer der Künstlergruppe der →Peredwischniki. Er malte psychologisch einfühlsame Porträts, Bilder mit histor. und religiöser Thematik sowie Genreszenen.

Kran, Hebezeug mit großer Bauart- und Bezeichnungsvielfalt, das bevorzugt zum Heben von Lasten dient. – **Brücken-K.,** dazu gehören **Einträgerbrücken-** oder **Zweiträgerbrücken-K., Lauf-K., Hänge-K., Stapel-K.,** sind mit einer K.-Brücke ausgerüstet, die auf zwei hoch liegenden K.-Schienen verfahrbar abgestützt ist und selbst das Verfahren einer Laufkatze zulässt. Die Last befindet sich immer innerhalb der Radaufstandspunkte. Sie werden bevorzugt in Werkhallen **(Montage-K., Gieß-K.)** eingesetzt. – Die K.-Brücke der **Portal-K.** ist über ein Portal auf der Verkehrsebene abgestützt. Das Portal wird mit verfahren, i. d. R. mittels Schienenfahrwerk. Portal-K. mit kurzer Spannweite bezeichnet man als **Bock-K.,** ist die Brücke größer als die Portalstützweite, bezeichnet man sie als **Verladebrücke, Containerbrücke** oder **Schiffsbelader** bzw. **-entlader.** Diese K. dienen speziellen Aufgaben und sind mit entsprechenden Lastaufnahmemitteln wie Greifern für Schüttgut oder Spreader für Container ausgerüstet.

Ausleger-K. nehmen die Last stets außerhalb ihrer Unterstützungsfläche auf. Nahezu alle Ausleger-K. können mit der Last um ihre vertikale Mittelachse eine Drehbewegung ausführen **(Dreh-K.).** Außerdem können sie die Last zur vertikalen Mittelachse durch Verfahren auf starren Auslegern (Katzauslegern) oder durch Schwenken **(Derrick-K.)** bzw. Wippen (horizontaler Lastweg, **Wippdreh-K.**) der Ausleger bewegen. Nach diesem Prinzip arbeiten insbesondere die **Hafen-K.** zum Umschlagen von Stück- und Schüttgut in Häfen und die **Bau-K.,** je nach Verwendungszweck als **Turmdreh-K.** oder **Kletter-K.** ausgeführt. Die Fahrzeug-K. sind für den Verkehr auf der Straße, Schiene, auf dem Wasserweg oder in der Luft mit einem Fahrgestell ausgerüstet: **Autodreh-K., Raupendreh-K., Eisenbahndreh-K., Schwimm-K.** und **K.-Hubschrauber.** – Für den Schiffbau, Holzumschlag, Staudammbau oder auf Großbaustellen benutzt man **Kabel-K.** Sie besitzen ein über mehrere Stützen (Türme oder Masten) gespanntes Tragseil mit Spannweiten bis 1 000 m, was einer Seillaufkatze als Fahrbahn dient. Die Last hängt an einem Hubseil, verfahren wird die Laufkatze mittels Fahrseil.

Krängung [zu niederländ. krengen, eigtl. »sich abwenden«], seitl. Neigung eines Schiffs durch Winddruck, Seegang, Wassereinbruch, ungleich verteilte Ladung oder durch Zentrifugalkraft (beim harten Drehen).

Kranich, 1) (Gruidae), Familie großer, hochbeiniger Vögel mit langem Hals, kleinem Kopf und spitzem Schnabel. Der etwa 1 m große **Kronen-K.** (Balearica pavonina) Afrikas trägt gelbe Federstrahlen auf dem Kopf; er legt als einzige Art ein Baumnest an. Der etwa 1,2 m große **Graue K.**

Kraniche

In Ägypten dienten Kraniche nach Wandbildern des 3. Jahrtausends v. Chr. als Nahrung und Opfertiere. Sie wurden mit dem Schlagnetz gefangen und in Geflügelgehegen gemästet. Auf griechischen und römischen Schmucksteinen, Grabreliefs und auf Vasen werden Kraniche oft in Verbindung mit erotischen Szenen dargestellt. In der griechischen und christlichen Antike galten sie als Symbol von Wachsamkeit und sozialem Verhalten. Die Römer schätzten das Fleisch der mit Schlingen oder Netzen gefangenen und gemästeten Kraniche als Delikatesse. Durch ihr pünktliches Erscheinen im Frühjahr gaben die Kraniche den Zeitpunkt des Pflügens und Säens an.

In Japan gilt der Kranich als Glücksvogel und ist, ebenso wie in China, Sinnbild langen Lebens. Seit frühesten Zeiten werden Kranichen, die in Japan überwintern, magische Kräfte zugesprochen. Als Göttervögel genießen sie Verehrung als Freund der Kinder und als Symbol für eine gute Ehe. In Sagen und Märchen verwandeln sie sich in Frauen und bringen den Menschen Glück.

(Grus grus) hat aschgraues Gefieder und einen nackten roten Hinterkopf. Er lebt in geringer Zahl in norddt. Sumpfgebieten und ist nach der Roten Liste vom Aussterben bedroht; fliegt mit ausgestrecktem Hals und während des Vogelzugs häufig in Keilformation. Der etwa 1,5 m große graue **Saruskranich** (Grus antigone) mit unbefiedertem roten Kopf ist in den Sümpfen Vorder- und Hinterindiens heimisch. Der kleinere graue und schwarze, weißschopfige **Jungfern-K.** (Anthropoides virgo) ist in Südspanien, Südosteuropa und Mittelasien heimisch, als Irrgast auch in Mitteleuropa.

2) (lat. Grus), Sternbild des südl. Himmels.

Kranichstein, ehemaliges Jagdschloss der Landgrafen von Hessen-Darmstadt nordöstlich von Darmstadt; dreiflügelige Anlage, errichtet 1571–79; heute Museum, z. T. Hotel.

Kraniologie [lat.-grch.] *die* (Schädellehre), Teilgebiet der Biologie; beschäftigt sich mit Messung **(Kraniometrie)** und Merkmalsbeschreibung **(Kranioskopie)** des Schädels; von Bedeutung u. a. zur Bestimmung vorgeschichtl. Skelettfunde.

Krankengeld, → Krankenversicherung.

Krankengymnastik (früher Heilgymnastik), auf akut oder chronisch kranke Menschen abgestimmte, planmäßig durchgeführte Bewegungstherapie zur Erhaltung und/oder Erneuerung der körperl. Funktionen (passiv: Massage, Dehnübungen; aktiv: Atem-, Unterwassergymnastik, Widerstands-, Kriechübungen u. a.) unter Anleitung von Physiotherapeuten.

Krankenkasse, → Krankenversicherung.

Krankenpfleger, → Krankenschwester.

Krankensalbung (früher Letzte Ölung; in orth. Kirchen hl. Ölung), durch einen Priester unter einem Fürbittgebet vollzogene Salbung eines (Schwer-)Kranken mit geweihtem Öl; in der kath. Kirche Sakrament (Sterbesakrament) zur geistl. Stärkung und Sündenvergebung v. a. in Lebensgefahr; in den orth. Kirchen als »von der Art eines Sakramentes« aufgefasst.

Krankenschwester (Bez. für Männer: Krankenpfleger), Beruf im Gesundheitswesen; Ausbildung (3 Jahre) in staatlich anerkannten Krankenpflegeschulen. Alter der Bewerber: mindestens 17, höchstens 36 Jahre. Voraussetzungen: mittlerer Bildungsabschluss oder Hauptschulabschluss mit erfolgreichem Besuch einer Pflegevorschule oder mit abgeschlossener Berufsausbildung. **Krankenpflegehelferinnen** bzw. **-helfer** haben eine einjährige Ausbildung (Fachschule). Zugangsvoraussetzung: Mindestalter 17 Jahre, Hauptschulabschluss oder abgeschlossene Berufsausbildung.

Krankentransport, → Rettungswesen.

Krankenversichertenkarte, Ausweis der Krankenkasse, der den Versicherten zur Inanspruchnahme von ärztl. Leistungen berechtigt und für die Abrechnung mit den Leistungserbringern verwendet wird; ersetzt den Krankenschein (§§ 15, 291 SGB V).

Kranich 1): Saruskranich (Größe etwa 1,5 m)

Krankenversicherung, 1) gesetzl. K., Abk. **GKV,** ein Zweig der Sozialversicherung, der bei Krankheit, Mutterschaft und Tod sowie zur Früherkennung von Krankheiten Leistungen erbringt; wesentl. Element der sozialen Sicherung. Gesetzl. Grundlage ist das 5. Buch des Sozialgesetzbuches (SGB V) und die mehrfach geänderte Reichsversicherungsordnung (RVO) vom 19. 7. 1911. Versicherungspflichtig sind alle gegen Entgelt beschäftigten Arbeiter und Angestellten, deren Einkommen die Versicherungspflichtgrenze (75 % der Beitragsbemessungsgrenze in der Rentenversicherung) nicht übersteigt. Der Versicherungspflicht unterliegen ferner Auszubildende, Studierende, Rentner, Arbeitslose und Behinderte, die an berufsfördernden Maßnahmen teilnehmen. Für die landwirtsch. Unternehmer und deren mitarbeitende Familienangehörige gibt es mit der K. der Landwirte eine spezielle K. ebenso wie mit der Künstlersozialversicherung für selbstständige Künstler und Publizisten. Beim Ausscheiden aus der versicherungspflichtigen Beschäftigung (z. B. bei Selbstständigkeit) ist unter bestimmten Bedingungen freiwillige Weiterversicherung möglich. Versicherungsfrei sind Beamte und unter bestimmten Voraussetzungen geringfügig Beschäftigte.

Leistungen: Die GKV erbringt 1) Leistungen zur Förderung der Gesundheit (Aufklärung und Beratung); 2) Vorsorgeleistungen zur Früherkennung und Verhütung von Krankheiten; neben zahnmedizin. Vorsorge gehört dazu die jährl. Krebsvorsorgeuntersuchung für Frauen (ab 20. Lebensjahr) und für Männer (ab 45. Lebensjahr) sowie die zweijährl. Vorsorgeuntersuchung auf Herz-, Kreislauf- und Nierenerkrankungen und Diabetes (ab

35. Lebensjahr). Kinder bis zum 6. Lebensjahr und nach Vollendung des 10. Lebensjahres haben Anspruch auf besondere Untersuchungen zur Früherkennung von Krankheiten; 3) Leistungen bei Krankheit in Form der Krankenbehandlung, d.h. ärztl. Behandlung, Versorgung mit Medikamenten, Verband-, Heil- und Hilfsmitteln, häusl. Krankenpflege und Haushaltshilfe, Krankenhausbehandlung und Leistungen zur Rehabilitation. In den letzten Jahren gab es hier Einschränkungen für die Versicherten v.a. durch finanzielle Eigenbeteiligungen in Form der **Zuzahlungen,** die zum 1. 1. 1999 gesenkt wurden. Die Zuzahlungen für Arznei- und Verbandmittel betragen für kleine Packungen 8 DM, mittlere 9 DM und große 10 DM, für Fahrtkosten 25 DM. An Heilmitteln (z.B. Massagen, Bäder, Krankengymnastik) müssen sich Versicherte (über 18 Jahren) mit 15% des Preises beteiligen, an den Hilfsmitteln (Einlagen, Bandagen) mit 20%. Für Seh- und Hörhilfen gilt seit 1989/90 eine Festbetragsregelung. Alle Versicherten (auch die ab 1. 1. 1979 geborenen) haben Anspruch auf einen Zuschuss für notwendigen Zahnersatz von 50% der Kosten (bei regelmäßigen Vorsorgeuntersuchungen in den letzten 5 Jahren 60%, in den letzten 10 Jahren 65%). Der Eigenanteil bei vollstationärer Krankenhausbehandlung für Versicherte über 18 Jahre beträgt 17 DM (neue Bundesländer 14 DM) täglich (maximal 14 Tage). Bei stationären Kuren beläuft sich die Zuzahlung auf 25 DM (neue Bundesländer 20 DM), bei stationären Vorsorge- und Rehabilitationsmaßnahmen sowie bei Mütter- oder Väterkuren jeweils auf 17 DM (neue Bundesländer 14 DM). Urlaubstage werden nicht mehr auf die Kur angerechnet. Das »Krankenhaus-Notopfer« zur Finanzierung der Krankenhausinvestitionen von 20 DM wurde für die Jahre 1998 und 1999 ausgesetzt. Für Härtefälle gelten bei der Selbstbeteiligung Sozialklauseln. Kinder unter 18 Jahren und sozial Schwache sind von Zuzahlungen befreit (außer Zahnersatz und Fahrtkosten). Für chronisch Kranke ist unter bestimmten Voraussetzungen eine vollständige Befreiung von Zuzahlungen zu Fahrtkosten, Arznei-, Verband- und Heilmitteln möglich. **Krankengeld** wird gezahlt im Anschluss an den Anspruch auf Entgeltfortzahlung in Höhe von 70% (seit 1997) des erzielten regelmäßigen beitragspflichtigen Arbeitsentgelts; 4) Leistungen der **Mutterschaftshilfe:** Während der Schwangerschaft und nach der Entbindung hat die Versicherte Anspruch auf ärztl. Betreuung und Hebammenhilfe, Arznei-, Verband- und Heilmittel, stationäre Entbindung, häusl. Pflege, Haushaltshilfe. Mutterschaftsgeld wird sechs Wochen vor und acht Wochen nach der Entbindung der Versicherten gezahlt, die in einem Arbeitsverhältnis steht (in Höhe des Nettoentgelts oder des Krankengeldes, höchstens 25 DM pro Tag); Versicherte ohne diese Ansprüche erhalten ein einmaliges Entbindungsgeld von 150 DM; 5) Sonstige Hilfen: Anspruch auf ärztl. Beratung über Fragen der Empfängnisregelung, auf Leistungen bei legaler Sterilisation und bei legalem Schwangerschaftsabbruch durch einen Arzt; 6) Sterbegeld (für Versicherte, die bereits vor dem 1. 1. 1989 in der gesetzl. K. waren); 7) Familienhilfe: für den unterhaltsberechtigten Ehegatten und die unterhaltsberechtigten Kinder werden mit Ausnahme des Krankengeldes i. Allg. die Leistungen der K. gewährt. Leistungen bei Schwerpflegebedürftigkeit werden seit 1995 von der Pflegeversicherung erbracht.

Träger der K. sind die **Krankenkassen,** in erster Linie die Allg. Ortskrankenkassen (AOK). Sie sind innerhalb ihres Bezirks zuständig für alle Versicherungspflichtigen, die nicht einer Betriebskrankenkasse (für größere Betriebe), Innungskrankenkasse (für handwerkl. Betriebe), der Bundesknappschaft (für Bergleute), der See-Krankenkasse (für Seeleute), einer landwirtsch. Krankenkasse oder einer Ersatzkasse angehören. Seit 1997 gilt für die Versicherten die freie Krankenkassenwahl, sodass sie auch Kassen beitreten können, die bislang nur bestimmten Gruppen vorbehalten waren. – Die Bei-

Gesetzliche Krankenversicherung: Kassen (Anzahl) **und Mitglieder** (in 1000)

Jahr / Kassenart	Kassen	Mitglieder	Pflichtmitglieder		freiwillig Versicherte		Rentner/-innen	
		insgesamt	männlich	weiblich	männlich	weiblich	männlich	weiblich
1992	1367	50834	16642	14561	3950	1378	5230	9074
1994	1015	50607	16141	14244	4012	1547	5517	9145
1996	770	50830	15711	14083	4268	1715	5809	9244
davon (1996):								
Allgemeine Ortskrankenkassen	20	21853	7736	4717	846	465	2944	5146
Betriebskrankenkassen	651	5243	1819	916	510	119	847	1031
Innungskrankenkassen	48	3028	1744	577	190	60	226	231
landwirtschaftliche Krankenkassen	21	663	265	30	23	13	186	146
See-Krankenkasse	2	49	20	2	10	1	8	8
Bundesknappschaft	2	1185	201	41	21	8	426	488
Ersatzkassen für Arbeiter	13	963	535	157	100	19	85	67
Ersatzkassen für Angestellte	13	17846	3391	7644	2567	1029	1087	2127

träge zur K. werden je zur Hälfte vom Arbeitgeber und vom Versicherten aufgebracht, und in Prozenten vom Bruttoeinkommen durch jede Kasse festgesetzt. Die gesetzl. Verpflichtung der Krankenkassen, bei Erhöhung ihres Beitragssatzes auch die Zuzahlungen zu erhöhen, wurde aufgehoben. – In *Österreich* haben sich vier Systeme der gesetzl. K. entwickelt. Das allg. System ist im Allg. Sozialversicherungsgesetz vom 9. 9. 1955 geregelt. Daneben gibt es die Beamten-, Kranken- und Unfallversicherung, die Gewerbl. Selbstständigen-K. und die Bauern-K. In der *Schweiz* besteht Versicherungspflicht seit dem 1. 1. 1996, ein Arbeitgeberbeitrag wird nicht gezahlt.

📖 *Westeurop. Gesundheitssysteme im Vergleich. Bundesrep. Deutschland, Schweiz, Frankreich, Italien, Großbritannien. Beiträge v.* J. ALBER *u.* B. BERNARDI-SCHENKLUHN. *Frankfurt am Main u. a. 1992. – Krankheit u. Gemeinwohl. Gesundheitspolitik zw. Staat, Sozialversicherung u. Medizin, hg. v.* B. BLANKE. *Opladen 1994. – Gesundheitsversorgung u. K. 2000. Mehr Ergebnisorientierung, mehr Qualität u. mehr Wirtschaftlichkeit. Sondergutachten 1995, hg. vom Sachverständigenrat für die Konzertierte Aktion im Gesundheitswesen. Baden-Baden 1995.*

2) private K., freiwillige Versicherung gegen das Krankheitsrisiko. Die Beiträge richten sich nicht nach dem Einkommen, sondern nach dem Tarif, dem Eintrittsalter, Geschlecht und Gesundheitszustand der zu versichernden Person.

Krankheit, Störungen im Ablauf der normalen Lebensvorgänge in Organen und Organsystemen durch einen Reiz, der zu einer von der Norm abweichenden vorübergehenden Beeinträchtigung der phys. Funktionen und/oder der psych. Befindlichkeit, gegebenenfalls auch zu wahrnehmbaren körperl. Veränderungen, im Extremfall zum Tod führt; auch Bez. für die Gesamtheit der Reaktionen des Körpers auf diesen Reiz. Charakteristisch dabei ist das Nebeneinander von schädigenden Wirkungen und schützenden Abwehrprozessen. Auch bei scheinbar isolierten abnormen Organreaktionen ist der gesamte Organismus beteiligt. Die Ursachen und Entstehungsmechanismen einer K. sind vielschichtig. Neben angeborenen Missbildungen und erbl. Defekten, äußeren Noxen (Viren, Bakterien, Parasiten, Gifte) und Gewalteinwirkungen (elektr. Strom, Strahlung, Temperatur, mechan. Kräfte) können auch soziale Gegebenheiten (Konfliktsituationen) zu organ. oder funktionellen K. führen.

Kranz (Korona), *Meteorologie:* atmosphärisch-opt. Erscheinung um Sonne oder Mond, bestehend aus farbigen Ringen, die durch Beugung des Lichts an Wolken- oder Nebeltröpfchen und Eiskristallen entstehen. Die K. unterscheiden sich von dem ebenfalls ringförmigen → Halo durch einen kleineren Durchmesser und eine andere Spektralfarbenfolge.

Kranzgeld, → Verlöbnis.

Kranznaht, → Schädelnähte.

Krapp, → Färberröte.

Krasicki [kraˈçitski], Ignacy, poln. Dichter, * Dubiecko (Wwschaft Przemyśl) 3. 2. 1735, † Berlin 14. 3. 1801; bed. Vertreter der poln. literar. Aufklärung; Fabeln, Satiren, Erzählungen, Erziehungsromane, komisch-heroisches Epos »Die Mäuseade in 10 Gesängen« (1775).

Zygmunt Krasiński

Krasiński [kraˈçiĩnski], Zygmunt Graf, poln. Dichter, * Paris 19. 2. 1812, † ebd. 23. 2. 1859; bed. poln. Romantiker. In dem Drama »Ungöttl. Komödie« (1835) stellt K. den Konflikt zw. der alten aristokrat. Ordnung und der neuen revolutionären Bewegung dar; ferner Tragödie »Iridion« (1836), Poem »Morgendämmerung« (1843) u. a.

Krasnodar (bis 1920 Jekaterinodar), Hptst. der Region K., Russland, am rechten Hochufer des unteren Kuban, N-Kaukasien, 634 500 Ew.; Univ. u. a. Hochschulen, Theater, Museen; Maschinenbau, Erdölraffinerie, chem., Textilind.; oberhalb von K. der Kuban-Bewässerungsstausee (420 km²). – Gegr. 1794 von Schwarzmeerkosaken.

Krasnogwardeisk, 1929–44 Name von → Gattschina.

Krasnojarsk, Hptst. der Region K., Russland, in Mittelsibirien, beiderseits des Jenissei, 919 000 Ew.; Univ., 2 nichtstaatl. Univ., 8 Hochschulen, Institute der Akademie der Wiss., Theater; Aluminium-, Reifen-, Stahl-, Chemiefaserwerk, Papier-, pharmazeut., Nahrungsmittelind., Schwermaschinen-, Landmaschinen-, Lokomotiv-, Gerätebau; Verkehrsknotenpunkt an der Transsibir. Eisenbahn, mit internat. Flughafen. Oberhalb von K. am Jenissei Wasserkraftwerk (6 000 MW) und 2 000 km² großer **Stausee.** Bei K. in **Schelesnogorsk** (90 000 Ew.), der ehem. Atomstadt **Krasnojarsk 26,** nukleare Forschung und Produktion (Kernkraftwerk 1992 stillgelegt). – Gegr. 1628 als Festung, seit 1822 Hptst. des Gouv. Jenissei.

Krasnokokschaisk, 1919–27 Name der Stadt → Joschkar-Ola.

Krasnowodsk, Stadt in Turkmenistan, → Turkmenbaschi.

Krater [grch.] *der,* altgrch. Gefäß aus Metall oder Ton mit weiter Öffnung zum Mischen von Wasser und Wein. BILD S. 60

Krater [grch.] *der,* **1)** *Geowissenschaften:* Öffnung des Schlotes von Vulkanen, durch den die Lava an die Erdoberfläche tritt; trichter- oder kesselförmig. BILD S. 60

2) (Meteoriten-K.) → Meteoriten.

3) (Mond-K.) → Mond.

Kraton [grch.] *der* (Kratogen), *Geologie:* konsolidierter, nicht mehr faltbarer, sondern nur noch

Krater: Korinthischer Krater aus Cerveteri mit schwarzfiguriger Malerei (um 565 v. Chr.; Rom, Vatikanische Sammlungen)

durch Bruch- oder Bruchfaltentektonik verformbarer Erdkrustenteil. **Urkratone (Urkontinente)** sind bereits vor dem Kambrium konsolidiert.

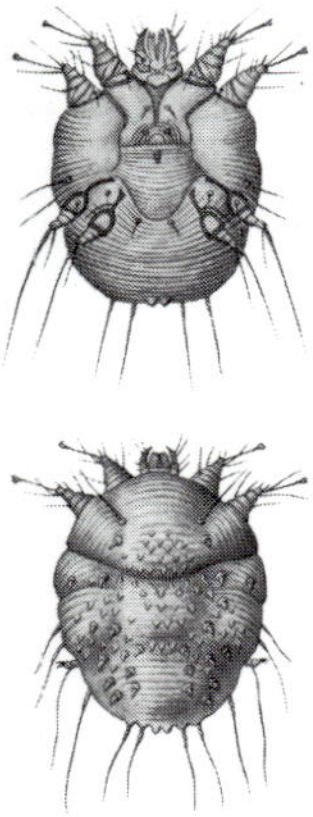

Krätzmilben: Bauchseite (oben) und Rückenseite

Krätze (Skabies), durch die Krätzmilbe (Sarcoptes scabiei) verursachte, übertragbare, stark juckende Hautkrankheit. Milbengänge, die die weibl. Milbe zur Eiablage in die Oberhaut bohrt, finden sich bes. an weichen Hautstellen (z. B. zw. Fingern, in den Gelenkbeugen, am Nabel, an den Brüsten und Achselfalten). Durch Sekundärinfekte beim Kratzen treten nässende, teils chron. Ekzeme mit Eiterbildung auf.

Krätzmilben (Sarcoptidae), Familie kleiner, fast kugelförmiger Milben mit kurzen Gliedmaßen; Hautparasiten bei Säugetieren (einschl. Mensch) und Vögeln; verursachen Krätze bzw. Räude.

Kratzputz, *Baukunst:* →Sgraffito.

Kraul (Kraulschwimmen) [engl. to crawl, eigtl. »kriechen«, »krabbeln«], schnellste Schwimmart, bei der die Arme wechselseitig eine Zug- und Druckphase ausführen, die Beine sich in rhythm. Wechsel auf und ab bewegen; in Brust- und Rückenlage möglich, i. e. S. in Brustlage ausgeführt und in Freistilwettbewerben angewendet.

Krater 1): Blick in den bis 300 m tiefen kesselfömigen Zentralkrater des Vesuvs in Italien

Kraus, 1) Alfredo, eigtl. A. K. Trujillo, span. Sänger (Tenor), *Las Palmas 24. 9. 1927; gastierte an den bed. Opernhäusern Europas und Amerikas, trat v. a. als Mozart-Interpret sowie in Partien des italien. und frz. Opernfachs hervor; auch Konzertsänger.

2) Carl von, österr. Germanist, *Wien 20. 4. 1868, †München 9. 4. 1952; Arbeiten zur mhd. Lit., bes. zur Textkritik.

3) Franz Xaver, kath. Theologe, *Trier 18. 9. 1840, †San Remo 28. 12. 1901; seit 1878 Prof. in Freiburg i. Br.; lehnte den kirchl. Zentralismus ab (»Spectatorbriefe«, 1895–99); sein »Lb. der Kirchengesch.« (4 Tle., 1872–75) wurde indiziert; erhob die christl. Archäologie und Kunstgeschichte zu selbstständigen wiss. Disziplinen.

4) Georg Melchior, Maler, *Frankfurt am Main 26. 7. 1737, †Weimar 5. 11. 1806; Schüler von J. H. Tischbein d. Ä., stand dem Goethekreis nahe; schlichte Bildnisse und Landschaften.

5) Karl, österr. Schriftsteller, *Jitschin (heute Jičín, Ostböhm. Gebiet) 28. 4. 1874, †Wien 12. 6. 1936; schrieb meist satir. Aphorismen, Epigramme, Essays, Glossen und Gedichte. Die von ihm gegründete kulturkrit. Ztschr. »Die Fackel« (1899 bis 1936) wurde für K. zum Forum des Kampfes gegen die »Verlotterung der Sprache«, die für ihn Ausdruck für Korruption und geistige Unwahrhaftigkeit der Gesellschaft, für den Verfall der Kultur überhaupt war; er entwickelte ein Verfahren der Sprachkritik mithilfe des Zitats, in dem der Text zum Zeugen gegen seinen Urheber wird (»Die Sprache«, hg. 1937). In seinem dramat. Hauptwerk »Die letzten Tage der Menschheit« (1918/19, endgültige Ausgabe 1926) sind dokumentarisch belegte Wirklichkeitsfetzen in mehr als 200 Einzelszenen zu einer Apokalypse des 1. Weltkriegs montiert. Die »Dritte Walpurgisnacht«, K.' Auseinandersetzung mit dem Nationalsozialismus, erschien erst 1952. K. war Wiederentdecker der Sprachkunst J. Nestroys und bearbeitete auch Dramen und Sonette Shakespeares.

🕮 Schick, P.: *K. K. mit Selbstzeugnissen u. Bilddokumenten. Reinbek 43.–45. Tsd. 1993.*

Krause, 1) Jakob, *Zwickau 1531/32, †Dresden 9. 7. 1586; gilt als bedeutendster dt. Buchbinder der Renaissance, seit 1566 Hofbuchbinder des Kurfürsten August von Sachsen.

2) Tom, finn. Sänger (Bassbariton), *Helsinki 5. 7. 1934; sang 1959–62 an der Städt. (Dt.) Oper Berlin und wurde 1962 Mitgl. der Hamburg. Staatsoper; gastierte an den bed. Opernhäusern Europas und der USA.

Karl Kraus: Titelblatt der ersten, im April 1899 erschienenen Nummer der Zeitschrift »Die Fackel«

Krause Glucke (Feisterling, Sparassis crispa), v. a. am Grunde alter Kiefern in N-Europa und N-Amerika vorkommender Ständerpilz mit reich verzweigtem, badeschwammähnl., gelbl. Fruchtkörper; jung ein geschätzter Speisepilz.

Kräuselkrankheit, versch., u. a. durch Pilze, Viren, Insekten hervorgerufene Pflanzenkrankheiten, die sich v. a. in einer Kräuselung der Blätter zeigen, z. B. bei Kartoffel und Pfirsich.

Krauß, Werner, Schauspieler, *Gestungshausen (heute zu Sonnefeld, Kr. Coburg) 23. 6. 1884, †Wien 20. 10. 1959; wirkte in Berlin, Wien, Hamburg. Charakterdarsteller, auch im Film: »Das Kabinett des Dr. Caligari« (1919), »Robert Koch« (1939), »Paracelsus« (1943) u. a.; seit 1954 war er Träger des Ifflandrings.

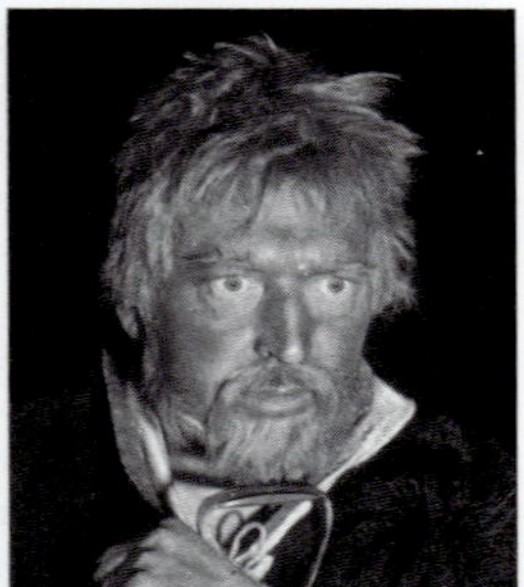

Werner Krauß als Wilhelm Tell im gleichnamigen Drama von Friedrich Schiller (1932; Berlin, Staatliches Schauspielhaus)

Krauss, 1) Clemens, österr. Dirigent, *Wien 31. 3. 1893, †Mexiko 16. 5. 1954; 1929–34 Direktor der Wiener, 1934–36 der Berliner Staatsoper, 1937–44 Opernintendant in München; nach 1945 v. a. in Wien tätig. K. wurde v. a. als Interpret der Werke von R. Strauss bekannt.

2) Werner, Romanist, *Stuttgart 7. 6. 1900, †Berlin (Ost) 28. 8. 1976; Prof. in Marburg, Leipzig und Berlin; Mitbegründer der »Beiträge zur roman. Philologie«; arbeitete v. a. zur span. Lit. des Siglo de Oro (Goldenes Zeitalter) und zur Geistesgesch. der Aufklärung.

📖 JEHLE, P.: *W. K. u. die Romanistik im NS-Staat. Hamburg u. a. 1996.*

Karl Kraus

Kräuter, im Unterschied zu Bäumen und Sträuchern nicht oder nur wenig verholzende Pflanzen, die nach jeder Vegetationsperiode ganz (einjährige K.) oder bis auf ihre unterird. Teile (zweijährige K. oder mehrjährige Stauden) absterben.

Krawatte [frz., von dt. Krawat »Kroate«], **1)** lang zum Knoten (Schlips) oder quer als Schleife (Fliege) gebundene schmale Halsbinde der [Herren]mode; von den Halstüchern eines in frz. Diensten stehenden kroat. Regiments um 1670 in die zivile Kleidung übernommen.

2) beim Catchen Würgegriff am Hals (auch als Schere mit den Beinen); im Ringen verboten.

Leonid Krawtschuk

Kraweelbau [zu Karavelle] (Karweelbau), *Schiffbau:* Bootsbauweise mit stumpf aufeinander stoßenden Planken, wodurch eine glatte Außenhaut gebildet wird; Ggs.: → Klinkerbau.

Krawtschuk, Leonid Makarowitsch, ukrain. Politiker, *Weliki Schitin (Gebiet Rowno) 10. 1. 1934; ab 1960 hauptamtl. Parteifunktionär; wurde im Juni 1990 stellv. Vors. der ukrain. KP, im Juli 1990 Präs. des ukrain. Parlaments, proklamierte unter dem Druck der Volksbewegung Ruch im Aug. 1991 die Unabhängigkeit der Ukraine, legte seine Parteiämter nieder und verbot die KP. Als Präs. der Ukraine (1991–94) beteiligte er sich führend an der Gründung der → GUS.

Krayonmanier [krɛ'jõ-, frz. crayon »Bleistift«] (Crayonmanier), Kupferstichverfahren in Kreidemanier. (→ Kupferstich)

Kreatin [von grch. kréas »Fleisch«] *das* (N-Methylguanidyl|essigsäure), in der Muskulatur und im Blut der Wirbeltiere enthaltenes Aminosäurederivat, das in Form farbloser wasserlösl. Kristalle isoliert werden kann. Das aus K. und ATP (→ Adenosin) unter dem Einfluss des Enzyms Kreatinkinase gebildete K.-Phosphat stellt eine wichtige Phosphatreserve der Muskulatur dar, da es eine rasche Regeneration von ATP aus ADP (Adenosindiphosphat) bei Muskelarbeit ermöglicht. Aus dem Organismus ausgeschieden wird K. mit dem Harn in Form des durch Wasserabspaltung entstehenden zykl. Säureimids Kreatinin.

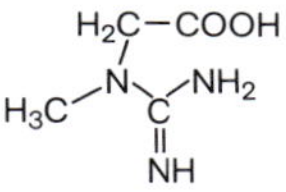

Kreatin

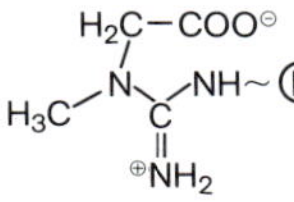

Kreatinphosphat (Ⓟ = Phosphorsäurerest)

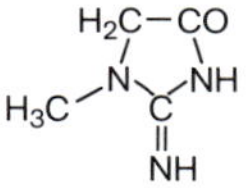

Kreatinin

Kreatin

Kreativität [lat.] *die,* schöpfer. Vermögen. Im Unterschied zum rein analyt. Denken ist die K. bes. durch das Finden neuer Aspekte und Ansätze

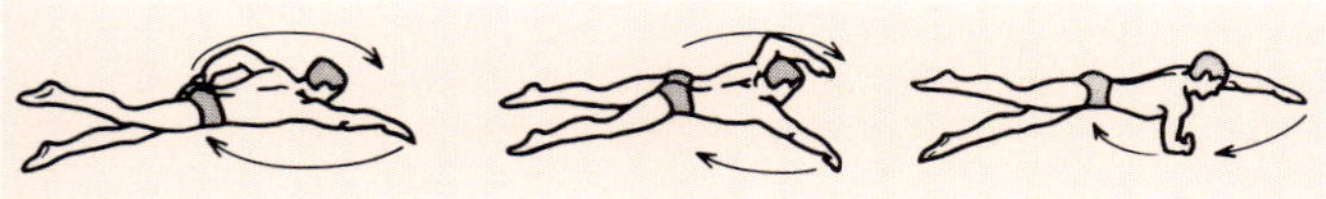

Kraul: Bewegungsablauf

zu Problemlösungen gekennzeichnet und von zahlr. kognitiven und psych. Faktoren bestimmt.

Kreatur [lat.] *die,* **1)** Geschöpf, Lebewesen, bes. der Mensch gegenüber Gott.

2) *abwertend:* Günstling, verachtenswerter, willenloser Mensch.

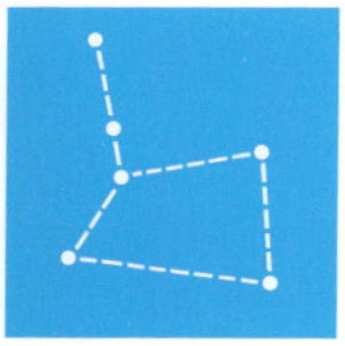

Krebs 1)

Krebs, 1) *Astronomie:* (Cancer, Abk. Cnc oder Canc) zum Tierkreis gehörendes Sternbild des Nordhimmels, enthält den mit bloßem Auge als verwaschenen Nebelfleck erkennbaren Sternhaufen Praesepe (Krippe).

2) *Botanik:* durch Wucherungen gekennzeichnete Pflanzenkrankheiten, so Kartoffel-, Bakterien-, Baumkrebs.

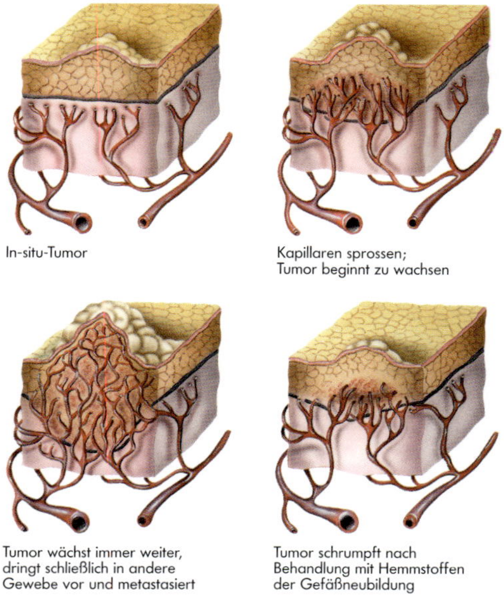

In-situ-Tumor

Kapillaren sprossen; Tumor beginnt zu wachsen

Tumor wächst immer weiter, dringt schließlich in andere Gewebe vor und metastasiert

Tumor schrumpft nach Behandlung mit Hemmstoffen der Gefäßneubildung

Krebs 3): Tumorentstehung

3) *Medizin:* im allg. Sprachgebrauch Bez. für alle bösartigen Geschwülste; medizinisch unterscheidet man nach dem betroffenen Gewebstyp das von den epithelialen Zellen (Deck- und Drüsengewebe) der Haut, Schleimhaut und Organe ausgehende **Karzinom** (Carcinoma, Abk. Ca), das auch i.e.S. als K. bezeichnet wird, und das auf die mesenchymalen Stütz- und Bindegewebe begrenzte **Sarkom** (Abk. Sa), das entsprechend seiner Herkunft, z.B. aus Knochen-, Knorpel-, Muskel-, Fettgewebe oder faserbildendem Gewebe, in Osteo-, Chondro-, Myo-, Lipo- oder Fibrosarkom unterteilt wird. Auch Zellen, die in keinem Gewebsverband zusammenhängen, können zu K.-Zellen entarten und betreffen als **Hämoblastosen** oder **Retikulosen** das Blut bildende oder das lymphatisch-retikuläre System (v.a. Leukämie, Plasmozytom, Lymphogranulomatose). Eine weitere Einteilung richtet sich nach befallenen Organen (z.B. Brust-, Gebärmutter-, Lungenkrebs).

Kennzeichen: Die bösartigen Geschwülste sind durch eine programmwidrige Zellvermehrung gekennzeichnet. Sie kommt entweder durch erhöhte Zellteilungsraten oder durch eine Störung der Zellreifung zustande. Hierbei versagen die unter physiolog. Bedingungen wirksamen regulierenden Systeme, die die Zellteilung, Zell-, Gewebsdifferenzierung und -regeneration aufeinander abstimmen (z.B. Hormone, Chalone). Einen wesentl. Schritt für die modellhafte Erklärung dieser Vorgänge bedeutete die Entdeckung von Genen, die nach Einführung in eine Zelle diese in eine K.-Zelle umwandeln. Diese Onkogene (K.-Gene) sind mit Genen, die in Tumorviren vorkommen, eng verwandt, treten jedoch auch in regulären Zellen auf. Sie steuern die Bildung von Wuchsfaktoren und von entsprechenden Rezeptoren der Zelle. Bereits minimale Veränderungen (ein Baustein auf 20000) können zu einer Umwandlung des harmlosen K.-Gens einer Normalzelle in das bösartige K.-Gen einer Tumorzelle führen. Neben den Onkogenen sind Antionkogene bekannt, die in normalen Zellen die Zellteilung verhindern oder diese im Bedarf (z.B. bei der Wundheilung) kurzfristig freigeben. Fällt deren bremsende Funktion aus, kommt es zur dauernden und unkontrollierten Zellteilung. Als gesichert gilt die Erkenntnis, dass die Wirkung von Onkogenen für die Entstehung von K. erforderlich ist, dass sie allein jedoch nicht ausreicht.

Entwicklung: Die Bildung der Primärgeschwulst beginnt mit einer je nach K.-Art unterschiedlich schnellen Vermehrung von Zellen mit charakterist. Struktur unter Verlust von Besonderheiten der Mutterzelle im zunächst nicht sichtbar veränderten Gewebe; v.a. in schnell wachsenden Tumoren treten vermehrt Zellen in Mitose (Zellteilung) auf. Als Frühstadium eines K. mit häufig jahrelanger Latenzzeit wird das Carcinoma in situ angesehen, bei dem eine örtlich begrenzte Veränderung von Epithelzellen, jedoch ohne Invasion in das Nachbargewebe, besteht. K. kann sich auch aus Präkanzerosen oder durch Entartung bedingt gutartiger oder halb bösartiger Tumoren entwickeln. In den weiteren Stadien kommt es zum Einwachsen in die Umgebung (auch über die Organgrenzen hinaus), dann zur Zerstörung des gesunden Organgewebes und nach der Ablösung einzelner wuchernder Zellen aus dem Verband zur Bildung von Tochtergeschwülsten **(Metastasen)** in weiter entfernten Bereichen des Organismus infolge Verschleppung mit dem Blut- und Lymphstrom. Der Differenzierungsverlust ist i. Allg. mit einem Funktionsverlust der K.-Zellen verbunden; durch hohen Energieverbrauch und vermehrte Abgabe von Stoffwechselschlacken kommt es zur körperl. Auszehrung (Kachexie), durch das Raum fordernde und gefäßzerstörende Wachstum zu Kompression und Verschluss von Hohlorganen, auch zu Blutungen durch Schädigung größerer Gefäße oder zu Spontanbrüchen bei Knochenzerstörung.

Allg. Anzeichen einer K.-Erkrankung sind zunächst erhebl. Störungen des Allgemeinbefindens wie Abgeschlagenheit, Appetitlosigkeit, Gewichtsabnahme, auch Blutarmut durch Sickerblutungen. V.a. in späteren Stadien können bei Befall von schmerzleitenden Bahnen im peripheren und zentralen Nervensystem starke Dauerschmerzen auftreten. Da die Heilungsaussichten hauptsächlich davon abhängen, dass eine K.-Erkrankung in möglichst frühem Stadium erkannt wird, kommt den **Vorsorgeuntersuchungen** zur K.-Früherkennung besondere Bedeutung zu.

Warnzeichen: 1. eine schlechte Wundheilung; 2. Knoten und Verdickungen in der Brust oder an anderen Stellen sowie starke Lymphknotenschwellungen; 3. sichtbare Veränderung an einer Warze oder einem Muttermal; 4. anhaltende Verdauungs- oder Schluckbeschwerden; 5. chron. Husten oder Heiserkeit; 6. ungewöhnl. Absonderungen aus Körperöffnungen (z.B. Blut im Stuhl oder Harn, Bluthusten); 7. unregelmäßige Monatsblutungen oder Scheidenausfluss mit Blutbeimischungen sowie Blutungen nach den Wechseljahren.

Ursachen: Eine einheitl. Ursache der K.-Erkrankungen gibt es nicht, vielmehr sind zahlr. kanzerogene Faktoren (Risikofaktoren) bekannt, die einzeln oder in Kombination eine Zellentartung begünstigen oder auslösen können, jedoch nicht zur Erklärung aller Formen ausreichen. Zu den äußeren Einflüssen gehören v.a. die chem. Karzinogene; zurzeit sind fast 1000 chem. Substanzen bekannt, die im Tierexperiment und beim Menschen K. erzeugen können, unter ihnen v.a. polyzykl. aromat. Kohlenwasserstoffe, z.B. Benzpyren (Hautkarzinogen) sowie natürlich vorkommende Stoffe wie Aflatoxine (Leberkarzinogen). Manche Karzinogene entstehen im Körper selbst aus an sich unschädl. Vorstufen (z.B. Nitrosamine aus Nitrit und Aminen). Bei Einwirkung kleinerer Mengen dieser Stoffe über längere Zeit summiert sich deren Wirkung. Dies trifft auch auf die weitere Gruppe der physikal. Faktoren zu; hierzu gehören energiereiche ionisierende Strahlen wie Röntgen-, Alpha-, Beta- und Gammastrahlen (radioaktive Isotope), die durch Abgabe von Energie u.a. an den Nucleinsäuren der Chromosomen Schäden hervorrufen, nach langer Latenzzeit auch die UV-Strahlung des Sonnenlichts. Tumorviren als weitere mögl. äußere K.-Ursache sind bereits seit Anfang des 20. Jh. in der Tiermedizin bekannt. Auch beim Menschen besteht bei Gebärmutterhals-, Brust- und Leber-K. der Verdacht der Beteiligung von Viren (z.B. Herpes-simplex-Virus, Papillomaviren). Der Eintritt und das Ausmaß der Zellschädigung durch äußere Einwirkungen ist jedoch auch von inneren Reaktionen im Körper abhängig. Alle äußeren Faktoren wirken über eine Schädigung des Genmaterials der Zelle; derartige Defekte werden in begrenztem Umfang von den Zellen repariert. Auch neu gebildete K.-Zellen werden anfangs von Killerzellen und Antikörpern zerstört. Bei einer Schädigung des Immunsystems steigt das Risiko einer K.-Erkrankung dementsprechend um ein Vielfaches. Die Leistungsfähigkeit des Genreparatursystems, des Immunsystems und der Entgiftung sind außerdem von vererbbaren genet. Faktoren sowie vom Lebensalter abhängig. Als weiterer innerer Faktor kommt die Wirkung von Hormonen in Betracht, die z.B. bei der Entstehung des K. am Gebärmutterkörper und der Brust beteiligt sind.

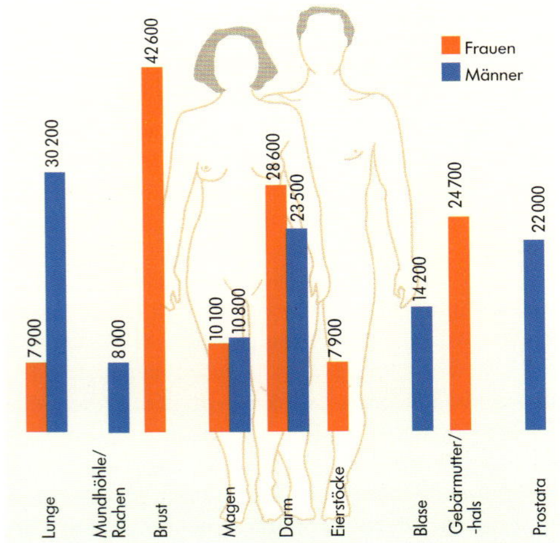

Krebs 3): Die sechs häufigsten Krebsarten in Deutschland mit der jährlichen Anzahl von Neuerkrankungen (Stand 1994)

Kanzerogene Einflüsse werden bes. durch eine Reihe von Risikofaktoren der Genuss-, Ess- und Lebensgewohnheiten und der Umwelt wirksam. Chem. Kanzerogene sind v.a. durch das Rauchen Ursache von im Durchschnitt über 30% aller krebsbedingten Todesfälle; es führt zu einem 10- bis 25fach erhöhten Risiko, an Lungen- oder Bronchial-K. zu erkranken und vervielfacht die Wahrscheinlichkeit von Kehlkopf-, Mundhöhlen-, Speiseröhren-, Harnblasen- und Nieren-K. Auch hochprozentige alkohol. Getränke gelten, v.a. in Verbindung mit starkem Rauchen, als Risikofaktor des Speiseröhrenkrebses.

Diagnose: Hauptverfahren zur K.-Erkennung sind Ultraschalldiagnostik, ergänzt durch endoskop. Untersuchungen (z.B. Luftröhren-, Magen-, Darmspiegelung), Röntgenuntersuchungen (z.B. als Mammographie, Angiographie), einschl. der Computertomographie, Kernspintomographie, Szintigraphie sowie die Zytodiagnostik durch Zellabstrich (z.B. vom Gebärmuttermund) und histolog. Untersuchung (Biopsie) nach Gewinnung von Gewebeproben. Hinzu kommen Laboruntersuchungen des Blutes auf Antikörper und Tumormarker.

Behandlung: K. ist unter der Voraussetzung heilbar, dass alle vorhandenen K.-Zellen entfernt oder zerstört werden können. Hauptmaßnahmen sind die chirurg. Entfernung des Tumors bis in das gesunde Gewebe hinein, meist unter Einbeziehung der regionalen Lymphknoten, die Strahlenbehandlung durch möglichst exakt auf die Geschwulst gerichtete, optimal dosierte ionisierende Strahlen (Röntgenbehandlung, Neutronen-, Radium- oder Kobaltbestrahlung, Einpflanzung von Radionukliden) und die Chemotherapie mit zytostat. Mitteln, die die Entwicklung und Vermehrung von K.-Zellen hemmen soll; Strahlen- und Chemotherapie werden überwiegend bei fortgeschrittenem K. mit Metastasenbildungen im Anschluss an operative Maßnahmen unterstützend eingesetzt (adjuvante Therapie). V.a. die Chemotherapie ist jedoch mit starken Nebenwirkungen verbunden. Durch zytostat. Behandlungen konnte die Fünfjahres-Heilungsrate bei einzelnen, vorher meist unheilbaren K.-Arten (Hoden-K., akute lymphoblast. Leukämie, Lymphogranulomatose) auf bis zu 90% gesteigert werden. Eine Möglichkeit zur Minderung der Schäden einer hoch dosierten zytostat. oder Strahlenbehandlung ist die autogene Knochenmarktransplantation. Bei bestimmten K.-Formen kann die Wirksamkeit der Behandlung mit Strahlen und/oder Medikamenten durch gleichzeitige gezielte Wärmeanwendung (mittels Ultraschall oder Mikrowellen auch in tieferen Körperbereichen) gesteigert werden, da sie zu einer Erhöhung der Empfindlichkeit der Tumorzellen gegenüber den Behandlungsmaßnahmen führt und sie zusätzlich direkt schädigt.

Edwin G. Krebs

Zu den neueren, in Erprobung befindl. Verfahren gehört die autogene Immuntherapie; bei ihr werden Tumorzellen, die aufgrund ihrer von Normalzellen nur gering abweichenden Oberflächenstruktur kaum antigene Eigenschaften besitzen, mit apathogenen Viren infiziert und in den Körper eingebracht, wo sie nun durch ihre antigenen Eigenschaften von den T-Lymphozyten als fremd erkannt werden. Gegen Rückfälle bei behandeltem Lungen-K. wurde eine aktive Immunisierung mit Tumorantigenen aus der Membran von K.-Zellen erprobt. Ein neuer Ansatz besteht in der Erprobung von gentechnolog. Methoden, um die von den Onkogenen übermittelten Informationen für die K.-Zellen unlesbar zu machen (z.B. mittels »Anti-sense-Nucleinsäuren«) oder auch ein verloren gegangenes Antionkogen in die K.-Zelle wieder einzufügen. Diese u.a. Verfahren (rationale Therapie) zielen auf die Beseitigung der Ursachen einer krebsigen Zellentartung.

Neben den schulmedizin. Behandlungsmethoden wurde eine Vielzahl von Außenseitermethoden, auch naturheilkundl. Art, entwickelt, die durch Pflanzenextrakte (z.B. Mistel), verschiedene Diätformen, Überwärmung (als »Mehrschritt-Therapie« auch in Verbindung mit Zytostatika und Sauerstofftherapie), Frischzellen, Heilseren oder Mesenchymaktivierung einen Behandlungserfolg anstreben; ihre therapeut. Wirkung ist jedoch umstritten.

📖 Higi, M.: *Krebs-Lexikon. Wichtige Begriffe der Tumorerkrankungen allgemeinverständlich. München u.a. 1992.* – Delbrück, H.: *Krebsschmerz. Rat u. Hilfe für Betroffene u. Angehörige. Stuttgart u.a. 1993.* – *Thema K. Fragen u. Antworten, hg. v.* H. Stamatiadis-Smidt *u.* A. Sellschopp. *Berlin u.a.* *²1993.* – Grimme, L. H.: *Ernährung, Immunität, Krebsvorsorge. Gesund durch natürl. Lebensmittel. Berlin 1995.* – *K. u. seine psych. u. sozialen Folgen. Formen der Hilfestellung, Beratung u. Therapie, hg. v.* H. Friedrich *u.a. Stuttgart u.a. 1996.* – Wagener, C.: *Einführung in die molekulare Onkologie. Veränderung u. Wirkung von Tumorgenen u. Tumorproteinen. Stuttgart u.a. 1996.*

4) *Musik:* satztechn. Verfahren in der Musik, bei dem eine Stimme oder ein ganzer Tonsatz rückwärts verläuft. Im **K.-Kanon** ist die 2. (imitierende) Stimme die rückwärts gelesene 1. Stimme. **Spiegel-K.** bedeutet die rückläufige und umgekehrte Lesung eines Themas oder einer Melodie (mit umgekehrtem Notenblatt). Der K. und seine →Umkehrung (Spiegelung) sind wichtige Bauprinzipien der →Zwölftonmusik.

5) *Zoologie:* Krustentier, →Krebstiere.

Krebs, 1) Edwin G., amerikan. Biochemiker, *Lansing (Ia.) 6. 6. 1918; entdeckte den biolog. Regelmechanismus, der das Zusammenspiel von bestimmten Proteinen (Anlagern und Abspalten von Phosphatgruppen, gen. reversible Phosphorylierung) im Körper steuert; erhielt dafür (mit E. H. Fischer) 1992 den Nobelpreis für Physiologie oder Medizin.

2) Sir (seit 1958) Hans Adolf, brit. Biochemiker dt. Herkunft, *Hildesheim 25. 8. 1900, †Oxford 22. 11. 1981; emigrierte 1933 nach England. Entdeckte 1937 den Zitronensäurezyklus, wofür er 1953 mit F. A. Lipmann den Nobelpreis für Physiologie oder Medizin erhielt.

3) Konrad, Baumeister, *Büdingen (?) 1492, †Torgau 1. 9. 1540; schuf als kurfürstlich-sächs.

Baumeister (ab 1532) den Südostflügel des Schlosses Hartenfels in Torgau (1533–36) mit dem vorspringenden Treppenturm (Großer Wendelstein), vorbildlich für den dt. Schlossbau der Renaissance.

Krebsnebel, *Astronomie:* der → Crabnebel.

Krebspulsar, *Astronomie:* → Crabnebel.

Krebsschere (Wasseraloe, Stratiotes aloides), zur Familie der Froschbissgewächse gehörende, kräftige rosettige Schwimmpflanze, z. T. auch unter der Wasseroberfläche wachsend, mit derben gezähnten längl. Blättern; bildet auf stehenden Gewässern oft Massenbestände.

Krebstiere (Krebse, Krustentiere, Krustazeen, Crustacea, Diantennata), mit etwa 45 000 Arten in allen Meeres- und Süßgewässern verbreitete Klasse 0,02–60 cm langer, kiemenatmender Gliederfüßer (einige Gruppen sind zu Landtieren geworden, z. B. viele Asseln); Körper meist in zwei oder drei Abschnitte gegliedert: Kopf, Brust (häufig miteinander verschmolzen zum Cephalothorax [Kopfbrust]), Abdomen; Kutikula meist als kräftiger Chitinpanzer entwickelt; zwei Paar Antennen; Extremitäten urspr. als zweiästige Spaltbeine (Spaltfuß) entwickelt, die jedoch mannigfach abgewandelt sein können (Scherenbildungen, Schreit-, Blatt-, Springbeine). Die K. sind meist getrenntgeschlechtig; die Weibchen betreiben fast immer Brutpflege, indem sie die Eier mit den Beinen, in speziellen Bruthöhlen oder am Körper angeklebt umhertragen. Die Entwicklung erfolgt direkt oder über eine larvale Verwandlung, die mit einer Naupliuslarve, die mit den Antennen schwimmt, oder einer Zoealarve, die mit den vorderen Brustbeinen schwimmt, beginnt. Das Wachstum erfordert regelmäßige Häutungen, nach denen die Körperdecke ihre Härte jeweils durch Kalkeinlagerungen wiedergewinnt. Die systemat. Einteilung der K. ist umstritten. Zu den K. gehören Kiemenfuß-, Blattfuß-, Muschelkrebse, Fischläuse, Ruderfußkrebse, Rankenfüßer und die, wohl eher urspr., **Höheren K.** (Malacostraca) mit den Fangschrecken-, Ranzen-, Leucht- und Zehnfußkrebsen.

Konrad Krebs: Der Großer Wendelstein genannte Treppenturm (1533–36) am Südostflügel von Schloss Hartenfels in Torgau

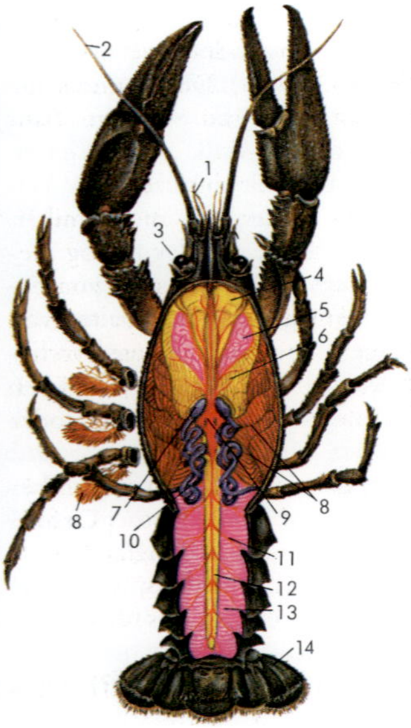

Krebstiere: Bau eines Flusskrebses (Rückenseite); 1 erste, 2 zweite Antenne, 3 Auge, 4 Magen, 5 Schließmuskeln des Oberkiefers, 6 Ast der Mitteldarmdrüse, 7 Hoden, 8 Kiemen, 9 Herz, 10 Samenleiter, 11 Arterie, 12 Enddarm, 13 Muskulatur des Krebsschwanzes, 14 Schwanzfächer

Krẹchel, Ursula, Schriftstellerin, *Trier 4. 12. 1947; Vertreterin der Frauenbewegung; wurde durch ihr Stück »Erika« (1973) bekannt; schrieb auch Gedichte (u. a. »Technik des Erwachens«, 1992).

Kre̲del, 1) Elmar Maria, kath. Theologe, *Nürnberg 24. 2. 1922; seit 1977 Erzbischof von Bamberg, 1978–90 auch Militärbischof für die Bundesrep. Deutschland.

2) Fritz, Maler, Grafiker, Buchillustrator, *Michelstadt 8. 2. 1900, †New York 11. 6. 1973; 1936 Emigration nach Österreich, 1938 in die USA; illustrierte volkstüml. Bücher und Kinderbücher wie auch Werke der Weltliteratur.

Kredẹnz [italien.] *die,* urspr. kleiner, neben dem Esstisch stehender Schrank zum Anrichten und Vorkosten der Speisen; heute allg. halbhoher Schrank, der als Anrichte dient (Sideboard).

Krẹdit [lat.] *das,* in der Buchführung Bez. für die rechte Seite (Haben) eines Kontos; Ggs.: Debet.

Kredi̲t [lat.] *der,* die zeitlich begrenzte Überlassung von Geld und Sachwerten gegen Entgelt (→ Zins) zw. einem **K.-Geber** (Gläubiger) und einem **K.-Nehmer** (Schuldner), wobei der Gläubiger auf die künftige Zahlungsfähigkeit und -willigkeit des Schuldners vertraut. Als **K.-Geschäft** wird jedes Verpflichtungsgeschäft bezeichnet, aufgrund dessen der K.-Geber sofort, der K.-Nehmer erst zu einem späteren Zeitpunkt zu leisten hat. K.-Geschäfte sind der wichtigste Geschäftszweig der Banken und können unterteilt werden in **Geldleihgeschäfte** (Überlassung von Geld) und **K.-Leihgeschäfte** (Übernahme von Zahlungsversprechen gegenüber Dritten wie beim Aval-K. und Akzept-K.). Grundlage des K.-Geschäfts ist der **K.-Vertrag,** u. a. mit Vereinbarungen über Zins, Laufzeit, Tilgung und sonstige K.-Kosten.

An K.-Arten werden v. a. unterschieden: 1) nach der Verwendung **Konsumtiv-K.** oder **Konsumenten-K.,** der für Anschaffungen von Gütern des privaten Verbrauchs dient, und **Produktiv-K.** oder **Produzenten-K.,** der zur Erzeugung und für den Betrieb von Produktionsanlagen, zur Beschaffung von Betriebsmitteln und zur Lohn- und Gehaltszahlung verwendet wird; 2) nach der Dauer der K.-Gewährung **kurzfristiger K.** (bis zu einem Jahr, z. B. Wechsel-K.), **mittelfristiger K.** (bis zu vier Jahren) und **langfristiger K.** (mehr als vier Jahre, z. B. Anleihe-K.). Der Markt für kurzfristige K. ist der →Geldmarkt, für mittel- und langfristige K. der →Kapitalmarkt; 3) nach der K.-Sicherung **Personal-K.,** der sich allein auf die Vertrauenswürdigkeit des Kreditnehmers gründet (z. B. Kontokorrent-K.), und **Real-K.,** der durch besondere Sicherheiten in Gestalt bewegl. Güter (z. B. Lombard-K.) oder unbewegl. Güter (z. B. Hypothekar-K.) gedeckt ist.

Die volkswirtsch. Bedeutung des K. liegt darin, durch Zusammenfassung vieler kleiner Ersparnisse die Finanzierung größerer Vorhaben (z. B. Investitionen) zu ermöglichen und damit Geldkapital zur bestmöglichen Verwendung zu leiten, wo es z. B. zur Erweiterung der Produktion verwendet werden und auch eine Erhöhung des Sozialprodukts und der Beschäftigung bewirken kann. Theoretisch wandern die K. zu den Stellen des dringendsten Bedarfs, der höchsten Priorität. Der Prozess der K.-Gewährung und der Bildung von Sichteinlagen **(K.-Schöpfung)** kann zur Ausweitung der Geldmenge führen (→Geldschöpfung). Im Rahmen ihrer **K.-Politik** versucht die Notenbank, den volkswirtsch. Geld- und K.-Umlauf zu regulieren, z. B. über Veränderungen der Bankenliquidität und der Zinsen das K.-Angebotsverhalten der Banken und die K.-Nachfrage der Wirtschaft zu beeinflussen (→Geldpolitik).

📖 FALTER, M.: *Die Praxis des Kreditgeschäfts, bearb. v.* K. DAHLHEIMER *u. a. Stuttgart* [14]*1994.* – BÜLOW, P.: *Recht der Kreditsicherheiten. Sachen u. Rechte, Personen. Heidelberg* [4]*1997.*

Kreditabwicklungsfonds [-fɔ̃], →Erblastentilgungsfonds.

Kreditanstalt für Wiederaufbau, Abk. **KfW,** öffentlich-rechtl., von Bund und Ländern getragene Spezialbank; gegr. 1948; Sitz: Frankfurt am Main. Die KfW gilt nicht als Kreditinstitut gemäß Kreditwesenges., unterliegt aber der Bankenaufsicht. Aufgaben: Förderung der dt. Wirtschaft (urspr. ihres Wiederaufbaus nach dem 2. Weltkrieg) durch zinsgünstige Investitionskredite, Zuschüsse und Bürgschaften, Exportkredite sowie Kredite an Entwicklungsländer. Die Mittel stammen z. T. aus dem ERP-Sondervermögen. 1994 übernahm die KfW die Staatsbank Berlin, die frühere Staatsbank der DDR.

Kreditbrief, Anweisung an Banken, dem Inhaber des K. bei Vorlage die von ihm gewünschten Geldbeträge bis zur Erreichung des festgesetzten Gesamtbetrags auszuzahlen. Im Reiseverkehr ist der **Reise-K.** heute weitgehend durch Kreditkarte, Reisescheck u. a. abgelöst.

Kreditgefährdung, das Behaupten oder Verbreiten unwahrer Tatsachen wider besseres Wissen, die geeignet sind, den Kredit eines anderen zu gefährden oder sonstige Nachteile für dessen Erwerb oder Fortkommen herbeizuführen. Die K. ist als Verleumdung strafbar (§ 187 StGB). Zivilrechtlich kann die K. zum Schadensersatz verpflichten (§ 824 BGB).

Kreditgenossenschaften (Genossenschaftsbanken), v. a. auf lokaler Ebene tätige Kreditinstitute. Die Mitte des 19. Jh. als Selbsthilfeeinrichtungen des gewerbl. Mittelstandes (H. Schulze-Delitzsch, Volksbanken) und im landwirtsch. Bereich (F. W. Raiffeisen, Raiffeisenbanken, Darlehnskassen, Spar- und Darlehnskassen) entstandenen K. sind heute universell tätige Kreditinstitute. Zum **genossenschaftl. Bankenverbund** gehören neben Volks- und Raiffeisenbanken auch Post-, Spar- und Darlehensvereine, Sparda-Banken, genossenschaftl. Zentralbanken sowie als Spezialinstitute die Bausparkasse Schwäbisch-Hall, die Dt. Genossenschafts-Hypothekenbank AG und die R+V Versicherungsgruppe; Spitzeninstitut ist die →DG Bank Dt. Genossenschaftsbank.

Kreditinstitute, nach § 1 Kreditwesenges. Unternehmen, die Bankgeschäfte betreiben und deren Geschäftsumfang einen in kaufmänn. Weise eingerichteten Geschäftsbetrieb erfordert. Zu den K. gehören Kreditbanken (Groß- und Regionalbanken, Privatbankiers, Niederlassungen ausländ. Banken), Real-K., Sparkassen, Girozentralen, Kreditgenossenschaften, Genossenschaftliche Zentralbanken, K. mit Sonderaufgaben (z. B. Dt. Ausgleichsbank), Teilzahlungs-K., Kapitalanlagegesellschaften. Keine K. sind u. a. Dt. Bundesbank, Kreditanstalt für Wiederaufbau, Versicherungsunternehmen, Pfandleihunternehmen, Unternehmensbeteiligungsgesellschaften.

Kreditkarte, Ausweiskarte, die ihren Inhaber berechtigt, bei Vertragsunternehmen (z. B. Einzelhandelsgeschäfte, Hotels, Tankstellen), die einem K.-System angeschlossen sind, Waren und Dienstleistungen bargeldlos, durch Unterschrift auf der Rechnung zu beziehen. Die Rechnung wird nach Abzug einer Provision durch die K.-Organisation bezahlt, die ihrerseits das Konto des K.-Inhabers mit den aufgelaufenen Rechnungsbeträgen belastet. Bei Erwerb einer K. muss die Kreditwürdigkeit nachgewiesen und ein Jahresbeitrag entrichtet werden. K. sind ein weltweit einsetzbares Zahlungsmittel und räumen dem Inhaber einen zinslosen Kredit bis zum Abrechnungsstichtag ein. Urspr. wurden K. nur von besonderen K.-Gesellschaften ausgegeben, hinter denen einzelne Banken (z. B. American Express Company, Diners Club Inc.) oder Bankkooperationen stehen (z. B. die K. des Kreditgewerbes in Dtl. »Eurocard«, die K. »Visa«), in jüngster Zeit auch von einzelnen Banken, Dienstleistungsunternehmen und Verbänden, die Lizenzen von K.-Gesellschaften erwerben und die K. mit ihrem eigenen Namen bzw. Logo versehen **(Co-Branding-Karte).** Des Weiteren geben einzelne Handels- und Dienstleistungsunternehmen eigene K. **(Kundenkarte)** aus, die ihren Kunden das bargeld- und schecklose Bezahlen innerhalb ihres Filialnetzes oder Verbundes mit anderen Unternehmen ermöglichen.

K. werden zu Mehrfunktionskarten erweitert (Magnetkarte, Chipkarte), um z. B. die Benutzung von Kartentelefonen und Geldausgabeautomaten oder → Electronic Cash zu ermöglichen.

Kreditlinile (Kreditlimit), einem Kreditnehmer eingeräumter maximaler Kreditbetrag, in der Finanzwirtschaft auch als Kreditplafond (→ Plafond), in der Außenwirtschaft als Kreditfazilität (→ Fazilität) oder → Swing bezeichnet.

Kreditoren [lat. »Gläubiger«], **1)** *Bankwesen:* auf der Passivseite der Bankbilanz ausgewiesene Verbindlichkeiten gegenüber Kreditinstituten u. a. Gläubigern.

2) *Buchführung:* Verbindlichkeiten aus dem Kauf von Waren und/oder Dienstleistungen auf Kredit (Zielkauf), die auf speziellen **K.-Konten** verbucht werden. K. sind in der Bilanz auf der Passivseite als Verbindlichkeiten aus Lieferungen und Leistungen aufzuführen; Ggs.: Debitoren.

Kreditpolitik, Gesamtheit der Maßnahmen einer Notenbank zur Regulierung des volkswirtsch. Geld- und Kreditvolumens (→ Geldpolitik).

Kreditversicherung, Risikoversicherung für den Kreditgeber für die Zahlungsunfähigkeit des Schuldners; Arten: Waren-K. für Forderungen aus Lieferungen und Leistungen, Investitions-K. für mittelfristige Kredite, Konsumenten-K. für Raten- und Dispositionskredite sowie die Ausgabe von Scheck- und Kreditkarten, K. für Ausfuhrkredite. Die Export-K. umfasst als Exportförderungsmaßnahme auch polit. Risiken. (→ Hermes Kreditversicherungs AG)

Zu den K. zählen weiterhin die Kautionsversicherung (Stellung von Bürgschaften und Garantien durch den Versicherer gegenüber Dritten für den Versicherungsnehmer) und die Vertrauensschadenversicherung, die durch Untreuehandlungen der Mitarbeiter entstandene Vermögensschäden ersetzt.

Krefeld: Vergoldeter Spangenhelm aus dem fränkischen Fürstengrab in Gellep (6. Jh.; Krefeld, Museum Burg Linn)

Kreditvertrag, → Verbraucherkreditgesetz.

Kreditwesengesetz, Abk. **KWG** (Gesetz über das Kreditwesen), Ges. i. d. F. v. 9. 9. 1998, das im Interesse des Anlegerschutzes die Struktur der Kreditwirtschaft und die Aufsicht über das Kreditwesen regelt. Nicht anwendbar ist das K. auf die Dt. Bundesbank, die Kreditanstalt für Wiederaufbau, die Träger der Sozialversicherung, Versicherungsunternehmen, Pfandleiher. Es enthält u. a. Vorschriften über die Eigenkapitalausstattung der Kreditinstitute, ihre Liquidität, die Begrenzung von Anlagen, Groß-, Millionen- und Organkrediten, regelt Haftungsfragen. Auf seiner Grundlage ist das Bundesaufsichtsamt für das Kreditwesen errichtet.

Kreditwürdigkeit, vom Kreditgeber einem Kreditnehmer nach Prüfung zugeordnete Eigenschaft, dass dieser die Verpflichtungen aus einem Kreditvertrag erfüllen wird; Kriterien sind v. a. die persönl. Zuverlässigkeit des Kreditnehmers und seine Einkommens- und Vermögensverhältnisse.

Krefeld Stadtwappen

Krefeld, kreisfreie Stadt im RegBez. Düsseldorf, NRW, in der Niederrhein. Bucht, 248 600 Ew.; wirtsch. und kultureller Mittelpunkt des linken Niederrheingebiets; Geolog. Landesamt, FH Niederrhein, Textilforschungszentrum, limnolog. Station der Max-Planck-Gesellschaft. Das Museumszentrum Linn umfasst das Landschaftsmuseum Burg Linn (kurköln. Wasserburg, 12./15. Jh.) sowie das Dt. Textilmuseum; Stadttheater, zoolog. und botan. Garten; Edelstahl- und Maschinen- sowie chem. Ind., Waggonbau; die Textil- und Bekleidungsind. beruht auf traditioneller Leinen- und Seidenweberei (bed. Seidenmanufaktur, gegr. 1658). Rheinbrücke und Rheinhafen im Stadtteil **Uerdingen.** – Im Stadtteil **Gellep** röm. Kastell und römisch-fränk. Gräberfeld (u.a. fränk. Fürstengrab aus dem 6. Jh.). – K., 1105 erstmals erwähnt, kam 1226 an die Grafen von Moers; 1373 (Kölner) Stadtrecht; 1600–1702 unter oran. Herrschaft, 1702 an Preußen.

Ernst Kreidolf: Illustration zu »Blumenmärchen« (1898)

Kreide, 1) *Geologie:* das letzte System des Mesozoikums, mit Kalken, Mergeln, Tonen, Sandsteinen, Schreibkreide, z.T. auch Vulkaniten. Nutzbar sind Kalkstein, Steinkohle, Eisenerze, Bauxit und Erdöl. Die K. ist eine Zeit großer Transgressionen (W- und O-Europa, N-Böhmen, Alpenraum, NW-Afrika). Sie nimmt große Flächen auf dem Boden des W-Pazifiks und des Atlantiks beiderseits des Mittelatlant. Rückens ein, wo durch →Sea-Floor spreading breite Streifen neuer Kruste entstanden. In den alpid. Geosynklinalen begannen die ersten Faltungen, Anden und Rocky Mountains entstanden. Der Zerfall →Gondwanas war nahezu beendet und die Umrisse der heutigen Kontinente waren etwa herausgebildet, die Tethys war verengt. In der K. erreichten Foraminiferen, Schwämme und Bryozoen eine Blütezeit. Muscheln, Ammoniten, Belemniten, Seeigel und Coccolithen (Kalkkörperchen mariner Flagellaten) haben Leitwert. Reptilien herrschten im Meer, auf dem Land und in der Luft (Saurier). Am Ende der K. starben die Großreptilien aus, ebenso Ammoniten und Belemniten. In der Ober-K. traten die ersten Insektenfresser und Beuteltiere auf. In der K. setzte mit Erscheinen der Angiospermen bereits das →Känophytikum ein. Das Klima war wesentlich wärmer als heute, aber Zuwachsringe der Bäume deuten auf jahreszeitl. Wechsel.

2) *Petrographie:* weißer, feinkörniger, weicher, mariner Kalkstein, vorwiegend aus calcit. Mikrofossilien entstanden; typisch sind Lagen von Feuersteinkonkretionen. Verwendung als Schreib- und Schlämmkreide.

Kreidemanier (Crayonmanier), Technik des →Kupferstichs.

Kreidolf, Ernst, schweizer. Maler und Zeichner, *Tägerwilen (Kt. Thurgau) 9. 2. 1863, †Bern 12. 8. 1956; verfasste und illustrierte Kinderbücher mit Bildern personifizierter Blumen und Insekten sowie Märchenfiguren.

kreieren [frz.], schaffen, gestalten (eine neue Mode), etwas Eigenes hervorbringen.

Kreis, 1) *Geometrie:* geschlossene ebene Kurve, deren sämtl. Punkte von einem festen Punkt M, dem **Mittelpunkt** oder **Zentrum,** gleich weit entfernt sind. Diese Entfernung r heißt **Radius** oder **Halbmesser,** der Umfang des K. **K.-Linie** oder **Peripherie,** eine den K. schneidende gerade Linie **Sekante.** Der in den K. fallende Teil der Sekante heißt **Sehne;** geht diese durch den Mittelpunkt, so heißt sie **Durchmesser,** ihre Länge ist $d=2r$. Die den K. berührende Gerade heißt **Tangente,** sie steht senkrecht auf dem Radius vom Mittelpunkt zum Berührungspunkt; der **Bogen** ist ein Teil des Kreises. Eine durch den Mittelpunkt des K. gehende Gerade heißt **Zentrale.** Sehne und Bogen begrenzen einen **K.-Abschnitt (Segment),** zwei Halbmesser und ein Bogen einen **K.-Ausschnitt (Sektor).** Der Umfang eines K. ist $2\pi r$, die Kreisfläche πr^2 (zu π →Pi). – Die **K.-Gleichung** für einen K. um $M(x_M; y_M)$ mit dem Radius r lautet in kartes. Koordinaten $(x-x_M)^2+(y-y_M)^2=r^2$, für den Einheits-K. gilt $x^2+y^2=1$ mit M im Koordinatenursprung.

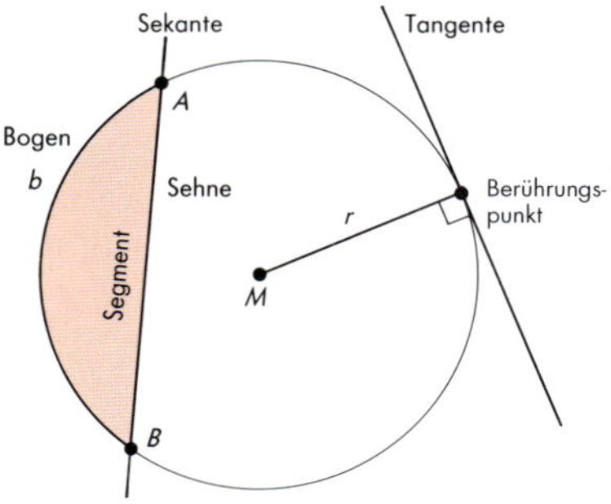

Kreis 1): Längenbeziehungen zwischen Kreis und Gerade

2) *Kommunalrecht:* (Landkreis) Gebietskörperschaft, d.h. Körperschaft des öffentl. Rechts, deren Hoheitsgebiet einen räumlich abgegrenzten Teil des Staatsgebiets und dessen Bev. umfasst. Ähnlich den Gemeinden sind die K. einerseits mit grundgesetzlich geschütztem Selbstverwaltungsrecht ausgestattete Körperschaften, allerdings mit überörtl. Aufgaben, andererseits untere staatl. Verw.behörde. K. bestehen in allen Ländern Dtl., mit Ausnahme der Stadtstaaten Bremen und Hamburg sowie des Landes Berlin, überwiegend unter der Bez. Land-K. Die kreisfreien Städte (meist mit mehr als 100 000 Ew.) erfüllen neben den Gemeindeaufgaben auch K.-Funktionen. Organe des K. sind der **K.-Tag;** er ist die polit. Vertretung des K. und seiner Einwohner und wird alle fünf Jahre gewählt. Ferner der **K.-Ausschuss;** er ist der »beschließende Ausschuss« des K.-Tages (er besteht nicht in allen Ländern) für Angelegenheiten über die der K.-Tag nicht Beschluss fasst. Der → Landrat (Oberkreisdirektor) ist in den meisten dt. Ländern der Hauptverwaltungsbeamte des Kreises. Die K.-Verfassung, Aufgaben und Befugnisse sind durch Landes-Ges. unterschiedlich geregelt. – In *Österreich* wurden 1945 die Stadt- und Land-K. wieder abgeschafft. Auf der Verw.ebene zw. Gemeinden und Ländern steht die → Bezirkshauptmannschaft. In der *Schweiz* gibt es K. im Sinne von Verwaltungs-K. nur in Graubünden; höhere Gemeindeverbände bilden eine Ausnahme.

Kreisauer Kreis, eine nach dem Ort ihrer Zusammenkünfte auf dem Gut Kreisau (Niederschlesien) des Grafen H. J. von Moltke ben. christlich-konservative Gruppe der dt. → Widerstandsbewegung; erstrebte im Rahmen konservativer Vorstellungen einen sozialen Ausgleich zw. den Bev.gruppen, eine überschaubar gegliederte polit. Ordnung des Dt. Reichs ohne die »Fehler« der Weimarer Verf., mit einer Machtdelegierung von unten nach oben durch indirekte Wahlen. Mit Moltkes Verhaftung im Jan. 1944 und mit dem Fehlschlag des Attentats vom 20. 7. 1944 brach auch die Arbeit des K. K. zusammen. Zum Tode verurteilt und hingerichtet wurden u.a. Graf Moltke, P. Graf Yorck von Wartenburg, A. Delp, T. Haubach, J. Leber, A. Reichwein; Zuchthausstrafen erhielten E. Gerstenmaier u.a. Zum K. K. gehörte auch C. Mierendorff.

📖 *Der K. K. Porträt einer Widerstandsgruppe. Begleitband zur Ausstellung der Stiftung Preußischer Kulturbesitz, bearb. v.* W. E. WINTERHAGER. *Mainz 1985.*

Kreisbahngeschwindigkeit, die erste der → kosmischen Geschwindigkeiten. Die K. ist diejenige Geschwindigkeit, die ein tangential zur Oberfläche eines Himmelskörpers abgeschossener Flugkörper haben muss, damit er diesen auf der kleinstmögl. Kreisbahn umrunden kann. Für die Erde beträgt die K. 7,912 km/s.

Kreisbeschleuniger, → Teilchenbeschleuniger.

Kreisel, *Physik:* in einem Punkt festgehaltener, sonst frei bewegl. starrer Körper, der um diesen Punkt (Rotationszentrum) Drehbewegungen ausführt. Der schon im Altertum bekannte Spiel-K. ist daher kein K. im physikal. Sinn, da seine Spitze nicht in einem Punkt festgehalten wird, sondern auf einer Fläche frei beweglich ist. In der Praxis wird v.a. die Bewegung **symmetr. K.** ausgenutzt, zu denen u.a. alle rotationssymmetr. Körper zählen, sofern das Rotationszentrum auf der Symmetrieachse liegt. Beim **kräftefreien K.** greifen sämtl. äußeren Kräfte am festgehaltenen Drehpunkt an, Energie und Drehimpuls bleiben bei seiner Bewegung konstant. Der **kräftefreie symmetr. K.** lässt sich z.B. durch einen im Schwerpunkt unterstützten K. oder durch kardan. Aufhängung verwirklichen. Versetzt man einen K. bei festgehaltener K.-Achse **(Figurenachse, Symmetrieachse)** in Drehung, so bleibt diese Achse, auch nachdem sie freigegeben ist, in Ruhe (raumfest), der K. vollführt eine reine Rotation um die Figurenachse. Im Allg. fallen aber Figurenachse, die durch die Richtung des Drehimpulses festgelegte raumfeste Drehimpulsachse und die momentane Drehachse (bestimmt durch den Vektor der Winkelgeschwindigkeit ω) nicht zusammen; Figuren- und momentane Drehachse beschreiben je einen Kegel um die Drehimpulsachse. Diese Bewegung heißt **reguläre Präzession.** Fällt der Schwerpunkt des K. nicht in den Stützpunkt **(schwerer K.),** so bilden die Schwerkraft und die entgegengesetzt gleiche Auflagerkraft ein äußeres Kräftepaar. Das resultierende Drehmoment (allg. die Einwirkung äußerer Kräfte bzw. Drehmomente) führt zu einer für den K. charakterist. Bewegung. Der schnell rotierende K. gibt der Schwerkraft, die versucht, ihn um eine zu seiner momentanen Drehachse senkrechte Achse zu drehen, nicht nach, sondern weicht mit einer heftigen Drehbewegung um eine dazu senkrechte Achse aus, weil sich sein Drehimpuls in jedem Moment mit dem vom Drehmoment der Schwerkraft zusätzlich erzeugten Drehimpuls zu einer Resultierenden zusammensetzt, die um einen kleinen Winkel in der Horizontalen abweicht. Diese Ausweichbewegungen setzen sich zu einer neuen Drehbewegung zusammen. Die allg. Bewegung des schweren symmetr. K. wird bei hoher Drehgeschwindigkeit als **pseudoreguläre Präzession** bezeichnet, weil die Bewegung dann der regulären Präzession ähnelt und sich nur durch die **Nutation,** d.h. kleine Schwankungen der Figurenachse (die sich zw. zwei Kreiskegeln hin- und herbewegt), unterscheidet.

Die Eigenschaft des K., jeder Richtungsänderung seiner Drehachse einen starken Widerstand entgegenzusetzen, wird insbesondere für Navigationszwecke genutzt, z.B. mit dem K.-Kompass, dem → künstlichen Horizont und dem → Wendezeiger; in der Ballistik nutzt man die K.-Wirkung zur Stabilisierung der Flugbahn von Geschossen. – Auch die Erde ist ein großer K., der wegen der Abplattung an den Polen, die Neigung seiner Rota-

Bruno Kreisky

tionsachse und der Gravitationswirkung von Sonne und Mond nicht völlig kräftefrei ist. (→Nutation, →Präzession)

Kreiselpumpe, →Pumpe.

Kreiselverdichter (Turboverdichter), →Verdichter.

kreisfreie Stadt, →Kreis.

Kreisfrequenz, die mit 2π multiplizierte Frequenz einer Schwingung. (→Winkelgeschwindigkeit)

Kreisgericht, in der DDR das 1952 an die Stelle der Amtsgerichte getretene erstinstanzl. Gericht, das nach der Wiedervereinigung bis zur Umgestaltung der Gerichtsorganisation nach dem Muster der alten Bundesländer fortbestand.

Kreishandwerkerschaft, Zusammenschluss von Handwerksinnungen in einem Stadt- oder Landkreis als Gesamtinteressenvertretung in Form einer Körperschaft des öffentl. Rechts; den Vorsitz führt der **Kreishandwerksmeister.**

Kreiskolbenmotor (Rotationskolbenmotor), Verbrennungsmotor mit rotierendem Kolben. Beim **Wankelmotor,** der bis jetzt als einziger K. techn. Bedeutung hat, bewegt sich ein Drehkolben (Läufer), der in der Form einem Bogendreieck ähnelt, in einem fest stehenden trochoidförmigen Gehäuse. Er führt dabei eine Bewegung aus, die sich aus einer Drehung um seinen eigenen Mittelpunkt und einer Kreisbewegung dieses Mittelpunktes um den Gehäusemittelpunkt zusammensetzt. Alle drei Ecken des Drehkolbens bewegen sich entlang der Gehäusewand. Technisch wird diese Bewegung durch eine Außenverzahnung am Gehäuse und eine Innenverzahnung am Drehkolben zusammen mit dem Exzenter hervorgerufen. Die Exzenterwelle dreht sich dabei dreimal schneller um den Gehäusemittelpunkt als der Drehkolben um seinen eigenen Mittelpunkt. – Der Arbeitsvorgang nach dem Viertaktverfahren findet in den zw. Drehkolben und Gehäusewand liegenden Arbeitsräumen statt, die sich vergrößern und verkleinern und mithilfe von Ein- und Auslassschlitzen in der Gehäusewand, die vom Drehkolben gesteuert werden, den →Ladungswechsel durchführen, also ansaugen, verdichten, expandieren und ausschieben. – Vorteile gegenüber dem Hubkolbenmotor: Vibrationsfreiheit (sehr gutes Laufverhalten), kompakte Bauweise, kein Ventilantrieb, günstiger Drehkraftverlauf, geringes Gewicht. Nachteile: schwierige Dichtung zw. Kolben und Gehäuse, ungünstige Brennraumform mit langen Brennwegen, höherer Kraftstoff- und Ölverbrauch, höhere Herstellungskosten, mehr unverbrannte Kohlenwasserstoffe im Abgas (dafür weniger Stickoxide), kein Dieselmotor möglich.

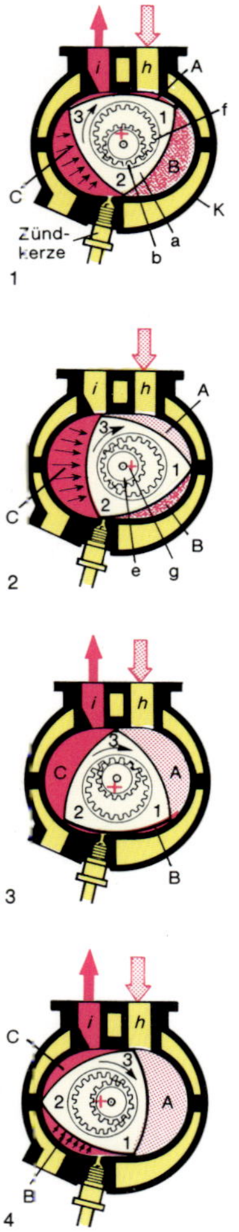

Kreiskolbenmotor: Taktfolge; 1 Ansaugen des Kraftstoff-Luft-Gemisches durch den Einlass *h* in Kammer A (1. Takt), 2 Verdichten des Gemisches durch Verkleinerung des Raums in Kammer B (2. Takt); 3 Zünden des Gemisches mit nachfolgender Arbeitsverrichtung und Raumvergrößerung in Kammer B (3. Takt); 4 Ausstoßen der Abgase aus Kammer C durch den Auslass *i* (4. Takt); a Kreiskolben, b Innenverzahnung, e Welle, f Exzenter, g Kolbenmittelpunkt

Kreisky, Bruno, österr. Politiker, *Wien 22. 1. 1911, †ebd. 29. 7. 1990; Jurist, Mitgl. der SPÖ, 1935–37 und 1938 aus polit. Gründen in Haft, emigrierte 1938 nach Schweden (bis 1945). 1953–59 war er Staatssekretär im Bundeskanzleramt. 1955 beteiligte er sich maßgeblich an den Verhandlungen über den Staatsvertrag. 1959–66 war er Außenmin., 1967–83 Vors., 1983–87 Ehrenvors. der SPÖ, 1970–83 Bundeskanzler.

📖 Pittler, A. P.: *B. K. Reinbek 1996.*

Kreislauf, 1) *Kerntechnik:* →Kernbrennstoffkreislauf.

2) *Physiologie:* kurz für →Blutkreislauf.

3) *Wirtschaft:* →Wirtschaftskreislauf.

Kreislaufkollaps, der →Kollaps.

Kreislaufmotor, Verbrennungsmotor als Antrieb für U-Boote, bei der Überwasser- oder Schnorchelfahrt mit Außenluft, bei der Unterwasserfahrt im Kreislaufbetrieb mit Sauerstoff betrieben. Beim Übergang zur Unterwasserfahrt werden die bisher frei austretenden Abgase durch eine Abgasumschaltklappe in den Abgaskreislauf geleitet und die Frischluftzufuhr abgesperrt. Nach dem Passieren von Gaskühler und -filter wird jener Teil der Abgase über Druckminderer und Regler mit Sauerstoff angereichert, der dem Motor wieder zugeführt wird. Der Rest geht außenbords. An die Stelle des Luftstickstoffs tritt Kohlendioxid als Füllmedium. Der Sauerstoffvorrat wird gasförmig, flüssig oder chemisch gebunden (z.B. als Wasserstoffperoxid) mitgeführt.

Kreislaufstörungen, funktionelle Beeinträchtigungen des gesamten Blutkreislaufs oder einzelner Gefäßbereiche, die häufig anfallartig auftreten und meist vorübergehend sind. Sie äußern sich in starken Blutdruckschwankungen (Unterdruck, Hochdruck), Schwindel, Kopfschmerzen, Herzbeschwerden, Schwächegefühl. Die Ursachen sind psychosomat. Störungen, vegetative Dystonie, Bewegungsarmut, Stress u.a. Umwelteinflüsse.

Kreislaufwirtschaftsgesetz, am 7. 10. 1996 in Kraft getretenes Ges. zur Förderung der Kreislaufwirtschaft und der Sicherung der umweltverträgl. Beseitigung von Abfällen vom 27. 9. 1994 **(Kreislaufwirtschafts- und Abfallgesetz).** In Umsetzung des →Verursacherprinzips sind die Produzenten von Gütern für die Entsorgung selbst verantwortlich, wobei die Abfallvermeidung vor der Abfallverwertung (→Recycling) und als letzter Möglichkeit der →Abfallbeseitigung Vorrang hat. (→Abfallwirtschaft)

Kreisler, 1) Fritz, österr. Geiger und Komponist, *Wien 2. 2. 1875, †New York 29. 1. 1962; gefeierter Virtuose; schrieb Operetten, Violinmusik (z. B. »Alt-Wiener Tanzweisen«, darunter »Liebesfreud«, »Liebesleid«).

2) Georg, österr. Schriftsteller, Musiker, Kabarettist, * Wien 18. 7. 1922; emigrierte 1938 in die USA, kehrte 1955 nach Wien zurück und arbeitete dort bis 1958 an Kabarettprogrammen mit G. Bronner und H. Qualtinger zusammen; lebt seit 1975 in Berlin. K. ist Textautor und Komponist von makabren, parodist., auch sozialkrit. Liedern, die er selbst vorträgt. Schrieb u. a. »Zwei alte Tanten tanzen Tango« (1961, Textsamml.), Musical »Heute abend: Lola Blau« (1971), Satireband »Ist Wien überflüssig?« (1987), R. »Ein Prophet ohne Zukunft« (1990).

Kreisprozess, eine Folge von thermodynam. Zustandsänderungen eines Systems, nach dessen Ablauf Anfangs- und Endzustand übereinstimmen. Gelangt das System vom Anfangszustand 1 zu einem von diesem versch. Zustand 2 auf einem anderen Weg als vom Zustand 2 wieder zurück zum Zustand 1, so wird Wärme in Arbeit umgewandelt (Wärmekraftmaschine) oder unter äußerem Energie-(Arbeits-)Aufwand Wärme von einem tieferen auf ein höheres Temperaturniveau gehoben (Wärmepumpe). Beim **reversiblen K.** (z. B. →carnotscher Kreisprozess) durchläuft das System eine Folge von Gleichgewichtszuständen, beim **irreversiblen K.** treten Nichtgleichgewichtszustände auf.

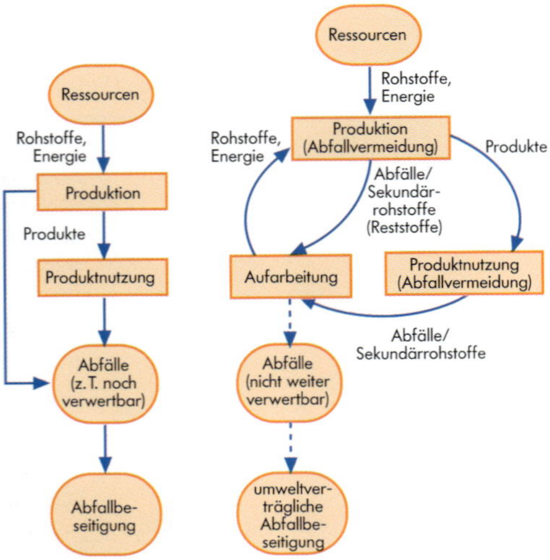

Kreislaufwirtschaftsgesetz: Schema der Konsumwirtschaft (links) und der Kreislaufwirtschaft

Kreißsaal, Entbindungsraum in einer Klinik.

Kreisstadt, Stadt, in der die Kreisverw. ihren Sitz hat. (→Große Kreisstadt)

Kreisverkehr, Möglichkeit der Verkehrsführung im Richtungsverkehr an platzartigen Verkehrspunkten (Verteilerkreis). Soweit nicht anders bestimmt, gilt für den K. in Dtl. kein Vorfahrtsrecht.

Kreiswehr|ersatzamt, →Wehrersatzwesen.

Krejča ['krɛjtʃa], Otomar, tschech. Regisseur, Schauspieler, Theaterleiter, * Skrýšov 23. 11. 1921; 1951–69 am Nationaltheater Prag (1956–61 Schauspielleiter), 1965 Gründung des »Theaters hinter dem Tor« mit eigenem Ensemble (1972 geschlossen); 1976–78 Schauspieldirektor in Düsseldorf; ab 1982 Inszenierungen v. a. in europ. Ländern.

Krelle, Wilhelm, Volkswirtschaftler, * Magdeburg 24. 12. 1916; Prof. in St. Gallen (1955–58) und Bonn (1958–81); wurde bes. durch seine »strukturelle« Verteilungstheorie bekannt. – *Werke:* Preistheorie (1961); Verteilungstheorie (1962); Produktionstheorie (1969).

Krematorium [lat.] *das,* Einäscherungsanstalt; kommunale Einrichtung mit Totenfeierhalle und Verbrennungsanlage zur Einäscherung menschl. Leichen.

Krementschug (ukrain. Krementschuk), Stadt am Dnjepr, Gebiet Poltawa, Ukraine, 248 000 Ew.; Lkw-, Waggon-, Maschinenbau, Erdölraffinerie, Eisenerz-Anreicherungsanlage, Holz-, Textil-, Nahrungsmittelind.; Hafen, Bahnknotenpunkt; nahebei Stausee (2 252 km^2) mit Wasserkraftwerk (625 MW); um K. Eisenerzabbau. – Im 16. Jh. entstanden.

Kremer, Gidon Markowitsch, Violinist baltisch-dt. Herkunft, * Riga 27. 2. 1947; lebt seit 1980 im westl. Ausland. Schüler von D. Oistrach; bed. Virtuose, dessen umfangreiches Repertoire von der Musik des Barock bis zu Werken zeitgenöss. Komponisten reicht. Gründete 1981 die jährlich stattfindenden Festwochen für Kammermusik in Lockenhaus (Österreich); seit 1997 als Nachfolger Y. Menuhins Leiter des Festivals in Gstaad.

Kreml [russ.] *der,* meist auf einer Anhöhe gelegener befestigter Kern russ. Städte im MA., Sitz der weltl. und geistl. Verwaltung. In vielen Städten (z. B. Kasan, Astrachan, Kolomna, Pleskau) sind Befestigungsanlagen und Kirchen aus dem 16. und 17. Jh. noch erhalten; am bedeutendsten ist der K. in Moskau, Reg.sitz und oft synonym dafür gebraucht. BILD S. 72

Kremnica [-njitsa] (dt. Kremnitz), alte Bergstadt im Mittelslowak. Gebiet, Slowakei, im Kremnitzer Gebirge südlich der Großen Fatra, 6 100 Ew.; Textilind., Maschinenbau. – Altstadt unter Denkmalschutz: Stadtburg mit got. Katharinenkirche, Karner und roman. Andreasrotunde, got. Bürgerhäuser, Reste der Stadtbefestigung. – 1317 erstmals erwähnt, königlich-ungar. Bergstadt, Zentrum des ungar. Gold- und Silberbergbaus; seit 1355 (nach 1918 staatl.) Münzstätte; bis 1945 dt. Sprachinsel (»Hauerland«).

Georg Kreisler

Kreml in Moskau, von der Moskwa her gesehen, mit (von links) dem Großen Kremlpalast (1838–49), der Erzengel-Michael-Kathedrale (1505–08), den Türmen der Uspenskijkathedrale (1475–79), dem Glockenturm »Ivan Welikij« (1505 ff. und 1600) und dem 1532–42 erbauten Turm des Marco Bono (Glockenstuhl)

Krempel, → Karde.

Krempling [zu Krempe] (Paxillus), Gattung der Blätterpilze mit eingerolltem Hutrand und am Stiel herablaufenden Blättern (Lamellen); der auf Waldboden häufig vorkommender, ockergelbe oder rotbraune **Kahle K.** (Paxillus involutus) ist giftig.

Krempling: Kahler Krempling (Hutdurchmesser 5–12 cm)

Krempziegel, ein → Dachziegel.

Krems an der Donau, Bezirks-Hptst. in NÖ, am linken Ufer der Donau, die hier die Wachau verlässt, 22 800 Ew.; Stadt mit eigenem Statut; Handels- und Schulstadt, u.a. Europ. Journalismus-Akademie (Donau-Univ.), Höhere Techn. Bundeslehranstalt und Pädagog. Akademie; Stadtmuseum im ehem. Dominikanerkloster, Weinbau-, Motorradmuseum; Obst- und Weinbau und -handel (jährl. Weinmesse); Feinblechwalzwerk, chem., Kunststoffind., Teppich-, Zigarrenfabrik; Verkehrsknotenpunkt, Donauhafen; Fremdenverkehr. – Die schon 995 erwähnte Stadt besitzt Reste der Befestigung (Steiner Tor, 1480), spätgot. Piaristenkirche, frühbarocke Pfarrkirche St. Veit, ehem. Dominikanerkirche (13. Jh., heute Museum), alte Bürgerhäuser. Zu K. gehört **Stein an der Donau** (1938 eingemeindet) mit spätroman. ehem. Minoritenkirche, got. Frauenbergkirche und got. Pfarrkirche St. Nikolaus, Kremser Tor.

Krems an der Donau Stadtwappen

Kremser Weiß, Malerfarbe, → Bleiweiß.

Kremsier, Stadt in der Tschech. Rep., → Kroměříž.

Kremsmünster, Markt im Bezirk Kirchdorf an der Krems, OÖ, 6 000 Ew.; Fahrzeugmuseum (im Schloss Kremsegg); Glashütte, Herstellung von Gablonzer Glaswaren, Textilien, Korkartikeln. – Das Benediktinerstift K. (gegr. 777 von Tassilo III. von Bayern) sowie Stiftskirche und Abtei stammen in jetziger Gestalt aus dem 17./18. Jh.; sie beherbergen bed. Gemälde-, Waffen- und Kunstsammlungen, eine wertvolle Bibliothek (Handschriften, Inkunabeln), Schatzkammer (mit dem → Tassilokelch); Stern- und Wetterwarte im 1748–59 erbauten »Mathemat. Turm«; »Fischbehälter«, ein von Arkadengängen umgebenes Wasserbecken (1690–92), Kalvarienbergkirche (1636/37).

Krenek (eigtl. Křenek), Ernst, österreichisch-amerikan. Komponist, *Wien 23. 8. 1900; †Palm Springs (Calif.) 22. 12. 1991, Schüler F. Schrekers; sein Gesamtwerk spiegelt die Spannbreite der Musikentwicklung des 20. Jh.; schrieb Opern, Ballette, Orchesterwerke, Kammermusik, Chorwerke

Krems an der Donau: Das Steiner Tor (1480); der barocke Aufsatz des mittleren Torturms stammt aus dem Jahr 1765

(Oratorium »Symeon der Stylit«, 1988), Lieder, elektron. Musik (»Orga-Nastro«, 1971 für Orgel und Tonband). Schriften: »Über neue Musik« (1937), »Im Zweifelsfalle. Aufsätze über Musik« (1984) u. a. K. lebte seit 1938 in den USA.

Krenz, Egon, Politiker (SED), *Kolberg (Pommern) 19. 3. 1937; 1974–83 1. Sekretär der FDJ, ab 1983 Mitgl. des Politbüros der SED und ZK-Sekretär für Sicherheits- und Kaderfragen, ab 1984 auch stellv. Staatsratsvors., versuchte als Gen.-Sekr. der SED und Staatsratsvors. der DDR (Okt.–Dez. 1990) vergeblich, die Macht der SED und die DDR als Staat zu erhalten. Im Jan. 1990 schloss ihn die Nachfolgepartei der SED, die SED-PDS, aus. Im Nov. 1995 wurde K. mit den fünf anderen Mitgl. des letzten Politbüros der SED des mehrfachen gemeinschaftlich versuchten und vollendeten Totschlags angeklagt und 1997 verurteilt.

Kreolen [frz. créole, zu span. criar »nähren«, »erziehen«] (span. Criollos, portugies. Crioulos), in Lateinamerika Bez. für die Nachkommen romanisch-europ. Einwanderer (weiße K.); oft unterschiedlich angewendet, z. B. in Brasilien auch für Nachkommen der Negersklaven (schwarze Kreolen).

kreolische Sprachen (Kreolsprachen), Mischsprachen mit stark reduzierter sprachl. Struktur, die als Produkte andauernder gegenseitiger Beeinflussung zw. europ. und nichteurop. Sprachen entstanden sind, wobei die europ. Sprache dominiert. Bekannt sind u. a. die k. S. von Jamaika (Grundlage: Englisch), Haiti, Guadeloupe (Französisch), Curaçao (Papiamento; Grundlage: Spanisch).

Kreon, myth. König des grch. Theben, Bruder der →Iokaste. (→Antigone)

Kreosot [grch.] *das,* rauchartig riechendes Öl, gewonnen aus Buchenholzteer; enthält u. a. Kresole und Guajakol. K. dient als Insektenabwehr- und Holzschutzmittel; es hemmt die Bronchialsekretion.

Krepitation [lat.] *die, Medizin:* knirschendes Reiben, z. B. von Bruchstücken eines Knochens; auch knisterndes Atemgeräusch bei Beginn und Abklingen einer Lungenentzündung.

Krepp *der* (frz. Crêpe), Bez. für Gewebe oder Gewirke u. a. textile Flächenerzeugnisse mit körnigem, gekräuseltem, welligem, narbigem oder blasigem Aussehen und Griff in K.-Bindungen (Bindungs-K.). Eine gute K.-Bindung darf weder in Kett- oder Schussrichtung noch in den beiden Diagonalrichtungen eine Streifigkeit erkennen lassen (→Bindung). K.-Gewebe werden zur Herstellung von Kleider-, Futter-, Dekorations- und Möbelstoffen verwendet und tragen viele versch. Bezeichnungen (z. B. Craquelé, Flamengo, Cloqué). Bes. bekannt sind: **Crêpe Chiffon** (Fein-K.), hauchdünnes, seidenes oder aus Chemiefaser bestehendes K.-Gewebe; **Crêpe de Chine** (China-K.), Seiden- oder Chemiefasergewebe in Taftbindung, Schuss aus K.-Garn; **Crêpe Georgette** (Hart-K.), wie Crêpe de Chine, auch Kette aus K.-Garn; **Crêpe Jersey** (Rippen-K.), dichtes, wie Maschenware aussehendes Gewebe; **Crêpe Satin,** wie Crêpe de Chine, aber in Atlasbindung.

Krepppapier, zur Erhöhung der Dehnbarkeit stark gefälteltes Papier; entsteht durch Stauchen der Papierbahn in noch feuchtem Zustand während der Herstellung oder durch erneutes Anfeuchten.

Johann Kresnik

Kresnik, Johann, österr. Choreograph und Ballettdirektor, *Sankt Margarethen (Kärnten) 12. 12. 1939; war 1968–78 Ballettdirektor in Bremen, 1978–88 in Heidelberg, 1989 wieder in Bremen, seit 1994 an der Volksbühne am Rosa-Luxemburg-Platz in Berlin. Seine Stücke (»Magnet«, 1978; »Macbeth«, 1988; »Ödipus«, 1989; »Ulrike Meinhof«, 1990; »Wendewut«, 1993) sind gesellschaftskritisch-politisch motiviert und brechen klass. Bewegungsmuster durch Trivialbilder und Revueformationen.

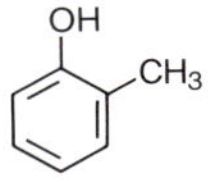

o-(ortho-)Kresol
(2-Methylphenol)

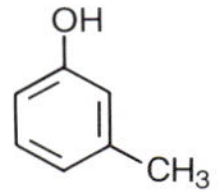

m-(meta-)Kresol
(3-Methylphenol)

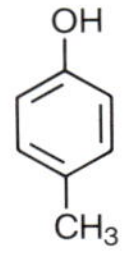

p-(para-)Kresol
(4-Methylphenol)

Kresole

Kresole (Methylphenole, Hydroxytoluole), die drei stellungsisomeren Methylhomologe des Phenols, die aus Holz- und Steinkohlenteer gewonnen oder durch Alkylieren von Phenol hergestellt werden; dienten als Desinfektionsmittel, zur Holzkonservierung, Herstellung von Phenolharzen u. a.

Kresse (Lepidium), Kreuzblütlergattung mit weißen (selten gelben) Blüten und rundlich-eiförmigen Schötchen; die pfeffrig schmeckende **Garten-K.** (Lepidium sativum) ist Salat- und Würzpflanze. (→Brunnenkresse, →Kapuzinerkresse)

Kreta (ngrch. Kriti), die größte grch. Insel im östl. Mittelmeer, 8 261 km², umfasst als Region (mit kleinen vorgelagerten Inseln) 8 336 km² mit (1991) 537 000 Ew.; gebirgig (im Ida 2 456 m ü. M.), in der Tiefebene Messara üppiger Pflanzenwuchs; Klima mediterran; Wein-, Oliven- und Obstbau. Auf der rd. 45 km² großen Lassithi-Hochebene werden (mit Bewässerung) v. a. Kartoffeln, Gemüse, Getreide angebaut. Bed. Fremdenverkehr. Die wich-

Kreta

Homer schreibt in der Odyssee (19, 172–179) über Kreta:

»Kreta ist ein Land mitten in dem weinfarbenen Meer, ein schönes und fettes, rings umflossen. Darauf sind Menschen viele, unendliche, und neunzig Städte, und die Sprache der einen diese, der anderen jene, gemischt. Darauf sind Achaier und darauf die großherzigen Urkreter, und darauf Kydonen und die dreistämmigen Dorier und die göttlichen Pelasger. Und unter den Städten darauf ist Knossos, die große Stadt, wo Minos als König geherrscht hat, der sich in jedem neunten Jahr vertraut mit dem großen Zeus besprach: meines Vaters Vater, des hochgemuten Deukalion.«

Kreta: Segelwindmühle zur Grundwasserförderung auf der Lassithi-Hochebene

tigsten Städte, Rethymnon, Heraklion, Chania und Hagios Nikolaos, liegen an der N-Küste (Häfen); Univ., 1977 gegründet.

Geschichte: Unter dem Einfluss Vorderasiens (Kleinasien, Syrien), Makedoniens, der Kykladen und wohl N-Afrikas schufen die vorgrch. Kreter seit dem frühen 3. Jt. v. Chr. die minoische Kultur (→ägäische Kultur). Die Insel scheint in der ersten Hälfte des 2. Jt. v. Chr. ein einheitl., von Knossos aus beherrschtes Seereich gebildet zu haben. Mit den Palästen von Knossos, Phaistos, Mallia, Kato Zakro u. a. war K. der kulturelle Mittelpunkt des Ägäischen Meeres bis in die myken. Zeit. Nach 1400 v. Chr. wurde K. von den Achaiern von der Peloponnes aus erobert und um 1200 von den Dorern besetzt, die dort eine große Zahl unabhängiger Stadtgemeinden gründeten (inschriftlich erhalten ist das Stadtrecht von Gortyn). 67 v. Chr. wurde die Insel römisch und kam 395 n. Chr. an Byzanz, war um 825–961 im Besitz der Sarazenen, dann wieder byzantinisch, kam Anfang des 13. Jh. an Venedig (nun oft **Candia** gen.), 1645 an die Türken. Im 19. Jh. suchte sich K. durch zahlr. Aufstände zu befreien, erhielt 1898 Selbstverw. unter grch. Einfluss und wurde 1913 mit Griechenland vereinigt. 1941–44/45 war K. von dt. Truppen besetzt.

📖 SCHIERING, W.: *Funde auf K. Göttingen u. a. 1976.* – SCHACHERMEYR, F.: *Die minoische Kultur des alten K. Stuttgart u. a.* ^{2}*1979.* – FAURE, P.: *K. Das Leben im Reich des Minos. Stuttgart* ^{3}*1983.* – GALLAS, K.: *K. von den Anfängen Europas bis zur kretovenezian. Kunst. Köln* ^{7}*1993.*

Kreta

Schon vor 1900 wurden im Osten Kretas einzelne Siedlungen und Nekropolen freigelegt, doch verstanden die Ausgräber diese unter dem Eindruck der Erfolge Schliemanns als Zeugnisse für die mykenische Welt der homerischen Epen. Sir Arthur Evans ist es zu verdanken, dass er die Eigenständigkeit und das höhere Alter der von ihm »minoisch« benannten Kultur erkannte und vehement propagierte. Sein epochales Werk »The Palace of Minos at Knossos« ist immer noch eine wichtige Grundlage für das Verständnis der minoischen Kultur. Heute kreidet man ihm seine – doch zeitbedingte – Deutung der Funde und die Betonrekonstruktionen an. Die gewiss behutsameren Grabungen und Restaurierungen in den Palästen von Phaistos, Mallia und Kato Zakros sind deshalb für das Verständnis der minoischen Palastkultur besonders wichtig.

Krethi und Plethi [hebr.], nach 2. Sam. 8, 18 Bez. der zum größten Teil aus ausländ. Söldnern, wahrscheinlich Philistern, rekrutierten Streitmacht Davids; danach *abwertend:* jedermann, Hinz und Kunz.

Kretin [kre'tẽ, frz.] *der,* an Kretinismus leidender Mensch.

Kretinismus [frz.] *der,* auf einem Versagen der Schilddrüsenfunktion beruhender angeborener hochgradiger Schwachsinn, u. a. verbunden mit Minderwuchs, Kropf und Taubstummheit sowie dem →Myxödem entsprechenden Hautveränderungen. Der Behandlung dient ein möglichst frühzeitiger Ersatz des fehlenden Schilddrüsenhormons; jedoch sind schon ausgeprägte Schädigungen nicht rückbildungsfähig.

kretische Schriften, voralphabet. Schriften der Einwohner der Insel Kreta. Aus einer in der frühminoischen Periode aufgekommenen, vielleicht von den ägypt. Hieroglyphen beeinflussten Bilderschrift entwickelten sich zwei Strichschriften **(Linear A** und **B).** Die Tontäfelchen in Linear A sind vermutlich in einer nichtindogerman. Sprache abgefasst. Linear B gibt die Sprache der Griechen um 1200 v. Chr. wieder; ihre Entzifferung gelang M. Ventris und J. Chadwick (1952).

kretisch-mykenische Kultur, →ägäische Kultur.

Kretschmer, Ernst, Psychiater, * Wüstenrot (Kr. Heilbronn) 8. 10. 1888, † Tübingen 8. 2. 1964; erforschte v. a. die Konstitution des Menschen und erarbeitete eine Typenlehre (→Konstitutionstypen). – *Werke:* Körperbau und Charakter (1921); Medizin. Psychologie (1922); Geniale Menschen (1929); Gestalten und Gedanken (1963).

Kretzer, Max, Schriftsteller, * Posen 7. 6. 1854, † Berlin 15. 7. 1941; war Arbeiter, Autodidakt; bed. Vertreter des sozialen, naturalist. Romans, u. a. »Meister Timpe« (1888).

Kretzschmar, Hermann, Musikforscher, * Olbernhau (Mittlerer Erzgebirgskreis) 19. 1. 1848, † Berlin 10. 5. 1924; seit 1904 Prof. für Musikwiss. in Berlin, 1909–20 Direktor der Musikhochschule. Schrieb u. a. »Gesch. der Oper« (1919), »Einführung in die Musikgeschichte« (1920).

Kreta

1

2

3

4

| **1** Freitreppe und Westfassade des jüngeren Palastes von Phaistos (links oben), davor das bei dessen Errichtung zugeschüttete Heiligtum des älteren Palastes | **2** Das um 100 v. Chr. anstelle des alten Rathauses errichtete Odeon von Gortyn, ein ursprünglich überdachtes Gebäude mit ansteigenden Sitzreihen im Halbrund | **3** Magazin im Palast von Knossos, im Gang zwischen den mannshohen Vorratsgefäßen (»Pithoi«) aufgemauerte Vorratsgruben | **4** Stierspringerfresko aus dem Ostflügel des Palastes von Knossos

Kreuder, 1) Ernst, Schriftsteller, *Zeitz 29. 8. 1903, †Darmstadt 24. 12. 1972; wurde internat. bekannt durch die Erzählung »Die Gesellschaft vom Dachboden« (1946) und den Roman »Die Unauffindbaren« (1948), in denen einer inhuman geordneten techn. Welt romant. Optimismus und traumhaft-fantast. Anarchie entgegengesetzt wird. 1953 erhielt K. den Georg-Büchner-Preis.

2) Peter, Komponist und Pianist, *Aachen 18. 8. 1905, †Salzburg 28. 6. 1981; komponierte Operetten, Musicals und Revuen, zahlr. Filmmusiken und Schlager (»Sag' zum Abschied leise Servus«). Erinnerungen »Schön war die Zeit« (1955) und »Nur Puppen haben keine Tränen« (1971).

Kreusa, *grch. Mythos:* 1) Tochter des Priamos und der Hekabe, erste Frau des Äneas; 2) (Glauke), Frau des → Iason.

Kreuth, Gemeinde im Landkr. Miesbach, Oberbayern, 800 m ü. M., im Tal der Weißach südlich vom Tegernsee, 3700 Ew.; heilklimat. Kurort. Im Talinneren liegt **Wildbad K.** mit Schwefelquellen und Solbädern.

Kreutzberg, Harald, Tänzer und Choreograph, *Reichenberg (heute Liberec) 11. 12. 1902, †Muri (bei Bern) 25. 4. 1968; Schüler von Mary Wigman; wirkte als Solotänzer und Ballettmeister in Hannover und Berlin; reiste mit Soloprogrammen durch Europa und Amerika. 1955 gründete er

Ernst Kreuder

Kreuzabnahme: Skulpturengruppe aus Holz, vermutlich aus Mittelitalien (Mitte 13. Jh.; Paris, Louvre)

eine eigene Schule in Bern. K. gehört zu den bedeutendsten Vertretern des Ausdruckstanzes.

Kreutzer, 1) Conradin, eigtl. Conrad Kreuzer, Komponist, *Meßkirch (Kr. Sigmaringen) 22. 11. 1780, †Riga 14. 12. 1849; war Kapellmeister in Stuttgart, Donaueschingen und Wien. Schrieb u.a. die romant. Oper »Das Nachtlager von Granada« (1834) sowie zahlreiche volkstüml. Männerchöre und Lieder v.a. auf Texte L. Uhlands.

2) Rodolphe, frz. Geigenvirtuose und Komponist dt. Herkunft, *Versailles 16. 11. 1766, †Genf 6. 1. 1831; war in Paris seit 1801 Konzertmeister und 1815–27 Kapellmeister der Großen Oper; schrieb Opern, Etüden für Violine und Violinkonzerte. L. van Beethoven widmete ihm die Sonate A-Dur op. 47 (1803) für Klavier und Violine **(Kreutzersonate).**

Kreuzblume 1)

Kreuz [aus lat. crux], **1)** *Astronomie:* kurz für die Sternbilder →Kreuz des Südens und K. des Nordens (→Schwan).

2) *Heraldik:* ein Heroldsbild oder gemeine Figur in den unterschiedlichsten Varianten.

3) *Kartenspiel:* eine Farbe der frz. Spielkarte, →Treff.

4) *Musik:* Versetzungszeichen, das die Erhöhung eines Tones um einen Halbton vorschreibt, Zeichen ♯.

5) *Religionswissenschaft* und *Theologie:* eines der ältesten religiösen Symbole und Heilszeichen der Menschheit (z.B. Rad-K., →Hakenkreuz); verkörpert in den ältesten Kulturen und Religionen u.a. das All, die Fruchtbarkeit, das Glück, die Jahreszeiten, das menschl. Leben und Schicksal, die Sonne. – In der christl. Theologie Symbol und Zeichen des durch Gott in Tod und Auferstehung Christi gewirkten Heils (→Kreuzestheologie). Die Passionsberichte der Evangelien lassen keine eindeutigen Schlüsse auf die Form des K. Jesu Christi zu; als seine histor. Form gilt das lat. K., verbunden mit dem →Christusmonogramm (seit dem 3. Jh. nachweisbar). Nach einer schon im 4. Jh. verbreiteten, später vielfach ausgeschmückten Legende soll die Kaiserin Helena 320 das K. Jesu Christi auf dem Golgatha aufgefunden haben. Es wurde in der von Kaiser Konstantin dort erbauten und 335 geweihten Grabeskirche aufbewahrt. 614 von den Persern erbeutet, wurde es nach dem byzantin. Sieg über sie 630 nach Jerusalem zurückgebracht. Schon bald danach waren **K.-Reliquien** im ganzen christl. Europa verbreitet, die bedeutendsten in Konstantinopel, Rom, Paris und Trier. – Seit der Erhebung des Christentums zur alleinigen Staatsreligion wurde die Verehrung des K. öffentlich gefördert, es war christl. Symbol und Heilszeichen, aber auch kaiserl. Siegeszeichen (→in hoc signo vinces) im Röm. Reich. Als **Altar-K.** ist es erstmals Mitte des 5. Jh. in Syrien bezeugt; seit etwa 1200 in der latein. Kirche vorgeschrieben.

📖 BAUDLER, G.: *Das K. Geschichte u. Bedeutung. Düsseldorf 1997.*

Kreuzblume 2): Die Gemeine Kreuzblume blüht von Mai bis Juli

Kreuzabnahme, die bildner. Darstellung der Abnahme Christi vom Kreuz (Matth. 27,57 ff.; Mark. 15, 46; Luk. 23, 53; Joh. 19, 38); Christus liegt in frühen abendländ. Darstellungen (9. Jh.) auf den Schultern von Joseph von Arimathia, während Nikodemus die Nägel aus den Füßen zieht; in der byzantin. Kunst werden Maria und Johannes als weitere Teilnehmer der K. eingeführt, seit dem 10. Jh. auch im Westen.

Kreuzbein, durch Verschmelzung von K.-Wirbeln (beim Menschen fünf K.-Wirbel) entstandener keilförmiger, gebogener Knochen. Das K. ist

Bestandteil der Wirbelsäule und mit dem Becken gelenkig verbunden.

Kreuzberg, 1) Berg in der südl. Rhön (928 m ü.M.), Bayern, mit 1681–92 erbautem Franziskanerkloster, Wallfahrtsort.

2) VerwBez. von Berlin, umfasst den südl. Teil der Friedrichstadt, die Luisenstadt (beide um 1730 angelegt) und die Tempelhofer Vorstadt.

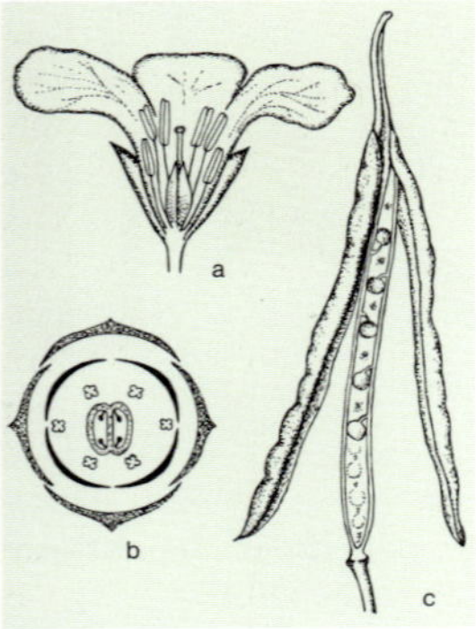

Kreuzblütler: Raps; a Blüte, b Blütendiagramm, c aufgesprungene Schote mit Samen

Kreuzblume, 1) *Baukunst:* knaufartige, aus kreuzförmig angeordneten Knospen oder Blättern bestehende Bekrönung von got. Türmen, Fialen, Giebeln und Wimpergen; auch am Chorgestühl oder im Gesprenge von Altären.

2) *Botanik:* (Polygala) Pflanzengattung der Kreuzblumengewächse **(Polygalaceae);** Kräuter, Sträucher und Bäume in gemäßigten und wärmeren Klimagebieten; die **Gemeine K.** (Polygala vulgaris), ausdauernd, bis 30 cm hoch, mit blauen, rotvioletten oder weißen Blüten wächst auf trockenen Wiesen Europas und N-Asiens. Die Wurzel der nordamerikan. **Senega-K.** (Polygala senega) ist als **Senegawurzel (Klapperschlangenwurzel)** ein altes Heilmittel der Seneca-Indianer.

Kreuzblütler (Kreuzblütengewächse, Kruziferen, Brassicaceae, Cruciferae), weltweit verbreitete, vielgestaltige Pflanzenfamilie der Zweikeimblättrigen mit rd. 3000 Arten; meist Kräuter oder Stauden; Blüten in Trauben, mit je vier kreuzförmig stehenden, freien Kelch- und Blumenkronblättern; Frucht meist eine Schote oder ein Schötchen. Zu den K. zählen viele oft sehr alte Nutzpflanzen (z.B. Gartenkresse, Gemüsekohl, Rettich, Raps, Senf) sowie viele Zierpflanzen (z.B. Goldlack, Levkoje).

Kreuzburg (Oberschlesilen), Stadt in Polen, →Kluczbork.

Kreuzchor, →Dresdner Kreuzchor.

Kreuz des Südens (lat. Crux), Sternbild des Südhimmels, sichtbar südlich des 26. Grads s. Br.; seine vier hellsten Sterne bilden ein schiefes Kreuz.

Kreuzdorn (Rhamnus), Pflanzengattung der zweikeimblättrigen Familie Kreuzdorngewächse; meist in der gemäßigten nördl. Zone vorkommend; z.T. dornige Sträucher oder Bäume; der **Echte K.** (Rhamnus catharticus), strauchig, mit dornigen Zweigen; wächst in Gebüschen und Wäldern Europas, N-Afrikas und W-Asiens. Das gelbliche, rotkernige, harte Holz **(Kreuzholz, Haarholz)** dient zur Anfertigung von Drechsler- und Kunsttischlerwaren. Die erbsengroßen, grünen, zuletzt schwarzen Steinfrüchte **(Kreuz-, Kreuzdorn-, Gelb-, Grünbeeren)** sind giftig und werden medizinisch zu abführendem und harntreibendem **Kreuzdornsirup** verarbeitet; in Mitteleuropa auch der →Faulbaum.

Kreuzdorn: blühender Echter Kreuzdorn und dessen Früchte (Höhe bis 3 m)

Kreuzeck, Berg bei Garmisch-Partenkirchen, an der N-Seite des Wettersteingebirges, Bayern, 1651 m ü.M.; Seilbahnen.

Kreuzeckgruppe, Gebirge südlich der Hohen Tauern, zw. Möll- und Drautal, Kärnten, Österreich, im Polinik 2784 m ü.M.; energiewirtschaftlich genutzt (Druckstollen zum Kraftwerk Kolbnitz im Mölltal).

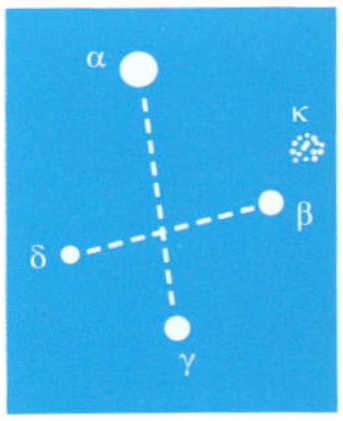

Kreuz des Südens

Kreuzer, Abk. **kr., Xer,** urspr. eine ab 1271 in Tirol geprägte silberne Groschenmünze mit charakterist. Doppelkreuz (»Etsch-K.«), 1458 von Österreich übernommen (1 K. = 4 Wiener Pfennige); drang seit dem 15. Jh. nach S- und SW-Dtl. vor, wurde in Dtl. bis 1871, in Österreich bis 1892 geprägt; galt stets 4 Pfennige = $\frac{1}{60}$ Gulden. Der Taler wurde urspr. mit 68, dann 72, 90, 120 und schließlich 144 K. gerechnet.

Kreuzer, Kriegsschifftyp in der Größe zw. Zerstörer und Schlachtschiff. Entstanden aus Fregatten der Linienschiffszeit, entwickelte sich der **Leichte K.** zum Späh- und Führungsschiff für Boote, der **Schwere K.** zum Kampfschiff zur Deckung eigener Kriegs- oder Handelsschiffsgeleite (Konvoi) und zur Bekämpfung feindl. Seetransporte. Heute nur noch in Form von **Lenkwaffen-** und **Hubschrauber-K.** in Dienst gestellt, z.T. nuklear angetrieben, bewaffnet mit Angriffs- und

Kreuzer: Amerikanischer Lenkwaffenkreuzer »Arkansas« (CGN 41) mit Kernenergieantrieb; Fertigstellung 1980, Wasserverdrängung etwa 11 300 t

Verteidigungswaffen gegen Luft-, See- und Unterwasserbedrohung. Seine Aufgabe besteht hauptsächlich darin, Flugzeugträger gegen Angriffe aller Art zu schützen.

Kreuzestheologie (lat. Theologia Crucis), an Paulus anknüpfende Theologie, deren Mittelpunkt das Nachdenken über Leiden und Kreuzestod Jesu Christi ist [das »Wort vom Kreuz« (1. Kor. 1, 18 ff.)]; als Begriff von Luther geprägt, ist die K. v. a. für die reformator. Theologie bestimmend geworden; sie steht als Beschreibung christl. Nachfolge – gerade auch im Leiden – im Ggs. zur **Theologia Gloriae,** die Gottes Sein und Herrlichkeit in den Mittelpunkt ihrer Betrachtung stellt.

Kreuzgang, überdachter, gewölbter Bogengang um einen i. d. R. quadrat. Hof an der S-Seite der Kirche in Klosteranlagen; die Bez. wird von den Kreuzprozessionen abgeleitet, die dort stattfanden. Der K. bildete den Zugang zu den unmittelbar anschließenden Klausurgebäuden.

Kreuzgewölbe, → Gewölbe.

Kreuzigung, aus dem Orient stammende, bei vielen antiken Völkern übl. Art der Hinrichtung von Männern, die oft im Aufspießen oder Aufhängen am einfachen Pfahl bestand, bei den Römern aber, die sie wahrscheinlich von den Karthagern übernahmen, meist im Annageln oder Anbinden an Pfahl und Querholz (in Form eines T oder eines grch. Kreuzes). Nach röm. Recht wurde die K. als entehrende Todesstrafe über Schwerverbrecher verhängt. Der Verurteilte musste selbst das Querholz zur Richtstätte tragen, wo er vor der K. ausgepeitscht wurde. Ein Holzklotz **(Sedile)** in der Mitte des Pfahls stützte den hängenden Körper und verhinderte einen zu raschen Tod.

Kreuzgang aus dem 13. Jh. des im 12. Jh. erbauten Zisterzienserklosters Heiligenkreuz im südlichen Wienerwald in Niederösterreich

Kreuzigung Jesu Christi. Nach den Passionsberichten der Evangelien wurde Jesus auf röm. Art gekreuzigt (→ Kreuzigung). Am Kreuz wurde eine Tafel mit dem Schuldvorwurf angebracht (→ I. N. R. I.; → Jesus Christus). – In der *bildenden Kunst* ist die K. J. C. das zentrale Thema der christl. Ikonographie und die wichtigste Darstellung innerhalb der Passion. Früheste Beispiele (5. Jh.) zeigen Christus zw. den beiden Schächern, dann meist zw. Maria und Johannes, auch mit Longinus und Stephaton, seit der karoling. Zeit mit der

Kreuzigung Jesu Christi (von links): Miniatur in einem Messbuch (um 1280; Wien, Österreichische Staatsbibliothek) und Gemälde von Lucas Cranach d. Ä. (1503; München, Alte Pinakothek)

→Ecclesia und Synagoge. Auffällig ist, dass in Darstellungen der K. J. C. in den ersten sechs Jahrhunderten Christus lebend mit offenen Augen am Kreuz erscheint (als Ausdruck der Überwindung des Todes). Später wurde der tote oder sterbende Christus mit Dornenkrone und in qualvollem Leiden stärker betont. Die meisten frühmittelalterl. Fassungen sind Werke der Malerei oder der Kleinplastik (Elfenbeinreliefs). Große Bildwerke entstanden in otton. Zeit in Dtl. (Gero-Kruzifix, Kölner Dom), auch als Triumphkreuze auf den Triumphbalken oder der Lettnerschranke zw. Chor und Langhaus des Kirchenraumes (Halberstadt, Dom, um 1220/30, u. a.). Sehr verbreitet waren seit dem Spät-MA. volkreiche Kreuzigungsdarstellungen, die das Geschehen auf dem →Kalvarienberg (Golgatha) schildern. Im 19. Jh. wurde auf ikonograph. Vorbilder älterer Epochen zurückgegriffen. Im 20. Jh. erhält das Thema z. T. neue inhaltl. Bezüge u. a. in Auseinandersetzung mit Krieg und Gewalt, individuellen oder sozialen Nöten (M. Slevogt, M. Beckmann, O. Dix, F. Cremer).

🕮 Hürkey, E.: *Das Bild des Gekreuzigten im Mittelalter. Worms 1983.* – Beutler, C.: *Der Gott am Kreuz. Hamburg 1986.*

Kreuzkopf, Bauteil im Kurbeltrieb von Kolbenmaschinen (z. B. bei Pumpen, Dampfmaschinen), das die gerade geführte Kolbenstange und die schwingende Schubstange (Pleuel) gelenkig verbindet. Der K. überträgt die beim Ausschwenken des Pleuels auftretende Seitenkraft über Gleitschuhe auf die K.-Führung.

Kreuzkraut (Greiskraut, Senecio), artenreiche Korbblütlergattung, meist Kräuter oder Halbsträucher; die Blütenkörbchen haben fünfzipfelige Röhren- und meist auch Zungenblüten. Die Früchtchen tragen einen weißl. Pappus. In Mitteleuropa heimisch sind u. a. **Gemeines K.** (Senecio vulgaris), mit hellgelben, meist nur röhrenblütigen Köpfchen, Unkraut; **Jakobs-K.** (Senecio jacobaea), mehrjährig, bis meterhoch, auf Grasland Europas, N-Afrikas und W-Asiens. Viele K. sind Zierpflanzen, z. B. Zinerarie.

Kreuzkuppelkirche, →Kuppelkirche.

Kreuzlied, →Kreuzzugsdichtung.

Kreuzlingen, Bezirkshauptort im Kt. Thurgau, Schweiz, 403 m ü. M., am S-Ufer des Bodensees, 17 000 Ew.; Lehrerseminar; Aluminium-, Textil-, Schuh-, chem. und pharmazeut. Ind., Schokoladenfabrik. – Augustinerchorherrenstift (1120 gegr.), die Stiftskirche (1650–53) wurde nach einem Brand 1963 wieder aufgebaut.

Kreuznach, Bad, →Bad Kreuznach.

Kreuz|otter (Vipera berus), etwa 50 bis 80 cm lange, lebend gebärende Viper in Eurasien in gemäßigten bis kühlen Zonen. Der Körperbau ist gedrungen, die Färbung variabel (Männchen silber-

Kreuzotter (Länge 50–80 cm)

farbig bis graubraun, Weibchen gelb bis rotbraun), meist mit dunklem Zickzackband längs des Rückens. Rein schwarze Varianten werden als **Höllenotter,** rotbraune als **Kupferotter** bezeichnet. K. ernähren sich v. a. von Eidechsen, Fröschen und Mäusen. Das Gift der K. ist auch für den Menschen gefährlich, jedoch nur selten tödlich. Der Bestand der K. ist nach der Roten Liste stark gefährdet.

Kreuzprobe, gesetzlich vorgeschriebene Prüfung der serolog. Verträglichkeit von Spender- und Empfängerblut vor einer Bluttransfusion. Bei der **Majorprobe** werden Empfängerserum mit Spendererythrozyten (rote Blutkörperchen), bei der **Minorprobe** Empfängererythrozyten mit Spenderserum zusammengebracht. Eine Unverträglichkeit äußert sich durch Verklumpung.

Kreuzprodukt, das →kartesische Produkt.

Kreuzritter, 1) Teilnehmer an den Kreuzzügen. **2)** Mitgl. des Dt. Ordens.

Kreuzschmerzen, Schmerzen im Bereich der unteren Wirbelsäule und Lendengegend. K. treten bei Wirbelsäulenerkrankungen (meistens degenerativer Art) sowie Überlastungen der Rückenmuskulatur bei Fußdeformitäten (z. B. Plattfuß) oder Erkrankungen des Bauchraums bzw. Beckens auf. (→Hexenschuss)

Kreuzschnäbel (Loxia), Finkengattung mit gekreuzten Schnabelspitzen. Der **Fichten-K.** (Loxia curvirostra) der europ. Gebirgswälder frisst bes. Fichtensamen. Die Männchen sind ziegelrot, Weibchen und Junge grünlich. Der **Kiefern-K.** (Loxia pytyopsittacus) lebt in Skandinavien und N-Russland.

Kreuzsee, das Aufeinandertreffen von Seegang oder Dünung aus versch. Richtungen, wobei eine steile, unruhige See entsteht.

Kreuzspinne (Araneus diadematus), große Radnetzspinne mit weißer Kreuzzeichnung auf dem Hinterleib; Weibchen bis 17 mm lang. Bild S. 80

Kreuzspul|instrument, elektr. Messgerät mit zwei gegeneinander verdrehten Spulen, dessen Zeigerausschlag vom Verhältnis der durch die beiden Spulen fließenden Ströme abhängt (Quotien-

Kreuzkraut: Gemeines Kreuzkraut (Höhe 10–50 cm)

Kreuzschnäbel: Männchen (oben) und Weibchen des Fichtenkreuzschnabels (Größe etwa 15 cm)

tenmesswerk); Anwendung u.a. zur Leistungs- und Widerstandsmessung.

Kreuzstab, der →Jakobsstab.

Kreuztal, Stadt im Kr. Siegen-Wittgenstein, NRW, im Siegerland; 32300 Ew.; Stahlwerk, Walzwerke und Maschinenbau, Eisen und Blech verarbeitende Ind., Brauereien. – 1969 aus 12 Gemeinden neu gebildet.

Kreuzung, 1) *Tier- und Pflanzenzucht:* (Kreuzungszüchtung) die Paarung von Individuen mit unterschiedl. Erbanlagen; d.h. Rassen, Sorten, Arten. (→Bastard).

2) *Verkehrswesen:* Überschneidung oder Zusammenführung von meist zwei Verkehrswegen gleicher oder ungleicher Verkehrsart. K. von Straßen untereinander oder z.B. von Straße und Eisenbahn befinden sich entweder in gleicher Höhe **(höhengleiche K.),** oder der eine Verkehrsweg ist als Über- oder Unterführung ausgeführt **(höhenfreie** oder **planfreie Kreuzung).**

Kreuzverhör, Vernehmung eines Zeugen oder Sachverständigen im Strafprozess im Wechsel von Staatsanwalt und Verteidiger (bevor der Vors. des Gerichts ergänzende Fragen stellen kann). Dieses im angloamerikan. Strafprozess wichtige Mittel zur Wahrheitsfindung wird im dt. Strafprozess nur selten und nur auf übereinstimmenden Antrag von Staatsanwalt und Verteidiger angewandt (§239 StPO). – Die *österr.* StPO erwähnt das K. nicht; in der *Schweiz* ist es nicht üblich.

Kreuzweg, 1) *kath. Kirche:* der Leidensweg Jesu vom Haus des Pilatus (Burg Antonia) zu seiner Hinrichtungsstätte (Golgatha); wurde bereits von den ersten christl. Pilgern in Jerusalem betend abgeschritten; seit dem MA. in der kath. Kirche eine v.a. in der Passionszeit im Freien geübte Andachtsform, die den K. Jesu Christi symbolisch nachvollzieht; seit dem 17. Jh. als **K.-Andacht** in 14 Stationen (urspr. 7) auch in den Kirchen geübt; spielt heute als Frömmigkeitsform eine große Rolle in lateinamerikan. Basisgemeinden. Christi Leiden wird in Beziehung gesetzt zum Leiden der gesellschaftlich Ausgegrenzten und Benachteiligten.

Kreuzspinnen ernähren sich vorwiegend von Mücken und Fliegen

2) *Volksglauben:* Kreuzungsstelle von Wegen, gilt im Aberglauben vieler Völker als Versammlungsort der Hexen und Geister.

Kreuzworträtsel, Rätsel, bei dem die gesuchten Wörter in waage- und senkrechter Richtung buchstaben- oder silbenweise in viereckige Kästchen eingetragen werden.

Kreuzzeichen, in den christl. Kirchen (seit dem 2. Jh. nachweisbar) der Brauch, mit der Hand über sich selbst, andere Personen oder Sachen ein Kreuz zu zeichnen; Gebärde des Gebets und der Segenserteilung, in der kath. Volksfrömmigkeit auch der Abwehr von Unheil; Bestandteil der christl. Liturgie; in den evang. Kirchen nur als liturg. Segenserteilung ausgeübt.

Kreuzzüge, allg. die im MA. von der Kirche propagierten oder unterstützten Kriege gegen Ungläubige (z.B. heidn. Wenden, Preußen) und Ketzer (z.B. Albigenser) zur Ausbreitung oder Wiederherstellung des kath. Glaubens; i.e.S. die sieben vom 11. bis 13. Jh. geführten Kriegszüge der abendländ. Christenheit zur Rückeroberung der hl. Stätten von islam. Herrschaft. Anlass für den Beginn der K. war die Eroberung Jerusalems 1070 durch die türk. Seldschuken, die daraus resultierende Erschwerung der Pilgerfahrten ins »Hl. Land« und die Bedrohung Ostroms (Hilferuf des byzantin. Kaisers). Es entstand eine breite K.-Bewegung, verbunden mit der Gründung neuer Orden (z.B. Kreuzherren, v.a. aber geistl. Ritterorden wie Templer, Johanniter, Dt. Orden) und einer allg. Aufwertung der Kreuzesfrömmigkeit (Kreuz als Symbol der K.). Zur Sicherung der von ihnen eroberten Gebiete errichteten die Kreuzfahrer zahlr. Befestigungsanlagen (Kreuzfahrer- bzw. Kreuzritterburgen, z.B. Krak des Chevaliers in W-Syrien, etwa 80 km westl. von Homs, aus dem 12./13. Jh.); es entstanden mehrere Kreuzfahrerstaaten. Der **1. Kreuzzug** (1096–99), zu dem Papst Urban II. auf dem Konzil von Clermont am 27. 11. 1095 aufrief, begann als Volkskreuzzug (begleitet von Judenverfolgungen in Rouen und bes. im Rheinland) unter Führung von Predigern wie Peter von Amiens und endete, nachdem diese zumeist zügellosen Scharen im Okt. 1096 in Kleinasien von den Seldschuken vernichtend geschlagen wurden, mit der Eroberung Jerusalems (15. 7. 1099) durch ein Heer frz., lothring. und normann. Ritter. Als der 1099 zum »Vogt (Beschützer) des Hl. Grabes« ernannte Gottfried von Bouillon, Herzog von Niederlothringen, starb (1100), wurde sein Bruder Balduin der erste König von Jerusalem. Die teilw. schon vorher entstandenen Kreuzfahrerstaaten – neben dem Königreich Jerusalem die Grafschaft Edessa, das Fürstentum Antiochia und die Grafschaft Tripolis – schwächten einander durch Rivalitäten und Thronwirren. Als der Islam sich zum

Kreuzzüge
Beschluss des Konzils von Clermont 1095 über den 1. Kreuzzug: »Wenn einer allein aus religiösen Motiven, nicht zum Erwerb von Ruhm oder Geld, zur Befreiung der Kirche Gottes nach Jerusalem aufgebrochen ist, so soll das alle für irgendwelche Vergehen nötigen Bußleistungen aufwiegen.«

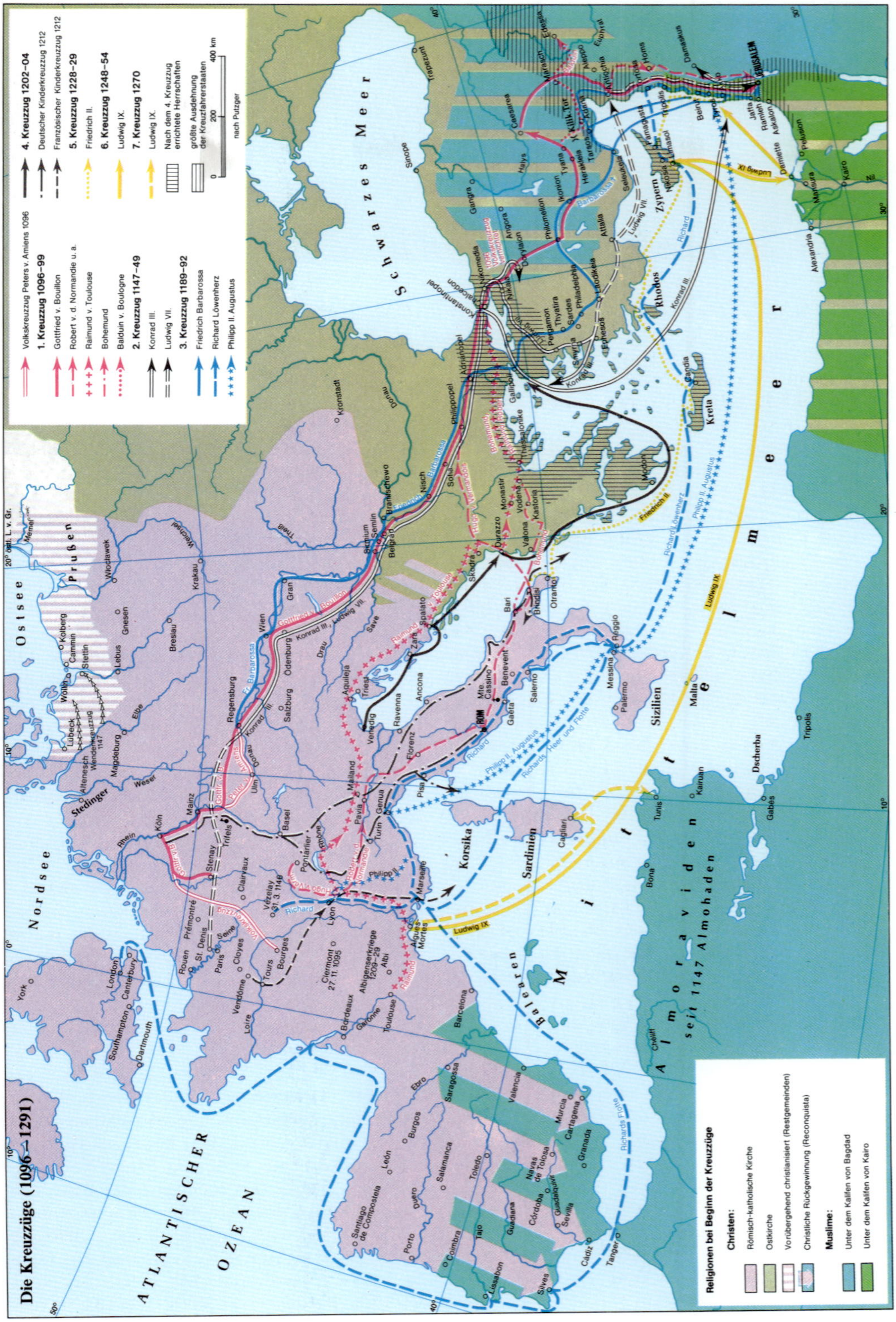
Die Kreuzzüge (1096–1291)
Volkskreuzzug Peters v. Amiens 1096
1. Kreuzzug 1096–99
Gottfried v. Bouillon
Robert v. d. Normandie u. a.
Raimund v. Toulouse
Bohemund
Balduin v. Boulogne
2. Kreuzzug 1147–49
Konrad III.
Ludwig VII.
3. Kreuzzug 1189–92
Friedrich Barbarossa
Richard Löwenherz
Philipp II. Augustus
4. Kreuzzug 1202–04
Deutscher Kinderkreuzzug 1212
Französischer Kinderkreuzzug 1212
5. Kreuzzug 1228–29
Friedrich II.
6. Kreuzzug 1248–54
Ludwig IX.
7. Kreuzzug 1270
Ludwig IX.
Nach dem 4. Kreuzzug errichtete Herrschaften
größte Ausdehnung der Kreuzfahrerstaaten
0 200 400 km
nach Putzger
Religionen bei Beginn der Kreuzzüge
Christen:
Römisch-katholische Kirche
Ostkirche
Vorübergehend christianisiert (Restgemeinden)
Christliche Rückgewinnung (Reconquista)
Muslime:
Unter dem Kalifen von Bagdad
Unter dem Kalifen von Kairo
Schwarzes Meer
Mittelmeer
Nordsee
Ostsee
ATLANTISCHER OZEAN
Almoraviden seit 1147 Almohaden
Preußen
Stedinger
Wendenkreuzzug 1147
Korsika
Sardinien
Sizilien
Kreta
Rhodos
Zypern
Balearen
Kilik. Tor
JERUSALEM
ROM
Konstantinopel
Clermont 27. 11. 1095
Vézelay 31. 3. 1146
Albigenserkriege 1209–29

Kreuzzüge: Die Kreuzfahrerburg Krak des Chevaliers wurde im 12./13. Jh. in Westsyrien auf einem 700 m hohen, an drei Seiten schwer zugänglichen Hügel errichtet

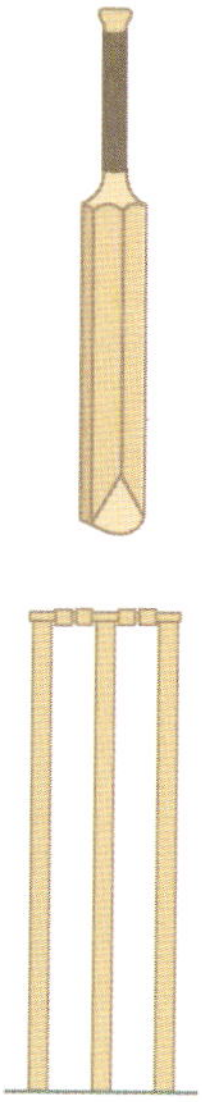

Kricket (von oben): Schlagkeule (Bat) und Tor (Wicket)

Gegenstoß sammelte und Edessa ihm 1144 erlag, rief Bernhard von Clairvaux zum **2. Kreuzzug** (1147–49). An ihm beteiligten sich der Staufer Konrad III., Ludwig VII. von Frankreich sowie Roger II. von Sizilien. Doch scheiterte er bereits auf dem Marsch durch Kleinasien. Der unter Führung Kaiser Friedrichs I. Barbarossa unternommene, durch die Einnahme Jerusalems durch Sultan Saladin (1187) ausgelöste **3. Kreuzzug** (1189 bis 1192), an dem auch die Könige Philipp II. August von Frankreich und Richard I. Löwenherz von England teilnahmen, führte nur zur Eroberung Akkos (1191), nachdem Friedrich 1190 gestorben war und die ihm nachfolgenden Könige sich entzweit hatten. Der **4. Kreuzzug** (1202–04) erreichte das Hl. Land nicht, sondern führte auf Betreiben des venezian. Dogen Dandolo nach Konstantinopel (Zerschlagung des Byzantin. Reiches und Errichtung des Lat. Kaiserreichs). Den **5. Kreuzzug** (1228/29) unternahm Kaiser Friedrich II. nach der Bannung durch Papst Gregor IX.; er erreichte bei Sultan Al-Kamil die Freigabe der christl. Pilgerstätten und krönte sich 1229 zum König von Jerusalem (die Stadt ging 1244 wieder verloren). Auf dem **6. Kreuzzug** (1248–54) eroberte Ludwig IX. von Frankreich Damiette (Ägypten), geriet mit seinem Heer in Gefangenschaft, wurde aber gegen Lösegeld freigelassen. Auf dem **7. Kreuzzug** (1270), der sich gegen Tunis richtete, starb Ludwig IX. Die Gesch. der Kreuzfahrerstaaten endete mit der Einnahme Akkos 1291 durch die Muslime. – Der sog. **Kinderkreuzzug** von 1212, der mittelalterl. Überlieferung nach ein von N-Frankreich und dem Rheinland ausgehender Kreuzzug Tausender Kinder, war nach Ansicht der neueren Forschung wahrscheinlich v.a. ein Zug armer Leute (Knechte, Landarbeiter, Tagelöhner), der bereits in Italien scheiterte. – Die K., die viele Tausend Menschen das Leben kosteten und neben den vordergründig religiösen auch wirtsch. und polit. Motive hatten, erzielten keine anhaltenden Erfolge, förderten aber das Verständnis für das griechisch-oriental. Geistesgut.

📖 TATE, G.: *Die Kreuzritter. A. d. Frz. Ravensburg ^{6}1994.* – MAYER, HANS E.: *Geschichte der K. Stuttgart u. a. ^{8}1995.* – RUNCIMAN, S.: *Geschichte der K. A. d. Engl. Tb.-Ausg. München 1995.* – ERBSTÖSSER, M.: *Die K. Eine Kulturgeschichte. Leipzig ^{3}1996.* – MAALOUF, A.: *Der Heilige Krieg der Barbaren. Die K. aus der Sicht der Araber. A. d. Frz. München 1996.*

Kreuzzugsdichtung, mittelalterl. Dichtung, die einen Kreuzzug zum Thema hat. Nach der überlieferten **Kreuzzugsepik** lassen sich unterscheiden: 1. Dichtungen, die den Kreuzzug propagieren (»Rolandslied« des Pfaffen Konrad, 12. Jh.; »Chanson d'Antioche« von Richard le Pèlerin, vor 1099; »Livländ. Reimchronik«, Ende des 13. Jh.; »Kreuzfahrt Ludwigs des Frommen«, Anfang des 14. Jh.); 2. Dichtungen, die den Kreuzzug als Hintergrunds- oder Rahmenhandlung literarisieren (u. a. »Orendel«, 12. Jh.; »König Rother«, um 1150). In der Lyrik entwickelte sich die Form des **Kreuzliedes;** sein Hauptmotiv ist ein Aufruf zum Glaubenskrieg gegen »Heiden« oder Häretiker.

📖 WISNIEWSKI, R.: *K. Darmstadt 1984.*

Kribbe, → Buhne.

Kricke, Norbert, Bildhauer, *Düsseldorf 30. 11. 1922, † ebd. 28. 6. 1984; realisierte seine von der Bewegung im Raum her konzipierten Werke v. a. in Plastiken aus Stahlstäben sowie architekturbezogenen Kompositionen, in deren Gestaltung er auch Wasser einbezog.

Krickel, Gehörn der Gämse.

Krick|ente, → Enten.

Kricket *das* (engl. Cricket), zu den Schlagball- oder Abwurfspielen gehörendes Sportspiel zw. zwei Mannschaften (je 11 Spieler). Auf dem ovalen Spielfeld (Größe mindestens 60 × 80 m) befinden sich im Abstand von 20,12 m die beiden Tore (Wickets) aus jeweils drei nebeneinander stehenden Stäben. Der Ball ist ein 156–163 g schwerer, mit rotem Leder überzogener Korkball von 22,38–22,86 cm Umfang. Die Werfer der **Feldpartei** versuchen die Tore einzuwerfen, die von je einem Schläger der **Schlagpartei** mit der Schlagkeule (Bat) verteidigt werden. Die geworfenen Bälle sollen möglichst weit weggeschlagen werden, damit die beiden Schläger, bis es einem Spieler der Feldpartei gelingt, ein Tor einzuwerfen, möglichst viele Platzwechsel zw. den beiden Toren ausführen können. Die Schlagpartei hat immer nur zwei Spieler im Feld; haben alle Spieler geschlagen, ist eine Verteidigung vorbei. Es werden zwei oder vier Durchgänge gespielt; Punktwertung nach gelungenen Läufen.

Krida [italien.] *die,* im österr. Recht die betrüger. oder fahrlässige Herbeiführung der Zahlungsunfähigkeit (§§ 156, 159 StGB).

Kriebelmücken (Kribbelmücken, Melusinidae, Simulidae), Familie fliegenähnlicher Mücken; etwa 2–6 mm lang, kurzbeinig und von gedrungenem Bau. Die Larven entwickeln sich in Fließgewässern. Die Blut saugenden Weibchen fliegen oft in großen Schwärmen und können bei Massenbefall den Tod von Weidetieren hervorrufen.

Kriechblume (Krabbe), in der Gotik ein blatt- oder blumenähnlich gebildetes Bauornament an den schräg ansteigenden Kanten von Wimpergen, Turmhelmen und Fialen.

Kriechen, *Werkstoffkunde:* zeitabhängiges Verformungsverhalten eines Materials bei unveränderter Belastung. Bei metall. Werkstoffen tritt K. oberhalb einer für jeden Werkstoff charakterist. Temperatur bereits bei Belastungen unterhalb der Fließgrenze auf. Die **Kriechgrenze** oder **Dauerstandfestigkeit** ist definiert als die Grenzspannung, bei der die auftretende plast. Deformation nach endl. Zeit zum Stillstand kommt und bei deren Überschreiten schließlich Bruch eintritt. – Bei Kunststoffen tritt K. bereits bei Normaltemperatur auf (»kalter Fluss«), wobei die Verformung u.a. von der chem. Natur des Materials abhängt.

Kriechstrom, ein unerwünschter Strom, der entlang der Oberfläche eines Isolierstoffs zwischen zwei Spannung führenden Elektroden fließt, wenn das Isolationsvermögen des Isolierstoffes, z.B. durch Feuchtigkeit, herabgesetzt ist.

Kriechtiere (Reptilien, Reptilia), Klasse der Wirbeltiere mit den Ordnungen der Schildkröten, Brückenechsen, Krokodile und Schuppen-K. (Echsen und Schlangen). Körperbau, Größe und Lebensweise sind sehr unterschiedlich. Meist sind vier Gliedmaßen ausgebildet, die jedoch vollständig zurückgebildet sein können (z.B. bei Schlangen, einigen Echsen). Vorder- und Hinterextremitäten tragen normalerweise fünf Zehen. Die drüsenarme, trockene Haut ist mit hornigen Schuppen oder größeren Schildern bedeckt. Die Körpertemperatur entspricht, bis auf wenige Ausnahmen (z.B. bei Waranen, Pythonschlangen), der Umgebungstemperatur und wird hauptsächlich durch angepasstes Verhalten (Aufwärmen in der Sonne, Abkühlen im Schatten oder Wasser bei großer Hitze) reguliert. In gemäßigten Breiten wird der Winter oft in Kältestarre überdauert. Die K. sind lungenatmende Tiere ohne Verwandlung (Metamorphose); sie entwickeln sich aus Eiern, die an Land abgelegt werden oder im Muttertier ausreifen und von den Jungen vor oder bei der Geburt gesprengt werden (z.B. Waldeidechse). Die K. sind v.a. Land- und Süßwasserbewohner wärmerer Erdgebiete; wenige Arten leben im Meer; sie ernähren sich meist von tier., z.T. auch von pflanzl. Kost (z.B. Schildkröten). Die Stammesgeschichte der K. reicht bis in das obere Karbon zurück. (→ Dinosaurier)

🕮 *Urania-Tierreich: Fische, Lurche, K., Beiträge v.* K. Deckert *u.a. Leipzig u.a. 1991. – Lurche u. K. Europas, Beiträge v.* W.-E. Engelmann *u.a. Radebeul* [2]*1992.*

Krieg [ahd. »Hartnäckigkeit«], organisierter, mit Waffengewalt ausgetragener Machtkonflikt zw. Völkerrechtssubjekten oder zw. Bev.gruppen innerhalb eines Staates (→ Bürgerkrieg) zur gewaltsamen Durchsetzung polit., wirtsch., ideolog. oder militär. Interessen. **Völkerrechtlich** tritt mit Beginn des K.-Zustandes (durch Abgabe einer K.-Erklärung bzw. durch Eröffnung des militär. Kampfes) das Friedensvölkerrecht außer Kraft. Der K.-Zustand kann durch den Abschluss eines Friedensvertrages, durch die endgültige, offiziell bekannt gemachte Einstellung der Kampfmaßnahmen oder durch den Untergang einer der Krieg führenden Parteien (Debellation) beendet werden. – **K.-Formen:** Nach der Absicht der Krieg führenden Parteien kann man Angriffs-, Verteidigungs-, Eroberungs-, Revanche-, Befreiungs-, Kolonial-, Religions- oder → heilige Kriege unterscheiden, nach der Art der K.-Führung Bewegungs- und Stellungs-K., Partisanen- und Guerilla-K., nach der territorialen Ausweitung des K. einerseits lokale oder regionale K., andererseits globale oder Welt-K., nach dem Raum, in dem der K. überwiegend stattfindet, Land-, Luft- und See-K., nach den zum Einsatz kommenden

»Das große Karthago führte drei **Kriege.** *Es war noch mächtig nach dem ersten, noch bewohnbar nach dem zweiten. Es war nicht mehr auffindbar nach dem dritten.«*

Bertolt Brecht

Krieg

Der Krieg ist der Vater aller Dinge

Der altgriechische Philosoph Heraklit führt alles Werden und Vergehen in der Welt auf den immer währenden Kampf entgegengesetzter Kräfte zurück, auf den ewigen Wechsel und die stete Bewegung der Dinge und kommt zu dem Schluss: »Der Krieg ist der Vater aller Dinge, der König aller Dinge.« Das Zitat ist später als eine grundsätzlich positive Bewertung des Krieges missdeutet worden; man brachte damit die Überzeugung zum Ausdruck, dass militärische Auseinandersetzungen entscheidend zum allgemeinen technischen und politisch-gesellschaftlichen Fortschritt der Menschheit beigetragen hätten.

Kampfmitteln konventionelle K., Atom-K., chem. und biolog. Kriege.

Die Frage nach der eth. Berechtigung des K. hat die Menschen seit Jahrtausenden beschäftigt. Seit der Antike wird der K. als Bewährungsprobe, schicksalbestimmende Kraft, aber auch als sittl. Gefahr betrachtet. Augustinus erlaubte den **gerechten Krieg (Bellum iustum)** als Mittel zur Wiederherstellung verletzten Rechts, mit einem gerechten Ziel und unter Anwendung rechtmäßiger Methoden. Diese Lehre blieb seit dem MA. (Thomas von Aquin) maßgebend; sie wurde auch von dem entstehenden Völkerrecht (F. de Vitoria, H. Grotius) aufgenommen. Während die Lehre vom Bellum iustum bes. im Zeitalter der Kabinettskriege (17./18.Jh.) zu einer bloßen Formel wurde, gewann die Lehre vom freien Kriegführungsrecht der Staaten **(Ius ad Bellum)** und die **Lehre vom Gleichgewicht der Macht** an Bedeutung, aus der die Berechtigung eines Präventiv-K. zur Verhinderung der Übermacht eines einzelnen Staates abgeleitet wurde. In seinem Werk »Vom Kriege« (1816–30) kennzeichnet C. von Clausewitz den K. als einen »Akt der Gewalt, um den Gegner zur Erfüllung unseres Willens zu zwingen ..., nichts anderes als eine Fortsetzung des politischen Verkehrs mit Einmischung anderer Mittel«. Das nationalstaatlich denkende 19. Jh. sah im K. das letzte Mittel der Machtbewährung des Staates und die Gestaltungsmacht der Geschichte (H. von Treitschke). Andererseits sind seit dem 19. Jh. die Bemühungen gewachsen, die Kriegsgefahr durch polit. Entspannung und völkerrechtl. Sicherungen zu vermindern. Nach der Satzung der UNO (Art. 2 Nr. 4 und Art. 51) ist ein K. nur noch als Ausübung des Rechts auf individuelle oder kollektive Selbstverteidigung oder als militär. Sanktion des Sicherheitsrates zur Aufrechterhaltung oder Wiederherstellung des internat. Friedens und der internat. Sicherheit erlaubt.

Die gegenwärtige Haltung zum K. ist politisch wesentlich dadurch bestimmt, dass die hoch entwickelte K.-Technik und das nukleare Vernichtungspotenzial zu einer tödl. Gefahr für die Menschheit und ihre Kultur geworden sind. Ferner haben Opfer und Schäden beider Weltkriege, das jahrzehntelange Wettrüsten und die Tatsache, dass auf beide Weltkriege des 20. Jh. keine dauerhafte und allgemeine Wiederherstellung eines rechtlich und politisch begründeten Friedens folgte, zu einer weltweiten Ausbreitung der Kriegsgegnerschaft geführt (→Friedensbewegung, →Friedensforschung, →Pazifismus). Nach dem Wegfall der Blockkonfrontation (1989–91) und dem Zusammenbruch des östl. Militärbündnisses ist die Gefahr eines globalen (atomaren) K. zunächst gebannt. Es wächst aber die Gefahr der Entstehung von K. aus zwischen- oder innerstaatl. Konfliktherden im Zusammenhang mit Glaubens- und Nationalitätenkonflikten (z.B. im ehem. Jugoslawien, in Kaukasien und Mittelasien) sowie um wirtsch. und polit. Einfluss in einer Region.

📖 *Vom K.e. Hinterlassenes Werk des Generals Carl von Clausewitz, hg. v.* W. Hahlweg. *Bonn [19]1980, Nachdr. ebd. 1991.* – Kaiser, D. E.: *K.e in Europa. Machtpolitik von Philipp II. bis Hitler. A. d. Amerikan. Hamburg 1992. – Die K.e nach dem Zweiten Weltkrieg 1945 bis 1992. Daten u. Tendenzen, hg. v.* K. J. Gantzel *u. a. Neuausg. Münster 1995.*

Krieg, Dieter, Maler und Zeichner, *Lindau (Bodensee) 21. 5. 1937; studierte u.a. bei HAP Grieshaber; seine frühen Bilder stellen die verkümmerte menschl. Figur dar; später folgten Objekte sowie Darstellungen isolierter Alltagsgegenstände, Übergang zu großflächiger Malerei.

Dieter Krieg: Ohne Titel (1988/89; Privatbesitz)

Krieger, 1) Adam, Komponist, *Driesen (heute Drezdenko, Wwschaft Gorzów) 7. 1. 1634, †Dresden 30. 6. 1666; Organist in Leipzig (1655–57) und Dresden (ab 1658), vertonte selbst gedichtete »Arien« für Singstimmen mit Instrumentalbegleitung; einer der profiliertesten Meister des dt. Barockliedes.

2) Johann Philipp, Komponist, *Nürnberg 26. 2. 1649, †Weißenfels 7. 2. 1725; seit 1680 Hofkapellmeister in Weißenfels, das unter ihm eine Pflegestätte der dt. Oper wurde; schuf neben Opern Triosonaten, Sonaten, geistl. Arien, Kantaten.

Kriegführung, Sammelbez. für Theorie und Praxis der Vorbereitung und Durchführung von Kampfhandlungen. Die K. wird hinsichtlich der unterschiedl. Dimensionen der Kampfhandlungen in →Taktik, operative Führung (→Operation) und →Strategie unterteilt.

Kriegs|anleihe, →Kriegsfinanzierung.

Kriegs|artikel, Pflichtenlehre und Verzeichnis der Strafen für den Soldaten, in Preußen seit 1713

K. genannt. Die für das dt. Heer bis zum 1. Weltkrieg geltenden K. stammten von 1902.

Kriegsberichterstattung, die Berichterstattung über militär. Ereignisse in Presse, Film, Hörfunk und Fernsehen. Die **amtl. K.** geschieht durch offizielle Verlautbarungen der militär. Führung und kann Teil der psycholog. Kriegführung sein. Art und Umfang der **nichtamtl. K.** hängen von der publizist. Praxis, vom jeweiligen Medium und von den polit. und militär. Umständen in den Krieg führenden Ländern ab (kriegsrechtl. Bestimmungen, Zensur).

Kriegsbeschädigte, Personen, die durch Kriegshandlungen gesundheitlich geschädigt worden sind; heute durch den Begriff Beschädigte ersetzt (→ Kriegsopferversorgung).

Kriegsdienst, Ableistung der Militärzeit bei den Streitkräften; in der Bundesrep. Dtl. Wehrdienst (→ Wehrpflicht).

Kriegsdienstverweigerung, die Weigerung, Kriegsdienst mit der Waffe zu leisten. In Dtl. ist die K. durch Art. 4 Abs. 3 S. 1 GG als Grundrecht geschützt; danach darf niemand gegen sein Gewissen zum Kriegsdienst mit der Waffe gezwungen werden. Hierzu gehören alle Tätigkeiten, die in unmittelbarem Zusammenhang mit Kriegswaffen stehen, auch die Kriegsdienstausbildung im Frieden. Auf das Recht der K. kann sich nur berufen, wer eine Gewissensentscheidung gegen »das Töten im Krieg schlechthin« getroffen hat, eine nur situationsbedingte Verweigerung wird nicht anerkannt. Nach dem K.-Ges. (KDVG) vom 28. 2. 1983 entscheidet das Bundesamt für Zivildienst aufgrund eines schriftl. Antrages des ungedienten Verweigerers. Dem Antrag sind ein ausführl. Lebenslauf und die Beweggründe für den Antrag beizufügen. Er hindert die Einberufung zum Wehrdienst, befreit aber nicht von der Pflicht zur Wehrerfassung und Musterung. Bei begründeten Zweifeln an der Ernsthaftigkeit der behaupteten Gewissensentscheidung entscheidet ein beim Kreiswehrersatzamt gebildeter Ausschuss, ggf. nach persönl. Anhörung. Bei gedienten oder dienenden Soldaten findet stets eine Überprüfung in einem Verfahren vor den Prüfungsausschüssen statt. Die Verweigerung auch des → Zivildienstes (»Totalverweigerung«) ist nicht rechtens, doch ist für Zivildienstverweigerer aus Gewissensgründen die Möglichkeit geschaffen, in bestimmten freien Arbeitsverhältnissen den Dienst abzuleisten.

Der Anteil der Wehrpflichtigen eines Jahrgangs, die einen K.-Antrag stellen, liegt bei 28%, nachdem er Anfang der 1990er-Jahre (Golfkrieg) vorübergehend höher gelegen hatte.

Österreich: Wehrpflichtige männl. Staatsbürger, die aus Gewissensgründen die Erfüllung der Wehrpflicht verweigern und hiervon befreit werden, haben gemäß Art. 9a Abs. 3 Bundes-Verf.-Ges. einen Ersatzdienst zu leisten.

Schweiz: Ein Recht auf K. aus Gewissensgründen (Dienstverweigerung) wurde bis zur Einführung eines »waffenlosen Dienstes« im Jahre 1989 nicht anerkannt und K. unter Strafe gestellt. Die Verfassungsgrundlage für einen zivilen Ersatzdienst ohne vorangehendes militärgerichtl. Verfahren wurde durch Volksabstimmung vom 17. 5. 1992 geschaffen.

📖 SCHWAMBORN, W. *u.* MÜLLENDER, B.: *Hb. für Kriegsdienstverweigerer. Köln* [12]*1991.* – BRECHT, H.-T.: *K. u. Zivildienst. München* [3]*1992.* – *K. Ein Ratgeber, mit Beiträgen v.* J. BRAUNS *u. a. Köln 1996.* – KRUMMACHER, J. *u.* HEFERMEHL, H.: *Ratgeber für Kriegsdienstverweigerer. Stuttgart 1996.*

Kriegs|erklärung, im Völkerrecht eine einseitige, formlose, unzweideutige Willenserklärung gegenüber der gegner. Partei, die den Eintritt des Kriegszustandes ankündigt. In neuerer Zeit werden Kriege meist ohne K. begonnen. Die rechtl. Wirkungen des Kriegszustandes treten auch ohne K. ein.

Kriegsfinanzierung, die Beschaffung der im Kriegsfall benötigten finanziellen Mittel. Verschärfte Besteuerung ist bei der Höhe des Finanzbedarfs selten ausreichend, sodass staatl. Kreditaufnahme (Auflegung von **Kriegsanleihen,** so im 1. Weltkrieg im Dt. Reich, insgesamt 98,7 Mrd. M) oder Geldschöpfung (»geräuschlose K.« im 2. Weltkrieg) erforderlich ist. K. führte nach den beiden Weltkriegen zur Inflation, z. T. auch zu Währungszusammenbrüchen. Die Kriegskosten wurden z. T. auch durch ausländ. Hilfsleistungen und Auslandsanleihen bei Verbündeten gedeckt. Die Kriegsschulden der europ. Staaten bei den USA belasteten die internat. Wirtschaft nach dem 1. Weltkrieg schwer; daher haben die USA im 2. Weltkrieg ihre Hilfe an die Verbündeten durch das → Lend-lease-System gewährt.

Kriegsflagge, staatliches Hoheitszeichen auf Kriegsschiffen und militär. Dienstgebäuden, meist unterschieden durch Beizeichen von der National- und Handelsflagge.

Kriegsflugzeug, → Kampfflugzeug.

Kriegsfolgenrecht, das gesamte Recht zur Regelung der mit dem 2. Weltkrieg, dem militär., polit. und wirtsch. Zusammenbruch des Dt. Reiches sowie mit Verfolgungsmaßnahmen der nat.-soz. Gewalthaber zusammenhängenden Verbindlichkeiten. Die wichtigsten Gebiete sind: Wiedergutmachung, Lastenausgleich, Heimkehrerrecht, Kriegsopferversorgung, Recht der Flüchtlinge, Vertriebenen und Evakuierten, Recht der früheren Angehörigen des öffentl. Dienstes, Währungsumstellung, Besatzungsschäden, Auslandsschulden

(→Londoner Schuldenabkommen), Reparations-, Restitutions- und Rückerstattungsschäden, Regelung der Verbindlichkeiten öffentl. Körperschaften; das letztere Rechtsgebiet wird v.a. durch das **Allg. Kriegsfolgengesetz** vom 5. 11. 1957 geregelt. Das Gesetz legt fest, dass alle Ansprüche gegen das Dt. Reich, die Sondervermögen (z.B. Dt. Reichsbahn), das Land Preußen und das Unternehmen Reichsautobahnen ersatzlos untergegangen sind, soweit nicht dieses Gesetz oder andere Rechtsvorschriften (z.B. Lastenausgleich) Entschädigungen vorsehen. Festlegungen zur Wirksamkeit des K. in den neuen Bundesländern enthält Anlage I zum Einigungsvertrag. Das Kriegsfolgenbereinigungs-Ges. vom 21. 12. 1992 passte das K. insbesondere an die veränderten Bedingungen nach der dt. Wiedervereinigung an. – Zwischen 1949 und 1974 wurden durch die Bundesrep. Dtl. etwa 650 Mrd. DM als Kriegsfolgelasten aufgebracht.

Kriegsgefangene, die in Feindeshand gefallenen Angehörigen von Streitkräften und Personen mit dem Status von →Kombattanten. Während K. früher rechtlos waren, sichert ihnen das heutige Völkerrecht durch die →Haager Landkriegsordnung und die →Genfer Konventionen ihre bürgerl. Rechtsfähigkeit sowie eine unter allen Umständen menschenwürdige Behandlung zu. Der Status des K. dient dem Schutz der Einzelperson, die in ihrer Bewegungsfreiheit einzig zu dem Zweck behindert wird, sie von weiteren Feindseligkeiten abzuhalten. K. unterstehen der Reg. des Krieg führenden Staates, nicht der gefangen nehmenden Armee. Nach dem Ende der Feindseligkeiten sind sie in ihre Heimat zu entlassen.

Kriegsgericht, nach früherem Militärrecht das erkennende Gericht im Militärstrafverfahren. In Dtl. sind für die Aburteilung von militär. Straftaten im Frieden die ordentl. Strafgerichte zuständig. Art. 96 Abs. 2 GG sieht die Errichtung von besonderen **Wehrstrafgerichten** vor, die aber nur im Verteidigungsfall oder gegenüber Angehörigen der Streitkräfte im Ausland oder an Bord von Kriegsschiffen tätig werden können.

Kriegsgeschichte, →Militärgeschichte.

Kriegsgräberfürsorge, die Sorge für die Auffindung, Instandhaltung und Pflege der Gräber und Friedhöfe der in Kriegen Gefallenen (Dtl.: über 6 Mio. mit Gräbern in 80 Ländern). Alleiniger Träger ist der **Volksbund Deutsche Kriegsgräberfürsorge e.V.,** Kassel. Er verwaltet die **Zentralgräberkartei,** führt den **Gräbernachweis** durch, vermittelt Kranz- und Blumenspenden sowie Grabfotos, veranstaltet Gemeinschaftsreisen zu Soldatenfriedhöfen im Ausland und wirkt maßgeblich bei deren Gestaltung in Dtl. mit.

Kriegskommunismus, →Sowjetunion, Geschichte.

Kriegsmarine, die Teilstreitkraft eines Staates, mit der dieser die Seemacht in Krieg und Frieden ausübt. Den Kern einer K. bildet die (Kriegs-)Flotte, die die Gesamtheit der →Kriegsschiffe umfasst. Deren Versorgung, Wartung und Instandsetzung erfolgt in eigenen Marine- oder Flottenstützpunkten (Kriegshäfen). Moderne K. verfügen über see- und landgestützte Marine- oder Seeluftstreitkräfte (Marineflieger) für Aufklärungs- und Kampfaufgaben sowie über amphib. Kräfte (→Marineinfanterie). Zur Führung der Kriegsschiffe von Land aus gibt es besondere Führungs- und Fernmeldeeinrichtungen. In Dtl. heißt die K. als Teilstreitkraft der →Bundeswehr amtlich **Marine** bzw. **Bundesmarine.**

Kriegsmaschinen, Sammelbez. für die im Altertum und MA. bei Belagerungen eingesetzten Großgeräte, im MA. **Antwerk** genannt. Die K. lassen sich einteilen in **Schutzmaschinen** (bewegl. Schutzschirme, -dächer und -wände), **Trutz-** oder **Angriffsmaschinen** (Zerstörungsgerät, Wurfmaschinen und Angriffsgerät i.e.S.). Zu den **Zerstörungsgeräten** zählen u.a. Widder und Mauerbrecher, zu den **Wurfmaschinen** z.B. Katapulte, Onager und Mange. Als **Angriffsgeräte** i.e.S. bezeichnet man Belagerungsturm, Hebekasten, Sturmbrücke und Sturmwagenleiter.

Kriegsopferversorgung, die vom Staat zu tragenden Versorgungsleistungen für Personen, die infolge von Krieg oder Wehr- bzw. Zivildienst Gesundheitsschädigungen erlitten haben, bzw. an deren Hinterbliebene. Die K. ist geregelt im Bundesversorgungs-Ges. i.d.F.v. 22. 1. 1982 (BVG). Durch Bezugnahme auf das BVG im Bundesgrenzschutz-, Bundesseuchen-, Häftlingshilfe-, Opferentschädigungs-, Soldatenversorgungs-, Zivildienst-Ges. sowie im strafrechtl. Rehabilitierungs-Ges. wurde dessen ursprüngl. Geltungsbereich ausgeweitet. Das Sozialgesetzbuch verwendet für diese Regelungen den Oberbegriff »Recht der sozialen Entschädigung bei Gesundheitsschäden«. Die Versorgung umfasst u.a. die Heil- und Krankenbehandlung (im Wesentlichen entsprechend den Leistungen der Krankenversicherung; bei Arbeitsunfähigkeit Zahlung von **Versorgungskrankengeld**). Ist die Schädigung mit einer Minderung der Erwerbsfähigkeit (MdE) um wenigstens 50% verbunden, liegt eine Schwerbeschädigung vor. Schädigungsbedingte Einkommensausfälle und Mehraufwendungen kompensiert die **Beschädigtenrente.** Beschädigte erhalten eine Grundrente, gestaffelt nach dem Grad der MdE. Beschädigte, die durch die Folgen der Schädigung außergewöhlich betroffen sind können eine **Schwerstbeschädigtenzulage** erhalten. Schwerbeschädigte haben Anspruch auf zusätzl. Geldleistungen und ggf. **Ausgleichsrente,** wenn sie eine zumutbare Beschäftigung nur beschränkt ausüben können. Schädigungsbedingte Einkommenseinbußen werden ggf. durch einen **Berufsschadenausgleich** berücksichtigt. Hinterbliebenenrente wird an die Witwe, die Waisen und die Eltern gezahlt, wenn ein Beschädigter verschollen oder an den Folgen einer Schädigung gestorben ist. Weitere Leistungen sind das Bestattungs- sowie das Sterbegeld. Reichen die Leistungen der K. nicht aus, dem Beschädigten bzw. Hinterbliebenen eine angemessene Lebensstellung zu ermöglichen oder zu erhalten, wird ergänzend **Kriegsopferfürsorge** gezahlt.

Zuständig für die Durchführung der K. sind die (Landes-)Versorgungsämter, die orthopäd. Versorgungsstellen oder die Hauptfürsorgestellen. In den neuen Bundesländern wurde die K. zum 1. 1. 1991 eingeführt. – Ähnl. Vorschriften zur K. bestehen in *Österreich* mit dem K.-Ges. vom 14. 7. 1949 (KOVG). In der *Schweiz* sind die Entschädigungsleistungen des Bundes infolge Unfall und Krankheit im Militärdienst im Bundes-Ges. über die Militärversicherung vom 19. 6. 1992 geregelt.

📖 *Bundesversorgungsrecht mit Verfahrensrecht. Handkommentar, bearb. v.* K. Rohr *u.* H. Strässer, *Loseblatt-Ausg. St. Augustin* *^{6}1977 ff. – Bundessozialhilfegesetz. Mit Recht der Kriegsopferfürsorge. Kommentar, hg. v.* E. Oestreicher *u. a., Loseblatt-Ausg. München* *^{4}1991 ff.*

Kriegsrecht, 1) im Unterschied zum Friedensvölkerrecht die Rechtssätze des Völkerrechts, die während eines Krieges für die Krieg führenden Parteien untereinander wie gegenüber neutralen Staaten gelten; kodifiziert u.a. in der →Haager Landkriegsordnung und in den →Genfer Konventionen. Während in der Periode des klass. Völkerrechts der Grundsatz der Kriegsfreiheit galt, also der Souverän bestimmte, ob er seine Ziele auch mit krieger. Mitteln verfolgte, hat das 20. Jh. den Grundsatz des **Kriegsverbots** geprägt, das erstmals im Briand-Kellog-Pakt (1928) niedergelegt wurde und heute als allgemeine, zwingende Völkerrechtsnorm gilt und neben das fortbestehende Verteidigungsrecht getreten ist. In der Erkenntnis, dass Kriege meist nicht mehr durch Kriegserklärung beginnen und erst mit einem Friedensvertrag enden, ist der Begriff K. definitorisch durch den Begriff »Recht der bewaffneten Konflikte« ersetzt worden, ohne dass hierdurch eine inhaltl. Veränderung eingetreten wäre. Wichtigste Grundregel des K. ist die strenge Anweisung, Kriegshandlungen nur gegen militär. Objekte zu richten. Zivilpersonen und deren Eigentum dürfen nicht angegriffen werden. Kommen sie dennoch zu Schaden, werden solche »Kollateralschäden« vom K. nur geduldet, wenn sie als Nebenwirkungen in einem angemessenen Verhältnis zu dem angestrebten militär. Erfolg stehen. Truppenteile, die sich ergeben, dürfen nicht weiter bekämpft werden.

📖 Berber, F.: *Lehrbuch des Völkerrechts, Bd. 2: K. München* *^{2}1969.* – Kimminich, O.: *Schutz der Menschen in bewaffneten Konflikten. Zur Fortentwicklung des humanitären Völkerrechts. München 1979.* – Wolff, H.-J.: *Kriegserklärung u. Kriegszustand nach klass. Völkerrecht. Berlin 1990.*

2) im Staatsrecht die kriegsbedingten Änderungen des geltenden Rechts (→Notstandsverfassung).

Kriegsschäden, die dem Einzelnen durch Kriegseinwirkungen unmittelbar (Beschießung, Luftangriffe, Plünderung) oder mittelbar (Evakuierung, Vertreibung, Besetzung) entstandenen Personen- und Sachschäden. Die K. der eigenen Staatsangehörigen werden während des Krieges und nach dessen Ende durch besondere Gesetze geregelt, wobei allerdings i.d.R. nicht voller Ersatz, sondern nur angemessener Ausgleich unter Berücksichtigung der staatl. Leistungsfähigkeit gewährt wird. Festlegungen zum Ausgleich der K. von Angehörigen der feindl. und der neutralen Staaten erfolgen durch Friedensvertrag und durch besondere völkerrechtl. Vereinbarungen. (→Kriegsfolgenrecht)

Kriegsschiffe: Der Kriegsschiffverband der US-Marine im Indischen Ozean wird vom Schlachtschiff »USS Missouri« angeführt; direkt dahinter befindet sich der Flugzeugträger »USS Ranger«

Kriegsschiffe, Kampf- und Hilfsschiffe, die den Seestreitkräften eines Staates angehören; i.d.R. durch die National- oder Kriegsflagge gekennzeichnet. K. besitzen auch im Ausland die Territorialität des Heimatstaates und dürfen von fremder Macht nicht kontrolliert werden. – Die Entwicklung der K. führte von mit Soldaten besetzten Handelsschiffen der Antike über Kriegsgaleeren und -galeonen zu den Fregatten, Korvetten und Linienschiffen des 17./18. Jh. Sie wurden abgelöst durch die motorgetriebenen K. der Neuzeit. –

Gegenwärtige Klassifizierung: Flugzeugträger, Schlachtschiffe, Kreuzer, Zerstörer, Fregatten, Korvetten, Minenkampfschiffe, Kleine Kampfschiffe (Schnellboote u.a.), Unterseeboote.

📖 *Die dt. K. 1815–1945, begr. v.* E. GRÖNER, *fortges. v.* D. JUNG *u.a., 8 Bde. u. 1 Register-Bd. Bonn* [1–2]*1983–94.* – LOOSE, B. *u.* OESTERLE, B.: *Das große Buch der K. Maschinengetriebene Schiffe des 19. u. 20. Jh. Berlin 1993.*

Kriegsschuldfrage, die Frage nach der Schuld für die Verursachung eines Krieges; politisch bedeutsam für den 1. und 2. Weltkrieg. Die Festlegung in Art. 231 des Versailler Vertrags (1919) der alleinigen dt. Kriegsschuld für den 1. Weltkrieg führte zu einer intensiven Kriegsschuldforschung, die mit umfangreichen Aktenveröffentlichungen zur Vorgeschichte des Krieges verbunden war. Unumstritten ist in der wiss. Forschung die Schuld des Dt. Reiches am 2. Weltkrieg.

Kriegsverbrechen, Handlungen von Angehörigen eines Krieg führenden Staates, durch die das Verbot des Angriffskrieges oder die Regeln des →Kriegsrechts verletzt werden und die nach den Vorschriften des Völkerrechts strafrechtlich geahndet werden sollen (z.B. Grausamkeiten gegen die Zivilbevölkerung, Misshandlung und Tötung von Kriegsgefangenen, Plünderung). Im Gefolge v.a. des 2. Weltkrieges wurde der Begriff des K. ausgedehnt: K. sind danach z.B. Völkermord, wirtsch. Ausbeutung besetzter Gebiete, Zwangsarbeit fremder Staatsangehöriger. (→ Kriegsverbrechertribunal, →Nürnberger Prozesse).

📖 *Strafgerichte gegen Menschheitsverbrechen. Zum Völkerstrafrecht 50 Jahre nach den Nürnberger Prozessen, hg. v.* G. HANKEL *u.* G. STUBY. *Hamburg 1995.*

Kriegsverbrechertribunal, der Internationale Strafgerichtshof für Verbrechen im ehem. Jugoslawien, dessen Einsetzung der UN-Sicherheitsrat mit Beschluß vom 22. 2. 1993 einleitete. Die elf Richter und der Chefankläger des K., das seinen Sitz in Den Haag hat, wurden von der Generalversammlung der UNO auf Vorschlag des Sicherheitsrats für vier Jahre gewählt. Sie stammen aus elf Staaten und nahmen ihre Tätigkeit am 17. 11. 1993 auf. Ihnen wurde ein Jahr Zeit gegeben, um eine Verfahrensordnung mit der Bemessung von Strafmaßen zu erlassen. Auf der Grundlage des Sicherheitsratsbeschlusses vom 6. 10. 1992 begann eine Untersuchungskommission jedoch schon vorher mit den Ermittlungen. Die ersten Verfahren wurden im Frühjahr 1995 eröffnet.

Unabhängig vom K., das ein »Ad-hoc-Gerichtshof« ist wie auch das 1995 in Arusha (Tansania) errichtete Sondertribunal für Kriegsverbrechen in Ruanda, hat die UNO die Bemühungen um die Errichtung eines ständigen Internat. Strafgerichtshofs mit allgemeiner Zuständigkeit verstärkt.

Krill (Länge etwa 6 cm)

Kriegsvölkerrecht, die völkerrechtl. Regeln des Kriegsrechts.

Kriegswirtschaft, die zentral geplante und mit staatl. Zwangsmitteln durchgesetzte Orientierung einer Volkswirtschaft am Primat der Rüstung in unmittelbarer Vorbereitung auf einen Krieg oder im Krieg. Verstärkte Rüstungsproduktion und Konsumverzicht führen zu dirigist. Eingriffen des Staates in Güter-, Kapital- und Devisenmärkte und zu Planwirtschaft. Typ. Merkmale sind staatl. Reglementierung von Löhnen und Preisen, Warenkontingentierung, Dienstverpflichtung von Arbeitskräften, Steuererhöhungen, Zwangssparen; daraus resultieren meist gravierende Mangelerscheinungen und die Zerrüttung der Währung.

📖 HERBST, L.: *Der Totale Krieg u. die Ordnung der Wirtschaft. Stuttgart 1982.*

Kriegswissenschaften (Wehrwissenschaften), Gesamtheit der zur Kriegführung notwendigen Wissenszweige: Strategie und Taktik, Heeres- und Kriegsgeschichte, Innere Führung, Logistik, Wehrtechnik, Waffenlehre, Militärgeographie u.a.

Kriemhild, →Nibelungenlied.

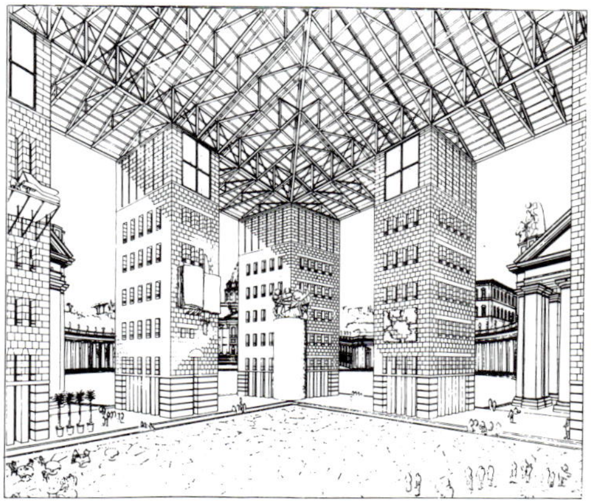

Léon Krier: Entwurf aus dem Jahr 1978 für den Wettbewerb »Roma Interrotta« zur Bebauung des Petersplatzes in Rom

Krier, 1) Léon, luxemburg. Architekt, *Luxemburg 7. 4. 1946, Bruder von 2); Vertreter der rationalen Architektur, v.a. Stadtplanungsprojekte, in denen er eine Wiederherstellung des sozialen und urbanen Gefüges anstrebt (u.a. Entwurf für den Wettbewerb »Roma Interrotta«, Rom, 1978).

2) Rob, eigtl. Robert, luxemburg. Architekt, *Grevenmacher 10. 6. 1938, Bruder von 1); befasst sich mit der Rekonstruktion histor. Stadtstrukturen (u.a. Prager Platz in Berlin, 1976–78); streng geometr. Formen, Achsensysteme und Zitate histor. Bauformen bestimmen seine Entwürfe; auch als Bildhauer tätig.

Krill *der,* Bez. für massenhaft in polarnahen Meeren auftretendes tier. Plankton, bestehend v.a.

aus Leuchtkrebsen und Ruderfußkrebsen; dient manchen Fischen (z.B. Heringen) und bes. Bartenwalen als Hauptnahrung; er hat einen hohen Protein-, Vitamin- und Mineralgehalt.

Krim (ukrain. und russ. Krym, amtlich ukrain. Republika Krym), autonome Teilrep. innerhalb der Ukraine, umfasst die Halbinsel K. im N des Schwarzen Meeres, trennt dieses vom Asowschen Meer, 25 881 km^2, (1995) 2,63 Mio. Ew., Hptst. Simferopol. Im N ist die K. durch die Landenge von →Perekop mit dem Festland verbunden, im O verengt sie sich zur Halbinsel Kertsch, im W zur Halbinsel Tarchankut. Der größere N-Teil ist ebenes bis welliges Flachland, nach S zu Ansteigen zum **K.-Gebirge** mit der Hauptkette Jailagebirge (bis 1545 m ü. M.). Im Flachland ist das Klima gemäßigt kontinental, an der geschützten S-Küste mediterran. Von der Bev. waren 1993 61,6% Russen, 23,6% Ukrainer, 9,6% Krimtataren; außerdem leben hier Armenier, Griechen, Bulgaren und Deutsche. – Im N werden Weizen, Sonnenblumen, Gemüse, Futterpflanzen angebaut (Bewässerung durch den Nordkrim-Kanal), die Hochflächen werden als Schafweide genutzt, an den S-Hängen und im Küstengebiet bes. Wein-, Obst-, Tabakbau und Rosenölgewinnung. Die S-Küste ist ein wichtiges Kur- und Erholungsgebiet (Jalta, Alupka, Aluschta, Gursuf, Jewpatorija u.a.); auf der Halbinsel Kertsch Abbau von Eisenerz und Erdölgewinnung. Wichtigste Ind.zweige sind Schiff-, Maschinenbau, chem. und Nahrungsmittelindustrie.

Geschichte: Bis zum 8. Jh. v. Chr. war die K. (Taur. oder Skyth. Chersones) von den Kimmeriern bewohnt, dann von nomad. Skythen. Aus den im 6. Jh. v. Chr. gegr. grch. Kolonien entstand 480 v. Chr. auf der K. das Bosporan. Reich. Nach 63 v. Chr. geriet die K. in Abhängigkeit vom Röm. Reich und wurde im 4. Jh. n. Chr. von den Goten, dann von hunn. Stämmen und im 13. Jh. von den Mongolen erobert. Die Küste stand bis zum 13. Jh. unter byzantin., seit 1261/66 unter genues. Kontrolle. Mitte des 15. Jh. entstand ein selbstständiges Khanat der Krimtataren, das 1475 die Oberhoheit des Osman. Reiches anerkennen musste. 1783 kam die Halbinsel an Russland; sie war 1854/55 Kriegsschauplatz im →Krimkrieg, nach dt. Besetzung (April–Nov. 1918) im Bürgerkrieg (1918–21) Operationsbasis und Rückzugsgebiet der »weißen« Armeen Denikins und Wrangells. 1921 wurde die K. eine ASSR in der Russ. SFSR mit der Hptst. Simferopol. Im 2. Weltkrieg 1941–44 war sie wiederum von dt. Truppen besetzt. Nach sowjet. Rückeroberung wurden die →Krimtataren 1944 unter dem Vorwurf der Kollaboration mit den Deutschen nach Zentralasien deportiert, die ASSR wurde aufgelöst und in ein Gebiet der Russ. SFSR umgewandelt. 1954 erfolgte die Angliederung der K. an die

Krim: Schwarzmeerküste bei Gursuf

Ukrain. SSR. Die Rehabilitierung der Krimtataren 1967 führte nicht zur Wiederherstellung ihrer Autonomie (erst 1988 Rückkehrerlaubnis). Nach Auflösung der Sowjetunion (1991) wurde die K. zum Streitobjekt zw. der Ukraine und Russland, dessen Parlament im Mai 1992 die in der Amtszeit Chruschtschows erfolgte Übertragung der Halbinsel an die Ukraine für unrechtmäßig erklärte und sich für Verhandlungen aussprach. Die Unabhängigkeitserklärung der K. vom 5. 5. 1992 wurde unter dem Druck der Ukraine zurückgenommen; am 30. 6. 1992 billigte das ukrain. Parlament ein Gesetz, das der Rep. K. weitgehende Autonomie gewährt.

📖 STÖHR, S.: *K. Köln 1995.* – DRZYMALLA, J.: *Die K. zw. der Ukraine u. Rußland. Polit. u. wirtschaftl. Bestandsaufnahme. München 1996.*

Kriminalfilm, →Film.

Kriminalgeschichte, eine Erzählung, in der ein Verbrechen und dessen Aufklärung thematisiert wird; zus. mit dem Kriminalroman sowie dem Agenten- oder Spionageroman, der Detektivgeschichte und dem Detektivroman, ein gattungsbildendes Element der →Kriminalliteratur.

Kriminalistik *die,* Lehre von den Maßnahmen, Methoden und Institutionen zur Verhütung und Aufklärung von Verbrechen. Sie umfasst die **Kriminaltaktik** (Lehre vom techn., psycholog. und prozessökonomisch zweckmäßigen Vorgehen bei der Verbrechensbekämpfung) und die **Kriminaltechnik** (Lehre von der Anwendung techn. Mittel und naturwiss. Methoden bei der Verbrechensaufklärung, insbesondere bei der Sicherung und Untersuchung von Spuren, →Daktyloskopie) sowie die **Kriminalstrategie** (Organisation der Verbrechensbekämpfung, die sinnvolle Aufgabenverteilung und das koordinierte Zusammenwirken der polizeil. Kräfte).

📖 *K. Handbuch für Praxis u. Wissenschaft, hg. v.* E. KUBE *u. a., 2 Bde. Stuttgart u. a. 1992–94.* – LEON-

HARDT, R. *u. a.: Kriminalist. Tatortarbeit. Heidelberg 1995.* – WEIHMANN, R.: *K. Ein Grundriß für Studium u. Praxis. Hilden [3]1996.*

Kriminalität [zu lat. crimen »Vergehen«, »Verbrechen«] *die,* die Gesamtheit der in einem bestimmten Gebiet vorkommenden Straftaten. Dabei wird K. heute vorwiegend als eine besondere Form abweichenden Verhaltens von den in einer bestimmten Gesellschaft zu einer bestimmten Zeit festgelegten Normen verstanden, das mit gesetzlich festgelegten Sanktionen geahndet wird. In Dtl. wurden in den 1990er-Jahren jährlich rd. 4,5 Mio. Straftaten (ohne Verkehrsdelikte; 1996 einschließlich Verkehrsdelikte rund 6,7 Mio. registrierte Straftaten) bekannt und von der polizeil. Kriminalstatistik (PKS) erfasst. Setzt man die Anzahl der bekannt gewordenen Straftaten in Beziehung zur Bev., erhält man eine Häufigkeitsziffer von inzwischen mehr als 8000 angezeigten Straftaten auf 100000 Ew. (die entsprechenden Häufigkeitsziffern lagen 1980 bei 6200 und 1970 nur bei 3900). Abgeurteilt wurden allerdings im Altbundesgebiet nur etwa 870000 Personen (zum Vergleich 1980: 930000 und 1970: 140000 Personen).

Die Struktur der zeitgenöss. K. wird zahlenmäßig weiterhin hauptsächlich von den Eigentums- und Vermögensstraftaten einerseits sowie den Verkehrsdelikten andererseits bestimmt. Nach der PKS, welche die Verkehrsdelikte nicht erfasst, stand der Diebstahl mit einem Anteil von etwa drei Fünfteln (1996 rückläufig mit 55,2%) an erster Stelle. Sachbeschädigung und Betrug machen zus. mit dem Diebstahl etwa drei Viertel der polizeilich registrierten K. aus.

Kriminalität

In New York ist in den letzten Jahren die Verbrechensrate in fast allen Bereichen zurückgegangen; bei der Gewaltkriminalität z. B. hat sich seit 1990 die Anzahl der Delikte mehr als halbiert. Durchschlagenden Erfolg hatte ein Konzept, das schon in der New Yorker U-Bahn innerhalb von vier Jahren die Anzahl der Raubüberfälle um die Hälfte gesenkt hatte: das rigorose Verfolgen von »Kavaliersdelikten« wie Pöbelei, Trinken und Betteln sowie Schwarzfahren. Dahinter steht die »Broken-Windows«-Theorie: Ein Haus mit zerbrochener Fensterscheibe wird bald ganz demoliert sein. Also versucht man, banale Dinge in den Griff zu bekommen, die in einer Kettenreaktion für Besserung sorgen. Man untersucht so beispielsweise verstärkt die Wagen von Falschparkern und prüft an Drogenecken die Personalien der Passanten.

Viele der angezeigten Straftaten sind minderschwer. Knapp die Hälfte der einfachen Diebstähle und etwa 44% der Betrugsfälle erreichen nur eine Schadenshöhe bis zu 100 DM. Verglichen mit der Eigentums-K. fällt die Gewalt-K., gemessen an der Gesamtzahl der registrierten Straftaten, nicht sehr stark ins Gewicht. Sie liegt, wenn man den Begriff definitorisch weit fasst, bei etwa 15%. Gleichwohl bleibt die absolute Zahl der ermittelten Gewaltstraftaten mit nahezu 300000 Fällen pro Jahr beträchtlich. Auch haben sich die Fälle von Geiselnahme innerhalb eines Jahrzehnts mehr als verdoppelt. Immerhin ist die Zahl der Mord- und Totschlagsfälle seit 1971 beinahe konstant geblieben, während Raub und räuber. Erpressung beträchtlich angewachsen sind. Während die Zahl der bekannt gewordenen Vergewaltigungen in den letzten zehn Jahren etwa bei 5500 Fällen pro Jahr stagniert (abgesehen vom Vielfachen des geschätzten Dunkelfeldes), sind die Rauschmitteltaten seit Ende der 1960er-Jahre erheblich angewachsen, übersteigen aber einen Anteil von etwa 5% an der Gesamt-K. nicht. Die Delikte gegen die Sicherheit des Straßenverkehrs, überwiegend Trunkenheitsdelikte, machen rd. zwei Fünftel der abgeurteilten Straftaten aus.

Bedeutung gewinnt auch in Mitteleuropa die →organisierte Kriminalität. Nach der PKS wird rd. die Hälfte der Straftaten in Großstädten mit mehr als 100000 Ew. begangen. Entsprechend der K.-Belastung (Tatverdächtige je 100000 Ew. entsprechender Bezugs-/Personengruppen) besteht ein beträchtl. Stadt-Land-Gefälle. Unterschiede in der Verteilung krimineller Verhaltensweisen ergeben sich nach Lebensalter und Geschlecht. Die K. wird überwiegend von Männern geprägt. Der Anteil tatverdächtiger Frauen liegt seit einigen Jahren bei etwa 21% (beim Ladendiebstahl allerdings wesentlich höher). Der Anteil der nichtdt. Tatverdächtigen an allen polizeilich registrierten Tatverdächtigen beträgt rd. 30%, wobei bes. Durchreisende, Asylbewerber und illegal Anwesende eine Rolle spielen. Es ist aber auf den Unterschied zw. dem Status von Verdächtigen und dem von überführten und gerichtlich verurteilten Straftätern hinzuweisen; der überproportional hoch erscheinende Ausländeranteil an der K. spiegelt nicht nur ein erhöhtes Gefahrenpotenzial wider, sondern deutet auch auf ein Fehlschlagen bei der Bewältigung individueller, als schwierig empfundener Lebenssituationen hin.

In fast allen Industriestaaten, mit Ausnahme Japans, wird in der Zeit nach dem 2. Weltkrieg ein erhebl. K.-Anstieg beobachtet. Der Zuwachs der allgemeinen K. ist zu einer durchgängigen Erscheinung in den westl., neuerdings auch in den postkommunist. Gesellschaften geworden. Die Unterschiede zw. den westl. Gesellschaften sind hauptsächlich solche im Detail. In Dtl. und den Nachbarländern Österreich und der Schweiz hat die K. in den letzten Jahrzehnten beträchtlich zugenommen; von kleineren Abweichungen in der Erfassung abgesehen, ist die Deliktstruktur in Österreich und der Schweiz ähnlich und daher mit jener in Dtl. vergleichbar. Mehr als die Hälfte bis zu zwei Dritteln aller registrierten Straftaten richten sich auch in Österreich und der Schweiz gegen Eigentum und Vermögen.

📖 *Sozialer Umbruch u. K., bearb. v.* K. Boers *u.a., 2 Bde. Bonn 1994.* – Bruns, W.: *Sozialkriminalität in Deutschland. Neuausg. Frankfurt am Main u.a. 1996.* – *Forschungsthema »K.« Festschrift für Heinz Barth, hg. v.* C. Pfeiffer *u.* W. Greve. *Baden-Baden 1996.* – *Kommunale Kriminalprävention, hg. v.* T. Trenczek *u.* H. Pfeiffer. *Bonn 1996.* – Sterling, C.: *Verbrecher kennen keine Grenzen. A. d. Engl. Tb.-Ausg. München 1996.*

Kriminalliteratur, Sammelbez. für unterhaltungswirksame, auf Spannung orientierte erzählende Literatur, in der die Durchführung und Aufklärung eines Verbrechens und dessen soziale und psychologische Hintergründe im Mittelpunkt der Handlung steht. Hinsichtlich der Erzählstruktur lässt sich die K. in Detektivroman, Detektivgeschichte einerseits und Kriminalroman, Kriminalgeschichte (bzw. deren Gestaltungsvarianten Thriller und kriminalist. Abenteuergeschichte) andererseits unterteilen. Im angelsächs. Sprachraum findet sich hierfür die Unterscheidung von »Detectivestory« und »Crimenovel«, das Französische kennt beide als »Roman policier«. Der **Detektivroman** i.e.S. bezieht sein wesentl. Spannungsmoment aus der Darstellung der Aufklärung eines unter rätselhaften Umständen begangenen Verbrechens durch einen Detektiv. Der **Kriminalroman** i.e.S. zielt dagegen v.a. auf die Entwicklungen eines Verbrechens. Eine Sonderform des Kriminalromans ist der Agenten- oder Spionageroman, der sich inhaltlich durch das Motiv der Spionage und die damit verbundenen Hintergrundschilderungen vom Detektivroman abhebt (G. Greene, J. le Carré, E. Ambler, L. Deighton). Die Geschichte der K. als eigene Gattung beginnt Ende des 18. Jh. Geistesgeschichtlich steht die Entwicklung der K. in Zusammenhang mit dem Rationalismus und dem Vernunftideal der Aufklärung. Ihre sozialgeschichtl. Wurzeln liegen einerseits in der Konsolidierung des bürgerl. Staates und dem damit verbundenen Interesse an Rechtsfragen und der Forderung nach verlässl. Justizverfahren, andererseits im Wandel des Strafprozesses, der den Sach- und Indizienbeweis an die Stelle des durch Folter erzwungenen Geständnisses setzte. Vorläufer der K. ist F. Gayot de Pitavals Sammlung von Strafrechtsfällen und Kriminalgeschichten »Causes célèbres et intéressantes« (20 Bde., 1734–43). Gestaltgebende Elemente der K., wie die Häufung zunächst unerklärl. Ereignisse und deren rationale Aufklärung, finden sich in den →Gothic Novels sowie in Erzählungen der dt. Romantik (E. T. A. Hoffmann), Motive der Spurensuche und log. Deduktion zeigen J. F. Cooper, H. de Balzac und E. Sue. Die für die K. typ. Elemente vereinigt E. A. Poe: der Einbruch des Irrationalen in eine geordnete Welt in Form eines rätselhaften Mordes, die Fahndung des genialen Detektivs nach dem Täter und der Triumph der Rationalität bei der Aufklärung des Verbrechens. Seinem Vorbild folgte A. C. Doyle, während W. W. Collins Poes Verfahren mit dem Gesellschaftsroman verband. Doyle wurde Vorbild für eine Vielzahl pointierter Rätselromane mit einem Meisterdetektiv als Helden (G. K. Chesterton, W. M. Wright, Earl Derr Biggers, E. Wallace, Margery Allingham, Agatha Christie, G. Leroux, Dorothy Sayers, E. S. Gardner, R. Stout, Ruth Rendell, D. Francis, Martha Grimes). In Abgrenzung von diesem Typus gab es in den 1930er-Jahren Ansätze einer an der harten großstädt. Wirklichkeit der Zeit orientierten und dabei soziale, psycholog. und polit. Elemente und Ursachen stärker integrierenden K. (D. Hammett, R. Chandler; Nachfolger u.a. R. Macdonald, C. Himes, M. Spillane). Eine Hinwendung zu einer realist. K. zeigen ebenso die Romane von G. Simenon, F. Arnau, W. Serner, F. Glauser. Maj Sjöwall und P. Wahlöö betten die eigentl. Kriminalerzählung in eine sozialkrit. Bestandsaufnahme der zeitgenöss. schwed. Gesellschaft ein. P. Boileau und T. Narcejac sowie P. D. James, Margaret Millar und Patricia Highsmith behandeln den Kriminalfakt in individual-psycholog. Rahmen aus der Perspektive des Opfers und/oder des Täters. In der Bundesrep. Dtl. erfuhr die K. seit den 70er-Jahren eine Belebung durch die »Sozio-Krimis« (F. Werremeier, R. Hey, J. Martin, M. Molsner, S. Murr, H. Bosetzky [Pseud. -ky], F. Huby, J. Alberts, S. Mohr, Doris Gercke u.a.). Wie in den osteurop. Ländern war

Kriminalliteratur: »Pickup on Noon Street« von Raymond Chandler als Taschenbuchausgabe von 1972

auch die K. in der DDR mit der Annahme konfrontiert, dass durch die Beseitigung kapitalist. Eigentumsverhältnisse dem Verbrechen die Motivation entzogen sei; ihre K. wurde wesentlich durch Polizeiromane repräsentiert (C. U. Wiesner, H. Bastian, H. Pfeiffer, K. H. Berger, T. Wittgen).

📖 *Der Kriminalroman, hg. v.* J. VOGT, *2 Bde. München 1971, Nachdr. ebd. 1992.* – BUCHLOH, P. G. *u.* BECKER, J. P. : *Der Detektivroman. Darmstadt* ^{4}*1990.* – LEONHARDT, U.: *Mord ist ihr Beruf. Eine Geschichte des Kriminalromans. München 1990.* – REDDY, M. T.: *Detektivinnen. A. d. Amerikan. Mühlheim u. a. 1990.* – *Lexikon der K., hg. v.* K.-P. WALTER, *Loseblatt-Ausg. Meitingen 1993 ff.*

Kriminalpolizei: Vorder- und Rückseite der Dienstmarke

Kriminalpolizei, Kw. **Kripo,** Zweig der Polizei, dessen Aufgabe die Aufklärung von Straftaten und die Vornahme unaufschiebbarer strafprozessualer Maßnahmen ist (§ 163 StPO). Im strafprozessualen Ermittlungsverfahren ist die K. der Staatsanwaltschaft untergeordnet und hat deren Anweisungen Folge zu leisten. In Dtl. steht an der Spitze der K. jedes Landes ein **Landeskriminalamt;** zur Zusammenarbeit zw. Bund und Ländern wurde das Bundeskriminalamt errichtet, dem bis auf bestimmte Ausnahmen der notwendige Dienstverkehr mit ausländ. Polizei- und Justizbehörden vorbehalten ist.

Kriminalroman, → Kriminalliteratur.

Kriminalstatistik, Statistik über bekannt gewordene und aufgeklärte Straftaten sowie ermittelte Täter **(polizeil. K.),** über Verurteilte und über Freigesprochene **(Strafverfolgungsstatistik, amtl. K.)** sowie über Strafgefangene und Verwahrte **(Strafvollzugsstatistik).**

kriminelle Vereinigung, eine Vereinigung, deren Zweck oder Tätigkeit darauf gerichtet ist, Straftaten zu begehen; wer eine k. V. gründet, an ihr als Mitgl. beteiligt ist, für sie wirbt oder sie unterstützt, wird nach § 129 StGB mit Freiheitsstrafe bis zu fünf Jahren oder mit Geldstrafe bestraft. Die Anwendbarkeit des § 129 StGB erstreckt sich auch auf ausländ. k. V., deren Tätigkeit auf den unbefugten Vertrieb von Betäubungsmitteln (Rauschgift) gerichtet ist (§ 30b Betäubungsmittel-Ges.). (→ terroristische Vereinigung)

Kriminologie [lat.-grch.] *die,* interdisziplinäre Wissenschaft von den Verbrechen und der Kriminalität, der Persönlichkeit des Rechtsbrechers und von der Verbrechenskontrolle. Ihr Gebiet schließt auch das Verbrechensopfer (→ Viktimologie) und die Verbrechensverhütung ein. Hauptaufgabe der K. ist die Dauerbeobachtung derartiger Erscheinungsformen, die Erkenntnissteigerung und praxisbezogene Untersuchung. Dabei sind Kriminalprognose, Verbrechensvorbeugung, Sanktionierung und Behandlung des Rechtsbrechers sowie Erfolgsmessung und Strafrechtserneuerung hervorzuheben. In Forschungslogik und -technik folgt die K. anerkannten Methoden und Verfahrensweisen der empir. Grundwissenschaften. Die heutige K. kennt keine umfassende Universaltheorie zur Erklärung der von ihr erforschten Erscheinungen, weshalb ihre Konzepte und Annahmen nur von beschränkter Reichweite sind. Jugend- und Randgruppenproblematik, Dunkelfeld, Weiße-Kragen-Kriminalität einschließlich Umweltschutzdelikten, Eigentums- und Gewaltkriminalität sowie Verkehrsdelinquenz und organisiertes Verbrechen stehen neben der Sanktions- und Justizforschung im Blickpunkt.

📖 GÖPPINGER, H.: *K., bearb. v.* M. BOCK *u.* A. BÖHM. *München* ^{5}*1996.* – SCHWIND, H.-D.: *K. Eine praxisorientierte Einführung mit Beispielen. Heidelberg* ^{7}*1996.*

Krimkrieg, 1853/54–56 militär. Konflikt Russlands mit dem Osman. Reich, Großbritannien und Frankreich (ab 1855 auch mit dem Königreich Sardinien); ben. nach seinem Hauptschauplatz, der Halbinsel Krim. Anlass des K. war ein im Febr. 1853 vom russ. Kaiser Nikolaus I. an die türk. Regierung (die »Pforte«) gerichtetes Ultimatum, die russ. Schutzherrschaft über die orth. Christen des Osman. Reiches anzuerkennen. Als dies mit diplomat. Rückendeckung Großbritanniens und Frankreichs abgelehnt wurde, besetzten russ. Truppen im Juli 1853 die zum Herrschaftsbereich des türk. Sultans gehörenden Donaufürstentümer Moldau und Walachei. Nach den Kriegserklärungen der Pforte (4. 10. 1853) und der Westmächte (28. 3. 1854) führten britisch-frz. Truppen auf der Krim mit der Einnahme der elf Monate lang belagerten Festung Sewastopol (9. 9. 1855) die militär. Entscheidung herbei (erster Stellungskrieg der Militärgesch.). Am 28. 11. 1855 eroberte die russ. Armee die türk. Festung Kars. Im Pariser Frieden (30. 3. 1856) verzichtete Russland auf das Protektorat über die Donaufürstentümer und die orth. Christen im Osman. Reich, trat die Donaumündungen und das südl. Bessarabien an das Fürstentum Moldau ab, erkannte die Freiheit der Donauschifffahrt unter internat. Kontrolle an und gab Kars zurück; das Schwarze Meer wurde entmilitarisiert.

Krimml, Gemeinde im Oberpinzgau, Bundesland Salzburg, Österreich, 1070 m ü. M., 800 Ew., im Tal der **Krimmler Ache,** unterhalb der **Krimmler Wasserfälle,** mit 380 m (in drei Abschnitten) die größten Wasserfälle Mitteleuropas, vor der Einmündung in die obere Salzach gelegen. Ausgangspunkt der neuen Gerlospass-Straße und des alten Saumpfades über die **Krimmler Tauern** (2634 m ü. M.) ins Ahrntal; Fremdenverkehr.

Krimtataren, urspr. auf der Krim siedelndes, von Feldanbau, Viehhaltung und Fischfang lebendes Turkvolk; sunnit. Muslime; entstanden beim

Zerfall der Goldenen Horde v.a. aus unterworfenen Kumanen u.a. Turkstämmen, vermischt mit Krimgoten, Slawen u.a. Europäern. Die K., seit 1783 unter russ. Herrschaft und durch Abwanderung in die Türkei stark dezimiert, wurden 1944 wegen angebl. Kollaboration mit Dtl. nach Mittelasien (v.a. Usbekistan) unter erhebl. Verlusten deportiert. Obwohl bereits 1967 die offizielle Rehabilitierung der K. erfolgte, wurde erst 1989 die Rückkehr der heute etwa 500000 K. gestattet; Ende 1994 lebten wieder 260000 K. auf der Krim. Kleinere Gruppen leben in Bulgarien, Rumänien, Polen und den USA; etwa 5 Mio. Nachfahren leben in der Türkei, sie sind weitgehend im türk. Volk aufgegangen.

Krinoline [frz.] *die,* versteifter Stützunterrock der Frauenmode (etwa 1840–70).

Krippe, 1) *Astronomie:* (lat. Praesepe) Sternhaufen im Sternbild Krebs.

2) *Landwirtschaft:* Futtertrog.

3) *Volkskunde:* figürl. Darstellung eines bibl. Geschehens, am häufigsten der Hl. Familie im Stall von Bethlehem (nach Lk. 2) mit dem Jesuskind in einer K., den Hirten, den Weisen aus dem Morgenland u.a. (Weihnachts-K.), die zur Weihnachtszeit in Kirchen und Wohnungen aufgestellt werden. Reich ausgestaltete K. entstanden bes. im 18. Jh. in Italien (Neapel, Sizilien), Tirol und Bayern, später auch in Böhmen.

Krippe 3): Die neapolitanische Hauskrippe stellt die Anbetung der Hirten dar (1720; München, Bayerisches Nationalmuseum)

Krippenspiel, → Weihnachtsspiel.

Krippentod, der → plötzliche Kindstod.

Krips, Josef Alois, österr. Dirigent, * Wien 8. 4. 1902, † Genf 13. 10. 1974; war bes. geschätzt als Mozart-Interpret.

Krimml: Die Krimmler Wasserfälle sind mit einer Höhe von 380 m die größten Wasserfälle Mitteleuropas

Kris [malaiisch] *der,* dolchartige Waffe der Indonesier mit schlangenförmiger gekrümmter doppelschneidiger Klinge.

Krise [grch.] *die,* **1)** *allg.:* schwierige Lage.

2) *Medizin:* (Krisis), Höhepunkt einer akuten Krankheit, auch Wendepunkt im Krankheitsgeschehen, z.B. der abrupte Abfall des Fiebers.

3) *Psychologie:* entscheidender Abschnitt eines psycholog. Entwicklungsprozesses oder bestimmter Lebenssituationen, der für das weitere Persönlichkeitsschicksal bestimmend ist (z.B. entwicklungspsycholog. Phasen wie Trotzphasen, Pubertät, Klimakterium; allg. **Existenz-** und **Lebens-K.,** z.B. → Midlifecrisis).

4) *Wirtschaftstheorie:* Bez. für die Phase des wirtschaftlichen Niedergangs im Konjunkturzyklus (→ Konjunktur, → Weltwirtschaftskrise).

Krishna [-ʃ-] *die* (früher Kistna), Fluss in Indien, 1250 km lang, entspringt in den Westghats, fließt nach O durch den Dekhan, mündet mit einem fruchtbaren, von Bewässerungskanälen durchzogenen Delta in den Golf von Bengalen; zur Bewässerung und Energiegewinnung aufgestaut.

Krishna [-ʃ-] (Krischna) [Sanskrit »der Dunkle«], populärster hinduist. Gott, gilt als Inkarnation (Avatara) → Vishnus; Hauptgestalt der → Bhagavadgita, wo er die Gottesliebe (Bhakti) als Weg der Erlösung verkündet; war nach der Legende vornehmer Herkunft; wuchs jedoch als Hirtenknabe auf; beliebte Motive in der ind. Kunst sind seine Liebesabenteuer mit den Hirtenmädchen (Gopis), v.a. mit Radha, sowie seine myth. Taten. Sie wurden seit dem 2.–3. Jh. in Stein- und Terrakottareliefs sowie in Bronzeplastiken und v.a. seit dem 16. Jh. in der Miniaturmalerei darge-

Krishna: Die Miniatur stellt die Entzweiung (rechts oben Krishna im Baum) und Wiedervereinigung Krishnas mit der Hirtin Radha dar (um 1820; Berlin, Museum für Indische Kunst)

stellt, wo er stets mit dunkelblauer Hautfarbe und mit Pfauenfedern geschmückt auftritt.

Krispeln, mechan. Weichmachen bes. von pflanzl. gegerbtem Feinleder (z.B. Saffian, Maroquin); dabei wird ein charakterist. Narbenprofil herausgearbeitet. Beim K. in Handarbeit **(Levantieren)** wird das Leder, Narbenseite auf Narbenseite, hälftig zusammengelegt und die gebildete Knickfalte unter leichtem Druck über die ganze Lederfläche hinweggezogen. Beim maschinellen K. ziehen zwei im gleichen Sinn umlaufende Walzen das Leder über die Kante einer Metallplatte.

Kristall [grch.] *der,* homogener fester Körper, dessen Bausteine (Atome, Ionen, Moleküle) sich während seines Wachstums, der →Kristallisation, aus Schmelzen, Lösungen, Dämpfen oder anderen festen Körpern räumlich-periodisch anlagern, und zwar nach ebenen Flächen, wenn das Wachstum nicht durch die Umgebung behindert wird. Der regelmäßige Aufbau unterscheidet K. von quasikristallinen oder amorphen Substanzen wie Gläsern, Flüssigkeiten oder Gasen. Alle Individuen einer K.-Art haben die gleiche Anordnung der Bausteine, das gleiche →Kristallgitter. Frei gewachsene K. sind daher von ebenen Flächen begrenzt, und für eine jede K.-Art schließen die entsprechenden Flächen stets die gleichen Winkel ein. Die Gesamtform eines K. beurteilt man nach den Kriterien der →Kristalltracht und des →Kristallhabitus. Die Abstände der Bausteine (in der Größenordnung 10^{-8} cm) können durch Beugung und Interferenz von Röntgenstrahlung oder mit dem Elektronenmikroskop bestimmt werden. Oft sind sie in versch. Richtungen unterschiedlich; daher sind auch die Eigenschaften der meisten K. richtungsabhängig (Anisotropie der K.). In realen K. **(Real-K.)** treten immer Abweichungen von der streng period. Anordnung der Bausteine auf **(K.-Baufehler,** Fehlordnungen). Da die physikal. Eigenschaften (z.B. Festigkeit oder elektr. Leitfähigkeit) stark mit der Zahl der Baufehler variieren, ist die Züchtung möglichst fehlerfreier großer Einkristalle eine wichtige Voraussetzung für die Anwendung der K., z.B. in der Halbleitertechnik.

Eine Elementarzelle und mit ihr der ganze K. können nach versch. symmetrisch zueinander liegenden Richtungen den gleichen Aufbau zeigen **(K.-Symmetrie).** Die **Symmetrieelemente** (Dreh-, Drehspiegelachsen, Spiegelebenen) können zu mehreren an einem K. auftreten; einschl. der Symmetrielosigkeit und der einzelnen Elemente gibt es davon 32 Kombinationen, die 32 **K.-Klassen (Symmetrieklassen),** die den →Kristallsystemen zugeordnet werden können.

An K.-Gittern lassen sich Drehungen und Spiegelungen auch mit Translationen verbinden; aus Drehachsen werden **Schraubenachsen,** aus Spiegelebenen **Gleitspiegelebenen.** Mit diesen Symmetrieelementen ergeben sich 230 Kombinationen **(Raumgruppen, Raumsysteme).** Die K.-Flächen werden durch die reziproken Werte der von ihnen auf den drei Koordinatenachsen abgeschnittenen, in Gitterkonstanten gemessenen Strecken bezeichnet; durch einen gemeinsamen Teiler gekürzt, sind diese Werte meist kleine ganze Zahlen (*h, k, l,* **millersche Indizes**). Wichtigstes Verfahren zur Untersuchung der K.-Struktur ist die →Röntgenstrukturanalyse.

📖 Borchardt-Ott, W.: *Kristallographie. Eine Einführung für Naturwissenschaftler. Berlin u.a.* [4]*1993.*

Kristallgitter, period., dreidimensionale Anordnung von Atomen, Molekülen oder Ionen in festen Stoffen zu gitterförmigen Strukturen **(Kristallstruktur),** in denen die einzelnen Bausteine als Punkte aufgefasst werden. Die Anordnung der Punkte im K. lässt sich mit Gittervektoren beschreiben; deren Beträge und die von ihnen eingeschlossenen Winkel sind die **Gitterkonstanten** eines Kristalls. Die kleinstmögliche räuml. Anordnung dieser Gitterkonstanten bildet die für jedes Gitter typ. Elementarzelle in Form eines →Parallelepipeds. Ihre Wahl ist willkürlich, erfolgt aber meist entsprechend der äußeren Symmetrie des Kristalls. Durch gesetzmäßige, dreidimensionale Wiederholung der Elementarzelle lassen sich K. erzeugen. Man unterscheidet einfache K. von zusammengesetzten. Bei einfachen K. **(Translations- oder Punktgitter)** sind die Gitterpunkte nur mit Bausteinen desselben Elements besetzt, sie wiederholen sich durch Parallelverschiebung gegen die Ausgangslage. Fügt man zu einem reinen Translationsgitter die Gesamtheit aller Punktsymmetrie- und kombinierten Symmetrieelemente hinzu, entsteht ein **Raumgitter.** Geometrisch ergeben sich 7 einfache Raumgitter, deren Gitterpunkte nur eine Art von Kristallbausteinen darstellen. Diese können erweitert werden, indem man zusätzliche Punkte im Zentrum **(innenzentrierte K.),** an der Basis **(basiszentrierte K.)** oder an den Flächen **(flächenzentrierte K.)** annimmt. Insgesamt ergeben sich so die 7+7=14 sog. **Bravais-Gitter.** Von diesem ausgehend, erhält man mithilfe der einzelnen Symmetrieoperationen die 230 mögl. Raumgitter. BILD →Kristallsysteme

Kristallglas, farbloses Wirtschaftsglas für meist geschliffene, auch geätzte Gebrauchs- und Luxuswaren, stark glänzend, mit hoher Lichtbrechung. Enthält Blei-, Barium-, Kalium- oder Zinkoxid zu mindestens 10%. **Bleikristall** enthält mehr als 24%, Hochbleikristall mindestens 30% und Pressbleiglas mindestens 18% Bleioxid (PbO).

Kristallhabitus (kurz Habitus), die Kristallgestalt in ihren Grundzügen, z.B. tafelig, säulig, nadelförmig.

kristallin bezeichnet den Zustand fester Körper, i.e.S. Minerale und Gesteine, die Kristallstruktur aufweisen. Ggs.: amorph.

kristalline Flüssigkeiten (Flüssigkristalle), die →flüssigen Kristalle.

kristalline Schiefer, metamorphe Gesteine mit deutlich flächenhafter Einregelung (Schieferung, Paralleltextur) von Mineralen, z.B. Gneis.

Kristallisation [grch.-lat.] *die,* Vorgang der Kristallbildung, ein wichtiges, auch techn. Verfahren zur Herstellung reiner Stoffe (→Kristallzüchtung). Kristalle bilden sich um einen Keim **(Kristallkeim)** durch Substanzanlagerung aus Dämpfen, Schmelzflüssen oder Lösungen, durch Reaktionen und Umwandlungen (→Polymorphie) im festen Zustand und durch Austauschreaktionen (→Pseudomorphosen). Die Wachstumsgeschwindigkeit ist von den physikal. (z.B. Temperatur, Sättigungsgrad) und chem. Bedingungen (Zusammensetzung, Reinheit) in der Schmelze oder Lösung abhängig.

Kristallit [grch.] *der,* einzelnes Kristallkorn eines Kristallaggregats, das durch die Nachbarkörner am Wachsen gehindert wird. Ein aus vielen K. aufgebauter Festkörper wird **polykristallin** genannt.

Kristallklassen, →Kristall.

Kristallnacht (Reichskristallnacht, Reichspogromnacht), Bez. für die von den Nationalsozialisten in Dtl. in der Nacht vom 9. zum 10. 11. 1938 organisierten Pogrome gegen Juden (vermutlich wegen der zahlreichen zertrümmerten Fensterscheiben). Auf Initiative von J. Goebbels wurde das von H. Grynszpan am 7. 11. 1938 am dt. Botschaftssekretär in Paris (E. vom Rath) verübte Attentat benutzt, um bei angeblich »spontanen Kundgebungen« fast alle Synagogen, jüd. Friedhöfe sowie mehr als 7000 jüd. Geschäftshäuser zu zerstören. Damit begannen die direkten Aktionen zur Vernichtung der jüd. Bevölkerung (»Holocaust«; →Judenverfolgungen). Im Verlauf der K. starben 91 Menschen. Mehr als 30000 Juden wurden verhaftet und zeitweilig in Konzentrationslagern inhaftiert.

📖 DÖSCHER, H.-J.: *»Reichskristallnacht«. Die November-Pogrome 1938. Neuausg. Frankfurt am Main u. a. 1990.*

Kristallnacht: Zerschlagene Fensterscheiben eines jüdischen Geschäftshauses in Berlin am 10. November 1938

Kristallographie [grch.] *die* (Kristallkunde), Wissenschaft von Bau, Struktur, chem. und physikal. Eigenschaften der →Kristalle.

Kristallometrie [grch.] *die,* die Berechnung der räuml. Anordnung und Symmetrie der Kristalle.

Kristall|optik, Spezialgebiet der Kristallphysik, das sich mit der Ausbreitung des Lichtes in anisotropen Kristallen und deren Anwendung beschäftigt. In anisotropen Kristallen sind die opt. Eigenschaften von der Ausbreitungsrichtung des Lichtes relativ zu den Kristallachsen abhängig. In optisch einachsigen Kristallen gibt es eine, in optisch zweiachsigen Kristallen zwei Richtungen, in die sich das Licht wie in isotropen Stoffen ausbreitet **(opt. Achsen).** In allen anderen Richtungen spaltet sich eine Welle in zwei senkrecht zueinander linear polarisierte Wellen unterschiedl. Geschwindigkeit auf (bei optisch einachsigen Kristallen in den **ordentl.** und den **außerordentl. Strahl**). An der Oberfläche anisotroper Kristalle tritt →Doppelbrechung ein. Manche anisotrope Kristalle zeigen →optische Aktivität und →Pleochroismus.

Kristallpalast (engl. Crystal Palace), von Sir Joseph Paxton für die Londoner Weltausstellung 1851 im Hyde Park errichtetes, 1854 versetztes Ausstellungsgebäude, ein Werk reiner Eisen- und Glasarchitektur, 1936 abgebrannt.

Kristallregen, flächenhafter Niederfall vulkan. Auswurfmaterials, das vorwiegend aus Einzelkristallen besteht.

Kristallstruktur, die dreidimensionale period. Anordnung der Bausteine (Atome, Moleküle, Ionen) von →Kristallen.

Kristallstruktur|analyse, Bestimmung des Aufbaus eines Kristalls, d.h. der räuml. Anordnung seiner Bausteine (Ionen, Moleküle, Atomrümpfe u.a.), und zwar sowohl der Kerne (Massenschwerpunkte) als auch der dazwischen befindl. Elektronenwolken. Die Untersuchung erfolgt an Kristallpulvern (→Debye-Scherrer-Verfahren) oder Einkristallen (→Drehkristallmethode, →Laue-Verfahren) mithilfe verschiedener Verfahren, wobei bes. die Beugung von Röntgenstrahlen an der Kristallstruktur (→Röntgenstrukturanalyse) wichtig ist. Aus dem erhaltenen Röntgenbeugungsdiagramm werden die Kristallstrukturdaten ermittelt. Außer Röntgenstrahlen können auch Elektronen- oder Neutronenstrahlen (Elektronenbeugung, →Neutronenbeugung) verwendet werden.

Kristallsysteme, Zusammenfassung mehrerer Kristallklassen aufgrund gemeinsamer Symmetrieverhältnisse. Jedes K. lässt sich auf ein bestimmtes kristallograph. Achsenkreuz beziehen. Diese unterscheiden sich nach Achsenlängen (a, b, c) und Winkeln (α, β, γ), die diese Achsen untereinander bilden. Es gibt insgesamt sieben Einteilungen:

1) triklin: $a \neq b \neq c$; $\alpha \neq \beta \neq \gamma$, $\alpha, \beta, \gamma \neq 90°$
2) monoklin: $a \neq b \neq c$; $\alpha = \gamma = 90°$, $\beta \neq 90°$
3) orthorhombisch: $a \neq b \neq c$; $\alpha = \beta = \gamma = 90°$
4) tetragonal: $a = b \neq c$; $\alpha = \beta = \gamma = 90°$
5) kubisch: $a = b = c$; $\alpha = \beta = \gamma = 90°$
6) hexagonal: $a = b \neq c$; $\alpha = \beta = 90°$, $\gamma = 120°$
7) rhomboedrisch: $a = b = c$; $\alpha = \beta = \gamma \neq 90°$

Das hexagonale K. lässt sich auf ein trigonales K. mit drei Achsen reduzieren, die zu den Kanten eines Rhomboeders parallel laufen. (→Kristall, →Kristallgitter)

Kristalltracht (kurz Tracht), Gesamtheit aller an einem Kristall entwickelten Flächen (Formen).

Kristallviolett, in Wasser violett lösl. Triarylmethanfarbstoff; wird verwendet für Stempel- und Druckfarben, Durchschreibepapiere, Schreibmaschinenbänder.

Kristallwasser, in kristallinen →Hydraten und anderen kristallinen Verbindungen gebundenes Wasser. Die H_2O-Moleküle treten auf als **Koordinations-** und **Strukturwasser** (beim Erwärmen entweicht das K. unter Zerfall des Kristallgitters) und/oder als **Zeolith-** und **Quellungswasser** (das Wasser ist nicht am Gitteraufbau beteiligt).

Kristallzüchtung, die synthet. Herstellung von Einkristallen für wiss. und techn. Zwecke, z.B. von Siliciumkristallen für Transistoren und integrierte Schaltkreise, von Industriediamanten für die Materialbearbeitung, von Quarz für die Frequenzstabilisierung von elektr. Schwingkreisen oder von opt. Kristallen für die Lasertechnik und nichtlineare Optik. – Die K. aus der flüssigen Phase **(Schmelzziehverfahren)** geht von in die Schmelze eingebrachten Keimen (sog. Impfkristallen) aus. Beim **Czochralski-Verfahren** werden zylindr. Einkristalle (z.B. von Germanium) durch gleichförmiges Herausziehen aus der Schmelze gewonnen. Beim **Bridgman-Verfahren** wächst der Einkristall in der zur Schmelztiegelbewegung entgegengesetzten Richtung. Rubine und Spinelle werden nach dem **Verneuil-Verfahren** gezüchtet, bei dem das feinkörnige Ausgangsmaterial in einer Knallgasflamme geschmolzen wird. Der Einkristall wächst durch Absenken eines Schamottestiftes. Beim tiegelfreien **Zonenschmelzverfahren** (v.a. zur Reinigung von Silicium und Germanium) wird durch einen zylindr. kristallinen Stab eine schmale Schmelzzone gezogen. – Die K. aus der Gasphase

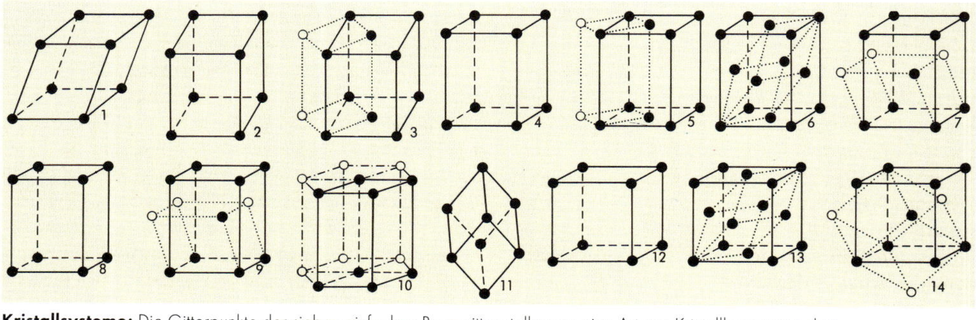

Kristallsysteme: Die Gitterpunkte der sieben einfachen Raumgitter stellen nur eine Art von Kristallbausteinen dar; durch zusätzliche Punkte im Zentrum (innenzentriert), an der Basis (basiszentriert) oder anderen Flächen (flächenzentriert) können die Raumgitter erweitert werden; 1 triklines, 2–3 monokline, 4–7 orthorhombische, 8–9 tetragonale, 10 hexagonales, 11 rhomboedrisches, 12–14 kubische Gitter

(z. B. durch Molekularstrahlepitaxie) erfolgt durch Sublimation fester Substanzen und anschließende Kondensation. (→Epitaxie)

Kristiania (Christiania), 1624–1924 Name von →Oslo.

Kristiansand [-'san], Hafenstadt und Verw.sitz der Prov. Vest-Agder in S-Norwegen, am Skagerrak gegenüber Kap Skagen, 68600 Ew.; luther. Bischofssitz; Hochschule, Freilichtmuseum u. a. Museen; Schiffbau, Metall verarbeitende, Textil- u. a. Ind.; Garnison; Fährverkehr nach Hirtshals (Dänemark). – Gegr. 1641 mit rechtwinkligem Straßennetz.

Kristianstad [kri'ʃansta:d], **1)** VerwBez. (Län) in S-Schweden, 6089 km², (1995) 294600 Einwohner.

2) Stadt in S-Schweden, Verw.sitz von 1), 71800 Ew.; histor. Filmmuseum; Nahrungsmittel- und Bekleidungsindustrie.

Kristiansund [-'sun], Hafenstadt an der W-Küste Norwegens, auf drei durch Brücken verbundenen Inseln; 17600 Ew.; kulturhistor. Museum; Hauptort für den Klippfischhandel, Textil- und Bekleidungsindustrie.

Kriterium [grch.-lat.] *das,* **1)** *allg.:* unterscheidendes Merkmal, Kennzeichen.

2) *Radsport:* Straßenrundstreckenrennen mit Punktwertungen (höchste Gesamtpunktzahl entscheidet).

Kritias, athen. Politiker, Schriftsteller, *um 460 v. Chr., ⚔Munichia bei Athen 403; der bedeutendste und gewalttätigste der Dreißig Tyrannen zur Zeit des Peloponnes. Krieges. In seinen Gedichten und polit. Schriften vertrat K. eine stark sophist. Haltung.

Kritik [grch.] *die,* Auseinandersetzung mit Handlungen, Handlungsnormen und -zielen und der durch diese bestimmten Welt in Form einer distanzierenden Beurteilung oder Prüfung. Dabei ist die K. selbst an bestimmten Normen orientiert. Inhalt und Methode richten sich nach der sie jeweils anwendenden Wiss., z. B. Literaturkritik.

Kritios (grch. Kritios), athen. Bildhauer der 1. Hälfte des 5. Jh. v. Chr.; schuf zus. mit Nesiotes die zweite Tyrannenmördergruppe (in Kopien überliefert). Zugewiesen wird dem K. der »K.-Knabe« aus dem Perserschutt der Akropolis (um 480 v. Chr.; Athen, Akropolis-Museum).

kritisch, 1) prüfend, richtend, wählend.

2) entscheidend, bedrohlich, gefährlich, zugespitzt.

3) *Kerntechnik:* Zustand eines →Kernreaktors, in dem die Anzahl der durch Kernspaltung entstehenden Neutronen ebenso groß wie die der absorbierten und nach außen entweichenden ist, d. h., wenn der effektive Vermehrungsfaktor gleich eins ist (→Reaktivität). Der krit. Zustand ist der normale Betriebszustand eines Kernreaktors. – Als **krit. Masse** bezeichnet man diejenige Spaltstoffmenge, die erforderlich ist, damit eine gegebene Reaktoranordnung gerade k. wird, d. h., bei der sich die Kettenreaktion selbst aufrechterhält.

4) *Thermodynamik:* →kritischer Zustand.

kritische Ausgabe, nach den Grundsätzen moderner →Textkritik erarbeitete wiss. Ausgabe eines Schriftwerks. Die **historisch-krit. Ausgabe** gibt alle Textfassungen wieder.

kritische Drehzahl, Drehzahl, die mit der Eigenfrequenz eines schwingungsfähigen Systems (Maschine, Fahrzeug, Bauwerk) übereinstimmt. Die auftretenden Kräfte können so groß werden, dass das System zerstört wird (Resonanzkatastrophe).

kritischer Rationalismus, von K. R. →Popper begründete wissenschaftstheoret. und philosoph. Schule. Ihr Ausgangspunkt war die Auseinandersetzung mit zwei erkenntnistheoret. Grundproblemen, dem **Induktions-** und dem **Abgrenzungsproblem: 1)** im Ggs. zu klass. Empirismus und Neopositivismus bezweifelt der k. R. die Zuverlässigkeit von Induktionsschlüssen zur Verifizierung wissenschaftl. Allgemein- und Gesetzesaussagen (→Induktion); selbst Protokollsätze, die bloße Beobachtungen im Experiment zu fixieren scheinen, beinhalten theoret. und damit allgemeine, über jede konkrete Beobachtung hinausgehende Vorannahmen. **2)** Gegen den klass. Rationalismus und krit. Idealismus Kants gewendet, behauptet der k. R. die prinzipielle Widerlegbarkeit (Falsifizierbarkeit) wiss. Aussagen; dies soll zugleich ein Kriterium für die wiss. Abgrenzung von metaphys. Aussagen sein. Wiss. Erkenntnis bleibe immer hypothetisch; auch Hypothesen, die bisher nicht widerlegt wurden, gelten nicht als bewahrheitet, sondern lediglich als bewährt. – Trotz zahlr. Einzelschwierigkeiten bei der Durchführung seines Programms bleibt der k. R. eine der einflussreichsten Positionen in der Wissenschaftstheorie. Popper versuchte außerdem eine Übertragung der Grundvorstellungen auf die Ethik (Unmöglichkeit der Letztbegründung von Normen) und die Sozialwissenschaften (Kritik umfassender Gesellschaftstheorien, idealist. und materialist. →Geschichtsphilosophien). Weitere Hauptvertreter im angelsächs. Bereich: der frühe P. K. Feyerabend und I. Lakatos, im dt.-sprachigen Bereich: W. Stegmüller, H. Albert, H. Lenk, E. Topitsch.

📖 POPPER, K. R.: *Logik der Forschung. Tübingen* *[9]1989.* – STRÖKER, E.: *Einführung in die Wissenschaftstheorie. Darmstadt* *[4]1992.*

kritischer Realismus, →Realismus.

kritischer Zustand, 1) *Kerntechnik:* →kritisch.

2) *Thermodynamik:* Zustand eines Stoffes, bei dem zwei Phasen gleichzeitig existieren, z. B. bei

Kritios: Kritiosknabe, Marmor, Höhe 86 cm (um 480 v. Chr.; Athen, Akropolis-Museum)

Krk: Ortschaft Baška, im Hintergrund die Kalkberge der Insel

der Verflüssigung eines Gases Flüssigkeits- und Dampfphase, die in allen ihren physikal. Eigenschaften übereinstimmen. Komprimiert man ein Gas isotherm bei niedriger Temperatur, so scheidet sich ab einem bestimmten Volumen V_g Flüssigkeit ab. Während der Dampfdruck über der Flüssigkeit konstant bleibt, ist schließlich beim Volumen V_{fl} das ganze Gas kondensiert. Bei höherer Temperatur nähern sich V_g und V_{fl}, bis sie in einem Grenzzustand, dem k. Z. oder **krit. Punkt,** zusammenfallen und eine Verflüssigung nicht mehr beobachtet wird. Flüssigkeit und Dampf können nicht mehr unterschieden werden. Der k. Z. ist gekennzeichnet durch den **krit. Druck,** das **krit. Volumen** und die **krit. Temperatur,** die charakteristisch für den jeweiligen Stoff sind. Komprimiert man ein Gas isotherm oberhalb der krit. Temperatur, nehmen zwar Druck und Dichte immer mehr zu, Gas und Flüssigkeit trennen sich aber nicht mehr.

kritische Stromstärke, Stromstärke, bei der der widerstandslose Ladungstransport in einem →Supraleiter zusammenbricht.

kritische Theorie, von M. Horkheimer, T. W. Adorno, H. Marcuse, E. Fromm u. a. in den 1930er-Jahren geprägte, von den späteren Vertretern (wie J. Habermas) aufgenommene Bez. für die im Rahmen der →Frankfurter Schule entwickelte marxistisch bestimmte, von der abendländ. Vernunftkritik geprägte, praxisbezogene krit. Gesellschaftstheorie und -analyse. Sie untersucht v. a. die Lebensbedingungen im Spätkapitalismus und korrigiert die Überbewertung des rein zweckrationalen Denkens, der »instrumentellen Vernunft«, zugunsten des moralisch-praktischen und des ästhetisch-expressiven Aspekts der Vernunft. Anfangs bes. auf die sozialökonom. und -psycholog. Kritik der kapitalist. Wirtschaft und Familie und deren Autoritätsstrukturen gerichtet (»Studien über Autorität und Familie«, 1936), widmete sie sich später der Analyse des Faschismus und Antisemitismus, des polit. Totalitarismus sowie autoritätsgebundener, antidemokrat. Einstellungen; Einfluss auf die →neue Linke und die sozialwiss. Theoriediskussion.

Miroslav Krleža

📖 HORKHEIMER, M.: *Traditionelle u. k. T. Neuausg. Frankfurt am Main 1992.* – HORKHEIMER, M. u. ADORNO, T. W.: *Dialektik der Aufklärung. Neuausg. Frankfurt am Main 24.–27. Tsd. 1992.* – MARCUSE, H.: *Der eindimensionale Mensch. Neuausg. München 1994.*

kritische Übergangstemperatur, →Supraleitung.

Kritizismus *der,* seit I. Kant Untersuchung der Bedingungen, method. Prinzipien und Mittel, die die jeweilige Erkenntnis ermöglichen; unterbleibt die Erkenntniskritik, so verfällt nach Kant die Philosophie entweder dem →Dogmatismus oder dem →Skeptizismus.

Kriwoi Rog (ukrain. Krywyj Rih), Stadt im Gebiet Dnjepropetrowsk, Ukraine, 728 000 Ew.; Bergbauhochschule; Eisenerzbergbau, Eisen-, Stahl-, Walzwerk, chem., Schwermaschinenbauind.; K.-R.-Kanal vom Kachowkastausee am Dnjepr (42 km). – Gegr. 1775; 1873 Entdeckung der Erzvorkommen.

Krk (italien. Veglia), größte Adriainsel im Kvarner, Kroatien, 410 km², Kalkberge bis 568 m ü. M., der Küstensaum ist dicht besiedelt, mit dem Festland durch Brücke verbunden. Erdölhafen Omišalj (Ausgangspunkt der Adria-Pipeline nach Ungarn und Tschechien). An einer Bucht der SW-Küste liegt der von venezian. Befestigungen umgebene Hauptort K.: kath. Bischofssitz, Kastell (1197), Dom (12. Jh.), kleine roman. Kirchen.

Krka ['krka] *die* (dt. Kerka), Fluss in Mitteldalmatien, Kroatien, 72 km lang, entspringt an der Dinara, durchfließt in scharf eingetieftem Tal die Karstebene von Kistanje (viele Wasserfälle, im Unterlauf Seen); mündet bei Šibenik in die Adria.

Krkonoše ['krkɔnɔʃɛ], tschech. Name für das →Riesengebirge.

Krleža ['krleʒa], Miroslav, kroat. Dichter, *Agram (heute Zagreb) 7. 7. 1893, †ebd. 29. 12. 1981; Erzähler, Lyriker, Essayist, schrieb sozialkrit. Dramen, Erzählungen und Romane (»Die Rückkehr des Filip Latinovicz«, 1932, »Tausendundein Tod«, 1933, »Ohne mich«, 1938).

Krnov ['krnɔf] (dt. Jägerndorf), Stadt im Nordmähr. Gebiet, Tschech. Rep., an der Oppa, 26 000 Ew.; Textil-, Posamenten-, pharmazeut. Ind., Orgelbau. – Histor. Stadtbild mit dem ehem. Fürstenschloss (16. Jh., nach Brand 1799 stark verändert). – K. war 1377–1474 Hptst. des Herzogtums Jägerndorf; kam 1523 an Brandenburg-Ansbach, 1622 an das Haus Liechtenstein, 1742 der nördl. Teil an Preußen, der Rest an Österreich.

Kroatien

Fläche: 56 538 km²
Einwohner: (1995) 4,495 Mio.
Hauptstadt: Zagreb
Verwaltungsgliederung: 20 Komitate und der Hauptstadtbezirk
Amtssprache: Kroatisch
Nationalfeiertag: 30. 5.
Währung: 1 Kuna (K) = 100 Lipa (lp)
Zeitzone: MEZ

Kroaten, südslaw. Volk v.a. in Kroatien, daneben auch in Slowenien, Sirmien, der Herzegowina und Bosnien, etwa 5 Mio. Angehörige. Die K. erschienen im 7. Jh. im dinar. Binnenland und wanderten in das kroatisch-slawon. Tiefland ein. Die K., einst in Großfamilien (Zadruge), Banate und Gaue (Župa) gegliedert, sind (im Unterschied zu den Serben) mehrheitlich röm.-kath. Christen.

Kroatilen (amtlich kroat. Republika Hrvatska), Staat in SO-Europa, grenzt im NW an Slowenien, im N an Ungarn, im O an Jugoslawien, im SO an Bosnien und Herzegowina, im W an das Adriat. Meer, im äußersten S an Montenegro. Zu K. gehören die der Küste vorgelagerten Dalmatin. Inseln.

Staat und Recht: Nach der Verf. vom 22. 12. 1990 ist K. eine präsidiale Republik mit Mehrparteiensystem. Staatsoberhaupt ist der mit weitgehenden Vollmachten ausgestattete Präs. (für fünf Jahre direkt gewählt). Die Legislative liegt beim Zweikammerparlament (Sabor), bestehend aus Repräsentantenhaus (124 Abg., davon 64 direkt gewählt; Vertreter nat. Minderheiten werden berücksichtigt und können die Abg.zahl erhöhen) und Kammer der Komitate (etwa 63 Mitgl.). Exekutivorgan ist die Reg. unter Vorsitz des MinPräs. Dominierende Partei ist die Kroatisch-Demokrat. Gemeinschaft (HDZ). Zu den maßgebl. Oppositionsparteien zählen die Kroat. Sozialliberale Partei (HSLS), die Kroat. Bauernpartei (HSS), die Kroat. Volkspartei (HNS), die Christlich-Demokrat. Union (HKDU) und die Sozialdemokrat. Partei Kroatiens (SDP).

Landesnatur: K. gliedert sich in vier Hauptgebiete: im NO **Nieder-K.,** das im Wesentlichen Slawonien mit fruchtbaren Ebenen (Posavina und Podravina) und dem Kroatisch-Slawon. Inselgebirge zw. Drau, Donau und Save umfasst; im SW bildet das Becken von Karlovac mit den umgebenden verkarsteten Plateaus den Übergang zu **Hoch-K.,** einer über 700 m hoch gelegenen Beckenlandschaft, die von Gebirgszügen, wie der bewaldeten Kapela (1533 m ü. M.; hier liegen die Plitvicer Seen), Plješevica (1657 m ü. M.) und vom Velebit (1752 m ü. M.) umrahmt wird. Im W hat K. großen Anteil an → Istrien und im SW an → Dalmatien mit rd. 1800 km Adriaküste und etwa 1200 vorgelagerten Inseln, Hauptgebiete des Tourismus. – Im Küstenbereich herrscht mediterranes, im Innern gemäßigtes Kontinentalklima; höchste Niederschläge an den W-Flanken der küstennahen Gebirge (über 3000 mm/Jahr), im Innern 650–900 mm. Die natürl. Vegetation besteht im Küstenbereich aus Macchie, in Nieder-K. einzelne Eichenwälder, in den Gebirgen Buchen-Eichen-, sonst Mischwald.

Bevölkerung: In K. leben (1991) in der Mehrheit Kroaten (78,1 %), ferner Serben (12,2 %) und kleinere Gruppen von Bosniaken, Slowenen, Ungarn, Albanern, Tschechen u. a., in Istrien 21000 Italiener. Durch Vertreibung, Zwangsumsiedlung und den Flüchtlingsstrom (Ende 1995 430000 Flüchtlinge) aus Bosnien und Herzegowina, Jugoslawien und dem Landesinnern haben sich große Bev.-Verschiebungen ergeben.– Allg. Schulpflicht besteht vom 6. bis 15. Lebensjahr, weitere Ausbildung bieten Sekundarschulen, Hochschulen und Univ. (Zagreb, Rijeka, Osijek, Split). – Die Kroaten gehören überwiegend der röm.-kath. Kirche (1991: 76,4 %) an (Sitz eines Erzbischofs in Zagreb), die Serben der serbisch-orth. Kirche (11,1 %), ferner Minderheiten dem Islam (1,2 %) u. a. Glaubensgemeinschaften; Veränderungen ergaben sich auch hier durch den Bürgerkrieg.

Wirtschaft, Verkehr: K. verfügte bis 1990 über ein bed. Wirtschaftspotenzial und erbrachte nach Schätzungen 25 % des jugoslaw. Bruttosozialprodukts. Durch den serbisch-kroat. Krieg hat die Wirtschaft großen Schaden genommen; Rückgang der Ind.produktion um 40 %, die kriegsbedingten Produktionsverluste wurden 1997 mit insges. 27 Mrd. US-$ angegeben. Hauptind.zweige sind Maschinen- und Schiffbau, Erdölraffinerien, Metallverarbeitung, ferner chem., elektrotechn., Textil-, Nahrungsmittelind. sowie Holzverarbeitung. Geringe Bodenschätze: Bauxit, Erdöl, Erdgas (in Sla-

Staatswappen

HR

Internationales Kfz-Kennzeichen

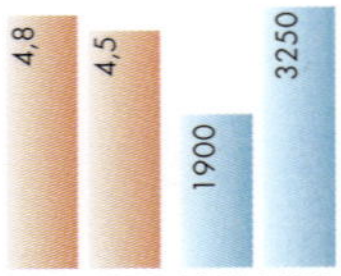

Bevölkerung (in Mio.)

Bruttosozialprodukt je Ew. (in US-$)

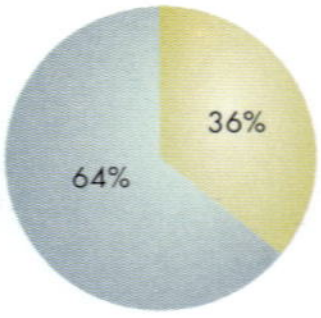

Bevölkerungsverteilung 1995

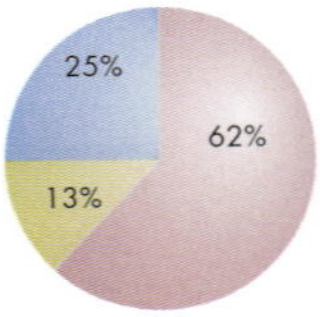

Bruttoinlandsprodukt 1995

wonien), Braun- und Steinkohle. Die Landwirtschaft ist der wichtigste Wirtschaftszweig, 40 % der Gesamtfläche werden landwirtsch. genutzt; Anbau von Mais, Weizen, Kartoffeln, Zuckerrüben,

Kroatien: Bucht an der süddalmatischen Küste

Gemüse; an der Küste Weinbau, Kultivierung von Zitrusfrüchten, Öl- und Feigenbäumen, Tabakbau; Viehhaltung, Schafzucht bes. in Hoch-K.; Küstenfischerei an der Adria. Das tourist. Potenzial ist groß (v.a. an der Küste), der Fremdenverkehr aber infolge der Kriegshandlungen stark zurückgegangen (1993 wieder 1,5 Mio. ausländ. Besucher). Exportiert werden v.a. Schiffe, Maschinen, Elektronik, Metallwaren, Schuhe, Textilien, chem. und pharmazeut. Produkte; wichtigste Handelspartner: Slowenien, Dtl. und Italien. – Das Verkehrsnetz ist gut ausgebaut; Straßennetz 27 400 km lang, davon 250 km Autobahnen; Eisenbahnlinien 2 700 km lang. Seehäfen besitzen Rijeka, Split, Zadar, Pula und Dubrovnik; internat. Flughäfen haben Zagreb, Split, Pula, Krk, Zadar und Dubrovnik.

Geschichte: In röm. Zeit (seit 35 v. Chr.) gehörte K. zu Pannonien bzw. Illyrien; ab 7. Jh. von südslaw. Stämmen (Kroaten) besiedelt; 845–1091 Fürstentum bzw. (seit 924) Königreich unter einer kroat. Herrscherdynastie, die Slawonien und die dalmatin. Städte unterwarf. 1102–1918 bestand (in wechselnder Form) eine Personalunion mit Ungarn (unter einem Ban Sonderstellung mit eigenem Landtag). Venedig eroberte Dalmatien 1202 z. T. und 1409/20 ganz; es ging bis Ende des 18. Jh. mit Ausnahme von Dubrovnik wieder verloren. Seit Ende des 15. Jh. kam es immer wieder zu Türkeneinfällen; 1526 (→Mohács) wurde das nordwestl. K. um Agram (Zagreb) habsburgisch (1527 Anerkennung Ferdinands I. als König), das übrige K. mit Ungarn Sandschak des Osman. Reiches, das bis Ende des 16. Jh. ganz K. großteils besetzte; 1578 wurde die →Militärgrenze errichtet. 1699 (Frieden von Karlowitz) kamen die nördlich der Una gelegenen Teile wieder an das habsburg. Ungarn, die südlich gelegenen blieben beim Osman. Reich bzw. bei Bosnien (»Türkisch-K.« bis 1878). Ab 1790 bzw. 1814 wurden K. und Slawonien als Nebenländer der ungar. Krone behandelt; 1848/49 kämpften die Kroaten auf österr. Seite gegen die Ungarn. Es entstanden Ideen der kroat. Wiedergeburt (→Illyrismus). Das 1849 geschaffene selbstständige österr. Kronland K. (mit Slawonien, dem Küstenland und Fiume [Rijeka]) wurde 1867 wieder der ungar. Regierung (Transleithanien) unterstellt (vertraglich geregelt im kroatisch-ungar. Ausgleich 1868); Dalmatien kam zur österr. Hälfte von Österreich-Ungarn (Zisleithanien). Gegen die Magyarisierungspolitik v.a. seit 1880 wandten sich großkroat. und föderalist. Programme; die entstehenden kroat. Parteien (u.a. Kroat. Bauernpartei unter S. Radić) strebten seit 1907 die Loslösung von Österreich-Ungarn an. 1918 Gründung des Agramer Nationalrats; am 1. 12. 1918 Vereinigung mit Serbien, Montenegro und Slowenien zum sog. SHS-Staat (späteres Jugoslawien), zunehmende Konflikte mit dem großserb. Zentralismus. 1941 errichtete der Führer des Ustascha, A. Pavelić, einen »Unabhängigen Staat K.« (bis 1945), dessen Terror sich v.a. gegen die im Land lebenden Serben richtete. 1946 wurde K. (mit Dalmatien und Slawonien) Teilrepublik des wieder errichteten Staates Jugoslawien, der dann jahrzehntelang v.a. durch föderative Verfassungen, aber auch mit Gewalt (z.B. Niederschlagung des sog. kroat. Frühlings 1971) die Spannungen zw. den Volksgruppen zu lösen suchte. Seit dem Ende der 80er-Jahre öffnete sich K. dem polit. Pluralismus (erste freie Parlamentswahlen 1990); die HDZ errang die absolute Mehrheit. Ihr Vors. F. Tudjman wurde Staatspräs. Am 22. 12. 1990 verabschiedete das Parlament eine neue Verfassung. Gleichzeitig mit Slowenien erklärte K. am 26. 6. 1991 seine Unabhängigkeit.

Von Juli bis Dez. 1991 entwickelten sich in K. schwere Kämpfe zw. der kroat. Nationalgarde und serb. Freischärlern (Četnici), die von der serbisch dominierten jugoslaw. Bundesarmee unterstützt wurden. Am 19. 12. 1991 errichtete die serb. Minderheit in K. die von der kroat. Regierung nicht anerkannte Republik Serb. →Krajina (RSK) und in →Slawonien ein serb. »autonomes Gebiet«. Mehrere Tausend Menschen kamen bei den Kämpfen ums Leben, etwa 700 000 flohen aus den Kampfgebieten. Nach dem In-Kraft-Treten eines von der UNO vermittelten Waffenstillstandes (3. 1. 1992) und der völkerrechtl. Anerkennung der Rep. K. durch zahlreiche europ. Staaten (dt. Anerkennung bereits Ende Dez. 1991) stationierte die UNO in K. eine Friedenstruppe. Im Jan. 1994 schloss K. mit (Rest-)J. einen Normalisierungsvertrag, mit der

RSK einen Waffenstillstand. Ungeachtet dieser Vereinbarungen eroberte K. im Aug. 1995 die Krajina und Westslawonien zurück; die in diesen Gebieten lebenden Serben flohen in die benachbarten Republiken Bosnien und Herzegowina und Serbien. Im Rahmen der Verhandlungen, die der Unterzeichnung des Friedensabkommens von Dayton (14. 12. 1995) vorausgingen, unterzeichneten Präs. Tudjman und Präs. S. Milošević ein Abkommen über die Rückgabe Ostslawoniens. Seit Ende 1996 ist K. Mitglied des Europarats.

Innenpolitisch bestätigten die Präsidentschaftswahlen von Aug. 1992 sowie die Parlamentswahlen von 1992 und 1995 die führende Stellung von Präs. Tudjman und der HDZ. Am 7. 8. 1996 vereinbarten Tudjman und Milošević die gegenseitige Anerkennung ihrer Staaten.

📖 FRICKE, G.: *K. 1941–1944. Freiburg im Breisgau 1972.* – REISSMÜLLER, J. G.: *Der Krieg vor unserer Haustür. Hintergründe der kroat. Tragödie. Stuttgart 1992. – K. Landeskunde, Geschichte, Kultur, Politik, Wirtschaft, Recht, hg. v.* N. BUDAK *u. a. Wien u. a. 1995.*

kroatische Kunst. Gleichzeitig mit karoling. Bauten in Oberitalien entstanden in den adriat. Küstenstädten Kirchen, die an die spätantik-frühchristl. Tradition anknüpften (Donatuskirche in Zadar, 810–815). Hauptwerke aus roman. Zeit sind die Anastasiuskathedrale in Zadar (1285), die Holzportale (1214) der Kathedrale in Split und die Portalreliefs (1240) der Kathedrale in Trogir. Die Gotik begann sich erst im 14. Jh. durchzusetzen, an der Küste v. a. nach venezian. Vorbild (Kreuzgang des Franziskanerklosters in Dubrovnik, 1327–48). Dubrovnik erlangte besondere Bedeutung für die Ausbreitung der italien. Renaissance (Fürstenpalast, 15./16. Jh., Palais Sponza, 1516–22).

Im 17. und 18. Jh. wurde die k. K. durch die Herrschaft Venedigs in Dalmatien und die Türken (Wohnhäuser, Brücken, Moscheen) im Landesinnern geprägt. Unter italien. Einfluss entstanden zahlreiche Kirchen in Dubrovnik (Dom, 1671–89; St. Vlaho, 1707–15). Auch die österr. Barockbaukunst machte ihren Einfluss geltend (Katharinenkirche in Zagreb). Malerei und Plastik zeigten ebenfalls Anlehnungen an den italien. wie an den österr. Barock. Mit V. Karas, der Porträts im Stil des sentimentalen Klassizismus schuf, begann sich langsam im Sinne einer nat. Kultur eine neue k. K. zu entfalten. Es folgten F. Kikerez und N. Mašić mit Motiven aus dem Volksleben und mit Landschaftsdarstellungen. Daneben setzte sich auch der Akademismus mit antiken und nat. Stoffen stärker durch (V. Bukovac). Ende des 19. Jh. traten in der Malerei O. Iveković, M. K. Zrnzić, M. Kraljević, J. Račić, V. Bečić hervor, in der Plastik I. Rendić, R. Frangeš-Mihanović, T. Rosandić. V. a. im 20. Jh. nahmen die Künstler Anregungen aller wichtigen internat. Strömungen auf; in der Architektur u. a. H. Bollé und der O.-Wagner-Schüler V. Kovačić, der 1906 den »Klub kroat. Architekten« begründete; in der Plastik u. a. I. Meštrović, A. Augustinčić, V. Bakić; in der Malerei und Grafik u. a. K. Hegedušić. – Infolge des serbisch-kroat. Krieges 1991 wurden bed. Kunstdenkmäler (u. a. in Dubrovnik, Split, Vukovar) schwer zerstört.

📖 *Die Kunstschätze Kroatiens, bearb. v.* R. IVANČEVIĆ. *A. d. Kroat. Belgrad 1986.*

kroatische Literatur. Seit dem 10. Jh. entwickelte sich an der norddalmatin. Küste (Senj) und bes. auf Krk eine kirchenslaw. Übersetzungsliteratur. Im 15./16. Jh. entstand unter dem Einfluss italien. Vorbilder eine bed. volkssprachl. Renaissanceliteratur; im 18. Jh. standen unter dem Einfluss der Aufklärung didakt. Themen im Vordergrund; gleichzeitig verstärkte sich das Interesse an der Volksdichtung. Entscheidend für die Herausbildung der modernen k. L. in den 1830er-Jahren waren → Illyrismus und Sprachreform; es entstanden Werke im Stil einer durch die Volkspoesie geprägten nationalbewussten Romantik; realist. Einflüsse wurden ab 1870 durch A. Šenoa wirksam. Schon im 1. Weltkrieg kam der Expressionismus auf, u. a. vertreten durch M. Krleža, der dann in den 1950er-Jahren durch die Ablehnung der Doktrin des sozialist. Realismus und die Verteidigung des Kunstcharakters der Lit. die Entwicklung der kroat. Gegenwartslit. vorzeichnete; neben der klassisch-realist. Tradition mit gesellschaftskrit. und histor. Themen war ein zunehmender Einfluss der anglo-

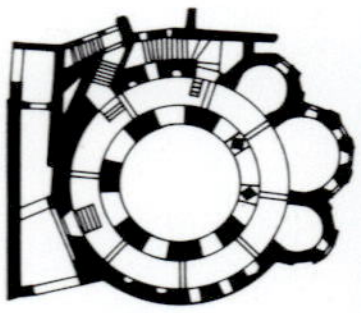

kroatische Kunst: Grundriss der Donatuskirche in Zadar

kroatische Kunst: In der Bildmitte die aus dem 9. Jh. stammende Donatuskirche, dahinter der Turm der romanischen Anastasiuskathedrale (1285) in der Hafenstadt Zadar, die an der Stelle einer römischen Kolonie entstand (im Vordergrund Reste des römischen Forums)

amerikan. Lit. und des frz. Existenzialismus deutlich, seit den 60er-Jahren erwies sich die an J. D. Salinger und U. Plenzdorf orientierte »Jeans-Prosa« als einflussreich; die k. L. der Gegenwart ist durch eine Vielfalt an Themen und künstler. Verfahren gekennzeichnet (u. a. J. Horvat, J. F. Ločar, I. Raos, I. Aralica, S. Novak, J. Pupačić, Z. Golob, M. Mirić, Z. Mrkonjić, B. Glumac, Z. Majdak, A. Majetić, D. Kekanović, G. Tribuson, D. Ugrešić). Seit der Gründung der Rep. Kroatien und v. a. seit dem serbisch-kroat. Krieg 1991/92 sind neue Impulse unverkennbar, v. a. in der Romanliteratur, die geschichtl. Themen (Aralica, V. Stahuljak), gesellschaftl. Umbrüche und bereits das Kriegsgeschehen verarbeitet (N. Fabrio, P. Pavličić, S. Tomaš), aber auch im Drama (T. Bakarić, I. Brešan) und in der Lyrik.

Krokodile *führen im Magen mehrere Kilogramm an Steinen mit sich, zwischen denen die Mahlzeit zermahlen wird. Außerdem dienen diese Steine als Ballast, der es den Krokodilen erlaubt, halb untergetaucht im Wasser liegend den toten Baumstamm zu mimen.*

📖 FRANGEŠ, I.: *Geschichte der k. L. von den Anfängen bis zur Gegenwart. A. d. Kroat. Köln 1995.*

kroatische Sprache, offizielle Bez. der in der Rep. Kroatien verwendeten Amts- und Standardsprache (→serbokroatische Sprache).

Krokodil

Sind alle Krokodile Fleischfresser?

Ja, aber es gab einmal eine Ausnahme. 1960 wurde am Fluss Jangtsekiang in der chinesischen Provinz Hubei ein 120 Millionen Jahre altes Krokodil ausgegraben. 35 Jahre später schloss ein chinesisch-amerikanisches Forscherteam aus der Untersuchung der Kauwerkzeuge, dass es sich dabei um ein Krokodil handelte, das sich ausschließlich von Pflanzen ernährt haben muss. Was die Wissenschaftler von vegetarischen Krokodilen halten, drückt sich im Namen des Urviechs aus: Chimaerasuchus paradoxus.

Kroatzbeere, *landschaftlich* für: Brombeere.

Krocket *das* (engl. Croquet), zu den Ziel- und Treibspielen gehörendes Spiel, bei dem markierte Holzkugeln mit Schlägern durch Drahtbügel (Tore) in vereinbarter Reihenfolge und Richtung von einem Abschlagstab aus um einen Wendestab bis zu einem Zielstab zu treiben sind; am Schlag bleibt, wer ein Tor passiert hat oder eine gegner. Kugel abseits schlagen **(krockieren)** kann. Sieger ist, wer zuerst die Bahn durchlaufen hat.

Franz Xaver Kroetz

Kroetz [-œ-], Franz Xaver, Schriftsteller, Schauspieler, *München 25. 2. 1946; schreibt Volksstücke mit realistischer Milieuschilderung, u. a. »Wildwechsel« (1971), »Männersache« (1971), »Heimarbeit« (1971), »Stallerhof« (1972), »Oberösterreich« (1972), »Wunschkonzert« (1972), »Mensch Meier« (1979), »Oblomow« (1989), »Bauerntheater« (1991), »Der Dichter als Schwein« (Uraufführung 1996); schreibt auch Prosa, u. a. »Der Mondscheinknecht« (R., 2 Bde., 1981–83); außerdem Rollen in Filmen von Helmut Dietl.

Krogh, Schack August Steenberg, dän. Physiologe, *Grenå (Verw.Geb. Århus) 15. 11. 1874, †Kopenhagen 13. 9. 1949. Für seine Arbeiten über die Regulationsmechanismen der Blutkapillaren und den Gasaustausch bei der Atmung erhielt er 1920 den Nobelpreis für Physiologie oder Medizin.

Krohg, 1) Christian, norweg. Maler, Journalist und Schriftsteller, *Aker (heute zu Oslo) 13. 8. 1852, †Oslo 16. 10. 1925; Vater von 2); setzte sich in Norwegen für den Naturalismus ein und malte neben Porträts v. a. Bilder mit sozialkrit. Themen; schrieb den gesellschaftskrit. Roman »Albertine« (1886) über eine Prostituierte.

2) Per Larson, norweg. Maler, *Åsgårdstrand (Prov. Vestfold) 18. 6. 1889, †Oslo 3. 3. 1965, Sohn von 1); fand über die Auseinandersetzung mit Fauvismus, Kubismus und Surrealismus zu einem realist. Stil, der von Humor und Ironie gekennzeichnet ist (Fresken, u. a. im Osloer Rathaus, 1939–49).

Kroki *das* (frz. Croquis), mit einfachen Hilfsmitteln entworfene maßstäbl. Geländeskizze.

Krokodile [grch.] (Panzerechsen, Crocodylia), Ordnung der Kriechtiere mit drei Familien: Echte K., →Alligatoren und →Gaviale. Der Schädel hat eine meist lange Schnauze mit Zähnen; Gaumen und innere Nasenöffnung sind weit nach hinten gezogen, wodurch das Atmen durch die Nase bei unter Wasser geöffnetem Maul ermöglicht wird. Der Rumpf ist mit hornigen, zumindest auf dem Rücken verknöcherten Platten bedeckt. Der mehr als rumpflange kräftige Ruderschwanz trägt oben zwei Schuppenkämme, die sich zum Ende hin zu einem Kiel vereinigen. Die Extremitäten sind relativ kurz, die Füße tragen vorn fünf und hinten vier Zehen, die hinteren Zehen sind durch Schwimmhäute verbunden. Bei den Echten K. greift, im Ggs. zu den Alligatoren, der 4. Unterkieferzahn in eine seitl. Furche des Oberkiefers und ist bei geschlossenem Maul sichtbar. K. sind vorwiegend Süßwasserbewohner der Tropen und Subtropen; Fleischfresser. Die Weibchen legen bis 100 hartschalige, gänseeigroße Eier in Nesthügel aus Laub und Ästen (einige Echte K. und alle Alligatoren) oder in Sandgruben und bewachen danach das Gelege. K. wachsen zeitlebens und können vermutlich ein Alter von bis zu 100 Jahren erreichen. – Das westafrikan. **Stumpf-K.** (Osteolaemus tetraspis), bis 1,7 m lang, ist kurzschnauzig. Eine stark verlängerte Schnauze besitzt das **Sunda-K.** (Tomistoma schlegeli). Zu den K. der Gattung **Crocodylus** gehören das ind. **Sumpf-K.** (Crocodylus palustris), das afrikan. **Nil-K.** (Crocodylus niloticus) und das fast 10 m lange, Brack- und Seewasser bewohnende, indoaustral. **Leisten-K.** (Crocodylus porosus). Auffallend langschnauzig ist das amerikan. **Spitz-K.** (Crocodylus acutus). – Wegen des Krokodilleders werden K. stark bejagt und sind in ihrem Bestand gefährdet. Um den Lederbedarf zu decken, werden K. gezüchtet.

Krokodilwächter (Pluvianus aegyptius), etwa 22 cm langer, oberseits blaugrau gefärbter, mit den Brachschwalben verwandter Vogel an Binnengewässern Zentral- und O-Afrikas; Insektenfresser.

Krokoit [grch. »Safran«] *der* (Rotbleierz), monoklines, gelbrotes, nadel- oder säulenförmiges Mineral, $PbCrO_4$, entsteht in der Oxidationszone.

Krokus [grch. krókos »Safran«] *der* (Crocus), Gattung der Schwertliliengewächse mit weißen, lilafarbenen oder gelben Trichterblüten; im Vorfrühling oder Herbst blühende Zierpflanzen, z.B. der weiß oder violett blühende **Frühlings-K.** (Crocus albiflorus) der Alpen und der den gelben Farbstoff und das Safrangewürz (aus den getrockneten Narben gewonnen) liefernde, im Herbst violett blühende **Echte Safran** (Crocus sativus).

Król, Joachim, Schauspieler, *Herne 7. 6. 1957; klass. Schauspielausbildung an der Falckenberg-Schule in München; allg. bekannt wurde er durch Film- und Fernsehrollen: »Wir können auch anders« (1992), »Der bewegte Mann« (1994), »Das Superweib« (1995), »Eine unmögliche Hochzeit« (1996), »Rossini« (1997).

Kroll, Lucien, belg. Architekt, *Etterbeek (Region Brüssel) 17. 3. 1927; wurde bekannt durch das Studentenwohnheim der medizin. Fakultät in Woluwe-Saint-Lambert, Brüssel (1970–77). Die Einbeziehung der Bewohner bei Konzept und Ausgestaltung führte zu Bauten von großer Vielfalt.

Kroll-Verfahren, ein von dem luxemburg. Metallurgen W. J. Kroll (*1889, †1973) entwickeltes Verfahren zur Gewinnung schwer reduzierbarer Metalle, bes. von Titan und Zirkon.

Krolow [-lo], Karl, Schriftsteller, *Hannover 11. 3. 1915; bed. dt. Lyriker des 20. Jh. Das Stimmungshafte seiner frühen Naturlyrik (unter Einfluss von W. Lehmann, O. Loerke) weicht später der Reflexion und epigrammat. Präzision; u.a. »Die Zeichen der Welt« (1952), »Tage und Nächte« (1956), »Unsichtbare Hände« (1962), »Zeitvergehen« (1972), »Ein Gedicht entsteht« (Schriften, 1973), »Das andere Leben« (Prosa, 1979), »Nacht-Leben oder Geschonte Kindheit« (Prosa, 1985), »Als es soweit war« (Ged., 1988), »Ich höre mich sagen« (Ged., 1992). 1956 Georg-Büchner-Preis; Übersetzer, Nachdichter frz. und span. Lyrik.

Kroměříž ['krɔmjɛrʒiːʃ] (dt. Kremsier), Stadt im Südmähr. Gebiet, Tschech. Rep., an der March, 29 400 Ew.; Herstellung von Kraftfahrzeugelektrik. – Frühbarockes Schloss (Ende 17. Jh.) mit Schlosspark (nach Vorbild von Versailles); got. Propsteikirche St. Mauritius (1260 vollendet, mehrmals umgestaltet); Kirche St. Johannes Baptist (18. Jh.); Domherrenpalais. – 1110 ersterwähnt; 1290 (Brünner) Stadtrecht; seit dem 13. Jh. Residenz der Bischöfe (seit 1777 Erzbischöfe) von Olmütz. – 1848/49 tagte in K. der aus Wien verlegte österr. Reichstag **(Reichstag von Kremsier),** auf dem die slawisch- und dt.sprachigen Abgeordneten eine Erneuerung der Monarchie auf verfassungsmäßiger Basis, unter Berücksichtigung der sich aus der Nationalitätenfrage ergebenden Probleme, zu erlangen versuchten.

Krokodile: Leistenkrokodil (Länge fast 10 m)

Kromlech (Cromlech) [zu walis. crom »Kreis« und llech »flacher Stein«], Anlagen kreis- oder halbkreisförmig aufgestellter Steine kult. Charakters; in W-Europa (z.B. in Avebury und Stonehenge) bedeutender Bestandteil der Megalithkulturen.

Kronach, 1) Landkreis im RegBez. Oberfranken, Bayern, 652 km², (1996) 76 700 Ew.

2) Kreisstadt von 1) in Bayern, 310–540 m ü. M., am S-Rand des Frankenwaldes, 18 500 Ew.; Frankenwaldmuseum; Elektronik-, chem. u.a. Ind., Werkzeugbau, Keramik. – Alte Stadtbefestigung (14. bis 17. Jh.), got. Stadtpfarrkirche (14.–16. Jh.), Rathaus (1583), Bürgerhäuser (16.–18. Jh.), darunter Geburtshaus von Lucas Cranach d. Ä. Über K. die **Feste Rosenberg** (Museum Fränk. Galerie, Jugendherberge). – 1323 als Stadt genannt.

Kron|anwalt, 1) in Staaten mit monarch. Verfassung ein Beamter, der die Aufgaben des Staatsanwalts wahrnimmt.

2) → Attorney.

Kronauer, Brigitte, eigtl. B. Schreiber, Schriftstellerin, *Essen 29. 12. 1940; benutzt Literatur zur

Krokus: Echter Safran

Kromlech: Der äußere Ring der spätneolithisch-frühbronzezeitlichen Anlage bei Avebury in Großbritannien

Kronberg im Taunus: Oberhalb der Stadt liegt die um 1220 errichtete, im Kern staufische Burg

Brigitte Kronauer

Hinterfragung eines für »wahr« und allgemein verbindlich gehaltenen Wirklichkeitsverständnisses, schreibt Erzählungen (»Schnurrer«, Geschichten, 1992), Romane (»Frau Mühlenbeck im Gehäus«, 1980; »Berittener Bogenschütze«, 1986; »Die Frau in den Kissen«, 1990) und Essays (»Aufsätze zur Literatur«, 1987, »Die Einöde und ihr Prophet. Porträts«, 1996).

Kronberg im Taunus, Stadt im Hochtaunuskreis, Hessen, 17800 Ew.; Luftkurort am S-Hang des Hochtaunus; Elektroind.; Obstbau; Mineralquellen; Tiergehege (»Opelzoo«). – Burg (13. Jh.), Schloss Friedrichshof (1889–1901, heute Hotel). – Seit 1330 Stadt.

Krone [aus lat. corona »Kranz«], **1)** *Anatomie, Zahnmedizin:* (Zahn-K.), → Zähne, → Zahnersatz.

2) *Astronomie:* **Nördl. K.** (lat. Corona Borealis), Sternbild am Nordhimmel, hellster Stern (α) ist Gemma; **Südl. K.** (lat. Corona Australis), Sternbild am Südhimmel.

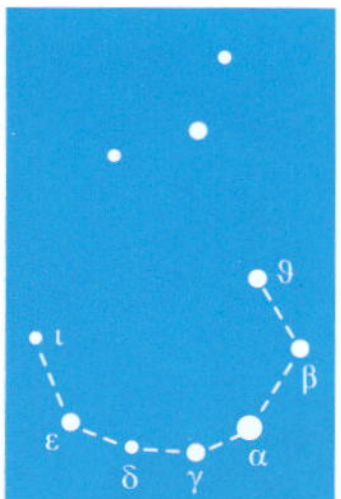

Krone 2): Die hellsten Sterne der nördlichen Krone

3) *Botanik:* der obere auf den Stamm folgende, mehr oder weniger ausladende Teil des Baumes. Auch Bez. für die Gesamtheit der Kronblätter der Blüte der Bedecktsamer.

4) *Jägersprache:* Rehgehörn; auch oberer Teil des Rothirschgeweihs mit mindestens drei Enden (daher K.-Hirsch).

5) *Münzkunde:* Münznominal und Währungseinheit versch. Staaten: 1) frz. Goldmünze (Couronne d'Or [»goldene K.«] 1340, Écu), 2) engl. Talermünze (→ Crown), 3) verschiedene skandinav. Silbermünzen des 17./18. Jh., v. a. Corona danica (»dän. K.«), von der 4) die skandinav. Münzunion von 1872 ausging, 5) portugies. Goldmünze 1836–89 (Corõa d'Ouro, »goldene K.«), 6) 1857–71 im Münzverein dt. und österr. Goldmünze (Vereins-K.; 1 K. = 913 Taler); 1871–1914 im Dt. Reich amtl. Bez. für die 10-Mark-Goldstücke (20-Mark-Stück = Doppel-K.); 1892–1924 in Österreich Währungseinheit (1 K. = 100 Heller), 7) 1921–92 Währungseinheit in der Tschechoslowakei: 1 K. (Kčs) = 100 Haléřů (h); 8) aktuelle Währungseinheit in Dänemark, Island, Norwegen, Schweden, in der Slowak. Rep. und in der Tschech. Republik.

6) *Rangabzeichen:* Kopfschmuck und Teil der Insignien des Herrschers; bereits im Altertum bekannt, z. B. ägypt. Doppel-K., röm. Corona und Diadem. – Die K. des abendländ. MA. entwickelten sich aus röm. und byzantin. Vorläufern und dem german. Königshelm. Offene K. waren die Eiserne K. und die Helm-K.; durch Bügel und Mitra geschlossen (als Zeichen der Souveränität) waren Kaiser-, Königs-, Herzogs- und Fürsten-K. (Fürstenhut). Die K. des Papstes ist die **Tiara;** den realen K. sind für den herald. Gebrauch die sich nach Anzahl der Blätter oder Perlen und Perlenzinken unterscheidenden Rangkronen nachgebildet.

7) *Technik:* (Bohr-K.), mit Hartmetall oder Diamanten besetzte Schneide eines Bohrwerkzeugs.

8) *Wasserbau:* oberer Abschluss an Deichen **(Deich-K.)** und Staubauwerken.

Kronecker, Leopold, Mathematiker, * Liegnitz (heute Legnica) 7. 12. 1823, † Berlin 29. 12. 1891; seit 1861 Mitgl. der Preuß. Akademie der Wiss., bed. Arbeiten zur Algebra, Funktionen- und Zahlentheorie, u. a. über Integrale, ellipt. Funktionen und Determinanten. Das nach ihm ben., u. a. zur Beschreibung von Matrizen verwendete **K.-Symbol (Deltasymbol)** δ_{ik} aller Paare (i, k) natürl. Zahlen hat für $i = k$ den Wert 1 und für $i \neq k$ den Wert 0.

Kronos: Rhea bringt ihrem Bruder Kronos statt des Zeusknaben einen Stein, Marmorrelief (Rom, Kapitolinisches Museum)

Kronen|orden (Orden der Krone), Verdienstorden, die meist im 19. Jh. von monarchisch regierten Staaten gestiftet wurden und zumeist mit Monarchien erloschen, z. B. Verdienstorden der Bayer. Krone (1808), Preuß. K. (1861), Orden der Württemberg. Krone (1807; Name seit 1818).

Kröner, Adolf von (seit 1905), Verlagsbuchhändler, * Stuttgart 26. 5. 1836, † ebd. 29. 1. 1911; war 1882–87 und 1889–91 Erster Vorsteher des Börsenvereins der Dt. Buchhändler, führte im Buchhandel Festpreise ein (1888 Kröner-Reform). Sein Sohn Alfred (* 1861, † 1922) gründete 1898 den Alfred K. Verlag, Stuttgart.

Kronglas, ein → optisches Glas.

Kronkolonie (engl. Crown Colony), im Brit. Reich die von der Krone durch einen Gouverneur verwalteten Besitzungen ohne voll ausgebildete Selbstverwaltung.

Kronland, Erbland eines fürstl. Hauses, bes. die 1867–1918 im zisleithan. Reichsteil Österreich-Ungarns liegenden »Königreiche und Länder«, u. a. Erzherzogtum Österreich, Königreich Böhmen.

Kronoberg ['kru:nubærj], VerwBez. (Län) im S Schwedens, 8 458 km^2, (1995) 180 700 Ew.; Hptst. ist Växjö.

Kronos, *grch. Mythos:* ein Titan, jüngster Sohn des Uranos und der Gaia, entmannte auf Drängen der Mutter den Vater mit der Sichel und folgte ihm in der Herrschaft; durch seine Schwester Rhea wurde er Vater von Hestia, Demeter, Hera, Hades, Poseidon, Zeus. Da ihm geweissagt war, dass sein Sohn ihn stürzen werde, verschlang er alle seine Kinder bis auf Zeus, den Rhea vor ihm verbarg. Zeus entthronte ihn und warf ihn in den Tartaros.

Kronprinz, in Monarchien der Thronfolger in direkter Linie; führt in einigen Staaten einen besonderen Titel, z. B. in Großbritannien **Prince of Wales;** hieß in Österreich **Erzherzog.**

Kronrat, in monarch. Staaten der unter dem Vorsitz des Monarchen tagende Ministerrat.

Kronstadt, 1) (rumän. Braşov), Hauptstadt des Bez. K. in Rumänien, im Burzenland (Siebenbürgen), am N-Rand der Südkarpaten, 364 000 Ew.; Univ. (1971), Pädagog. Inst., Theater, Oper, Museen; Fahrzeug-, Maschinenbau, chem., Baustoff-, Textil-, Nahrungsmittelind., Erdöl- und Holzverarbeitung. In der Nähe das Wintersportzentrum **Poiana Braşov** (1 030 m ü. M.). – Mittelpunkt der Stadt ist die spätgot. »Schwarze Kirche« (1477 vollendet, im 18. Jh. verändert), ferner Rathaus (15. Jh., später barockisiert, jetzt Heimatmuseum), ehem. Zunfthaus (16. Jh.), Bartholomäuskirche (13.–15. Jh., Kirchenburg) und griechisch-orth. Nikolauskirche (15./16. Jh., 1751 erneuert); Reste der Stadtumwallung des 15. Jahrhunderts. – K. entwickelte sich um eine 1211 vom Dt. Orden gegr. Burg, wurde Hptst. des Burzenlandes und durch J. Honterus seit 1542 Mittelpunkt der Reformation in Siebenbürgen; kam 1920 von Ungarn an Rumänien.

2) (russ. Kronschtadt, 1703–23 Kronschlot), Stadt auf der Insel Kotlin im O des Finn. Meerbusens, westlich von Sankt Petersburg, Russland, rd. 40 000 Ew.; Handels- und Kriegshafen. – K., 1703/04 als

Kronstadt 1): Die 1477 vollendete, im 18. Jh. veränderte »Schwarze Kirche« im Zentrum der Stadt

Seefestung erbaut, wurde wichtigster russ. Flottenstützpunkt in der Ostsee. In der Oktoberrevolution 1917 waren die in K. stationierten Matrosen eine der Hauptstützen der Bolschewiki. Der **Kronstädter Aufstand** (2.–18. 3. 1921), in dem sich 16 000 Matrosen gegen die bolschewist. Einparteienherrschaft erhoben, wurde durch die Rote Armee niedergeschlagen.

Kronstadt 1) Stadtwappen

Krönung, feierl. Einsetzung des Herrschers durch Aufsetzen der → Krone, meist unter Verwendung der **K.-Insignien** (→ Reichskleinodien).

Krönung: Kaiser Karl der Große und Kaiser Sigismund mit den Krönungsinsignien, Gemälde nach Albrecht Dürers Idealbildnissen (um 1600; Wien, Kunsthistorisches Museum)

Im Fränk. Reich war die **Königs-K.** seit Pippin mit der kirchl. Salbung verbunden. Im Regnum Teutonicum (»Reich der Deutschen«) lehnte noch Heinrich I. die Salbung ab, Otto I. (936) führte sie ein. Funktion und Ritus orientierten sich bald an der seit dem 9. Jh. vom Papst vollzogenen **Kaiser-K.** Im Hl. Röm. Reich hatte bis 1024 und ab 1562 der Erzbischof von Mainz, 1024–1531 der Erzbischof von Köln das K.-Recht. K.-Ort war 936 (endgültig 1039) bis 1531 Aachen, seitdem war Frankfurt am Main Wahl- und Krönungsort.

Pjotr Kropotkin

Kronwicke (Coronilla), Gattung meist krautiger Schmetterlingsblütler mit langgestielter Blütendolde, in Europa und Asien. Die **Bunte K.** (Coronilla varia) ist eine liegende Staude mit rosaweiß-violetten Blüten und gegliederten Hülsen.

Kronzeuge, ein Tatbeteiligter, der gegen Zusicherung der Straflosigkeit oder Strafmilderung als (Haupt-)Belastungszeuge aussagt; die Regelung stammt aus dem angloamerikan. Recht. Im dt. Recht wurde 1989 eine (nunmehr bis Ende 1999 befristete) K.-Regelung bei terrorist. Straftaten (§ 129a StGB) eingeführt, später auf kriminelle Vereinigungen (§ 129 StGB) ausgedehnt. Das Absehen von Strafverfolgungsmaßnahmen gegen mitwirkungsbereite terrorist. Täter liegt danach im Ermessen des Generalbundesanwaltes und des BGH. Werden dem Täter Mord (§ 211 StGB) oder Totschlag (§ 212) zur Last gelegt, kann von Strafverfolgung nicht abgesehen werden.

Jaan Kross

Kropf, 1) *Medizin:* (Struma), diffuse oder knotige Schilddrüsenvergrößerung durch Entzündung oder Geschwülste (Adenome, Krebs), häufig durch einen Jodmangel, auch durch kropferzeugende Substanzen in der Nahrung (z. B. Glykoside) und in Arzneimitteln (z. B. Pyrazolonderivate) oder durch Störungen der Schilddrüsenhormonsynthese; führt teilweise zu einer Schilddrüsenüberfunktion. Die Behandlung erfolgt mit Jod- und Schilddrüsenhormonpräparaten. Bei bestimmten K.-Formen ist eine operative Entfernung **(Strumektomie)** erforderlich.

Krösus

Nach der Eroberung fast ganz Westkleinasiens wurde Krösus durch die Tribute der unterworfenen Städte und Länder unermesslich reich. Solon, einer der sieben Weisen, soll ihm auf die Frage, wen er für den glücklichsten Menschen halte, jedoch geantwortet haben, dass er ihn nicht den Glücklichsten nennen könne, bevor er nicht sein Leben auch glücklich beschlossen habe.

Die angebliche Weissagung des delphischen Orakels, Krösus werde, wenn er den Fluss Halys überschreite, ein großes Reich zerstören, erfüllte sich an ihm selbst: Als er siegesgewiss das Perserreich angriff, wurde er von Kyros II. besiegt und nach der Einnahme von Sardes 547 v. Chr. gefangen genommen. Wie und wann er starb, ist ungewiss.

2) *Zoologie:* (Ingluvies), die Aussackung der Speiseröhre, in der bes. bei Körner fressenden Vögeln (z. B. Hühner, Tauben) die Nahrung durch Sekrete erweicht wird. Bei Wirbellosen Erweiterungen im vorderen Abschnitt des Verdauungskanals mit unterschiedl. Funktion.

Kröpfen, *Bauwesen:* Herumführen eines profilierten Bauglieds um eine vorspringende Ecke; auch das handwerkl. Zusammmenfügen von Holzleisten auf Gehrung an den Ecken bei Möbeln.

Kropfstörche, → Marabus.

Kropọtkin (Krapotkin), Pjotr Alexejewitsch, Fürst, russ. Revolutionär, * Moskau 9. 12. 1842, † Dmitrow (bei Moskau) 8. 2. 1921; Offizier und Geograph, wurde 1872 in der Schweiz Anarchist, 1874 in Russland verhaftet; lebte nach seiner Flucht aus der Peter-und-Pauls-Festung (1876) in W-Europa und kehrte 1917 nach Russland zurück. K. war der bedeutendste Vertreter des kommunist. Anarchismus, er erstrebte das Gemeineigentum an den Produktions- und Konsumtionsmitteln.

Werke: Worte eines Rebellen (1885); Memoiren eines Revolutionärs (1899); Die Frz. Revolution 1789–1793 (1909).

📖 HUG, H.: *K. zur Einführung. Hamburg 1989.*

Krọsno, Hauptstadt der Wwschaft K., SO-Polen, im Karpatenvorland, am Wisłok, 49 500 Ew.; Erdöl- und Erdgasförderung, Glas-, Schuh-, Textilind., Maschinenbau. – Seit 1365 Stadt.

Krọsno Odrzańskie [- ɔ'dʒaĩskjɛ] (dt. Crossen [Oder]), Stadt in der Wwschaft Zielona Góra (Grünberg), Polen, an der Bobermündung, 12 400 Ew.; Holzverarbeitung, Metallind.; Oderhafen. – Dt. Besiedlung seit dem 12. Jh., Stadt seit 1233.

Krọss, Jaan, estn. Schriftsteller, * Tallinn 19. 2. 1920; schrieb v. a. formal vollendete, z. T. experimentelle Lyrik (»Steinkohlenveredler«, 1958) mit aktueller Thematik, seit den 70er-Jahren historisch-biograph. Prosa: »Das Leben des Balthasar Rüssow« (4 Bde. [dt. 3 Bde.], 1970–80), »Der Verrückte des Zaren« (R., 1978), »Professor Martens' Abreise« (R., 1984), »Bernhard Schmidt« (R., 1987), »Ausgrabungen« (1990), auch Novellen.

Krọ̈sus (grch. Kroisos, lat. Croesus), letzter König von Lydien, regierte um 560–546 v. Chr. Durch Eroberungen erweiterte er sein Reich bis zum Halys; 546 wurde er von dem Perserkönig Kyros II. besiegt und unterworfen. K. ließ die ersten Goldmünzen prägen; sein Reichtum war sprichwörtlich.

Kröten (Bufonidae), weltweit verbreitete Familie der Froschlurche, mit gedrungenem Körperbau. K. haben ein zahnloses Maul, ihre Pupille steht horizontal. Die Haut ist häufig mit warzigen Drüsen versehen, in der Ohrregion kommen oft verdickte Drüsenfelder (Ohrdrüsen) vor. Das Hautsekret ist häufig giftig und kann von einigen

Arten (z.B. Aga-K.) mehrere Zentimeter weit aus den Ohrdrüsen herausgespritzt werden (→Krötengifte). K. haben relativ kurze Beine, springen kaum, können jedoch meist gut graben. Sie sind i. Allg. Bodenbewohner, selten leben sie auf Bäumen oder im Wasser. Die meisten Arten suchen das Wasser nur zur Fortpflanzung auf und legen dort ihre Eier als Laichschnüre ab. Sie ernähren sich von Würmern, Kerbtieren und deren Larven. Mitteleurop. Arten: die schwarzbraun bis gelbgrau gefärbte **Erd-K.** (Bufo bufo); auf hellem Grund dunkelgrün gefleckt mit vielen roten Warzen die **Wechsel-K.** (Bufo viridis); die **Kreuz-K.** (Bufo calamita) mit olivgrüner Oberseite mit rötlich grauen Flecken und heller Rückenlinie. (→Geburtshelferkröte)

Kröten|echsen (Phrynosoma), Gattung flacher, krötenähnl., mit stacheligen Hornfortsätzen bedeckter Leguane in den Wüsten Nordamerikas.

Krötengifte (Bufotoxine), Gifte in den Sekreten der Hautdrüsen bestimmter Krötenarten, die z.T. auch herzwirksame Substanzen **(Bufogenine)** enthalten.

Kroto ['krəʊtəʊ], Harold Sir (seit 1995), brit. Chemiker, *Wisbech (Cty. Cambridgeshire) 7. 10. 1933; entdeckte bei der Laserverdampfung von Graphit die →Fullerene, wofür er 1996 gemeinsam mit R. Curl und R. E. Smalley den Nobelpreis für Chemie erhielt.

Franz Krüger: Ausritt des Prinzen Wilhelm mit dem Künstler (1836; Berlin, Nationalgalerie)

Krøyer ['krøjər], Peter Severin, dän. Maler, *Stavanger (Norwegen) 24. 6. 1851, †Skagen 20. 11. 1909; bildete ab 1882 den Mittelpunkt einer Künstlerkolonie in Skagen; malte v.a. Porträts und Genreszenen mit impressionist. Stilmitteln.

Krozingen, Bad, →Bad Krozingen.

Kru (Kroo), Völker- und Sprachgruppe in S- und O-Liberia und im SW der Rep. Elfenbeinküste; etwa 2,5 Mio. Angehörige; Bauern und Fischer.

Krötenechse

Krucken (Krickel), die Hörner der Gämse.

Kruckenberg, Franz, Ingenieur, *Uetersen (Kr. Pinneberg) 21. 8. 1882, †Heidelberg 20. 6. 1965; baute den nach ihm benannten **K.-Wagen,** einen aerodynamisch günstigen Schienentriebwagen mit Luftschraubenantrieb aus Leichtmetall, der 1931 bei einer Versuchsfahrt zw. Ludwigslust und Wittenberge die damalige Weltrekordgeschwindigkeit von 230 km/h erreichte.

Harold Kroto

Krüdener, Barbara Juliane Freifrau von, geb. von Vietinghoff, balt. Schriftstellerin, *Riga 11. 11. 1764, †Karassubasar (heute Belogorsk, Gebiet Krim) 25. 12. 1824; verbreitete v.a. mit Predigten mystisch-pietistisches Gedankengut und beeinflusste u.a. Kaiser Alexander I. und die süddt. Erweckungsbewegung; schrieb geistl. Lieder.

Krueger ['kry:-], Felix, Philosoph und Psychologe, *Posen 10. 8. 1874, †Basel 25. 2. 1948; begründete die genet. Ganzheitspsychologie, ausgehend primär vom Gefühl und gefühlsartigen Erlebnissen (Leipziger Schule). – »Das Wesen der Gefühle« (1928), »Lehre von dem Ganzen« (1948).

Krug, Manfred, Schauspieler und Sänger, *Duisburg 8. 2. 1937; spielte u.a. an der Kom. Oper und am Berliner Ensemble in Berlin (Ost), auch zahlr., oft kom. Filmrollen; seit 1977 in der Bundesrep. Dtl.; profilierte sich v.a. in gesellschaftskrit. Filmen, z.B. »Spur der Steine« (1966), »Phantasten« (1979) und »Neuner« (1990); auch Fernsehserien.

Manfred Krug

Krüger, 1) Bartholomäus, Schriftsteller, *Sperenberg um 1540, †Trebbin (Brandenburg) nach 1597; ebd. 1580–97 Stadtschreiber und Organist, schrieb u.a. das Volksbuch »Hans Clawerts werckliche Historien« (Schwänke, 1587).

2) Franz, Maler, *Großbadegast (Kr. Köthen) 10. 9. 1797, †Berlin 21. 1. 1857; schuf mit biedermeierl. Realismus Pferde- und Kavalleriebilder (»Pferd-K.«), Porträts der preuß. Königsfamilie, der Hofgesellschaft, des gehobenen Bürgertums sowie große Paradebilder.

Hardy Krüger

Paulus Krüger

Krügerrand: Vorder- und Rückseite (Durchmesser 31 mm)

3) Hardy, eigtl. Franz Eberhard August K., Schauspieler, *Berlin 12. 4. 1928; Star des dt. und internat. Films, u.a. in »Einer kam durch« (1957), »Die tödl. Falle« (1959), »Hatari« (1962), »Barry Lyndon« (1975); auch Schriftsteller und Drehbuchautor.

4) (Afrikaans Kruger), Paulus, gen. Ohm Krüger, südafrikan. Politiker, *Vaalbank (Prov. Nord-Kap) 10. 10. 1825, †Clarens (Kt. Waadt) 14. 7. 1904. Unter seiner Führung erhoben sich 1880 die Buren in Transvaal und Oranje-Freistaat gegen die brit. Herrschaft. 1883–1902 Präs. von Transvaal; erreichte 1884 die Unabhängigkeit seines Landes als »Südafrikan. Republik«. 1895 wehrte er den →Jameson Raid ab (→Krügerdepesche). Nachdem sich im 2. Burenkrieg gegen Großbritannien (1899–1902) der Verlust der Selbstständigkeit abzeichnete, reiste K. 1900 nach Europa, wo er sich vergeblich um Hilfe bemühte. (→Krüger-Nationalpark)

Krügerdepesche, Glückwunschbotschaft des dt. Kaisers Wilhelm II. am 3. 1. 1896 an den Präs. der Rep. Transvaal, P. Krüger, nach der Abwehr eines brit. Einfalls (→Jameson Raid). Die brit. Reg. betrachtete die K. als Einmischung in ihre Angelegenheiten, da Transvaal für sie Mitgl. des brit. Empire war.

Krüger-Nationalpark, Natur- und Wildschutzgebiet in der Rep. Südafrika, 19 485 km², erstreckt sich in der Prov. Mpumalanga 320 km entlang der Grenze nach Moçambique; wurde 1898 von P. Krüger gegr., seit 1927 für die Öffentlichkeit zugänglich (rd. 2 000 km Straßen); Elefanten, Nashörner, Giraffen, Löwen, Leoparden, viele Antilopen- und 450 Vogelarten.

Krügerrand [-rænd, engl., nach P. Krüger], seit 1967 geprägte Goldmünze der Rep. Südafrika mit einer Unze (31,1 g) Feingehalt (Gewicht 33,9 g). Der K. ist formal gesetzl. Zahlungsmittel und wird mit einem etwas über ihrem Goldwert liegenden Preis gehandelt.

Krugersdorp ['kryx-], Stadt in der Prov. Gauteng, Rep. Südafrika, Hauptort des westl. Witwatersrand, 1 740 m ü. M., 141 000 Ew.; Gold-, Mangan-, Uranerzbergbau, Metall- u. a. Ind.; Satelliten-Bodenstation.

Krukenberg, Hermann, Chirurg und Orthopäde, *Calbe (Saale) 21. 6. 1863, †Wernigerode 2. 10. 1935; erfand ein Verfahren, bei Verlust einer Hand den Unterarm in Elle und Speiche zu spalten, wodurch einfache Greifbewegungen möglich werden.

Krukenberg-Tumor [nach dem Pathologen F. Krukenberg, *1871, †1946], sekundäre, durch Metastasen v. a. bei Magen- und Darmkrebs hervorgerufene bösartige, meist doppelseitige Geschwulst der Eierstöcke (Ovarialkarzinom).

Krull, Germaine, frz. Fotografin dt. Herkunft, *Wilna (bei Posen) 29. 1. 1897, †Wetzlar 30. 7. 1985; war als Porträt-, Architektur-, Industrie-, Mode- und Werbefotografin tätig, arbeitete auch als Kriegsberichterstatterin. 1965 wanderte sie nach Indien aus. Ihr Bildband »Métal« (1927) gehört zu den Schlüsselwerken der Fotografie.

Krumau (Böhmisch-K., tschech. Český Krumlov), Stadt im Südböhm. Gebiet, Tschech. Rep., an der Moldau, 509 m ü. M., 13 500 Ew.; Holz-, Papier-, Textilind. – Schloss (14.–18. Jh.), got. Kirche St. Veit. – Im 16. Jh. durch Silber- und Bleierzbergbau wirtsch. Blüte.

Krumbach (Schwaben), Stadt im Landkreis Günzburg, Bayern, 12 500 Ew.; Heimatmuseum, Fachakademie für Sozialpädagogik; Herstellung von Gummi-, Glas-, Wachswaren, Textilind., Maschinenbau; Heilbad **Krumbad.** – Pfarrkirche St. Michael (1752/53). – Stadt seit 1895.

Krümmer, gebogenes Rohrstück.

Krummholz (Knieholz), Bez. für in höheren Bergregionen wachsende Holzgewächse, deren Stämme oder Äste vielfältig gekrümmt sind.

Krummhorn, 1) Holzblasinstrument v. a. des 16./17. Jh. mit doppeltem Rohrblatt und Windkapsel sowie am unteren Ende hakenförmig gebogener Schallröhre mit 6–8 Grifflöchern, einem Daumenloch und 1–2 Stimmlöchern.

2) Orgelregister mit kräftigem, klarinettenartigem Klang.

Krummhörn *die,* Seemarschengebiet im SW Ostfrieslands, zw. der Leybucht im N und dem Dollart im S, Ndsachs.; Grünlandwirtschaft. Den größten Flächenanteil hat die nordwestlich von Emden im Landkr. Aurich liegende Gemeinde K. (159 km²) mit 13 100 Ew. in 19 Ortsteilen, darunter der Fischereihafen Greetsiel mit Ausflugs- und Fremdenverkehr; bis 2,3 m u. M. (tiefster Oberflächenpunkt Dtl.s); Wurtensiedlungen.

Krummhübel, Stadt in Polen, →Karpacz.

Krummstab, der →Bischofsstab.

Krümmung, *Geometrie:* Maß für die Abweichung einer Kurve vom geradlinigen Verlauf. **K.-Kreis** ist derjenige Kreis, der sich in dem betrachteten Punkt der Kurve am besten anschmiegt; man findet seinen Mittelpunkt, den **K.-Mittelpunkt,** als Schnittpunkt zweier Lote, die in unmittelbarer Nachbarschaft des betrachteten Punktes auf der Kurve errichtet werden. Der Kehrwert der K. ist der **K.-Radius** der Kurve im Berührungspunkt. Die K. einer Fläche wird durch die K. der in ihr liegenden ebenen Kurven beschrieben. – Auch für drei- oder höherdimensionale Räume lässt sich eine K. definieren.

Krümpersystem, das 1808–12 in der preuß. Armee angewandte System, Rekruten **(Krümper)** nach kurzfristiger Ausbildung wieder zu entlassen;

dadurch schuf sie sich eine Reserve, ohne die von Napoleon I. 1808 bestimmte Höchstgrenze von 42000 Mann zu überschreiten.

Krumpfen, *Textiltechnik:* 1) Maßänderung von Textilien durch Einlaufen (Schrumpfen, Eingehen) beim Nasswerden; 2) Appreturverfahren, mit denen Gewebe wenig krumpfend oder **krumpfecht** ausgerüstet werden, sodass sie innerhalb bestimmter Toleranzen maßbeständig bleiben.

Krumpper (Krumper), Hans, Bildhauer und Baumeister, * Weilheim i. OB um 1570, † München 12. 5. 1634; stand im Dienst des bayer. Hofs; knüpfte in seinen Bildwerken an die spätgot. Tradition an. Erhalten ist von seinen Werken in München u.a. das Grabmal des Herzogs Ferdinand von Bayern (um 1608; Hl.-Geist-Kirche), die Patrona Bavariae und Figuren der vier Kardinaltugenden (1614–16; Fassade der Residenz).

Hans Krumpper: Kurfürst Maximilian I., Teil einer Bronzestatue (um 1630; München, Residenzmuseum)

Krupp [engl. to croup, eigtl. »krächzen«], membranbildende Entzündung im Kehlkopf bei Diphtherie mit schwerer Schleimhautzerstörung. Es wird zw. **Pseudo-K.,** leichtere Form der Membranbildung, hervorgerufen durch Grippeviren, und **echtem K.,** hervorgerufen durch Diphtheriebakterien, unterschieden. Symptome sind bellender Husten und Erstickungsanfälle.

Kruppade [frz.] *die, Pferdesport:* Sprungfigur der hohen Schule, bei der das Pferd senkrecht hochspringt und Vorder- und Hinterbeine anzieht.

Krupp AG Hoesch-Krupp, Fried. [-ˈhœʃ-] (Krupp-Konzern), Essen, in Maschinen- und Anlagenbau, Stahlind., Handel und Dienstleistung tätiger Konzern; gegr. 1811 von Friedrich Krupp (* 1787, † 1826), entwickelte sich unter dessen Sohn Alfred (* 1812, † 1887) zur weltgrößten Gussstahlfabrik. Alfred Krupp begründete auch das Sozialwerk des Unternehmens. Sein Sohn Friedrich Alfred (* 1854, † 1902) erwarb 1893 das Grusonwerk (Magdeburg-Buckau), 1902 die Germania-Werft (Kiel) und baute 1897 ein modernes Hüttenwerk in Rheinhausen. 1903 wurde das Unternehmen in eine AG umgewandelt; Inhaberin: F. A. Krupps älteste Tochter Bertha (* 1886, † 1957). Ab 1909 leitete deren Ehemann Gustav von Bohlen und Halbach (Krupp von Bohlen und Halbach; * 1870, † 1950) das Unternehmen. Während der beiden Weltkriege prosperierte der Konzern, v.a. durch Rüstungsaufträge. 1943 wurde er unter dem Alleininhaber Alfried Krupp von Bohlen und Halbach (* 1907, † 1967) wieder in eine Einzelfirma umgewandelt. 1948 wurde Alfried Krupp (anstelle seines haftunfähigen Vaters) als Kriegsverbrecher zu zwölf Jahren Haft verurteilt und sein Vermögen eingezogen. Nach Revision des Urteils (1951) und der Verpflichtung, seine Montanbeteiligungen zu verkaufen, übernahm er 1953 erneut die Unternehmensleitung. Aufgrund seiner Verfügung wurden sein Privat- sowie das Konzernvermögen nach seinem Tod der 1968 gegr. **Alfried Krupp von Bohlen und Halbach-Stiftung** übertragen. 1969 erfolgte die Umwandlung des Unternehmens in eine GmbH, 1992 in eine AG (als Fried. Krupp GmbH bzw. AG). 1992 kam es zu einer Verschmelzung mit der Hoesch AG zur **Fried. Krupp AG Hoesch-Krupp,** bestehend aus einer Holding und wirtschaftlich selbstständigen Betriebsführungsgesellschaften. Kapitaleigner: Alfried Krupp von Bohlen und Halbach-Stiftung 51,61 %, der Staat Iran 23,55 %, WestLB 7,21 %. 1997 versuchte Krupp den Thyssen-Konzern durch eine »feindl. Übernahme« zu erwerben, was misslang, aber in einem Teilbereich zur Gründung des Gemeinschaftsunternehmens Thyssen Krupp Stahl AG führte.

Alfred Krupp

📖 Friz, D. M.: *Die Stahlgiganten. Alfried K. u. Berthold Beitz. Neuausg. Frankfurt am Main u.a. 1990.* – Schröder, E.: *K. Geschichte einer Unternehmerfamilie. Göttingen u.a. ⁴1991.*

Kruppe [frz.], zw. Kreuz und Schwanzansatz liegender Teil des Rückens beim Pferd und Rind.

Krupskaja, Nadeschda Konstantinowna, russ. Revolutionärin und Pädagogin, * Sankt Petersburg 26. 2. 1869, † Moskau 27. 2. 1939; seit 1898 ⚭ mit Lenin, mit dem sie bis 1917 zumeist in Verbannung bzw. im Exil lebte; nach der Oktoberrevolution Mitbegründerin der sowjet. Pädagogik; ab 1927 Mitgl. des ZK der KPdSU (B).

Kruse, 1) Käthe, Kunsthandwerkerin, Frau des Bildhauers Max K. (* 1854, † 1942), * Breslau 17. 9. 1883, † Murnau a. Staffelsee 19. 7. 1968; schuf individuell gestaltete Puppen, seit 1933 auch Schaufensterfiguren.

2) Martin, evang. Theologe, * Lauenberg (heute zu Dassel) 21. 4. 1929; wurde 1977 Bischof der Evang. Kirche Berlin-Brandenburg (bis 1991 Berlin-West); 1985–91 Vors. des Rates der EKD.

Martin Kruse

Krusenstern, Adam Johann von, russ. Iwan Fjodorowitsch K., russ. Admiral dt. Herkunft, *Haggud (Estland) 19. 11. 1770, †Gut Ass (bei Tallinn) 24. 8. 1846; leitete 1803–06 die erste russ. Erdumsegelung.

Krusenstjerna [-ʃæ:rna], Agnes von, schwed. Erzählerin, *Växjö 9. 10. 1894, †Stockholm 10. 3. 1940. Ihre Romane und Novellen üben Kritik an der zeitgenöss. Aristokratie und dem Großbürgertum Schwedens, u.a.: »Tony«-Zyklus, 3 Bde., 1922–26; »Pahlen«-Zyklus, 7 Bde., 1930–35.

Krüss, James, Schriftsteller, *auf Helgoland 31. 5. 1926, †auf Gran Canaria 2. 8. 1997; Autor von Kinder- und Jugendbüchern, u.a. »Timm Thaler oder Das verkaufte Lachen« (1962); Hörspiele und Theaterstücke für Kinder.

Krustazeen [lat.] (Crustacea), die →Krebstiere.

Krusten|echsen (Helodermatidae), Familie der Echsen. Giftige Arten sind das **Gilatier** (Heloderma suspectum) im südl. Nordamerika und der mexikan. **Escorpion** (Heloderma horridum).

Krustentiere, die →Krebstiere.

James Krüss

Kruzifix [lat. crucifixus »der ans Kreuz Geschlagene«] *das,* Darstellung Christi am Kreuz, →Kreuzigung Jesu Christi.

Kryal [grch., →kryo...] *das, Ökologie:* der Lebensraum von Organismen im Bereich der Gletscher und ihren Abflüssen.

Krylow, Iwan Andrejewitsch, russ. Dichter, *Moskau 13. 2. 1768, †Sankt Petersburg 21. 11. 1844. Seine Fabeln (erste Einzelveröffentlichung 1806, erste Sammlung 1809), einige nach Äsop und La Fontaine, wurden durch ihre volkstüml., witzige und farbenreiche Sprache zum Muster dieser Gattung in der russ. Literatur.

Iwan Krylow (Ausschnitt aus einem zeitgenössischen Gemälde)

Krynica [kri'nitsa], Stadt in der Wwschaft Nowy Sącz (Neusandez), Polen, 500–620 m ü. M., in den Beskiden, 13 000 Ew.; einer der größten poln. Kurorte (Eisensäuerlinge); Wintersport; Mineralwasserversand.

kryo... [grch. krýos »Frost«], eis..., kälte...

Kryochirurgie (Gefrierchirurgie, Kältechirurgie), die Anwendung extrem tiefer Temperaturen zur operativen Gewebsdurchtrennung oder -zerstörung; die K. wird mittels einer vakuumisolierten Kanüle (Kryosonde) oder eines skalpellförmigen Instruments (Kryoskalpell) durchgeführt, an deren Spitze durch Verdampfen von verflüssigten Gasen (z.B. Stickstoff) Temperaturen bis zu –196 °C erzeugt werden. Vorteile der K. sind geringe Blutungsneigung durch Gewebsverschorfung, Schmerzarmut ohne zusätzl. Anästhesie, gute Heilung durch entzündl. Verklebung und Schonung des umgebenden Gewebes. Die K. dient zur Entfernung von Hautveränderungen (Hämangiome, Warzen) und Prostatageschwülsten und wird auch bei Staroperationen, zur Netzhautanheftung sowie zur Hämorrhoidenverödung und bei hirnchirurg. Eingriffen eingesetzt.

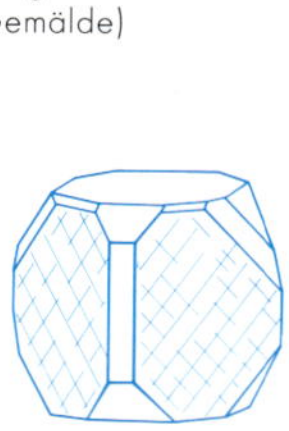

Kryolith: Kristallform

Kryogentank, wärmeisolierter Behälter zum Transport von bei Normaldruck und sehr tiefen Temperaturen verflüssigten Gasen, z.B. Erdgas bei etwa –160 °C.

Krustenechsen: Gilatier

Kryohydrat [grch.], wässrige Salzlösung (Kältemittel) im eutekt. Mengenverhältnis (Eutektikum), bei der der Schmelz- oder Erstarrungsvorgang am eutekt. Punkt (bei einem K. auch **kryohydrat. Punkt** genannt) wie bei einer reinen Substanz bei einer konstanten Temperatur erfolgt.

Kryolith [grch. »Eisstein«] *der,* monoklines Mineral, Na_3AlF_6, weiß, auch rötlich bis bräunlich oder schwarz, derb, seltener in kleinen, farblosen Kriställchen auf Klüften; größtes Vorkommen in Ivigtut (Grönland) ausgebeutet, daher heute meist synthetisch erzeugt, wichtig als Flussmittel bei der elektrolyt. Gewinnung von Aluminium. K. dient auch zur Herstellung von Milchglas und Emaille.

Kryon [grch.] *das, Ökologie:* Bez. für Lebensgemeinschaften (Biozönosen) im Bereich von Gletschern und Gletscherabflüssen. **Eukryon** bezeichnet die Lebensgemeinschaften auf Gletscheroberflächen und Firnschneefeldern. Unter **Metakryon** versteht man die Lebensgemeinschaften in Gletscherabflüssen, v.a. mit Gletscherbachzuckmückenlarven. **Hypokryon** ist der Name für Lebensgemeinschaften in mittleren und unteren Bereichen von Gletscherabflüssen, gekennzeichnet durch das gewässerabwärts aufeinander folgende Hinzukommen von Zuckmücken, Kriebelmücken, Köcher-, Eintags-, Steinfliegen.

Kryopumpe, Vakuumpumpe zur Erzeugung von Hoch- und Ultrahochvakuum durch Kühlen der Wand des Vakuumbehälters mithilfe verflüssigter Gase auf extrem niedrige Temperaturen; an der Wand werden in fester Form Gasmoleküle durch Kondensation niedergeschlagen.

Kryoskopie *die,* Methode zur Bestimmung der Molmasse von gelösten Stoffen aus der Herabsetzung des Gefrierpunktes der Lösung gegenüber dem des reinen Lösungsmittels.

Kryosphäre, Bez. für die die Erde bedeckenden Eismassen.

Kryostat *der,* Kühlgerät mit Regeleinrichtung zur Erzeugung möglichst konstanter niedriger Temperaturen, arbeitet meist mithilfe von verflüssigten Gasen.

Kryotechnik (Tieftemperaturtechnik), Teil der Kältetechnik und Anwendungsgebiet der Tieftemperaturphysik; umfasst die Verfahren, Geräte und Anlagen zur Erzeugung, Messung und techn. Nutzung tiefer Temperaturen bis in die Nähe des absoluten Nullpunktes, v.a. die Anwendung verflüssigter Gase in der Lebensmittel- und pharmazeut. Ind., in der Metallurgie und Raumfahrt.

Kryotron [grch.] *das,* ein Schaltelement, das i. Allg. aus zwei voneinander isolierten →Supraleitern unterschiedlicher Sprungtemperatur besteht (→Supraleitung). Der steuernde Leiter hat höhere Werte für Sprungtemperatur und krit. Feldstärke, sodass er stets im supraleitenden Zustand bleibt. Der gesteuerte Leiter kann durch eine bestimmte Stromstärke im steuernden Leiter über das entstehende Magnetfeld vom supraleitenden in den normalleitenden Zustand geschaltet werden.

Kryoturbation *die,* Bodenveränderungen im Bereich des Frostbodens, bes. in den periglazialen Gebieten. In der oberen wasserübersättigten Bodenschicht kommt es infolge wechselnden Gefrierens und Wiederauftauens zu Bodenbewegungen, wobei Würge-, Taschen- oder Brodelböden, bei stärkerer Sortierung der Bodenbestandteile Polygonböden u.a. Formen von Strukturböden entstehen.

Krypta [grch.] *die, Baukunst:* unterird. Grabkammer; in frühchristl. Zeit das Grab des Märtyrers unter dem Altar der ihm geweihten Kirche; später Grabstätte auch geistl. Würdenträger, die in der Romanik als mehrschiffige Hallen-K. unter dem erhöht über ihr liegenden Chor errichtet wurde. In got. Bauten tritt die K. seltener auf, nachdem schon die →Hirsauer Bauschule darauf verzichtet hatte. Im Barock entstanden K. gelegentlich als Fürstengruft.

krypt(o)... [grch. kryptós »verborgen«], geheim..., verborgen...

Kryptogamen [grch.], die →Sporenpflanzen.

Kryptogramm *das,* ein Text, aus dessen Wörtern sich durch bes. bezeichnete oder als bedeutsam verabredete Buchstaben eine neue Angabe ergibt, z.B. ein Verfassername. (→Akrostichon)

Kryptographie *die,* zusammenfassende Bez. für die Methoden zur Verschlüsselung (Chiffrierung) und Entschlüsselung (Dechiffrierung) von Information. (→Kryptologie).

Kryptokalvinisten, die Anhänger Melanchthons (Philippisten) in den innerreformator. Auseinandersetzungen (bes. im Streit um die Abendmahlslehre) nach dem Tod Luthers, v.a. in Sachsen (N. Crell).

Kryptologie *die,* Wiss. von der Entwicklung und der Bewertung von Verschlüsselungsverfahren (Kryptosysteme, Geheimschriften) zum Schutz von Daten. Die K. gilt heute als Teilgebiet der Informatik, das enge Beziehungen zur Mathematik, insbesondere zur Komplexitätstheorie und neuerdings zur →Zahlentheorie, aufweist.

Krypton [grch.] *das,* chem. Symbol **Kr,** chem. Element aus der Gruppe der Edelgase. Ordnungszahl 36, relative Atommasse 83,80 g/cm³, Dichte 3,733 g/l, Schmelzpunkt −157,02 °C, Siedepunkt −153,35 °C. – Das farb- und geruchlose Gas ist eines der seltensten Elemente (in der Luft mit 0,0001 Vol.-% enthalten), es wird durch fraktionierte Destillation aus Rückständen der Luftverflüssigung gewonnen. Verwendung für Glühlampen und Gasentladungsröhren. K. ist wie alle Edelgase sehr reaktionsträge, bildet aber unterhalb −78 °C eine Verbindung, das K.-Difluorid, KF_2. Das radioaktive Isotop ^{85}Kr (β-Strahler, Halbwertszeit 10,76 Jahre) wird durch kerntechn. Anlagen freigesetzt.

Kryptorchismus [grch.] *der,* Hodenhochstand, dadurch gekennzeichnet, dass der normale Abstieg der Hoden gestört ist und einer oder beide Hoden in der Bauchhöhle (K. i.e.S., **Bauchhoden**) oder im Leistenkanal **(Leistenhoden)** zurückbleibt. Um eine irreversible Schädigung des Hodens und Sterilität zu vermeiden, ist eine Operation zw. dem 3. und 18. Lebensmonat erforderlich.

Kryptozoikum *das,* Bez. für das Präkambrium, die älteste erdgeschichtl. Ära, mit keinen oder wenigen Spuren tier. Lebens.

Krywyj Rih [kreˈvej-], Stadt in der Ukraine, →Kriwoi Rog.

Krzeszów [ˈkʃɛʃuf] (dt. Grüssau), Ortsteil von →Kamienna Góra, Polen.

Krypta der Abteikirche in Saint-Denis bei Paris (Stammbau 8. Jh.)

Ksar *das,* mauerumwehrte Siedlung der Berber in der nördl. Sahara, v.a. in Marokko, rechteckförmig, mit mehr oder weniger rechtwinkligem Straßennetz und von Türmen flankiertem Eingangstor; Wohnsitz für 20–100 Familien; im Innern oft Vorratsspeicher und bewässerte Blockfelder.

Ksar el-Kebir, Stadt in N-Marokko, 73 500 Ew.; Landwirtschafts-, Markt- und Kunstgewerbezentrum an der Bahn und Straße Tanger–Rabat. – Maur. Medina mit Moscheen des 12.–15. Jh., Heiligtum der Lalla Fatma el-Andalusia (16. Jh.). – Gegr. im frühen 11. Jh. an der Stelle einer röm. Kolonie, 1580–1640 unter span. Oberherrschaft, 1912–56 Teil Spanisch-Marokkos.

KSZE: Unterzeichnung der »Schlussakte von Helsinki« am 1. August 1975 in der Finlandia-Halle in Helsinki; von links Helmut Schmidt, Erich Honecker, Gerald R. Ford, Bruno Kreisky und Leo Tindemans

K-Schale, die zur Hauptquantenzahl $n = 1$ gehörige innerste Hauptschale der →Atome, die max. zwei Elektronen aufnehmen kann.

KSE-Vertrag, Vertrag über **k**onventionelle **S**treitkräfte in **E**uropa, am 19. 11. 1990 zw. NATO und Warschauer Pakt abgeschlossener Vertrag über eine Verringerung der konventionellen Land- und Luftstreitkräfte in Europa. Er legt für das Gebiet zw. Atlantik und Ural die Obergrenzen der entsprechenden Waffenpotenziale fest. Im Juni 1992 unterzeichneten die Staaten der GUS den Vertrag, nachdem die urspr. für die UdSSR vorgesehenen Obergrenzen auf die einzelnen Staaten der GUS aufgeteilt wurden. Verhandlungen über eine Senkung der Personalstärken der Land- und Luftstreitkräfte (VKSE Ia) führten im Juli 1992 zur Unterzeichnung einer abschließenden Akte durch 29 Staaten der NATO und des ehem. Warschauer Pakts, jedoch nicht zu einem völkerrechtlich bindenden Vertrag.

Während mit Ausnahme Russlands alle übrigen Unterzeichnerstaaten des KSE-Vertrages die vereinbarten regionalen Höchstgrenzen für schwere Waffen noch vor dem vereinbarten Zeitpunkt (15. 11. 1995) erreicht hatten, versucht Russland – bezogen auf das obige Zieldatum – höhere Stückzahlen v. a. im Bereich seiner Südflanke (Kaukasusregion) in seiner Verfügung zu behalten.

K-Sterne, Sterne der →Spektralklasse K.

Ksyl-Orda (kasach. Kysylorda, Qyzylorda; vor 1853 Ak-Metschet, 1853–1925 Perowsk), Gebiets-Hptst. in Kasachstan, am Unterlauf des Syrdarja, 164 000 Ew.; PH; Zellstoff-, Nahrungsmittelindustrie, Schuhfabrik.

KSZE, Abk. für **K**onferenz über **S**icherheit und **Z**usammenarbeit in **E**uropa, Europ. Sicherheitskonferenz, am 3. 7. 1973 in Helsinki eröffnete Konferenz von 33 europ. Staaten (alle außer Albanien) sowie Kanada und USA. Die 2. Phase der KSZE (18. 9. 1973 –21. 7. 1975) in Genf diente der Ausarbeitung der Abschlussdokumente. Das Gipfeltreffen in Helsinki (30. 7.–1. 8. 1975) bildete die 3. Phase der KSZE. Sie endete mit der Unterzeichnung der **Schlussakte von Helsinki.** Danach sollen zehn Prinzipien die Teilnehmerstaaten in ihren Beziehungen untereinander leiten: 1) souveräne Gleichheit und Achtung der der Souveränität innewohnenden Rechte, 2) keine Androhung oder Anwendung von Gewalt, 3) Unverletzlichkeit der Grenzen, 4) territoriale Integrität der Staaten, 5) friedl. Regelung von Streitfällen, 6) Nichteinmischung in innere Angelegenheiten, 7) Achtung der Menschenrechte und Grundfreiheiten, 8) Gleichberechtigung und Selbstbestimmungsrecht der Völker, 9) Zusammenarbeit zw. den Staaten, 10) Erfüllung völkerrechtl. Verpflichtungen. Außerdem sieht die Schlussakte u. a. vertrauensbildende Maßnahmen auf militär. Gebiet, Zusammenarbeit in Wirtschaft, Wiss., Technik, Umwelt u. a. Bereichen vor. Um die Einhaltung der Prinzipien der Schlussakte zu prüfen, kam es zu KSZE-Folgekonferenzen (**Belgrader Nachfolgekonferenz,** Okt. 1977 bis März 1978, **Nachfolgekonferenz von Madrid,** Nov. 1980 bis Sept. 1983, **Nachfolgekonferenz in Wien,** Nov. 1986 bis Jan. 1989, **Nachfolgekonferenz in Helsinki,** März–Juli 1992). Auf einer Sondergipfelkonferenz im Nov. 1990 in Paris wurden die zuvor in Wien paraphierten Abrüstungsvereinbarungen über den Abbau der konventionellen Streitkräfte in Europa (KSE) sowie die →Charta von Paris unterzeichnet. Im Juni 1991 fasste die KSZE-Außenministerkonferenz in Anbetracht der Krisensituation in O-Europa den Beschluss über ein KSZE-Krisenmanagement, um rasch auf regionale Konflikte von übernat. Brisanz reagieren zu können. Als entscheidendes Organ fungiert der Ausschuss der Hohen Beamten, der durch ein Mindestquotum von zwölf KSZE-Staaten innerhalb von drei Tagen einberufen werden kann. 1991 wurden Albanien und die drei balt. Staaten, 1992 alle Staaten der GUS, Georgien, Kroatien, Bosnien und Herzegowina sowie Slowenien in den Kreis der KSZE-Staaten aufgenommen, Vertreter des von Serbien und Montenegro gebildeten Jugoslawien wurden im Juli 1992 für zunächst 100 Tage (im Dez. 1992 verlängert) ausgeschlossen. 1992 stimmten die KSZE-Staaten Beobachterflügen zur militär. Überwachung (→ Open Skies) zu. Auf dem KSZE-Gipfeltreffen im Juli 1992 in Helsinki wurde beschlossen, die KSZE als regionale Organisation der UN mit einem kollektiven Sicherheitssystem zu etablieren, um somit selbst Krisen und Konflikte auf friedl. Wege beizulegen. Auf dem **Nachfolgetreffen in Budapest** im Okt. 1994 nannte sich die KSZE mit Wirkung vom 1. 1. 1995 in → Organisation für Sicherheit und Zusammenarbeit in Europa (OSZE) um.

📖 BREDOW, W. VON: *Der KSZE-Prozeß. Darmstadt 1992.* – JABERG, S.: *KSZE 2001. Hamburg 1992.* – *Aufbruch nach Gesamteuropa. Die KSZE nach der Wende im Osten, hg. v.* M. STAACK. *Münster u. a. ²1993.*

kt, Einheitenzeichen für Kilotonne, als **kt TNT** (Kilotonne Trinitrotoluol) zur Angabe der Sprengkraft von Kernwaffen.

Kt, Einheitenzeichen für Karat.

Ktesiphon, Ruinenstätte am linken Ufer des Tigris, etwa 320 km südöstlich von Bagdad, Irak. Hauptresidenz der Parther und Sassaniden, die hier große Paläste errichteten. Ausgrabungen legten K., eine Stadt mit rundem Grundriss, frei. Die Ruine des Königspalastes Taq-e Kisra mit riesigem oval gewölbtem Thron-Iwan ist Teil eines Palastes aus dem 3. Jh. oder 5./6. Jh. n. Chr. Außerdem wurden weitere Palastanlagen und reich dekorierte Villen des Hofstaates ausgegraben.

Kuala Lumpur, Hptst. von Malaysia und zugleich Bundesterritorium (243 km²), auf der Malaiischen Halbinsel, am Kelang, 1,23 Mio. Ew.; anglikan. und kath. Bischofssitz; Univ., TH, Forschungsinstitute, Lehrerseminare, Goethe-Institut, Nationalbibliothek, -archiv, -museum, zoolog. Garten; Verw.-, Handels-, Bank- und Ind.stadt; Automobilmontage, Metall-, Zement-, Nahrungs- und Genussmittelind.; Touristenzentrum, internat. Flughafen Subang. – Mit der Hafenstadt Port Kelang zusammengewachsen; ältere viktorianisch geprägte (z. B. der Selangor Club) sowie in maur. (z. B. das Sultan Abdul Samad Building) und malaiischem (z. B. das National Museum) Stil erbaute Gebäude; Nationalmoschee (1965); Petronas Towers (452 m hoch, zweitürmig), das höchste Bürogebäude der Welt (fertig gestellt 1997). – Gegr. 1857 durch chines. Zinnminenarbeiter, seit 1880 Hptst. von Selangor, seit 1895 der Föderierten Malaiischen Staaten, seit 1946 der Malaiischen Union, 1948 des Malaiischen Bundes, 1963 des Staates Malaysia; seit 1974 Bundesterritorium.

Kuala Terengganu, Hauptstadt des Sultanats Terengganu, West-Malaysia, an der O-Küste der Malaiischen Halbinsel, 228 700 Ew.; Lehrerseminar; Erdölraffinerie, Bootsbau, Weberei, Herstellung von Metallarbeiten; Hafen, Flugplatz.

Ktesiphon: Teil der Westfassade des im 3. Jh. oder 5./6. Jh. erbauten Königspalastes Taq-e Kisra

Kuantan, Hptst. des Sultanats Pahang, West-Malaysia, 198 400 Ew.; Hafenstadt und Wirtschaftszentrum an der O-Küste der Malaiischen Halbinsel; Überseehafen bei Tanjong Gelong; Flughafen. – Sultan-Ahmad-I.-Moschee (1964).

Kuba (Bakuba), Bantuvolk im SW der Demokrat. Rep. Kongo. Die etwa 75 000 K. treiben Feldbau auf Rodungsinseln, Fischerei und Jagd. Vom 16. Jh. bis 1904 bestand das Königreich Buschongo (Blütezeit 17. Jh.); im Umfeld des Hofes wurden qualitätvolle Holzplastiken (Ahnenfiguren, Masken) hergestellt.

Kuala Lumpur: Die viktorianisch geprägte Anlage des Selangor Clubs vor dem im maurischen Stil errichteten Sultan Abdul Samad Building (jetzt Hauptpost), dahinter moderne Bauten

Kuba

Fläche: 110 861 km²
Einwohner: (1995) 11,04 Mio.
Hauptstadt: Havanna
Verwaltungsgliederung: 14 Prov. und das Sonderverwaltungsgebiet Isla de la Juventud
Amtssprache: Spanisch
Nationalfeiertage: 1. 1., 26. 7., 10. 10.
Währung: 1 Kubanischer Peso (kub$) = 100 Centavos (¢)
Zeitzone: MEZ –6 Std.

Staatswappen

(C)

Internationales Kfz-Kennzeichen

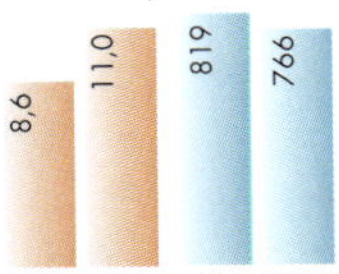

1970 1995 Bevölkerung (in Mio.) 1970 1995 Bruttosozialprodukt je Ew. (in US-$)

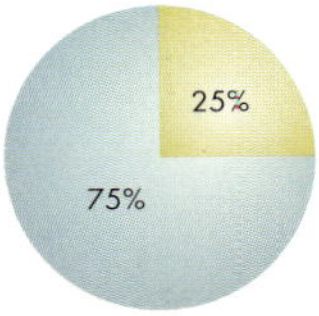

■ Stadt
■ Land

Bevölkerungsverteilung 1993

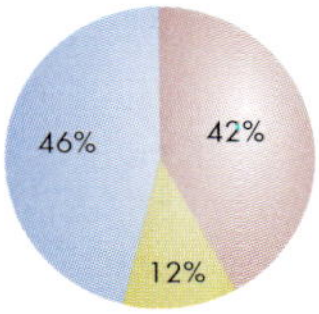

■ Industrie
■ Landwirtschaft
■ Dienstleistung

Bruttoinlandsprodukt 1989

Kuba (amtlich span. República de Cuba, dt. Rep. K.), Staat in Mittelamerika, im Bereich der Westind. Inseln, umfasst neben der gleichnamigen Hauptinsel (105 007 km²) die Isla de la Juventud (früher Isla de Pinos; 2200 km²) und zahlr. kleine Inseln und Korallenriffe.

Staat und Recht: Nach der Verf. von 1976 (mit Änderungen von 1992) ist K. eine sozialist. Rep. mit Einparteiensystem. Staatsoberhaupt, Reg.chef und Vors. des Nat. Verteidigungsrates ist der mit weitgehenden Machtbefugnissen ausgestattete Vors. des Staatsrates. Die Legislative liegt bei der Nationalversammlung (589 Abg., auf fünf Jahre direkt gewählt). Das Parlament wählt aus seiner Mitte den Staatsrat (31 Mitgl.) als höchstes repräsentatives Staatsorgan. Der Min.rat (von der Nationalversammlung auf Vorschlag des Staatsoberhauptes gewählt) unter Vors. des Reg.chefs fungiert als Exekutiv- und Verwaltungsorgan. Einzig zugelassene Partei ist die Kommunist. Partei K. (PCC); acht illegale Oppositionsgruppen sind seit 1991 in der Demokrat. Konzertierten Aktion zusammengeschlossen.

Landesnatur: Die 1200 km lange und 35–200 km breite Hauptinsel ist die größte Insel der Großen Antillen und liegt zw. dem Golf von Mexiko, dem Atlantik und dem Karib. Meer. Sie besteht größtenteils aus flach gewelltem Tiefland (Kalktafel); drei z.T. stark verkarstete Gebirge durchziehen sie: im SO die Sierra Maestra mit dem Pico Turquino (1972 m), im S des mittleren Inselteils die Sierra del Escambray (1156 m) und im W die Cordillera de Guaniguanico (728 m ü.M.). Längster Fluss ist der Río Cauto (370 km). Das Klima ist wechselfeucht-randtropisch mit geringen Temperaturschwankungen (20 °C im Febr., 28 °C im Juli) und reichen Niederschlägen im Sommer (1000–1500 mm im Tiefland; Gebirge dauerfeucht). Wirbelstürme sind häufig. Die ursprüngl. Vegetation (Savanne, im Bergland Regenwald) ist weithin von Kulturland verdrängt worden.

Bevölkerung: 37 % der Bev. sind Weiße, meist span. Herkunft, 11 % Schwarze, Nachkommen afrikan. Sklaven; 51 % bezeichnen sich als Mischlinge (Mulatten und Mestizen); Chinesen wurden nach Verbot des Sklavenhandels (1845, de facto 1886) als Arbeitskräfte angeworben. Nachdem die Schwarzen um 1840 fast 60 % der Bev. ausgemacht hatten, stellte die Einwanderung von Spaniern (1900–30: 700 000) das Übergewicht der Weißen wieder her. Über 1 Mio. Kubaner verließen das Land nach 1959 und ließen sich in den USA (bes. in und um Miami) nieder. 75 % der Bev. leben in Städten, allein über 20 % in Havanna; elf Großstädte (mit Havanna). – Im Vergleich zu anderen lateinamerikan. Staaten ist das Gesundheits- und Bildungswesen relativ gut entwickelt und seine Nutzung für die Bev. kostenlos. Allg. Schulpflicht vom 6. bis 14. Lebensjahr, in großem Umfang Erwachsenenbildung; die Analphabetenquote ist auf fast 4 % zurückgegangen; 35 Hochschuleinrichtungen, darunter vier Universitäten. – Rd. 56 % der Bev. sind konfessionslos, rd. 42 % sind Christen (v.a. römisch-kath.); an afrokubanischen spiritist. Kulten nehmen auch zahlr. Katholiken teil.

Wirtschaft, Verkehr: Seit 1959 wurde die Wirtschaft nach und nach unter staatl. Leitung und Kontrolle gestellt. Das Handelsembargo, das nach der entschädigungslosen Enteignung von US-Vermögen 1960/61 von den USA und 1964 von den der Organisation Amerikan. Staaten (OAS) angeschlossenen Ländern (1975 wieder aufgehoben) über K. verhängt wurde, bewirkte, dass sich K. wirtsch. fast völlig an den damaligen Ostblock (1972 Mitgl. des RGW), v.a. an die UdSSR, anlehnte. Die seit den 1960er-Jahren gewährte umfangreiche Wirtschaftshilfe durch die UdSSR (Lieferung von gegenüber den Weltmarktpreisen verbilligtem Erdöl, Abnahme kuban. Zuckers zu Preisen über dem Weltmarktniveau) wurde Ende der 1980er-Jahre reduziert und ab 1991 mit dem Zerfall der UdSSR weitgehend eingestellt (Warenaustausch nur noch mit Verrechnung auf Dollarbasis). Damit verschärfte sich die wirtsch. Gesamtsituation, sodass z.B. die Lebensmittelgrundversorgung und die Bereitstellung von Energieträgern nicht immer gewährleistet ist. – Wichtigster Wirtschaftszweig ist die Landwirtschaft. Nach den Agrarreformen von 1959/60 und 1963 werden etwa 80% der landwirtsch. Nutzfläche von Staatsbetrieben bewirtschaftet. Kleinbäuerl. Betriebe haben im Durchschnitt nicht mehr als 13 ha, sie sind in Genossenschaften organisiert und in die Planwirtschaft einbezogen. An erster Stelle der Landwirtschaft steht nach wie vor der Anbau von Zuckerrohr. Da der Zucker je nach Ernteergebnis und Weltmarktpreis 60–90% der Exportwerte erbringt, hängt die gesamte Wirtschaft von der Zuckerrohrernte ab. In der südl. Küstenebene wird Reis angebaut (zwei Ernten im Jahr). Wichtig sind ferner Tabak, Mais, Kartoffeln, Bataten, Maniok, Kaffee, Zitrusfrüchte und Gemüse sowie die Viehhaltung (Rinder). Wegen starker Rodung für den Zuckerrohranbau kann K. nur ein Drittel seines Holzbedarfs decken. Nach der Revolution wurde ein umfangreiches Aufforstungsprogramm durchgeführt. K. hat seine Fischereigrenze seit 1977 auf 200 Seemeilen ausgedehnt; kuban. Fischereifahrzeuge sind aber auch weltweit tätig. An Bodenschätzen verfügt K. über bed. Vorkommen von Nickel (über 5% der Weltreserven), ferner Kupfer-, Chrom- und Eisenerz sowie Salz. Eigene Erdölvorkommen konnten bisher erst in geringem Maße erschlossen werden. Die verstaatlichte Ind. verarbeitet v.a. Zuckerrohr, dessen Rückstände u.a. zu Papier, Kunststoffen und Düngemitteln verarbeitet werden. Wichtig sind auch die Textil-, Stahlind., Kfz-Montage, petrochem. Ind., Tabakverarbeitung, Nahrungs- und Genussmittelind. (u.a. Rumherstellung). Seit 1989 entstanden erste Gemeinschaftsunternehmen mit Firmen aus Europa und Lateinamerika. Im Devisen bringenden Touristenbereich (1994: 630000 Ausländer) erfolgten die ersten Auslandsinvestitionen (Badeort Varadero). Das hoch verschuldete Land wickelte bis zum Zerfall des Ostblocks 1989/90 über 80% seines Außenhandels mit diesen Staaten ab. Seit dem Rückgang des Osthandels versucht K. die Handelsbeziehungen zu Lateinamerika, aber auch Europa und Kanada wieder auszubauen. – Alle Transportunternehmen sind verstaatlicht und unterstehen dem Verkehrsministerium. Neben den öffentl. Eisenbahnstrecken (4677 km) dienen weitere 9638 km dem Zuckerrohrtransport. Von den Straßen (rd. 35000 km, davon rd. ein Drittel mit fester Decke) ist die wichtigste die 1150 km lange »Carretera Central«, die die Insel in der ganzen Länge durchzieht. Wichtigster der 30 Seehäfen ist Havanna; Zuckerexport v.a. über Cienfuegos. Internat. Flughäfen in Havanna, Santiago de Cuba, Camagüey und Varadero. Staatl. Fluggesellschaft ist die »Empresa Consolidada Cubana de Aviación«.

Kuba: Kalksteinklötze und -berge des tropischen Kegelkarsts im Westen der Hauptinsel

Geschichte: K. wurde am 27. 10. 1492 von Kolumbus entdeckt und 1508–11 von den Spaniern er-

obert. Da die einheim. Bev. bald ausgerottet war, wurden in die span. Kolonie afrikan. Sklaven eingeführt, v.a. für die Zuckerplantagen. 1762 eroberten die Briten K., mussten es aber 1763 im Tausch gegen Florida wieder an Spanien abtreten. Die Unzufriedenheit mit der Kolonialherrschaft entlud sich im 19. Jh. in Unruhen und Aufständen: 1868–78 kämpften die Kreolen mit Unterstützung der USA um ihre Unabhängigkeit und erreichten u.a. die Abschaffung der Sklaverei (endgültig 1886). Der von J. Martí vorbereitete Aufstand von 1895–98 führte zum Krieg zw. den USA und Spanien, das K. im Frieden von Paris (1898) an die USA abtreten musste. Die USA gewährten der Insel zwar 1902 die Unabhängigkeit, behielten sich aber (bis 1934) das Interventionsrecht vor. Bei inneren Unruhen 1906, 1913 und 1917 griffen sie militärisch ein; der US-amerikan. Flottenstützpunkt Guantánamo besteht bis in die Gegenwart. Das Wirtschaftsleben K.s geriet völlig in Abhängigkeit von nordamerikan. Kapital. Unter Präs. G. Machado (1925–33) kam es nach schweren wirtsch. Rückschlägen zur Besserung der Zustände, doch führten Weltwirtschaftskrise und scharfe diktator. Maßnahmen 1933 zu seinem Sturz. Der eigentl. Machthaber wurde 1934 General F. Batista y Zaldívar, der als Präs. (1940–44, erneut seit 1952) diktatorisch regierte.

Nach seinem gescheiterten Putschversuch vom 26. 7. 1953 führte F. →Castro Ruz einen Guerillakrieg gegen das Reg.system Batistas und zwang ihn am 1. 1. 1959 zur Flucht. Castro Ruz, seit Febr. 1959 MinPräs., proklamierte den sozialist. Staat, führte eine Bodenreform durch, verstaatlichte die Wirtschaft, ließ nur die kommunist. Einheitspartei zu und brachte die Medien unter ihre Kontrolle. Die Konfiszierung amerikan. Eigentums und die enge Anlehnung K.s an die Sowjetunion führten zum Ausschluss aus der OAS und zu schweren Spannungen mit den USA, die – nach der gescheiterten Landung von Exilkubanern in der Schweinebucht im April 1961 und der Stationierung sowjet. Mittelstreckenraketen im Okt. 1962 – in der →Kubakrise gipfelten. Das militär. Zurückweichen kompensierte die Sowjetunion mit verstärkter Wirtschaftshilfe. In den 60er-/70er-Jahren erlangte Castros Gesellschaftskonzept (→Fidelismus) erhebl. Einfluss in Lateinamerika, da seine sozialen Leistungen (medizin. Versorgung, Beseitigung des Analphabetentums) weit über den auf dem Kontinent übl. Standard hinausgingen. Auch unterstützte K. aktiv die Guerillabewegungen in Lateinamerika (u.a. durch E. »Che« →Guevara Serna), später die kommunist. Befreiungsbewegungen in Afrika (u.a. 1975–89 Einsatz kuban. Truppen in Angola). Das Verhältnis zu den USA blieb deshalb weiterhin gespannt, doch wurden die Sanktionen der OAS 1975 aufgehoben. Wirtsch. Schwierigkeiten und Unterdrückung der Menschenrechte führten immer wieder zu Auswanderung in die USA; die zeitweise Einführung privatwirtsch. Elemente in Handwerk und Landwirtschaft zu Beginn der 80er-Jahre brachte keine Erfolge. Den polit. Umwälzungen in Osteuropa begegnete Castro mit entschlossenem Festhalten an den alten kommunist. Positionen. Die Verf. vom Juli 1992 ermöglicht zwar begrenzte wirtsch. Reformen, erweitert aber gleichzeitig Castros Machtbefugnisse. Die erste direkte Parlamentswahl 1993 brachte Castro die erwartete Bestätigung; die Opposition war dabei nicht zugelassen. Die wirtsch. Lage hat sich seit dem Ausbleiben der Hilfe des Ostblocks dramatisch verschlechtert. Allerdings wurde die v. a. von den USA betriebene internat. Isolation K.s mit dem Besuch von Papst Johannes Paul II. im Jan. 1998 aufgebrochen; seit 1998/99 lockern auch die USA vorsichtig ihre polit. und wirtschaftl. Sanktionen.

📖 MASSARI, R.: *Geschichte K.s. Von den Anfängen bis zur Revolution. A.d.Italien. Frankfurt am Main 1992.* – *K. Die isolierte Revolution, hg. v.* R. SEVILLA *u.a. Unkel 1993.* – BURCHARDT, H.-J.: *K. Der lange Abschied von einem Mythos. Stuttgart 1996.*

Kubakrise, Konfrontation zw. den USA und der UdSSR (1962–63), die den Weltfrieden bedrohte, ausgelöst durch die Stationierung sowjet. Mittelstreckenraketen auf Kuba. US-Präs. J. F. Kennedy verlangte in einer öffentl. Erklärung (22. 10. 1962) von der UdSSR den Rücktransport gelieferter Raketen und den Abbau der Abschussrampen. Am 28. 10. 1962 entsprach die UdSSR (N. S. Chruschtschow) der amerikan. Forderung. Mit einem gemeinsamen Schreiben der USA und der UdSSR an den Gen.-Sekr. der UNO wurde der Konflikt im Jan. 1963 beigelegt.

Kuban *der* (im Altertum Hypanis), Fluss in Nordkaukasien, Russland, 906 km lang, fließt vom Elbrus ins Asowsche Meer; bei Krasnodar Stauanlage (Stausee 400 km^2); z.T. schiffbar; im K.-Gebiet Reisanbau. – Charakteristisch für das Gebiet entlang dem K. und seinen Nebenflüssen sind die zahlr. Kurgane der frühen Bronzezeit, in denen sich oft kostbare Beigaben fanden. Früher als K.-Kultur bezeichnet, erfolgt heute die Gliederung in Maikop- und Nowoswobodnaja- (2. Hälfte des 3. Jt. v. Chr.) sowie in Nordkaukasische Kultur (2. Jt. v. Chr.).

📖 *Gold- u. Kunsthandwerk vom antiken K., hg. v.* V. A. NABAČIKOV *u.a., Ausst.-Kat. Reiß-Museum Mannheim. Stuttgart 1989.*

Kubango *der,* Oberlauf des →Okawango, Angola.

kubanische Literatur, →lateinamerikanische Literaturen.

kubanische Musik, →lateinamerikanische Musik.

Kubelík ['kubɛli:k], Rafael, schweizer. Dirigent und Komponist tschech. Herkunft, *Býchory (bei Kolín) 29. 6. 1914, †Luzern 10. 8. 1996; war 1936–48 Dirigent der Tschech. Philharmonie in Prag; 1950–53 Chefdirigent des Chicago Symphony Orchestra, 1955–58 Musikdirektor der Covent Garden Opera in London, 1961–79 Chefdirigent des Sinfonieorchesters des Bayer. Rundfunks in München, danach bis 1986 Gastdirigate. Komponierte Opern, Sinfonien, Konzerte, Vokalwerke.

Rafael Kubelík

Kubik... [von lat. cubus »Würfel«], Bestimmungswort mit der Bedeutung: a) 3. Potenz, z. B. **Kubikmeter** (m^3), **Kubikzahl** (die 3. Potenz einer anderen Zahl, z. B. $8 = 2^3$) und b) 3. Wurzel **(Kubikwurzel)** aus einer nichtnegativen Zahl, z. B. $\sqrt[3]{64} = 4$.

Kubilai (Khubilai, Chubilai), mongol. Großkhan (seit 1260), als chines. Kaiser (seit 1279) **Shizu (Shi-tsu),** *23. 9. 1215, †Peking 18. 2. 1294, Enkel Dschingis Khans, vollendete die Unterwerfung Chinas, einigte es 1278 unter der Mongolen-(Yüan-)Dynastie. An seinem Hof lebte Marco Polo.

Kubin, Alfred, österr. Zeichner und Schriftsteller, *Leitmeritz (heute Litoměřice) 10. 4. 1877, †Zwickledt (heute zu Wernstein am Inn, Bez. Schärding) 20. 8. 1959; v. a. in seinen Federzeichnungen, zunehmend zu Strichgeflechten verdichtet, in vielen Mappenwerken und Buchillustrationen (meist Lithographien) gestaltete er makabre Visionen des Untergangs und einer fantast. Welt, in denen er Vorstellungen des Surrealismus vorwegnimmt. Als Erzähler (»Der Guckkasten«, 1925) und Essayist dringt K. wie in seinem graf. Werk in die unheiml. Bezirke geheimnisvoll-düsteren Zaubers ein. Sein Hauptwerk ist der fantastisch-symbol. Roman »Die andere Seite« mit eigenen Illustrationen (1909, bibliophile Neuausgabe 1968).

📖 Bisanz, H.: *A. K. Zeichner, Schriftsteller, Philosoph. München Neuausg. 1980.*

kubisch [lat.], würfelförmig. **1)** *Kristallographie:* →Kristallsysteme.

2) *Mathematik:* 3. Potenz, 3. Grades; z. B. ist eine **kubische Gleichung** eine algebraische Gleichung 3. Grades.

Kubismus [von lat. cubus »Würfel«] *der,* Richtung der modernen Kunst, die, in Anlehnung an die neu entdeckte afrikanische Kunst, auf einer Umsetzung des im Bildwerk wiedergegebenen Gegenstandes in kubist. Formelemente basiert. Den Boden bereitete P. Cézanne, der in der Malerei die Natur auf geometr. Körper zurückführte. G. Braque und bald darauf auch Picasso entwickelten 1907 das kubist. Darstellungsverfahren; Picasso malte 1907 (beeinflusst von afrikan. Plastik) das programmat. Werk »Les demoiselles d'Avignon« (New York, Museum of Modern Art). Der K. begann als **analyt. Kubismus:** Objektrepräsentation in einer facettierten Simultaneität versch. Ansichten. J. Gris integrierte 1912 Realitätsfragmente (Zeitungsausschnitte u. a.) in die Collagen und begründete damit den **synthet. Kubismus:** Die Facettierung des Bildgegenstandes wird aufgegeben, das Bild (die Collage) wird getragen von zueinander geordneten Flächen bzw. Ebenen (Farbperspektive). Der K. wurde in den 20er-Jahren von der europ. Avantgarde übernommen. In enger Verbindung zu ihm stand der Orphismus. Kubist. Plastiken schufen v. a. Picasso, A. Archipenko, H. Laurens und J. Lipchitz. Bilder S. 118

📖 Apollinaire, G.: *Die Maler des K. Zürich 1989. – Die Entstehung des K. Eine Neubewertung, Beiträge v.* F. Metzinger *u. a. Aus dem Frz. Frankfurt am Main 1990.*

Kubitschek de Oliveira [- di oli'veira], Juscelino, brasilian. Politiker, *Diamantina (Minas Gerais) 12. 9. 1902, †Resende (Rio de Janeiro) 22. 8. 1976; Arzt, Staatspräs. 1956–61, setzte sich für die Gründung der neuen Hptst. Brasília ein.

Alfred Kubin: Illustration »Die Verwirrung des Traums« zu seinem Roman »Die andere Seite« (1909)

Kubrick ['kju:-], Stanley, amerikan. Filmregisseur, *New York 26. 7. 1928; begann als Fotograf und Dokumentarfilmer; in seinen Filmen kehrt das Thema einer inhumanen, pervertierten Gesellschaft wieder; Herausarbeitung des Details und wirkungsvoller Einsatz der Musik sind charakteristisch. – Filme: »Wege zum Ruhm« (1957), »Lolita«

Kubismus (von links): Pablo Picasso, »Die Violine« (1912; Stuttgart, Staatsgalerie) und das Ölgemälde »Tea Time« des französischen Malers Jean Metzinger (1911; Philadelphia, Pa., Museum of Art)

(1961), »2001: Odyssee im Weltraum« (1968), »Uhrwerk Orange« (1971), »Barry Lyndon« (1975), »Shining« (1980), »Full Metal Jacket« (1987).

Kubus [lat. cubus] *der,* der Würfel.

Milan Kučan

Kučan, Milan ['kuʒan], slowen. Politiker, *Križevci v Prekmurju (bei Murska Sobota) 14. 1. 1941; 1978–86 Präs. des slowen. Parlaments, förderte 1986–89 als KP-Chef und Reformkommunist eine freiheitl. und pluralist. Entwicklung; seit April 1990 erster frei gewählter Präs. Sloweniens (1992 bestätigt).

Küchenlatein, Spottbez. für schlechtes Latein, bes. das fehlerhafte Mönchs- und Universitätslatein des späten Mittelalters.

Küchenschelle, →Kuhschelle.

Küchenstück, Gattung der Malerei, die Elemente des Stilllebens und der Genremalerei in sich vereint. Das K. zeigt Motive aus Küchenräumen und Arrangements von Geräten und Esswaren sowie Personen, die Küchenarbeit verrichten. Es kam in der niederländ. Kunst des 16. Jh. auf.

Kuching [-tʃ-], Hptst. des Staates Sarawak, Ost-Malaysia, am Sarawak, 30 km oberhalb seiner Mündung ins Südchines. Meer, 147 700 Ew.; anglikan. Bischofssitz; Lehrerseminar, Museum; Leichtind., Fischerei; Hafen, Flugplatz.

Kuckuck

Kuckuck nennt man auch das Siegel, das der Gerichtsvollzieher an gepfändete Gegenstände klebt. Auf ihm war der Reichsadler abgebildet, der dann im Volksmund respektlos zum Brutparasiten, dem Kuckuck, gemacht wurde. Das kann auch damit zusammenhängen, dass der Kuckuck in früheren Jahrhunderten als Unglücksbringer und Teufelskumpan angesehen wurde. Die Anzahl seiner Rufe ließ unterschiedlichste üble Ereignisse befürchten. Heutzutage ist der Adler von den kleinen Klebezetteln verschwunden, und es steht neben »Pfandsiegel« nur noch das zuständige Amtsgericht darauf.

Kuckersit [nach dem estn. Ort Kuckers] *der,* fossilreicher, bräunlich gelber bis schwarzer ordoviz. Bitumenmergel, aus Faulschlamm oder Gyttja entstanden, dient zur Gewinnung von Schwelteer und Schieferöl, zur Herstellung von Klebstoff und als Brennstoff in Kraftwerken.

Kuckuck [lautmalend] (Cuculus canorus), schlanker, langschwänziger Zugvogel mit heller, dunkel quer gebänderter Unterseite; nützl. Raupenfresser; Brutparasit in Singvogelnestern; die Kuckuckseier sind denen der Wirte in Größe und Farbe sehr ähnlich, der nackte Jungvogel wirft die Eier oder Wirtsvogeljungen aus dem Nest und wird allein aufgezogen.

Kuckucksspeichel, →Schaumzikaden.

Kuczynski [ku'tʃinski], Jürgen, Wirtschaftshistoriker, *Elberfeld (heute zu Wuppertal) 17. 9. 1904, †Berlin 6. 8. 1997; wurde 1946 Prof. für polit. Ökonomie und Wirtschaftsgesch. an der Humboldt-Univ. in Berlin. K. gilt als führender Vertreter der marxist. Wirtschaftsforschung. Er schrieb u. a.: »Die Gesch. der Lage der Arbeiter unter dem Kapitalismus« (1961–72, 40 Bde.), »Zur Gesch. der bürgerl. polit. Ökonomie« (1975), »Gesch. des Alltags des dt. Volkes 1600–1945« (1980–82, 5 Bde.).

Kuder, *Weidmannssprache:* das männl. Tier von Wildkatze und Luchs.

Kudowa Zdrój [- zdruj] (dt. Bad Kudowa), Stadt in der Wwschaft Wałbrzych (Waldenburg), Polen, in einem Talkessel (400 m ü. M.), nahe dem Heuscheuergebirge, 11 000 Ew.; Kurort (Mineralquellen, seit 1581 bekannt); Baumwoll-, Spielzeugind. – Gegr. von böhm. Protestanten, seit dem 17. Jh. Badeanlagen, seit 1945 Stadt.

Kụdrun (Gudrun, Kudrunlied), Heldenepos, lediglich im »Ambraser Heldenbuch« anonym überliefert. Die Entstehung des Werkes wird im 13. Jh. im bayerisch-österr. Raum angesetzt. Es umfasst 1705 **K.-Strophen:** vier paarweise gereimte Langzeilen, von denen die beiden ersten der Nibelungenstrophe entsprechen. Das Epos ist in 32 »Aventiuren« gegliedert. Es besteht aus drei sagengeschichtlich wohl urspr. unabhängigen Teilen: 1) der Vorgeschichte vom Greifenabenteuer des jungen Hagen; 2) einer ersten Brautwerbungsgeschichte um Hagens Tochter Hilde durch Hetel; 3) einer zweiten Brautwerbungsgeschichte um Hildes Tochter Kudrun.

Kụdu *der* (Schraubenantilope), Wiederkäuer mit großem, schraubenförmig gewundenem Gehörn im männl. Geschlecht. Der bis 1,50 m hohe **Große K.** (Tragelaphus strepsiceros) lebt in lichten Wäldern und im Buschland südlich der Sahara. Der **Kleine K.** (Tragelaphus imberbis) wird bis 1 m hoch und kommt in Dornbuschgebieten O-Afrikas vor.

Kudu: Großer Kudu (Schulterhöhe etwa 1,5 m)

Kueisui, früherer Name der chines. Stadt → Hohhot.

Kues [ku:s], Stadtteil von → Bernkastel-Kues.

Kues [ku:s], Nikolaus von, Philosoph, → Nikolaus von Kues.

Kụfa, kleine Stadt in Irak, am Euphrat. – Gegr. 638 von Kalif Omar als Militärlager, 657–661 Kalifenresidenz; im 7.–10. Jh. Mittelpunkt islamischer Wissenschaften. (→ kufische Schrift)

Kufe, altes dt. Hohlmaß (v. a. für Bier) unterschiedl. Größe, z. B. in Preußen 4,58 hl, in Sachsen 7,96 hl.

kụfische Schrift [nach der Stadt Kufa], die eckige Monumentalform der → arabischen Schrift; sie wurde im 10./11. Jh. durch das leichter zu schreibende Neschi verdrängt; aus ihr entstand seit dem 10. Jh. die in N-Afrika noch gebräuchliche maghrebin. Schrift.

Küfou (Küfow), Stadt in China, → Qufu.

Kufstein: Die über der Stadt am Inn gelegene Festung aus dem 16. Jahrhundert

Kụfra, Oasengruppe in der Libyschen Wüste, liegt in einer 50 km langen, flachen Mulde zw. Dünenfeldern im W und dem **Bergland von K.** im O, etwa 7000 Bewohner; Hauptort: El-Djof; Beregnungsanlagen (Verwendung von fossilem Grundwasser) für Dattelpalmenkulturen; Erdgasleitung von Serir; früher Hauptsitz der → Senussi.

Kụfstein, Bezirks-Hptst. im Unterinntal, Tirol, Österreich, unweit der dt. Grenze am Fuß des Kaisergebirges, 13500 Ew.; Skifabrik, Glashütte, Herstellung von Siebdruckmaschinen, Waffen u. a.; Fremdenverkehr; Grenzbahnhof, Autobahnübergang. – Über der Stadt die Festung K. (ausgebaut 1552–63), im Kaiserturm Heimatmuseum; spätgot. Pfarrkirche. – Stadt seit 1339; kam 1504 von Bayern an Tirol.

Kuckuck

Kuge, der japan. Hofadel, der v. a. während der Heianzeit (Ende 8.–12. Jh.) eine staatsbeherrschende Rolle spielte, diese danach aber an den Kriegeradel (Buke) verlor. Am bedeutendsten war die Familie der → Fujiwara.

kufische Schrift: Handschrift auf Pergament aus Mesopotamien (8. Jh.; Mainz, Gutenberg-Museum)

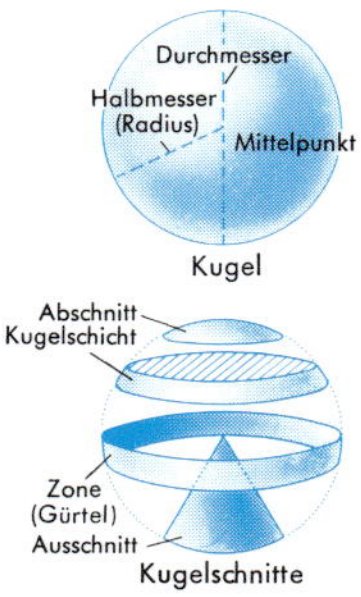

Kugel 1)

Kugel, 1) *Geometrie:* gekrümmte geschlossene Fläche, deren Punkte von einem festen Punkt *M* **(K.-Mittelpunkt)** einen festen Abstand *r* **(K.-Radius)** haben. Gewöhnlich wird als K. auch der von dieser Fläche **(K.-Fläche)** umschlossene Körper **(K.-Körper)** bezeichnet, der aus allen Punkten *P* mit $MP \leqq r$ besteht. Die gerade Verbindungslinie zweier K.-Punkte heißt **Sehne,** geht diese durch den Mittelpunkt, **Durchmesser.** Durch den Mittelpunkt gelegte Ebenen schneiden die K. in größtmögl. Kreisen **(Großkreisen).** Eine Ebene teilt die K.-Oberfläche in zwei **K.-Hauben (K.-Kappen, Kalotten),** den K.-Raum in zwei **K.-Abschnitte (K.-Segmente).** Zw. zwei parallelen Ebenen liegt auf der K.-Fläche eine **K.-Zone;** beide Ebenen begrenzen eine **K.-Schicht.** Ein Kegel, dessen Spitze im K.-Mittelpunkt liegt, begrenzt mit dem dazugehörigen K.-Abschnitt einen **K.-Ausschnitt (K.-Sektor).** Der Rauminhalt einer K. ist $\frac{4}{3}\pi r^3$, die Oberfläche $4\pi r^2$.

2) *Militärwesen:* Geschoss der Handfeuerwaffen, auch der Geschütze.

3) *Sport:* Gerät beim K.-Stoßen, Kegeln, Krocket.

Kugelblitz, seltene Erscheinungsform des Blitzes in Gestalt einer leuchtenden Kugel von Tennis- bis Fußballgröße, bewegt sich langsam rollend oder springend nahe der Erdoberfläche; manchmal geräuschlos verschwindend, auch mit lautem Knall explodierend; noch nicht eindeutig erklärt.

Kugeldistel: Blaue Kugeldistel

Kugelblume (Globularia), Gattung der zweikeimblättrigen Pflanzenfamilie K.-Gewächse in Mitteleuropa und im Mittelmeergebiet; im Gebirge häufig die **Herzblättrige K.** (Globularia cordifolia) mit blaulilafarbenen Blüten in Köpfchen.

Kugeldistel (Echinops), Gattung der Korbblütler in Europa, Asien und Afrika; distelartige Stauden; Blütenstand kugelig; in Mitteleuropa die **Große K.** (Echinops sphaerocephalus) mit meist blauen Blüten. Die **Blaue K.** (Echinops ritro), aus S-Europa und dem Orient stammend, mit fein gefiederten Blättern und blauen bis weißen Blütenköpfen ist eine beliebte Gartenpflanze.

Kugeldreieck, das sphär. → Dreieck.

Kugelfische (Tetraodontidae), Familie 6–90 cm langer, oft bunter Korallenfische in warmen Meeren; mit vier breiten Zahnplatten, die zum Aufbrechen der Gehäuse von Schnecken, Muscheln, Krebsen dienen. K. können sich (durch Luft- oder Wasseraufnahme in einen Luftsack) kugelig aufblasen und wirken dadurch abschreckend auf manche Raubfische. Sie werden in Japan trotz Giftigkeit (Tetrodotoxin) nach spezieller Zubereitung (Fugu) gegessen.

Kügelgen, 1) Gerhard von, Maler, *Bacharach 6. 2. 1772, †(ermordet) Loschwitz (heute zu Dresden) 27. 3. 1820, Vater von 2); ließ sich nach Aufenthalten u. a. in Rom und Sankt Petersburg 1805 in Dresden nieder; bedeutender als seine klassizist. Bilder mytholog. und religiösen Inhalts sind seine Porträts (Goethe, Schiller, Wieland u. a.). BILD Schiller

2) Wilhelm von, Maler und Schriftsteller, *Sankt Petersburg 20. 11. 1802, †Ballenstedt 25. 5. 1867, Sohn von 1); 1818–25 Studium in Dresden, nach einjährigem Romaufenthalt 1827–29 in Russland, ab 1834 Hofmaler in Ballenstedt, malte Bildnisse und religiöse Bilder; Verf. der »Jugenderinnerungen eines alten Mannes« (1870).

Kugelhaufen, kugelförmiger → Sternhaufen.

Kugelhaufenreaktor, Hochtemperaturreaktor (→ Kernreaktor) mit kugelförmigen Brennelementen.

Kugelkopf, kugelähnl. Kunststoffkörper mit einem kompletten, auf der Oberfläche verteilten Schrifttypensatz für eine elektrische → Schreibmaschine.

Kugellager, *Maschinenbau:* ein → Lager.

Kugelpackung, räuml. Anordnung aus sich berührenden, gleich oder versch. großen starren Kugeln, bei der jede mindestens vier andere berührt und keine Verschiebung einer Kugel ohne gleichzeitiges Verrücken anderer möglich ist. Für die Kristallographie sind die dichtesten K. gleicher Kugeln bes. wichtig.

Kugelschreiber, eine Farbmine enthaltender Schreibstift, bei dem eine kleine rollende Kugel in der Minenspitze die Farbmasse auf das Schreibpapier überträgt; die stillstehende Kugel verschließt die Mine und verhindert dadurch deren Austrocknen.

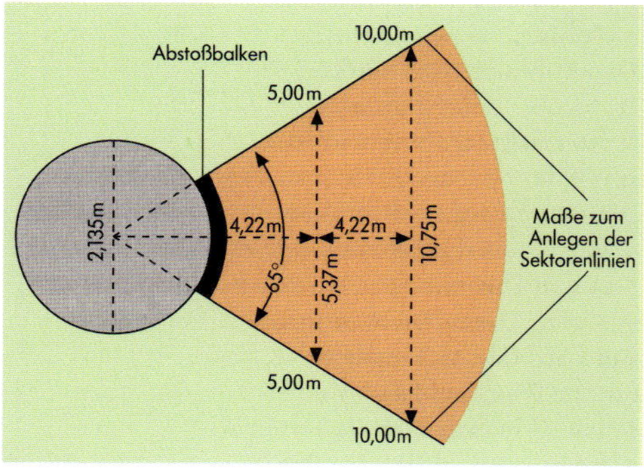

Kugelstoßen: Kugelstoßanlage

Kugelstoßen, *Leichtathletik:* Weitstoßen einer Metallkugel aus einem Kreis von 2,135 m Durchmesser. Männer benutzen eine Kugel von 7,257 kg, Frauen von 4 kg, Jugendliche von 6,25 und 5 kg. K. ist seit 1896 olymp. Disziplin.

Kugelzellen|anämie (Kugelzellenikterus, hereditäre Sphärozytose), eine dominant vererbte

→Erythropathie, bei der die roten Blutkörperchen durch vermehrten Wassereinstrom Kugelgestalt annehmen und in der Milz beschleunigt abgebaut werden; Folgen sind hämolyt. Anämie, Milzvergrößerung, Gelbsucht. Die Behandlung besteht in einer frühzeitigen Entfernung der Milz.

Kugler, Franz Theodor, Kunsthistoriker, Kulturpolitiker und Schriftsteller, *Stettin 18. 1. 1808, †Berlin 18. 3. 1858; wurde 1843 Kunstreferent im preuß. Kultusministerium; einer der Begründer der Kunstwiss.; schrieb: »Geschichte Friedrichs d. Gr.« (1840–42, mit Holzstichen von A. Menzel).

Kuh, das erwachsene weibl. Tier bei vielen Säugetierarten, z. B. Giraffen, Elefanten; beim Hausrind wird das weibl. Tier erst nach dem ersten Kalben als K. bezeichnet, vorher als Färse.

Kuh|antilopen (Alcelaphinae), Unterfamilie hochbeiniger, bis rothirschgroßer Antilopen in Afrika; Kopf auffallend in die Länge gezogen; Männchen und Weibchen mit mäßig langen, geschwungenen Hörnern. Man unterscheidet drei Gattungen: Gnus, Leierantilopen und **Hartebeests** (K. i. e. S., Alcelaphus) mit vielen Unterarten, u. a. Kongoni, Konzi und Kaama (Kama).

Kuhländchen, Landschaft in N-Mähren, Tschech. Rep., an der oberen Oder, mit Fulnek und Neutitschein (Nový Jicín) als Hauptorten; vom 11. Jh. bis 1945 dt. Sprachgebiet.

Kuhlau, Daniel Friedrich Rudolph, dän. Komponist dt. Herkunft, *Uelzen 11. 9. 1786, †Lyngby (heute zu Lyngby-Tårbæk) 12. 3. 1832; gehört zu den Wegbereitern einer dän. Nationaloper (z. B. »Die Zauberharfe«, 1817); seine zwei- und vierhändigen Klaviersonaten und -sonatinen werden noch heute im Unterricht verwendet.

Kühler, 1) *Kraftfahrzeugtechnik:* Bauteil zur Rückkühlung des Motorkühlwassers oder des Motoröls, bei aufgeladenen Motoren ggf. auch der verdichteten und dadurch erwärmten Ansaugluft. Die Wärmeabfuhr erfolgt meistens an die Umgebungsluft, bei Öl-K. auch an das Motorkühlwasser.

2) *Labortechnik:* zum Abkühlen und Kondensieren von Dämpfen verwendetes Laborgerät. Die meist aus Glas hergestellten K. arbeiten i. Allg. mit kaltem Wasser als Kühlmittel, das dem zu kühlenden Stoff in einem gesonderten System (Kühlmantel) entgegenströmt. Häufig verwendete Formen sind z. B. Liebig-K., Kugel-K. und Schlangenkühler. Nach der Funktion unterscheidet man zw. **Produkt-K.,** die die bei einer Destillation auftretenden Dämpfe als Kondensat in die Vorlage ableiten, und **Rückfluss-K.,** die die Dämpfe vollständig in den Siedekolben zurückführen.

Kühlfalle, *Vakuumtechnik:* gekühlte Fläche in einem Vakuumsystem zur Kondensation von Dampfmolekülen.

Kuhlmann, Quirinus, Lyriker, *Breslau 25. 2. 1651, †Moskau 4. 10. 1689; religiöser Schwärmer unter dem Einfluss der Schriften J. Böhmes und Verfasser mystisch-ekstat. Barocklyrik; wurde auf Verlangen des Moskauer Patriarchen als Unruhestifter verbrannt.

Kühlmann, Richard von, Diplomat und Schriftsteller, *Konstantinopel 3. 5. 1873, †Ohlstadt (bei Murnau a. Staffelsee) 6. 2. 1948; schloss 1918 als Staatssekretär des Auswärtigen Amts die Friedensverträge von Brest-Litowsk (3. 3.) mit Russland und von Bukarest (7. 5.) mit Rumänien ab, geriet aber in Ggs. zur Obersten Heeresleitung und musste zurücktreten. Neben Romanen veröffentlichte K. u. a. »Die Diplomaten« (1939) und »Erinnerungen« (1948).

Kühlmöbel, kleinere Kühlanlagen zum Frischhalten, Tiefkühlen oder Gefrieren von Lebensmitteln (→Kühlschrank, →Gefrieranlagen).

Kühlschrank, gegen Wärmeeinfall isolierter Behälter in Schrankform, dessen Innenraum durch eine →Kältemaschine gekühlt wird. Als Wärmedämmung zw. innerer Auskleidung und Stahlblechgehäuse wird heute meist ein Polystyrolschaumstoff verwendet. Bei den am häufigsten verwendeten **Kompressions-K.** besteht der Kühlsatz aus einem kleinen Kompressor, der zus. mit dem antreibenden Elektromotor hermetisch gekapselt ist, und dem luftgekühlten Kondensator, in dem die abgeführte Wärme anfällt. Vom Kondensator aus gelangt das flüssige →Kältemittel über ein als Drosselorgan dienendes Kapillarrohr in den Verdampfer. Der Verdampfer (Tiefkühlfach) wird mit einer Klappe verschlossen. So entsteht ein Fach mit einer gegenüber der übrigen Innentemperatur des K. wesentl. niedrigeren Temperatur, für die nach Norm die Stufen −6 °C, −12 °C und

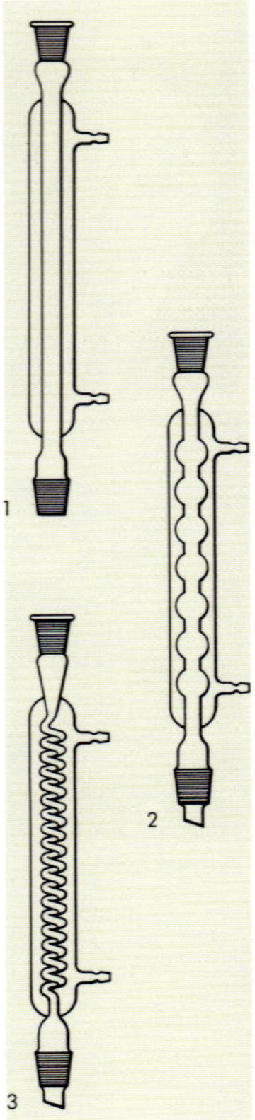

Kühler 2): 1 Liebigkühler, 2 Kugelkühler, 3 Schlangenkühler

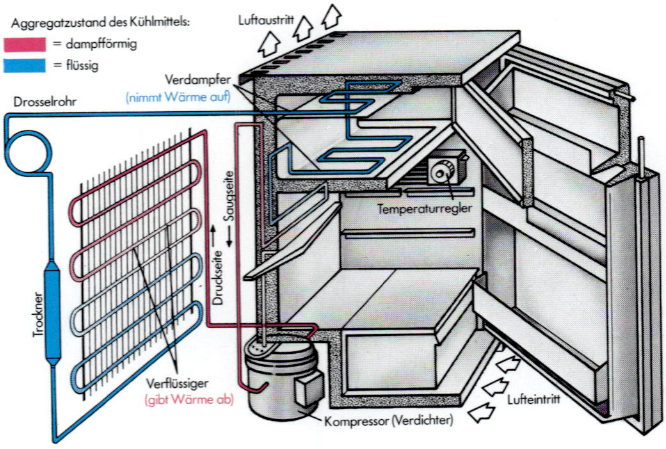

Kühlschrank: Schema eines Haushaltskühlschranks, dessen Kältemaschine nach dem Kompressionsverfahren arbeitet

Richard Kuhn

August Kühn

–18 °C festgelegt und die durch einen, zwei oder drei Sterne kenntlich gemacht sind. Die Innentemperatur des K. wird durch einen Temperaturregler auf einem konstanten Wert gehalten. – Bei der Entsorgung von K. muss heute das Kältemittel (FCKW, FKW) umweltschonend entfernt werden. Im sog. **Öko-K.** wird anstelle von FCKW oder FKW eine Mischung aus den Kohlenwasserstoffen Propan, Butan und Cyclopropan (»Dortmunder Mischung«) verwendet.

Kühlturm, turmartige Kühlanlage, in der erwärmtes Kühlwasser insbesondere von Kraftwerken rückgekühlt wird. Bei **Nass-K.** wird das zu kühlende Wasser von Verteilerdüsen über Rieseleinbauten gesprüht und dabei durch Entzug der Verdunstungswärme gekühlt. Bei den umweltfreundlicheren **Trocken-K.** besteht kein direkter Kontakt zw. dem zu kühlenden Wasser und der Umgebungsluft; die Wärme wird über Rippenrohrbündel durch Konvektion an die Umgebung übertragen.

Kühlung, Temperaturerniedrigung eines Stoffes durch Wärmeentzug (z.B. beim →Peltier-Effekt oder beim →Verdampfen) oder durch Wärmeabgabe an ein Medium geringerer Temperatur, z.B. Luft, Wasser, das sich dabei erwärmt. K. ist notwendig aus werkstofftechn. (Festigkeit, Ausdehnung), schmiertechn. oder chemisch-physikal. Gründen. Allgemein versteht man in der Technik darunter die Abführung von Verlustwärme aus Maschinen und Geräten oder von deren Oberfläche an die Umgebung. Zum Wärmetransport wird ein flüssiges oder gasförmiges Kühlmittel, bes. Luft (»Belüftung«) verwendet.

Kühlungsborn (Ostseebad K., bis 1938 Brunshaupten-Arendsee), Stadt im Landkr. Bad Doberan, Meckl.-Vorp., an der Mecklenburger Bucht, am Fuße der **Kühlung** (waldiges Moränenhügelland), 7300 Ew.; Seebad; Schmalspurbahn (»Molli«) von Bad Doberan. – Frühgot. Feldsteinkirche in Brunshaupten. – Stadt seit 1938.

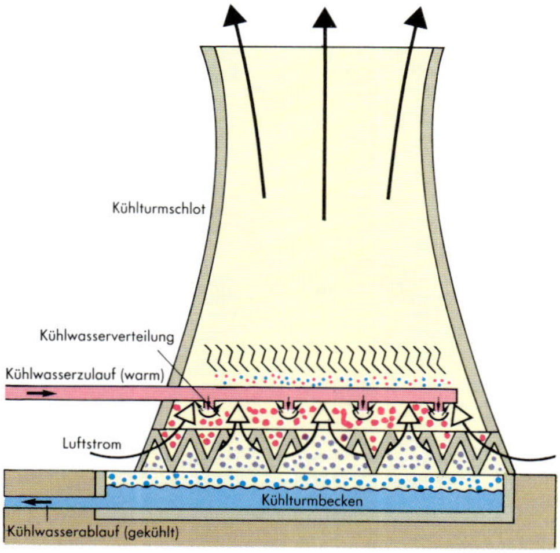

Kühlturm: Schema der Funktionsweise eines Nasskühlturms

Kühlwasser, Wasser zur Wärmeabfuhr von thermisch hoch belasteten Bauteilen, z.B. Verbrennungsmotoren. Es muss durch Zusätze den jeweiligen Bedingungen angepasst werden, z.B. durch Frost- und Korrosionsschutzmittel.

Kuhn, 1) Adalbert, Indogermanist und Mythologe, *Königsberg (Neumark; heute Chojna) 19. 11. 1812, †Berlin 5. 5. 1881; begründete mit seiner Schrift »Zur ältesten Geschichte der indogerman. Völker« (1845) die linguist. Paläontologie, aus der die indogerman. Altertumskunde hervorging; ferner vergleichende mytholog. Studien.

2) Richard, Chemiker, *Wien 3. 12. 1900, †Heidelberg 31. 7. 1967; war seit 1929 Direktor des Instituts für Chemie im Kaiser-Wilhelm-Institut (seit 1948 Max-Planck-Institut) für medizin. Forschung in Heidelberg; erhielt für seine Arbeiten über Carotinoide und Vitamine 1938 den Nobelpreis für Chemie.

3) Thomas Samuel, amerikan. Wissenschaftshistoriker und -theoretiker, *Cincinnati (Oh.) 18. 7. 1922, †Cambridge (Mass.) 17. (20.?) 6. 1996 ; Prof. in Berkeley (1958), Princeton (1964), seit 1979 Prof. in Cambridge (Mass.). Im Ggs. zum krit. Rationalismus behauptet K., gestützt auf seine wissenschaftshistor. Analysen, dass die Wissenschaftsentwicklung nicht kontinuierlich verläuft, sondern immer wieder radikale Brüche (»Paradigmenwechsel«) auftreten. Bei diesen verändern sich die methodolog. Grundannahmen sowie die als verbindlich geltenden Fragestellungen, Lösungen und Interpretationen (»Paradigma«). Grundlegend ist K.s Werk »Die Struktur wiss. Revolutionen« (1962).

Kühn, 1) Alfred, Zoologe, *Baden-Baden 22. 4. 1885, †Tübingen 22. 11. 1968; arbeitete bes. auf den Gebieten der Entwicklungsphysiologie und Genetik. »Grundriß der allgemeinen Zoologie« (1922), »Grundriß der Vererbungslehre« (1939).

2) August, eigtl. Rainer Zwing, Schriftsteller, *München 25. 9. 1936, †Unterwössen (Kr. Traunstein) 8. 2. 1996; schildert in seinem realist. Erzählwerk engagiert Arbeitertradition, z.B. »Eis am Stecken. Betriebsroman« (1974), »Zeit zum Aufstehen« (R., 1975), »Jahrgang 22 oder die Merkwürdigkeiten im Leben des Fritz Wachsmuth« (R., 1977), »Fritz Wachsmuths Wunderjahre« (R., 1978), »Die Abrechnung« (R., 1990); auch Theaterstücke und Drehbücher.

3) Dieter, Schriftsteller, *Köln 1. 2. 1935; schreibt Realität und Fantasie verbindende Prosa zu histor. Ereignissen und Figuren: »N« (1970), Biographien: »Ich Wolkenstein« (1977), »Der Parzival des Wolfram von Eschenbach« (1986), »Neidhart aus dem Reuental« (1988), »Clara Schumann, Klavier. Ein Lebensbuch« (1996), Kinderbücher, Hörspiele, Essays.

4) Heinz, Politiker, *Köln 18. 2. 1912, †ebd. 12. 3. 1992; Journalist, 1933–45 in der Emigration, 1953–63 MdB, 1979–84 MdEP, war in NRW 1962–73 Vors. der SPD, 1966–78 MinPräs. und 1973–75 stellv. Bundesvors. der SPD.

5) Herbert, Kunsthistoriker und Prähistoriker, *Beelitz (bei Potsdam) 29. 4. 1895, †Mainz 25. 6. 1980; Forschungen zur vorgeschichtl. Kunst. Gründer (1925) und Hg. des »Jahrbuches für prähistor. und ethnograph. Kunst«; schrieb: »Die Felsbilder Europas« (1952), »Eiszeitkunst« (1965), »Gesch. der Vorgeschichtsforschung« (1976).

6) Joachim, Jazzmusiker (Pianist, Altsaxophonist), *Leipzig 15. 3. 1944, Bruder von 7); spielte 1966 im Quartett seines Bruders, dann in eigenen Gruppen und als Solist; erfolgreicher Freejazz- und Jazzrock-Pianist; auch Komponist.

7) Rolf, Jazzmusiker (Klarinettist, Saxophonist), *Köln 29. 9. 1929, Bruder von 6); spielte 1956–69 in den USA (u.a. mit B. Goodman), hatte dann eine eigene Bigband beim NDR Hamburg; gilt als einer der wichtigsten dt. Jazzklarinettisten.

Kuhnau, Johann, Komponist, *Geising (Weißeritzkreis) 6. 4. 1660, †Leipzig 5. 6. 1722; war als Vorgänger J. S. Bachs Kantor (seit 1701) der Thomaskirche in Leipzig; entwickelte die mehrsätzige Klaviersonate aus der italien. Triosonate.

Kuhpocken (Rinderpocken), virusbedingter, akuter, mild verlaufender Hautausschlag bei Rindern (bes. am Euter); Übertragung auf den Menschen möglich.

Kuhschelle (Küchenschelle, Pulsatilla), Gattung der Hahnenfußgewächse auf der N-Halbkugel. Eine vorwiegend auf Kalkböden vorkommende Art ist die giftige, geschützte **Gemeine K.** (Pulsatilla vulgaris) mit glockigen, hellvioletten Blüten. Auf Bergwiesen, Heiden und in sandigen Kiefernwäldern wächst die geschützte **Frühlings-K.** (Pulsatilla vernalis), mit bräunlich gelber Behaarung und nickenden Blüten, die innen gelbweiß und außen violett gefärbt sind.

Kuiper ['kœjpər], Gerard Peter, amerikanischer Astronom niederländ. Herkunft, *Harenkarspel (Prov. Nordholland) 7. 12. 1905, †Mexiko 23. 12. 1973; Direktor des Yerkes-Observatoriums bei Chicago; einer der bedeutendsten Planetenforscher. K. wies u. a. Kohlendioxid in der Marsatmosphäre nach und entdeckte 1948 den 5. Uranusmond Miranda, 1949 den 2. Neptunmond Nereid; auch Hg. astronom. Atlanten.

Kujawien (poln. Kujawy), histor. Landschaft in Polen, links der unteren Weichsel, etwa zw. Bromberg und Gnesen (Wwschaft Bromberg). – K. war 1194–1267 ein selbstständiges (piast.) Fürstentum; 1332–43 vom Dt. Orden besetzt, danach wieder mit Polen vereinigt; kam mit der 1. und 2. Poln. Teilung (1772, 1793) an Preußen; 1807–15 Teil des Herzogtums Warschau. Der westl. Teil (um Hohensalza) gehörte 1815–1920 zur preuß. Prov. Posen.

Heinz Kühn

Kujbyschew, 1935–91 Name der russ. Stadt →Samara.

k. u. k., seit 1867 Abk. für »**k**aiserlich **u**nd **k**öniglich« (→Österreich-Ungarn).

Ku K'ai-chih [-dʒi], chines. Maler, →Gu Kaizhi.

Küken, 1) *Biologie:* das Geflügeljunge bis zum Alter von acht Wochen.

2) *Technik:* kon. Dichtkegel eines Hahns (Drehschieber) als Absperrorgan in Rohrleitungen.

Kuhschelle: Blühende Frühlingskuhschelle

Ku-Klux-Klan [ku:klʊks'kla:n, engl. 'kju:klʌksklæn], Abk. K.K.K., terrorist. Geheimbund in den Südstaaten der USA, gegr. 1866 als Zusammenschluss weißer Farmer, der seine Aktionen (u.a. Brandstiftungen, Auspeitschungen, Fememorde) insbesondere gegen emanzipierte Schwarze und radikale Republikaner richtete; gekennzeichnet durch hierarch. Aufbau, ordensähnl. Rituale, Symbole (Flammenkreuz) und Tracht (weiße Kutte, spitze Kapuze), wurde 1869/71 aufgelöst, aber 1915 wieder gegr. 1924/25 stand der K.K.K. mit 4–5 Mio. Mitgl. auf dem Höhepunkt seines Einflusses. Seit 1928 nicht mehr Geheimbund, versuchte er vergeblich, die Durchsetzung der Bürgerrechte im S zu verhindern und trat v. a. in den 1960er-Jahren (Verabschiedung der Bürgerrechtsgesetze) gegen die Rassenintegration auf. BILD S. 124

📖 MARTIN, R.: *AmeriKKKa. Der K.-K.-K. u. die Ultrarechte in den USA. A. d. Frz. Hamburg 1996.*

Kuku Nur [mongol. »blauer See«] (Kuku-nor), See in China, →Qinghai Hu.

Kukuruz [türk.] *der, österr.:* Mais.

Hans von Kulmbach: Markgraf Kasimir von Brandenburg (1511; München, Alte Pinakothek)

Kulak [russ.] *der,* Bez. für den russ. Mittel- und Großbauern, der nach den Agrarreformen P. A. Stolypins (1906/07) nicht mehr in den Mir (Dorfgemeinschaft) integriert war und sein Land mit familienfremden Arbeitskräften bewirtschaftete. Im Verlauf der Kollektivierungsmaßnahmen unter Stalin wurden die K. 1929/30 als feindl. »Klasse« liquidiert (Vermögenskonfiszierung, Vertreibung von den Höfen, Deportationen, Erschießungen).

Kulan [türk.] *der,* ein → Halbesel.

Kuldja [-dʒa], Stadt in China, → Yining.

Kulenkampff, Georg, Geiger, *Bremen 23. 1. 1898, †Schaffhausen 4. 10. 1948; lehrte am Konservatorium in Luzern; gefeierter Interpret klass. und romant. Violinwerke.

Ku-Klux-Klan: Mitglieder des terroristischen Geheimbundes

Kuli *der,* chines., ind., malaiischer Tagelöhner, Lastträger.

Kulierware (Kulierwirkware), → Wirkerei.

Kulikow, Wiktor Georgijewitsch, sowjet. Militär, *Werchnjaja Ljubowscha (Gebiet Orel) 5. 7. 1921; 1969–71 Oberkommandierender der in der DDR stationierten »Gruppe der sowjet. Streitkräfte in Dtl.« (GSSD), danach Generalstabschef der Sowjetarmee und zugleich Erster Stellv. Verteidigungs-Min. K. wurde 1977 Marschall der Sowjetunion und war 1977–89 Oberbefehlshaber der Streitkräfte des Warschauer Paktes.

Kulisch, Kuliš [-ʃ], Pantelejmon Oleksandrowytsch, ukrain. Schriftsteller, *Woronesch (Gebiet Sumy) 8. 8. 1819, †Matronowka (Gebiet Tschernigow) 14. 2. 1897; Mitbegründer (neben M. I. Kostomarow und T. Schewtschenko) der geheimen Kyrillos-Methodios-Gesellschaft, deswegen zeitweise verbannt; schrieb romant. Gedichte, Dramen und Prosa aus der Geschichte der Kosakenukraine (»Corna rada«, Roman, 1857). Bedeutend für die Entwicklung der ukrain. Literatursprache waren seine Übersetzungen (u.a. Shakespeare, Lord Byron, Goethe, Schiller).

Kulisse [frz. »Rinne«] *die,* **1)** *Börsenwesen:* freier Markt, an dem »freie Makler« die nicht zur amtl. Notiz zugelassenen Wertpapiere **(K.-Papiere)** handeln; auch die Gesamtheit der Börsenbesucher, die auf eigene Rechnung am Börsenverkehr teilnehmen; urspr. der Freiverkehr an der Pariser Börse, der sich in den kulissenartigen Seitenräumen abspielte (im Unterschied zum Parkett, den Haupträumen für den amtl. Verkehr).

2) *Bühnentechnik:* mit bemalter Leinwand, Pappe oder Papier bespannter Holzrahmen oder mit einem Metallrahmen verstärkte Sperrholzwand; Teil der Bühnendekoration.

3) *Maschinenbau:* Steuerorgan für die Dampfzufuhr in → Dampfmaschinen; v.a. angewendet bei Umkehrmaschinen, die vorwärts und rückwärts laufen müssen.

Kullak, Theodor, Pianist und Komponist, *Krotoschin (heute Krotoszyn, Wwschaft Kalisz) 12. 9. 1818, †Berlin 1. 3. 1882; war 1850 Mitgründer des Sternschen Konservatoriums, 1855 Gründer der »Neuen Akademie der Tonkunst« in Berlin; bed. Lehrer, schrieb Klavierschulen und komponierte Klaviermusik.

Kulm [slaw.] *der* oder *das,* Berg, Kuppe, Hügel.

Kulmbach, Hans von, eigtl. Hans Suess, Maler und Zeichner, *Kulmbach um 1480, †Nürnberg zw. 29. 11. und 3. 12. 1522; war einer der bedeutendsten Schüler Dürers, 1514–16 in Krakau tätig. Er malte in leuchtkräftigen, lichten Farben Altartafeln und Bildnisse: Anbetung der Könige (1511; Berlin, Gemäldegalerie); Tucheraltar (1513; Nürnberg, St. Sebald); Katharinenaltar (1514; Krakau, Muzeum Narodowe); in seinen Zeichnungen orientierte er sich an den Künstlern der Donauschule.

Kulmbach, **1)** Landkreis im RegBez. Oberfranken, Bayern, 656 km², (1997) 78 700 Einwohner.

2) Krst. von 1) in Bayern, Große Krst., am Zusammenfluss von Weißem und Rotem Main, 28 500 Ew.; Bundesanstalt für Fleischforschung; Brauereien, Mälzereien, Maschinen-, Stahlbau, Fleischwaren-, Textilfabriken. – Überragt von der **Plassenburg** (1135 erstmals erwähnt, 1560–70 neu errichtet), mit großem Turnierhof und Zinnfigurenmuseum, Landschaftmuseum Obermain und staatl. Sammlungen (Jagdwaffen, Schlachtengemälde). – 1057–1248 im Besitz der Grafen von Andechs, ab 1398 Residenz der Markgrafen von Ansbach-K. (später Ansbach-Bayreuth), 1792 an Preußen, 1810 an Bayern.

Kulmbach 2) Stadtwappen

Kulmination [lat.] *die,* **1)** *allg.:* Gipfelpunkt einer Entwicklung.

2) *Astronomie:* die größte **(obere K.)** oder auch kleinste **(untere K.)** Höhe eines Gestirns, die beim Durchgang durch den Meridian im **K.-Punkt** erreicht wird. Bei Zirkumpolarsternen liegen obere und untere K. über dem Horizont des Beobachtungsortes.

Külpe, Oswald, Philosoph und Psychologe, *Kandau (heute Kandava, Lettland) 3. 8. 1862, †München 30. 12. 1915; Prof. in Würzburg, Bonn und München; begründete, gegen Assoziationspsychologie und Sensualismus gerichtet, die Würzburger Schule der Denkpsychologie.

Werke: Grundriß der Psychologie (1893), Einleitung in die Philosophie (1895), Die Realisierung, 3 Bde. (1912–23).

Kult [lat.] *der,* →Kultus.

kultivieren [lat.], **1)** *allg.:* pflegen, bilden, verfeinern.

2) *Landwirtschaft:* urbar machen.

Kultur [lat. »Bebauung«, »Pflege« (des Körpers und Geistes), »Ausbildung«] *die,* **1)** *allg.:* Gesamtheit der typ. Lebensformen größerer Gruppen einschließlich ihrer geistigen Aktivitäten, bes. der Werteinstellungen. K. gilt im weitesten Sinn als Inbegriff für all das, was der Mensch geschaffen hat, im Unterschied zum Naturgegebenen. Die materielle K., die techn. Grundlagen des Daseins samt deren materiellen Produkten (Obdach, Kleidung, Werkzeug, Gerät), wird heute nicht mehr in der früher geübten Weise zu einer geistigen K. in Gegensatz gestellt. I. e. S. bezeichnet K. alle Bereiche der menschl. Bildung im Umkreis von Erkenntnis, Wissensvermittlung, eth. und ästhet. Bedürfnissen. K. wird auch bedeutungsgleich mit Kultiviertheit verwendet, z. B. im Hinblick auf die zwischenmenschl. Kommunikation (Gesprächs-, Konflikt-, Streitkultur). (→Zivilisation)

📖 ELIAS, N.: *Über den Prozeß der Zivilisation, 2 Bde. Frankfurt am Main [19]1995.* – INGLEHART, R.: *Kultureller Umbruch. Wertwandel in der westl. Welt. A. d. Engl. Neuausg. Frankfurt am Main u. a. 1995.* – IRMSCHER, J.: *Der Begriff der K. – Ursprünge u. Entwicklung, in: Sitzungsberichte der Leibniz-Sozietät, Bd. 10. Velten 1996, H. 1.*

2) *Biologie:* auf geeigneten Nährböden gezüchtete Bakterien oder Zellarten; auch das Züchtungsverfahren selbst.

Kultur|anthropologie, humanwiss. Disziplin, die neben dem biolog. und philosoph. Aspekt der Forschung am Menschen v. a. den der Kultur berücksichtigt. In den angelsächs. Ländern wird als K. **(Cultural anthropology)** zusätzlich die gesamte Völkerkunde bezeichnet.

Kultur|autonomie, das Recht einer nat. Minderheit auf Wahrung und Entfaltung ihrer kulturellen Eigenart (v. a. Zulassung der Sprache als Amtssprache, eigener Schulen, Publikationsorgane); i. w. S. das Recht der Gliedstaaten im Bundesstaat, die kulturellen Angelegenheiten ohne Einflussnahme des Gesamtstaats zu verwalten (Kulturhoheit).

Kulmbach 2): Stadtansicht mit der im 16. Jh.erbauten Plassenburg

Kulturbund, kulturpolit. Organisation in der DDR; gegr. 1945 als »K. zur demokrat. Erneuerung Dtl.s«, arbeitete bis etwa 1947 interzonal, war dann in der DDR unter dem Namen »Dt. Kulturbund«, später unter dem Namen »Kulturbund der DDR« als Massenorganisation tätig, die die Kulturpolitik der SED unterstützte. Sein besonderes Ziel war die Herausbildung einer sozialist. Nationalkultur und die Pflege der Beziehungen zw. Arbeiterklasse und Intelligenz. – Nach dem Ende der DDR wurde der K. 1990 als **Kulturbund e. V.** auf Länderebene neu gegründet mit dem Ziel, Allgemeinbildung vorwiegend in den Bereichen Kunst, Kultur, Denkmalpflege, Umwelt- und Naturschutz sowie Heimatgeschichte zu pflegen.

Kulturgüterschutz: Schildsymbol zur Kennzeichnung von Kulturgütern

Kulturdenkmäler, Bauwerke, Bodendenkmäler, Werke der Kunst, des Kunsthandwerks, des Handwerks, der Technik, Gegenstände des religiösen oder weltl. Brauchtums, Handschriften, Urkunden u. Ä., deren Erhaltung angestrebt wird und die vielfach durch →Denkmalpflege geschützt sind. (→Kulturerbe, →Kulturgüterschutz)

Kultur|erbe, Sammelbez. für aus der Vergangenheit überlieferte kulturelle Werte geistiger oder materieller Art. Für den Bereich des materiellen K. wurde 1972 von der UNESCO das »Übereinkommen zum Schutz des Kultur- und Naturerbes der Welt« verabschiedet, das 1975 in Kraft trat. Aufgrund dieser Konvention erstellt ein von der Generalversammlung der Mitgl.staaten gewähltes Komitee die World Heritage List und gibt auch Hilfestellung für die Erhaltung der registrierten Denkmäler. (→Weltkulturerbe)

Kulturflüchter, Pflanzen- und Tierarten, die nur außerhalb des menschl. Kulturbereichs gedeihen und daher mit dessen Ausbreitung verschwinden; z.B. Elch, Biber, Kranich, Schwarzstorch.

Kulturfolger (synanthrope Arten), Pflanzen- und Tierarten, die aufgrund der günstigeren Lebensbedingungen den menschl. Kulturbereich als Lebensraum bevorzugen. Auch ihre Verbreitung verdanken sie weitgehend dem Menschen; z.B. Ruderal-(Schutt-)pflanzen, Sperling, Amsel und Ratte.

Kulturgeschichte, die Wandlungen des geistig-kulturellen Lebens sowie deren Erforschung und Darstellung, Zweig der Geschichtswissenschaft, im 18. Jh. zunächst als Ggs. zur polit. Geschichte der »Staatsaktionen« verstanden, später die umfassende Bez. für die Gesamtheit des menschl. Schaffens und Wirkens in der Geschichte. Dazu werden sowohl die polit. und wirtsch.-sozialen Lebens- und Denkformen als auch Sitte und Brauch, Religion und Kunst, geistige und techn. Leistungen gezählt. Ausgehend vom Glauben der Aufklärung (Voltaire, J. C. Adelung) an eine stetig fortschreitende Kulturentwicklung, befasste sich v.a. J. Burckhardt mit der Entstehung von Staatsformen, Sitten und Gebräuchen, mit der Entwicklung der Familie, der Sprache, der Religion, des Rechtes, der Kunst und der Wissenschaft. Durch die im 19. Jh. begründete Anthropologie und Völkerkunde wurde das Verständnis für die frühen Kulturstufen der Menschheit entwickelt. K. Lamprecht versuchte, die K. zur wiss. Methode aller Geschichtsforschung zu erheben. O. Spengler und A. J. Toynbee formten die vergleichende K. zur →Kulturphilosophie, A. Weber, H. Freyer u.a. entwickelten die K. zur →Kultursoziologie weiter. Die Geschichtsschreibung des 20. Jh. ist durch eine stärkere Berücksichtigung der Wirtschafts- und Sozialgeschichte gekennzeichnet.

📖 PARRY, C.: *Menschen. Werke. Epochen. Eine Einf. in die dt. K. Ismaning 1993.* – HAUPT, H.-G.: *Orte des Alltags. Miniaturen aus der europ. K. München 1994. – Mit Fremden leben. Eine K. von der Antike bis zur Gegenwart, hg. v.* A. DEMANDT. *München 1995.*

Kulturgüterschutz, Schutz kulturell bed. Objekte gegen Zerstörung, Verfall, Verkauf ins Ausland. – Das *Staatsrecht* versteht den K. als nat. Aufgabe. In Dtl. ist K. Sache der Länder (→Denkmalpflege). Nach dem »Gesetz zum Schutz dt. Kulturgutes gegen Abwanderung« vom 6. 8. 1955 werden Kulturgüter einschl. Bibliotheksgut, deren Abwanderung einen wesentl. Verlust für den dt. Kulturbesitz bedeuten würde, nach Entscheid der obersten Landesbehörde in ein »Verzeichnis national wertvoller Kulturgüter« eingetragen. Das Ges. wird zurzeit umfassend überarbeitet mit dem Ziel einer Anpassung an die neuen EU-Normen (VO 3911/92 über die Ausfuhr von Kulturgütern und Richtlinie Nr. 93/7 betreffend die Rückgabe von unrechtmäßig aus dem Hoheitsgebiet eines Mitgliedstaates verbrachten Kulturgütern). – Im *Völkerrecht* bedeutet K. das Verbot der Beschädigung und Wegnahme von Kulturgütern im Krieg, die Rückführung von Objekten in den Staat, zu dessen nat. kulturellem Erbe sie zählen (»Ursprungsland«) und die Verpflichtung des Ursprungslandes und der Weltgemeinschaft zum Schutz der Kulturgüter als Erbe der Menschheit vor Zerstörung. Das Völkerrecht regelt den K. im Rahmen internat. Abkommen: Haager Landkriegsordnung (HLKO) von 1899 und 1907, Haager Konvention vom 14. 5. 1954 (bei bewaffneten Konflikten), Europ. Kulturabkommen vom 19. 12. 1954, Europ. Übereinkunft zum Schutz archäolog. Kulturguts vom 6. 5. 1969 und UNESCO-Übereinkommen zum Schutz des Kultur- und Naturerbes der Welt vom 23. 11. 1972. (→Weltkulturerbe). Gegenwärtig ist bes. das ungelöste Problem der Rückführung der von der UdSSR weggeführten dt. Kulturgüter in der Debatte. Deren Restitution war in Art. 16 Abs. 2 des dt.-sowjet. Nachbarschaftsvertrages vom 9. 11. 1990 sowie in Art. 15 des dt.-russ. Kulturabkommens vom 16. 12. 1992 vereinbart worden. Die Rückgabe wird jedoch von Russland verweigert mit der Begründung, es handele sich nicht um unrechtmäßig verbrachte Objekte, sondern um vom Alliierten Kontrollrat erlaubte Wegnahmen als Ersatz für die von dt. Seite zerstörten russ. Kulturgüter. Da es an einer entsprechenden Ermächtigung durch den Alliierten Kontrollrat fehlte und diese im Blick auf Art. 56 HLKO auch nicht zulässig gewesen wäre, fehlt den sowjet. Wegführungsmaßnahmen die international rechtl. Grundlage.

Kulturhoheit, Bez. für die primäre Gesetzgebungszuständigkeit der Länder v.a. für das Schul-,

Hochschul- und sonstige Erziehungswesen. Die K. der Länder ergibt sich aus der geringen Regelungskompetenz, die das GG dem Bund einräumt (Art. 74 Nr. 13; 75 Nr. 1a; 91a Abs. 1 Nr. 1) und der grundsätzl. Zuweisung staatl. Aufgaben an die Länder durch Art. 30. Nach der Rechtsprechung des Bundesverfassungsgerichts ist die K. »das Kernstück der Eigenstaatlichkeit der Länder«. – In *Österreich* ist die K. überwiegend Bundessache. Die *schweizer.* Kulturpflege einschl. des Bildungs- und Erziehungswesens fällt in die Hoheit der Kantone.

Kulturkampf, von R. Virchow 1873 in Preußen geprägter Begriff für die Auseinandersetzungen zw. dem 1871 gegr. Dt. Reich und der kath. Kirche um die (Neu-)Bestimmung des Verhältnisses von Staat und Kirche und den kirchl. Einfluss v.a. auf Bildungswesen sowie Ehe- und Schulgesetzgebung (1871–87); seither auch Bez. für ähnl. Auseinandersetzungen in Hessen, Baden (ab 1863/1864), Österreich (1855–74) und der Schweiz (1873–83) bzw. für den grundlegenden Konflikt zw. dem modernen Staat und der vom Traditionalismus geprägten kath. Kirche im 19. Jh. Wesentl. Grundlagen für den K. bildeten einerseits der im Ergebnis der Revolution von 1848 politisch organisierte und einflussreiche Liberalismus und die zunehmende Emanzipation der bürgerl. Gesellschaft von der Kirche, andererseits die Bestrebungen des Papstes und der kath. Kirche, im Rahmen eines →politischen Katholizismus ihren traditionellen polit. Einfluss zu bewahren und auszubauen und die nat. Teilkirchen enger an Rom zu binden (→Ultramontanismus). Mit besonderer Schärfe wurde der K. in Preußen geführt. Als Hauptgegner standen sich Fürst Otto von Bismarck und Papst Pius IX. gegenüber. Bismarck sah v.a. in der 1870 gegr. →Zentrumspartei die polit. Kraft, mit der der Papst in die Angelegenheiten des weithin preußisch-protestantisch geprägten neuen Dt. Reiches hineinregierte, und versuchte, den Einfluss der kath. Kirche auf dem Wege der Gesetzgebung zu brechen. 1871 verbot der sog. **Kanzelparagraph** (StGB, § 130a; in der Bundesrep. Dtl. 1953 aufgehoben) den Missbrauch der Kanzel zu polit. Zwecken, 1872 wurde mit dem **Jesuitengesetz** die Tätigkeit des Jesuitenordens im Dt. Reich verboten. Den Höhepunkt erreichte der K. mit den **vier Maigesetzen** von 1873 (staatl. Schul- und Kirchenaufsicht; Regelung wesentl. innerkirchl. Angelegenheiten über Staatsgesetze). Die Verweigerung und der entschlossene Widerstand der Kirche führten zur Absetzung und Verhaftung zahlr. Bischöfe und Geistlicher. Mit dem sog. **Brotkorbgesetz** von 1875 wurden alle staatl. Leistungen an die kath. Kirche eingestellt. Auch wurden fast alle Klostergenossenschaften (außer den krankenpflegenden) aufgelöst. Das **Zivilehegesetz** (1874 preuß. Landesgesetz, 1875 Reichsgesetz) führte die pflichtmäßige Zivilehe (ab 1876 Aufbau von Standesämtern und Personenstandsregistern [→Familienbuch 2)]) ein. Trotz weiterer Maßnahmen 1876–78 konnte Bismarck sein polit. Ziel nicht erreichen. Die Erbitterung der kath. Bev. und der starke Stimmenzuwachs der Zentrumspartei veranlassten ihn zu Verhandlungen mit Papst Leo XIII. Ab 1879 begann der schrittweise Abbau der Maigesetze. Mit den **Friedensgesetzen** von 1886 und 1887 wurde der K. formell beendet. Die Aufhebung des Jesuitengesetzes erfolgte erst 1904 und 1917 (in zwei Stufen). In Baden, Bayern und Hessen ging es v.a. um die Beschneidung des kirchl. Einflusses auf das Schulwesen. In der Schweiz kam es zu Auseinandersetzungen mit der kath. Kirche zw. 1873 und 1883 bes. in den Kantonen Genf, Solothurn und Bern. Der Bundesrat brach 1874 die Beziehungen zum Vatikan ab (1920 wieder aufgenommen).

📖 *Der K., hg. v.* R. Lill. *Paderborn u. a. 1997.*

Kulturkreis, Bez. a) für ein größeres Gebiet gemeinsamer Verbreitung gewisser Kulturgüter (bestimmter Siedlungs-, Haus-, Schiffs-, Schild-, Bogenform u.Ä.) und gesellschaftl. Verhältnisse (Lebenshaltung, Ehe, Mutterrecht, Totemismus u.Ä.) ohne notwendige Beschränkung auf einen Erdteil; b) für einen größeren, hinsichtlich wichtiger Kulturelemente einheitlicher geograph. Raum (z.B. abendländ. Kulturkreis).

Kulturkreis im Bundesverband der Deutschen Industrie e.V., Vereinigung von Unternehmen, gegr. 1951 mit dem Ziel, durch Stiftungen zum Erhalt von Traditionen beizutragen, durch Ausstellungen die moderne Kunst zu fördern (»documenta«) und durch Stipendien junge Künstler in den Bereichen Kunst, Musik und Literatur zu unterstützen.

Kulturkritik, Analyse und auch krit. Bewertung einzelner sozialer und kultureller Erscheinungsformen in einer die jeweils ganze Kultur umfassenden Perspektive. Häufig tritt K. in Phasen des Umbruchs auf, so im Frankreich des 18. Jh. (J.-J. Rousseau), als Reaktion auf die mit der Industrialisierung einhergehenden Veränderungen der Gesellschaft im 19. Jh. und angesichts der polit. und sozialen Umwälzungen des 20. Jahrhunderts.

Kulturlandschaft, durch den Menschen stark umgestaltete Landschaft, in deren Gestaltung vielfach einzelne Faktoren dominieren (z.B. Agrarlandschaft, Industrielandschaft).

Kulturpflanzen, planmäßig zur Nutzung als Nahrungsmittel oder Rohstoff angebaute Pflanzen, deren Ertragsfähigkeit gegenüber den Wildformen durch Auslese und Züchtung ständig gefördert wird (gegenwärtig etwa 12 000 Arten). Abhängig vom Hauptverwendungszweck werden un-

Kulturrevolution: Demonstration der Roten Garden 1966 in Peking

terschieden: Nahrungsmittel-, Genussmittel-, Gewürz-, Arzneipflanzen u.a. Nach den Formen des Anbaus wird eingeteilt in landwirtsch., gärtner. und forstwirtsch. K. Die wichtigsten sind die landwirtsch. K., wie Körnergewächse (Mehl- und Hülsenfrucht-, i.w.S. Ölfruchtarten), Blatt-, Blüten-, Knollen-, Wurzelgewächse, Faser-, Grünfutterpflanzen. Neben den höheren Pflanzen sind auch niedere pflanzl. Organismen, z.B. Pilze (Speisepilzkulturen, Hefe- und Schimmelpilze für industrielle Zwecke), zu den K. zu zählen.

📖 KÖRBER-GROHNE, U.: *Nutzpflanzen in Dtl. Kulturgeschichte u. Biologie. Stuttgart* [3]*1994.* – REHM, S. *u.* ESPIG, G.: *Die K. der Tropen u. Subtropen. Anbau, wirtschaftl. Bedeutung, Verwertung. Stuttgart* [3]*1996.*

Kulturphilosophie, Wiss. von der menschl. Lebens- und Kulturwelt; philosoph. Richtung, die bes. von Neukantianismus, Historismus und Lebensphilosophie beeinflusst war. Die formale (systemat.) K. strebte an, eine Art Wissenschaftslehre der Kulturwiss. zu sein (W. Windelband, W. Dilthey, E. Cassirer), während die materiale (historisch-konkrete) K. eher als Kulturkritik oder konkrete Kulturanthropologie verstanden werden kann (A. Gehlen, A.J. Toynbee).

Kulturpolitik, Tätigkeit des Staates, der Kommunen, Kirchen, der öffentlich-rechtl. Körperschaften und Parteien sowie internat. Instanzen (z.B. UNESCO) mit dem Ziel der Erhaltung und Förderung von Kultur. Im Zentrum der K. stehen das Erziehungs- und Bildungswesen, der Wissenschaftsbereich, der Bereich der Kunst, des Natur- und Landschaftsschutzes sowie der Denkmalpflege und des Sports. In Dtl. sind weite Gebiete der K. nach 1945 wieder in private und kirchl. Hand gegeben worden. Das Schul- und Hochschulwesen untersteht trotz steigender finanzieller Beteiligung und Rahmenkompetenz des Bundes der Länderhoheit. Die öffentlich-rechtl. Rundfunkanstalten sind über Aufsichtsgremien der Kontrolle von Öffentlichkeit und Parlamenten unterworfen. Die auswärtige K. Dtl.s wird vom Auswärtigen Amt betreut, wobei v.a. die Goethe-Institute außerhalb Dtls. von Bedeutung sind, auch z.B. die Dt. Histor. Institute.

📖 *K. u. Kultursponsoring, hg. v.* C. STOLORZ *u. a. Münster 1992.*

Kulturrevolution (Große Proletarische K.), Bez. für die innenpolit. Macht- und Richtungskämpfe in der VR China 1966–69; eingeleitet von Mao Zedong, um seine seit 1958/59 geschwächte Position (Scheitern der Politik des »Großen Sprungs nach vorn« und der »Volkskommunen«) wieder zu festigen und die mehr pragmatisch orientierte Gruppe um Liu Shaoqi (Staatsoberhaupt) und Deng Xiaoping (Gen.-Sekr. der KPCh) auszuschalten. Die K. ging einher mit einer breiten politisch-ideolog. Kampagne, die sich offiziell gegen Denk- und Lebensweisen westl. und traditionell chines. Prägung richtete. Vorbereitet durch Aktionen gegen krit. Intellektuelle (seit Herbst 1965), wurde die K. offiziell 1966 von der linken Fraktion um Mao Zedong, seiner Frau Jiang Qing und Lin Biao (Verteidigungsmin.) ausgelöst. Zur Durchsetzung ihrer Ziele mobilisierten sie Mio. von Studenten und Schülern, die sich in →Roten Garden organisierten; diese terrorisierten v.a. seit Mitte 1966 in den Großstädten die Kritiker Mao Zedongs (Demütigung, Misshandlung oder Tötung von Funktionären, Wissenschaftlern und Lehrern, z.T. Zwangsverschickung aufs Land zur Verrichtung körperl. Arbeit) und zerstörten zahlreiche Kulturgüter (Tempel, Kirchen). Die von einer kult. Verehrung Mao Zedongs (»Großer Vors. und Steuermann«) begleitete K. führte zur weitgehenden Zerschlagung des Partei- und Staatsapparates (u.a. Sturz Liu Shaoqis und Deng Xiaopings). Die zunehmend außer Kontrolle geratenen Roten Garden, die v.a. in den Provinzstädten auf harten Widerstand stießen (bürgerkriegsähnl. Auseinandersetzungen), wurden 1967/68 in blutigen Aktionen von der Armee diszipliniert, die als Ordnungsmacht stark an Einfluss gewann. Die K. wurde de facto mit dem IX. Parteitag der KPCh 1969 beendet (Wahl einer kulturrevolutionär orientierten Führungsgruppe, Ernennung Lin Biaos zum Nachfolger Mao Zedongs). Da sich in den folgenden Jahren (Wechsel ultralinker mit pragmat. Politik; Wirken der →Viererbande 1976) wesentl. Züge der K. erhielten (v.a. maoist. Ausrichtung von Wiss. und Kultur), wird ihre Dauer z.T. auch bis 1976 angegeben. Die meisten verfolgten Politiker und Intellektuellen wurden später rehabilitiert. Die K. beeinflusste nicht zuletzt das Denken der intellektuellen Linken in W-Europa v.a. in den 1960er-Jahren.

Kulturschock, Bez. für die vom Individuum erfahrene und von ihm zu verarbeitende plötzl. Konfrontation mit dem Normen- und Wertesystem und den Verhaltensmustern einer fremden (Teil-)Kultur.

Kultursoziologie, Zweig der Soziologie, der die Kultur als soziale Erscheinung oder im Hinblick auf ihre sozialen Rahmenbedingungen und Grundlagen betrachtet sowie ihre Rückwirkungen auf die gesamtgesellschaftl. Strukturen untersucht.

Kulturstadt Europas. Auf Initiative der EU (seit 1985) wird eine europ. Großstadt für ein Jahr zur K. E. ernannt, die durch Veranstaltungen (Kongresse, Konzerte, Lesungen, Ausstellungen, Theater- und Filmvorführungen) die kulturelle Einheit Europas und seine Vielfalt zeigen und fördern soll: Athen (1985), Florenz (1986), Amsterdam (1987), Berlin (West) (1988), Paris (1989), Glasgow (1990), Dublin (1991), Madrid (1992), Antwerpen (1993), Lissabon (1994), Luxemburg (1995), Kopenhagen (1996), Saloniki (1997), Stockholm (1998) und Weimar (1999).

Kultursteppe, durch Vernichtung der ursprüngl. (Wald-)Vegetation entstandene offene, baumlose Kulturlandschaft (Agrarlandschaft) mit steppenähnl. Merkmalen; Gefahr der Bodenerosion.

Kulturstiftung der Länder, Abk. **KSL,** seit 1988 bestehende Stiftung der Bundesländer (Mitgl. sind seit 1991 alle 16 Länder) mit der Zielsetzung, überregional bedeutsame Projekte kulturellen Charakters zu fördern und dt. Kulturgüter zu schützen (z. B. durch Ankäufe, bes. auch bei drohendem Verkauf ins Ausland). Die Bundesländer stellen zus. jährlich bis zu 15 Mio. DM zur Verfügung, der Bund mindestens 14 Mio. DM, insges. bislang (1997) rd. 300 Mio. DM.

Kulturtechnik (Kulturbautechnik, Agrartechnik), i. e. S. techn. Bodenverbesserung für die Landwirtschaft, bes. Hochwasserschutz, Vorflutregelung, Bodenentwässerung und -bewässerung, ländl. Wasserversorgung, landwirtsch. Abwasserverwertung, Ödlandkultur, Neulandgewinnung, i. w. S. auch Flurbereinigung.

Kulturwissenschaften, zusammenfassender Terminus für eine Forschungsdisziplin, die sich um eine Integration der verschiedenen geistesgeschichtl., literaturwissenschaftl., kunstphilosoph., soziolog., histor., anthropolog. und psycholog. Betrachtungsweisen bemüht, wobei im Zentrum der Mensch als kulturschaffendes und sich dadurch in seiner jeweiligen histor., polit., kulturellen, aber auch geschlechtsspezif. Form erst hervorbringendes Wesen steht. Dabei werden Gesellschaft, Literatur und Kunst, Ökonomie, Recht u. a. als Handlungsfelder und Rahmenbedingungen untersucht.

Kulturzyklentheorien, im Unterschied zu Theorien mit linearem Geschichtsbild kultur- und geschichtsphilosoph. Theorien, denen zufolge kultureller Wandel und Entwicklung in Kulturen sich in einer Reihe regelmäßig aufeinander folgender, meist auch wiederkehrender Phasen vollziehen, insbesondere die universalgeschichtl. Theorie A. J. Toynbees. F. Nietzsche prägte den Gedanken der »ewigen Wiederkehr«; O. Spengler entwickelte eine »Kulturkreislehre«.

Kultus [lat.] *der* (Kult), **1)** in den Religionen die durch Tradition bzw. (religiöse) Gesetzgebung festgelegte, in geordneten Formen (Riten), an bestimmten (heiligen) Orten, zu bestimmten (heiligen) Zeiten in der Verantwortung bevollmächtigter Personen (z. B. Älteste, Schamanen, Priester) durchgeführte, i. d. R. gemeinschaftl. Verehrung (Adoration) einer oder mehrerer Gottheiten oder des als heilig Angesehenen durch die Kultgemeinschaft (z. B. Familie, Stamm, Religionsgemeinde).

2) in den christl. Kirchen der →Gottesdienst.

Kultusfreiheit, als Element der Glaubens-, Gewissens- und Bekenntnisfreiheit das Recht zur Ausübung der zu einer Religion gehörenden Kulthandlungen.

Kultusministerium, oberste Behörde für das Erziehungs- und Bildungswesen, oft auch für Wiss., Jugend, Sport und verwandte Ressorts. In Dtl. liegt die Kulturhoheit bei den Ländern, sodass jedes Land ein eigenes K. hat, mit z. T. durch unterschiedl. Kompetenzzuweisung abweichender Bezeichnung.

Kultusministerkonferenz, Abk. **KMK,** seit 1948 die »Ständige Konferenz der Kultusminister der Länder in der Bundesrep. Dtl.«, mit einem Sekretariat in Bonn in der Verantwortung des Landes Berlin. Sie behandelt Angelegenheiten der Kulturpolitik von überregionaler Bedeutung mit dem Ziel gemeinsamer Willensbildung, bes. auf dem Gebiet des Schul- und Hochschulwesens. Die Beschlüsse der K. sind nicht bindend; sie bedürfen der Übernahme in die Landesgesetzgebung.

Kultwagen, Fahrzeuge versch. Bauart für religiöse Zeremonien. Ihre Entstehung ist wohl auf die Verehrung der Gestirne (v. a. der Sonne) zurückzuführen, deren Bewegung sie symbolisieren. In Mitteleuropa gibt es vom Ende der Bronzezeit an K. als Grabbeigaben, bes. in der Hallstatt- und La-Tène-Zeit; Beispiel eines Miniatur-K. ist der Sonnenwagen von →Trundholm (BILD Bronzezeit). Weiteres BILD S. 130

Kulundasteppe, Landschaft im S des Westsibir. Tieflands, Russland, zw. Ob und Irtysch, etwa 100 000 km^2; Salzseen (Salzgewinnung); Bewässerungskulturen (Weizenanbau).

Kum (Ghom, Qum), Oasenstadt in Iran, 681 300 Ew.; Textilind., Teppichherstellung; in der Nähe

Kultwagen aus der Steiermark (um 600 v. Chr.; Graz, Landesmuseum Joanneum)

Erdöl- und Erdgasfelder; nach Meschhed bedeutendster schiit. Wallfahrtsort Irans, mit theolog. Hochschule, geistiges Zentrum der Schiiten. – Grabmoschee (um 1600 vollendet, goldene Kuppel Anfang 19. Jh.) für Fatima (Tochter des 7. schiit. Imams, †816); Freitagsmoschee mit Mihrab und Kuppel aus der Seldschukenzeit; Grabstätte von zehn Königen und mehr als 400 islam. Heiligen.

Kuma *die,* Fluss im Großen Kaukasus, Russland, 802 km lang, dient der Bewässerung, erreicht nur in niederschlagsreichen Jahren das Kasp. Meer.

Kumairi, ehem. Stadt in Armenien, → Gümri.

Kuma-Manytsch-Niederung, Senke in Nordkaukasien, → Manytschniederung.

Kumamoto, Hptst. der Präfektur K., auf Kyūshū, Japan, 639 700 Ew.; Univ., Frauenfachhochschule, Wirtschaftshochschule, meereskundl. Forschungsinstitut, Kunstmuseum; Textil-, chem., Papier-, pharmazeut. u. a. Ind., Kunsthandwerk; Flugplatz. – Eine der größten Burgstädte Japans; Burgruine (1607 erbaut, 1877 zerstört); bed. Landschaftsgarten Suizenji (1632).

Kümmel 1): blühender Echter Kümmel, Fruchtstand (rechts) und Frucht mit zwei Teilfrüchten

Kumanen (Komanen, slaw. Polowzer), turksprachiges Nomadenvolk, das im 11. Jh. in die Ukraine eindrang, 1071/72 Ungarn verwüstete und zw. 1061 und 1210 Russland bedrängte. Die K. wurden 1239/40 von den Mongolen unterworfen und vermischten sich mit diesen und den Nogaiern, soweit sie nicht nach Ungarn abwanderten, wo sie bis ins 17. Jh. Sonderrechte bewahrten (K.-Komitate); erst im 18. Jh. wurden sie sprachlich völlig magyarisiert. Das **Kumanische** steht den heutigen Turksprachen der NW-Gruppe sehr nahe; es ist erhalten im Codex Cumanicus, einer im 13./14. Jh. geschaffenen Samml., die aus einem lateinisch-persisch-kuman. Glossar, einer kuman. Grammatik, religiösen Texten und Rätseln in kuman. Sprache besteht.

Kumquats: Ganze Frucht (Größe bis 3,5 cm), Längs- und Querschnitt (rechts unten)

Kumanilen [nach den Kumanen] (ungar. Kunság), Gebiet im Großen Ungar. Tiefland. **Klein-K.** (ungar. Kiskunság) liegt zw. Donau und Theiß; Gemüse-, Obst- und Weinbau sowie Geflügelzucht; Hauptort ist Kiskunfélegyháza. **Groß-K.** (ungar. Nagykunság) erstreckt sich auf dem Lössrücken östl. der Theiß; bes. Weizen-, Reis-, Zuckerrübenanbau und Rinderzucht; reiche Erdöl- und Erdgasfunde; Hauptort ist Karcag.

Kumanovo, Stadt in Makedonien, 66 200 Ew.; Textil-, Leder-, Lebensmittel-, Holz- und keram. Industrie.

Kumasi, Hptst. der Region Ashanti, Ghana, 385 000 Ew., zweitgrößte Stadt des Landes; kath. Bischofssitz; TU; nat. Kulturzentrum (Kunst der Ashanti) mit Freilichtmuseum, Armeemuseum, Zoo; Handelszentrum inmitten eines Kakaoanbaugebiets; Konsumgüterind.; Endpunkt von Eisenbahnlinien, Flugplatz. – 1663 gegr., seit 1816 Sitz der Ashantikönige (Palast, 1874 von den Briten zerstört, 1896 wieder aufgebaut).

Kumbrisches Bergland, → Cumbrian Mountains.

Kümmel [lat. cuminum], **1)** *Botanik:* (Carum) Gattung der Doldenblütler in Europa, Asien und N-Afrika. Die bekannteste Art ist der **Echte K.** (**Wiesen-K., Köm,** Carum carvi) mit kleinen Blüten in Doppeldolden. Die leicht sichelförmig gebogenen Teilfrüchte werden als Gewürz verwendet sowie medizinisch v. a. als Mittel gegen Blähungen. Das aus ihnen gewonnene aromat. K.-Öl dient als Geschmacksstoff für Spirituosen.

2) *Gastronomie:* Trinkbranntwein, dt. Bez. für → Aquavit.

Kummer, Ernst Eduard, Mathematiker, *Sorau (heute Żary, Wwschaft Zielona Góra) 29. 1. 1810, †Berlin 14. 5. 1893; arbeitete v. a. über Zahlentheorie, Analysis (u. a. hypergeometr. Reihen) und Geometrie (entdeckte u. a. die **kummersche Fläche,** eine Fläche 4. Ordnung).

Kummerower See [-roər-], See der Mecklenburg. Seenplatte, nordöstlich von Malchin, von der oberen Peene durchflossen, 32,2 km², bis 26 m tief.

Kummet [von poln. chomąt] (Kumt), gepolsterter Leder- oder Stoffbalg um den Hals von Zugtieren.

Kumquats [engl., von chines. kam kwat] (Limequats, Zwergorangen, Zwergpomeranzen), bis 3,5 cm große, eiförmige bis kugelige Früchte verschiedener in Asien, N- und S-Afrika sowie in Amerika kultivierter Rautengewächse der Gattung **Fortunella;** angenehm bitter, süßsäuerlich schmeckendes Obst mit goldgelber, dünner Schale, die mitgegessen wird.

Kumran, Ort am Toten Meer, → Qumran.

Kumt, →Kummet.

Kumụcken (Kumüken, Kumyken), turksprachiges Volk im nordöstl. Kaukasus, v.a. in Dagestan. Die 282 000 K. sind sunnit. Muslime; sie betreiben Vieh- und Bienenzucht, Ackerbau und Fischfang im Kaspischen Meer.

Kumulatiọn [lat.] *die,* **1)** *allg.:* Anhäufung, Anreicherung (von Stoffen, Giften, Organismen).

2) *Wahlrecht:* die Häufung von Stimmen auf einen (oder mehrere) Kandidaten, vorausgesetzt, dass der Stimmberechtigte über mehrere Stimmen verfügt; in einigen dt. Ländern bei Kommunalwahlen möglich.

Kumulẹne (Cumulene), ungesättigte organ. Verbindungen mit einer größeren Anzahl direkt benachbarter (kumulierter) Doppelbindungen.

Kụmulus *der,* Haufenwolke, →Wolken.

Kụmys *der* (Kumyss) [russ.], dickflüssiges Sauermilchgetränk mit 0,5–3% Alkoholgehalt und 0,5–1% Milchsäure, bei mongol. Nomadenvölkern aus Stuten- oder Kamelmilch bereitet.

Kụn, Béla, ungar. Politiker, * Szilágycseh (heute Cehu Silvaniei, Kr. Baia Mare, Rumänien) 20. 2. 1886, † in Sibirien 30. 11. 1939 (?); Journalist, gründete am 24. 11. 1918 die ungar. KP, war die treibende Kraft der ungar. Räterepublik 1919, in deren Reg. er das Volkskommissariat des Äußeren innehatte. Nach deren Zusammenbruch war er ab 1920 in der UdSSR für die Komintern tätig. Während der Großen Säuberung (Tschistka) 1937 verhaftet; starb unter nicht ganz geklärten Umständen in Lagerhaft; 1955 rehabilitiert.

Kụna [kroat. »Marder«] *die,* kroat. Währungseinheit; 1 K. = 100 Lipa (lp.).

Kunashịri [-ʃ-], Insel der →Kurilen.

Kunaxa [kuˈnaksa, ˈkuːnaksa], im Altertum Ort in Babylonien, am linken Ufer des Euphrat, genaue Lage unbekannt; Schauplatz der Schlacht zw. Kyros d. J. und seinem Bruder Artaxerxes II. 401 v. Chr.; Kyros fiel.

Kuncewiczowa [kuntsɛviˈtʃɔva], Maria, poln. Schriftstellerin, * Samara (Russland) 30. 10. 1897, † Kazimierz Dolny (Wwschaft Lublin) 15. 7. 1989; emigrierte 1939, lebte seit 1956 in den USA, unterbrochen durch längere Aufenthalte in Polen. Schildert in ihren Romanen häufig das Scheitern von Frauen in ihren Rollenzwängen (»Die Fremde«, 1936; »Der Förster«, 1952; »Adieu Tristan«, 1967).

Kụnckel, Johann, auch K. von Löwenstern, Alchimist, * Hütten (bei Eckernförde) 1630 oder 1638, † Stockholm 20. 3. 1703; erfand das Rubinglas **(K.-Glas),** verbesserte die Verfahren der Glasgewinnung, förderte die Anwendung von Glasgeräten im Labor.

Kunde (Bohne), bei Pferden die Vertiefung des Zahnschmelzes an der Kaufläche; infolge der Abnutzung der Zähne nur bis etwa zum 7. Lebensjahr sichtbar; dient der Altersbestimmung von Pferden.

Kundendienst (Service), freiwillige Dienstleistung eines Herstellers oder Händlers, die Kunden vor, während und nach dem Kauf angeboten wird. Es wird unterschieden zw. nicht warengebundenem K. (Parkplätze, Kinderbetreuung) und warengebundenem K. (Beratung, Anlieferung, Installation, Wartung, Kundenkredite).

Kundenkarte, →Kreditkarte.

Kụndera, Milan, tschech. Schriftsteller, * Brünn 1. 4. 1929; lebt seit 1980 in Paris; behandelt in Dramen (»Die Schlüsselbesitzer«, 1962), Erzählungen und Romanen (»Der Scherz«, 1968; »Das Buch von der lächerlichen Liebe«, 1970; »Das Leben ist anderswo«, 1973; »Abschiedswalzer«, frz. und engl. 1976, tschech. 1979; »Das Buch vom Lachen und vom Vergessen«, 1980; »Die unerträgliche Leichtigkeit des Seins«, frz. und dt. 1984, tschech. 1985) bes. menschlich-polit. Zeitproblematik; schrieb auch Lyrik und Essays (»Verratene Vermächtnisse«, 1994).

Kündigung [mhd. kündigen »kundtun«], die einseitige empfangsbedürftige Erklärung, dass ein Schuldverhältnis, insbesondere ein Dauerschuldverhältnis (z. B. Miete, Dienstvertrag, Gesellschaftsvertrag) beendet oder eine Leistung fällig werden soll. Für die K.-Erklärung ist grundsätzlich keine besondere Form erforderlich (insbesondere genügt im Arbeitsrecht die mündl. K.), doch kann schriftl. K. vereinbart werden; die K. von Wohnraum bedarf stets der Schriftform. Die **ordentl. K.** des auf unbestimmte Zeit eingegangenen Schuldverhältnisses ist an Fristen, beim Arbeitsverhältnis oft auch an Termine gebunden. Die **außerordentl.,** meist fristlose K. ist zulässig, wenn dem Kündigenden aus wichtigem Grund die Fortsetzung des Schuldverhältnisses nicht bis zum Ablauf

Béla Kun

Milan Kundera

Kumamoto: Der Landschaftsgarten Suizenji wurde 1632 angelegt

der K.-Frist zugemutet werden kann. Fristlose K. des Arbeitgebers nennt man auch fristlose Entlassung. Die **Änderungs-K.**, häufig im Arbeitsverhältnis praktiziert, ist die i.d.R. ordentl. Kündigung des Schuldverhältnisses mit dem gleichzeitigen Angebot, es unter geänderten Bedingungen fortzusetzen. Auch diese Form der K. ist mit Rechtsmitteln angreifbar und auch bei ihr sind die K.-Fristen zu wahren. Während des Wehr- bzw. des Zivildienstes ruht das Arbeitsverhältnis, es darf vom Arbeitgeber nur aus wichtigem Grund gekündigt werden (Arbeitsplatzschutz-Ges. i.d.F. v. 14. 4. 1980).

Je nach Schuldverhältnis gibt es unterschiedl. K.-Gründe und Fristen. Durch Änderung des BGB durch K.-Fristen-Ges. vom 7. 10. 1993 wurde die Unterschiedlichkeit der gesetzl. K.-Fristen von Arbeitern und Angestellten beseitigt (Übersicht); vertragl. oder tarifl. Regelungen können die Arbeitnehmer abweichend hiervon besser stellen. Im Interesse des K.-Gegners wird zur Wirksamkeit der K. z.T. die Angabe von K.-Gründen verlangt (z.B. bei der K. des Vermieters von Wohnraum oder der K. des Arbeitgebers; →Kündigungsschutz). – Im *österr.* Recht sind K. und K.-Fristen hauptsächlich in den §§ 1116ff., 1159ff. ABGB, im Angestellten-Ges. und durch Sonderbestimmungen für verschiedene Materien geregelt. In der *Schweiz* ist die Frist zur K. – vorbehaltlich anderer vertragl. Abreden – nach der Dauer des Arbeitsverhältnisses abgestuft (Art. 334ff. OR i.d.F. v. 18. 3. 1988). Unterschiedl. K.-Fristen für Arbeitgeber und Arbeitnehmer sind unzulässig.

Kündigung: Regelung der Kündigungsfristen in Deutschland

Grundsatz:
Das Arbeitsverhältnis eines **Arbeiters** oder eines **Angestellten** (Arbeitnehmers) kann von beiden Seiten mit einer Frist von vier Wochen zum Fünfzehnten oder zum Ende eines Kalendermonats gekündigt werden (§ 622 BGB).

Für eine Kündigung durch den Arbeitgeber gelten abhängig von der Beschäftigungsdauer folgende Fristen (jeweils zum Monatsende):

Beschäftigungsdauer	Frist
2 Jahre	1 Monat
5 Jahre	2 Monate
8 Jahre	3 Monate
10 Jahre	4 Monate
12 Jahre	5 Monate
15 Jahre	6 Monate
20 Jahre	7 Monate

Bei der Berechnung der Beschäftigungsdauer werden die Zeiten, die vor der Vollendung des 25. Lebensjahres des Arbeitnehmers liegen, nicht berücksichtigt. Während der Probezeit (bis 6 Monate) beträgt die Kündigungsfrist 2 Wochen.

Für **Seeleute** beträgt die Kündigungsfrist (§ 63 Seemanns-Ges.) innerhalb der ersten 3 Monate 1 Woche, danach 4 Wochen zum Fünfzehnten oder zum Monatsende (Ausnahme: kurze Kündigungsfrist auch bei der ersten Reise von bis zu 6 Monaten Dauer). Nach 2 Jahren und bis zu 7 Jahren Bestehen des Heuerverhältnisses erhöht sich die Kündigungsfrist auf 2 Monate zum Monatsende. Darüber hinaus gelten nach 8 Jahren bei Kündigungen durch die Reederei die auch im § 622 BGB geregelten Fristen.

Kündigungsgeld, →Termineinlagen.

Kündigungsschutz, gesetzl. Bestandsschutz eines Vertragsverhältnisses (Arbeitsverhältnis oder Wohnungsmiete) vor Kündigungen durch den wirtsch. stärkeren Vertragspartner.

Arbeitsrecht: Nach dem K.-Gesetz i.d.F.v. 25. 8. 1969 (mit Änderungen), das für alle Arbeitnehmer (mit Ausnahme leitender Angestellter) gilt, die mindestens sechs Monate ununterbrochen in demselben Betrieb mit i.d.R. mindestens fünf Beschäftigten ein Arbeitsverhältnis haben, wobei Teilzeitbeschäftigte im Umfang ihrer Arbeitsleistung nach den Bestimmungen des § 23 K.-Ges. zu berücksichtigen sind, ist eine Kündigung rechtsunwirksam, wenn sie sozial ungerechtfertigt ist, d.h., wenn sie nicht durch Gründe, die in Person oder Verhalten des Arbeitnehmers liegen, oder durch dringende betriebl. Erfordernisse bedingt ist. Dies gilt auch, wenn der Arbeitgeber bei betriebsbedingt notwendigen Entlassungen bei der Auswahl des gekündigten Arbeitnehmers soziale Gesichtspunkte nicht oder nicht genügend berücksichtigt hat, wenn die Kündigung gegen Auswahlrichtlinien einer entsprechenden Betriebsvereinbarung verstößt oder wenn die Weiterbeschäftigung an einem anderen Arbeitsplatz – ggf. nach Umschulungsmaßnahmen und zu geänderten Arbeitsbedingungen – möglich ist. Durch Änderung des Ges. vom 19. 12. 1998 sind die Kündigungsmöglichkeiten zulasten von Arbeitnehmern insoweit ausgeweitet worden, als in die soziale Auswahl Arbeitnehmer nicht einzubeziehen sind, wenn deren Weiterbeschäftigung, insbesondere durch betriebstechn., wirtschaftl. oder sonstige berechtigte betriebl. Bedürfnisse bedingt ist. Die Beweislast für die sozial ungerechtfertigte Kündigung trägt der Arbeitnehmer.

In Betrieben, in denen ein Betriebsrat besteht, ist vor Ausspruch der Kündigung der Betriebsrat zu hören. Unterbleibt diese Anhörung, ist eine dennoch ausgesprochene Kündigung unwirksam. Hält der Arbeitnehmer die Kündigung für sozial ungerechtfertigt, kann er binnen drei Wochen nach Zugang der Kündigung K.-Klage beim Arbeitsgericht erheben. Das Arbeitsgerichtsverfahren kann zur Abweisung der Klage, zur Feststellung, dass das Arbeitsverhältnis nicht aufgelöst ist, oder zur Auflösung des Arbeitsverhältnisses bei Verurteilung des Arbeitgebers zur Zahlung einer Abfindung führen. Ein besonderer K. besteht darüber hinaus für Mütter (→Mutterschutz), für →Schwerbehinderte, für Arbeitnehmer, die von einer Massenentlassung betroffen sind, für Mitgl. des Betriebsrats, für zum Wehrdienst Einberufene als Arbeitsplatzschutz und für Abgeordnete.

In *Österreich* bestehen dem dt. Recht weitgehend entsprechende Regelungen. In der *Schweiz* wurde der K. mit der Änderung des Obligationenrechts (in Kraft seit 1. 1. 1989) wesentlich ausgebaut. Eine missbräuchl. Kündigung verpflichtet zu Schadensersatz. Eine vom Arbeitgeber in bestimmten Sperrfristen (z.B. während der Schwangerschaft) ausgesprochene Kündigung ist nichtig.

Zum K. im *Mietrecht* → Miete.

📖 WENZEL, L.: *Kündigung u. K. Neuwied u. a.* *⁶1994. – Kündigungsschutzgesetz. Kölner Praxiskommentar unter Berücksichtigung sozialrechtl. Bezüge, hg. v.* H.-H. SOWKA, *mit Beiträgen v.* P. BENGELSDORF *u. a. Köln 1996.*

Kụndrie, im »Parzival« Wolframs von Eschenbach die Gralsbotin; urspr. wohl eine kelt. Sagengestalt (Todesdämonin); in R. Wagners »Parsifal« ist **Kundry** die in triebhafter Sinnlichkeit gefangene Seele, die durch einen reinen Helden erlöst wird.

Kụndt-Effekt [nach dem dt. Physiker August Kundt, *1839, †1894], die außerordentlich starke Drehung der Polarisationsebene des Lichtes bei dünnen ferromagnet. Substanzen (Eisen, Nickel).

kụndtsche Staubfiguren, von dem dt. Physiker August Kundt (*1839, †1894) entdeckte Strukturen, die sich bilden, wenn in einem mit ein wenig Staub gefüllten Rohr **(kundtsches Rohr)** Gase zu stehenden Schallschwingungen erregt werden. Mit den k. S. lassen sich die Schallgeschwindigkeit in festen Körpern und Gasen, damit das Verhältnis der beiden spezif. Wärmen eines Gases sowie der Elastizitätsmodul des festen Körpers bestimmen.

Kunẹne *der* (portugies. Cunene), Fluss im südl. Afrika, 975 km lang, entspringt im Hochland von Bié (Angola), bildet im Unterlauf die Grenze zw. Angola und Namibia, mündet in den Atlant. Ozean; mehrere Wasserkraftwerke.

Kụnersdorf, Ort in Polen, → Kunowice.

Kụnert, Günter, Schriftsteller, *Berlin 6. 3. 1929; 1977 aus der SED ausgeschlossen, lebt seit 1980 in der Bundesrep. Dtl.; zeitkrit. Lyriker (»Erinnerung an einen Planeten«, 1963; »Verkündigung des Wetters«, 1966; »Im weiteren Fortgang«, 1974; »Unterwegs nach Utopia«, 1977; »Stilleben«, 1983; »Fremd daheim«, 1990), Erzähler (»Im Namen der Hüte«, R., 1968; »Der andere Planet«, Bericht, 1974; »Vor der Sintflut. Das Gedicht als Arche Noah«, Vorlesungen, 1985; »Im toten Winkel. Ein Hausbuch«, Kurzprosa, 1992), Drehbuch- und Hörspielautor sowie Essayist (»Warum schreiben«, 1976; »Der Sturz vom Sockel«, Feststellungen und Widersprüche, 1992) mit Neigung zu Ironie, Skepsis und Satire.

Günter Kunert

Kụ̈ng, Hans, schweizer. kath. Theologe, *Sursee (Kt. Luzern) 19. 3. 1928; seit 1960 Prof. in Tübingen, lehrte seit 1980 außerhalb der theolog. Fakultäten ökumen. Theologie; befasst sich in seinen Werken v.a. mit Fragen der Ökumene und der kirchl. Strukturen. 1979 wurde ihm v.a. wegen seiner krit. Haltung zur Unfehlbarkeit des Papstes die kirchl. Lehrbefugnis entzogen.

Werke: Die Kirche (1967); Unfehlbar? (1970); Christ sein (1974); Existiert Gott? (1978); Christentum und Weltreligionen (1984; mit J. van Ess u. a.); Theologie im Aufbruch (1987); Christentum und chines. Religion (1988; mit J. Ching); Projekt Weltethos (1990).

Hans Küng

Kung-Fu [chines.] *das,* ostasiat. Selbstverteidigungssystem mit zwei Stilarten: eine kraftbetonte karateähnl. und eine geschwindigkeitsbetonte Variante. Im Wettkampf-K.-Fu (mit Schutzausrüstung) gibt es drei Richtungen: das traditionelle Nichtkontakt-K.-Fu, Halbkontakt-K.-Fu und Vollkontakt-K.-Fu. Kampffläche 8×8 m, Kampfzeit 2 (Vorrunden) bzw. 3 Minuten (Endrunde); gewertet wird nach Punkten.

Kunigụnde, Kaiserin, †Kloster Kaufungen 3. 3. 1033; übte als Frau Kaiser Heinrichs II. erhebl. polit. Einfluss aus; gründete 1017 die Benediktinerinnenabtei Kaufungen; Heilige; Tag: 13. 7.; in Bamberg: 3. 3.

Kunkellehen, auch auf Frauen vererbbares Lehen.

Kunkelmage [zu ahd. chuncla, zu lat. colus »Spinnrocken«] *der* (Spindelmage), *german. Recht:* Bez. für die Blutsverwandten der kognat., auch die Frauen umfassenden Sippe.

Kunlun Shan [-ʃan], Gebirgssystem in China, das in einer Länge von über 3000 km Innerasien von W nach O (vom Pamir und Karakorum bis nach Mittelchina) durchzieht (östl. Fortsetzung Qinling Shan), im Ulug Muztag 7723 m ü. M.; größtenteils Hochgebirgswüste, reich an Bodenschätzen.

Kunming, Hptst. der Prov. Yunnan, China, auf einem Hochplateau nördlich des Kunmingsees, 1900 m ü. M., 1,45 Mio. Ew.; Univ., Fachhochschule, Observatorium; Eisen- und Stahlind., Kupferhütte, Maschinen- und Gerätebau, chem., Zement-, Nahrungsmittel- u. a. Ind.; Bahnknotenpunkt, Flugplatz; am Kunmingsee reger Ausflugsverkehr. – Seit 1276 Hptst. von Yunnan. BILD S. 134

Kụ̈nneke, Eduard, Komponist, *Emmerich 27. 1. 1885, †Berlin 27. 10. 1953; schrieb über 20 Operetten, u. a. »Der Vetter aus Dingsda« (1921), »Glückl. Reise« (1932), ferner Opern, Singspiele, Orchesterstücke, Lieder sowie Musik für Film und Funk.

Eduard Künneke

Kunowịce [-tsɛ] (dt. Kunersdorf), Gemeinde in der Wwschaft Gorzów (Landsberg an der Warthe), Polen, 15 km östlich von Frankfurt (Oder). – Im Siebenjährigen Krieg erlitt hier Friedrich d. Gr. 1759 durch die Österreicher unter G. von Laudon

Kunming: Der Kunmingsee ist ein beliebtes Ausflugziel

und die Russen unter P. S. Saltykow seine schwerste Niederlage.

Kunsan (Gunsan), Stadt in Süd-Korea, an der Mündung des Kŭmgang in das Gelbe Meer, 218 200 Ew.; chem., Metall-, Nahrungsmittelind.; Fischereihafen, Bahnknotenpunkt, Flugplatz.

Kunschak, Leopold, österr. Politiker, *Wien 11. 11. 1871, †ebd. 14. 3. 1953; Mitgl. der Christlichsozialen Partei (CP), gründete 1892 den Christlichsozialen Arbeiterverein und leitete ihn bis 1934. 1907–18 gehörte er dem Reichsrat, 1919–33 dem Nationalrat an. K. war ein Gegner der Heimwehr-Bewegung und des autoritären Regierungssystems. 1945–53 war K., seit 1945 Mitgl. der ÖVP, 1. Präs. des Nationalrats.

Kunst [ahd., zu können], 1) im weitesten Sinn jede auf Wissen und Übung gegründete Tätigkeit (z. B. Reit-K., Koch-K.); 2) in einem engeren Sinn die Gesamtheit des vom Menschen Hervorgebrachten (Ggs.: Natur), das nicht durch eine Funktion eindeutig festgelegt ist oder sich darin erschöpft (Ggs.: Technik). Der Ggs. der K. zum Handwerk und zur Wiss. bildete sich erst im Übergang vom 18. ins 19. Jh. aus. Im heutigen Verständnis ist die K. in die Teilbereiche Literatur, Musik, darstellende K. sowie bildende K. gegliedert (Grenzüberschreitungen finden in der Moderne häufig statt); 3) im engsten Sinn steht K., v. a. im alltägl. Sprachgebrauch, für bildende Kunst.

»**Kunst** *wäscht den Staub des Alltags von der Seele.*«

Pablo Picasso

Die Vorstellung von einem allg. gültigen K.-Begriff, für alle Zeiten und Werke anwendbar, ist heute überholt. Die Einschätzung von K. hängt von den Maßstäben einer Epoche und in Zeiten pluralist. Denkweisen verstärkt von der individuellen Sicht ab. K.-Rezeption, K.-Theorien und K.-Begriff können nicht getrennt von der Stellung des Künstlers gesehen werden. – Die Grundlage für die Gesamtheit der menschl. Fähigkeiten, Fertigkeiten und der mit ihnen vollzogenen Handlung, K.-Werke zu schaffen, wird seit Kant in einer besonderen Erkenntnisform, dem ästhet. Vermögen des Menschen, gesehen. Während für Kants ästhet. Urteilskraft der Verstand eine konstituierende Rolle spielte, entwickelte sich bald ein von intuitiven Fähigkeiten geprägter Geniebegriff. Das Genie in seinem schöpfer. Enthusiasmus steht in Einklang mit der Natur, der den Kosmos durchwaltende göttl. Genius offenbart sich ihm (Shaftesbury). Der romant. Künstler erstrebte eine Annäherung an das Absolute und eine Vereinigung von Endlichkeit und Unendlichkeit in sich und seinem Werk. K. wurde so eine Leistung begnadeter Einzelner. – In der K.-Philosophie von Platon wie von Aristoteles wurde die →Mimesis, die Nachahmung (»K. imitiert Natur«) als Grundproblem der K. betrachtet, allerdings nicht als Nachahmung einer Naturerscheinung, sondern als Abbildung der Ideen (Platon) oder als Gestaltung in Richtung auf Vollendung der Natur (Aristoteles), da in der K. (philosoph. Begriff) wie in der Natur (Materie) die →Form Prinzip des Werdens sei. In der Renaissance wurde einerseits die Natur die Mutter der K. genannt, andererseits erhielt die Erfindung (»inventio«) diesen Rang; der Entwurf (»disegno«) wurde als das urspr. Künstlerische (Vasari) angesehen; er entspricht einer präexistenten Idee im Geist. Dank ihrer ergreift der Künstler die Wirklichkeit in reiner Gestalt, ist K. erst »natürlich«. Das 17. und 18. Jh., insbesondere auch die dt. Klassik, knüpften hier an. Das Universum bietet kein reines Abbild eines Ideals, K. erstrebt dieses Ideal, die wahre Natur darzustellen, in der Aufgabe des Zufälligen und im Ausdruck des Notwendigen. Der Künstler schaut im Besonderen das Allgemeine. Hegel bestimmte das Schöne als das sinnl. Scheinen der Idee. Das 20. Jh. ist charakterisiert durch versch. Versuche, den hergebrachten K.-Begriff als zu eng abzuschütteln. Spätestens seit M. Duchamp und den Dadaisten umfasst der Begriff K. nicht nur den zum Abschluss gelangten, einmaligen Akt der Formsetzung, das K.-Werk, sondern erstreckt sich auf Bereiche, die der materiellen Scheinhaftigkeit, der strukturellen Endgültigkeit, der formalen Intention und selbst der Anschaubarkeit entbehren können. K. öffnet sich damit jeder nur denkbaren Form in der Hoffnung oder Utopie einer allgemeinen Veränderung der Erlebensweisen.

📖 KULTERMANN, U.: *Kleine Geschichte der Kunsttheorie. Darmstadt 1987.* – LUCIE-SMITH, E.: *DuMont's Lexikon der bildenden K. Angewandte K., Architektur, Fotografie, Grafik, Malerei, Plastik. Stilrichtungen, Schulen, Medien, Materialien, Techniken. A. d. Engl. Köln 1990.* – KAPNER, G.: *Die K. in Geschichte u. Gesellschaft. Aufsätze zur Sozialgesch. u. Soziologie der K. Wien u. a. 1991.* – *Lexikon der K., begr. v.* G. STRAUSS, *hg. v.* H. OLBRICH *unter Mit-*

wirkung von zahlr. Fachwissenschaftlern, 7 Bde., Neuausg. München 1996.

Kunst|after (künstl. After, Anus praeternaturalis, kurz Anus praeter), durch →Enterostomie operativ angelegte künstl. äußere Darmöffnung (äußere Darmfistel), meist mit Mündung im Bauchbereich **(Bauchafter).** Der K. dient der vorübergehenden Entlastung bei entzündl. Darmerkrankungen oder als dauerhafter Ersatz nach Entfernung von Mastdarm und After bei bösartigen Tumoren. Stuhl und Darmgase werden in einem auswechselbaren Kunststoffbeutel aufgefangen.

Kunst|akademie, →Kunsthochschulen.

Kunst|auktion, →Kunsthandel.

Kunstdarm, koch- und räucherfeste Wursthülle, die v.a. aus Hautfaserbestandteilen von Schlachttieren sowie u.a. aus Cellulosehydrat oder Polyamid hergestellt wird.

Kunst der Fuge, Die, Werk J. S. Bachs (BWV 1080; 1747/1750), ein Klavierwerk mit 15 drei- bis vierstimmigen Fugen- (»Contrapunctus«) und vier Kanonkompositionen, sämtlich aus einem Thema entwickelt:

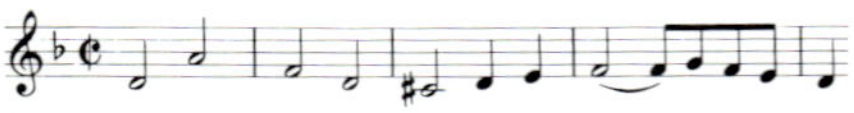

Die unvollendete letzte (16.) Fuge beginnt im 3. Thema mit der Tonfolge b–a–c–h. Das Werk wurde später mehrfach für Orchester instrumentiert.

Kunstdruckpapier, Papier mit ebener, geschlossener und glatter Oberfläche, das für Bildwiedergaben mit feinstem Raster (Kunstdrucke) geeignet ist. Es wird durch Beschichten von Streichrohpapier mit einer Masse aus hochwertigen, mineral. Pigmenten und Bindemitteln oder auch Kunststoffdispersionen hergestellt.

Kunstdünger, →Düngemittel.

Kunstfahren (Kunstradfahren), im Hallenradsport Ausführung turner. und akrobat. Übungen auf speziellen Fahrrädern. Die Fahrfläche ist 11 m × 14 m groß, die Fahrzeit beträgt für Erwachsene 6 Minuten. Disziplinen sind (nach Zahl der gemeinsam gewerteten Sportler) Einer-, Zweier-K. sowie Mannschaftsfahren. Die Wertung erfolgt nach Punkten.

Kunstfasern, umgangssprachlich für →Chemiefasern.

Kunstfehler, ärztl. →Behandlungsfehler.

Kunstflug, im Flugsport Ausführung schwieriger Flugbewegungen und -figuren mit Motor-, selten Segelflugzeugen. **Verbands-K. (Formations-K.)** wird v.a. mit Strahlflugzeugen von militär. **K.-Staffeln** (z.B. die »Frecce Tricolori« aus Italien, die »Patrouille Suisse« aus der Schweiz, die »Patrouille France« aus Frankreich, die »Red Arrows« aus Großbritannien oder die »Thunderbirds« der US-Air Force) bestritten. I.d.R. werden ein bekanntes Pflichtprogramm, ein 24 Stunden vorher bekannt gegebenes unbekanntes Pflichtprogramm und einzureichende Kürprogramme geflogen. Grundfiguren des K. sind gerade Linien in Normal- und Rückenlage, Trudeln, Turn, Männchen und Rollen sowie alle daraus zusammengesetzten Figuren und der Messerflug. Flugraum und -höhe sind vorgeschrieben. Die Wertung erfolgt nach Punkten.

Kunstgeschichte, →Kunstwissenschaft.

Kunstgewerbe, →Kunsthandwerk.

Kunsthandel, An- und Verkauf von Werken der bildenden Kunst, von Antiquitäten, alten Büchern und Autographen (Handschriften), seit neuerer Zeit auch von Werken des Kunsthandwerks; erfolgt in drei Handelsformen: in Galerien, Antiquitäten- und Antiquariatsgeschäften; auf öffentl. Kunstauktionen; auf Kunst- und Antiquitätenmessen.

Kunsthandwerk, unter ästhet. Gesichtspunkten gestaltete Gebrauchsgegenstände und Ziergeräte aus den verschiedensten Materialien. Die im gleichen Sinne verwendete Bez. **Kunstgewerbe** entstand im 19. Jh., als die handwerkl. Herstellung solcher Objekte keine Selbstverständlichkeit mehr war und die maschinelle Produktion zunehmend

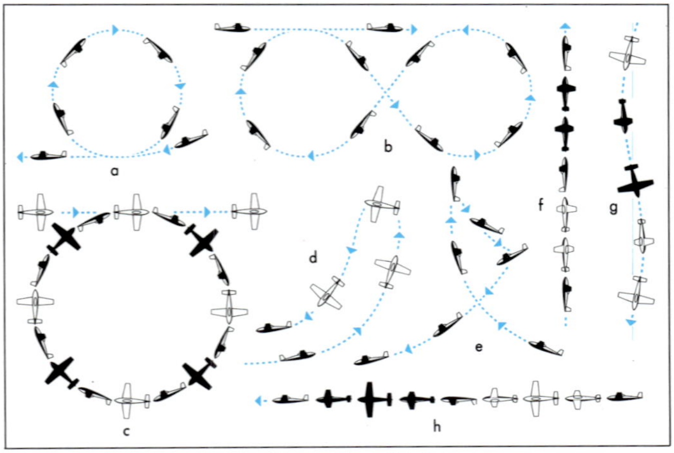

Kunstflug: Vorführung der italienischen Kunstflugstaffel »Frecce Tricolori«; darunter verschiedene Kunstflugfiguren; a Looping, b Looping-acht, c Rollenkreis, d Turn, e Männchen, f Schraube, g Trudeln, h Rolle

an Bedeutung gewann. Dem K. verwandt sind die Begriffe »angewandte Kunst« und »dekorative Kunst«. – Der mit der industriellen Herstellung verbundenen Abwertung urspr. handwerklich erzeugter Gegenstände versuchten als Erste K. F. Schinkel und P. C. W. Beuth in Berlin entgegenzutreten; 1821 eröffneten sie die Berliner Gewerbeschule. Im Sinne des Historismus lehnte sich auch das K. stilistisch an vergangene Epochen an. Die Londoner Weltausstellung von 1851 zeigte kunstgewerbl. Arbeiten auf internat. Ebene und erweiterte den Geschmack um exot. und oriental. Stilelemente. Folgenreiche Impulse gingen auch von den Reformbestrebungen W. Morris' und des →Arts and Crafts Movement aus. Die Weltausstellung von 1900 in Paris zeigte neben Meisterleistungen des Historismus bereits auch solche des Jugendstils, mit dem eine wirkl. Erneuerung des K. einsetzte. Die →Wiener Werkstätte und der Deutsche →Werkbund, v.a. aber das 1919 von W. Gropius in Weimar gegründete →Bauhaus leiteten über zum →Industriedesign.

Kunsthandwerk: Entwurf eines Stoffmusters von William Morris (1876; Walthamstow, William Morris Gallery)

Kunstharze, →Harze.

Kunsthochschulen, staatl. Hochschulen unterschiedl. Bez. (Kunstakademie, Akademie der bildenden Künste, Hochschule für bildende Künste, Hochschule der Künste, Hochschule für Gestaltung) zur Pflege der freien Kunst in den klass. Fächern Malerei (einschl. freie Grafik) und Bildhauerei; meist auch mit Ausbildung von Kunstpädagogen. Oft werden weitere Fächer und angewandte Bereiche gelehrt (z.B. Produkt- und Grafikdesign, Innenarchitektur, Architektur, Video, Medienkunst). – Erste Kunstschulen entstanden in der Renaissance. Um 1490 wurde in Florenz von Lorenzo I. de' Medici eine Bildhauerschule gegr., 1494 in Mailand von Leonardo da Vinci eine Malerschule (Accademia Vinciana). Der Lehrplan der 1577 in Rom gegr. Accademia di San Luca war bis ins 19./20. Jh. maßgebend. Die erste staatl. dt. K. wurde 1696 in Berlin gegründet.

Kunsthonig, honigähnl. Masse aus invertiertem Zucker (→Invertzucker) oder Zuckersirup; gefärbt und aromatisiert.

Kunstkautschuk, der →Synthesekautschuk.

Kunstkopfstereophonie, elektroakust. Verfahren zur stereophonen Aufnahme von Klangereignissen (→Stereophonie).

Kunstkraftsport, →Sportakrobatik.

Kunstkritik, Stellungnahme und Urteil über Kunstwerke aller Art, bes. der bildenden Kunst. (→Literaturkritik, →Musikkritik, →Theaterkritik)

Kunstleder, flexible, flächenhafte Werkstoffe, die in Aussehen und Eigenschaften dem Leder ähnlich sind; sie bestehen aus einer abriebfesten Nutzschicht (meist Weich-PVC) mit oder ohne Schichtträger. **Gewebe-K.** haben meist Gewebe oder Gewirke als Schichtträger. **Folien-K.** haben keinen Schichtträger, **Faser-K.** bestehen aus Lederfasern und Bindemitteln. K. finden bei der Automobilinnenausstattung, als Material für Koffer und Taschen sowie in der Schuh- und Bekleidungsindustrie Verwendung.

Künstler, kreative Persönlichkeit v.a. auf dem Gebiet der bildenden oder darstellenden Kunst, als Schöpfer oder Interpret. Oft werden auch Vertreter der anderen Künste als K. bezeichnet, z.B. Dichter (Sprach-K.) oder Komponisten (Ton-K.).

Künstlerkolonie, Form des Zusammenschlusses von Künstlern im 19. und 20. Jh., die sich v.a. in ländl. Gegenden zurückzogen, um künstlerisch tätig zu werden. Entscheidend bei den K. sind weniger Gemeinsamkeiten künstler. Gestaltungsweise als vielmehr Übereinstimmung im persönl. Verhältnis zur Natur als Voraussetzung für individuelle Kreativität. Von großem Einfluss auf die Nabis, auf Fauvismus und Expressionismus waren um die Mitte und gegen Ende des 19. Jh. die Schulen von →Barbizon und Pont-Aven in Frankreich. Die bekanntesten in Dtl. waren die K. in Kronberg im Taunus, in Dachau und v.a. in →Worpswede. Die →Darmstädter Künstlerkolonie nimmt als mäzenat. Gründung eine Sonderstellung ein.

Künstlermonogramm, →Monogramm.

Künstlersozialversicherung, die durch das K.-Ges. (KSVG) vom 27. 7. 1981 geregelte und am 1. 1. 1983 in Kraft getretene Einbeziehung der selbstständigen Künstler und Publizisten in die Rentenversicherung der Angestellten und in die gesetzl. Krankenversicherung. Die Mittel für die Versicherung werden zur einen Hälfte durch Beitragsanteile der Versicherten, zur anderen Hälfte durch die Künstlersozialabgabe und durch einen Zuschuss des Bundes aufgebracht (§ 10 KSVG). Die **Künstlersozialabgabe** ist eine Umlage, die nach gesetzlich geregelten Prozentsätzen von Verlagen, Theater- und Konzertdirektionen, Galerien, Kunsthandlungen, Werbeagenturen u.a. Unternehmen sowie von Hörfunk- und Fernsehunternehmen erhoben wird (§§ 24–26 KSVG). Die Beiträge und Abgaben werden an die als Inkasso- und Zahlstelle fungierende **Künstlersozialkasse** (Sitz: Wilhelmshaven) entrichtet.

Künstlervereinigungen, berufsständ. Interessenverbände von Künstlern oder Zusammenschlüsse von Vertretern bestimmter Kunstrichtungen mit dem Ziel, die Interessen der Künstler in der Gesellschaft wahrzunehmen und ihre künstler. Intentionen durchzusetzen. K. waren im MA. die →Bauhütten, künstler. Werkstätten, Zünfte und Gilden. Im 16.–18. Jh. schlossen sich Künstler in Akademien zus. (Accademia di San Luca in Rom, 1577; Akademie der Malerei und Skulptur in Paris, 1648). Gegen deren Vorherrschaft richteten sich die im 19. und 20. Jh. gegr. K.: der Lukasbund der →Nazarener, die →Präraffaeliten, die Schule von →Barbizon, die →Peredwischniki. – Künstler. Widerstand organisierte sich im »Salon des Refusés« in Paris 1863, in den Sezessionen von München 1892, Wien 1897, Berlin 1898, deren überregionale Organisation der Dt. Künstlerbund (1903) wurde; 1907 kam der Dt. Werkbund hinzu. Neben diesen beiden K. bestehen heute in Dtl. u.a.: der Bund Dt. Landesberufsverbände bildender Künstler e.V., der Westdt., Niedersächs. und Baden-Württemberg. Künstlerbund e.V., die Industriegewerkschaft Medien – Druck und Papier, Publizistik und Kunst (IG Medien), die →Gedok. – Von stilistisch gebundenen K. wurden v.a. die →Brücke (1905), der →Blaue Reiter (1911) und De →Stijl (1917) berühmt. 1919 formierten sich die Surrealisten und das Bauhaus entstand. Jüngere K.: Cobra (Amsterdam), Zero und Zebra (Dtl.), Groupe de Recherche d'Art Visuel (GRAV, Frankreich).

künstliche Atmung (künstliche Beatmung), durch die versch. Formen der Beatmung bewirkte künstl. Versorgung der Lunge mit Luft als Wiederbelebungsmaßnahme bei Atemstillstand und zur Behebung oder Vermeidung von Sauerstoffmangelzuständen bei Atemschwäche. Sie ist bei allen Unfallfolgen (z.B. Ertrinken), bei Vergiftungen sowie bei Erkrankungen, die (wie Wundstarrkrampf) mit Atemstörungen oder -lähmungen verbunden sind, erforderlich sowie vorbeugend bei Vollnarkose mit Anwendung von Muskelrelaxanzien. Eine k. A. kann mittels Atemspende oder mithilfe von Beatmungsgeräten erzielt werden. Bei der **Atemspende** bläst der Retter dem Verunglückten seine Ausatemluft ein, indem er seinen Mund auf den Mund oder die Nase des Verunglückten setzt (Mund-zu-Mund- oder Mund-zu-Nase-Beatmung; →erste Hilfe). Einfache **Beatmungsgeräte** (Atemgeräte) sind das Atemspendegerät, bei dem der Helfer die Luft über ein Beatmungsventil einbläst, und der Atembeutel, ein Gummiballon mit Atemmaske. Die apparative Beatmung wird v.a. im klin. Bereich meist mittels elektrisch betriebener Respiratoren durchgeführt, die in regelbarem Rhythmus (zeitgesteuert) arbeiten oder das Einatmungsvolumen oder den Beatmungsdruck steuern. Geräte zur assistierten Beatmung unterstützen durch Überdruck eine ungenügende oder unregelmäßige Eigenatmung und können auch vom Patienten selbst gesteuert werden; Apparate zur kontrollierten Beatmung übernehmen die volle Atemfunktion. Die Luft (auch Atem- oder Narkosegasgemisch) wird über eine Atemmaske oder (v.a. bei der Dauerbeatmung) über einen Trachealtubus zugeführt. Zur Behandlung der Atemlähmung (v.a. als Folge der Kinderlähmung) diente früher allg. die **eiserne Lunge,** eine den Rumpf des Patienten bis zum Hals umschließende Metallkammer, in der abwechselnd ein Unter- und Überdruck hergestellt wird; sie ist inzwischen weitgehend durch die Endotrachealbeatmung (→Intubation) ersetzt. Mittels elektr. Stimulation der Atemhilfsmuskulatur (über Hautelektroden) arbeitet die **Elektrolunge.**

Künstlerkolonie: Schule von Pont-Aven, Émile Bernard, »Madelaine im Bois d'Amour« (1888; Paris, Musée d'Osay)

künstliche Besamung (Samenübertragung), *Tierzucht:* die künstl. Übertragung von Sperma in den Uterus mittels Pipette oder Samenkatheter anstelle einer natürl. Begattung (fälschlich auch künstl. Befruchtung gen.). Das Sperma wird in Besamungsstationen gewonnen, es kann entweder mehrere Tage bei niedrigen Temperaturen (2–5 °C) aufbewahrt (Frischsamen) oder, i. d. R. bei Rindern und Pferden, durch Tiefgefrieren bei –196 °C in flüssigem Stickstoff konserviert werden, ohne dass die Spermien ihre Funktionsfähigkeit verlieren. Züchter sehen die Vorteile dieser Methode v. a. darin, dass aufwendige Tiertransporte entfallen und von hochwertigen Vatertieren sehr viel mehr Nachkommen produziert werden können. Auch außerhalb des Körpers stattfindende Besamungen (extrakorporale Insemination) werden vorgenommen, mit nachfolgendem Embryotransfer, ebenso der Embryotransfer nach vorheriger Embryoausspülung. – Über k. B. beim Menschen → Insemination, → In-vitro-Fertilisation.

künstliche Ernährung, die bei Ausfall oder Behinderung der oralen Nahrungsaufnahme erfolgende Zufuhr der lebenswichtigen Nährstoffe. Hauptverfahren sind die **parenterale Ernährung,** d. h. die Einleitung der Stoffe in steriler Lösung durch Infusion in eine größere Vene, und die **Sondenernährung,** bei der flüssige Nahrung durch einen Schlauch über Mund oder Nase in den Magen bzw. in den oberen Dünndarm geleitet wird.

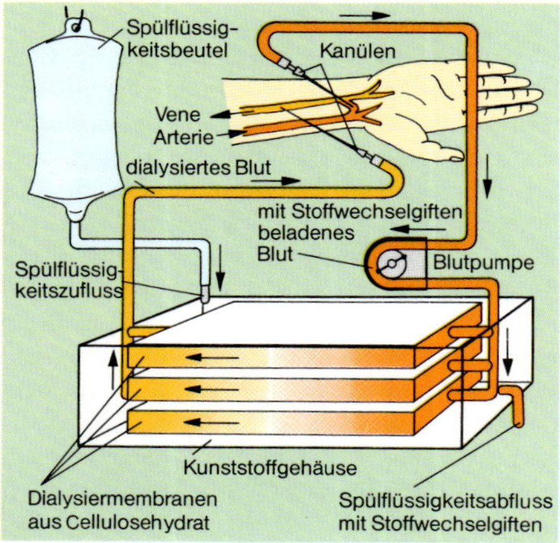

künstliche Niere: Funktionsschema einer künstlichen Niere

künstliche Intelligenz, Abk. **KI** (engl. artificial intelligence, Abk. AI), Bez. für Methoden und Verfahren der Informatik mit dem Ziel, bestimmte abstrakte Aspekte intelligenter menschl. Erkenntnis- und Denkprozesse auf Computern nachzubilden und mithilfe von Computern Problemlösungen anzubieten, die Intelligenzleistungen voraussetzen. Die Idee der vollständigen oder weitgehenden Ersetzung des menschl. Geistes durch die Maschine ist begleitet von (v. a. philosoph.) kontroversen Diskussionen. Teilgebiet der KI sind: **Spielprogrammierung** (speziell Schachprogrammierung), **automat. Beweise** (z. B. Verfahren zur Überprüfung von Programmen auf Fehlerfreiheit), **natürlich-sprachl. Kommunikation** (Erkennung und Rekonstruktion von gesprochener oder geschriebener natürl. Sprache, automatische Übersetzung), **Bildverarbeitung** (Mustererkennung, Analyse natürl. Szenen und Umgebungen), autonome **Roboter,** d. h. flexibel einsetzbare Handhabungsautomaten. Die größte prakt. Relevanz besitzen auf absehbare Zeit → Expertensysteme, d. h. automat. Problemlösungen der KI für Spezialgebiete (chem. Analyse, Fehlerdiagnose, Finanzanalyse u. a.), sowie hybride Systeme mit gemischter Architektur, wie Kombinationen von Expertensystemen und → neuronalen Netzen. Grundlagenforschung auf dem Gebiet der KI betreibt das Dt. Forschungszentrum für Künstliche Intelligenz (DFKI, gegr. 1988) in Kaiserslautern und Saarbrücken. Programmiersprachen der KI sind z. B. → LISP und → PROLOG.

📖 Dreyfus, H. L. *u.* Dreyfus, S. E.: *K. I. Von den Grenzen der Denkmaschine u. dem Wert der Intuition. A. d. Amerikan. Reinbek 14.–16. Tsd. 1991.* – Dengel, A.: *K. I. Mannheim u. a. 1994.* – Boden, M. A.: *Die Flügel des Geistes. Kreativität u. k. I. Aus dem Engl. Neuausg. München 1995.* – Helbig, H.: *K. I. u. automat. Wissensverarbeitung. Berlin ²1996. – Metapher, Kognition, k. I., hg. v.* H. J. Schneider. *München 1996. – Probleme der k. I. Eine Grundlagendiskussion, hg. v.* S. R. Graubard. *A. d. Engl. Wien u. a. 1996.*

künstliche Niere (Dialysator, Dialysegerät), Apparatur zur künstl. Entfernung körpereigener harnpflichtiger Substanzen aus dem Blut (extrakorporale Hämodialyse, sog. Blutwäsche) bei akutem oder chron. Nierenversagen. Hierfür wird das mit Stoffwechselgiften beladene und ungerinnbar gemachte Blut des Kranken durch Dialysiermembranen (z. B. aus Cellulosehydrat) geleitet, die in Spülflüssigkeit eintauchen. Durch die Membranporen können die Stoffwechselgifte in die Spülflüssigkeit gelangen und so aus dem Blut entfernt werden. Die lebenswichtigen Eiweiße des Blutserums werden durch das ultrafeine Sieb der Membranschläuche dagegen zurückgehalten. Der Anschluss des Patienten an die k. N. erfolgt über eine operativ angelegte arteriovenöse Fistel (Kurzschlussverbindung zw. einer Arterie und einer Vene). Der Reinigungsvorgang dauert 3–5 Stunden. Wichtige Anwendungsgebiete der k. N. sind chronische Niereninsuffizienz (Dauerbehandlung, i. d. R. drei Mal pro Woche) sowie akutes Nierenversagen und Vergiftungen mit dialysierbaren Giften. (→ Peritonealdialyse)

künstlicher After, → Kunstafter.

künstlicher Horizont, **1)** *Astronomie:* eine horizontale, spiegelnde Fläche (z. B. eine Quecksilberoberfläche); ermöglicht bei verdecktem Gesichtskreis die Gestirnshöhenmessung mit einem Sextanten.

2) *Luftfahrt:* (Kreiselhorizont) Flugzeugbordinstrument, das die Lage (Längs- und Querneigung) des Flugzeugs im Verhältnis zur Horizontlinie anzeigt. Der k. H. ersetzt dem Flugzeugführer beim Instrumentenflug den natürl. Horizont. Die Stellung eines mit einem kardanisch gelagerten Kreisel, der bei allen Flugbewegungen seine Lage im Raum beibehält, verbundenen Horizontalbalkens zu einem Flugzeugsymbol zeigt die relative Lage des Flugzeugs an. Eine Kombination von k. H. und → Wendezeiger heißt **Wendehorizont.**

künstlicher Winterschlaf, *Medizin:* die künstl. Hibernation (→ Hypothermie).

künstliches Herz (Kunstherz), einpflanzbare Herzprothese (extern angetriebenes künstliches Pumpsystem), die die Funktion eines kranken oder versagenden Herzens übernehmen soll (als zeitweilige Alternative zur Herztransplantation). Die erste vollständige Prothese wurde 1969 von dem amerikan. Chirurgen D. A. Cooley (*1920) in Houston (Tex.) implantiert. Ein dauerhaft funktionstüchtiges k. H. konnte bisher nicht verwirklicht werden.

künstliche Sprache, **1)** → Sprachsynthese.

2) → Welthilfssprachen.

Kunstlied, ein Lied, das sich, im Ggs. zum Volkslied und Gesellschaftslied, durch stilist. Komplexität, Individualität des Ausdrucks und hohe Ansprüche an die Wiedergabe auszeichnet.

Kunstmärchen, → Märchen.

Kunstpädagogik, die Vermittlung ästhet., künstler. und kultureller Phänomene der »bildenden Künste« in Kindergarten, Vorschule, Schule, Museum und Erwachsenenbildung. Die schul. Kunsterziehung geht auf J. H. Pestalozzi zurück. Die Kunsterziehungsbewegung Anfang des 20. Jh. verstand K. zunächst als Hinführung zur »großen Kunst«; später rückte neben der Orientierung an der bildenden Kunst auch die schöpfer. Eigentätigkeit ins Blickfeld. Heute werden im unterschiedlich bezeichneten Kunstunterricht neben Gestaltung und Kunstbetrachtung auch kommunikationstheoret. Aspekte einbezogen (z. B. krit. Hinterfragung von Absicht, Form und Wirkung der Bildmedien) oder zum Hauptgegenstand gemacht (visuelle Kommunikation).

📖 EID, K. *u. a.: Grundlagen des Kunstunterrichts. Paderborn u. a.* ³*1994.*

Kunstradfahren, → Kunstfahren.

Kunstrasen, um 1968 eingeführte Spielfeldoberfläche für Ballspiele, aus PVC-Nitril-Schaumstoff, meist grün eingefärbt.

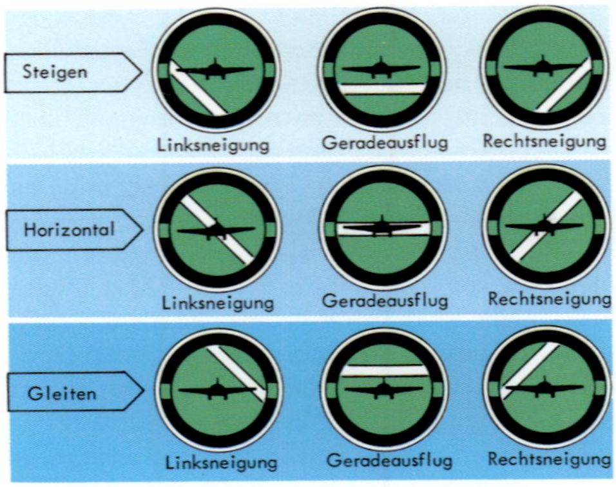

künstlicher Horizont 2): Anzeige des Flugzeugbordinstruments im Steig-, Horizontal- und Gleitflug; der weiße Balken symbolisiert die Horizontlinie

Kunstsammlung, Samml. von Kunstwerken in privatem und öffentl. Besitz. K. haben ihre Anfänge dort, wo im Kultraum oder in Grabstätten bestimmte Gegenstände nicht aus Gründen der Nützlichkeit, sondern wegen ihres mag. oder symbol. Gehalts aufbewahrt wurden. In grch. Tempeln wurden Kunstwerke, Beutewaffen u. a. Kostbarkeiten ohne besondere Unterscheidung nebeneinander aufgehoben, ebenso wie auch der mittelalterl. Kirchenschatz Reliquien, Kultgeräte, Kuriosa und Kunstwerke umfasste; ähnlich waren auch die fürstl. Sammlungen des MA. zusammengestellt. Die Geschichte des modernen Kunstsammelns begann in Italien z. Z. der Frührenaissance, als das aufstrebende Bürgertum anfing, Sammlungen von Antiken, Münzen, Medaillen, Gemmen und Werken zeitgenöss. Kunst anzulegen. Seit dem 15. Jh. entstanden an den Fürstenhöfen umfangreiche »Kunstkammern« und bed. K. (Medici in Florenz, Rudolf II. in Prag, Philipp II. in Madrid, Katharina II. in Sankt Petersburg). Um die Mitte des 18. Jh. wurden erste Initiativen ergriffen, die großen K. einem breiten Publikum zugänglich zu machen; 1739 gingen die K. der Medici in Staatsbesitz über, 1769 wurden die Vatikan. Sammlungen zum Besitz des Kirchenstaates erklärt und der Öffentlichkeit zugänglich gemacht, 1753 wurde mit der Übernahme der Privatsammlung von Sir H. Sloane das Brit. Museum als erstes von Anfang an öffentl. Museum gegründet. Auch in der Folgezeit bildeten bed. Privatsammlungen (u. a. von J. P. Getty, S. R. und P. Guggenheim, P. und I. Ludwig, O. Reinhart, B. Sprengel, H. H. Thyssen-Bornemisza, E. von der Heydt, H. Nannen, H. Berggruen) den Grundstock oder wesentl. Bestandteil öffentl. Museen.

Kunstschwimmen, → Synchronschwimmen.

Kunstseide, → Chemiefasern.

Kunstspringen, → Wasserspringen.

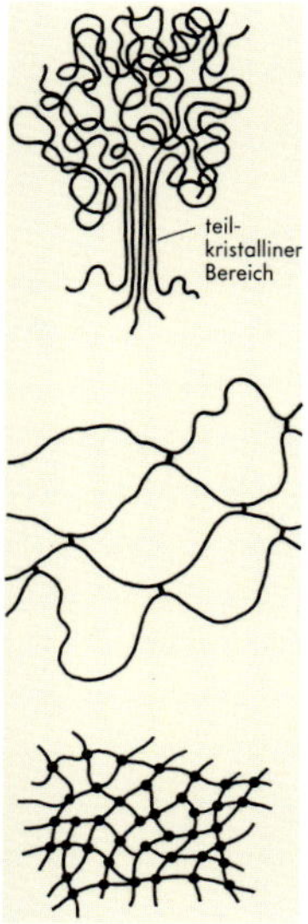

Kunststoffe (von oben): Thermoplast, Elastomer und Duromer

Kunststoffe (Plaste, Polymerwerkstoffe, engl. Plastics), Werkstoffe, deren Hauptbestandteile synthetisch oder durch Umwandlung von Naturstoffen hergestellte, meist organ. Polymere sind. Synthet. Polymere lassen sich durch →Polymerisation, →Polykondensation oder →Polyaddition aus einfachen Molekülen (Monomeren wie Äthylen, Propylen, Styrol usw.) aufbauen. Die molaren Massen liegen i. Allg. zw. 10 000 und 1 Mio. g/mol. Je nachdem, ob die entstehenden Makromoleküle aus gleichartigen oder unterschiedl. Struktureinheiten aufgebaut sind, spricht man von Homo- oder Copolymeren.

Die *Klassifizierung* von K. erfolgt meist aufgrund ihres Verhaltens in der Wärme. **Thermoplaste** bestehen aus Molekülketten, die nur durch schwache →Van-der-Waals-Kräfte aneinander gebunden sind. Bei amorphen Thermoplasten (z.B. Polystyrol) sind die Molekülketten unregelmäßig ineinander verschlungen. Bei teilkristallinen Thermoplasten (z.B. Polyäthylen) existieren geordnete Bereiche. Thermoplaste erweichen oberhalb einer bestimmten Temperatur (Glastemperatur) und erhärten bei Abkühlung wieder. Dadurch wird eine plast. Verformung durch Spritzgießen, Extrudieren u.a. bei höherer Temperatur möglich. Thermoplaste sind schweißbar und i. Allg. in spezif. Lösemitteln löslich. Beispiele sind Polyäthylen, Polypropylen, Polyvinylchlorid, Polymethacrylate, Polystyrol, Celluloseester, Polyamide und Polycarbonate. Bei **Duroplasten** (besser **Thermodure**) oder **Duromeren** sind die Molekülketten durch kovalente Bindungen engmaschig vernetzt, sodass die Kettenbeweglichkeit verloren geht. Sie sind unschmelzbar, nicht plastisch verformbar und in Lösemitteln unlöslich. Zu den Thermoduren gehören Phenolharze, Aminoplaste, Epoxidharze und Polyurethane. Zw. Thermoplasten und Thermoduren liegen die weitmaschig vernetzten **Elastomere (Elaste).** Sie sind vorwiegend amorphe Polymere mit Glastemperaturen unterhalb der Raumtemperatur. Sie sind formfest, aber elastisch stark verformbar (gummielastisch), sie schmelzen nicht, sind unlöslich, aber quellbar.

Die ungeformten K.-Erzeugnisse (→Formmassen) enthalten häufig Füllstoffe (z.B. Holzmehl, Kreide) zur Verbilligung und zur Erzielung bestimmter Eigenschaften, Stabilisatoren zur Erhöhung der Beständigkeit gegenüber Wärme und Licht u.a. Zusätze. Durch Einbetten von Verstärkungsfasern (z.B. Kohlefasern) kann ein Verbundwerkstoff mit höherer Festigkeit gewonnen werden. Mithilfe von Weichmachern wird die Glastemperatur erniedrigt, d.h., harte Thermoplaste (bes. PVC) werden in einen leder- oder weichgummiartigen Zustand überführt. Die Schaumstoffe sind K. mit zelliger Struktur.

K. zeigen in vielen Bereichen der Technik und des tägl. Lebens bessere Eigenschaften als konkurrierende Produkte und können mit geringerem Energieaufwand hergestellt werden. Bei der Herstellung von Papiersäcken wird z.B. das eineinhalbfache, bei der Herstellung von Stahlrohren und Glasflaschen das vierfache der Energie verbraucht, die zur Herstellung vergleichbarer Artikel aus Polyäthylen notwendig wäre.

Die ersten K. waren Abkömmlinge von Naturstoffen wie vulkanisierter Kautschuk (1839) und Celluloid (1869). 1910 wurde der erste synthet. K. (Bakelit) produziert. Voraussetzung für die große Verbreitung der K. war das Angebot an billigem Erdöl und die Entwicklung der Petrochemie.

Wirtschaft: K. sind in Dtl. mit rund 15% des gesamten Produktionswerts das zweitwichtigste Erzeugnis der chem. Ind. (nach Pharmazeutika). Die Produktion von K. liegt seit 1994 bei etwa 10,4 Mio.t, zusätzlich werden etwa 1 Mio.t an Synthetikfasern erzeugt. In den letzten Jahren hat das →Kunststoffrecycling an Bedeutung gewonnen.

📖 *Kunststoff-Lexikon, hg. v.* K. STOECKHERT *u.* W. WOEBCKEN. *München u. a.* ^{8}*1992.* – SAECHTLING, H.: *Kunststoff-Taschenbuch, begr. v.* F. PABST, *überarb. v.* K. OBERBACH *u. a. Neuausg. München u. a. 1995.*

Kunststoffrecycling [-rɪsaɪklɪŋ], Wiederverwertung von Altkunststoffen, wobei das werkstoffl., das rohstoffl. und das energet. Verwerten unterschieden werden. Unter werkstoffl. Verwerten versteht man die direkte Wiederverwendung für neue Produkte, wobei aus den Altkunststoffen erst Recyclate hergestellt werden. Die Arbeitsschritte dafür sind Zerkleinern, Waschen, Trocknen, Extrudieren und Granulieren. Dabei kommt es im Kunststoff zu einem Abbau langer Molekülketten, wodurch die Qualität der Recyclate und der daraus hergestellten Produkte abnimmt. Beim rohstoffl. Verwerten werden die Altkunststoffe mithilfe therm. oder chem. Verfahren in ihre chem. Grundbestandteile zerlegt. Je nach Verfahren werden flüssige oder zähe Öle oder Gase gewonnen, die als Rohstoffe wieder verwendet werden können. Unter dem energet. Verwerten wird die Verbrennung verstanden. In den letzten Jahren werden zunehmend neue Wege und Verfahren für das K. gesucht und entwickelt, so z.B. der Einsatz agglomerierter Altkunststoffe im Hochofen als Ersatz für Erdöl.

Kunstturnen, →Turnen.

Kunstwissenschaft, die wiss. Erforschung aller Künste, i.e.S. der bildenden Kunst. Ein wichtiger Zweig ist die **Kunstgeschichte,** die im Unterschied zur allg. K. die geschichtl. Entwicklung der bildenden Kunst untersucht, meist jedoch unter Ausschluss der antiken, der vorgeschichtl. und der primitiven Kunst, die Gegenstand der Archäologie, der Vorgeschichte und der Völkerkunde sind.

Die Kunstgeschichte entwickelte sich als wiss. Disziplin seit Ende des 18. Jh. Die Bestimmung ihres Inhalts und ihrer Aufgaben, speziell der Abgrenzung von K. und Ästhetik, ist seitdem in unterschiedl. Weise versucht worden und hat zur Etablierung einiger wiss. Ansätze geführt, die das Bild der Kunstgeschichte in der Gegenwart bestimmen. Neben einer starken Tendenz zu empir. Sachbehandlung gibt es weiterhin Beiträge zu Prinzipien- und Methodenfragen. Vorläufer der Kunstgeschichte sind Künstlerbiographien, Kunstkritik, Künstlertraktate u.a., die in der Antike (Plinius d.Ä., Vitruv u.a.), während des MA., bes. aber in der Renaissance (→Ghiberti, →Alberti, →Leonardo da Vinci, →Dürer, →Vasari) ein reiches Erscheinungsspektrum hatten. Vasari gilt mit seinen Lebensbeschreibungen berühmter Maler, Bildhauer und Architekten (1550 und 1568) als »Vater der K.«, er lieferte das wichtigste Quellenwerk der italien. Kunst. Seinem Vorbild folgten der Niederländer C. van Mander und der Deutsche J. von Sandrart. J.J. Winckelmann stellte in seiner »Gesch. der Kunst des Altertums« (1764) Kunst erstmals in geschichtl. Zusammenhang dar; weiterführende Überlegungen gingen u.a. von Herder, Goethe, den Brüdern Schlegel und Boisserée aus. Das wachsende histor. und kunsthistor. Bewusstsein des 19. Jh. führte zu vermehrter Sammlertätigkeit, zur Gründung von Museen, Einrichtung von Lehrstühlen (Univ. in Berlin [1844] und Wien). War damit dem histor. Aspekt der Kunstgeschichte vorgearbeitet, steuerte die nun entstandene philosoph. Ästhetik I. Kants (»Kritik der Urtheilskraft«, 1790), F. W. J. Schellings (»Philosophie der Kunst«, »Vorlesungen über Ästhetik«, 1802/03), v.a. aber G. W. F. Hegels »Vorlesungen über die Ästhetik« (1835–38, 3 Bde.) den systemat. Bestandteil bei. Epoche machend wirkte das Werk von J. Burckhardt (»Die Cultur der Renaissance in Italien«, 1860). R. von Eitelberger-Edelberg begründete die Wiener Schule der Kunstgeschichte; zu ihr zählen A. Riegl, M. Dvořák, J. von Schlosser und H. Sedlmayr (Strukturanalyse). C. Fiedler entwickelte in seiner Theorie der »reinen Sichtbarkeit« einen rationalen Begriff des Sehens, von dem er auch den Inhalt der Kunst zu bestimmen suchte. Diese Auffassung von Autonomie und Formorientierung der Kunst lebt im Werk H. Wölfflins fort (»Kunstgeschichtl. Grundbegriffe«, 1915). Wölfflin verstand die Geschichte der Kunst als »Geschichte des Sehens«, die den Wandel der Anschauungsweisen (linear, malerisch usw.) und damit auch der Stile aufklären kann. Gegen diese Dominanz des Formbegriffs wenden sich die Überlegungen, die seit Dvořák, A. Warburg und E. Panofsky angestellt wurden und die sich um den Begriff des Symbols ranken (z.B. L. Dittmann). Hauptsächlich auf Warburg und Panofsky (»Studies on iconology«, 1939) geht die Entwicklung von Ikonographie und Ikonologie zurück, die bis Ende der 70er-Jahre wohl einflussreichste kunstgeschichtl. Methode. Daneben hat eine am Strukturbegriff orientierte Interpretation (bes. die »Strukturanalyse« Sedlmayrs) method. Bedeutung. Das Spektrum der jüngeren Kunstgeschichte wird u.a. bereichert durch soziologisch orientierte Werke (A. Hauser, F. Antal, M. Warnke) und psychologisch-philosophisch beeinflusste Arbeiten (E. Gombrich, E. Badt). Die Kunstgeschichte der 80er-Jahre distanzierte sich von Panofskys Konzept der Ikonologie und bezog in wachsendem Maße sozialgeschichtl. Analysen in ihre Forschungen ein. Naturwiss. Verfahren erlangten für Identifikation und Erhaltung von Kunstwerken große Bedeutung.

📖 *Kunstgeschichte. Eine Einführung, hg. v.* H. BELTING. *Berlin u.a. ³1988.* – KAUFFMANN, G.: *Die Entstehung der Kunstgeschichte im 19. Jh. Opladen 1993.* – KULTERMANN, U.: *Geschichte der Kunstgeschichte. Der Weg einer Wissenschaft. Neuausg. München u.a. 1996.*

Kunstwort, *Sprache:* meist aus lat. und grch. Bestandteilen in neuerer Zeit künstlich geschaffener Ausdruck, z.B. Automobil, Lokomotive.

Kunze, Reiner, Schriftsteller, *Oelsnitz/Erzgeb. 16. 8. 1933; schrieb zunächst an Brecht orientierte Lyrik, dann v.a. durch hintergründige Ironie gekennzeichnete Gedichte in knapper Diktion über Liebe, Kindheit, DDR-Wirklichkeit: »Sensible Wege« (1969), »Zimmerlautstärke« (1972), »Brief mit blauem Siegel« (1973). Nach Veröffentlichung des krit. Prosabandes »Die wunderbaren Jahre« (1976) aus dem Schriftstellerverband der DDR ausgeschlossen, übersiedelte er 1977 in die Bundesrep. Dtl. Weitere Gedichte: »eines jeden einziges leben« (1986), außerdem Essays, »Deckname ›Lyrik‹« (Dokumentation, 1990), Kinderbücher (»Das Kätzchen«, 1979; »Wohin der Schlaf sich schlafen legt«, Ged., 1991); Nachdichter tschech. Lyrik. 1977 Georg-Büchner-Preis.

Reiner Kunze

Künzels|au, Kreisstadt des Hohenlohekreises, Bad.-Württ., in der Hohenloher Ebene, am Kocher, 14400 Ew.; FH Heilbronn, Außenstelle K., Heimatmuseum; Maschinen-, Elektromotorenbau, Großbuchbinderei u.a. Betriebe. – Evang. Stadtkirche (17. Jh.), ehem. Hohenlohesches Schloss (um 1680), Rathaus (1548). – K. ist seit dem 18. Jh. Stadt.

Kunzit *der,* Mineral, Varietät des →Spodumen.

Kuo|min|tang [chines. »Nat. Volkspartei«] *die,* Abk. **KMT** (Guomindang), chines. Partei, 1912 hervorgegangen aus der von Sun Yat-sen 1905 gegründeten Geheimgesellschaft **Tungmenghui**

(»Schwurbrüderschaft«), die maßgeblich an der Revolution von 1911 beteiligt war. Die KMT wandte sich gegen den restaurativen Kurs von Yuan Shikai (1912–16 Präs. der Republik China), der die Partei im Nov. 1913 auflöste. 1923 vereinbarte Sun Yat-sen mit der Komintern sowjet. Hilfe beim Wiederaufbau der KMT (Berater M. Borodin). Sie ging mit der KPCh eine enge Bindung ein und bildete mit ihr eine »nat. Einheitsfront« (1923–27). Sie gab sich 1924 ein neues Grundsatzprogramm, das auf den »drei Volksprinzipien« nat. Unabhängigkeit, Volksregierung und soziale Neugestaltung (bes. eine Bodenreform) beruhte. Nach Sun Yat-sens Tod (1925) setzte sich Chiang Kaishek als Führer der KMT durch, stellte mit den unter sowjet. Militärberatung (General W. Blücher) aufgestellten KMT-Truppen auf dem »Nordfeldzug« (1926–28) die Einheit Chinas wieder her und brach mit dem kommunist. Bündnispartner (Bürgerkrieg 1927–37). Im chinesisch-japan. Krieg (1937–45) wurde auf Betreiben Mao Zedongs eine neue Einheitsfront zw. der KMT und der KPCh gegen Japan gebildet. Nach der japan. Niederlage wurde die KMT in einem weiteren Bürgerkrieg (1945–49) vom chines. Festland vertrieben; sie zog sich nach Taiwan zurück, wo sie seit 1949 die führende Reg.partei ist.

Kupfer: gediegenes Kupfer

Kuopio, Hptst. der mittelfinn. Provinz K., am W-Ufer des Sees Kallavesi im N der Finn. Seenplatte, 83 100 Ew.; Sitz eines luther. Bischofs und eines finnisch-orth. Erzbischofs; Hochschule; Museen; Fertighausfabrik, Textil- und Nahrungsmittelind.; Binnenschifffahrt; Fremdenverkehr. – Domkirche (1815). – Gegr. 1782.

Küpenfarbstoffe, wasserunlösl. Farbstoffe auf Indigo- und Anthrachinonbasis, die zum Färben und Bedrucken von Textilien zunächst durch Reduktion wasserlöslich und anschließend durch Oxidation wieder wasserunlöslich gemacht werden; licht-, wasch- und wetterecht.

Kupfer: Abbau von Kupfererz (Kupferinhalt in 1 000 t)

	1965	1986	1993	1994
westliche Industrieländer	1 967	2 156	2 857	2 736
USA	1 218	1 144	1 783	1 796
Kanada	454	699	734	617
Afrika	1 103	1 371	749	673
Sambia	651	544	432	384
Zaire[1]	294	532	51	30
Lateinamerika	874	2 026	2 778	2 933
Chile	615	1 401	2 055	2 220
Asien und Ozeanien	243	1 178	1 623	1 707
Australien	91	248	402	416
China	74	220	346	396
andere Länder	762	1 733	1 412	1 347
UdSSR	689	1 030	460[2]	448[2]
Polen	15	435	383	377
Welt	5 072	8 473	9 455	9 397

[1] heute Demokratische Republik Kongo. – [2] nur Russland

Kupfer *das* (lat. Cuprum), chem. Symbol **Cu,** metall. Element aus der I. Nebengruppe des Periodensystems. Ordnungszahl 29, relative Atommasse 63,546, Dichte 8,94 g/cm^3, Schmelzpunkt 1083 °C, Siedepunkt 2595 °C. – Das Schwermetall K. ist relativ weich, sehr zäh und dehnbar; es ist (nach Silber) der beste Strom- und Wärmeleiter. In feuchter Luft überzieht sich das glänzend hellrote K. mit einer grünen Schicht von bas. K.-Carbonat (Patina). Durch Einwirkung von Essigsäure entsteht der giftige Grünspan (bas. K.-Acetat). Gediegenes K. findet sich verhältnismäßig rein am Oberen See (USA); daneben gebunden in Form zahlr. Oxide, Sulfide und Carbonate. Die wichtigsten K.-Minerale sind: K.-Kies (Chalkopyrit), Bornit, Rotkupfererz (Cuprit), Malachit, K.-Lasur (Azurit), Atacamit. In der Erdkruste sind durchschnittlich 0,007 % K. enthalten. Abbauwürdige Lagerstätten enthalten wenigstens 1 % Kupfer.

Verbindungen: In Verbindungen kommt K. ein- und zweiwertig vor. **Kupfer(II)-oxid,** CuO, schwarzes Pulver, das beim Glühen von K.-Salzen entsteht, dient als grüne Porzellanfarbe und zur Herstellung grüner Gläser. Es ist ein kräftiges Oxidationsmittel, das oberhalb 800 °C unter Sauerstoffabspaltung in **Kupfer(I)-oxid,** Cu_2O, übergeht. **K.-Hydroxid,** $Cu(OH)_2$, ist ein blaugrüner Niederschlag, der bei Zugabe von viel Alkalilauge zu Kupfer(II)-salzlösungen entsteht und unter versch. Namen als Malerfarbe dient (Bremer Blau, Bergblau, Braunschweiger, Kalk- oder Neuwieder Blau). Von **K.-Carbonaten** gibt es zwei Arten: grünes basisches Carbonat (Malachit) und blaues basisches Carbonat (Azunit). **K.-Sulfat, K.-Vitriol,** $CuSO_4 \cdot 5\,H_2O$, tiefblau gefärbte, trikline Kristalle, werden verwendet zur galvan. Verkupferung, in galvan. Elementen, zur Herstellung von K.-Farben, in der Heilkunde als zusammenziehendes Mittel, bes. zur Bekämpfung von Schmarotzern, z. B. Brandpilzen, Peronospora des Weinstocks. **Kupfer(II)-chlorid,** $CuCl_2 \cdot 2\,H_2O$, grüne rhomb. Kristalle, scheiden sich aus einer Lösung von K.-Oxid (CuO) in Salzsäure ab. Beim starken Erhitzen im Chlorwasserstoffstrom entsteht unter Chlorabspaltung **Kupfer(I)-chlorid,** CuCl, das wegen seines großen Absorptionsvermögens für Kohlenoxid in der Gasanalyse verwendet wird. **K.-Sulfide** sind die beiden Minerale K.-Glanz und K.-Indig. **K.-Ammoniakverbindungen, K.-Amine,** ammoniakhaltige, stark blau gefärbte K.-Salze, entstehen durch Einwirkung von Ammoniak auf K.-Salze. **K.-Acetat,** → Essigsäure.

Gewinnung und Verwendung: K.-Erze müssen i. d. R. durch selektive Flotationsverfahren auf verhüttungsfähige Konzentrate angereichert werden. Bei der Verhüttung der sulfid. Flotationsprodukte wird zunächst **Roh-K. (Schwarz-K.)** gewonnen.

Dazu wird ein Teil des Schwefels durch Abrösten beseitigt und danach das Röstgut mit Kohle und silikathaltigen Zuschlägen verschmolzen. Neben der leichteren, flüssigen Eisensilikatschlacke entsteht schwerer, flüssiger **K.-Stein,** ein Gemisch von Cu_2S und FeS, der in einem Konverter bei 900 °C durch Einblasen von Luft entschwefelt wird; zugesetzter Quarz verschlackt das zuerst oxidierte Eisensulfid zu Eisensilikat. Weiteres »Verblasen« führt zur Umsetzung von entstandenem K.-Oxid mit unverändertem K.-Sulfid unter Bildung von metall. K. Das gewonnene Roh-K. besteht aus 94–97 % K. mit Beimengungen von Zink, Arsen, Antimon, Eisen, Nickel, Schwefel und Edelmetallen. – Aus kupferarmen Erzen wird das K. in einem nassmetallurg. Verfahren mit verdünnter Schwefelsäure als K.-Sulfat ausgelaugt und aus dieser Lösung elektrochemisch mit Eisen (Schrott) elementares K. ausgefällt **(Zement-K.);** auch die mikrobielle Laugung mit Bakterien ist verbreitet. Das entstandene Roh-K. wird durch abwechselndes oxidierendes und reduzierendes Schmelzen weiter gereinigt. Dabei werden einige Verunreinigungen verflüchtigt (Zink, Blei, Arsen) oder verschlackt (Eisen, Nickel). Das nach dieser Raffination vorliegende **Gar-K.** ist schmiedbar und kommt als **Raffinat-K.** in den Handel. Besonders reines K. erhält man durch Elektrolyse **(Elektrolyt-K.)** mit über 99,95 % K. Ca. 40 % des verbrauchten K. stammt aus dem Recycling von Alt- und Abfall-K. sowie den Abwässern u. a. der Galvano-Ind. **(Sekundär-K.).** – Reines K. wird v. a. in Form von Draht und Stangen (Schienen) in der Elektroind., in Form von Blechen, Rohren u. a. in der Apparate- und Maschinenbauind. verwendet, wegen seiner guten Wärmeleitfähigkeit v. a. für Heiz- und Kühlschlangen, Braukessel, Siedpfannen. Weitere Verwendung zu Münzzwecken, für Beschläge, in Form von Verbindungen zur Schädlingsbekämpfung. Große Mengen werden auch in den **K.-Legierungen** verarbeitet. Die wichtigsten Legierungen: K. und Zinn ergeben →Bronze; K. und Zink →Messing und Tombak; K., Zinn und Zink Rotguss; K., Zink und Nickel →Neusilber, Alpakasilber, außerdem →Konstantan, →Monel. Ferner wird K. benutzt zur Herstellung einiger Leichtmetalle (z. B. →Duraluminium) und der →Lagermetalle.

Wirtschaft: Der K.-Gehalt der bisher bekannten Erzvorkommen mit durchschnittlich 1 % K. wird auf rd. 600 Mio. t geschätzt; Lagerstätten v. a. in Chile, den USA, Kanada, Australien, Sambia, in der Demokrat. Rep. Kongo, in Peru, Polen, Russland und versch. GUS-Ländern.

Physiologie: K. ist für tier. Organismen ein wichtiges Spurenelement, das bes. an Elektronenübertragungsprozessen in Membranen beteiligt ist, z. B. als Bestandteil des aktiven Zentrums der Cytochromoxidase, einem wichtigen Enzymkomplex der Atmungskette. Außerdem ist K. für die Synthese von Hämoglobin notwendig, obwohl es selbst nicht Bestandteil des Hämoglobins ist. Die höchsten Konzentrationen an K. finden sich im menschl. Körper in der Leber und in den Knochen; auch das Blut enthält eine Reihe von K.-Proteinen, die überwiegend Oxidations-Reduktions-Prozesse katalysieren. Der tägl. Bedarf des Menschen liegt bei 2 mg, die Menge im Körper bei 100 bis 150 mg. K. wirkt in höheren Dosen toxisch. Auch für Pflanzen ist K. ein wichtiges Spurenelement, das in Enzymen katalysierend wirkt.

Geschichte: Gediegenes K. gilt als das älteste Gebrauchsmetall, es wurde bereits in der Jungsteinzeit (um 8000 v. Chr.) zu Waffen und Geräten verarbeitet. Im 6. Jt. v. Chr. wurden Reduktion und Schmelzbarkeit von K.-Erzen entdeckt. Der K.-Bergbau geht in Ägypten (Sinai) bis zur Zeit der 3. Dynastie (2660–2590 v. Chr.), in Mitterberg (Salzburg) und Tirol bis um 1500 v. Chr. zurück.

Kupfer, Harry, Opernregisseur, *Berlin 12. 8. 1935; ab 1972 Operndirektor und Chefregisseur an der Staatsoper Dresden, dann 1981–94 Chefregisseur und seit 1994 Operndirektor an der Kom. Oper Berlin. K. wurde durch unkonventionelle Inszenierungen bekannt (»Der fliegende Holländer« und »Der Ring des Nibelungen« von R. Wagner bei den Bayreuther Festspielen 1978 bzw. 1988, in Hamburg »Il trittico« von G. Puccini 1994); er inszenierte auch Uraufführungen (»Die schwarze Maske« von K. Penderecki bei den Salzburger Festspielen 1986).

Kupferdruck, Druckverfahren für Kupferstiche, Radierungen u. a. künstler. Tiefdruckverfahren auf der **K.-Presse.** Zw. zwei Walzen wird unter starkem Druck der Drucktisch hindurchgezogen, auf dem die mit Druckfarbe eingefärbte Kupferplatte in Kontakt mit dem angefeuchteten Papierbogen liegt. Dabei saugt das Papier die Farbe aus den Vertiefungen der Druckplatte.

Kupferglanz: Kristallaggregat

Kupferfinnen, die →Rosacea.

Kupferglanz (Chalkosin), blei- bis dunkelgraues (auch bläul.), sulfid. Kupfermineral, Cu_2S, das in mehreren temperaturabhängigen Modifikationen auftritt (**Tief-K.,** rhombisch, unterhalb von 103 °C; **Hoch-K.,** hexagonal, oberhalb von 103 °C). Hoch-K. geht meist in das blaue, kub. Mineral **Digenit,** Cu_9S_5, über. K. entsteht hydrothermal oder ist in Sedimenten und Zementationszonen angereichert. Wichtigstes Kupfererz.

Kupfer|indig *der* (Covellin), blauschwarzes, hexagonales Mineral, CuS, Vorkommen in Kupferglanz- und Kupferkieslagerstätten.

Kupferkies (Chalkopyrit), messing- bis goldgelbes, oft schwarz oder bunt angelaufenes, tetragonales Mineral, $CuFeS_2$. K. entsteht hauptsächlich hydrothermal. Wichtiges Kupfererz.

Kupferlasur, das Mineral → Azurit.

Kupferschiefer, dunkler, feinschichtiger, kohlig-bituminöser, sulfidreicher Mergelschiefer, der bis 3 % Kupfer, daneben Blei, Zink, Silber u. a. enthält; aus Faulschlamm entstanden.

Kupferstich, das Verfahren, eine Zeichnung in eine Kupferplatte einzugravieren, sowie der von dieser auf Papier abgezogene Druck; die früheste Tiefdrucktechnik der druckgraf. Verfahren.

Beim K. i. e. S. werden mit dem **Grabstichel,** einem vorn abgeschrägten Stahl, auch **kalte Nadel** genannt, in die glatt polierte Oberfläche des Kupfers Furchen eingeritzt, die beim Abdruck der mit Druckfarbe eingeriebenen und von überflüssiger Farbe befreiten Platte je nach Tiefe und Breite der Furchen kräftigere oder zartere Linien ergeben (Kaltnadeltechnik). Bei der **Radierung** wird die Platte mit einer säurefesten Schicht von Wachs und Harz bestrichen und in diese mit der Nadel gezeichnet, sodass das Metall freigelegt wird. Wenn die Platte dann mit Säure übergossen wird, ätzt diese die Zeichnung ein, desto tiefer, je länger man sie wirken lässt. Nach Entfernung der Deckschicht und Abzug eines Probedrucks kann die Platte weiterbearbeitet werden, meist mit der kalten Nadel. Bei der **Schabkunst (Mezzotinto)** wird das Kupfer mit Roulette und Schabeisen gleichmäßig aufgeraut, um beim Abdruck ein samtartiges Schwarz zu erzielen; die Stellen, die hell erscheinen sollen, werden mit einem Polier-

Kupferstich

1

2

3

4

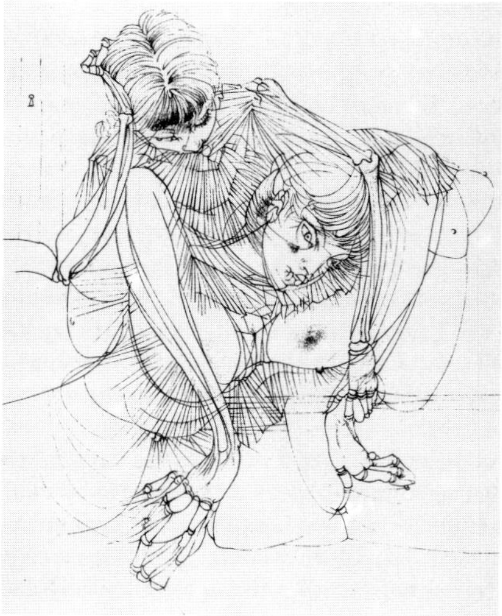

5

| **1** Antonio del Pollaiuolo »Schlacht der nackten Männer« (um 1475) | **2** Lucas van Leyden »Das Milchmädchen« (1510) | **3** Daniel Nikolaus Chodowiecki »Johann Heinrich (Jung-)Stillings Jugend« (um 1775) | **4** »Der Kupferstichhändler«, Arbeit des deutschen Grafikers Ambrosius Gabler (1789) | **5** Hans Bellmer »Anatomie de l'image« (1971)

stahl und Schaber wieder geglättet; wegen der Möglichkeit, Tonübergänge zu erzeugen, geeignet zur Wiedergabe von Pastell- u.a. Bildern mit Halbtoncharakter. Bei der **Punktiermanier,** die Schattierungen durch Punkte wiedergibt, wird die Platte mit Punzen bearbeitet. Die **Aquatinta** ist ein Ätzverfahren (→Aquatinta). Der Ätzung bedient sich auch die **Kreidemanier (Crayonmanier),** bei der durch Verwendung von Roulette, Punze u.a. Werkzeugen ähnl. Wirkungen wie bei Kreidezeichnungen erzielt werden. Bei **Farbdrucken** werden mehrere Platten übereinander gedruckt. Um eine größere Zahl von Abzügen zu ermöglichen, stach man im 19. Jh. auch in Stahl **(Stahlstich).**

Die Entstehung des K. geht auf die seit dem Altertum bekannte Technik der Metallgravierung zurück. Die ersten von Kupferplatten auf Papier abgedruckten Stiche entstanden zu Beginn des 15. Jh. wohl in Süddeutschland (älteste Datierung: 1446). Zu den bedeutendsten Stechern der Frühzeit gehören der →Spielkartenmeister und der Meister →E. S. Die von ihnen noch zaghaft gehandhabte Technik bildete M. Schongauer zu Klarheit und rhythm. Ausgeglichenheit der Linienzeichnung aus. Gleichzeitig schuf der →Hausbuchmeister malerisch zarte Kaltnadelarbeiten. Unter den italien. Stechern des 15. Jh. ragt A. Mantegna hervor. An Schongauer knüpfte Dürer an, der die Ausdrucksmöglichkeiten des K. zur Vollendung entwickelte. Von den großen dt. Malern seiner Zeit hat A. Altdorfer, vereinzelt auch L. Cranach d.Ä., in Kupfer gestochen. Die →Kleinmeister arbeiteten unter Dürers Einfluss, der auch das Schaffen von Stechern des Auslandes mitbestimmte (L. van Leyden, M. Raimondi). – Die 1510 aufgekommene Technik der Radierung geht auf den Brauch zurück, Verzierungen in Rüstungen und Waffen zu ätzen. Zu den frühesten Werken gehören in Eisen geätzte Radierungen von Dürer und Altdorfer.

Mit dem ausgehenden 16. Jh. verlor der K. immer mehr an selbstständiger Bedeutung. Hervorragende Leistungen brachten in Frankreich bes. die Bildnisstecher hervor, die jedoch meist nach Werken anderer Künstler arbeiteten. Neben Bildnissen entstanden v.a. Reproduktionsstiche, deren zu hoher Genauigkeit entwickelte Wiedergaben von Gemälden bis zum Aufkommen photomechan. Verfahren zu den Hauptaufgaben der Kupferstecher gehörten (Rubens-Stecher, Watteau-Stecher). – Während der Arbeit abgezogene Probedrucke zeigen, an welchen Stellen Korrekturen angebracht werden müssen. Diese Probedrucke lassen die »Zustände« der einzelnen Etappen erkennen. Probedrucke nach Einsetzen des Namens werden →avec la lettre bezeichnet. Folgende Zusätze nach dem Namen zeigen, welchen Beitrag der Künstler zu dem K. geleistet hat: →invenit, →sculpsit, →exc., →pinxit, →delineavit. – Seit dem 17. Jh. bevorzugten die hervorragendsten Künstler die Radierung. Rembrandt entwickelte die durch das Ätzverfahren ermöglichten Helldunkelwirkungen zu höchstem Ausdrucksreichtum. Im 17. Jh. radierten neben holländ. Malern (A. van Ostade, P. Potter, J. van Ruisdael) die Franzosen J. Callot und Claude Lorrain. In Dtl. wurde M. Merian mit seinen Stadtansichten bekannt. Sein Schüler W. Hollar schuf rd. 3000 K. Um 1640 erfand L. von Siegen das Schabkunstverfahren, das bes. in England weiterentwickelt wurde. Die neu aufgekommenen Verfahren der Aquatinta, der Kreide- und Punktiermanier dienten v.a. der Wiedergabe von Gemälden und Zeichnungen. Von den Radierern des 18. Jh. ragen in Italien Tiepolo und Piranesi, in England W. Hogarth, in Frankreich F. Boucher und J. H. Fragonard, in Dtl. D. Chodowiecki hervor. Der bedeutendste Radierer des 19. Jh. war F. Goya. In Dtl. wurden meisterhafte Radierungen von W. Leibl, M. Klinger und K. Kollwitz geschaffen. – Im 20. Jh. haben einzelne Künstler den K. wieder aufgenommen (z.B. Picasso); in der Buchillustration trat in jüngster Zeit Baldwin Zettl (*1943) hervor.

📖 *Das gestochene Bild. Von der Zeichnung zum K., bearb. v.* C. VON HEUSINGER *u. a., Ausst.-Kat. Herzog-Anton-Ulrich-Museum, Braunschweig 1987.* – KOSCHATZKY, W.: *Die Kunst der Graphik. Technik, Geschichte, Meisterwerke. Neuausg. München* ^{10}*1991.*

Kupferstichkabinett, Sammlung von Handzeichnungen, Kupferstichen u.a. Druckgrafik in Museen und Bibliotheken.

Kupfervitriol, das Kupfersulfat (→Kupfer).

Kupferzeit, Bez. für die vorgeschichtl. Periode zw. Jungsteinzeit und Bronzezeit (Verwendung von Kupfer für Waffen und Geräte).

kupieren [frz. »schneiden«], **1)** *Medizin:* eine Krankheit im Anfangsstadium unterdrücken.

2) *Obstbau:* die Triebe kürzen.

3) *Tierzucht:* bei Tieren (v.a. bei bestimmten Hunderassen) den Schwanz oder die Ohren unvollständig amputieren; seit 1. 1. 1987 ist das K. der Ohren bei Hunden gesetzlich verboten.

Kupka, František, tschech. Maler und Grafiker, *Opočno (bei Náchod, ostböhm. Gebiet) 23. 9. 1871, †Puteaux (Dép. Hauts-de-Seine) 21. 6. 1957; übersiedelte 1895 nach Paris; ausgehend vom Jugendstil, wandte sich K. 1910/11 der abstrakten Malerei zu, deren musikalisch-rhythm. Richtung er mitbegründete. BILD S. 146

Kupolofen (Kuppelofen), zylindr., mit feuerfesten Steinen ausgemauerter und von Stahlblech umkleideter Schachtofen zum Erschmelzen von

František Kupka: »Plans par Couleur« (1910–11; Paris, Musée National d'Art Moderne)

Gusseisen in Gießereien. Die Beschickung (Roheisen, Koks, Zuschläge) wird an der Gicht aufgegeben, das flüssige Eisen unten abgestochen.

Kupon [-pɔŋ] *der* (frz. Coupon), Gutschein zur Einlösung von Zinsen oder Dividenden für festverzinsl. Wertpapiere oder Aktien; i.d.R. als gedruckte Quittungsformulare in Bogenform **(K.-Bogen)** jeder Wertpapierurkunde **(Mantel)** beigegeben. Bei Fälligkeit wird ein K. abgeschnitten und eingelöst. Die Einziehung der K. und die Gutschrift der Erträge wird meist von Banken als Depotverwalter übernommen.

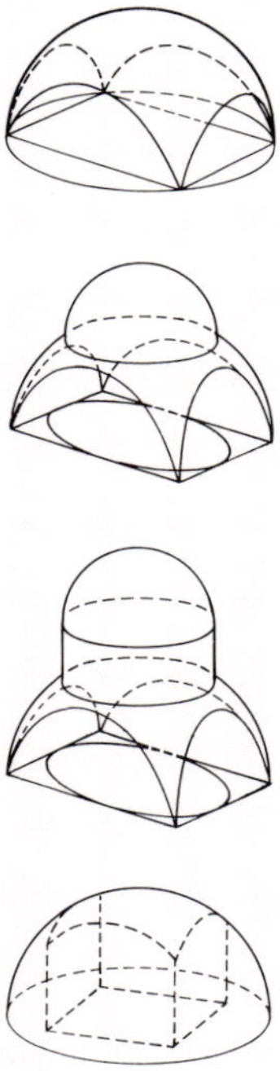

Kuppel (von oben): Hängekuppel, Pendentifkuppel, Kuppel über Pendentifs und Tambour sowie Stutzkuppel

Kuppel [aus italien. cupola], einfaches sphär. Gewölbe aus Werk- oder Backstein, Beton oder Stahlbeton, Holz oder Stahl zur Überspannung eines kreisförmigen, quadrat. oder polygonalen Raumes. Bei eckigen Räumen kann der Fußkreis der K. dem Grundriss entweder umbeschrieben sein **(Hänge-** und **Stutz-K.,** auch **böhm. Kappe)** oder ist diesem einbeschrieben. Dann bedarf es der Hilfskonstruktion über den Ecken, meist mittels →Trompen oder mittels sphär. Dreiecke (Hängezwickel, Pendentif, **Pendentif-K.**). Die K.-Beleuchtung kann durch eine Scheitelöffnung (Opaion, Auge) erfolgen, der meist ein zylindr. Türmchen mit Fensterkranz (Laterne) aufgesetzt ist, oder durch eingeschnittene Öffnungen in ihrer Schale. Oft ruht die K. auf einem durchfensterten Zylinder (Tambour). – Grabbauten prähistor. Zeit und bes. der myken. Kultur **(K.-Gräber)** wurden mit K. aus ringförmig verlegten, übereinander vorkragenden, waagerechten Steinschichten überwölbt (»Schatzhaus des Atreus« in Mykene). Der K.-Bau aus Keilsteinen ist seit etrusk. und hellenist. Zeit nachweisbar und erreichte seinen Höhepunkt in der Halbkugel-K. des →Pantheons (BILD) in Rom. In der frühbyzantin. Baukunst trat neben die aus einzelnen sphär. Wölbsegmenten gebildete **Schirm-** oder **Segel-K.** die Pendentif-K. (→Hagia Sophia). Eine Weiterentwicklung erfuhr sie im Bereich der islam. Baukunst, in der Zellenwerk und Stalaktiten (Mukarnas) an die Stelle der Hängezwickel traten. F. Brunelleschis K. des Florentiner Doms und Michelangelos K. der →Peterskirche in Rom mit innerer Raumschale und äußerer Schutzschale wurden zum Vorbild für viele K. des Barock. Im 19. Jh. wurden Rippen-K. aus Holz- oder Stahlbindern konstruiert, im 20. Jh. fand die dünnwandige Schalenbauweise Anwendung, nach 1945 unter Ausnutzung des Spannbetons. – Weiteres BILD Borromini

📖 HEINLE, E. *u.* SCHLAICH, J.: *K.n aller Zeiten – aller Kulturen. Stuttgart 1996.*

Kuppelei, gewohnheitsmäßige oder eigennützige Förderung zwischenmenschl. sexueller Handlungen. Seit dem 4. Strafrechtsreform-Ges. vom 23. 11. 1973 wird in Dtl. nur noch die Förderung sexueller Handlungen durch oder an Personen unter 16 Jahren mit Freiheitsstrafe bis zu drei Jahren oder mit Geldstrafe belegt (§180 StGB). Eine erschwerte Form ist die K. gegen Entgelt oder unter Ausnutzung eines Autoritätsverhältnisses (auch bei Personen unter 18 Jahren strafbar), eine Sonderform die Förderung der Prostitution, z.B. durch Führung eines Bordells, in dem Prostituierte in persönl. und wirtsch. Abhängigkeit gehalten werden (§180a StGB). – Das *österr.* (§§213–215 StGB) und das *schweizer.* Recht (Art. 198 ff. StGB) enthalten ähnl. Strafvorschriften.

Kuppelgrab, →Kuppel.

Kuppelkirchen, Kirchen, deren Raumteile überwiegend mit →Kuppeln überwölbt sind. Die **Kuppelbasilika** wurde in Byzanz entwickelt und ist außer in S-Italien v.a. in S-Frankreich bei roman. Bauten anzutreffen, in denen meist mehrere Kuppeln in der Längsachse eines Saalbaus aneinander gereiht sind (Souillac, Abteikirche, Ende des 12. Jh.). Die **Kreuz-K.** auf dem Grundriss des grch. Kreuzes mit fünf (auf Tambouren ruhenden) Kuppeln (über der Vierung und den vier Kreuzarmen) entstand in mittelbyzantin. Zeit (6. oder 7. Jh.), war die Hauptform des byzantin. Kirchenbaus (BILD byzantinische Kunst) und verbreitete sich in der ganzen Ostkirche (Bulgarien, Serbien, Russland; auch Venedig). – Die **barocke K.** ist ein Zentralbau oder eine Verschmelzung von Zentral- und Langhausbau.

Kupplung, lösbare Einrichtung zur Verbindung von Maschinenteilen, Fahrzeugen (z.B. Anhänger-K., →Eisenbahnkupplungen) oder Versorgungsleitungen. Bei flexiblen elektr. Leitungen nennt man die Steckvorrichtung ebenfalls Kupplung. – Im Maschinenbau Verbindung meist zweier Wellenenden **(Wellen-K.)** zur Übertragung eines Drehmoments vom treibenden auf das getriebene Teil (z.B. vom Motor auf eine Pumpe). Man unterscheidet **nichtschaltbare K.**, bei denen eine Unterbrechung der Drehmomentübertragung i. Allg. nicht bzw. nur nach Ab- oder Ausbau der K. möglich ist, und **schaltbare K.**, bei denen die treibende Welle von der getriebenen getrennt oder mit ihr verbunden werden kann, z.T. ohne Anhalten der treibenden Welle. Zu den nichtschaltbaren K. zählen die festen K., die die beiden Wellenenden starr miteinander verbinden, und die Ausgleichs-K.; zu den schaltbaren K. zählen alle durch äußeren Eingriff **(fremdgeschaltete K. oder Schalt-K.)** mechanisch, elektrisch, hydraulisch und pneumatisch betätigten form- und kraftschlüssigen K. einschließlich der **selbsttätig schaltenden K.**, der Induktions-K. sowie der hydrodynam. K. (Strömungskupplung).

Feste K. setzen ein genaues Fluchten der zu kuppelnden Wellen voraus und sind nur für stoßfreien Betrieb oder geringe Drehmomentschwankungen geeignet. Hierzu gehören **Stirnzahn-K.**, **Scheiben-K.** und **Schalen-K. Ausgleichs-K.** lassen entweder axiale, radiale winklige oder gleichzeitig parallele und winklige Wellenverlagerungen zu; in Längsrichtung bewegl. Ausgleichs-K. stellen außer der Wellenverbindung auch einen Längenausgleich her **(Ausdehnungs-K.).** Bei drehstarren Ausgleichs-K. wird das Drehmoment je nach Bauart durch Klauen **(Klauen-K.),** Innen- und Außenverzahnung **(Zahn-K.),** elast. Membranen **(Membran-K.)** oder Ringe (**Ring-K.**, z.B. Hardy-Scheibe) übertragen.

Formschlüssige Schalt-K. sind nur im Stillstand, bei Drehzahlgleichheit oder bei geringen Relativdrehzahlen beider Wellen schaltbar; sie können nur in diskreten Stellungen von An- zu Abtriebswelle arbeiten. Als Schaltelemente dienen Bolzen, Klauen oder Zähne. **Kraftschlüssige Schalt-K.** sind v.a. die Reibungs-K. Hier wird der Kraftfluss durch Anpressen von Reibflächen, die mit der einen Welle drehfest, aber verschiebbar verbunden sind, an entsprechende Gegenflächen der anderen Welle hergestellt. Sie sind während des Betriebs schaltbar. Müssen die Reibflächen der K. geölt werden, spricht man von einer **Nass-K.**, ist dies nicht nötig, von einer **Trocken-K.** Bei der in der Kraftfahrzeugtechnik am häufigsten verwendeten **Einscheibentrocken-K.** erfolgen Kraftschluss und Drehmomentwandlung bzw. Drehzahlanpassung in der Weise, dass eine axial verschiebbare, mit der Getriebewelle drehfest verbundene **K.-Scheibe** durch Federkraft mehr oder weniger stark gegen das Schwungrad des Motors gepresst und von diesem mit oder ohne entsprechenden Schlupf durch Reibung mitgenommen wird. Zur Lösung der K. wird die K.-Scheibe über das **K.-Pedal**, ein mechan. Gestänge und die am K.-Ausrücklager anlenkende Ausrückgabel vom Schwungrad getrennt. Die übertragbaren Drehmomente sind abhängig vom Durchmesser der K.-Scheibe und von der Anpresskraft der K.-Federn. Wo sehr hohe Drehmomente zu übertragen sind (Lkw, Rennwagen) oder wo die K. nur kleine Dimensionen annehmen kann (Motorrad, automat. Getriebe), werden **Zweischeiben-** und **Mehrscheiben-K. (Lamellen-K.)** verwendet. Hier sitzen mehrere K.-Scheiben hintereinander auf der Getriebewelle, denen ebenso viele von der Motorwelle angetriebene, axial verschiebbare und zum sog. **K.-Korb** verbundene Außenlamellen gegenüberstehen.

Im Gegensatz zu den fremdbetätigten K. leiten die **selbsttätig drehzahlgeschalteten K. (Anlauf-K.)** den Schaltvorgang erst nach Erreichen einer bestimmten Drehzahl ein. Dafür besitzen sie K.-Elemente, die im Ruhestand durch Federn nach innen gezogen werden und erst bei einer bestimmten Drehzahl, die von der eingestellten Federkraft abhängt, durch die Fliehkraft **(Fliehkraft-K.)** nach außen getrieben werden und dabei am abtriebsseitigen K.-Teil zum Anliegen kommen und dann die Antriebswelle mitnehmen. Bei **drehmomentgeschalteten K.**, meist Lamellen-K., ist der Anpressdruck der Federn auf die Reibscheiben so gewählt, dass ab einer bestimmten Grenzbelastung die K. »durchrutscht« **(Rutsch-K.)** und somit als **Sicherheits-K.** wirkt. **Drehrichtungsgeschaltete K.** sind formschlüssige Gesperre oder kraftschlüssige **Klemmkörper-K.**, bei denen sich Rollen, Kugeln u.a. zwischen die K.-Teile klemmen, solange die Antriebsseite treibt. Wird die Antriebsseite vom Abtrieb überholt **(Überhol-K.),** entfällt die Klemmwirkung, An- und Abtrieb sind entkuppelt.

Kupplungsreaktionen, chem. Reaktionen, die zur Ausbildung von Bindungen zw. Kohlenstoffatomen oder einem Kohlenstoff- und einem Heteroatom führen. Besondere Bedeutung für die Herstellung von Azofarbstoffen haben K. von Diazoniumverbindungen mit aromat. Aminen oder Phenolen (Azokupplung).

Kuprịn, Alexander Iwanowitsch, russischer Schriftsteller, *Narowtschat (Gebiet Pensa) 7. 9. 1870, †Leningrad (heute Sankt Petersburg) 25. 8. 1938; gehörte vor der Revolution der sozialkritisch orientierten Gruppe um M. Gorki an; 1919–37 in der Emigration, meist in Paris; schrieb spannende naturalist. Erzählungen; Aufsehen erregten »Das Duell« (R., 1905) und »Die Gruft« (R., 1909).

Kur [lat. cura »Sorge«], ärztlich verordnetes und kontrolliertes Heilverfahren mit Orts- und Klimawechsel unter Anwendung spezieller Heilmittel.

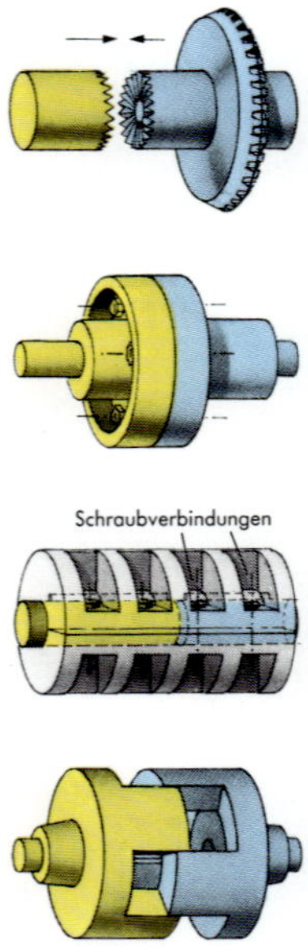

Kupplung (von oben): Stirnzahnkupplung, Scheibenkupplung, Schalenkupplung und Klauenkupplung

Kürbis (von oben): Kürbispflanze mit männlichen Blüten, weiblicher Blüte und junger Frucht

Kürbis: Früchte des Speise- und des Riesenkürbisses

Kur [ahd. kuri »Wahl«], Wahl, bes. die des Röm. Königs durch die Kurfürsten; auch das Kurfürstentum, die Kurfürstenwürde.

Kür, beim Wettkampf in versch. Sportarten vom Wettkämpfer frei gewählte oder aus vorgegebenen Elementen zusammengestellte Übung, die von den Kampfrichtern nach Schwierigkeitsgrad und Durchführung gewertet wird.

Kura *die* (georg. Mtkwari), größter Fluss Transkaukasiens, 1364 km lang, entspringt im Ararathochland (Türkei), durchfließt Georgien und Aserbaidschan und mündet ins Kaspische Meer (Delta); mehrfach gestaut (Mingetschaur-Stausee, 605 km^2, Kraftwerk mit 359 MW).

Kurant [von frz. courant »umlaufend«] *das* (Kurantgeld), zum gesetzl. Zahlungsmittel erklärtes Geldzeichen (früher Goldmünze, jetzt Banknote), das vom Gläubiger in jeder Menge zur Einlösung von Schulden entgegengenommen werden muss (obligator. und definitives Geld). Früher war K. die Währungsmünze eines Landes, deren Nominalwert ihrem Metallwert entsprach.

Kurare *das,* ein Pfeilgift, → Curare.

Kurashiki [-ʃiki], Stadt in der Präfektur Okayama, auf Honshū, Japan, 418 500 Ew.; Kunstgalerie Ōhara, Museen, astronom. Observatorium, biolog. Forschungsinstitut; Spinnereien, Metall-, chem., Baustoffind., Eisenerzverhüttung.

Kürassiere, Waffengattung der Kavallerie, ausgerüstet u. a. mit dem Kürass (Brustharnisch), entstanden Ende des 17. Jahrhunderts; bis zum Ende des 1. Weltkriegs in fast allen europ. Heeren.

Kurat [mlat.] *der, kath. Kirchenrecht:* ein Seelsorgegeistlicher mit einer dem Pfarrer vergleichbaren Stellung und eigenem Seelsorgebezirk **(Kuratie).**

Kuratel [lat.] *die,* veraltet für Vormundschaft, Pflegschaft.

Kurator [lat.] *der,* **1)** *Rechtswissenschaft:* Vormund, Pfleger.

2) *Verwaltungsrecht:* Aufsichtsbeamter des Staates an Hochschulen u. a. zur Vermögensverwaltung.

Kuratorium *das,* Aufsichtsgremium, z. B. einer öffentl. Körperschaft, Anstalt oder Stiftung; auch (gemeinnützige) Vereinigung.

Kuratorium Unteilbares Deutschland, frühere Vereinigung zur Förderung der dt. Wiedervereinigung, Sitz: Bonn; gegr. am 17. 6. 1954, wurde nach der Wiedervereinigung (1990) 1992 aufgelöst.

Kurbelgetriebe (Kurbeltrieb), ein → Gelenkgetriebe mit mindestens einem als Kurbel umlaufenden Glied; am bekanntesten als **Schub-K.,** das in Hubkolbenmaschinen zur Umwandlung hin- und hergehender Kolbenbewegungen in Drehbewegungen, im Pumpenbau zur umgekehrten Bewegungsumformung verwendet wird. Der Kolben ist mit dem Kreuzkopf, der in Gleitbahnen geführt wird, fest verbunden, von diesem wird die Kraft über die Pleuelstange auf den Kurbelzapfen der Kurbelwelle übertragen.

Kurbelwelle, mehrfach gekröpfte Welle in einem Kurbelgetriebe. Die exzentrisch zum Wellenzapfen liegenden **Kurbelzapfen** übertragen über die **Kurbelwangen** die auf die Kröpfung einwirkende schwingende Bewegung eines Gestänges (meist einer Pleuelstange) auf die Welle und wandeln so eine oszillierende in eine rotierende Bewegung um oder umgekehrt.

Kurbette [frz.], → Courbette.

Kürbis *der* (Cucurbita), Gattung der K.-Gewächse, aus dem südl. Nordamerika oder Südamerika stammend; kriechend wachsende oder kletternde Kräuter mit Blattranken, großen, gelben Blüten und fleischigen, oft sehr großen, in Form und Farbe versch. Beerenfrüchten. Bekannte Arten sind: **Speise-K.** (**Garten-K.,** Cucurbita pepo); die unreifen Früchte werden (als Gemüse gekocht) gegessen. **Riesen-K.** (**Zentner-K.,** Cucurbita maxima) mit über 4 m langen Stängeln; Frucht meist sehr groß, manchmal über 50 kg schwer; wird v. a. zur Herstellung von Kompott und Marmelade verwendet. (→ Flaschenkürbis, → Zucchini)

Kurden, Volk in Vorderasien mit iran. Sprache. Die K. leben als Ackerbauern und Halbnomaden im Grenzbereich (etwa 200 000 km^2) Türkei/Irak/Iran sowie in NO-Syrien und SW-Armenien. Durch Migration und Umsiedlung gelangten K. auch nach Jordanien, Libanon, Zentralanatolien, O-Iran, Georgien und Mittelasien, als Arbeitskräfte auch in die W-Türkei (Istanbul, Adana u. a.) und Europa (v. a. Dtl.). Schätzungen über die Zahl der K. schwanken zw. 12 und 30 Mio. Trotz gemeinsamer Sprache, Geschichte und Kultur konnten die K. keinen eigenen Nationalstaat errichten; sie bilden Minderheiten in der Türkei (12 Mio.), in Iran (5,5 Mio.), Irak (3,7 Mio.), Syrien (0,5 Mio.), in mittelasiat. GUS-Staaten (0,15 Mio.) und im westl. Europa (0,62 Mio.). 75–80 % sind Sunniten, die Üb-

Kurden - Verbreitungsgebiet

rigen Schiiten meist extremer Richtungen. Nur begrenzt, trotz kurd. Muttersprache, werden zu den K. die unter ihnen verbreiteten Jesiden gerechnet, Angehörige einer geheimen Religionsgemeinschaft mit altorientalisch-heidn. und häretisch-christl. Glaubenselementen (Glaube an den Engel Pfau).

Geschichte: Erstmals 2150 v. Chr. in Sumer als »Land der Karda« erwähnt, fand die ethn. Konsolidierung im 3./4. Jh. n. Chr. ihren Abschluss. Zwischen 637 und 643 nahm die Mehrheit der K. den Islam an. Die Zugehörigkeit des Siedlungsgebietes der K., →Kurdistan, zum Seldschukenreich (11./12. Jh.), später zum Pers. und Osman. Reich war selten mehr als nominell, vielmehr bildeten sich einheim. lokale Feudalherrschaften heraus. 1514 erstmals zw. Persern und Osmanen aufgeteilt, kam Kurdistan 1639 fast ganz unter osman. Herrschaft, die im Zuge der Zentralisierung bis zum 19. Jh. die kurd. Emire durch türk. Gouv. ersetzte. Im 19. und frühen 20. Jh. wanderten K. (Jesiden) nach Armenien und Georgien aus. Entgegen dem Frieden von Sèvres (10. 8. 1920), der den K. erstmals die Eigenstaatlichkeit zusprach und die Entstehung einer kurd. Nationalbewegung förderte, wurde der ehemals osman. Teil Kurdistans Irak, Syrien und der Türkei eingegliedert (2. Teilung Kurdistans; vorbereitet im britisch-frz. Sykes-Picot-Abkommen von 1916). Der Frieden von Lausanne (24. 1. 1923) gestand den K. keinen Minderheitenschutz in der Türkei zu; zw. 1925 und 1937 schlug die türk. Armee mehrere größere Aufstände nieder (→Türkei, Geschichte). Mit unterschiedl. Intensität betrieben die türk. Reg. seitdem gegenüber den »Bergtürken« genannten K. eine Politik der Türkisierung.

In NW-Iran erstarkte unter sowjet. Besatzung (1941–46) die kurd. Nationalbewegung. Unter Ghasi Mohammed bestand dort Jan.–Dez. 1946 die »Kurd. Rep. Mahabad«.

In Irak kam es nach Konflikten mit der dortigen Regierung (1931/32 und 1944/45) 1961-70 zu einem allg. K.-Aufstand unter Führung von Mulla Mustafa Barsani. Unzufrieden mit der Umsetzung der im Rahmen einer neuen irak. Verf. (1970) gewährten Autonomie, erhoben sich die K. 1974 unter Barsani erneut; der Aufstand brach jedoch im Frühjahr 1975 zusammen.

Nach dem 1. und 2. →Golfkrieg kam es abermals zu Aufständen der irak. K. in N-Irak. Nach dem 1. Golfkrieg setzte der Irak 1988 Giftgas gegen die irak. K. ein; 500 000 K. flüchteten in die Türkei und nach Iran. Nach der blutigen Niederschlagung eines weiteren K.-Aufstandes in N-Irak (März 1991; Zentrum: Kirkuk) im Anschluss an den 2. Golfkrieg flohen etwa 1,5–2 Mio. K. nach Iran sowie ins Grenzgebiet zur Türkei. Um die kurd. Flüchtlinge vor irak. Verfolgung zu schützen, richteten amerikan., brit. und frz. Truppen im April 1991 in N-Irak (nördlich des 36. Breitengrads) eine Sicherheitszone ein. In deren Schutz entstand – ohne Zustimmung Iraks – ein faktisch autonomes Gebiet, in dem am 19. 5. 1992 Parlaments- und Präsidentschaftswahlen durchgeführt wurden; dabei erhielten die Demokrat. Partei Kurdistans (Abk. DPK) und die Patriot. Union Kurdistans (Abk. PUK) von 105 Sitzen je 50. Am 5. 10. 1992 beschloss das kurd. Parlament in Erbil die Bildung eines kurd. Teilstaates innerhalb Iraks. 1994-97 kam es immer wieder zu schweren Kämpfen zw. DPK und PUK um die Führung der kurd. Autonomiebewegung.

In der Türkei begann die Guerillaorganisation der Arbeiterpartei Kurdistans (PKK; gegründet 1978) in SO-Anatolien ab 1984 den bewaffneten Kampf für einen eigenen kurd. Staat (seit 1993/94 offizielles Eintreten für einen Autonomiestatus innerhalb der Türkei). Seit 1991 gesteht die türk. Regierung den K. auf ihrem Staatsgebiet größere Rechte zu (v.a. den offiziellen Gebrauch ihrer Sprache; Anerkennung als ethn. Minderheit). Die gleichzeitig ab 1991 verschärften Auseinandersetzungen zwischen PKK-Kämpfern und der türk. Armee, die immer wieder blutige Strafexpeditionen (u. a. Großoffensive, Juli 1993) und z. T. grenzüberschreitende Angriffe in die PKK-Rückzugsgebiete v.a. in N-Irak unternahm, forderten bis 1998 rd. 30 000 Tote, führten zur Zerstörung zahlreicher kurd. Dörfer in SO-Anatolien und zur Massenflucht der kurd. Bevölkerung. Rigoros geführt von Gen.-Sekr. Abdullah Öcalan (*1949), zählte die PKK zeitweilig mehr als 10 000 Kämpfer und Hunderttausende Sympathisanten; neben der Türkei, wo sich der PKK-Terror v. a. gegen tourist. Zentren richtete, waren auch türk. Einrichtungen in europ. Städten (darunter in Dtl.) Ziel von Anschlägen. – 1995 konstituierte sich in Den Haag ein kurd. Exilparlament.

Mit der Verständigung zw. den rivalisierenden kurd. Parteien in N-Irak (unter amerikan. Vermittlung, Sept. 1998) verlor die PKK ihre dortigen Rückzugsgebiete. Ende Mai 1999 begann ein Hochverratsprozess gegen den in die Türkei verbrachten Öcalan.

📖 *Die kurd. Tragödie. Die K. – verfolgt im eigenen Land, hg. v.* B. NIRUMAND. *Reinbek 1991.* – FEIGL, E.: *Die K. Geschichte u. Schicksal eines Volkes. München 1995.*

Kurdistan (pers. Kordestan), **1)** das von →Kurden geschlossen oder überwiegend bewohnte Gebiet in Vorderasien.

2) iran. Provinz, 27 858 km², (1991) 1,23 Mio. Ew., Hptst. Sanandaj; umfasst etwa $^1/_3$ des von Kurden bewohnten iran. Gebiets.

Kürenberg: Miniatur, die den Dichter im Gespräch mit einer Fürstin zeigt, und Strophen des Minnesängers aus der Manessischen Handschrift (1. Hälfte des 14. Jh.; Heidelberg, Universitätsbibliothek)

3) seit 1991 autonome Region in Irak (→Kurden, Geschichte).

Kure, Stadt auf Honshū, in der Präfektur Hiroshima, Japan, an der Inlandsee, 211 600 Ew.; Werften, Stahl-, Papierind., Maschinen-, Gerätebau.

Kụren, westfinn. Volksstamm, →Kurland.

Kụ̈renberg, Joachim von, eigtl. E. J. von Reichel, Schriftsteller, *Königsberg (Pr) 21. 9. 1892, †Meran 3. 11. 1954; schrieb historisch-biograph. Romane, u. a. »Johanna von Bismarck« (1935), »Katharina Schratt« (1941), auch Dramen und Essays.

Kụ̈renberg (Der von K., Der Kürenberger), mhd. Lyriker des 12. Jh.; wird als ältester Vertreter des »donauländ. Minnesangs« einem österr. Ministerialgeschlecht zugewiesen; unter seinem Namen überlieferte meist einstrophige Lieder sind durch Frauenstrophen, Wechsel (Dialoglieder) und das unbefangene Bekennen wechselseitiger Minne gekennzeichnet. Berühmt ist bes. das zweistrophige »Falkenlied«.

Kụressaare (früher dt. und schwed. Arensburg, 1952–88 Kingisepp), Stadt in Estland, auf der Ostseeinsel Ösel, 13 500 Ew.; See-, Schlammbad; Fischverarbeitung.

Kürettage [-ˈtaʒə, frz.] *die,* die →Ausschabung.

Kurfürsten [zu ahd. kuri »Wahl«] (lat. Electores), im Hl. Röm. Reich vom 13. Jh. bis 1806 die zur Königswahl berechtigten Fürsten. Vorher waren alle Reichsfürsten wahlberechtigt; seit 1198 mussten jedoch die Erzbischöfe von Trier, Mainz und Köln und der Pfalzgraf bei Rhein an der Wahl beteiligt sein. Seit der Wahl von 1257 galten sieben K. allein als Königswähler: die vier genannten Fürsten, der Herzog von Sachsen, der Markgraf von Brandenburg und der König von Böhmen. Ludwig IV., der Bayer, verfocht den Grundsatz, dass die Mehrheit der sieben K. zur rechtsgültigen Wahl genüge. Dies wurde 1338 vom →Kurverein von Rhense anerkannt und 1356 Reichsgrundgesetz durch die →Goldene Bulle, die u. a. auch die Reihenfolge der Stimmabgabe regelte. Das **K.-Kollegium,** Ergebnis des Interregnums und seit 1273 ein geschlossener Wahlkörper, bildete seit dem 15. Jh. auf den Reichstagen die 1. Kurie. Die böhm. Kurwürde ruhte 1519–1708 mit Ausnahme der Beteiligung an der Königswahl; die pfälz. Kur wurde 1623 Bayern übertragen, der Pfalz aber 1648 eine 8. Kurwürde zugestanden, Braunschweig-Lüneburg (Hannover) hatte seit 1692 eine 9., nach Vereinigung Bayerns mit der Kurpfalz 1777 die 8. Kurwürde inne (seit 1778). 1803 (Reichsdeputationshauptschluss) wurden die Kurstimmen von Trier und Köln aufgehoben, die Mainzer Kur auf Regensburg-Aschaffenburg übertragen. Neu geschaffen wurden die Kurfürstentümer Salzburg (1805 auf Würzburg übertragen), Württemberg, Baden und Hessen-Kassel (K.-Titel bis 1866 [Kurhessen]). BILD deutsche Geschichte

📖 REULING, U.: *Die Kur in Deutschland u. Frankreich. Untersuchung zur Entwicklung des rechtsförml. Wahlaktes bei der Königserhebung im 11. u. 12. Jh. Göttingen 1979.*

Kurfürstendạmm (Ku'damm), etwa 3,5 km langer Berliner Boulevard; urspr. ein im 16. Jh. angelegter Dammweg zum kurfürstl. Jagdschloss im Grunewald, 1881 ausgebaut (53 m breit).

Kurfürstenkollegium, →Kurfürsten, →Kurie.

Kurgạn [türk.-russ.] *der,* vorgeschichtl. Hügelgrab in O-Europa und W-Sibirien, bes. das der Skythen.

Kurgạn, Hptst. des Gebiets K., Russland, am Tobol, W-Sibirien, 365 100 Ew.; Hochschulen;

Omnibuswerk, Maschinenbau, pharmazeut. Ind.; an der Transsibir. Eisenbahn. – Gegr. 1553, seit 1782 Stadt.

Kurhessen, 1) das 1803 aus der Landgrafschaft Hessen(-Kassel) geschaffene Kurfürstentum Hessen (→Hessen, Geschichte). 2) die 1944 durch Aufteilung der preuß. Prov. Hessen-Nassau gebildete Provinz. Sie bestand bis 1945.

Kuriatstimme (Gesamtstimme), die Stimme in einem Kollegium (Kurie), die von einem Stimmberechtigten nur mit anderen zusammen als Gesamtstimme abgegeben werden kann; im Reichstag des Hl. Röm. Reiches bis 1806 die gemeinschaftlich geführte Stimme der kleinen, zu Kurien vereinigten Reichsstände; Ggs.: →Virilstimme.

Kuri|e [lat. curia] *die,* **1)** die älteste Gliederungsform der röm. Bürgerschaft in 30 Familienverbänden, dann auch der Versammlungsraum des Senats.

2) der Gerichtshof oder eine andere Behörde sowie deren Sitz. Die Reichstage des Hl. Röm. Reiches gliederten sich nach K. (→Kuriatstimme). Seit 1498 bildeten die →Kurfürsten die 1. K. (Kurfürstenkolleg[ium]).

3) a) die Gesamtheit der (apostol.) Behörden, durch die der Papst die kath. Kirche leitet **(röm. K.):** das Staatssekretariat, der Rat für öffentl. Angelegenheiten der Kirche, die K.-Kongregationen, Gerichtshöfe, ständigen Sekretariate, päpstl. Ämter, Kommissionen, Räte. b) die Gesamtheit der Personen und Einrichtungen, durch die der Bischof seine Diözese verwaltet **(Diözesankurie).**

Kuri|enkongregation (früher Kardinalskongregation), für die gesamte kath. Kirche zuständige, einem Ministerium vergleichbare, kollegial verfasste höchste Behörde der röm. Kurie, von einem Kardinalpräfekten geleitet; Mitgl. sind Kardinäle und Diözesanbischöfe. Schwerwiegende oder außergewöhnl. Entscheidungen bedürfen der Zustimmung des Papstes.

Kurier [frz.] *der,* Eilbote, bes. ein Staatsbote zur Übermittlung wichtiger geheimer Nachrichten und Schriftstücke im diplomat. Dienst; danach: Name vieler Zeitungen.

Kurilen (japan. Chishima), Inselbogen zw. Hokkaidō und Kamtschatka, 1270 km lang, mit über 30 größeren und vielen kleinen, nur z.T. bewohnten Inseln vulkan. Ursprungs (noch 39 tätige Vulkane), häufig Erd- und Seebeben, insgesamt 15600 km^2; Klima kalt und nebelreich, v.a. Fischfang. – 1643 durch den Niederländer M.de Vries entdeckt; danach drangen die Russen von N und die Japaner von S auf die K. vor, die 1875 vollständig an Japan fielen; 1945 von der UdSSR besetzt, heute zum russ. Gebiet Sachalin. Japan verzichtete auf die K. im Friedensvertrag von San Francisco 1951, den die Sowjetunion nicht unterzeichnete. Die Rückgabe der (nach japan. Auffassung nicht zu den K. gehörenden) Inseln Habomei, Shikotan, Kunashir und Iturup an Japan konnte bisher nicht erreicht werden.

Kurgan: Skythischer Kurgan im Schwarzmeergebiet

Kurische Nehrung (litauisch Kuršių nerija, russ. Kurschskaja kossa), schmaler Dünenstreifen, 98 km lang, 0,4–3,8 km breit, zw. dem **Kur. Haff** (Strandsee, 1610 km^2, bis 6,5 m tief) und der Ostsee, in Russland und Litauen. Die Landzunge setzt im S am Samland an und endet im N gegenüber Memel am **Memeler Tief** (schmale Rinne zw. Kur. Haff und Ostsee). Auf der Haffseite der Nehrung ziehen sich große, zeitweilig bis zu 70 m Höhe erreichende, z.T. wandernde Dünen hin. Die K. N. ist z.T. bewaldet und hat Naturschutzgebiete; in Rossitten russische biolog. Station.

Kurkume *die,* →Gelbwurzel.

Kurland (lett. Kurzeme), histor. Landschaft in Lettland, zw. Ostsee, Rigaer Bucht und Düna. K. war neben Riga das Hauptsiedlungsgebiet des balt. Deutschtums.

Kurgan

Kurgane bestehen aus einer in die Erde eingelassenen Grabkammer aus Holz oder Stein, über der ein hoher Erdhügel aufgeschüttet wurde, in dem man auch später noch Beisetzungen vollzog. Meist liegen diese Gräber in Gruppen oder längs der Zugtrassen der Nomaden durch die eurasischen Steppen. Der Kurgan ist wohl als Symbol der Weltordnung zu verstehen: In der Aufschüttung ist der Weltkreis, in dem rechteckigen, meist quadratischen Grabbau die in diesen eingeschriebene Form der Menschenwelt und in der zentralen Bestattung mit kostbaren Beigaben die Rolle des hervorragenden Individuums versinnbildlicht. Der Kosakenführer Jermak Timofejewitsch aus Nowotscherkassk am unteren Don durchstreifte 1581 als Erster die Gebiete östlich des Urals. Ihm folgten Abenteurer und Siedler, die bei ihrer Eroberung Sibiriens viele der alten Hügelgräber ihrer wertvollen Beigaben beraubten; viele Gold- und Silberarbeiten wurden eingeschmolzen. 1715 wurde Zar Peter dem Großen anlässlich der Geburt des Zarewitsch auch eine Anzahl goldener Schmuckstücke im Tierstil überreicht, die aus Grabhügeln in den Steppen Sibiriens stammten. Im 19. Jahrhundert wurde diese Sammlung von »Sibirischem Gold« durch reiche Funde aus den südrussischen Steppen an Don, Kuban und Dnjepr wesentlich erweitert. Heute befindet sie sich in Sankt Petersburg in der Ermitage.

Kishō Kurokawa: Das 1971–72 erbaute Nagakin-Hochhaus in Tokio

Geschichte: K., im MA. Siedlungsgebiet der westfinn. Kuren, wurde im 13. Jh. vom Dt. Orden erobert und christianisiert. Nach dem Zerfall des livländ. Ordensstaates ab 1561 weltl. Herzogtum unter poln. Lehnshoheit. 1737 (Aussterben der von Gotthard Kettler begründeten Dynastie) erhob die Kaiserin Anna von Russland ihren Günstling E. J. von Biron zum Herzog von Kurland. 1795 kam K. an Russland (eins der drei Ostseegouvernemente, bed. Rolle des dt.-balt. Adels mit seinem Großgrundbesitz bis ins 20. Jh.). Das 1915–19 und 1941–45 von dt. Truppen besetzte K. gehört seit 1918 zu →Lettland.

📖 *Das Herzogtum K. 1561–1795. Verfassung, Wirtschaft, Gesellschaft, hg. v.* E. OBERLÄNDER *u.* I. MISANS. *Lüneburg 1993.*

Kurlande, der Teil der kurfürstl. Besitzungen, an den nach dem Prinzip der Unteilbarkeit und (bei weltl. Fürsten) der Primogenitur die Kurwürde geknüpft war (1356 in der Goldenen Bulle fixiert).

Kurmark, ehem. der Hauptteil der Mark Brandenburg (Altmark, Mittelmark, Prignitz u. a.).

Kürnberger, Ferdinand, österr. Schriftsteller, *Wien 3. 7. 1821, †München 14. 10. 1879; nahm 1848 an der Revolution in Wien, 1849 in Dresden teil, lebte seit 1857 wieder in Wien; bed. Novellist des Realismus; Feuilletonist und Kritiker; wichtiges Zeitdokument ist der Lenau-Roman »Der Amerika-Müde« (1855).

Kurokawa, Kishō, japan. Architekt, *Nagoya 8. 4. 1934; Theoretiker und führender Vertreter des Metabolismus; trat u. a. mit dem Nagakin-Hochhaus in Tokio (1971–72) hervor, mit dem er seine Idee von Wohnkapseln erstmals realisierte.

Kur|ort, behördlich zu genehmigende Bez. für einen Ort oder Ortsteil, in dem durch natürl. Gegebenheiten und zweckentsprechende therapeut. Einrichtungen bestimmte Krankheiten behandelt werden können oder deren Entstehung vorgebeugt wird. Es werden z. B. **Luft-K., Heilbäder, Kneipp-K.** unterschieden.

Kuros [grch. »Jüngling«] *der,* nackte Jünglingsfigur der archaischen grch. Kunst.

Kurosawa, Akira, japan. Filmregisseur und Produzent, *Tokio 23. 3. 1910, †ebd. 6. 9. 1998; Meister des japan. Films, der ab 1950 auch internat. bekannt wurde: »Rashomon« (1950), »Die sieben Samurai« (1953), »Uzala, der Kirgise« (1975), »Kagemusha« (1980), »Ran« (1985), »Rhapsodie im August« (1991).

Kuroshio [-ʃ-; japan. »schwarzer Strom«; nach der tiefblauen Wasserfarbe], warme, salzreiche Meeresströmung des Pazif. Ozeans auf der O-Seite der japan. Inseln.

Kurrentschrift [lat. »geläufige Schrift«], Schrift, bei der die einzelnen Buchstaben miteinander verbunden sind (Schreibschrift).

Kur|rheinischer Kreis, einer der (seit 1512 zehn) Reichskreise des Hl. Röm. Reiches bis 1806, umfasste die vier rhein. Kurfürstentümer Mainz, Trier, Köln, Pfalz und einige kleinere Territorien.

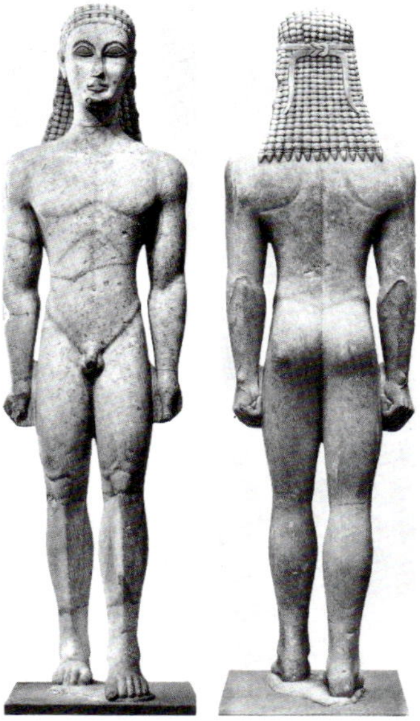

Kuros: Marmorplastik aus Attika (um 600 v. Chr.; New York, Metropolitan Museum)

Kurs [lat. »Lauf«] *der,* **1)** *Börsenwesen:* Preis für Wertpapiere, Devisen und Waren, die an einer Börse gehandelt werden, wobei der Begriff Börsen-K. offiziell durch die Bez. **Börsenpreis** ersetzt wurde. Der amtl. K. wird an der Präsenzbörse festgestellt und ergibt sich aus dem zum Zeitpunkt der K.-Bildung bestehenden Verhältnis von Angebot und Nachfrage. Für Kassageschäfte wird als **Einheits-K. (Kassa-K.),** der für den ganzen Börsentag gilt, der K. amtlich notiert, zu dem anhand der dem **K.-Makler** vorliegenden Kauf- und Verkaufsaufträge (unlimitiert »billigst« bzw. »bestens« oder mit Preisvorgabe) die meisten Geschäfte abgeschlossen werden können. Für bestimmte, in größeren Posten gehandelte Wertpapiere (100 Aktien im Nennwert von 5 DM oder 50 Aktien im Nennwert von 50 DM, bei festverzinsl. Wertpapieren ein Nennbetrag von 1 Mio. DM) werden daneben **fortlaufende Notierungen (variable, schwankende, fortlaufende K.)** zu Beginn **(Eröffnungs-K.),** im Verlauf **(Mittel-K.)** und zum Schluss der Börse **(Schluss-K.)** ermittelt. Für den Terminhandel gibt es noch die **Termin-K.** für Abschlüsse mit fest bestimmter Lieferungszeit oder Lieferungsfrist. An der Computerbörse können Börsengeschäfte mit umsatzstarken Wertpapieren ohne Einschaltung von K.-Maklern direkt zw. Anbieter und Nachfrager abgeschlossen werden. An ausländ. Börsen kommt auch das **Auktionsverfahren** zur Anwendung: Makler rufen einzelne Papiere auf, Interessenten geben Gebote ab, und der Abschluss erfolgt durch Zuruf zu versch. K., oder man einigt sich durch Abstimmung von Angebot und Nachfrage auf einen Einheits-K. Ohne Einigung wird das Wertpapier nicht notiert.

K. werden i. d. R. in der jeweiligen Landeswährung festgestellt, in Dtl. ist seit 1989 auch eine Notierung in fremder Währung oder in Rechnungseinheiten möglich. K. für festverzinsl. Wertpapiere werden in Prozent des Nennwertes (Prozentnotierung), K. für Aktien in DM je Stück (Stücknotierung) angegeben. Der **K.-Wert** ist der sich aufgrund des Börsenkurses ergebende effektive Wert eines Wertpapiers im Ggs. zum Nenn- oder Nominalwert. Bei der Stücknotierung sind K. und K.-Wert identisch. Bei der Notierung in Prozent des Nennwerts errechnet sich der K.-Wert aus (Nennwert × Kurs) / 100.

Für Devisen-K. ist die **Preisnotierung (direkte Notierung)** (x DM für 100 Einheiten der Auslandswährung) üblich, die auch für eine bestimmte Einheitsmenge einer gehandelten Ware angewandt wird, im Ggs. zur **Mengennotierung (Quantitätsnotierung)** oder **indirekten Notierung,** bei der die feste Währung im Inland liegt (x Einheiten der Auslandswährung für 100 DM); der **Mengen-K.** gibt an, wie viel Einheiten der ausländ. Währung dem festbleibenden Betrag der inländ. Währung entsprechen.

Die K. werden in dem an jedem Börsentag von der Börse herausgegebenen amtlichen **K.-Zettel (K.-Blatt)** veröffentlicht. Die K.-Zettel sind nach Wertpapieren, Devisen und Waren gegliedert. K.-Zettel u. a. K.-Veröffentlichungen enthalten ergänzende Angaben, die Aufschluss über das Börsengeschehen geben **(K.-Zusätze).**

Akira Kurosawa: Szene aus dem 1950 gedrehten Kinoklassiker »Rashomon«

Unter **K.-Regulierung** versteht man die Einflussnahme auf die K.-Bildung durch Kauf- oder Verkauforders durch an einem Wertpapier interessierte Kreise, v. a. Emissionsbanken, um z. B. eine Notierung überhaupt zu ermöglichen, größere K.-Schwankungen zu verhindern **(K.-Stabilisierung)** oder ein bestimmtes K.-Niveau zu halten **(K.-Stützung).** Die dauernde K.-Regulierung heißt **K.-Pflege** (Marktpflege).

Akira Kurosawa

2) *Pädagogik:* Lehrgang, Reihe von Vorträgen; Unterrichtseinheit in der gymnasialen Oberstufe; die Schüler wählen K. im Rahmen von Pflicht- und Wahlbereichen. In Gesamtschulen auch Bez. von parallel laufenden Klassen der Sekundarstufe I mit differenziertem Unterricht.

3) *See- und Luftfahrt:* Winkel zw. der Längsachse eines Schiffes oder Luftfahrzeugs und der Nordrichtung. Je nach dem Bezugspunkt unterscheidet man den **rechtweisenden K.** (Richtung

Kurs: Kurszusätze (Auswahl)

b, bz., bez.	=	bezahlt: die vorliegenden Aufträge sind zu dem K. ausgeführt worden
G	=	Geld: nur Nachfrage, kein Angebot; keine Abschlüsse
B, Br.	=	Brief: nur Angebot, keine Nachfrage; keine Abschlüsse
bez. G, bz. G	=	bezahlt Geld: überwiegende Nachfrage, die nur zum Teil befriedigt werden konnte
bez. B, bz. B	=	bezahlt Brief: überwiegendes Angebot, das nur zum Teil untergebracht werden konnte
–	=	gestrichen: keine Abschlüsse
r oder rep.	=	rationiert oder repartiert: Angebot oder Nachfrage in einem bestimmten Verhältnis gleichmäßig, nur anteilig befriedigt
T	=	Taxkurs: geschätzter Kurs, keine Umsätze
ex D, ex Div.	=	ohne Dividende: erste Notiz nach dem Dividendenabschlag

nach dem geograph. Nordpol), den **missweisenden K.** (Richtung nach dem nördl. Magnetpol) und den **Kompass-K.** (missweisender K. + Deviation, d.h. Abweichung durch das Magnetfeld des Fahrzeugs). Durch seitl. Versetzung infolge Wind- oder Strömungseinfluss (→Abdrift) wird der Kompass-K. zum **K. über Grund (wahrer** oder **Kartenkurs).**

Kürschner [slaw.], Handwerker, der Bekleidung aus Pelzwerk herstellt oder repariert. Ausbildungsberuf der Ind. (2 Jahre zum Pelzwerker und 1 Jahr zum K.) und des Handwerks (3 Jahre).

Kürschner, Joseph, Lexikograph, *Gotha 20. 9. 1853, †Windischmatrei (heute Matrei in Osttirol) 29. 7. 1902; Hg. und Redakteur zahlr. Jahrbücher und Nachschlagewerke, u.a. »Dt. National-Litteratur« (1882–99, 220 Bde.). 1883 übernahm er die Leitung des von den Brüdern Hart gegründeten »Allg. Dt. Literaturkalenders« (als »K.s Dt. Literatur-Kalender« im 60. Jg. 1988); daneben gibt es seit 1925 »K.s Dt. Gelehrten-Kalender« (ab [17]1996 in 2 Reihen); seit 1929 »K.s Dt. Musiker-Kalender« (1954); »K.s Biograph. Theater-Hb.« (1956); »K.s Graphiker-Hb.« (1959).

Kurs-Gewinn-Verhältnis, Abk. **KGV,** Kennziffer zur Beurteilung der Preiswürdigkeit einer Aktie; errechnet als Quotient aus Börsenkurs einer Aktie und dem Gewinn (Jahresüberschuss) pro Aktie der AG. Der Gewinn wird auch für künftige Jahre geschätzt. Meist wird auch die Gewinngröße um Sondereinflüsse korrigiert (»Ergebnis je Aktie«) oder alternativ der Cashflow verwendet **(Kurs-Cashflow-Verhältnis).** Aktien mit einem relativ niedrigen KGV gelten als preiswert.

Kursivschrift [lat.] (Kursive), Schrift mit nach rechts geneigten Buchstaben.

Kursk, Hptst. des Gebiets K., Russland, am Sejm, 435 200 Ew.; vier Hochschulen; Maschinenbau, chem., Leder-, Nahrungsmittelind.; Kernkraftwerk. – 1032 erstmals erwähnt, 1238 von Tataren zerstört, seit 1586 als russ. Grenzfestung gegen die Krimtataren ausgebaut, seit 1797 Gouv.-Hptst. – Die **Schlacht am Kursker Bogen** (Juli/Aug. 1943) war die größte Panzerschlacht des 2. Weltkriegs, in der der endgültige Rückzug der dt. Wehrmacht eingeleitet wurde.

Kursker Magnet|anomalie, größte magnetische Anomalie (Abweichung des erdmagnet. Feldes) der Erde, im europ. Teil Russlands, mit hochwertigen Eisenerzlagern; Förderung (seit 1952) in Tagebauen, Verhüttung in Stary Oskol.

Kurskreisel, zur Kursüberwachung von Flugzeugen und -körpern verwendetes Kreiselgerät. Hauptbauelement ist ein kardanisch aufgehängter, kräftefreier →Kreisel, der wegen der Erhaltung des Drehimpulses die Lage seiner Drehachse im Raum beibehält (Richtungs-, Kurshalter). Der Kardanrahmen trägt eine Kursskala mit Gradeinteilung, an der der jeweilige Kurs ablesbar ist. Im Gegensatz zum Kreiselkompass (→Kompass), der die Nordrichtung selbsttätig aufsucht, muss der K. auf die Nordrichtung eingestellt werden.

Kurswagen, *Eisenbahnverkehr:* Reisezugwagen, der auf dem Weg vom Ausgangs- zum Bestimmungsbahnhof verschiedenen Zügen angehängt wird.

Kurszettel (Kursbericht, Kursblatt), →Kurs.

Kurtág, György, ungar. Komponist, *Lugoj (Kr. Timiş) 19. 2. 1926, Schüler u.a. von O. Messiaen und D. Milhaud; seine Werke (vorwiegend Kammermusik, z.B. »Kafka-Fragmente« für Sopran und Violine, 1987) zeigen anfangs Einflüsse von B. Bartók, später von A. Webern.

Kurtage [kurˈta:ʒ(ə)], →Courtage.

Kurtaxe, in Heilbade- und Kurorten von den Gemeinden erhobene Abgabe für Benutzung der Kureinrichtungen.

Kurtisane *die,* urspr. Hoffräulein, später die Geliebte vornehmer Herren, auch Halbweltdame.

Kurtschatow, Igor Wassiljewitsch, sowjet. Physiker, *Sim (Gebiet Tscheljabinsk) 12. 1. 1903, †Moskau 7. 2. 1960; Professor in Leningrad und Moskau, zuletzt am jetzt nach ihm benannten Kernforschungszentrum in Dubna. Führend an der Entwickl. der sowjet. Atom- und Wasserstoffbombe, von Teilchenbeschleunigern und dem ersten Kernkraftwerk der Welt in Obninsk beteiligt.

Kurtschatowium [nach I. W. Kurtschatow] *das,* Symbol **Ku,** von sowjet. Forschern vorgeschlagene Bez. für →Rutherfordium.

kurulischer Stuhl [lat.], Klappstuhl ohne Rücken- und Seitenlehnen, im antiken Rom Amtssessel für die Inhaber der **kurul. Ämter:** Konsul, Prätor, Zensor, kurul. Ädil.

Kurvatur *die,* **1)** *Anatomie:* Krümmung, gekrümmter Teil eines Organs, z.B. große und kleine K. des Magens.

2) *Baukunst:* in der grch. Architektur an Stufen, Mauern, seltener am Gebälk von Tempeln vorkommende leichte Aufkrümmung der Horizontalen zur Mitte hin.

Kurve [lat. curva], im allg. Sprachgebrauch eine stetig gekrümmte Linie, in der Mathematik jede, auch die gerade Linie. Sie heißt **einfache K.,** wenn sie keine Doppelpunkte besitzt; eine **geschlossene K.** hat keine Endpunkte. Liegt die K. in einer Ebene, so heißt sie **ebene K.** (z.B. Gerade, Kreis, Parabel), im anderen Falle **Raum-K.** (z.B. Schraubenlinie). Ebene K. haben i.Allg. eine Krümmung, Raum-K. Krümmung und Windung. Eine stetige K. ist durch eine Gleichung zw. den Koordinaten ihrer Punkte bestimmt. Genügen die Koordinaten einer algebraischen Gleichung 2. Grades, so heißt die ebene K. (z.B. ein Kegelschnitt) **K. 2. Ordnung** oder **2. Grades.**

Kurvengetriebe (Kurventrieb), Getriebe, in dem von einem meist gleichförmig sich drehenden Kurventräger (Scheibe oder Zylinder) ein Eingriffsglied (Schieber oder Hebel) in bestimmt vorgeschriebene period. Bewegung versetzt werden kann, die durch entsprechende Kurvengestaltung realisiert wird. Bes. angewendet, wenn zw. den Bewegungszeiten vollkommene Stillstände des Eingriffsglieds verlangt werden (z.B. Nockenwelle).

Kurvenmesser (Kurvimeter), Gerät zur Längenmessung von Kurven, z.B. in topograph. Karten; ein Messrädchen, das längs der Kurve gerollt wird, überträgt die Länge auf einen Zeiger, der sie an mehreren, den übl. Landkartenmaßstäben entsprechenden Skalen anzeigt.

Kurverein von Rhẹnse, die Vereinigung der Kurfürsten (außer Böhmen) am 16. 7. 1338 in Rhense (heute Rhens, Kr. Mayen-Koblenz) zur Verteidigung des Reichsrechts und ihrer Kurrechte. Ihre Erklärung, dass der von ihnen mehrheitlich zum Röm. König Gewählte nicht der päpstl. Bestätigung (Approbation) bedürfe, wurde am 6. 8. 1338 von Ludwig IV., dem Bayern, zum Reichsgesetz erhoben.

Kụrz, 1) Hermann, Schriftsteller, *Reutlingen 30. 11. 1813, †Tübingen 10. 10. 1873; Vater von 2); volkstüml. Erzähler und Übersetzer, schrieb die Romane »Schillers Heimatjahre« (1843) und »Der Sonnenwirth« (1854).

2) Isolde, Schriftstellerin, *Stuttgart 21. 12. 1853, †Tübingen 5. 4. 1944; Tochter von 1); lebte 1877–1913 in Florenz im Kreis Böcklins und A. von Hildebrands, 1915–43 in München. Vom Italienerlebnis sind ihre Novellen (»Florentiner Novellen«, 1890), Romane (u.a. »Vanadis«, 1931) und Erzählungen bestimmt.

Kurz|arbeit, vorübergehende Herabsetzung der betriebsübl. Arbeitszeit. Zweck ist die Erhaltung von Arbeitsplätzen trotz fehlender Kapazitätsauslastung infolge Auftragsmangels. Soll mit der Einführung von K. eine Lohn- und Gehaltskürzung einhergehen und bestehen keine tarifvertragl. Vereinbarungen für diesen Fall, so muss entweder eine Betriebsvereinbarung mit dem Betriebsrat oder eine entsprechende Vereinbarung mit den Arbeitnehmern getroffen oder eine Änderungskündigung ausgesprochen werden. Bei der beim Arbeitsamt angezeigten K. besteht unter bestimmten Voraussetzungen (unvermeidbarer, strukturell oder konjunkturell bedingter, mindestens vier Wochen andauernder Arbeitsausfall in Höhe von mehr als 10% der Arbeitszeit für mindestens ein Drittel der Belegschaft) Anspruch auf **Kurzarbeitergeld** aus der Arbeitslosenversicherung für die Ausfallstunden (§§169–182 SGB III). Das Kurzarbeitergeld beträgt 67% (Arbeitnehmer mit Kindern), ansonsten 60% des um die gesetzl. Abzüge verminderten Arbeitsentgelts und wird i.d.R. für höchstens 6 Monate gewährt (derzeit gemäß VO vom 2. 3. 1999 bis 31. 3. 2001 höchstens 15 Monate).

Kurz|atmigkeit, die →Atemnot.

Kürzel (Sigel), feststehende Kürzung in der dt. Kurzschrift (→Stenographie).

kürzen, *Mathematik:* Zähler und Nenner eines →Bruches durch einen ihrer gemeinsamen Teiler dividieren, z.B. $\frac{3}{9} = \frac{1}{3}$ (»gekürzt durch 3«).

Kurzfilm, umfangmäßig begrenzter Film (zw. 300 und 1200 m) aller Gattungen; Spieldauer wenige Sekunden bis eine Stunde.

Kurzflügler (Raubkäfer, Staphylinidae), weltweit verbreitete, artenreiche Käferfamilie mit stark verkürzten Flügeldecken und lang gestrecktem Hinterleib. Sie leben häufig räuberisch im Boden, Moder oder als Bewohner u.a. von Ameisennestern.

Kurzgeschichte, Lehnübersetzung des amerikan. Gattungsbegriffs →Shortstory, mit diesem jedoch nicht deckungsgleich, da im Unterschied zum Amerikanischen im Deutschen die K. gegen andere Formen der Kurzprosa, insbesondere Novelle, Anekdote und Skizze, abzugrenzen ist. Kennzeichen der K. sind u.a. geringer Umfang, konzentrierte Komposition, Ausarbeitung des Details und Reduktion auf ein Moment inmitten alltägl. Begebenheiten. K. schrieben z.B. H. Böll, W. Borchert, M. L. Kaschnitz, F. Dürrenmatt.

📖 DODERER, K.: *Die K. in Deutschland. Ihre Form u. ihre Entwicklung. Darmstadt ^{6}1980.* – MARX, L.: *Die dt. K. Stuttgart 1985.* – DURZAK, M.: *Die Kunst der K. München ^{2}1994.*

Kurzköpfigkeit, die →Brachyzephalie.

Kurzschluss, durch Isolations- oder Schaltfehler entstehende, nahezu widerstandslos leitende Verbindung eines Leiters mit einem oder mehreren anderen Leitern eines Stromkreises und/oder Erde. Man unterscheidet bei Drehstromnetzen zw. **einpoligem K. (Erd-K.)** sowie zwei- und dreipoligem K., die auch als **unsymmetrische K.** bezeichnet werden. Bei einem **Doppelerdschluss** liegt eine leitende Verbindung zweier örtl. getrennter K.-Stellen über den Erdboden vor. Der über die K.-Stelle fließende **K.-Strom** kann zu Anfang einen mehrhundertfach über der normalen Betriebsstromstärke liegenden Wert haben.

Kurzschlusshandlung, rational unkontrollierte, unmittelbar durch starke emotionale Impulse (Affekte) ausgelöste Reaktion.

Kurzschlussläufermotor, *Elektrotechnik:* ein Asynchronmotor (→Elektromotor).

Kurzschrift, die →Stenographie.

Hermann Kurz
(Ausschnitt aus einer zeitgenössischen Lithographie)

Isolde Kurz

Kurzsichtigkeit (Myopie), auf Brechungsfehlern beruhende angeborene oder erworbene Fehlsichtigkeit, bei der die von einem sehr weit entfernten Gegenstand parallel in das Auge einfallenden Strahlen sich bereits vor der Netzhaut vereinigen. Der Abbildungsgegenstand erscheint unscharf auf der Netzhaut. Bei der Achsen-K. **(Achsenmyopie)** liegt die Ursache in einer meist erbl. Überlänge des Augapfels. Die Korrektur der K. erfolgt durch konkav geschliffene Brillengläser bzw. entsprechende Kontaktlinsen.

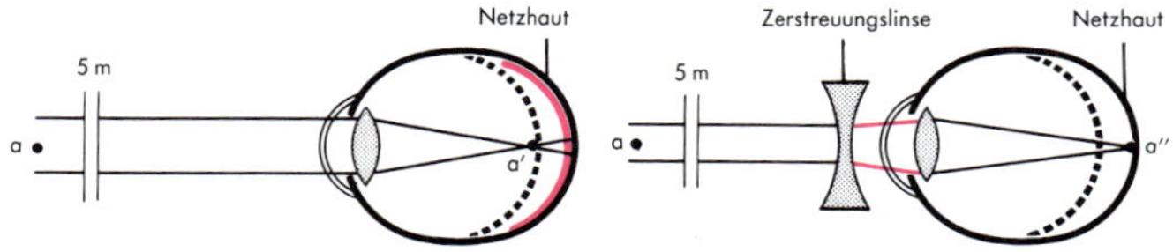

Kurzsichtigkeit: Strahlengang bei Achsenkurzsichtigkeit; Strahlengang beim unkorrigierten kurzsichtigen Auge (links) und Strahlengang beim mit einer Zerstreuungslinse korrigierten Auge; a Gegenstand, a' Brennpunkt (unkorrigiert), a'' Brennpunkt (korrigiert)

Kurzstartflugzeuge (STOL-Flugzeuge [STOL: Abk. von engl. **S**hort **T**ake-**o**ff and **L**anding]), Flugzeuge für kurze Start- und Landestrecken (etwa bis 300 m). Kurzstarteignung wird erreicht durch geringe →Flächenbelastung, hohen Startschub der Triebwerke sowie Verwendung von →Hochauftriebsmitteln.

Kurzstreckenlauf (Sprint), *Leichtathletik:* die Laufwettbewerbe über 100, 200 und 400 m. K. gehört seit 1896 zum olymp. Programm; auch Teil der Mehrkämpfe. Rekorde müssen seit 1976 elektronisch gestoppt werden.

Kurzwellen, Abk. **KW** (engl. high frequency, Abk. HF), elektromagnet. Wellen mit Wellenlängen von 10–100 m und entsprechend Frequenzen von 30–3 MHz. Der K.-Bereich ist der wichtigste Frequenzbereich für funktechn. Fernverbindungen. K. können gerichtet gesendet und empfangen werden, da die Wellenlänge mit der Antennengröße vergleichbar sein kann. Während die Bodenwelle infolge starker Absorption nur ca. 10–100 km weit empfangbar ist, erhält man wegen des Auftretens einer an der Ionosphäre gespiegelten Raumwelle eine extrem große Reichweite der K. Das zw. Boden- und Raumwellenempfang liegende Gebiet nennt man tote Zone. Wegen der sich tages- und jahreszeitlich sowie langperiodisch (Zyklus der Sonnenaktivität) ändernden Ionosphärenbedingungen muss zur Aufrechterhaltung einer ständigen K.-Verbindung die Betriebsfrequenz häufig gewechselt werden. Eine Prognose aller Einflüsse gestaltet sich immer noch schwierig; i. Allg. ergeben tagsüber kürzere (13–25 m), nachts längere Wellen besseren Empfang. Durch kurzzeitige Änderungen in der Ionosphäre treten oft Intensitätsschwankungen und Wiedergabeverzerrungen auf (Fading), die man elektronisch aufzufangen versucht. Dem K.-Rundfunk sind folgende Bänder zugeteilt (Bandbreite 200–500 kHz): 13-, 16-, 19-, 25-, 31-, 41- und 49-m-Band. Für den →Amateurfunk stehen das 10-, 15-, 20-, 40- und 80-m-Band zur Verfügung.

📖 SIEBEL, W.: *Weltweit Radio hören. Die Anleitung zum Kurzwellenempfang. Meckenheim* ^{10}*1997.*

Kurzwellenbehandlung, Anwendung von elektromagnet. Wellen zw. 6 und 30 m zur elektrotherapeut. Behandlung, urspr. eine Form der Hochfrequenzbehandlung. Mit gleicher Wirkung werden inzwischen bevorzugt Ultrakurzwellen eingesetzt. Zur Kurzwellendurchflutung des zu behandelnden Körperteils verwendet man entweder verstellbare Kondensatorelektroden, die auf einen bestimmten Hautabstand eingestellt werden, oder man legt induktiv wirkende Spulenelektroden an, die individuell angepasst werden. Die Wirkung der K. beruht auf der im Inneren des menschl. Körpers entstehenden Wärme, die sich bes. bei der Muskulatur und dem angrenzenden Fett- und Bindegewebe, weniger aber in der Haut auswirkt. In dem Bereich der Temperaturerhöhung kommt es zur Durchblutungssteigerung, Stoffwechselanregung, Muskelentspannung und zu einer schmerzstillenden Wirkung. Die K. wird v.a. bei Krankheiten der Bewegungsorgane, bei Neuralgien, Durchblutungsstörungen sowie bei Schmerzen im Gelenkbereich eingesetzt.

Kurzwellenlupe, in Rundfunkempfängern eine Schaltung zur Feinabstimmung im Kurzwellenbereich, bes. durch Spreizen der Bänder oder von Teilen davon.

Kurzzeile, in der Metrik rhythm. Periode v.a. im ahd. Vers mit bis zu vier Hebungen (im Unterschied zur Langzeile).

Kurzzeitmesstechnik, Gesamtheit der Verfahren und Geräte zur Untersuchung und Messung sehr schnell (zw. 1 s und weniger als 1 ns) ablaufender Vorgänge. **Mechan. Kurzzeitmessgeräte** sind z.B. Stoppuhr oder Chronograph. In **elektr. Kurzzeitmessgeräten** können u.a. die Ladespannung eines Kondensators oder die Ablenkung eines Kathodenstrahls als Zeitmaß dienen. **Elektron. Zähler** arbeiten mit Impulsgeneratoren, die von dem zu messenden Vorgang gestartet werden. Die Anzahl der in dem Zeitintervall gelieferten Impulse ist ein Maß für dessen Zeitdauer. Mit Elektronenstrahloszillographen sind durch Vergleich mit einer bekannten Frequenz Zeiten von 10^{-9} s, bei period. Vorgängen mithilfe punktweiser Abtastung (Sampling-Oszillograph) sogar von 10^{-11} s messbar. Durch Kombination von fotograf. und elektron. Methoden können (z.B. mit der Streakkamera) noch Vorgänge im Bereich 10^{-12} s zeitaufgelöst untersucht werden. – Durch die Entwicklung von Lasern, die intensive ultrakurze Lichtimpulse im Piko(10^{-12})- und Femto(10^{-15})-Sekundenbereich erzeugen können, und die Entwicklung spektroskop. Untersuchungsmethoden **(Ultrakurzzeitspektroskopie)** sind (z.B. mittels Laufzeitmessungen) Zeitdifferenzen von weniger als 10^{-13} s messbar. Solche hoch auflösenden Kurzzeitmessgeräte werden v.a. in der Physik **(Kurzzeitphysik),** Chemie und Biologie benötigt, da Relaxations- und viele Energieaustauschprozesse in Atomen, Molekülen oder Festkörpern sowie die elementaren Schritte bei chem. Reaktionen und biolog. Lebensvorgängen (wie bestimmte Abläufe bei der Photosynthese) derartige ultrakurze Vorgänge darstellen.

Kusair Amra (Qasr Amra), kleines omaijad. Jagdschloss östlich von Amman (um 715 n.Chr.) mit Audienzhalle und Baderäumen in reicher Ausstattung, bedeutende Zeugnisse der islam. Kunst.

Kusch, altägypt. Name für →Nubien. (→Äthiopien)

Kusch [kuːʃ], Polykarp, amerikan. Physiker dt. Herkunft, *Blankenburg (Harz) 26. 1. 1911, †Dallas (Tex.) 20. 3. 1993; seit 1949 Prof. an der Columbia University; war an der Entwicklung der Atomstrahlresonanzmethode beteiligt, wies dabei 1947 nach, dass das magnet. Moment des Elektrons um rd. $^1/_{1000}$ größer als ein bohrsches Magneton ist; für diese Präzisionsmessung erhielt er 1955 den Nobelpreis für Physik (mit W. E. Lamb).

Kuschiten, Sammelbez. für mehrere äthiopide Völker in NO-Afrika (Oromo, Somal, Bischarin u.a.); rd. 30 Mio. Die kuschit. Sprachen gehören zu den →hamitosemitischen Sprachen.

Kusel, 1) Landkreis im RegBez. Rheinhessen-Pfalz, Rheinl.-Pf., 573 km², (1996) 79300 Einwohner.

2) Krst. von 1), im Nordpfälzer Bergland, 5700 Ew.; Druckereimaschinenherstellung, Brauerei; Fremdenverkehr.

Kusenberg, Kurt, Schriftsteller, *Göteborg 24. 6. 1904, †Hamburg 3. 10. 1983; Kunstkritiker, Essayist und Erzähler humorist.-skurriler Geschichten (»Heiter bis tückisch«, 1974).

Kushana [kuʃ-] (Kushan), Dynastie in Zentralasien und Indien im 1.–3./4. Jh. n. Chr.; ging hervor aus den Führern eines Klans der nomad. Tocharer (in chines. Quellen Yuezhi), die sich um 128 v. Chr. am mittleren Oxus (Amudarja) niederließen, Baktrien eroberten und das Gebiet zunächst in fünf Herrschaftsbezirke unterteilten (darunter das Fürstentum der K.). Nach Errichtung eines geeinten Reiches im 1. Jh. (Ausdehnung über den Hindukusch nach S, Eroberung des Ersten der →indoskythischen Reiche) umfasste das Herrschaftsgebiet der K. unter Kanishka weite Teile Zentralasiens und N-Indien bis ins östl. Gangestal; löste sich seit dem 3. Jh. (Verlust Baktriens) unter dem Druck der Sassaniden auf.

Kushiro [kuʃ-], Hafenstadt auf Hokkaidō, Japan, 202300 Ew.; Papier-, chem. Ind., Fischkonservenherstellung; Flugplatz.

Kusair Amra: Omaijadisches Jagdschloss aus dem frühen 8. Jahrhundert

Kuskokwim River [ˈkʌskɔkwɪm ˈrɪvə] *der,* Fluss in Alaska, USA, 1165 km lang, entspringt in der Alaskakette und mündet ins Beringmeer.

Kuskus *der* und *das* (Couscous), nordafrikan. Gericht aus Grieß, Hammelfleisch und Gemüse.

Kuskuse (Phalanger), Gattung nachtaktiver, ratten- bis katzengrosser Kletterbeutler mit Greifschwanz und großen Nachtaugen, die von N-Australien bis Celebes vorkommen.

Polykarp Kusch

Kusmin, Michail Alexejewitsch, russ. Schriftsteller, *Jaroslawl 5. 10. 1875, †Leningrad (heute Sankt Petersburg) 3. 3. 1936; schloss sich den Symbolisten an, entwickelte aber dann eine mehr dem Konkreten zugewandte, formal klar gebaute Poesie **(Klarismus),** die zum Surrealismus neigte; schrieb u.a. die Biographie »Das wunderl. Leben des Grafen Cagliostro« (1919).

Küsnacht (ZH), Gemeinde im Kt. Zürich, Schweiz, am O-Ufer des Zürichsees, 12400 Ew.; Textil- und Verpackungsindustrie.

Kusnezker Kohlenbecken (russ. Kurzform Kusbass), eines der wichtigsten Steinkohlenreviere Russlands, im SO W-Sibiriens. Kohle führende Schichten treten auf einer Fläche von 26000 km² auf (725 Mrd. t geschätzter Gesamtvorrat), Förderung teilweise im Tagebau. Das K. K. versorgt neben den Hüttenwerken in Nowokusnezk die Ind. des S-Urals mit Koks und Kohle; das bedeutendste Stahlwerk ist in Leninsk-Kusnezki (Erze aus dem Ural).

Kuss, das Berühren eines Menschen oder Gegenstandes mit den Lippen. Der K. leitet sich möglicherweise von der Mund-zu-Mund-Fütterung

Küssnacht am Rigi: Ansicht des Stadtgebiets zwischen Vierwaldstätter See und Zuger See (im Hintergrund)

ab. Neben der Funktion des Bezeugens von Zuneigung, Verehrung (Hand-K.), Unterwerfung (Fuß-K.) oder der Begrüßung und Verabschiedung (als K. gilt auch der Nasengruß bei Naturvölkern) hat der K. auch erotisch-sexuelle und bei Verlöbnis- und Eheschließungsritualen symbol. Bedeutung; bei versch. Handlungen hatte er Rechtskraft. Grundlage der religiösen Symbolik des K. ist der Austausch von Kraft durch die Berührung und Begegnung des Atems (Hauchseele). – Der Missbrauch des K. wird in allen Kulturen negativ gewertet (Judas-K. als Zeichen des Verrats).

Kussewitzky, Sergej Alexandrowitsch, amerikan. Dirigent russ. Herkunft, * Wischni-Wolotschok (Gebiet Twer) 26. 7. 1874, † Boston 4. 6. 1951; setzte sich v. a. für Werke zeitgenöss. russ., frz. und amerikan. Komponisten ein.

Kußmaul, Adolf, Arzt, * Graben (heute zu Graben-Neudorf, Kr. Karlsruhe) 22. 2. 1822, † Heidelberg 27. 5. 1902; führte 1869 die Magenausheberung mit einer Pumpe zur Behandlung von Magenkrankheiten ein und beschrieb die nach ihm benannte vertiefte Atmung bei diabet. Koma.

Küssnacht am Rigi, Bezirkshauptort im Kt. Schwyz, Schweiz, am Vierwaldstätter See, 9 400 Ew.; Heimatmuseum; Kalenderfabrik, Käserei, Obstbau; Fremdenverkehr. – Im Ortsteil Immensee, der sich bis an den Zuger See erstreckt, die durch die Tellsage bekannte Hohle Gasse mit Tellskapelle (1638); über dem Ort die »Geßlerburg« (1263 erstmals erwähnt).

Kustanai (kasach. Kostanai), Gebiets-Hptst. im NW von Kasachstan, am linken Ufer des Tobol, 228 000 Ew.; Hochschulen; Kunstfaser-, Kammgarnwerk, Schuhind., Motorenbau; Bahnknotenpunkt, Flughafen.

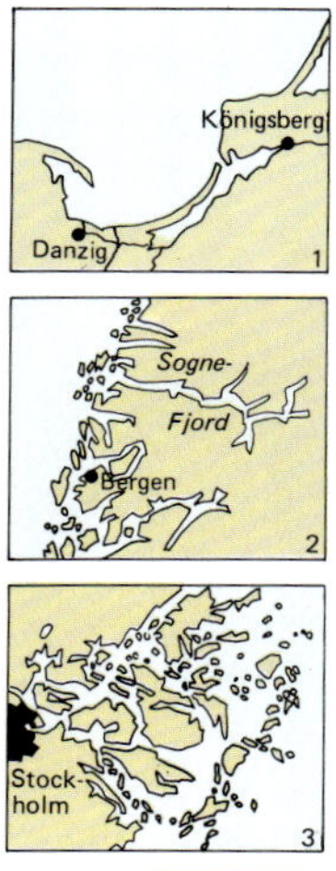

Küste:
1 Haff,
2 Fjordküste,
3 Schärenküste,
4 Riaküste,
5 Boddenküste

Küste [niederländ. aus lat. costa »Seite«], Grenzraum zw. Meer und Land, von stark wechselnder Breite (1 m bis viele km). Die Berührungslinie im Mittelwasserniveau an gezeitenlosen K. oder im Mittelhochwasserniveau an Gezeiten-K. ist die **Ufer-** oder **Strandlinie.** Sie trennt die beiden Hauptzonen der K.: das landwärts bis zur obersten gegenwärtigen Meereswirkung reichende **Ufer** (sofern es von Sand oder Geröll bedeckt ist, auch **Strand**) und die sich meerwärts bis zur äußersten gegenwärtigen Brandung ausdehnende **Schorre.** Durch Brandung, Gezeiten, Meeresströmungen, Hebungs- und Senkungserscheinungen, Meeresspiegelschwankungen und durch die Ablagerungen der Flüsse wird die K. ständig verändert. Durch Nachlassen der Transportkraft beim → Küstenversatz kann sich an einer Landspitze aus einer Sandzunge ein Haken entwickeln, der in Strömungsrichtung zur **Nehrung** wachsen kann, d. h. einem schmalen, aus Sand aufgebauten Landstreifen, der oft mit Dünen besetzt ist. Wird die Verbindung mit der K. wieder unterbrochen, spricht man von Nehrungsinsel oder **Lido.** Die von der Nehrung vom offenen Meer abgetrennte Bucht wird **Haff** genannt. Ein vollkommen abgeriegeltes Haff bezeichnet man als **Strandsee.** Die **Limane** der Nord-K. des Schwarzen Meeres sind haffähnl. Buchten, bei denen Nehrungen ertrunkene Flussmündungen abtrennen. Durch den K.-Versatz (Strandversetzung) kommt es zu einem Ausgleich in der K.-Linie **(Ausgleichs-K.).** Senkungs-K. entstehen durch das Eindringen des Meeres in den Festlandbereich, wobei je nach dem überfluteten Relief versch. Küstenformen entstehen können: **Fjord-K.** (Norwegen, Grönland, S-Alaska, S-Chile) sind ertrunkene glaziale Trogtäler; **Schären-K.** (Schweden, Finnland) entstanden um die Rundhöcker glazialer Ausraumgebiete. Aus Subglazialrinnen und Zungenbecken glazialer Aufschüttungsgebiete wurden **Förden-K.** (O-Seite Jütlands und Schleswig-Holstein) sowie **Bodden-K.** (Mecklenburg). Ertrunkene Flusstäler alter Faltenrümpfe bilden die **Ria-K.** (NW-Spanien, Bretagne, S-China), Flussmündungen und Talungen junger Kettengebirge die **Cala-K.** (westl. Mittelmeer) sowie **Canale-K.** (Dalmatien), Flusstäler flacher Tafelländer die **Liman-K.** (S-Russland). Bei der Hebungs-K. sind Bereiche des ehem. Strandes sowie vormals untermeer. Gebiete zu Land geworden, wovon oftmals gehobene Schorren, landeinwärts gelegene Kliffe und alte Strandwälle zeugen. Bei widerstandsfähigen Gesteinen bilden sich **Steil-K.** (Kliff-K.), bei weniger widerstandsfähigem Gestein **Flachküsten.**

📖 KELLETAT, D.: *Phys. Geographie der Meere u. K.n. Stuttgart 1989.* – KLUG, H.: *Flutwellen u. Risiken der K. Stuttgart 1986. – Klimaänderung u. K. Einblick ins Treibhaus, hg. v.* H.-J. SCHELLNHUBER *u.* H. STERR. *Berlin u. a. 1993.*

Küstenfieber (afrikanisches K., Ostküstenfieber, rhodesisches Fieber), durch das Sporentierchen Theileria parva hervorgerufene, durch Zecken übertragene →Piroplasmose der Rinder, bes. im O und W Afrikas; verläuft mit Fieber, Lymphknotenschwellung, Atemnot, blutigem Durchfall.

Küstenfischerei, →Fischerei, →Fischereirecht.

Küstengebirge, Gebirgszug an der Pazifikküste in Nordamerika, →Coast Ranges.

Küstengewässer (Küstenmeer), die vor der Küste liegenden Meeresteile, die zum Hoheitsgebiet des Küstenstaates (Territorial-, Hoheitsgewässer) gehören mit der völkerrechtl. Einschränkung, dass allen Schiffen die friedl. Durchfahrt gestattet werden muss. Die Grenze zw. dem Staatsgebiet der Uferstaaten und der hohen See verläuft im Meer. Die Küstenlinie, von der aus die Ausdehnung des K. berechnet wird, richtet sich nach dem tiefsten Meeresstand bei Tiefebbe; Sonderregeln bestehen für Inseln, Buchten und Meerengen. Für die allg. Festlegung dieser Grenze galt früher die **Dreimeilenzone** (5556 m); nach der Seerechtskonvention vom 10. 12. 1982 können die Staaten maximal 12 Seemeilen in Anspruch nehmen.

Küstenkanal, Schifffahrtskanal in Ndsachs., von der Ems bei Dörpen zur Hunte bei Oldenburg (Oldenburg), 69,6 km lang, 1935 eröffnet, wichtig für den Verkehr vom Rhein-Ruhr-Gebiet nach Bremen; für 1350-t-Schiffe befahrbar.

Küstenmeer, →Küstengewässer.

Küstenschifffahrt, Schifffahrtsverkehr entlang der Küste; i.e.S. die →Kabotage.

Küstenschutz, Maßnahmen zur Sicherung der Küsten des Festlandes und der Inseln gegen die zerstörenden Einwirkungen des Meeres. Man unterscheidet zw. Maßnahmen des Hochwasserschutzes (→Deich, →Sperrwerk) und des Erosionsschutzes, bei Letzterem zw. passiven und aktiven Maßnahmen. Zu den passiven zählen Baumaßnahmen zur Verteidigung der Küstenlinie (Buhnen, Ufermauern, Deckwerke, Wellenbrecher und Dünenbau), zu den aktiven die Gewinnung von Vorland (→Landgewinnung) vor einem Schardeich, um diesen bei Sturmflut zu entlasten.

📖 KRAMER, J.: *Kein Deich – kein Land – kein Leben. Geschichte des K. an der Nordsee. Leer 1989. – Histor. K., bearb. v.* J. KRAMER *u.* H. ROHDE. *Stuttgart 1992.*

Küstenversatz (Strandversetzung), Verlagerung von Sedimentmaterial längs einer Küste, verursacht durch schräg auflaufende Brandung und deren senkrechtes Zurückfluten.

Küster [von lat. custos »Wächter«] (Mesner, Kirchner, Glöckner), kirchl. Angestellter für die äußere Vorbereitung des Gottesdienstes und die Aufsicht über das Kirchengebäude.

Kustos [lat. »Wächter«] *der,* **1)** *allg.:* wiss. Sachbearbeiter an Museen.

2) *Buchdruck:* früher die am Schluss einer Seite gesetzte Anfangssilbe der nächsten Seite.

3) *kath. Kirche:* **1)** (Domkustos), der mit der Oberaufsicht über einen Dom betraute Domkapitular oder -vikar; **2)** Vorsteher einer Vereinigung mehrerer Klöster **(Kustodie)** des Franziskanerordens.

Küstrin, Stadt in Polen, →Kostrzyn.

Kusturica [-tsa], Emir, bosn. Filmregisseur, *Sarajewo 1954; studierte in Prag; beeindruckte mit preisgekrönten Spielfilmen: »Papa ist auf Dienstreise« (1984), »Time of the Gypsies« (1989), »Arizona Dream« (1992), »Underground« (1995).

Emir Kusturica

Kusus (Trichosurus), Gattung der Kletterbeutler in Australien und auf Tasmanien; **Fuchs-K.** (Trichosurus vulpecula; 35–55 cm Körperlänge,

Küste (von oben): Flachküste; ehemaliger, nacheiszeitlich gehobener Meeresboden mit eiszeitlichen Geschieben in Nordwest-Finnland und Steilküste; Kliff mit Brandungsplatte in schräg gestellten Schichten bei Saint-Jean-de-Luz im Südwesten Frankreichs

25–40 cm Schwanzlänge, Färbung grau, braun oder schwärzl.) und **Hunds-K.** (T. caninus; 40–50 cm Körperlänge, 34–42 cm Schwanzlänge, Färbung oberseits grau, unterseits weißlich) haben einen buschigen Greifschwanz.

Kutaissi: Ruine der um 1000 n. Chr. erbauten Bagratkirche, der Kreuzkuppelbau wurde 1691 zerstört

Kut (früher Kut al-Amara, Kut el-Imara), Provinz-Hptst. in Irak, am unteren Tigris; 183 000 Ew.; Baumwollverarbeitung; in der Nähe ein 1937–39 errichteter Staudamm (K. Barrage).

Leonid Kutschma

Kütahya, Provinz-Hptst. in der Türkei, im westl. Inneranatolien, 131 300 Ew.; Metallverarbeitung, Zucker-, Keramikind., Stickstoffwerk; westlich von K. bedeutender Braunkohlenabbau. – Mittelalterl. Zitadelle und Kuppelmedrese, Große Moschee (1411/12 gestiftet).

Kutaissi, Stadt in Georgien, am Rioni, 238 200 Ew.; TH; Lastkraftwagen-, Traktoren-, Bergbauausrüstungsbau, Textil-, Leder-, Nahrungsmittelindustrie. – Ruinen der Bagratkirche (um 1000, 1691 zerstört); Kloster Gelati (gegr. 1106, heute Museum). – Seit dem 10. Jh. bis 1122 Residenz der georg. Fürsten, seit dem 15. Jh. Hptst. von Imeretien, im 17./18. Jh. türkisch, 1810 an Russland.

Michail Kutusow

kutan [lat. cutis »Haut«], die Haut betreffend.

Kutch, Golf von [-kʌtʃ] (Golf von Kachh), Bucht des Arab. Meeres an der nördl. W-Küste Indiens, zw. der Halbinsel Kathiawar und der Landschaft **Rann von Kutch,** einem ausgedehnten, periodisch überfluteten Salzsumpf an der Grenze zu Pakistan. Hier befand sich urspr. das Mündungsgebiet des Indus. Überseehafen Kandla.

Kutikula [lat. »Häutchen«] *die* (Cuticula), von Epithelzellen nach außen abgeschiedene Schicht aus einer strukturlosen erhärtenden Substanz (Cutin); bedeckt die Oberfläche vieler Tiere und Pflanzen als wirksamer mechan. Schutz und Verdunstungsschutz.

Kutná Hora (dt. Kuttenberg), Stadt im Mittelböhm. Gebiet, Tschech. Rep., 21 400 Ew.; Nahrungsmittel-, Textilind., Maschinenbau; Blei-Zink-Erzbergbau. – Die Stadt steht unter Denkmalschutz. Bed. Bauten u. a. spätgot. Barbarakirche (Baubeginn unter Peter Parler 1388, von B. Ried im 16. Jh. vollendet), der »Welsche Hof« (alte Münzstätte, 14./15. Jh.), das Steinerne Haus (Altes Rathaus, 15. Jh.), St.-Jakob-Kirche (1330–1420), Jesuitenkolleg (1667–1700), Bürgerhäuser aus Gotik, Renaissance und Barock. – K. war die bedeutendste Bergbaustadt Böhmens. Im 18. Jh. erlosch der seit 1237 betriebene Silberbergbau.

Kutsche [aus ungar. kocsi, eigtl. »Wagen (aus dem Ort Kocs)«], von Pferden gezogener Reisewagen mit festem oder zurückschlagbarem Verdeck. Aus der im 15. Jh. aufgekommenen und im 16. Jh. üblichen K. haben sich viele Wagenformen (z. B. Berliner, Droschke, Landauer) entwickelt.

Kutscher, Artur, Literatur- und Theaterwissenschaftler, *Hannover 17. 7. 1878, †München 29. 8. 1960; seit 1915 Prof. ebd.; mit M. Herrmann Begründer der Theaterwissenschaft; u. a. »Grundriß der Theaterwissenschaft« (2 Bde., 1932–36).

Kutschma (Kučma), Leonid Danilowitsch, ukrain. Politiker, *Tschajkine (Gebiet Tschernigow) 1938; Ingenieur, in sowjet. Zeit führend in der Rüstungsindustrie tätig, von Okt. 1992 bis Sept. 1993 MinPräs., setzte sich bei den Präsidentschaftswahlen 1994 am 10. 7. gegen den bisherigen Amtsinhaber Präs. L. M. Krawtschuk durch.

Kutte [von mlat. cotta], Mönchsgewand, bis auf die Füße reichende langärmelige, gegürtete Tunika mit Kapuze.

Kutná Hora: Die von Peter Parler ab 1388 erbaute spätgotische Barbarakirche wurde von Benedikt Ried im 16. Jh. vollendet

Kutteln (Kaldaunen), *Gastronomie:* Magen, Netz und Darm (Gekröse) von Rind und Lamm, aus denen mit Essig und Gewürzen ein Gericht **(Kuttelfleck, Flecke)** zubereitet wird.

Kuttenberg, Stadt in der Tschech. Republik, →Kutná Hora.

Kuwait

Fläche: 17 818 km²
Einwohner: (1995) 1,547 Mio.
Hauptstadt: Kuwait
Verwaltungsgliederung: 5 Verwaltungsbezirke
Amtssprache: Arabisch
Nationalfeiertag: 25. 2.
Währung: 1 Kuwait-Dinar (KD.) = 1 000 Fils
Zeitzone: MEZ +2 Std.

Kutter [zu engl. to cut »schneiden«], 1) einmastiges Segelschiff; heute auch Bez. für Jachten mit einem Großsegel und zwei Vorsegeln (K.-Takelung); 2) Beiboot eines Kriegsschiffs zum Rudern **(Riemen-K.)** und/oder mit Segeln; 3) kleineres Fischereifahrzeug (10–30 m lang) für die Küsten- und kleine Hochseefischerei **(Fischkutter).**

Kutusow, Michail Illarionowitsch, Fürst Smolenski (seit 1812), russ. Feldmarschall, *Sankt Petersburg 16. 9. 1745, †Bunzlau 28. 4. 1813; befehligte in der Schlacht bei Austerlitz (2. 12. 1805) das österr.-russ. Heer. In der Schlacht bei Borodino (7. 9. 1812) setzte er als russ. Oberbefehlshaber der Armee Napoleons I. energ. Widerstand entgegen und besiegte sie bei Smolensk (Nov. 1812).

Kuusinen, Otto Wilhelmowitsch, sowjet. Politiker finn. Herkunft, *Laukaa (Prov. Keski-Suomi) 4. 10. 1881, †Moskau 17. 5. 1964; 1918 Führer des kommunist. Aufstands in Finnland, bildete zu Beginn des sowjetisch-finn. Kriegs (1939) eine von der UdSSR gestützte Gegenregierung. 1940–56 war er Vors. des Präsidiums des Obersten Sowjets der Karelo-Finn. SSR, 1952-53 und 1957–64 Mitgl. des Präsidiums der KPdSU.

Kuvert [-ˈveːr oder -ˈvɛːr] *das* (Couvert), 1) Briefumschlag; 2) in der Gastronomie ein (Tafel-)Gedeck für eine Person.

Küvette [frz.] *die,* Glas- oder Quarzgefäß mit plan geschliffenen Wänden für opt. Untersuchungen.

Kuwait (Kowait, Kuweit, amtlich arab. Daulat al-K.), Staat (Emirat) am NW-Ende des Pers. Golfs, grenzt im W und N an Irak, im O an den Pers. Golf und im S an Saudi-Arabien.

Staat und Recht: Nach der Verf. von 1962 (1976 z. T. außer Kraft gesetzt) ist K. ein erbliches islam. Fürstentum (Emirat). Staatsoberhaupt ist der von der herrschenden Dynastie gewählte Emir. Er ernennt den MinPräs. und auf dessen Vorschlag die übrigen Mitgl. des Kabinetts. Die Legislative liegt bei der Nationalversammlung (50 für vier Jahre gewählte sowie 25 vom Emir ernannte Abg.), wobei ihre Ges. vom Emir zurückgewiesen werden können, falls sich für sie keine qualifizierte Mehrheit findet. Polit. Parteien sind offiziell nicht zugelassen; zur Opposition gehören drei islamisch-fundamentalist. Gruppen (Nat. Islam. Allianz, Islam. Verfassungsbewegung, Islam. Konstitutionelle Sammlung) sowie das sozial-liberale Demokrat. Forum und die Parlamentar. Allianz.

Landesnatur: K. liegt inmitten einer wüstenhaften, von Hügelketten durchzogenen Küstenebene. Vor dem Schatt el-Arab befinden sich die Schwemmlandinseln Warbah und Bubian. Das Klima ist mit Ausnahme der Wintermonate (Temperaturen bis unter 0 °C; durchschnittlich 100 mm Niederschlag) heiß, regenlos, aber schwül. Trinkwasser wird durch Meerwasserentsalzung gewonnen oder importiert. Die während des 2. →Golfkrieges (1991) ausgelösten über 700 Brände von Erdöl- und Erdgasförderanlagen verursachten schwere Umweltschäden.

Bevölkerung: Sie lebt größtenteils in der Hptst. K. und anderen, jungen städt. Siedlungen (97% Städt. Bev.). Seit Beginn des Erdölexportes wuchs die Bev. durch den Zustrom ausländ. Arbeitskräfte stetig an. Bis Aug. 1990 waren etwa 60% der Gesamtbev. Ausländer (75% der Erwerbstätigen), davon 60% Ost- und Südasiaten, 38% Araber (Palästinenser, Jordanier, Ägypter u. a.) und rd. 1% Europäer. 1991 mussten die Palästinenser als angebl. Sympathisanten Iraks mehrheitlich das Land verlassen. Als Kuwaiti gelten die ausschließlich muslim. Staatsbürger, deren Familien seit 1920 in K. ansässig sein müssen. K. hat eines der höchsten Pro-Kopf-Einkommen aller Staaten; für die Kuwaiti bestehen Steuerfreiheit, kostenlose ärztl. Versorgung sowie Altersversorgung ab dem 55. Lebensjahr. – Das Schulsystem führt bei völliger Lernmittelfreiheit vom Kindergarten bis zur Univ. (1966 eröffnet); etwa 21% Analphabeten. – Über 90% bekennen sich zum Islam (etwa 70% Sunniten), rd. 4% zum Christentum.

Wirtschaft, Verkehr: Alle Wirtschafts- und infrastrukturellen Einrichtungen wurden während

Staatswappen

KWT

Internationales Kfz-Kennzeichen

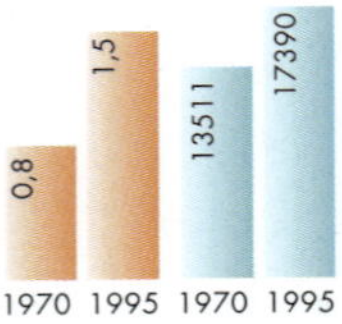

Bevölkerung (in Mio.)
Bruttosozialprodukt je Ew. (in US-$)

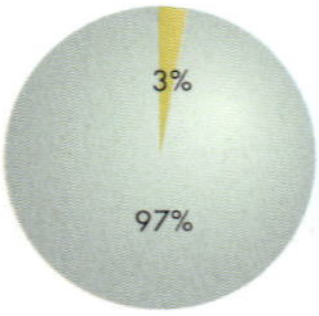

Stadt
Land

Bevölkerungsverteilung 1994

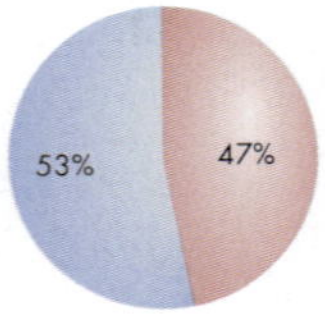

Industrie
Landwirtschaft
Dienstleistung

Bruttoinlandsprodukt 1994

des 2. Golfkrieges stark zerstört. Grundlage der staatlich gelenkten Wirtschaft sind die umfangreichen Erdölvorkommen (Förderung seit 1946), deren Reserven zu den größten der Welt zählen. Die exportorientierte Erdölwirtschaft ist der weitaus wichtigste Wirtschaftszweig. K. verfügt mit 13 Mrd. t über die viertgrößten sicheren Erdölreserven der Erde und steht in der Förderung an 13. Stelle (1996). Bed. Ind.zweige sind die Erdölverarbeitung (drei Raffinerien), Erdgasaufbereitung, petrochem. Ind., Düngemittelproduktion, Meerwasserentsalzung und die Bauindustrie. Die Fischwirtschaft (v.a. Fang von Krustentieren) deckt nicht nur den einheim. Bedarf. Nur 1 % der Staatsfläche wird landwirtschaftlich genutzt (v.a. Gemüsegartenbau; mit Bewässerung). – Einnahmen aus der Erdölwirtschaft ermöglichten Kapitalanlagen im Ausland. – Das durchgehend asphaltierte Straßennetz hat eine Länge von 4500 km. K. verfügt über fünf moderne Häfen, darunter vier Erdölexporthäfen; internat. Flughafen bei der Hauptstadt.

Kuwait: Gegen Ende des 2. Golfkriegs von den abziehenden irakischen Truppen in Brand gesetzte Ölquellen

Geschichte: Im Gebiet von K., das im 7. Jh. Bestandteil des Kalifenreiches wurde und an dessen Küste die Portugiesen im 16. Jh. ein Fort errichteten, ließen sich um 1710 Teile des arab. Stammes der Anaza nieder; 1756 übernahm ein Scheich aus der Familie Al-Sabbah die Macht in K. und begründete die bis heute regierende Dynastie. Ende des 18./Anfang des 19. Jh. von Eroberungszügen der Wahabbiten betroffen, erkannte K. 1829 die Oberhoheit des Osman. Reichs an; 1899 schloss es einen Protektoratsvertrag mit Großbritannien, der erst 1914 wirksam wurde. 1922 wurde mit brit. Unterstützung eine »Neutrale Zone« zw. K. und Nedjd (Teil des späteren Saudi-Arabien) geschaffen (1965 Aufteilung zw. beiden Staaten). Die 1946 einsetzende Erdölförderung begründete den Wohlstand von K., bewirkte aber auch einen starken Zulauf ausländ. Arbeitskräfte. Mit Aufhebung des brit. Schutzvertrages erlangte K. am 19. 6. 1961 seine Unabhängigkeit, wurde im selben Jahr Mitgl. der Arab. Liga und 1963 der UNO. Erst 1963 erkannte Irak die Unabhängigkeit von K. an. 1974/75 wurden die im ausländ. Besitz befindl. Erdölgesellschaften verstaatlicht. Im 1. →Golfkrieg (1980–88) unterstützte K. Irak wirtschaftlich und politisch gegen Iran. Nach Auflösung des Parlaments (Juli 1986) sah sich der seit Dez. 1977 regierende Emir Jabir al-Ahmad al-Sabbah mit einer zunehmenden Opposition konfrontiert und kam den Forderungen nach Rückkehr zum Parlamentarismus teilweise nach (Wahlen zu einem Nationalrat als Übergangsparlament im Juni 1990). Der irak. Überfall auf K. (2. 8. 1990, am 28. 8. 1990 Angliederung als 19. Provinz Iraks) führte zum 2. →Golfkrieg (Jan./Febr. 1991), in dem alliierte Streitkräfte unter Führung der USA das Land wieder befreiten. Im März 1991 kehrte der am 2. 8. 1990 nach Saudi-Arabien emigrierte Emir in das schwer zerstörte K. zurück (erst am 6. 11. 1991 Löschung der letzten von irak. Truppen in Brand gesetzten Ölquellen). Die Regierung ging mit großer Härte gegen alle der Kollaboration Verdächtigen vor (Verfolgung, Verurteilung und Ausweisung bes. von Palästinensern). Das bis zum 26. 6. 1991 mit Ausnahmezustand regierende Herrscherhaus verzögerte auch danach die Rückkehr zu einem parlamentar. System. Trotz des Wahlsieges der Opposition bei den Parlamentswahlen am 5. 10. 1992 beauftragte der Emir erneut den Kronprinzen Scheich Sad Abd Allah al-Salim al-Sabbah mit der Bildung der neuen Regierung. Durch eine im April 1992 vom UNO-Sicherheitsrat gebilligte Grenzkorrektur erhielt K. einen Streifen erdölreichen irak. Landes und einen Teil der irak. Hafenstadt Uman Qasr. Nach einem irak. Truppenaufmarsch an der kuwaitisch-irak. Grenze fanden im Dez. 1994 auf kuwait. Seite Manöver statt, an denen die meisten am 2. Golfkrieg beteiligten Staaten teilnahmen. Bei den Parlamentswahlen von 1996 stellten die Islamisten und die Anhänger der Regierung die meisten Abgeordneten.

📖 *Die kleinen Golfstaaten. Reichtum u. Unterentwicklung – ein Widerspruch?, hg. v.* F. Scholz. *Stuttgart 1985.* – Bögeholz, H.: *Der Krieg um K. Eine Chronologie mit allen UN-Resolutionen. Bielefeld 1991.* – Stoeger, C. J.: *K. Geburt u. Wiedergeburt eines Wüstenstaates. Mödling u. a. 1992.*

Kuwait (Kowait, Kuweit), Hauptstadt von Kuwait, am NW-Ende des Pers. Golfs, am S-Ufer der Bucht von K., (1993) 31 200 Ew., Agglomeration: 387 200 Ew.; Univ., Nationalmuseum, Wirtschaftszentrum des Emirats K.; Hafen, internat. Flughafen. – Die früher unscheinbare, von einer Lehmmauer umgebene Hafenstadt entwickelte sich seit 1950 zu einer modernen Großstadt.

Kux [aus dem Slaw.] *der,* Gesellschaftsanteil an einer →bergrechtlichen Gewerkschaft. Er lautet

Kuwait: Wahrzeichen der Stadt sind die Wassertürme an der Küstenstraße

auf eine Quote am Gesamtvermögen, nicht (wie die Aktie) auf einen festen Nennbetrag. Die Namen der Inhaber (Gewerken) sind im Gewerkenbuch eingetragen; K. werden durch Zession oder Umschreibung im Gewerkenbuch übertragen. Der auf den K. verteilte Gewinn heißt **Ausbeute;** bei Kapitalbedarf können die Gewerken zu **Zubußen** herangezogen werden. Seit dem 18. 9. 1970 werden K. nicht mehr an dt. Börsen gehandelt.

Kuyper ['kœjpər], Abraham, niederländ. ref. Theologe und Politiker, *Maassluis 29. 10. 1837, †Den Haag 8. 11. 1920; seit 1881 Führer der Antirevolutionären Partei; 1880–1901 Prof. an der von ihm errichteten Freien Univ. in Amsterdam; 1901–05 MinPräs.; bemühte sich um die politische Umsetzung streng kalvinist. Grundsätze.

Kuznets ['kʊznets], Simon Smith, amerikan. Volkswirtschaftler russ. Herkunft, *Charkow (Ukraine) 30. 4. 1901, †Cambridge (Mass.) 8. 7. 1985; seit 1936 Prof., 1960–71 an der Harvard University; erhielt 1971 den Nobelpreis für Wirtschaftswiss. für seine empir. Forschungen zur Konjunktur- und Wachstumsanalyse.

kV, Einheitenzeichen für **Kilovolt,** 1 kV = 1000 V.

KV, 1) Abk. für →**Köchelverzeichnis.**

2) Abk. für **Kartell-Verband,** →studentische Verbindungen.

kVA, Einheitenzeichen für **Kilovoltampere,** 1 kVA = 1000 VA.

KVAE, Abk. für →**K**onferenz über **V**ertrauensbildung und **A**brüstung in **E**uropa.

Kvark, Name für die Engen des Bottn. Meerbusens in der Ostsee: Süd-K. nordwestlich der Ålandinseln; Nord-K. zw. Umeå und Vaasa, geteilt in West- und Ostkvark.

Kvarner [kroat.] *der* (italien. Quarnero), Bucht des nördl. Adriat. Meeres zw. der O-Küste Istriens und dem kroat. Festland, mit den Inseln Cres, Lošinj, Krk, Rab und Pag; i.e.S. nur die Bucht zw. Istrien und Cres.

Abraham Kuyper

Kvasir, 1) im nord. Mythos ein aus dem Speichel der Asen und Vanen (Symbol der Verständigung zw. den beiden Göttergeschlechtern) geschaffener Zwerg; **2)** das aus seinem Blut, mit Honig gemischte Bier (daraus: russ. »Kwass«), das Weisheit und die Gabe der Dichtkunst verleiht.

kW, Einheitenzeichen für **K**ilo**w**att, 1 kW = 1000 W.

KW, Abk. für →**K**urz**w**ellen.

Simon S. Kuznets

Kwakiutl, Stamm der Nordwestküstenindianer im NO der Insel Vancouver und auf dem gegenüberliegenden Festland von British Columbia, Kanada; 7500 K. leben heute v. a. von der Lohnarbeit in der Fischverarbeitung und dem Kunsthandwerk (Holzskulpturen [Masken, Wappenpfähle] und Malereien in ausdrucksstarken Formen und kräftigen Farben); bekannt durch ihre Geschenkverteilungs- und Verdienstfeste (Potlatch).

KwaNdebele, ehem. Homeland der Ndebele in der Rep. Südafrika, heute zur Prov. Mpumalanga; 1977 gebildet, 1994 aufgelöst.

Kwangju [-dʒu], Stadt im Rang einer Provinz in Süd-Korea, 501 km^2, (1994) 1,27 Mio. Ew.; kath. Erzbischofssitz; zwei Univ.; Textil-, Nahrungsmittel-, chem. Ind.; Flugplatz. – Als **Hansŏng** erste Hptst. des Reiches Paekche.

Kwango *der* (portugies. Cuango), linker Nebenfluss des Kasai, 1100 km lang, entspringt im Hochland von Angola, bildet im Mittellauf die

Kwakiutl: bemalte Matte aus Zederrindenbast (Köln, Rautenstrauch-Joest-Museum)

KwaZulu-Natal: Hügellandschaft im Landesinneren, im Vordergrund ein Zulukral

Grenze zw. Angola und der Demokrat. Rep. Kongo, mündet unterhalb von Bandundu.

Kwangsi Tschuang [guaŋçi dʒ-], autonomes Gebiet in S-China, → Guangxi Zhuang.

Kwangtung, Provinz in China, → Guangdong.

Kwannon, buddhist. Gottheit, → Guanyin.

Kwanza (portugies. Cuanza), Fluss in Angola, etwa 1 000 km, mündet südlich von Luanda in den Atlantik; im Unterlauf bei Dondo der Staudamm Cambambe mit Kraftwerk (450 MW).

Kwashiorkor [-ʃ-; afrikan. »roter Junge«], ein → Mehlnährschaden.

Aleksander Kwaśniewski

Kwaśniewski [kvaç-], Aleksander, poln. Politiker, * Białogard 15. 11. 1954; Journalist, zunächst Mitgl. der kommunist. PZPR, 1987–88 Jugend- und Sport-Min., leitete 1988–89 ein Reg.-Komitee, das ein umfassendes Reformprogramm ausarbeiten sollte. Nach der Selbstauflösung der PZPR im Jan. 1990 übernahm K. den Vorsitz der neu entstandenen poln. Sozialdemokratie. Bei den Präsidentschaftswahlen von 1995 siegte K. als Kandidat der Linksallianz über L. Wałęsa.

Kwa-Sprachen, Sprachgruppe der Niger-Kongo-Sprachen; zu ihnen gehören u. a. das Akan, Ewe, Yoruba, Ibo und Baule.

Kwass [russ.] *der* (Kwas), schwach alkoholisches russ. Getränk aus mit Wasser verrührtem Mehl oder zerkleinertem Brot, auch mit Früchten, wenige Tage vergoren, dem Bier ähnlich. (→ Kvasir)

KwaZulu [-'zu:lu:], ehem. Homeland der Zulu in der Rep. Südafrika, zehn verstreut liegende Teilgebiete; seit 1994 Teil der Prov. → KwaZulu-Natal.

KwaZulu-Natal [-'zu:lu:], Provinz und Königreich in der Rep. Südafrika, an der O-Küste, an der Grenze gegen Moçambique, Swasiland und Lesotho, 91 482 km², (1996) 7,67 Mio. Ew., Hptst. ist Pietermaritzburg, Residenz des Zulukönigs Ulundi; neben den Zulu starker Anteil der Bewohner ind. Herkunft. Bed. Zuckerrohranbau; Kohlebergbau (Export über Richards Bay); bed. Fremdenverkehr (u. a. zu den Drakensbergen und zu Wildreservaten); größte Stadt ist Durban.

Kweichow [gweɪdʒɔu], Provinz in China, → Guizhou.

Kweijang [gweɪjaŋ], Stadt in China, → Guiyang.

Kweilin [gweɪlɪn], Stadt in China, → Guilin.

Kweitschou [gweɪdʒɔu], Provinz in China, → Guizhou.

k-Wert, → Wärmedurchgang.

kWh, Einheitenzeichen für → Kilowattstunde.

Kwidzyn ['kfidzin] (dt. Marienwerder), Stadt in der Wwschaft Elbląg (Elbing), Polen, am Rand der Weichselniederung, 36 200 Ew.; Papier-, elektrotechn., Nahrungsmittelindustrie. – Der got. Backsteinbau der Burg (v. a. 14. Jh.) und die Kathedrale (1344–55) bilden eine baul. Einheit. – Die 1233 vom Dt. Orden errichtete Burg wurde 1250 dem Bischof von Pomesanien überlassen, war von 1285 bis zur Reformation Sitz des Domkapitels. 1722 wurde die Stadt Verw.sitz des RegBez. Westpreußen.

Ky., Abk. für den Bundesstaat → **Kentucky,** USA.

-ky, Pseud. für → Bosetzky, Horst.

Kybele (lat. Cybele), vorgrch., aus Kleinasien stammende Göttin der Fruchtbarkeit, wurde bes. in Wäldern und auf Bergen verehrt. Ihre Begleiter waren die Korybanten, ihr Liebling der schöne Jüngling Attis. Der Kult hatte orgiast. Charakter; in Rom seit 204 v. Chr. als Magna Mater verehrt.

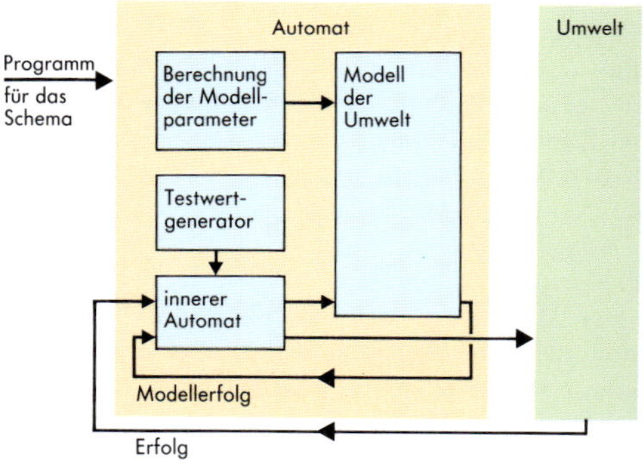

Kybernetik: Blockdarstellung eines lernenden Automaten mit innerem Modell der Umwelt; die Pfeile geben die Richtungen der wichtigsten Informationsflüsse an

Kybernetik [von grch. kybernētikḗ (téchnē) »Steuermannskunst«] *die,* übergreifende Wiss.disziplin, bei der die Gesetzmäßigkeiten der Steuerung, Regelung und Rückkopplung zur Informationsübertragung und -verarbeitung in Maschinen, Organismen und Gemeinschaften sowie die Theorie und Technik von Informationsverarbeitungssystemen untersucht werden. K. ist durch das Forschungsobjekt, die Problemstellung und die mathematisierende Methode gekennzeichnet. Ihr

Begriffssystem ist unabhängig von den Untersuchungsgegenständen und auf beliebige Systeme anwendbar. – Die allg. K. gewinnt wesentl. Erkenntnisse aus realen Systemen. Sie abstrahiert daraus gewisse (mathemat.) Modelle, sog. **kybernet. Systeme,** die nur noch die für die Steuerung und Informationsverarbeitung maßgebenden Informationen enthalten. Diese Systeme werden dann theoretisch, in Analogie zu einem Regelkreis (→Regelungstechnik) untersucht, in dem bestimmte Vorgänge des Systems durch vorgegebene Werte automatisch überwacht und gesteuert werden; die durch ständige Rückkopplungen und neue bzw. veränderte Informationen gewonnenen Einsichten werden als verbesserte Möglichkeiten an die Anwendung zurückgegeben.

Die **theoret. K.** umfasst v.a. Automaten-, System-, Informations-, Regelungs- und Spieltheorie sowie Probleme der künstl. Intelligenz. Die Anwendung der K. auf den Entwurf techn. (automatisierter) Systeme wird als **techn. K.** bezeichnet, zu der v.a. die elektron. Datenverarbeitungsanlagen und ihre Anwendungen gehören, z.B. →lernende Automaten, automat. Steuerung von Eisenbahnzügen und Flugzeugen, automat. Verkehrsüberwachung sowie die Programmsteuerung von Werkzeugmaschinen. Weitere Gebiete der angewandten K. betreffen v.a. die Untersuchung biolog. Systeme **(Bio-K.),** wie Prozesse der Nervenerregung und des Stoffwechsels, sowie die Anwendung kybernet. Begriffe, Methoden und Erkenntnisse auf Ökonomie, Pädagogik, Sprachforschung, Psychologie und Medizin. Theoret. und techn. K. sind eng miteinander verbunden. – Der Name K. stammt von N. Wiener (»Cybernetics«, 1948), der neben C. E. Shannon, A. N. Kolmogorow, J. von Neumann u.a. grundlegende Arbeiten zur K. lieferte.

📖 ASHBY, W. R.: *Einführung in die K., bearb. v.* W. L. BAUER *u.a. A.d.Engl. Frankfurt am Main* *[2]1985.* – WIENER, N.: *K. Regelung u. Nachrichtenübertragung im Lebewesen u. in der Maschine. A.d. Amerikan. Neuausg. Düsseldorf u.a. 1992.*

Kyd [kɪd], Thomas, engl. Dramatiker, getauft London 6.11.1558, † ebd. Ende 1594; gehörte in den Kreis um C. Marlowe und gilt neben ihm als der bedeutendste Tragödiendichter vor Shakespeare. Mit der ihm zugeschriebenen »Span. Tragödie« (1587) begründete er die Gattung der elisabethian. Rachetragödie.

Kyffhäuser ['kɪf-], waldreicher Bergrücken südlich des Unterharzes und der Goldenen Aue in Thüringen, im Kulpenberg 477 m ü.M.; 4 km westlich von Bad Frankenhausen/K. die mit der K.-Sage (→Kaisersage) verbundene →Barbarossahöhle. Auf dem NO-Kamm das K.-Denkmal von B. Schmitz (1891-96). Die ehem. Reichsburg Kyffhausen (erbaut um 1110) zum Schutz der Pfalz →Tilleda war eine der größten dt. Burgen im Hoch-MA. (seit dem 16. Jh. Ruine).

Kyffhäuserbund ['kɪf-], →Soldatenverbände.

Kyffhäuserkreis ['kɪf-], Landkreis in Thüringen, 1035 km², (1996) 97800 Ew.; Krst. ist Sondershausen.

Kyjiw ['kejɪʊ], Hauptstadt der Ukraine, →Kiew.

Kykladen (grch. Kyklades), Inselgruppe und VerwBez. (Nomos) im Ägäischen Meer, Griechenland, 2572 km², (1991) 95100 Ew.; Hptst. ist Hermupolis auf Syros. Gebirgige Inseln (bis 994 m ü.M.): v.a. Naxos, Andros, Paros, Tenos, Melos, Kea, Amorgos, Ios, Kythnos, Mykonos, Syros, Thera (Santorin), Seriphos, Siphnos; Fischerei, Anbau von Wein, Oliven, Obst, Getreide; Abbau von Eisenerz, Marmor, Bimsstein u.a.; Fremdenverkehr. – In der Antike wichtige Zwischenstationen für den Seeverkehr im Ägäischen Meer. Ab 1000 v.Chr. wurde die karische Urbev. von grch. Stämmen verdrängt. Die nördl., ionisch besiedelten Inseln bildeten 477 v.Chr. mit Küstenstädten den Attisch-Del. Seebund, die südl. waren dorisch besiedelt. In der hellenist. Zeit bildeten die K. den »Bund der Nesioten« (Inselgriechen). Ab 395 zu Byzanz, 1204 venezianisch, 1579 türkisch, seit 1830 zu Griechenland.

Kykladenkultur, Teilbereich der →ägäischen Kultur (auf den Kykladen); aus frühkyklad. Zeit (etwa 3200 bis 2000 v.Chr.) stammen zahlr. **K.-Idole** (Grabbeigaben, meist weibl., stark abstrahierte, nach einem Proportionsschema aufgebaute Marmoridole; außerdem Steinbüchsen, Kupfernadeln, Keramik); im 2. Jt. unter minoischem, später myken. Einfluss.

📖 EKSCHMITT, W.: *Die Kykladen. Bronzezeit, geometr. u. archaische Zeit. Mainz 1993.*

Kyklopen [grch. »die Rundäugigen«] (Zyklopen), *grch. Mythos:* einäugige Riesen, in der »Odyssee« Menschen fressende Söhne des Poseidon, die auf einer Insel im Westen wohnen; Odysseus gerät in die Gefangenschaft des K. →Polyphem. Bei Hesiod sind es Söhne des Uranos und der Gaia, die dem Zeus die Donnerkeile schmieden. Sie galten auch als Gehilfen des Hephaistos und als Erbauer

Kyklopen

kyklopische Mauern

Diesen Namen gab Pausanias, der Verfasser einer Beschreibung Griechenlands im 2. Jahrhundert n. Chr., den eindrucksvollen Mauern der Burg von Tiryns: »Die Mauer, die allein von den Ruinen noch übrig ist, ist ein Werk der Kyklopen und aus unbehauenen Steinen gebaut, jeder Stein so groß, dass auch der kleinste von ihnen von einem Gespann Maultiere überhaupt nicht von der Stelle bewegt werden könnte. Kleine Steine sind von alters eingefügt, damit jeder von ihnen möglichst die Verbindung für die großen Steine herstelle.«

Kyklopen: kyklopische Mauern in Tiryns (13. Jh. v. Chr.)

der **kyklop. Mauern,** vor- und frühgeschichtl. (megalith.) Mauern aus großen Steinblöcken ohne Mörtel, z. B. von Mykene und Tiryns.

Kylián ['kilja:n], Jiří, tschech. Tänzer, Choreograph und Ballettdirektor, *Prag 21. 3. 1947; war 1968–75 Tänzer beim Stuttgarter Ballett; 1978 wurde er Direktor des Nederlands Dans Theater in Den Haag. Seine Choreographien zeichnen sich durch besondere Musikalität und starke tänzerische Dynamik aus, u. a. »Glagolit. Messe« (1979), »Tantz-Schul« (1989), »Sarabande« (1990).

Kymation [grch.] *das* (Kyma), Zierleiste mit blattförmigen Ornamenten in Kunst und Kunsthandwerk der Antike: **dorisches** (Hohlkehle), **ionisches** (→Eierstab) und **lesbisches K.** (Herzlaub).

Kymographie [grch. »Wellenschreibung«] *die,* fortlaufende Aufzeichnung physiolog. Zustandsänderungen in Kurvenform **(Kymogramm);** in der Medizin v. a. zur Röntgendarstellung von Organwandbewegungen und Gefäßpulsationen (Herz, große Blutgefäße); z. T. durch die →Echokardiographie ersetzt.

Kymren (kelt. Cymry), die kelt. Bewohner von Wales mit eigenem, fest bewahrtem Volkstum. Die kymr. Sprache (Eigenbez. Cymraeg), Walisisch (engl. Welsh), gehört zu den →keltischen Sprachen.

kymrische Literatur (walisische Literatur). Literatur in kymr. Sprache ist aus fast 1300 Jahren erhalten. In der Zeit bis zum 11. Jh. entstanden u. a. episch-lyr. Heldengesänge. Die bedeutendsten Prosawerke nach den Gesetzeskodifikationen des Hywel Dda (1. Hälfte des 10. Jh.) waren die der Sammlung »Mabinogion« (Sagenerzählungen des 11.–13. Jh.). Zw. dem 11. und 14. Jh. entstand eine bed. Bardendichtung (z. B. Dafydd Ap Gwilym) die unter dem Druck der engl. Herrschaft im 17. Jh. endete. Eine Wiederbelebung der k. L. vollzog sich im 18. Jh. (Goronwy Owen). Neuere Prosaschriftsteller sind u. a. D. Owen, Tegla Davies, Rowland Hughes und Kate Roberts, neuere Dramatiker u. a. David Ivor Davies, Saunders Lewis und J. Gwilym Jones; die neuere Lyrik vertreten T. Gwynn Jones, W. J. Gruffydd, R. Williams Parry u. a.

📖 Stephens, M.: *The Oxford companion to the literature of Wales. Neudr. Oxford u. a. 1990.*

Kyniker [grch., zu kýōn »Hund«] (Zyniker), die Vertreter der grch. Philosophenschule des **Kynismus** (→Zynismus), gestiftet vom →Sokratiker Antisthenes. Das von Sokrates übernommene Autarkie-Ideal der Bedürfnislosigkeit wurde von ihren Mitgl. bis zur Verachtung des Anstandes, der staatl. und religiösen Gesetze (danach ihr Name) verwirklicht; viele Anekdoten sind, bes. über Diogenes von Sinope, überliefert.

Kynologie [grch.] *die,* Lehre von Rassen, Zucht, Dressur und Krankheiten der Hunde.

Kyōdō, Kurzbez. für Kyōdo Tsūshinsha, japan. Nachrichtenagentur, gegr. 1945 als Genossenschaft von Presse- und Rundfunkunternehmen, Sitz: Tokio.

Kyŏngju: Die dreistöckige Pagode des Pulguksatempels (8. Jh.)

Kyŏngju [kjʌŋdʒu], Stadt in Süd-Korea, 141 900 Ew.; Marktort; bed. Fremdenverkehr; Mittelpunkt eines Nationalparks. – Zahlreiche buddhist. Tempel und Klöster, u. a. der Pulguksa mit dreistöckiger Pagode (8. Jh.), Höhlentempel Sŏkkuram (8. Jh.); älteste erhaltene Sternwarte Asiens (632–646; 9,25 m hoch), Reste der Palastanlage. K. wurde von der UNESCO zu einer der »Zehn histor. Stätten der Welt« erklärt. – K., die »Goldene« Stadt, war Hptst. und kulturelles Zentrum des vom Buddhismus geprägten Sillareichs vom Ende des

7. Jh. bis zu seinem Untergang 935. – Weiteres BILD koreanische Kunst

Kyōto (Kioto), Hauptstadt der Präfektur K. auf Honshū, Japan, 1,45 Mio. Ew.; 15 Univ., Hochschulen, Museen, botan. Garten; bed. Standort der Elektro- und Elektronik-, chem., opt., Textil-, Nahrungsmittel-, Porzellanind., traditionelles Kunsthandwerk; bed. Fremdenverkehr; U-Bahn. – Hauptzentrum der japan. Kultur und des Buddhismus in Japan; mit rechtwinkligem Straßennetz nach dem Vorbild der Tang-Hptst. Chang'an (heute Xi'an) angelegt; etwa 1500 buddhist. Tempelanlagen, u. a. Seiryōji, Ninnaji, Myōshinji, Ryōanji, Tōji, Nishi Honganji, zahlreiche Shintōschreine und Paläste, u. a. Goldener Pavillon (1395), Silberner Pavillon (1482), Kaiserpalast (1856 im alten Stil wieder aufgebaut), Nijōpalast (1602–40), Heianschrein (1895). Die historischen Bauten sind UNESCO-Weltkulturerbe. – K. war von 794 bis 1869 Residenz der japan. Kaiser.

Kyphose [zu grch. kȳphós »gebückt«] *die*, dauerhafte, abnorme, nach hinten gerichtete (dorsalkonvexe) Wirbelsäulenverkrümmung **(Buckel)** im Bereich der Hals- oder Lendenwirbel. Zu den Ursachen der großbogigen K. **(Rundbuckel)** gehören v. a. Rachitis (führt im frühkindl. Alter zum **Sitzbuckel** im Lendenwirbelbereich), die im Entwicklungsalter auftretende Scheuermann-Krankheit, Wirbelveränderungen als Folge der Bechterew-Krankheit, Bandscheibendegeneration in höherem Alter (Alters-K.), Knochenentkalkung und verletzungs- oder krankheitsbedingte Schädigungen der Wirbelkörper; Letztere können zur spitzwinkligen K. **(Sitzbuckel** oder **Gibbus)** führen. Die angeborene K. wird durch Fehlbildung von Wirbeln hervorgerufen. Von der versteiften K. ist der lockere **Rundrücken** als Haupttyp der jugendl. Haltungsschwäche zu unterscheiden.

Kyprianu, Spyros, grch.-zypriot. Politiker, * Limassol 28. 10. 1932; ab 1925 enger Mitarbeiter von Erzbischof Makarios III., war 1960–72 Außenmin., 1976–77 Parlaments-, 1977–88 Staatspräs. (von den türk. Zyprern nicht anerkannt).

Kypros [ngrch. 'kiprɔs], grch. Name von → Zypern.

Kyōto: Der 1950 zerstörte Goldene Pavillon, ein 1395 erbauter Shintōschrein, wurde 1955 originalgetreu wieder aufgebaut

Kyrenaika, altgrch. Name der → Cyrenaika.

Kyrenaiker, die Vertreter der vom → Sokratiker Aristippos gegr. Philosophenschule von Kyrene **(Kyrenaische Schule).** Die K. vertraten den → Hedonismus, da allein sinnl. Erleben zur Erkenntnis der Wahrheit und zur Begründung der Werte führen könne, nicht begriffl. Spekulation und Ideenschau.

Spyros Kyprianu

Kyrene (lat. Cyrene), antike Hauptstadt der → Cyrenaika, heute **Schahhat** in NO-Libyen; auch Name der Cyrenaika. 631 v. Chr. von Griechen aus Thera gegr.; erlangte kulturelle Bedeutung durch seine Ärzte- und Philosophenschulen. Im 4. Jh. v. Chr. kam K. unter ptolemäische, 96 v. Chr. unter röm. Herrschaft. 643 von den Arabern erobert. – Reste grch. und röm. Bauten (Apollontempel, Theater, Thermen); UNESCO-Weltkulturerbe.

Kyrenia (türk. Girne), Stadt an der N-Küste Zyperns, im türk. besetzten Teil der Insel, 7000 Ew.;

Kyrenia (von links): Hafenansicht und die Ruinen der im späten 12. Jh. gegründeten und im 16. Jh. aufgegebenen Abtei Bellapais

Hochschule; Museum für ein vor K. geborgenes Schiffswrack (grch. Handelsschiff des 4. Jh. v. Chr.). K. liegt am Fuße der küstenparallel verlaufenden **K.-Kette** (im W bis 1024 m ü. M.); auf deren Höhe die Ruinen der ehem. Abtei Bellapais (gegr. Ende 12. Jh.) und der byzantin. Festung Hilarion. – K., eine antike Gründung **(Keryneia),** war im MA. unter den Lusignans Residenz; 1570 von den Osmanen erobert.

Willy Kyrklund

Kyrile eleison [grch. »Herr, erbarme dich«], urspr. ein hellenist. Huldigungsruf an einen Herrscher oder eine Gottheit; im christl. Gottesdienst Gemeinderuf (als Wechselgesang) an Christus.

Kyrilliza [russ., nach dem Slawenapostel Kyrillos] (kyrillische Schrift), nach dem Vorbild der grch. Majuskel geschaffene Schrift, die im Laufe des 10. Jh. die ältere →Glagoliza verdrängte und zur alleinigen Schrift der grch.-orth. Slawen wurde. Die ältere K. wurde durch die Rechtschreibreform Peters I. 1707–10 vereinfacht und der lat. Schrift angenähert. Durch die Schriftreform 1917/18 weiter vereinfacht, wird die russ. K. heute auch zur Schreibung nichtslaw. Sprachen verwendet. (→russische Schrift)

Kyrillos und Methodios, Apostel der Slawen, grch. Brüder aus Thessalonike (Saloniki): **Kyrillos,** eigtl. Konstantinos, Geistlicher und Gelehrter, *826/827, †Rom 14. 2. 869, **Methodios,** eigtl. Michael (?), hoher Beamter, später Mönch und Erzbischof, *um 815, †in Mähren (Staré Město?) 6. 4. 885; im südslaw. Raum Begründer der christlich-slaw. Kultur, ab 863 im Auftrag des byzantin. Kaisers Michael III. als Missionare im Großmähr. Reich tätig; übersetzten bibl. und liturg. Texte ins Slawische; schufen das slaw. Alphabet (→Glagoliza). Trotz der Bestätigung ihrer Mission nach kirchenrechtl. Auseinandersetzungen und der Ernennung des Methodios zum Erzbischof von Mähren und Pannonien durch Papst Hadrian II. mussten dessen Schüler nach seinem Tod infolge der polit. Entwicklung Mähren verlassen. – Heilige, Patrone Europas, Tag: 14. 2.; in den Ostkirchen: 11. 5.

📖 *Die Lehrer der Slawen, Kyrill u. Method, hg. v.* J. SCHÜTZ. *Sankt Ottilien 1985.*

Kyrill von Alexandria, Kirchenlehrer, †27. 6. 444; Patriarch von Alexandria, ging radikal gegen anders Denkende vor (Vertreibung der Juden; Ermordung der Philosophin →Hypatia); in den christolog. Auseinandersetzungen des 5. Jh. (Konzil von Ephesos 431) Gegner der →Nestorianer.

Kyrios [grch. »Herr«], in der Septuaginta Übersetzung des alttestamentl. Gottesnamens →Jahwe; im N. T. Hoheitstitel Jesu Christi (z. B. 1. Kor. 8,6).

Kyritz, Stadt im Landkreis Ostprignitz-Ruppin, Brandenburg, 9700 Ew.; spätgotische Pfarrkirche (15. Jh., 1708–14 barockisiert).

Kyrklund ['tçyrklʊnd], Willy, eigtl. Paul Wilhelm K., finnisch-schwed. Schriftsteller, *Helsinki 27. 2. 1921; lebt in Schweden; von F. Kafka und J.-P. Sartre beeinflusst, schreibt v. a. Prosa u. a. »Solange« (1951, R.), »Vom Guten« (1988).

Kyros (lat. Cyrus), Angehörige des pers. Herrscherhauses aus dem Geschlecht der Achaimeniden. **1) K. II., der Gr.** (d. Ä.), König 559–529 v. Chr., Begründer des pers. Großreiches, †529 v. Chr.; stürzte 550 v. Chr. Astyages und eroberte mehrere kleinasiat. Staaten, 539 Babylon. K. erlaubte die Rückkehr der in →Babylonischer Gefangenschaft lebenden Juden nach Jerusalem.

2) K. d. J., der jüngste Sohn des Dareios II., *423, †401 v. Chr.; Statthalter von Kleinasien, erhob sich gegen seinen älteren Bruder Artaxerxes II. Mnemon fiel in der Schlacht bei Kunaxa. Über sein Leben berichtet Xenophon in der »Anabasis«.

Kysyl, Hauptstadt der Rep. Tuwa innerhalb der Russ. Föderation, S-Sibirien, am Zusammenfluss von Großem und Kleinem Jenissei, 84600 Ew. In K. liegt der geograph. Mittelpunkt Asiens (Obelisk). – Gegr. 1914.

Kysylkum [türk. »roter Sand«] *die,* Sandwüste in Usbekistan, Kasachstan und Turkmenistan, im Tiefland von Turan, zw. Amudarja und Syrdarja, von inselbergartigen Erhebungen (bis 922 m ü. M.) durchzogen, rd. 300000 km²; Erdöl- und Erdgasgewinnung; teilweise Weideland (Karakulschafe, Kamele). Im SO der K. erstreckt sich die Südl. Hungersteppe (Baumwollanbau).

Kythera (italien. Cerigo, ngrch. Kythira), südlichste der Ion. Inseln, Griechenland, vor dem SO-Kap der Peloponnes, 278 km², 3400 Einwohner.

Kyu [japan.] *der, Budosport:* die sechs (Karate, Aikido) oder fünf (Judo, Jujutsu) Grade der Schüler bis zur Erlangung des 1. Meistergrads (→Dan); sie werden durch die versch. Farben der über dem Kimono getragenen Gürtel angezeigt: 6. K. (Rok-K.), weißer Gürtel; 5. K. (Go-K.), gelber Gürtel; 4. K. (Shi-K.), orangefarbener Gürtel; 3. K. (San-K.), grüner Gürtel; 2. K. (Ni-K.), blauer Gürtel; 1. K. (Ik-K.), brauner Gürtel (der ranghöchste Grad).

Kyudo [japan.] *das,* Kunst des Bogenschießens. K. ist kein Sport im europ. Sinn, sondern eine Kunst der Selbstversenkung. (→Zen)

Kyūshū (Kiuschu), südwestlichste und drittgrößte der vier japan. Hauptinseln, 42080 km² (mit Nebeninseln), (1993) 13,3 Mio. Ew.; größtenteils Berg- und Hügelland, mehrere Vulkane (u. a. Kujūsan im Aso-Nationalpark, 1788 m ü. M.). Auf der Grundlage des Chikuho-Kohlenfeldes (im NW) entwickelte sich eine der großen japan. Ind.regionen um Kitakyūshū und Fukuoka. Landwirtschaft v. a. in den Ebenen der Westseite.

KZ, Abk. für →**K**on**z**entrationslager.

l, L, 1) Konsonant; der 12. Buchstabe des dt. Alphabets, geht über das grch. Lambda (λ) auf den semit. Buchstaben Lamed zurück; Fließlaut (Liquida). L kommt auch in Verbindung mit diakrit. Zeichen vor, z.B. im Polnischen als ł (dunkles l).

2) Abk. **L** oder **L.**, in röm. Inschriften und Texten für **L**ucius, ferner **L**ex, **L**iber, **L**ector, **L**ibertus.

3) *Chemie:* **L, -l-,** Vorsatz vor Namen in optisch aktiven chem. Verbindungen (→Stereochemie).

4) *Einheitenzeichen:* **l** für →Liter.

5) *Formelzeichen:* l für →Länge (in Dimensionsgleichungen L) und für Bahndrehimpulsquantenzahl (→Quantenzahlen), L für →Induktivität und →Leuchtdichte, $\boldsymbol{L}$ für →Drehimpuls.

6) *Münzwesen:* **l,** Kennbuchstabe u.a. für die Münzstätte Bayonne (auf frz. Münzen, 1540–1837), für Leipzig auf kursächsischen und polnischen Münzen (1753–62).

Druckschriftvarianten des Buchstabens **L**

7) *Währungszeichen:* £ oder **L** = Pfund, **L** = Lira, Lempira, **l** = Leu.

La, 1) *Chemie:* Symbol für →Lanthan.

2) *Musik:* in der Solmisation der 6. Ton der Tonleiter.

La., Abk. für den Bundesstaat **L**ouisian**a,** USA.

Laa an der Thaya, Stadt im nördl. Weinviertel, NÖ, im fruchtbaren **Laaer Becken,** an der Grenze zur Tschech. Rep., 6300 Ew.; Biermuseum, Südmährenmuseum; Brauerei, Nahrungsmittel-, Textilind., Fahrzeugbau. – Gegr. um 1200.

Laacher See, See im Vulkangebiet der Eifel, Rheinl.-Pf., in einer Caldera (entstanden 9080 v.Chr.), 275 m ü.M., 3,3 km², bis 53 m tief; gespeist von einem starken Grundwasserstrom; Naturschutzgebiet. Am SW-Ufer liegt die Benediktinerabtei →Maria Laach. BILD S. 170

Laasphe, Bad [-ˈlaːsfə], →Bad Laasphe.

Laatzen, Stadt im Landkr. Hannover, Ndsachs., an der Leine, am Stadtrand von Hannover, 37200 Ew.; Elektroindustrie. – Stadt seit 1986.

Lab, →Labferment.

Laban [hebr.], im A.T. Schwiegervater Jakobs.

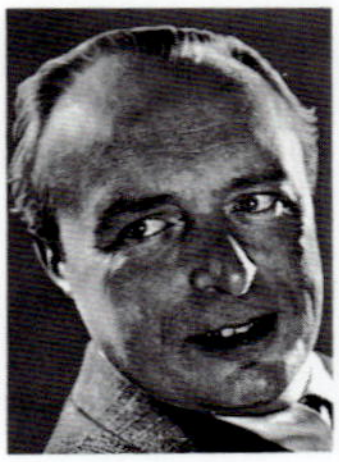
Rudolf von Laban

Laban, Rudolf von, eigtl. R. Lábán von Váraljas, Tänzer, Tanzpädagoge und -theoretiker, *Preßburg 15. 12. 1879, †Weybridge (bei London) 1. 7. 1958; schuf eine neue Bewegungslehre, die Improvisation und individuelle Gestaltung im Tanz betonte und zur Grundlage des modernen Kunsttanzes wurde. Die von ihm entwickelte Tanzschrift (»Laban-Notation«) fand weite Verbreitung.

Laband, Paul, Staatsrechtslehrer, *Breslau 24. 5. 1838, †Straßburg 23. 3. 1918; war der führende Staatsrechtler des dt. Kaiserreichs und Hauptvertreter des staatsrechtl. Positivismus.

Werk: Das Staatsrecht des Dt. Reiches, 3 Bde. (1876–82).

Labarum [lat.] *das* (Kreuzfahne), von Konstantin d. Gr. nach seinem Sieg über Maxentius (312) eingeführte Kaiserstandarte mit Christusmonogramm. BILD S. 170

Labdanum [lat.-grch.] *das* (Ladanum), seit der Antike bekanntes weiches Harz aus **Cistus ladaniferus;** vorwiegend in Spanien gewonnen, dient zur Gewinnung des äther. **L.-Öls** (Parfümerierohstoff).

Labe, tschech. Name der →Elbe.

Labé [laˈbe], Louise, eigtl. L. Charly [ʃarˈli], gen. La belle Cordière, frz. Dichterin, *Parcieux (bei Lyon) um 1526, †ebd. 25. 4. 1566; Frau eines reichen Seilermeisters; war Mittelpunkt eines literar. Kreises (»Lyoner Dichterschule«), schrieb von F. Petrarca beeinflusste Elegien und platonisierende Liebessonette (1555). BILD S. 171

Label [leɪbl, engl.] *das,* **1)** *allg.:* Anhängezettel; Etikett, z.B. einer Schallplatte.

Laacher See: Am linken Bildrand der Luftaufnahme ist ein Teil der Benediktinerabtei Maria Laach zu erkennen

2) *Datenverarbeitung:* 1) Marke (symbol. Adresse) innerhalb eines Programms, auf das in Anweisungen Bezug genommen werden kann, z. B. zur Festlegung von Sprüngen, Schleifen; 2) Bandlabel, ein Datenblock (Kennsatz) auf einem Magnetschichtspeicher zur Identifikation des Bandes, der vom Betriebssystem überprüft wird.

Labenwolf, Pankraz, Erzgießer, *Nürnberg 1492, †ebd. 20. 9. 1563; vermutlich Schüler von P. Vischer; seit 1537 Leiter einer Gießhütte in Nürnberg. – *Werke:* Epitaph des Grafen Wernher von Zimmern (1551, Meßkirch, Stadtpfarrkirche); Puttenbrunnen im Nürnberger Rathaushof (1557).

Labferment (Lab, Chymosin, Rennin), Enzym des Labmagens saugender Kälber, das das Casein der Milch zur Gerinnung bringt (kommt wahrscheinlich in den Mägen aller jungen Säugetiere vor); wird zur Käseherstellung verwendet.

labial [lat.], die Lippen betreffend.

Labial *der,* Lippenlaut, →Laut.

Labiau, Stadt im Gebiet Kaliningrad (Königsberg), →Polessk. – Im **Vertrag von L.** sicherte Schweden am 20. 11. 1656 Kurbrandenburg volle Souveränität über das Herzogtum Preußen und das Fürstentum Ermland zu.

Labiche [la'biʃ], Eugène, frz. Dramatiker, *Paris 5. 5. 1815, †ebd. 23. 1. 1888; karikierte in rd. 100 possenhaften Lustspielen das Bürgertum (u. a. »Der Florentinerhut«, 1851).

Labilität [lat.] *die, Psychologie:* überdurchschnittl. Reizbarkeit und Unausgeglichenheit körperl. **(vegetative L.)** oder seel. **(psych. L.)** Funktionen; erhöhte Störbarkeit des seel. Gleichgewichts.

Labkraut (Galium), artenreiche Gattung der Rötegewächse; in Mitteleuropa u. a. das **Echte L.** (Galium verum) mit zitronengelben Blüten und das **Klebkraut (Kletten-L.,** Galium aparine) mit klimmenden Stängeln sowie Klettfrüchten. (→Waldmeister)

Labmagen, →Wiederkäuer.

Laboe [la'bœ], Gemeinde und Ostseebad im Kr. Plön, Schlesw.-Holst., an der Kieler Außenförde, 4900 Ew.; Fremdenverkehr; Hafen, Werftbetriebe; Marineehrenmal (1927–36) mit 72 m hohem Turm, U-Boot-Museum.

Laboratorium [lat.] *das* (Labor), Arbeitsraum für wiss. und techn. Versuche, Messungen usw.

Laborem exercens [lat. »die Arbeit verrichtend«], Enzyklika Papst Johannes Pauls II. vom 14. 9. 1981 anlässlich des 90-jährigen Jubiläums der Enzyklika »Rerum novarum« Leos XIII. Sie betont den Primat der Arbeit gegenüber dem Kapital und das Recht des arbeitenden Menschen auf gerechten Lohn und (gewerkschaftl.) Zusammenschluss.

Labourforce-Konzept ['leɪbəfɔːs-; engl. »Arbeitnehmerschaft«], in den USA entwickeltes, auf Empfehlung der OECD seit 1957 auch in Dtl. eingeführtes Konzept zur statist. Erfassung der Erwerbsbev. Erhebungstatbestände sind nicht die überwiegende Quelle des Lebensunterhalts und die Art der Tätigkeit, sondern Erwerbsintensität (gegen Entgelt Beschäftigte, unbezahlte mithelfende Familienangehörige, Arbeit Suchende, vorübergehend keine Erwerbstätigkeit ausübende Personen) und Beschäftigungsgrad (Vollbeschäftigung, Teilzeitbeschäftigung mit mindestens 15 Wochenstunden).

Labarum auf einer Münze Kaiser Konstantins d. Gr. (doppelte Größe)

Labour Party ['leɪbə 'pɑːtɪ, engl. »Arbeiterpartei«], brit. Partei, hervorgegangen aus versch. Organisationen der brit. Arbeiterbewegung: Nach der Gründung der →Fabian Society und der Scottish L. P. (1888) entstand 1893 die **Independent L. P.** und 1900 das **Labour Representation Committee** mit dem Ziel, den Gewerkschaften eine parlamentar. Vertretung zu geben. Faktisch war

Louise Labé: Ausschnitt eines zeitgenössischen Kupferstichs

damit die L. P. gegründet worden, die diesen Namen jedoch erst 1906 annahm. Erster Sekretär wurde J. R. Macdonald. Die L. P., im Unterhaus zunächst mit Liberalen und irischen Nationalisten zusammengehend, wuchs rasch, v. a. durch den korporativen Beitritt zahlreicher Gewerkschaften. 1915–18 gehörte die Partei den Koalitionskabinetten Asquith und Lloyd George an. In dem von S. Webb verfassten Manifest »Labour and the new social order« (1918) forderte die Partei u. a. die staatl. Garantie der Vollbeschäftigung, Kontrolle der Industrie und Verstaatlichung der Produktionsmittel, Besteuerung von Grund und Boden, großen Vermögen und Einkommen. Ideologisch unorthodox, entwickelte sie in den folgenden Jahrzehnten diese Positionen weiter. Die Entwicklung zw. den Weltkriegen war gekennzeichnet von der verantwortl. Einbeziehung der L. P. in das parlamentar. Reg.system. 1924 und 1929–31 stellte sie Minderheitsregierungen unter Macdonald. Als Macdonald 1931 unter dem Eindruck der Weltwirtschaftskrise seine Regierung in eine Allparteien-Regierung umwandelte, versagte ihm die Mehrheit der Partei auf Initiative der Gewerkschaften die Gefolgschaft. Nachdem die L. P., seit 1935 geführt von C. Attlee, 1940–45 an der Kriegskoalition unter W. Churchill maßgeblich beteiligt gewesen war, setzte die nach ihrem Wahlsieg 1945 von ihr allein gestellte Regierung unter Attlee (1945–51) ein weit greifendes gesellschaftl. Reformprogramm durch: National Health Service, Education Act, Nationalisierung von Schlüsselindustrien (z. T. später von konservativen Regierungen rückgängig gemacht). Als Nachfolger Attlees übernahm 1955 H. T. Gaitskell die Führung der Partei, diesem folgte 1963 H. Wilson, der das Amt des Premiermin. 1964–70 und 1974–76 inne hatte. 1976 übernahm J. Callaghan das Amt des Parteiführers (bis 1980) und des Premiermin. (bis 1979). Eskalierende innerparteil. Spannungen (v. a. zw. dem gemäßigten und radikalsozialist. Flügel) infolge der Wahlniederlage von 1979 führten 1981 zur Abspaltung der Social Democratic Party (SDP; 1990 Selbstauflösung). 1980–83 war M. Foot Partei- und Oppositionsführer. Unter seinen Nachfolgern N. Kinnock (1983–92), J. Smith (1992-94) und A. Blair (seit 1994) reformierte sich die Partei, um breitere Wählerschichten ansprechen zu können (u. a. Abschaffung der gewerkschaftl. Blockstimmen, 1993; offizieller Verzicht auf die Umwandlung der Produktionsmittel in Staatseigentum, 1995). Angesichts ihres v. a. von Blair durchgesetzten neuen Erscheinungsbildes als »New Labour« errang die L. P. Anfang Mai 1997 einen großen Wahlsieg; Blair wurde Premierminister.

📖 GUTJAHR, L.: *Die Sicherheitspolitik der brit. L. P. im Wandel. Abschreckung, Unilateralismus u. gemeinsame Sicherheit (1979–1992). Baden-Baden 1994.*

Labrador, Halbinsel im O Kanadas, zw. Hudsonbai, Atlantik (Labradorsee) und Sankt-Lorenz-Golf, zum größten Teil zur Prov. Quebec gehörend, die atlantische Küstenregion zur Prov. Newfoundland. I. e. S. wird unter L. v. a. in Kanada nur der festländ. Teil der Prov. Newfoundland verstanden. Etwa 1,4 Mio. km², davon ungefähr 25% Binnengewässer. Teil des Kanad. Schildes, der hier am O-Rand bis 1652 m ü. M. aufgewölbt wurde. Arkt. und subarkt. Klima, daher meist Tundra, im S Nadelwald. Bed. sind Waldnutzung, Abbau von Eisenerz, Ilmenit und Asbest sowie die Nutzung der Wasserkraft (am → Grande-Rivière und → Churchill River). – Um 1000 von dem Normannen Leif Eriksson entdeckt und 1497 von G. und S. Caboto aufgesucht; nach 1534 z. T. von J. Cartier für die frz. Krone in Besitz genommen. Die 1670 gegr. Hudson's Bay Company erhielt einen Freibrief für Land- und Handelsrechte für L. Ab 1763 britisch, gehörte abwechselnd zu Newfoundland und zu Quebec (endgültige Grenzfestlegung 1927).

Laboe: Marineehrenmal (1927–36)

Labkraut: Echtes Labkraut (Höhe 15–60 cm)

Labradorit *der* [n. der Halbinsel Labrador] (Labrador, Labradorstein), Mineral, → Feldspäte.

Labradorstrom, kalte Meeresströmung des Atlant. Ozeans vor Labrador und Neufundland, führt oft Eisberge mit sich.

Labrouste [la'brust], Henri, frz. Architekt, *Paris 11. 5. 1801, †Fontainebleau 24. 6. 1875; lehrte in Abkehr vom gängigen Eklektizismus form- und funktionsgerechtes Denken in der Architektur; verwendete als einer der Ersten Eisen als architekton. Element (Bibliothèque Sainte-Geneviève in Paris; 1843–50).

Jean de La Bruyère: Ausschnitt eines Kupferstichs (um 1700)

La Bruyère [-brɥi'jɛr], Jean de, frz. Schriftsteller, *Paris 16. 8. 1645, †Versailles 10. oder 11. 5. 1696; bed. Vertreter der →Moralisten; »Die Charaktere oder die Sitten im Zeitalter Ludwigs XIV.« (1688), ein lebendiges Bild der Pariser Gesellschaft, sind ein Höhepunkt der literar. Porträtkunst.

Lạbskaus [niederländ.-engl.] *das,* Gericht aus gekochtem Pökelfleisch, Fisch, Zwiebeln und gestampften Kartoffeln.

Labyrịnth [grch.] *das,* **1)** *allg.:* Gebäude mit vielfach sich kreuzenden Gängen, auch ein Irrgarten oder eine graf. Figur mit verschachteltem Linienbild, aber nur einem Zugang ins Zentrum; gen. nach dem L., das im grch. Mythos →Daidalos für den Minotaurus auf Kreta baute. – L.-Darstellungen finden sich häufig auf kret. Münzen, 5./4. Jh., und röm. Mosaiken. Die Mitte des L. bedeutete im MA. die Ecclesia (Kirche) oder sogar den Himmel, es konnte auch der Bußweg des Gläubigen nach Jerusalem gemeint sein; bekannt sind die L. auf Fußböden christl. Kirchen (Kathedralen in Chartres und Amiens). In der Gartenarchitektur des Barock ist das L. für Irrgärten eine Sonderform des Bosketts.

📖 HALLMAN, F.: *Das Rätsel der L.e. Ardagger 1994.*

2) *Anatomie:* das innere →Ohr.

Labyrịnthfische (Anabantoidei), Unterordnung der Barschartigen Fische, meist farbenprächtige Süßwasserfische pflanzenreicher Gewässer Afrikas und SO-Asiens; können mithilfe eines zusätzl. Atemorgans (Labyrinth) Luftsauerstoff atmen; viele Arten betreiben Brutpflege und bauen ein Schaumnest an der Wasseroberfläche, in das die Eier abgelegt werden. Beliebte Aquarienfische sind u. a. die →Kampffische.

Labyrịnthversuch, *Verhaltensforschung:* Experiment zur Erforschung der tier. Lernleistung, bei der ein Tier in einem Labyrinth am Ende des Weges mit Futter belohnt wird und gezwungen ist, durch Versuch und Irrtum den kürzesten Weg zu suchen.

Lac [lak, frz., von lat. lacus], See. Mit L. zusammengesetzte Begriffe suche man unter den Eigennamen.

Lacan [la'kã], Jacques, frz. Psychoanalytiker und Philosoph, *Paris 13. 4. 1901, †Neuilly-sur-Seine 9. 9. 1981; war als Neurologe und Psychiater tätig, dann als Psychoanalytiker. Beeinflusst von Hegels Begriff des »Begehrens«, der Linguistik F. de Saussures und der Ethnologie versteht L. das Unbewusste als sprachl. strukturiertes, von der Sprache erst hervorgebrachtes System. L. prägte mit C. Lévi-Strauss maßgeblich den frz. Strukturalismus und beeinflusste wesentlich die moderne Soziologie, Ethnologie und Literaturwissenschaft.

La Ceiba [la'sɛɪba], Hptst. des Dep. Atlántida, Honduras, am Karib. Meer, 68 800 Ew.; Bananenexporthafen, Nahrungsmittel- u. a. Industrie.

Lacẹrna [lat.] *die,* seit dem 1. Jh. v. Chr. Überwurf der röm. Soldatentracht, auf der Schulter mit einer Fibel geschlossen. Die L. wurde später von allen Bev.schichten getragen.

Lacẹrta [lat.] (Eidechse), kleines Sternbild des Nordhimmels.

La Chaise [la'ʃɛ:z] (La Chaize), François d'Aix de, gen. Père de La C., frz. Jesuit, *Aix-la-Fayette (Dép. Puy-de-Dôme) 25. 8. 1624, †Paris 20. 1. 1709; Dozent für Philosophie und Theologie in Lyon, seit 1675 einflussreich als Beichtvater Ludwigs XIV., Gegner der Widerrufung des Edikts von Nantes (→Hugenotten). Das der Gesellschaft Jesu vom König geschenkte Landgut wurde 1804 in den Friedhof **Père-Lachaise** umgewandelt.

La Chaussée [la ʃɔ'se], Pierre Claude Nivelle de, frz. Dramatiker, *Paris 1692, †ebd. 14. 3. 1754; Begründer des moralisierenden Rührstücks (»Co-

Labyrinth

Wer erschuf das erste Labyrinth?

*Der Pharao Amenemhet III. (*1844, †1797 v. Chr.) kolonisierte die mit dem Niltal verbundene Oasenlandschaft El-Faijum und ließ dort, mehr als 40 Meter unter dem Meeresspiegel, eine riesige Tempelstadt anlegen, deren zentrale Anlage aus etwa 3000 Gängen bestand, die die Haupt- und Nebentempel miteinander verbanden.*

Diese Anlage wurde »Lope-rohunt« genannt. Bei den Griechen hieß der Pharao entsprechend seinem Vornamen Lamares oder Labares, und seine Anlage nannten sie »Labyrinth«.
Bei der grafischen Figur des Labyrinths handelt es sich aber wohl um einen der minoischen Fruchtbarkeitsgöttin Ariadne geweihten Kultplatz, und auch der Palast von Knossos auf Kreta wurde oft als solches gedeutet.

médie larmoyante«), mit dem er dem bürgerl. Drama den Weg bahnte.

Labyrinth 1)

La Chaux-de-Fonds [laʃoˈdfɔ̃], Bezirks-Hpst. im Kt. Neuenburg, Schweiz, in einem Hochtal des Kettenjura, um 1000 m ü. M., 37400 Ew.; Technikum, Uhrmacher- und Mechanikerfachschulen, Berufsschulzentrum, Schule für Kunst und Kunstgewerbe, Internat. Uhrenmuseum u. a. Museen; Zentrum der Uhrenind., dazu feinmechan. Ind., Elektronik- und Nahrungsmittelind., Fremdenverkehr; Flugplatz. – Nach Brand von 1794 planmäßiger Aufbau als »Musterstadt des Geistes«

Lachen, menschl. Ausdruckserscheinung, die mimisch durch Bewegung bestimmter Gesichtsmuskeln und lautlich durch eine besondere Rhythmik des Stimmapparats gekennzeichnet ist. Als Reaktion auf heitere oder kom. Erlebnisse; Ausdruck bestimmter Stimmungslagen (freudig, albern, ironisch, zynisch, verzweifelt) und soziale Reaktion (freundl. Grußlächeln, ansteckendes L.).

Nach K. Lorenz gehörte L. urspr. zum Repertoire des Drohverhaltens; das Zähnezeigen stand hierbei im Vordergrund. **Lächeln** dagegen wurde zur beschwichtigenden Kontaktgebärde. Es wirkt spannungslösend, angriffshemmend (»entwaffnend«), entschuldigend.

📖 *Semiotik, Rhetorik u. Soziologie des L., hg. v.* L. Fietz *u. a. Tübingen 1996.*

Lạchenmann, Helmut, Komponist, *Stuttgart 27. 11. 1935; studierte u. a. bei L. Nono; orientiert sich an seriellen Techniken, steht der experimentellen Musik nahe; schrieb Vokal- und Orchesterwerke, Oper »Das Mädchen mit den Schwefelhölzern« (1997), Kammermusik.

François d'Aix de La Chaise: Ausschnitt eines Kupferstichs (um 1680)

Lạchesis, *grch. Mythos:* eine der drei → Moiren.

Lachgas, Distickstoffmonoxid, Stickoxidul, N_2O; farbloses, nahezu ungiftiges Gas; dient in Gemischen mit Sauerstoff als Inhalationsnarkosemittel mit stark schmerzstillender Wirkung.

La Chaux-de-Fonds Stadtwappen

Lachkrampf (Gelasma), zwanghaftes Lachen.

Lạchmann, Karl, klass. Philologe und Germanist, *Braunschweig 4. 3. 1793, †Berlin 13. 3. 1851; Begründer der philolog. Textkritik; indem er die altphilolog. Methode der Textkritik auf mhd. Texte übertrug, leistete er einen entscheidenden Beitrag zur Kenntnis der mhd. Dichtersprache. Das Nibelungenlied versuchte er auf 20 von versch. Dichtern stammende Gesänge zurückzuführen. Neben zahlr. weiteren mhd. Dichtungen gab L. die Werke lat. Dichter (Properz, Tibull, Catull) und die G. E. Lessings heraus (1838–40).

Karl Lachmann: Stahlstich (um 1850)

Lạchner, Franz, Komponist, *Rain (bei Donauwörth) 2. 4. 1803, †München 20. 1. 1890; 1836–65 Hofkapellmeister in München; komponierte Opern (»Catarina Cornaro«, 1841), sieben Orchestersuiten (in kontrapunkt. Stil), acht Sinfonien, Lieder, Kirchenmusik (z. B. Requiem, 1856) u. a.

Lạchnit, Wilhelm, Maler und Grafiker, *Gittersee (heute zu Dresden) 12. 11. 1899, †Dresden 14. 11. 1962; Mitgl. der Dresdner Sezession, von den Nationalsozialisten verfolgt; 1947–54 Prof. an der Akademie in Dresden. Das Frühwerk ist durch einen sozial bestimmten Verismus, das Spätwerk durch eine stille Bildlyrik gekennzeichnet. Bild S. 174

Lachse, Sammelbez. für einige Arten der Lachsfische. Wirtschaftlich von Bedeutung ist der **Europ. Lachs (Atlant. Lachs,** Salmo salar), 1 bis 1,5 m langer und bis 36 kg schwerer Wanderfisch, der bei seinen Laichwanderungen bis in die Oberläufe der Flüsse aufsteigt. Dort werden im Herbst/Winter im kiesigen Grund etwa 1 m große Laichgruben angelegt und bis zu 30000 Eier abgelegt. Nach 1–5 Jahren Aufenthalt im Süßwasser wandert der **Sälmling** (Jung-L.) ins Meer. Kehrt er nach einem Jahr in den Fluss zurück, heißt er **Jakobs-L.,** nach 2–5 Jahren

Lachse: Blanklachs (Länge bis zu 1,5 m)

Salm. Die im Meer lebenden L. haben eine silbrige Färbung **(Blank-L.),** die laichreifen Tiere nehmen eine rote Tönung an. Beim männl. Salm bildet sich am Unterkiefer ein hakenförmiger, knorpeliger Fortsatz **(Haken-L.).** – L. können bis zu 10 Jahre alt werden. – Der Europ. L. zählt aufgrund von Wasserverschmutzung und der Errichtung von unüberwindbaren Staustufen zu den vom Aussterben bedrohten Arten; er wird in Norwegen seit Ende der 1970er-Jahre in großen Mengen in küstennahen Aquakulturbetrieben aufgezogen.

Lachsfische (Salmonidae), Familie der Knochenfische mit einer »Fettflosse« zw. Rücken- und Schwanzflosse, z.B. Huchen; Speisefische sind z.B. Lachse, Forellen, Saiblinge.

Wilhelm Lachnit: »Der Tod von Dresden« (1945; Dresden, Staatliche Kunstsammlungen)

Lachtaube (Streptopelia roseogrisea), kleine, gelbbraune Taube mit schwarzem Nackenband und weißem Bauchgefieder, im steppenhaften N-Afrika; ähnlich der verwandten Türkentaube.

Lacke, Sammelbez. für flüssige oder pulverförmige Substanzen zur Erzeugung von Anstrichen mit spezif. Eigenschaften, wie Beständigkeit gegen Witterungseinflüsse, mechan. oder chem. Beständigkeit oder/und dekoratives Aussehen. Als **Bindemittel** wird der nichtflüchtige Anteil eines L. ohne Pigmente und Füllstoffe bezeichnet. Es besteht aus Filmbildnern (z.B. Kunst- und Naturharze) und gegebenenfalls →Weichmachern, →Trockenstoffen u.a. Hilfsstoffen. **Lackfarben** enthalten Pigmente, **Klar-L.** sind pigmentfrei.

Man kennzeichnet L. nach dem Bindemittel (z.B. Alkydharz-L., Bitumen-L., Nitro-L., Öl-L.), aber auch nach dem Lösungsmittel (z.B. Spiritus-L., Wasser-L.), nach der Reihenfolge im Anstrichaufbau (z.B. Deck-L.), nach Art der Trocknung (z.B. Einbrenn-L.), nach Art der Anwendung (z.B. Tauch-L., Draht-L.) oder nach dem Lackierobjekt (z.B. Boots-L.).

Die Filmbildung (Trocknung) kann durch Verdampfen des Lösungsmittels (z.B. bei Nitro-L.), durch Verdampfen von Wasser aus Dispersionen polymerer Stoffe oder durch Abkühlung geschmolzener Stoffe (z.B. bei Pulver-L.) auf physikal. Weise erfolgen. Bei der chem. Trocknung bilden sich vernetzte Polymere, die durch Lösungsmittel nicht mehr gelöst werden. Es wird dabei zw. oxidativ trocknenden (z.B. mit trocknenden Ölen modifizierte Alkydharze), kalthärtenden (z.B. Zweikomponenten-Reaktions-L. auf der Basis von Epoxidharz oder Polyurethan) und ofentrocknenden L. (z.B. Einbrenn-L.) unterschieden.

Lackkunst, die in China erfundene (seit 1300 v.Chr. bekannt), v.a. auch in Japan ausgebildete kunsthandwerkl. Technik, Gegenstände aller Art mit einer Lackschicht zu überziehen und diese künstlerisch zu gestalten. Die L. gelangte von Ostasien nach Hinter- und Vorderindien und Persien. Als Basis dienen u.a. Metall, Leder, Keramik, am häufigsten Holz. Zu den wichtigsten der in Ostasien verbreiteten Arten der L. gehören: **gemalte Lacke,** rote (seltener schwarze) **geschnittene Lacke, Lacke mit Einlagen** von Gold, Silber, Perlmutt. Aus Japan stammt auch die **Goldlacktechnik,** bei der eine Malerei durch Einstreuen von Gold- und Silberstaub in farblosen Lack ausgeführt wird. Die L. wurde im 17. Jh. in Europa eingeführt, gewann im 18. Jh. hier Eigenständigkeit.

📖 Brandt, K. J.: *Chin. Lackarbeiten. Stuttgart 1988.*

Lackleder, meist chromgegerbtes Leder aus Rinderhäuten oder Kalbfellen mit Lackzurichtung, die Lackschicht wird entweder flüssig aufgetragen (Kaltlackverfahren) oder aufgeklebt.

Lackmus [niederländ.] *der* oder *das,* Farbstoff der L.-Flechte; wird z.B. in Form von **L.-Papier** als Neutralisationsindikator verwendet; der Farbumschlag erfolgt von Rot (sauer) nach Blau (alkalisch) im pH-Bereich 5,5–8,0.

Lackschildlaus (Laccifer lacca), 1–2 mm große Schildlaus in S- und SO-Asien. Aus den über die Lackdrüsen ausgeschiedenen Sekreten (Stocklack) wird Schellack gewonnen.

Lackkunst: Chinesische Siegeldose, roter geschnittener Lack, Höhe 17 cm (15. Jh. n. Chr.; Nagoya, Tokugawa Art Museum)

Lac Léman [lak le'mã], der → Genfer See.

Laclos [la'klo], Pierre Ambroise François Choderlos de, frz. Schriftsteller, * Amiens 18. 10. 1741, † Tarent 5. 9. 1803; Offizier und Privatsekretär des Herzogs Louis Philippe von Orléans, während der Frz. Revolution Jakobiner; sein Briefroman »Gefährliche Liebschaften« (1782), eine der bedeutendsten zeitgenöss. Darstellungen der korrumpierten aristokrat. Gesellschaft des Ancien Régime, übte durch die Darstellung der Perfektion und Faszination des Bösen großen Einfluss auf die Literatur des 19. und 20. Jh. aus.

La Condamine [lakɔ̃da'min], Charles Marie de, frz. Mathematiker und Forschungsreisender, * Paris 28. 1. 1701, † ebd. 4. 2. 1774; bereiste 1735–44 Ecuador und Peru (Gradmessungen), entwarf 1744 die erste wiss. Karte des Amazonasgebiets.

La Coruña [lako'ruɲa], **1)** Provinz in Spanien (Galicien), 7950 km², (1991) 1,09 Mio. Einwohner.

2) (galic. A Coruña), Hptst. von 1), in Galicien, 256600 Ew.; Landwirtschafts- und Schifffahrtsschule, Theater; Fischkonserven-, chem. und pharmazeut. Ind., Aluminiumhütte, Metallverarbeitung; Erdölraffinerie; Erdöl- und Fischereihafen, Ausfuhr von Eisenerz; Flughafen. – Ummauerte Altstadt, Kirche Santa María del Campo (12.–15. Jh.), Adelspaläste, an der Hafenseite vielstöckige Häuser aus dem 19. Jh. mit hohen, verglasten Balkonfronten. – La C. diente schon den Phönikern als Hafen. An das röm. **Flavium Brigantium** (später **Ardobirium Coronium**) erinnert noch der Leuchtturm **Torre de Hércules** auf röm. Grundmauern. 1588 sammelte sich hier die → Armada.

Lacq [lak], Gemeinde im Dép. Pyrénées-Atlantiques, Frankreich, 700 Ew.; bei L. das größte Erdgasvorkommen Frankreichs; bed. chem. Ind., Aluminiumwerk.

Lacrosse [la'krɔs, frz.] *das,* hockeyähnl. Torspiel zweier Mannschaften von je 10 Männern bzw. 12 Frauen. Das Spielfeld ist 100 × 64 m (Männer) bzw. 110 × 73 m (Frauen), die Tore sind 1,83 × 1,83 m groß. Der 142 oder 170 g schwere Gummiball von 20 cm Umfang wird mit einem mit Fangnetzen versehenen Schläger in das gegner. Tor getrieben. Die Spielzeit beträgt 4 × 15 min (Männer) bzw. 2 × 25 min (Frauen).

Lactame, zykl. innere Amide von Aminosäuren mit der Atomgruppierung –NH–CO–. Wichtige L. sind z. B. Caprolactam und Penicillin.

Lactantius (Laktanz), eigtl. Lucius Caecilius Firmianus, lat. Kirchenschriftsteller (»der christl. Cicero«), * in N-Afrika um 250, † Trier (?) nach 317; als zunächst von Diokletian berufener Lehrer der Rhetorik in Nikomedia; schon vor der diokletian. Verfolgung, die er später beschrieb, Übertritt zum Christentum; seit 317 Erzieher des Konstantin-Sohnes Crispus in Trier. Als sein Hauptwerk gilt »Divinae institutiones«, die erste Gesamtdarstellung der christl. Lehre in lat. Sprache.

Pierre Ambroise François Choderlos de Laclos

Lactate [lat.], Salze und Ester der Milchsäure.

Lactone [lat.], zykl. innere Ester von Hydroxycarbonsäuren. Versch. natürl. und synthet., nach Moschus riechende L. werden in der Riechstoffind. verwendet.

Lactose [lat.] *die* (Laktose, Lactobiose, Milchzucker), ein Disaccharid, $C_{12}H_{22}O_{11}$; das wichtigste Kohlenhydrat in der Milch aller Säugetiere. L. wird durch verdünnte Säuren oder Enzyme zu D-Glucose und D-Galactose gespalten. Beim Sauerwerden der Milch geht sie mikrobiell in Milchsäure über.

La Coruña 2): Die an der Hafenseite liegenden Häuser mit den verglasten Balkonfronten wurden im 19. Jh. erbaut

Franz Moritz Graf von Lacy (Ausschnitt eines zeitgenössischen Kupferstichs)

Lacy ['lasi, 'la:si] (Lascy), Franz Moritz Graf von, österr. Feldmarschall (seit 1763), * Sankt Petersburg 21. 10. 1725, † Wien 24. 11. 1801; Generalstabschef unter L. von Daun im Siebenjährigen Krieg, als Präs. des Hofkriegsrates (1766–74) bed. Heeresreformer mit großem polit. Einfluss.

Ladakh, Hochgebirgslandschaft zw. dem Himalaja und dem Karakorum, zu beiden Seiten des oberen Indus, gehört zu Kaschmir. Der höchste Berg ist der Saser Kangri (7672 m ü.M.). Auf das gesamte Gebiet von L. (rd. 96000 km²) erhebt Indien Anspruch, de facto gehören jedoch nur 58321 km² zum Distr. L. des ind. Bundesstaates Jammu and Kashmir. Die Bev. besteht aus den sesshaften **Ladakhi,** die Bewässerungsanbau (Getreide, Hülsenfrüchte, Obst) betreiben, und den **Khampa,** die Halbnomaden sind und Vieh züchten. Die Ladakhi des ind. Distrikts L. sind überwiegend Anhänger des Lamaismus (mehrere Klöster, u.a. Alchi, Lamayuru, Shey, Tikse, Hemis, sind Anziehungspunkte des bed. Tourismus), daher wird L. auch Klein-Tibet genannt. Distrikthauptstadt und Marktort ist Leh (3520 m ü.M.; 9000 Ew.). – L. war Teil des ersten tibet. Reiches (bis 9./10. Jh.), dann selbstständiges Königreich, 1834–42 vom Raj von Jammu erobert. Nach Festlegung der Demarkationslinie in Kaschmir (1949) kam der größere Teil L. an Indien, der kleinere, nordwestl. (Baltistan) an Pakistan. Im indisch-chines. Grenzkonflikt (1962) besetzten chines. Truppen den nordöstl. Teil von Ladakh.

📖 BRAUEN, M.: *Feste in L. Graz 1980.* – KEILHAUER, A. *u.* P.: *L. u. Zanskar. Köln* ⁵*1990.*

Ladakh: Die 3520 m ü. M. liegende Distrikthauptstadt Leh mit dem oberhalb gelegenen alten Königspalast zählt 9000 Einwohner

Ladebaum, *Schifffahrt:* an einem Mast oder Pfosten als Ausleger beweglich angebrachtes starkes Rundholz oder Stahlrohr, das in Verbindung mit dem Ladegeschirr (Takelage und Winden) einen Kran ersetzt. L. haben eine Tragfähigkeit bis zu 10 t, Schwergut-L. von 100 t und mehr.

Lądek Zdrój ['lɔndɛk 'zdruj] (dt. Bad Landeck in Schlesien), Stadt in der Wwschaft Wałbrzych (Waldenburg), Polen, 450–500 m ü.M., im Talkessel zw. Reichensteiner Gebirge und Glatzer Schneegebirge, 6700 Ew.; bed. Badeort (stark radioaktive Schwefelquellen und Moorbäder). – L. Z. wurde 1325 erstmals urkundlich erwähnt.

Lademarke, die Freibordmarke (→ Freibord).

Lademaß, *Eisenbahn:* Begrenzungslinie, die die Ladung eines offenen Güterwagens im (geraden) Gleis nicht überragen darf (→ Lichtraumprofil).

Ladenburg, Stadt im Rhein-Neckar-Kr., Bad.-Württ., am unteren Neckar, 11800 Ew.; Max-Planck-Institut für Zellbiologie, Museen; chem. und Elektronikind., Herstellung von Feuerlöschgeräten und Wärmedämmstoffen. – Röm. Mauerreste; got. Stadtpfarrkirche St. Gallus (13.–15. Jh.; 19. Jh.); Wormser Bischofshof (12.–17. Jh., heute Lobdengau-Museum). – Ab etwa 50 n. Chr. stadtähnl. röm. Siedlung **(Lopodunum);** seit etwa 500 Hauptort des fränk. Lobdengaues **(Lobdenburg);** kam vor dem 10. Jh. zum Bistum Worms, 1705 an Kurpfalz, 1803 an Baden.

Ladenschluss, gesetzlich geregelter Zeitpunkt, zu dem Verkaufsstellen schließen. Nach der zum 1. 11. 1996 in Kraft getretenen Änderung vom 30. 7. 1996 des L.-Ges. vom 28. 11. 1956 müssen Verkaufsstellen an Sonn- und Feiertagen ganztägig, montags bis freitags bis 6 Uhr und ab 20 Uhr, samstags bis 6 Uhr und ab 16 Uhr, an den vier aufeinander folgenden Samstagen vor dem 24. Dezember bis 6 Uhr und ab 18 Uhr, an einem werktägl. 24. Dezember bis 6 Uhr und ab 14 Uhr geschlossen bleiben. Ausnahmen gelten bes. für Apotheken, Zeitschriftengeschäfte, Tankstellen, Warenautomaten, Verkaufsstellen auf Personenbahnhöfen sowie Flug- und Fährhäfen, Kurorte, bestimmte Waren (z.B. Milch, Backwaren). – Die mit der Änderung des L. durch das Ges. von 1996 erstrebten arbeitsmarktpolit. Effekte haben sich nicht eingestellt. Nach dem in *Österreich* geltenden Öffnungszeiten-Ges. 1991 dürfen Verkaufsstellen montags bis freitags von 6 Uhr (Bäckereien ab 5.30 Uhr) bis 19.30 Uhr (Süßwarenläden bis 20.30 Uhr), einmal wöchentlich bis 21 Uhr offen gehalten werden; an Samstagen sind die Öffnungszeiten bis 13 Uhr, einmal monatlich bis 17 Uhr begrenzt. Sonderregelungen gelten u.a. für den 24. und den 31. Dezember. In der *Schweiz* sind die L.zeiten Sache der Kantone; der allgemeine abendl. L. ist meist auf die Zeit zw. 18.30 Uhr und 19 Uhr festgelegt.

Lader, 1) *Datenverarbeitung:* zum Betriebssystem eines Computers gehörendes Dienstprogramm zum »Laden« ablauffähiger Programme vom Massenspeicher in den Arbeitsspeicher.

2) *Kraftfahrzeugtechnik:* Verdichter in einem Aufladegebläse oder einem Abgasturbolader zur →Aufladung von Verbrennungsmotoren.

Ladeschein, Urkunde, die der Frachtführer beim Flussfrachtgeschäft über seine Verpflichtung zur Auslieferung des Gutes an den Empfänger ausstellt; von gleicher Bedeutung wie das Konnossement bei der Seefracht. Der L. wird daher auch **Fluss-** oder **Binnenkonnossement** genannt.

Ladikije, Stadt in Syrien, →Latakia.

Ladiner, die rätoroman. Bewohner einiger Dolomitentäler, Italien; das Zentrum ihres Gebietes ist das Massiv der Sella- und Kreuzkofelgruppe: im Grödner Tal und Gadertal in Südtirol (Prov. Bozen), im Fassatal (Prov. Trient) sowie im oberen Cordevoletal (Buchenstein und Colle Santa Lucia) und im Ampezzo (Prov. Belluno) sowie in kleineren Gruppen im nördl. Trentino (Sulzberg und Nebental der Novella); rd. 35 000 Menschen. Die L. Südtirols sind als Volksgruppe staatlich anerkannt, haben kulturelle Autonomie; seit 1989 ist Ladinisch örtl. und regionale Verw.-Sprache. Das **Ladinische** ist ein Dialekt der →rätoromanischen Sprache. Die Volkskultur ist eng mit der deutschtirol. verwandt; bed. Schnitzkunst im Grödnertal.

Ladino [lat.-span.] *der,* Mischling von Weißen und Indianern in Zentralamerika; auch der Indianer, der seine traditionelle Lebensweise aufgegeben hat.

Ladino *das,* roman. Sprache iber. Juden, bes. ihrer im 15. und 16. Jh. vertriebenen Nachfahren, die sich v.a. in Amsterdam, Ferrara, Livorno, Marokko, im Osman. Reich (Zentren Saloniki und Smyrna) ansiedelten. L. ist eine auf dem Kastilischen basierende Gemeinsprache mit hebräischer Schrift. Man unterscheidet das eigentl. **Ladino** (Sprache der religiösen Literatur), das dem Altspanischen am nächsten steht, und das gesprochene **Judenspanisch,** das auch in nichtreligiösem Schrifttum verwendet wird.

Ladislaus (ungar. László), ungar. Herrscher: **1) L. I., der Heilige,** König (1077–95), *in Polen um 1040/1046, †Nitra 29. 7. 1095; förderte die Umgestaltung Ungarns nach westl. Vorbild; eroberte Kroatien (1091 Personalunion mit Ungarn), dauerhaft nur Slawonien; 1192 wurde er heilig gesprochen; Tag: 27. 6.

2) L. IV., König (1272–90), *1262, †Körösszeg 10. 7. 1290; unterstützte Rudolf I. von Habsburg gegen Ottokar II. Přemysl von Böhmen (Sieg von Dürnkrut, 1278); von Kumanen ermordet.

3) L. V. Postumus, König (1440/44–57), *Komárom 22. 2. 1440, †(Giftmord?) Prag 23. 11. 1457; Habsburger, Sohn von König Albrecht II.; obwohl schon 1440 gekrönt, erst 1444 (1446–52 regierte J. Hunyadi als Reichsverweser) anerkannt; seit 1453 auch König von Böhmen (mit G. von Podiebrad als Reichsverweser).

Ladogasee (finn. Laatokka, russ. Ladoschskoje osero), größter See Europas, im NW des europ. Teils Russlands, 5 m ü. M., 17 700 km² groß, mit den rd. 660 Inseln 18 135 km²; mit Ausnahme des felsigen NW-Ufers herrschen flache, sandige Uferlinien vor. Hauptzuflüsse: Wolchow (vom Ilmensee), Vuoksi (von der Finn. Seenplatte) und Swir (vom Onegasee); sein Abfluss zum Finn. Meerbusen ist die Newa. Der L. ist bed. für die Binnenschifffahrt (Teil des Wolga-Ostsee-Wasserwegs); Fischfang.

Ladenburg Stadtwappen

Ladenburg: Marktplatz mit Marienbrunnen, im Hintergrund der Turm der gotischen Stadtpfarrkirche Sankt Gallus

Ladronen [zu span. ladrón »Dieb«] (Diebsinseln), alter Name der →Marianen.

Ladung, 1) *Güterverkehr:* Gesamtheit der Güter im Laderaum eines Transportmittels **(Ladegut).** Bei Schiffs- und Luftverkehr heißt die L. auch Kargo (Cargo). Man unterscheidet: **Bulk-** oder **Schüttgut-L.** (z. B. Getreide, Kohle), **Nassgut-L.** (z. B. Öl), **Stückgut-L.** (z. B. Kisten, Fässer), **Schwergutladung.**

2) *Physik:* a) allg. die **elektr. L., Elektrizitätsmenge,** Formelzeichen Q, eine Eigenschaft bestimmter materieller Teilchen **(L.-Träger),** die die Ursache des elektromagnet. Feldes und damit der elektromagnet. Wechselwirkung ist. Alle Feldlinien eines elektrostat. Feldes beginnen und enden

Pieter van Laer: »L'Accampamento« (undatiert; Privatbesitz)

an ruhenden elektr. L., die man danach positiv (Quelle) und negativ (Senke) nennt. L. sind additive physikal. Größen. Gleiche Mengen positiver und negativer L. kompensieren sich zur **Gesamt-L.** null; es liegt dann äußerlich ein ladungsfreier oder elektrisch neutraler Zustand vor. Für die L. gilt ein Erhaltungssatz. Bewegte elektr. L. stellen einen elektr. Strom dar, sie werden von magnet. Feldlinien umschlossen. Zw. gleichnamigen L. wirken abstoßende, zw. entgegengesetzten anziehende Kräfte (**coulombsches Gesetz,** →Coulomb). Diese Kraftwirkungen werden zur Messung von L., z. B. mit →Elektrometern, ausgenutzt. SI-Einheit der L. ist das Coulomb (C). Jede L. eines Elementarteilchens oder makroskop. Körpers ist ein ganzzahliges Vielfaches der →Elementarladung. Der experimentelle Nachweis von freien →Quarks, deren L. $^1/_3$ und $^2/_3$ der Elementar-L. betragen soll, ist bisher nicht gelungen. b) In der Elementarteilchen- und Quantenphysik unterscheidet man neben elektr. L. (**L.-Zahl,** d. h. L. in Einheiten der elektr. Elementar-L.) u. a. baryon. L. (Baryonenzahl), lepton. L. (Leptonenzahl), Hyper-L. und Charms, die sog. ladungsartige →Quantenzahlen darstellen.

Oskar Lafontaine

3) *Recht:* Aufforderung, vor einer Behörde, bes. vor einem Gericht, zu einem bestimmten Zeitpunkt zu erscheinen. Im Zivilprozess beträgt die zw. der Zustellung der L. und dem Termin liegende L.-Frist im Anwaltsprozess mindestens eine Woche, sonst drei Tage (§ 217 ZPO). Die L.-Frist ist hier von der →Einlassungsfrist zu unterscheiden. Bei Nichteinhaltung der Frist darf, wenn der Gegner Widerspruch einlegt, nicht verhandelt werden und kein Versäumnisurteil ergehen. – Im Strafprozess beträgt die L.-Frist für die L. des Angeklagten und seines Verteidigers zur Hauptverhandlung mindestens eine Woche (§ 217 StPO), im beschleunigten Verfahren 24 Stunden. Bei Nichteinhaltung kann die Aussetzung der Verhandlung verlangt werden.

4) *Waffentechnik:* die bei Schusswaffen als Treibmittel für das Geschoss erforderl. Pulvermenge.

Ladungsdichte, das Verhältnis der elektrischen Ladung zu Volumen **(Raum-L.),** Fläche **(Flächen-L.)** oder Länge **(Linien-L.).**

Ladungskonjugation, *Quantenfeldtheorie:* Zeichen *C,* mathemat. Operation, die ein Elementarteilchen der elektr. Ladung Q in ein solches der Ladung −Q überführt; spielt in den Symmetriegesetzen der Elementarteilchenphysik eine Rolle (→CPT-Theorem).

Ladungsträger, alle elektrisch geladenen (v. a. atomaren) Teilchen; i. e. S. geladene Teilchen oder Quasiteilchen, die sich unter der Wirkung eines elektr. Feldes bewegen und eine elektr. Leitfähigkeit hervorrufen, z. B. die Kationen und Anionen eines Elektrolyten, die Elektronen und Defektelektronen (Löcher) in Halbleitern und die freien Ionen und Elektronen eines Gases.

Ladungswechsel (Gaswechsel), *Motortechnik:* derjenige Teil des Arbeitsspiels eines →Verbrennungsmotors, bei dem die Verbrennungsgase ausgeschoben und das Kraftstoff-Luft-Gemisch oder die Verbrennungsluft angesaugt werden.

Lady ['leɪdɪ, engl.] *die,* **1)** urspr. Titel der engl. Königin und der königl. Prinzessinnen; in Großbritannien Titel bes. der Frau eines Peers sowie der Peeress (zunehmend allg. für adlige Damen), auch Anrede für die Frau des Inhabers eines hohen Staatsamtes (z. B. L. Mayoress).

2) angloamerikan. Bez. für eine Dame, die dem männl. Ideal des →Gentleman entspricht. **First L.,** ranghöchste Dame einer Gesellschaft. **Our L.,** Unsere Liebe Frau, die Jungfrau Maria.

Laederach ['lɛ:-], Jürg, schweizer. Schriftsteller, *Basel 20. 12. 1945; veröffentlichte Bühnenwerke und Prosa, die sich durch bewusst skurrile Einfälle und collagenhafte Sprachtechnik auszeichnen (»Das ganze Leben«, R., 1989; »Flugelmeyers Wahn. Ein Leben in sieben Tagen«, Erzählungen, 1986; »Emanuel. Wörterbuch des hingerissenen Flaneurs«, R., 1990; »Passion. Ein Geständnis«, R., 1993); erhielt 1997 den Österr. Staatspreis.

Laennec [laɛ'nɛk], René Théophile Hyacinthe, frz. Mediziner, *Quimper 17. 2. 1781, †Kerlouan (Dép. Finistère) 13. 8. 1826; erfand das Stethoskop und entwickelte die Auskultation zur Diagnostik der Herz- und Lungenkrankheiten.

Laer [la:r], Pieter van, niederländ. Maler, getauft Haarlem 14. 12. 1599, †ebd. 30. 6. 1642; lebte 1626–38 in Rom; schuf, angeregt durch die an Caravaggio anknüpfenden Maler, Bilder aus dem Volksleben in scharfem Helldunkel, für die die Bez. →Bambocciade üblich wurde.

Laer, Bad [-laːr], →Bad Laer.

Laẹrtes, 1) bei Homer König von Ithaka und der Vater des Odysseus.

2) in Shakespeares »Hamlet« der Bruder der Ophelia.

La Farge [lə'fɑːdʒ], Oliver, amerikan. Schriftsteller und Ethnologe, *New York 19. 12. 1901, †Albuquerque (N. Mex.) 2. 8. 1963; schrieb Berichte über seine ethnograph. und archäolog. Forschungsreisen, auch Romane (»Der große Nachtgesang«, 1929), Erzählungen und Kurzgeschichten, bes. aus dem Leben nordamerikan. Indianer.

Jean de La Fontaine: Porträt des französischen Malers Nicolas Largillière (undatiert; Versailles, Nationalmuseum des Schlosses), darunter Autogramm

La Fayette [-'jɛt], **1)** Marie Joseph de Motier, Marquis de, frz. Staatsmann, *Schloss Chavaniac (Dép. Haute-Loire) 6. 9. 1757, †Paris 20. 5. 1834; nahm seit 1777 als General am Unabhängigkeitskampf der USA teil und trug wesentlich zur Kapitulation der Briten bei Yorktown (19. 10. 1781) bei. 1789 in Paris Mitgl. der Generalstände, reichte er der Nationalversammlung am 11. 7. einen Entwurf zur Erklärung der Menschenrechte ein. Als einer der führenden Politiker der Revolution strebte er die konstitutionelle Monarchie an und musste deshalb 1792 zu den Österreichern fliehen. Seit 1818 war er liberaler Abg., führte bei der Julirevolution von 1830 die Nationalgarde.

2) Marie-Madeleine Marquise von, geb. Pioche de la Vergne, frz. Schriftstellerin, *Paris 18. (16.?) 3. 1634, †ebd. 25. 5. 1693; eröffnete in Paris einen eigenen Salon und war eng befreundet mit La Rochefoucauld. Ihr Roman »Die Prinzessin von Clèves« (1672) gilt als der erste psycholog. Roman der frz. Literatur.

📖 MALANDAIN, P.: *Madame de Lafayette. La Princesse de Clèves. Paris* ^{2}*1989.*

La Ferrassie [la fɛra'si], altsteinzeitl. Fundstelle im frz. Dép. Dordogne: Skelettfunde vom Typ des Neandertalers in den Moustérienschichten.

Lafẹtte [frz.] *die,* Schießgerüst, i.d.R. auch das Fahrgestell der →Geschütze, das die beim Schuss auftretenden Kräfte aufnimmt und in den Erdboden bzw. in die Fundamentierung überträgt.

Laffitte [la'fit], Jacques, frz. Bankier und Politiker, *Bayonne 24. 10. 1767, †Paris 26. 5. 1844; nach 1815 einer der Führer der liberalen Opposition, 1830/31 Finanzmin. und Ministerpräsident.

La Flèche [la flɛːʃ], Stadt im frz. Dép. Sarthe, 16 600 Ew.; Textil- und Lederind. – Im Schloss (urspr. 1537) richtete Heinrich IV. ein Jesuitenkolleg ein, an dem u.a. Descartes und Prinz Eugen von Savoyen studierten; seit Napoleon I. militär. Eliteschule.

Lafontaine [lafɔ̃'tɛːn], Oskar, Politiker (SPD), *Saarlouis 16. 9. 1943; Dipl.-Physiker, 1976–85 Oberbürgermeister von Saarbrücken, 1977–96 Landesvors. der SPD im Saarland, 1985–98 Min.-Präs. im Saarland, 1987–95 stellv. Bundesvors. der SPD, entwickelte in den 1980er-Jahren das Konzept eines ökolog. Umbaus der Industriegesellschaft; wandte sich 1990 wegen von ihm befürchteter finanzieller Risiken gegen einen zu schnellen Prozess der dt. Vereinigung. Bei den ersten gesamtdt. Wahlen zum Bundestag 1990 trat er als Kandidat der SPD für das Amt des Bundeskanzlers an; während des Wahlkampfes wurde L. bei einem Attentat schwer verletzt. Ab Nov. 1995 (Kampfabstimmung gegen R. Scharping) Bundesvors. der SPD, ab Okt. 1998 auch Bundesmin. der Finanzen; im März 1999 trat L. überraschend von allen Ämtern zurück.

La Fontaine [lafɔ̃'tɛn], Jean de, frz. Dichter, *Château-Thierry 8. 7. 1621, †Paris 13. 4. 1695; lebte in Paris, gefördert von einflussreichen Gönnern, befreundet u.a. mit J. Racine und Molière. Von seinem vielseitigen Schaffen erlangten die 240 »Fabeln« (12 Bücher, 1668, 1678/79, 1694) weltliterar. Bedeutung: L. F. nutzte Überlieferungen (u.a. Babrios, Äsop, Phaedrus und ind. Quellen), kritisierte in leichten, eleganten, zuweilen auch pathet. Versen in unterhaltsamer Weise allg. menschl. Schwächen und die zeitgenöss. Gesellschaft. Die »Contes et nouvelles en vers« (5 Tle., 1665–86, dt.

Marie Joseph Motier de La Fayette (Stahlstich des englischen Zeitgenossen James Hopwood)

Marie-Madeleine de La Fayette (Ausschnitt eines zeitgenössischen Kupferstichs)

»Schwänke und Märchen«) nehmen die galante Literatur des 18. Jh. vorweg.

📖 DUCHÊNE, R.: *La Fontaine. Paris 1990.* – STACKELBERG, J. VON: *Die Fabeln La Fontaines. München 1995.*

Laforgue [la'fɔrg], Jules, frz. Dichter, *Montevideo 16. 8. 1860, †Paris 20. 8. 1887; einer der ersten Vertreter des Vers libre; schrieb P. Verlaine nahe stehende symbolist. und dekadente Lyrik.

La Fosse [la'fo:s] (Lafosse), Charles de, frz. Maler, *Paris 15. 6. 1636, †ebd. 13. 12. 1716; unter dem Einfluss venezian. Malerei, P. P. Rubens und Correggios, malte er Tafelbilder und v. a. Fresken im Schloss von Versailles und in der Kuppel des Invalidendoms in Paris.

Roger La Fresnaye: »Sitzender Mann« (1913; Paris, Musée National d' Art Moderne)

La Fresnaye [lafrɛ'nɛ], Roger-Noël-François de, frz. Maler, *Le Mans 11. 7. 1885, †Grasse 27. 11. 1925; zunächst orientiert an Kubismus und den →Fauves, wandte er sich in späteren Werken (v. a. Zeichnungen und Gouachen) realistischer Darstellung zu.

Lag [læg, engl. »Verzögerung«] *der,* **1)** *Soziologie:* →Cultural Lag .

2) *Volkswirtschaftslehre:* (Timelag), zeitliche Verschiebung zw. der Veränderung einer ökonom. Größe und der Auswirkung dieser Veränderung auf andere wirtsch. Größen, z. B. zw. der Zunahme des Sozialprodukts und einem dadurch ausgelösten Investitionsschub. L. sind Voraussetzung für die Formulierung dynam. Modelle, mit deren Hilfe zeitl. Anpassungsprozesse analysiert werden können.

Paul Anton de Lagarde

Lagarde [la'gard], Paul Anton de, eigtl. Bötticher, Orientalist, Kulturphilosoph, *Berlin 2. 11. 1827, †Göttingen 22. 12. 1891; Prof. ebd.; trat für die Bildung einer »nat. Kirche« ein; verfasste textkrit. Arbeiten zum A. T. (Septuaginta), antiliberale und antisemit. kulturkrit. Schriften.

Lagasch, altoriental. Stadt, heute der Ruinenhügel **El-Hiba,** S-Irak. – Urspr. Zentrum eines gleichnamigen Staates, dessen Hptst. seit etwa 2400 v. Chr. Girsu (heute Tello) war. Unter Eannatum I. (um 2340 v. Chr.) erlangte L. die Vorherrschaft in Sumer. Im 21. Jh. v. Chr. erlebte L. unter dem Priesterfürsten Gudea eine nochmalige Blüte. – Amerikan. Ausgrabungen (seit 1968) legten u. a. Teile einer Tempelanlage mit ovaler Umfassungsmauer frei.

Lage, Stadt im Kr. Lippe, NRW, an der Werre, 35 800 Ew.; Holz-, Möbel-, Textil-, Kunststoff-, Nahrungsmittel- und graf. Ind., Zuckerfabrik, Eisenverarbeitung. – Seit 1791/1843 Stadt.

Lage, 1) *Geographie:* Bestimmung eines Ortes nach geograph. Länge und Breite, örtl. Gegebenheiten oder regionalen Beziehungen.

2) *Militärwesen:* Gesamtheit aller Faktoren, die auf eine Truppe in einem bestimmten Raum in einer bestimmten Zeit einwirken und die Vorbereitung, den Verlauf und den Ausgang von Operationen beeinflussen können.

3) *Musik:* a) Stellung der Töne im Tonraum: **hohe, tiefe, mittlere L.;** b) in der Harmonielehre die Stellung der Töne eines Akkords zueinander: **enge L.,** mit nahe beieinander, **weite L.,** mit auseinander liegenden Akkordtönen. Beim Dreiklang unterscheidet man außerdem **Oktav-L., Terz-L.** und **Quint-L.,** je nachdem, ob die Oktave, Terz oder Quinte den obersten Ton des Akkords bildet; c) bei Streichinstrumenten die Stellung der linken Hand am Griffbrett.

Lagebericht, von einer Kapitalges. ergänzend zum Jahresabschluss aufzustellender Bericht. Im L. sind gemäß §§ 289, 315 HGB zumindest der Geschäftsverlauf und die Lage der Kapitalges. so darzustellen, dass ein den tatsächl. Verhältnissen entsprechendes Bild vermittelt wird.

Lagenholz, Holzwerkstoff aus mehreren miteinander verleimten Furnieren. Die einzelnen Lagen können in ihrer Faserrichtung parallel **(Schichtholz),** überkreuzt **(Sperrholz)** oder sternförmig **(Sternholz)** liegen. Durch Verleimen unter Druck entsteht das **Presslagenholz.**

Lagenschwimmen, Wettbewerb, bei dem Teilstrecken (jeweils 50 bzw. 100 m) in Schmetterlings-, Rücken-, Brust- und Freistilschwimmen in der angegebenen Reihenfolge zurückzulegen sind. In der **Lagenstaffel** schwimmen 4 Schwimmer(innen) je 100 m in der Reihenfolge: Rücken-, Brust-, Schmetterlings-, Freistilschwimmen.

Lager, 1) *Betriebswirtschaftslehre:* Bez. für 1) den Ort der Verw. (Aufnahme, Verwahrung, Abgabe,

Verrechnung und Kontrolle) der zur Betriebsführung erforderl. Bestände an Waren aller Art; 2) die eingelagerten Gegenstände in Menge und Wert; 3) die mit der Lagerung befasste Betriebsabteilung. In der **L.-Kartei** werden die Ein- und Ausgänge verzeichnet. Der **L.-Bestand** ist Teil des Umlaufvermögens in der Bilanz und sichert den reibungslosen Verlauf der Produktion sowie ein kontinuierl. Warenangebot an die Abnehmer. Aus dem Verhältnis zw. dem Umsatz und dem durchschnittl. L.-Bestand ergibt sich der **L.-Umschlag;** je höher die Umschlagziffer, desto günstiger ist das Ergebnis der L.-Haltung. Die **L.-Kosten,** z. B. für L.-Raum und L.-Bestände, Ein-, Aus- und Umlagern, zählen zu den Materialgemeinkosten.

2) *Geologie:* in andersartige Gesteinsschichten eingelagerte Mineral- und Gesteinskörper, z. B. Erze.

3) *Maschinenbau:* Maschinenelement zum Tragen oder Führen relativ zueinander bewegl. Maschinenteile in Maschinen, Geräten oder Bauteilen, wobei es die auftretenden Kräfte aufnimmt und auf das Gehäuse, Bauteil oder Fundament ableitet (Drehführung). Nach Art der Bewegungsverhältnisse unterscheidet man Gleit-L. und Wälz-L.; beide können als **Radial-L. (Quer-L.)** mit zur Achse senkrechter Lastrichtung oder **Axial-L. (Längs-L.)** mit der Last in Achsrichtung ausgeführt werden. Während **Fest-L.** nur eine Drehbewegung zulassen, erlauben **Los-L.** auch eine axiale Verschiebung. Die einfachste Form ist das **Gleit-L.;** bestehend aus einem bewegten Teil (meist eine Welle oder ein Wellenzapfen, »L.-Zapfen«) und einem feststehenden Teil (L.-Schale oder in Gehäusen L.-Buchse) beim Radial-L. oder einem mit der Welle drehenden Laufring auf einem feststehenden L.-Ring beim Axial-L. Die Bewegung der L.-Teile gegeneinander ist gleitend, die Reibung wird durch Schmiermittel (meist Öl, aber auch Feststoffe wie Graphit oder Molybdändisulfit) und besondere Gestaltung herabgesetzt. Von besonderer Bedeutung ist für Gleit-L. der Werkstoff, aus dem die L.-Schalen bestehen; verwendet werden →Lagermetalle, aber auch Nichtmetalle (Kunststoffe, Gummi, Holz u. a.).

Wälz-L. bestehen grundsätzlich aus zwei Ringen (beim Radial-L.) oder Scheiben (beim Axial-L.), zw. denen sich auf Rollbahnen oder Laufrillen metall. Wälzkörper (gehärtete, geschliffene und polierte Kugeln, Zylinderrollen, Nadeln, Kegel- oder Tonnenrollen) befinden. Diese werden i. d. R. durch Führungselemente (Käfig) an der gegenseitigen Berührung gehindert, seltener laufen sie ohne Käfig (käfiglose L.). Nach der Form der Wälzkörper und der Laufringe unterteilt man Wälz-L. in die versch. Bauformen, z. B. Rillenkugel-L., Schrägkugel-L., Schulterkugel-L., Zylinderrollen-L., Kegelrollen-L., Nadel-L. Vorteile der Wälz-L. sind geringe, von der Drehzahl wenig abhängige Reibung, kleines Einbauvolumen, geringer Schmierstoffbedarf, weitgehende Wartungsfreiheit, Lieferung in einbaufertigem Zustand. Nachteilig können L.-Spiel, Empfindlichkeit gegen Schmutz, Laufgeräusch, Schwingungsübertragung und Drehzahlgrenze sein.

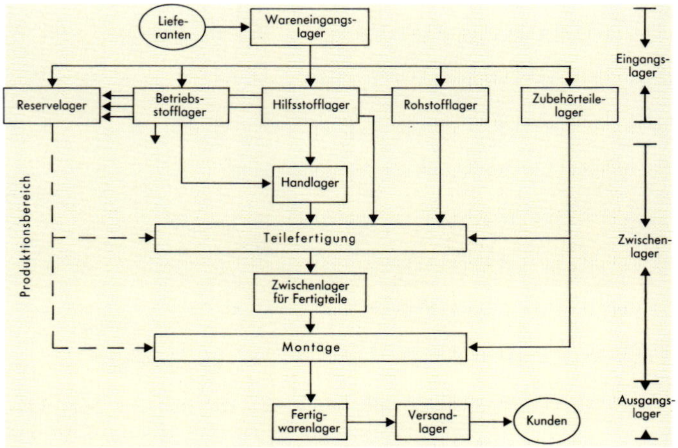

Lager 1): Verschiedene Lagerstufen in einem Industriebetrieb

Lagerbier, untergäriges Bier, das erst durch die Reifung beim Lagern trinkfähig wird.

Lagerfeld, Karl, Modeschöpfer, *Hamburg 10. 9. 1938; lebt seit 1952 in Paris; wurde berühmt durch seine Konfektionskollektionen; seit 1971 Führung des Hauses →Chanel.

Lagergeschäft, die gewerbsmäßige Lagerung und Aufbewahrung von fremden Gütern durch einen Lagerhalter auf der Grundlage eines Vertrages (Lagervertrag, §§ 416 ff. HGB; daneben gelten allg. Geschäftsbedingungen, z. B. die Allg. Dt. Spediteurbedingungen). Als Gegenleistung wird das **Lagergeld** entrichtet. Der Lagerhalter hat zur Sicherung der Lagerkosten ein gesetzl. Pfandrecht am eingelagerten Gut. Auf Verlangen kann er einen **Lagerschein** (Wertpapier) über die eingelagerte Ware ausstellen. – Die Regelung in *Österreich* entspricht dem dt. Recht. In der *Schweiz* gelten i. Allg. gleiche Vorschriften (Art. 482 ff. OR).

Lagerkvist, Pär, schwed. Schriftsteller, *Växjö 23. 5. 1891, †Stockholm 11. 7. 1974; begann als Expressionist, vertrat in der Folgezeit einen illusionslosen und krit. Humanismus. 1951 erhielt er für seinen Roman »Barabbas« (1950) den Nobelpreis für Literatur. Seine folgenden Romane (»Die Sibylle«, 1956; »Der Tod Ahasvers«, 1960; »Das heilige Land«, 1964; »Marianne«, 1967) kreisen um das Glaubensproblem; Gedichte, Dramen; »Gast bei der Wirklichkeit« (Autobiographie, 1925).

Pär Lagerkvist

Lago Maggiore: Blick über die zu den Borromäischen Inseln gehörende »Isola di Pescatori« auf die am Westufer liegende Stadt Verbania

Lagerlöf, Selma, schwed. Dichterin, * Gut Mårbacka (Värmland) 20. 11. 1858, † ebd. 16. 3. 1940; Hauptvertreterin der schwed. Neuromantik. Ihr Erstlingswerk »Gösta Berling« (1891), projiziert Motive aus ihrer värmländ. Heimat und das eigene Schicksal in die Vergangenheit. Weitere Werke zeigen eine Synthese von Märchenhaftem und Realismus, vom Glauben an die Macht des Guten und Wissen um die existenzielle Gefährdung des Menschen (»Die Wunder des Antichrist«, R., 1897; »Jerusalem«, R., 2 Bde., 1901/02; »Wunderbare Reise des kleinen Nils Holgersson mit den Wildgänsen«, Kinderbuch, 1906/07; »Löwensköld-Trilogie«, unvollendet, 1925–28; »Ein Stück Lebensgeschichte«, Autobiographie, 1908). 1909 Nobelpreis für Literatur; 1914 wurde sie als erste Frau Mitgl. der Schwed. Akademie.

Selma Lagerlöf

Lagermetalle, Metalle und Legierungen zur Herstellung von Lauf- und Gleitflächen in Lagern (→Lager), die bei geeigneter Schmierung geringe Reibung und Verschleiß aufweisen und sich nur wenig erwärmen; bei Wälzlagern chrom-, mangan- und molybdänlegierte Stähle; bei Gleitlagern Blei-, Zinn- und Aluminiumlegierungen, Bronze, Messing sowie Sintermetalle.

Lagerpflanzen, die →Thallophyten.

Lagerstätten, natürl. Anreicherung wirtsch. nutzbarer Mineral- (v.a. Erze, Salz), Kohle-, Erdöl- und Erdgasvorkommen.

Joseph Louis de Lagrange (zeitgenössischer Stahlstich)

Laghouat [la'gwat], Oasenstadt in Algerien, 750 m ü. M. am S-Abfall des Saharaatlas, 71 800 Ew.; Marktort an der Transsaharastraße; Kunsthandwerk, Dattelpalmenanbau; Flughafen.

Lagiden, anderer Name für →Ptolemäer.

Lago [italien., span.] *der,* See. – Mit L. zusammengesetzte Stichwörter, die man hier vermisst, suche man unter dem Eigennamen.

Lago Maggiore [-mad'dʒoːre] (Lago Verbano, in der Schweiz auch Langensee), der zweitgrößte der norditalien. Seen, 212 km² groß, 65 km lang, 194 m ü. M., bis 372 m tief (durch eiszeitl. Gletscher ausgeschürftes Becken, von Endmoränenkranz umgeben), liegt zu 1/5 im schweizer. Kanton Tessin, wird vom Tessin durchflossen; lebhafter Fremdenverkehr. Hauptorte: Locarno, Ascona in der Schweiz; Verbania, Stresa, Arona in Italien. In der einzigen größeren Bucht, bei Pallanza, liegen die →Borromäischen Inseln. Weiteres BILD Locarno

Lagos, 1) ['laɣuʃ], Fischereihafen an der S-Küste Portugals, 10 400 Ew.; Fremdenverkehr; im 15. und 16. Jh. Ausgangspunkt großer Entdeckungsreisen.

2) frühere Hptst. Nigerias, an der Bucht von Benin und auf mehreren, durch Brücken verbundenen Inseln, 1,4 Mio. Ew.; Sitz eines kath. Erzbischofs und eines anglikan. Bischofs; Univ. (gegr. 1961), Nationalbibliothek, -museum, -theater; Handels- und Industriezentrum (Fahrzeugbau, Montage von Radio- und Fernsehgeräten, Textil-, Nahrungsmittel-, Schuh- u.a. Ind.); wichtigster Hafen des Landes; internat. Flughafen Ikeja, Bahnlinie in den Norden. – Um 1650 um eine europ. Handelsniederlassung entstanden, 1861 von brit. Truppen erobert, 1954–91 Hptst. von Nigeria (heute →Abuja).

La Grande-Motte [la grãd'mɔt], Ferienzentrum an der Languedoc-Küste bei Montpellier, frz. Dép. Hérault, 5 100 Ew.; Jachthafen. 1967–77 erbaut. – BILD Frankreich

Lagrange [la'grãʒ], Joseph Louis de, frz. Mathematiker, * Turin 25. 1. 1736, † Paris 10. 4. 1813; herausragender Gelehrter des 18. Jh.; Prof. in Turin, Berlin und Paris, entwickelte die Variationsrechnung und wurde durch seine Zusammenfassung der Prinzipien der Mechanik zu den nach ihm ben. Gleichungssystemen der Begründer der analyt. Mechanik; Beiträge zur Theorie der analyt. Funktionen, zur Himmelsmechanik und Hydrodynamik.

Lagrange-Funktion [la'grãʒ-; nach J. L. de Lagrange], Formelzeichen *L,* in der theoret. Mechanik die Differenz von kinet. und potenzieller Energie, die das dynam. Verhalten von mechan. Systemen bestimmt. Mithilfe des hamiltonschen →Extremalprinzips kann man daraus die **Lagrange-Gleichungen** als Bewegungsgleichungen komplizierter mechan. Systeme ableiten.

Lagting *das,* die 2. Kammer des norweg. Parlaments.

La Guaira [-'ɣaira], Stadt in Venezuela, am Karib. Meer, nordwestlich von Caracas; 25 000 Ew.; Hauptimporthafen, durch Autobahn mit Caracas verbunden; Nahrungsmittel-, Bekleidungs- u.a. Ind.; internat. Flughafen Maiquetía.

Laguerre [la'gɛ:r], Edmond Nicolas, frz. Mathematiker, *Bar-le-Duc 9. 4. 1834, †ebd. 14. 8. 1886; einer der Begründer der modernen Geometrie; Arbeiten u.a. zur Theorie algebraischer Gleichungen. Die nach ihm benannten Polynome sind bedeutend bei der quantenmechan. Beschreibung des Wasserstoffatoms.

Lagune [lat. lacuna »Lache«, »Weiher«] *die* (an der Ostsee Haff, am Schwarzen Meer Liman gen.), ein durch Sandablagerungen (Nehrungen) oder Wallriffe (Korallenbauten) abgetrennter seichter Meeresteil an Flachküsten. Bei völligem Abschluss vom Meer bilden sich süßwassergefüllte Strandseen, sonst enthält die L. Brackwasser.

La Habana [-a'βana], Hptst. Kubas, →Havanna.

Lahar [malaiisch] *der,* Schlammstrom aus vulkan. Asche mit Regen- oder Schmelzwasser, auch durch Entleerung eines Kratersees verursacht.

Lahmheit (Lahmen), Bewegungsstörung bei Tieren infolge schmerzhafter Veränderungen an den Gliedmaßen, d.h., Gliedmaßen können nicht funktionsgerecht benutzt werden. (→Hinken)

Lähmung, eingeschränkte Fähigkeit **(Parese)** oder vollständige Unfähigkeit **(Paralyse),** einen Muskel oder eine Muskelgruppe zu bewegen. **Myogene L.** sind die Folgen von Muskelerkrankungen (z.B. Muskelentzündung). Die wesentlich häufigeren **neurogenen L.** beruhen auf einem Funktionsausfall motor. Nerven oder Nervenkerne. Die **zentrale L.** geht vom Bereich des ersten motor. Neurons (zw. Großhirnrinde und Hirnnervenkernen bzw. Großhirnrinde und Rückenmarksvorderhörnern) aus. Sie ist gewöhnlich mit Tonuserhöhung der betroffenen Muskeln verbunden **(spast. L.). Zerebrale L.** gehen vom Gehirn, **spinale L.** vom Rückenmark aus. Die **periphere L.** ist im Unterschied zur zentralen L. die Folge einer Schädigung im Bereich des zweiten Neurons (zw. Hirnnervenkernen bzw. Rückenmarksvorderhörnern und dem Erfolgsorgan); sie ist mit Verminderung des Muskeltonus, Muskelatrophie u.a. verbunden **(schlaffe L.).** Nach der Ausbreitung einer L. unterscheidet man zw. **Monoplegie** (eine Gliedmaße betroffen), **Diplegie** (doppelseitige L.) und **Tetraplegie** (alle vier Gliedmaßen betroffen).

Lahn, 1) *die,* rechter Nebenfluss des Rheins, 245 km lang, entspringt im südl. Rothaargebirge, mündet bei Lahnstein, ist 245 km lang, davon zw. Steeden und Lahnstein schiffbar. Nebenflüsse: von rechts Dill, von links Ohm, Weil, Ems, Aar. Die L. berührt in ihrem an Burgen und Schlössern reichen Tal u.a. Marburg, Gießen, Wetzlar, Weilburg, Limburg, Nassau, Bad Ems und trennt im Mittel- und Unterlauf Westerwald und Taunus.

2) 1977–79 bestehende kreisfreie Stadt und Verw.sitz des Lahn-Dill-Kreises, umschloss die Städte →Gießen und →Wetzlar sowie 14 umliegende Gemeinden.

Lagos 2) Stadtwappen

Lahn-Dill-Kreis, Landkr. im RegBez. Gießen, Hessen, 1067 km², (1997) 263600 Ew.; Krst. ist Wetzlar.

Lahnstein, Stadt im Rhein-Lahn-Kreis, Rheinl.-Pf., beiderseits der Mündung der Lahn in den Rhein, 18900 Ew.; Papier-, chem., Kunststoff verarbeitende und Metall verarbeitende Ind. – In Ober-L. Martinsburg (14./15., 18. Jh.), Martinskirche (13. und 18. Jh.), spätgot. Rathaus (1507), in Nieder-L. Johanniskirche (12. Jh.). Über L. die Burg **Lahneck** (1244 bezeugt). – L. entstand 1969 durch den Zusammenschluss von Nieder-L. (1047 erwähnt, 1332 Stadtrecht) mit Ober-L. (997 erwähnt, nach 1500 Stadt, 1689 zerstört).

Lahnung [nd.], niedriger Dammbau aus Erde, Buschwerk, Holz, Kunststoff- oder Betonfertigteilen auf dem Watt zur Landgewinnung.

La Hogue [-'ɔg], Bucht an der O-Küste der frz. Halbinsel Cotentin; am 29. 5. 1692 Seesieg der Engländer und Niederländer über die Franzosen.

Lahore [lə'hɔ:, engl.], Hptst. der Prov. Punjab, Pakistan, nahe der ind. Grenze, 3,15 Mio. Ew.; Univ., TU, Forschungsinstitute, Museen; Eisen-

Lahore: Die Badshahi-Moschee aus dem 17. Jahrhundert

bahnwerkstätten, Leder-, Woll-, chem. und Stahlind., Kunsthandwerk; internat. Flughafen. – Aus der Blütezeit L. als Residenz der Großmoguln (16./17. Jh.) stammen u.a. Burg, Paläste Jahangirs und Shah Jahans, die Badshahi-Moschee; am Stadtrand mehrere Mogulmausoleen. Die Festung

(Baubeginn unter Akbar) sowie der Shalimargarten (1637) wurden von der UNESCO zum Weltkulturerbe erklärt. – Gegr. um 100 n. Chr., 1098–1206 unter der Herrschaft der Ghasnawiden und Ghoriden.

Lahr/Schwarzwald, Stadt (Große Kreisstadt) im Ortenaukreis, Bad.-Württ., am Schwarzwaldrand, 42 000 Ew.; Fachschulen, Museen; Sitz der Oberrheinagentur (für Hochwasserschutz u. a.); Druckereigewerbe (seit 1801 Jahreskalender »Lahrer Hinkender Bote«), Maschinen- und Fahrzeugbau, Tabak-, Holz-, Metall-, elektrotechn. u. a. Industrie. – Seit 1279 Stadt.

Lahti ['laxti](schwed. Lahtis), Stadt in der Prov. Häme, S-Finnland, am Südende des Paijänne, 94 200 Ew.; stärkster Rundfunksender Finnlands, Rundfunkmuseum u. a. Museen; Möbel-, Elektro-Ind.; Wintersportzentrum.

Lahu (Musö, Lohei), Volk der Lologruppe in SW-Yunnan, China (etwa 300 000), N-Thailand (40 000), NO-Birma (100 000) und NW-Laos (2 000) mit tibetobirman. Sprache; Brandrodungsfeldbau, Viehhaltung, Jagd.

Lai [lɛ, frz.] *das,* mittelalterl. Gattungen der frz. Literatur: a) Versnovelle, v. a. über Stoffe um König →Artus, bedeutendste Autorin war Marie de France; b) lyr. Lied der höf. Dichtung ohne fest vorgegebene Form, dem dt. →Leich verwandt; gepflegt u. a. von Guillaume de Machaut.

Laibach, dt. Name der slowen. Hauptstadt →Ljubljana.

Laibung (Leibung), *Baukunst:* bei Gewölben die innere Wölbfläche, bei Wandöffnungen (Fenster, Türen) die der Öffnung zugekehrten Mauerflächen.

Laich [mhd. leich, eigtl. »Liebesspiel«], von einer Schleim- oder Gallerthülle umgebene, einzeln, in Klumpen oder Schnüren, meist im Wasser abgelegte Eier von Fischen, Schnecken und Lurchen.

Laichkraut (Potamogeton), weltweit verbreitete Gattung der L.-Gewächse mit vielen, vorwiegend im Süßwasser vorkommenden Arten, oft mit versch. gestalteten Unterwasser- und Schwimmblättern, z. B. das **Schwimmende L.** (Potamogeton natans) in Teichen, Seen und Gräben.

Laie [zu grch. laós »Volk«], **1)** *allg.:* Nichtfachmann.

2) *kath. Kirche:* der Angehörige der kath. Kirche, der kein →Kleriker ist.

Laien|apostolat, nach kath. Kirchenrecht die allg. Pflicht und das Recht der Laien, zur Verbreitung des Glaubens beizutragen.

Laienkelch, das Trinken des eucharist. Weins **(Kelchkommunion)** durch nicht zum Klerus gehörende Christen. Durch die Konzile von Konstanz (1415) und Trient (1562) verboten, wurde der L. zum wesentl. konfessionellen Unterscheidungsmerkmal der Abendmahlspraxis zw. der kath. und den evang. Kirchen. Das 2. Vatikan. Konzil hob 1963 das Verbot auf.

Laienrichter, veraltet für →ehrenamtliche Richter oder Schöffen.

Laienspiegel, weit verbreitetes Rechtshandbuch für Laien, von Ulrich Tengler (* um 1447, † 1511) verfasst, 1509 erstmals gedruckt.

Laienspiel, Theaterspiel, das von Laien aufgeführt wird (Amateurtheater). Das L. ging dem kunstmäßigen Theater voraus und begleitete es, oft als Bestandteil weltl. und religiöser Jahreszeitenfeste, u. a. die →geistlichen Dramen und →Fastnachtsspiele des späten MA., deren Traditionen bis in die Gegenwart fortwirken (→Bauerntheater, Oberammergauer Passionsspiel). Träger des L. waren Gemeinden, Berufsverbände (Gilden, Zünfte), (Kloster-)Schulen und Univ. (Schuldrama, Jesuitendrama) sowie andere Korporationen (Meistersinger, Rederijkers). Im 19. Jh. belebte die Romantik das Volksschauspiel. Seit etwa 1912 erwuchs aus der Jugendbewegung eine L.-Bewegung, die eine Erneuerung des Berufstheaters anstrebte.

📖 FLEMMING, I.: *Theater ohne Rollenbuch. Ein Handbuch für kreatives L. Mainz 1994.*

Laios, *grch. Mythos:* der Vater des →Ödipus.

Laisierung *die, kath. Kirchenrecht:* die Rückversetzung eines kath. Priesters in den Laienstand.

Laisse [lɛːs, frz.] *die,* die aus beliebig vielen, gleichartigen (acht-, zehn- oder zwölfsilbigen) Versen bestehende, durch Assonanz gebundene Strophe im altfrz. Heldenepos (→Geste), urspr. für den musikal. Vortrag bestimmt.

Laissez-faire, Laissez-aller [lɛse'fɛːr, lɛsea'le, frz. »lasst machen, lasst gehen«] *das,* Grundsatz des Wirtschaftsliberalismus: Die Wirtschaft gedeihe am besten, wenn der Staat sich nicht einmische.

Laizismus *der,* im 19. Jh. in Frankreich entstandene Bez. für die Bestrebungen, den Einfluss der Kirche auf den Staat und das öffentl. Leben einzuschränken; dort 1905 durch das Gesetz der Trennung von Staat und Kirche realisiert. Die Positionen des L. sind grundsätzlich antiklerikal (→Klerikalismus), nicht jedoch notwendig antichristlich.

Lajta ['lɔjtɔ], ungar. Name des Flusses →Leitha.

Lakatos ['lɔkɔtɔʃ], Imre, engl. Wissenschaftstheoretiker ungar. Herkunft, * Budapest 9. 11. 1922, † London 2. 2. 1974; seit 1969 Prof. in London, seit 1971 in Boston; Vertreter der Philosophie der Mathematik und des krit. Rationalismus. L. modifizierte Poppers Falsifikationstheorie und beschrieb die Wiss.entwicklung durch kontinuierlich sich ablösende Forschungsprogramme (entgegen der These T. S. Kuhns vom diskontinuierl. Fortschreiten).

Lake [mnd.], Salzlösung zum Einsalzen, Pökeln.

Lake [leɪk], engl. Bez. für (Binnen-)See. Mit L. zusammengesetzte Stichwörter, die man hier vermisst, suche man unter dem Eigennamen.

Lakedämon (grch. Lakedaimon), → Sparta.

Das lustige und recht lächerliche
Lalen Buch /
Das ist:
Wunderseltsame / abentheurliche / unerhörte / und bißher unbeschriebene Geschichten und Thaten der Lalen zu Lalenburg / in Misnopotamia / hinter Utopia gelegen.
Durch
M. Aleph / Beth / Gimel / der Vestung Ypsilonburger Amtmann.
Vier Herren von Lalenburg.
Letzterer Druck / so mit Figuren vermehrt ist.

Lalebuch: Titelblatt der ersten gedruckten Ausgabe von 1597

Lake Placid ['leɪk 'plæsɪd], Wintersportort in den Adirondacks, im Bundesstaat New York, USA, 1483 m ü. M., 2500 Ew.; Austragungsort der Olymp. Winterspiele 1932 und 1980.

Lake Superior ['leɪk sju'pi:ərɪə], → Oberer See.

Lakhnau, Stadt in Indien, → Lucknow.

Lakkadiven [altind.] (engl. Laccadive Islands), Gruppe von 36 Koralleninseln im Arab. Meer, westl. der SW-Küste Vorderindiens. Die Bewohner, arabisch-ind. Mischlinge, meist Muslime, leben vom Anbau trop. Früchte, Kokospalmen und von Fischerei. Die L. bilden mit den **Amindiven** (Amindive Islands) und **Minicoy** das ind. Unionsterritorium **Lakshadweep** ($32\,km^2$, 52000 Ew.); Hauptort: Kavaratti auf der Insel Kavaratti.

Lakkolith [grch.] *der,* Magmamasse, die zw. Schichtgesteine so eingedrungen ist, dass die überlagernden Deckschichten aufgewölbt wurden.

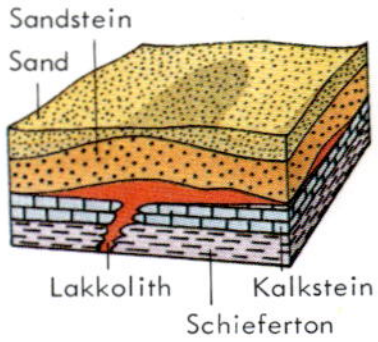

Lakkolith

Lakoni|en (grch. Lakonia oder Lakonike), grch. Landschaft und Nomos ($3636\,km^2$, 95000 Ew.) im SO der Peloponnes; Hptst.: Sparta; umfasst das Flussgebiet des Eurotas zw. Parnon und Taygetos. – L., seit etwa 1100 v. Chr. von Dorern besiedelt, war das Gebiet des Stadtstaates Sparta (amtlich **Lakedaimon**), der außer der Stadt Sparta den Landbesitz der Spartiaten sowie in den Randgebieten die Städte der Periöken umfasste. Um 830 von Byzanz, 1460 von den Osmanen erobert.

lakonisch [nach den Lakoniern, den Spartanern], wortkarg, kurz und treffend.

Lakritze [zu grch. »Süßwurz«] *die,* Extrakt aus der Wurzel von → Süßholz, als glänzend schwarze, süße Masse im Handel. Hauptbestandteil ist das Glykosid Glycyrrhizin; Bestandteil von Hustenmitteln.

Lakshmi [-ʃ-] (Shri), ind. Göttin des Glücks, der Schönheit, Fruchtbarkeit und Ehe; ihr Symbol ist die Lotosblume, die Kuh ist ihr geweiht; Gattin des Vishnu.

lakt... [lat.], milch...

Laktation *die,* hormonell gesteuerte Absonderung von Milch aus den Brustdrüsen der Frau und der weibl. Säugetiere während der Stillzeit (L.-Periode).

Laktose, die → Lactose.

lakustrisch (limnisch), die Seen betreffend; z. B. Ablagerungen oder Bildungen.

La Laguna, Stadt auf der span. Insel Teneriffa, 550 m ü. M., 110900 Ew.; kath. Bischofssitz; Univ. (1701 gegr.); Flughafen. – Bis 1723 Hptst. der Insel.

Lalebuch [»Narrenbuch«], dt. Volksbuch, Schwanksammlung eines unbekannten Verfassers über die Lalen, die um eines unbehelligten Lebens willen Narrheit annehmen und ihre Narreteien bis zum Untergang ihrer Stadt Laleburg treiben; entstanden im Elsass, erschienen 1597; 1598 u. d. T. »Die Schildbürger«, 1603 erweitert u. d. T. »Grillenvertreiber«.

Lalibela, Ort im Amharahochland, Äthiopien, benannt nach dem äthiop. König Lalibela der Sagwe-Dynastie (12./13. Jh.). Dem König werden auch die elf Felsen-(Monolith-)Kirchen zugeschrieben, obwohl die Bauzeit insgesamt wohl 120 Jahre dauerte. Sie sind aus dem anstehenden Tuffstein herausgehauen. An der höchsten Stelle liegt die Erlöserkirche (Beta Medhane Alem); die von Pilgern häufig besuchte Marienkirche (Beta Maryam) besitzt eine reiche Ausstattung in leuchtenden Farben (15. Jh.); die Georgskirche (Beta Siyorgis) liegt am Rande des durch viele unterird. Gänge und Stollen verbundenen Komplexes, sie entstand als

Lalibela: Die im 12. Jh. erbaute Georgskirche, eine von den 11 monolithischen Felsenkirchen, ist nur durch einen einzigen nach unten führenden Gang zugänglich

letzte und ist formal am vollendetsten, sie hat eine Reihe blinder Fenster sowie offene mit maur. Kielbögen, über denen sich vegetabiles Ornament ausbreitet (UNESCO-Weltkulturerbe).

GERSTER, G.: *Kirchen in Fels.* Zürich ²1972.

Lamaismus: Kultische Handlung von Mönchen der »Schule der Tugend«, die nach der Farbe ihrer Kopfbedeckung Gelbmützen genannt werden

La Línea de la Concepción [-kɔnθep'θi̯ɔn], Stadt in Andalusien Provinz Cádiz, Spanien, 56300 Ew.; Wohnort der in Gibraltar beschäftigten Spanier; Seebad.

Lalique [la'lik], René, frz. Goldschmied und Glaskünstler, *L'Hay-les-Roses (bei Paris) 6. 4. 1860, †Paris 1. 5. 1945; schuf Schmuckstücke, die häufig Naturformen nachgebildet sind, im Stil des Art nouveau (Jugendstil), mit denen er in der Schmuckgestaltung neue Maßstäbe setzte. Seine Glasarbeiten (Parfumflakons, Vasen, Lampen) sind oft an der Oberfläche »vereist« oder reliefiert.

René Lalique: Halsschmuck (1901; Frankfurt am Main, Museum für Kunsthandwerk)

Lalo, Édouard, span.-frz. Komponist, *Lille 27. 1. 1823, †Paris 22. 4. 1892; komponierte u.a. Opern (z.B. »Le roi d'Ys«, 1888), Ballett »Namouna« (1882), Violinkonzerte (»Symphonie espagnole«, 1873), Orchesterwerke, Lieder.

Lam, Wifredo, kuban. Maler, *Sagua la Grande (Prov. Villa Clara) 8. 12. 1902, †Paris 11. 9. 1982; kam 1937 nach Paris, wo er sich den Surrealisten anschloss und bes. von Picasso beeinflusst wurde; gestaltete in seinen Werken eine dämon. Bilderwelt mit rätselhaften Motiven und expressiv abstrahierten, von Pflanzen und Tieren abgeleiteten Formen.

Lama [peruanisch] *das,* →Kamele.

Lama [tibet. »der Obere«] *der,* der Geistliche des →Lamaismus.

La Madeleine [lama'dlɛ:n], altsteinzeitl. Fundstätte (Abri) bei Tursac an der Vézère (Dép. Dordogne), Frankreich, namengebend für die späteiszeitl. Kultur des →Magdalénien; hier wurden u.a. Kleinkunstwerke sowie eine Mammutdarstellung entdeckt.

Lamaismus *der,* die im 8. Jh. in Tibet entstandene, daneben heute v.a. in Bhutan, der Mongolei, Nepal, Nordchina, Ladakh und Sikkim verbreitete Form des Buddhismus. In seinen ind. Spätformen (Mahajana, Vadjrajana) um 632 in Tibet eingeführt, verschmolz er mit der **Bon-Religion,** der urspr. tibet. Religion. Aus ihr übernahm er den Dämonen- und Zauberglauben. Der L. ist eine Mönchsreligion, Grundlage der religiösen Praxis der Tantrismus, Zentrum der Lehre die Vorstellung vom Seienden als trüger. Illusion (»Leerheit«). In der vollkommenen Erkenntnis dieser Wahrheit liegt die Erlösung, die stufenweise durch Meditation, Yoga und ein kompliziertes System von (mag.) Ritualen erreicht wird. Typisch ist die unaufhörl. Rezitation mag. Formeln, die auch durch das Drehen der →Gebetsmühlen und das Aufstellen von Gebetsfahnen erfolgen kann. Die obersten Geistlichen des L. gelten als Verkörperungen des Bodhisattva Avalokiteshvara (→Dalai Lama) und des Buddha Amitabha (→Pantschen Lama). Die Kanonisierung der hl. Schriften des L. erfolgte im 14. Jh. in den Sammlungen des →Kandschur und →Tandschur. Als eigentl. Begründer des L. gilt der ind. Mönch Padmasambhava, der 747 das erste Kloster gründete und die ersten Mönche weihte. Nach der Farbe ihrer Kopfbedeckung wurden sie »Rotmützen« (oder **rote Schule**) genannt. Ihre Klöster entwickelten sich zu den polit. und wirtsch. Zentren des Landes, die obersten Geistlichen (Lamas) erhielten im 13. Jh. vom mongol. Khan Kubilai die Oberherrschaft über Tibet zugesprochen. Gegen die zunehmende Verweltlichung richtete sich die

Reformbewegung der von Tsongkhapa (*1357, †1419) gegr. »Schule der Tugend« (**Gelugpa;** »Gelbmützen« oder **gelbe Schule** genannt). Diese hatte die Erneuerung der buddhist. Ethik und Lehre, die Einführung des Zölibats für die Mönche, die Ausbildung einer strengen Hierarchie und die Errichtung eines Priesterstaates in Tibet zur Folge, geführt vom Dalai Lama als polit. und geistl. Oberhaupt. Hauptstadt und hl. Stadt des L. ist seither Lhasa. Im 16. Jh. erfolgte von Tibet aus die Missionierung der Mongolei. Zur neueren Geschichte →Tibet.

📖 DALAI LAMA XIV.: *Das Auge einer neuen Achtsamkeit. Traditionen u. Wege des tibet. Buddhismus. Eine Einführung aus östl. Sicht. A. d. Engl. München 1993.* – NICOLAZZI, M. A.: *Mönche, Geister u. Schamanen. Die Bön-Religion Tibets. Solothurn u. a. 1995.* – SÖPA, L. u. HOPKINS, J.: *Der tibet. Buddhismus. A. d. Engl. München [8]1995.*

Lamarck, Jean Baptiste Pierre de Monet, frz. Naturforscher, *Bazentin (Dép. Somme) 1. 8. 1744, †Paris 18. 12. 1829; unterschied Wirbellose und Wirbeltiere, führte ein neues System der Wirbellosen ein; prägte 1802 als einer der Ersten den Begriff »Biologie«; bestritt die Unveränderlichkeit der Arten (→Lamarckismus).

Werke: Zoologische Philosophie, 2 Bde. (1809), Histoire naturelle des animaux sans vertèbres, 7 Bde. (1815–22).

Jean Lamarck

Lamarckismus *der,* von Lamarck 1809 begründete Evolutionstheorie. Seine entscheidende Annahme, dass sich bestimmte Merkmale von Lebewesen durch die Wirkung von Umwelteinflüssen u. a. verändern und vererbt werden, hat sich bei genet. Untersuchungen nicht bestätigt. Der L. muss jedoch als wichtiger Vorläufer des →Darwinismus angesehen werden, der der →Abstammungslehre einen wesentl. Anstoß vermittelt hat.

Lamartine [lamar'tin], Alphonse de, frz. Dichter, *Mâcon 21. 10. 1790, †Paris 28. 2. oder 1. 3. 1869; zunächst Offizier, dann Diplomat, 1833 Abg. der Kammer, 1848 kurze Zeit Außenminister. Als Dichter begann er mit klangvollen, schwermütigen Versen (»Poet. Betrachtungen«, 1820; »Nouvelles méditations poétiques«, 1823; »Poet. und religiöse Harmonien«, 2 Bde., 1830), durch die er der frz. Romantik eine neue seel. Erlebnisweise erschloss. Von einer großen ep. Menschheitsdichtung, die er plante, wurden vollendet: »Jocelyn« (1836) und »Der Sturz eines Engels« (1838). Er verfasste außerdem Geschichtswerke, Reiseberichte und autobiograph. Schriften.

📖 FORTESCUE, W.: *A. de L. A political biography. London u. a. 1983.* – TOESCA, M.: *L., ou l'amour de la vie. Paris 1983.*

Lamb [læm], **1)** Charles, engl. Schriftsteller, *London 10. 2. 1775, †Edmonton (heute zu London) 27. 12. 1834; veröffentlichte zw. 1820 und 1825 unter dem Pseud. **Elia** in Zeitschriften geistreiche, witzige Essays. Zus. mit seiner Schwester Mary L. (*1764, †1847) veröffentlichte er für Kinder Nacherzählungen der Werke Homers und Shakespeares.

2) Willis Eugene, amerikan. Physiker, *Los Angeles (Calif.) 12. 7. 1913; bed. Arbeiten zur Atom- und Kernphysik (u. a. Theorie des Beta-Zerfalls und der Neutronenstreuung). 1947 entdeckte er eine durch Fluktuationen des elektromagnet. Feldes verursachte Verschiebung von Energieniveaus des Wasserstoffatoms **(L.-Shift)** und wies damit die Hyperfeinstruktur des Wasserstoffspektrums nach. L. erhielt dafür 1955 den Nobelpreis für Physik (mit P. Kusch).

Lambada [portugies.] *die,* 1989 aufgekommener, aus Brasilien stammender Modetanz in lateinamerikan. Rhythmus.

Lambarene (Lambaréné), Provinz-Hptst. in Gabun, auf einer Insel im Unterlauf des Ogowe, 26 300 Ew.; Flugplatz. – Am N-Ufer des Ogowe Albert-Schweitzer-Hospital (gegr. 1913, Neubau 1926, 1980 durch neuen Komplex ersetzt).

Alphonse de Lamartine: Porträt von François Gérard (undatiert; Versailles, Nationalmuseum des Schlosses)

Lambda *das,* Λ, λ, elfter Buchstabe des grch. Alphabets; sein Lautwert entspricht dem heutigen L.

Lambdahyperon (Lambdateilchen), Zeichen Λ oder Λ°, ein →Elementarteilchen aus der Gruppe der Baryonen.

Lambdapunkt [nach der Form des Phasendiagramms] (λ-Punkt), *Physik:* →Suprafluidität.

Lambdasonde [nach dem Luftverhältnis λ, d.h. dem Verhältnis von zugeführter Luftmenge zum theoret. Luftbedarf], *Kraftfahrzeugtechnik:* Messfühler im Auspuffsystem von Verbrennungsmotoren mit Katalysator, mit dem der Restsauerstoffgehalt im Abgas ermittelt wird. Das Messsignal wird zur Einregelung der Gemischbildung (Kraftstoff–Luft) auf das gewünschte Luftverhältnis ($\lambda = 1$) genutzt.

Julien Offray de La Mettrie: Porträt des deutschen Kupferstechers Georg Friedrich Schmidt (um 1750)

Lambert, Johann Heinrich, Physiker und Philosoph, *Mülhausen (Elsass) 26. 8. 1728, †Berlin 25. 9. 1777; seit 1765 Mitgl. der Berliner Akademie. Er entdeckte und klärte die Messung der Lichtstärke und die Gesetzmäßigkeiten der Lichtabsorption und begründete damit die Photometrie; stellte ein Gesetz für die Kometen- oder Planetenbewegung auf, verbesserte die Trigonometrie, wies die Irrationalität der Kreiszahl π nach. In seinem philosoph. Denken gilt er als bed. Vertreter des dt. Rationalismus und stand, bes. in seiner Wissenschaftstheorie, G. W. Leibniz nahe.

Lambeth ['læmbəθ], Stadtbezirk (Borough) von London, südl. der Themse, (1991) 244800 Ew., mit dem **L. Palace,** der Londoner Residenz der Erzbischöfe von Canterbury.

Lambeth-Konferenzen ['læmbəθ-], die seit 1867 i.d.R. alle zehn Jahre vom Erzbischof von Canterbury einberufenen Versammlungen aller anglikan. Bischöfe. (→Kirche von England)

Otto Graf Lambsdorff

Lambsdorff, Otto Graf, Politiker, *Aachen 20. 12. 1926; Rechtsanwalt, 1968–78 Schatzmeister der FDP in NRW, 1972–98 MdB, 1977–82 Bundeswirtschaftsmin. und 1988–93 Vors. der FDP, vertritt einen entschieden marktwirtschaftl. Kurs. In den 1980er-Jahren war er in die →Parteispendenaffäre verwickelt.

Lamb-Shift ['læmʃɪft, engl.], →Lamb.

Lamé [frz.] *der,* Gewebe, das im Schuss (meist in größerem Abstand) Metallfäden aufweist.

Lamellenpilze, →Blätterpilze.

Lamennais [lam'nɛ] (La Mennais), Hugues Félicité Robert de, frz. kath. Theologe und Schriftsteller, *Saint-Malo 19. 6. 1782, †Paris 27. 2. 1854; seit 1816 Priester; verteidigte den päpstl. Zentralismus gegen den →Gallikanismus, forderte die Unabhängigkeit der Kirche vom Staat, von der Kirche die Öffnung für demokrat. Prinzipien; vom Papst dafür verwarnt, antwortete er 1834 mit seinem Hauptwerk »Worte eines Gläubigen«; in der Folge endgültiger Bruch mit der Kirche (1836) und zunehmende Annäherung an sozialist. Positionen.

Lamento [italien.] *das,* **1)** *Musik:* in der italien. Oper des 17./18. Jh. Bez. für eine Klageszene, z.B. C. Monteverdis »L. d'Arianna« (1608).

2) *umgangssprachlich* für: Wehklage.

lamentoso [italien.] (lamentabile), musikal. Vortragsbezeichnung: klagend, traurig.

La Mettrie (Lamettrie), Julien Offray de, frz. Philosoph und Mediziner, *Saint-Malo 25. 12. 1709, †Berlin 11. 11. 1751; Entlassung als Militärarzt wegen Religionsfeindlichkeit (»Histoire naturelle de l'âme«, 1745). Wegen seines Materialismus und Atheismus verfolgt, fand er 1748 Asyl bei Friedrich d. Gr. und wurde Mitgl. der Berliner Akademie; vertrat die Anschauung, dass der Mensch eine sich selbst steuernde Maschine und das geistige Leben vom körperl. abhängig sei (»L'homme machine«, 1748), und formulierte unter dem Eindruck C. Linnés den Gedanken der materiellen Einheit in der Mannigfaltigkeit der Organismen.

Lamfalussy [lãfaly'si], Alexandre, belg. Bankier und Wirtschaftswissenschaftler ungar. Herkunft, *Kapuvar (bei Sopron) 26. 4. 1929; nach Tätigkeit bei belg. Banken 1981–93 Generaldirektor der Bank für Internat. Zahlungsausgleich und seit 1994 Präs. des Europ. Währungsinstituts.

Lamia, Hptst. des Nomos Ftiotide und der Region Mittelhellas, Griechenland, 42000 Ew.; Papier-, Textilind., Milchverarbeitung. – Mittelalterl. Zitadelle.

Lamina [lat.] *die,* **1)** *Anatomie:* dünne, meist nicht zelluläre Schicht in Geweben.

2) *Botanik:* die Blattspreite (→Blatt).

laminare Strömung, stationäre Strömung reibungsbehafteter Flüssigkeiten oder Gase, deren Schichten ohne Wirbelbildung aneinander vorbeigleiten. Bei hoher →Reynolds-Zahl wird die l. S. instabil und schlägt in turbulente Strömung um.

Laminarprofil, ein Tragflügelprofil mit weit nach hinten gelegter größter Dicke, bewirkt, dass die →Grenzschicht möglichst lange anliegt, wodurch der Reibungswiderstand klein bleibt.

Laminate, die →Schichtstoffe.

Laminektomie [lat.-grch.] *die,* Freilegung des Rückenmarks durch chirurg. Entfernung eines oder mehrerer Wirbelbögen und der Dornfortsätze, z. B. bei Rückenmarktumor oder Bandscheibenvorfall.

Lamischer Krieg [nach der Stadt Lamia], der Krieg, den die Griechen unter Führung Athens 323 v. Chr. gegen Antipater begannen, um die makedon. Herrschaft abzuschütteln; er endete 322 v. Chr. mit der Niederlage der Griechen.

Lamm, junges Schaf oder junge Ziege; Sinnbild der Unschuld und Geduld.

Lammasch, Heinrich, österr. Jurist und Politiker, *Seitenstetten (Bez. Amstetten) 21. 5. 1853, †Salzburg 6. 1. 1920; Prof. in Innsbruck und Wien, seit 1900 Mitgl. des Internat. Schiedsgerichtshofes. Als Vorkämpfer der Völkerversöhnung trat er während des 1. Weltkriegs für einen Verständigungsfrieden ein; vom 27. 10. bis 11. 11. 1918 war er der letzte österr.-ungar. MinPräsident.

Lammfell, Fell von tot geborenen, früh geborenen oder jungen Lämmern von Haus- und Zuchtschafrassen. **Edel-L.** sind vor allem L. vom Fettschwanzschaf. Die vielseitigste Lockenbildung zeigen die Felle junger Lämmer des Karakulschafes **(Persianer),** dessen Frühgeburten Breitschwanz genannt werden. Mit den Verfahren der Rauchwarenveredelung kann aus den Fellen der Kurzschwanzschafe durch versch. Schurarten und Färbemethoden ein vielseitig verwendbares Pelzmaterial hergestellt werden.

Lamm Gottes, Sinnbild Christi, →Agnus Dei.

Lamorisse [-'ris], Albert, frz. Filmregisseur, *Paris 13. 1. 1922, †(Hubschrauberunfall) Karadj (Iran) 2. 6. 1970; schuf künstlerisch-poet. Dokumentarfilme, u. a.: »Der weiße Hengst« (1952), »Der rote Ballon« (1955), »Die Reise im Ballon« (1958/60).

La Motte-Fouqué [lamɔtfu'ke], Friedrich Baron de, Schriftsteller, →Fouqué.

La Motte-Houdar [lamɔtu'dar], Antoine de, Schriftsteller, →Houdar de La Motte.

Lamoureux [lamu'rø], Charles, frz. Violinist und Dirigent, *Bordeaux 28. 9. 1834, †Paris 21. 12. 1899; gründete 1881 mit eigenem Orchester die »Neuen Konzerte« (»Concerts L.«).

Lampe, künstl. Lichtquelle. (→Leuchte)

Lampe, Name des Hasen in der Tierfabel.

Lampe, Jutta, Schauspielerin, *Flensburg 13. 12. 1937; bekannt durch die Zusammenarbeit mit P. Stein (bes. an der Schaubühne Berlin und Salzburger Festspiele), C. Pegmann und Luc Bondy; auch Filmrollen, u. a. in »Die bleierne Zeit« (1981), »Die Dämonen« (1988).

Lampedusa, Giuseppe Tomasi di, italien. Schriftsteller, →Tomasi di Lampedusa.

Lampertheim, Stadt im Landkr. Bergstraße, Hessen, in der Rheinebene, 32 700 Ew.; pharmazeut. und Metall verarbeitende Ind.; Tabak-, Spargelanbau. – Barockes Rathaus und Jagdhaus. – Das 832 erstmals urkundlich erwähnte L. gehörte zum Hochstift Worms. Stadt seit 1951.

Lampion [lam'pjɔŋ, frz.] *der,* seltener *das,* oft reich bemalte Papierlaterne; ostasiat. Ursprungs.

Lampionpflanze [lam'pjɔŋ-], →Blasenkirsche.

Lamprecht, 1) Gerhard, Filmregisseur, *Berlin 6. 10. 1897, †ebd. 4. 5. 1974; Filme: »Buddenbrooks« (1923), »Emil und die Detektive« (1931), »Madame Bovary« (1937) u. a.; gründete zus. mit dem Berliner Senat die »Dt. Kinemathek«.

2) Günter, Schauspieler, *Berlin 21. 1. 1930; 1954–71 Engagements an versch. Bühnen; beim Fernsehen Rollen u. a. als »Tatort«-Kommissar. – *Filme:* »Das Messer im Rücken« (1975); »Das Brot des Bäckers« (1976); »Berlin Alexanderplatz« (Fernsehserie, 14 Folgen, 1980); »Milo Barus, der stärkste Mann der Welt« (1982); »Der Engel, der vom Himmel fiel« (Video, 1996).

Heinrich Lammasch

3) Karl, Historiker, *Jessen (Elster) 25. 2. 1856, †Leipzig 10. 5. 1915; wurde 1890 Prof. in Marburg, 1891 in Leipzig; entfachte mit dem Versuch, Sozialgesch. als Kulturgesch. zu schreiben, einen heftigen Methodenstreit.

Werke: Dt. Wirtschaftsleben im MA., 4 Tle., (1885–86); Dt. Gesch., 14 Bde., 2 Erg.-Bde. (1891–1909); Die kulturhistor. Methode (1900); Einführung in das histor. Denken (1912).

Lamprecht, Der Pfaffe, moselfränk. Geistlicher, dichtete um 1140/50 nach dem altfrz. Lied des Alberich von Besançon ein Alexanderlied, den ersten weltl. dt. Versroman mit antikem Stoff. Es wurde um 1160/70, ebenfalls von einem Geistlichen, umgearbeitet (»Straßburger Alexander«).

Lamprete [galloroman.] *die,* →Neunaugen.

Lamprophyre [grch.], Gruppe dunkler kieselsäurearmer Ganggesteine, feinkörnig, oft umgewandelt, gering mächtig, z. B. die →Minette.

LAN, Abk. für engl. **l**ocal **a**rea **n**etwork, *Datenverarbeitung:* lokal begrenzte Vernetzung von Computern (→Netz), z. B. in einem Gebäude. LAN können kreisförmig, teil- oder vollvermascht, sternförmig oder als Bussystem (eine Basisleitung, von der die einzelnen Rechnerleitungen abgehen) aufgebaut sein. Eine spezielle Vernetzungstechnologie von LAN stellt das **Ethernet** da, das von den Firmen Xerox, Intel und DEC entwickelt wurde. Es ist ein Busnetz, das aus einzelnen Bussystemen zusammengesetzt ist, und in zwei unterschiedl. Standards (IEEE 802.2, IEEE 802.3) genormt. Die Datenübertragungsrate liegt theoretisch bei 10 MBit/s, praktisch bei etwa 3–5 MBit/s. LAN sind oft mit anderen Netzen verbunden.

Jutta Lampe

Län [»Lehen«] *das,* Verwaltungsbezirk (Provinz) in Schweden und Finnland (finn. **Lääni**).

Lançade [lã'sad, frz.] *die, Pferdesport:* Figur der hohen Schule; Sprung aus der Levade nach vorn.

Nicolas Lancret: »Die Schaukel« (um 1740; London, Victoria and Albert Museum)

Lancashire ['læŋkəʃɪə], Cty. in NW-England, an der Irischen See, 3064 km², (1991) 1,37 Mio. Ew., Verw.sitz: Preston.

Lancaster ['læŋkəstə], eine Nebenlinie des engl. Königshauses Plantagenet. John of Gaunt (*1340, †1399), 4. Sohn König Eduards III., wurde zum Herzog von L. erhoben. Seine Nachkommen waren die engl. Könige aus dem Hause L. (1399–1461). Es erlosch 1471 in den Rosenkriegen.

Lancaster ['læŋkəstə], **1)** Stadt in der engl. Cty. Lancashire, 46300 Ew.; kath. Bischofssitz; Univ.; Herstellung von Bodenbelägen, Baumwoll-, Seiden-, Chemiefaserverarbeitung.

2) Stadt in Pennsylvania, USA, 55600 Ew.; geistiger Mittelpunkt der Mennoniten; Vieh-, Tabakmarkt, elektrotechn. Industrie.

Burt Lancaster

Lancaster ['læŋkəstə], **1)** Burt, amerikan. Filmschauspieler, *New York 2. 11. 1913, †Los Angeles (Calif.) 21. 10. 1994; Filme: »Verdammt in alle Ewigkeit« (1953), »Vera Cruz« (1954), »Die tätowierte Rose« (1955), »Der Leopard« (1962), »Gewalt und Leidenschaft« (1974), »Atlantic City, USA« (1980), »Local hero« (1983), »Archie & Harry« (1986).

2) Joseph, brit. Pädagoge, *London 25. 11. 1778, †New York 24. 10. 1838; errichtete 1798 in London eine unentgeltl. Grundschule mit →Monitorsystem; nach ihrem Vorbild entstanden in allen Teilen Großbritanniens L.-Schulen.

Lancé [lã'se, frz.] *das,* →lanciertes Gewebe.

Lancelot (Lanzelot), Ritter aus der Tafelrunde des Königs →Artus, als Kind von der Wasserfee Viviana geraubt, später von ihr bei seinen Abenteuern für die geliebte Guinevere (Ginevra), Gattin des Artus, unterstützt. Höf. Versroman von Chrétien de Troyes (um 1177–81), dt. »Lanzelet« von Ulrich von Zatzikhoven (um 1195/1200). Anfang des 13. Jh. entstand in Frankreich der große »L.-Gral-Zyklus« in Prosa.

Lanchow [lantʃau], Stadt in China, →Lanzhou.

lanciertes Gewebe [lãs-] (Lanciergewebe, Lancé), Gewebe mit von besonderen Fäden (Lancierkette, Lancierschuss) gebildeten Figurenmustern. Wo sie keine Muster bilden, liegen sie auf der Warenrückseite frei oder werden abgeschoren.

Lancret [lã'krɛ], Nicolas, frz. Maler, *Paris 22. 1. 1690, †ebd. 14. 9. 1743; malte beeinflusst von Watteau »galante Feste«; sensibler Kolorist figürl. Szenen; auch Porträts.

Land|abgaberente, Rente, die nach dem Ges. zur Altershilfe für Landwirte seit 1969 an Landwirte gezahlt wird, wenn sie bis zum 31. 12. 1983 das 60. Lebensjahr vollendet, mindestens 60 Monate Beiträge zur landwirtsch. Alterskasse geleistet und ihren Betrieb zum Zweck der Strukturverbesserung abgegeben hatten.

Land|ammann, →Ammann.

Land|arbeiter, früher Bez. für das in der Hausgemeinschaft lebende Gesinde sowie die v. a. durch eine Werkswohnung und Naturallohn entlohnten Deputanten oder Instleute, ferner als Sonderform im nordwestl. Dtl. die **Heuerlinge** (Hintersassen im kombinierten Pacht- und Arbeitsverhältnis). Heutige Bez. →landwirtschaftliche Arbeitskräfte.

Land-Art ['lændɑ:t, engl.] *die,* Richtung der zeitgenöss. Kunst, in der die Landschaft zum Gestaltungsmaterial wird. Die Grundhaltung ist zivilisationskritisch. Bekannte Vertreter sind u. a. die Amerikaner M. Heizer, W. de Maria, R. Morris und R. Smithson, der Engländer R. Long sowie der Niederländer Jan Dibbets (*1941).

Land-Art: Robert Morris, ohne Titel (1977; Kassel, documenta VI)

Landau, 1) Landau a. d. Isar, Stadt im Landkr. Dingolfing-Landau, Niederbayern, 12700 Ew.; Elektroind., Fahrzeugbau, Textil- und Holz verarbeitende Ind., Dachziegelwerk. – 1304 Stadtrecht.

2) Landau in der Pfalz, kreisfreie Stadt, Verw.sitz des Landkreises Südliche Weinstraße, Rheinl.-Pf., in der Rheinebene, an der Queich, 39900 Ew.; Abteilung der Univ. Koblenz-L., Museum; Weinbau und -handel, Gummi- und Autozubehörind. – Frühgot. Stiftskirche, Reste der Festungsanlage. – 1106/08 erstmals gen.; 1274 Stadt, 1291 Reichsstadt (außer 1324–1511), 1680 von

Frankreich annektiert, 1688–91 von S. de Vauban befestigt (1830–66 dt. Bundesfestung); 1816 an Bayern.

Landau 2): Das Deutsche Tor war Teil der von Sébastian de Vauban 1688–91 erbauten Festungsanlage

Landau, Lew Dawydowitsch, sowjet. Physiker, *Baku (Aserbaidschan) 22. 1. 1908, †Moskau 1. 4. 1968; Professor in Charkow und Moskau; erhielt 1962 für die theoret. Klärung der Erscheinungen des suprafluiden Zustands, wie er beim Helium II auftritt, den Nobelpreis für Physik. Weitere wesentl. Beiträge zur Quantenelektrodynamik und Quantenfeldtheorie sowie zum Diamagnetismus freier Elektronen in Metallen; verfasste ein »Lehrbuch der theoret. Physik« (10 Bde.).

Lew Dawydowitsch Landau

Landauer [nach Landau i. d. Pfalz], zweiachsiger Kutschwagen mit abklappbarem Verdeck.

Landauer, Gustav, Publizist, Politiker, *Karlsruhe 7. 4. 1870, †(ermordet) München 2. 5. 1919; Mitgl. der Münchener Räteregierung 1919; undoktrinärer, radikaler Sozialist; schrieb erzähler. Werke, Essays zu Politik und Literatur.

Gustav Landauer

Landbau, urspr. umfassende Bez. für Land- und Forstwirtschaft, ist heute für den →biologischen Landbau gebräuchlich; i. e. S. der Ackerbau.

Landbrücke, meist schmale Landverbindung zw. Kontinenten bzw. größeren Landmassen, wie die zentralamerikan. Landbrücke.

Landbund, 1) in Dtl. der →Reichslandbund.

2) frühere Partei in Österreich, gegr. 1920 unter dem Namen »Deutsche Bauernpartei«, nannte sich 1922 in L. um, vertrat bäuerliche Interessen, war 1927–33 Mitgl. von Reg.koalitionen; 1934 aufgelöst.

Landeanflug, Ausrichten eines Luft- oder Raumfahrzeugs auf eine vorgesehene Landebahn zur Einleitung der Landung. Genau einzuhalten ist dabei die Anfluggeschwindigkeit.

Landebahn, →Flughafen.

Landeck, 1) Bad L. in Schlesien, Stadt in Polen, →Lądek Zdrój.

2) Bezirks-Hptst. in Tirol, Österreich, im Oberinntal, 816 m ü. M.; 7400 Ew.; Carbidwerk, Textilind.; Verkehrsknotenpunkt (Ausgangspunkt zur Arlbergstraße und zum Reschenpass). – Von der Burg L. (13. Jh.) überragt; spätgot. Pfarrkirche.

Landé-Faktor [lãˈde-, nach dem dt.-amerikan. Physiker A. Landé, *1888, †1975] (gyromagnetischer Faktor, kurz g-Faktor), tritt als dimensionsloser Proportionalitätsfaktor in Beziehungen zw. magnet. Momenten und Drehimpulsen von Teilchen oder Teilchensystemen auf.

Landeführungssysteme, funktechn. Verfahren und Anlagen für den Landeanflug von Flugzeugen ohne oder bei unzureichender Bodensicht (Blindlandung, Allwetterlandung). Beim **Instrumentenlandesystem (ILS)** wird der Anflugkurs durch die Schnittlinie zweier Leitstrahlebenen (Landekursebene und Gleitwegebene) festgelegt, deren Signale von einem Landekurssender abgestrahlt und einem Bordinstrument angezeigt werden, wonach der Pilot steuert. Der Gleitwegsender steht ca. 150 m neben der Mittellinie der Landebahn in Höhe des Aufsetzpunktes. Die Einflugzeichensender haben Antennen, die eine vom Boden nach oben gerichtete Strahlung erzeugen. Diese ist während des Überfliegens nur kurzzeitig messbar und wird für eine grobe Entfernungsbestimmung genutzt. Der Voreinflugzeichensender befindet sich ca. 7 km, der Haupteinflugzeichensender ca. 1 km vom Aufsetzpunkt entfernt auf der Anfluggrundlinie. **Mikrowellenlandesysteme (MLS)** liefern präzisere Führungssignale in der Aufsetzphase, da die abgestrahlte Energie schärfer gebündelt werden kann. Sie ermöglichen beliebige (auch gekrümmte) optimale Anflugbahnen und kontinuierl. Entfernungsanzeige. Das **GCA** (Abk. für engl. **g**round **c**ontrolled **a**pproach) bestimmt die

Landeck 2): Burg Landeck in Tirol (13. Jh.), heute Museum

Lage des Flugzeugs durch Präzisionsradar, der Radarlotse »spricht« das Flugzeug herunter.

Landehilfen, *Flugtechnik:* 1) die Einrichtungen zur Verkürzung der Landestrecke von Flugzeugen. Auftriebserhöhende L. sind Landeklappen (Spreiz-, Wölbungs-, Spalt-, Doppelspaltklappen, Fowler-Flügel und Vorflügel); widerstandserhöhende L. sind Bremsklappen, Bremsschirm und Schubumkehr; 2) funktechn. und opt. Hilfen auf Flugplätzen, die die Piloten während des Anflugs über ihre Abweichung vom Sollgleitpfad informieren, z.B. Leitstrahlsender, Instrumentenlandesystem, Gleitwegfeuer, Scheinwerfer.

Landeklappen, bewegl. Teile an den Vorder- und Hinterkanten von Flugzeugtragflügeln, die bei Start und Landung so verstellt werden, dass sie als →Hochauftriebsmittel wirken.

Landeklappen: Die bei der Landung ausgefahrenen Landeklappen an der Flügelunterkante mit aufgestelltem Spoiler

Land|enge (Isthmus), schmale Landbrücke zw. ehem. Inseln, Halbinseln oder Kontinenten.

Länder, im Dt. Reich seit 1919, in der Bundesrep. →Deutschland seit 1949 die Gliedstaaten, die bis 1918 Bundesstaaten hießen. Eine GG-Änderung, die die Gliederung Dtl.s in L. und ihre Mitwirkung im Gesetzgebungsverfahren beseitigen würde, ist unzulässig (Art. 79 Abs. 3 GG). Die verfassungsmäßige Ordnung in den L. muss den Grundsätzen des republikan. demokrat. und sozialen Rechtsstaates im Sinne des GG entsprechen. In der DDR wurden die L. 1952 durch →Bezirke ersetzt; mit Wirkung vom 14. 10. 1990 wurden wieder L. eingeführt. In *Österreich* bestehen neun selbstständige Teilgebiete (Bundesländer).

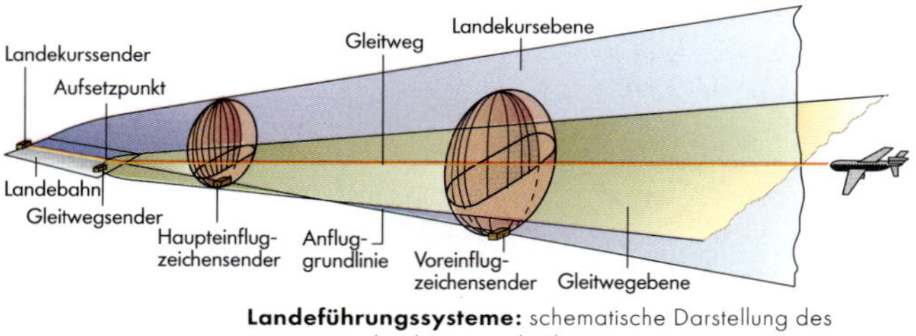

Landeführungssysteme: schematische Darstellung des Instrumentenlandesystems (ILS)

Länderfinanzen, Gesamtheit der Einnahmen und Ausgaben der Bundesländer. Nach dem Grundsatz der Aufgaben- und Lastenverteilung (Art. 104 a GG) tragen die Länder grundsätzlich die Ausgaben, die sich aus der Wahrnehmung ihrer Aufgaben ergeben. Handeln die Länder im Auftrag des Bundes, so trägt dieser die sich daraus ergebenden Ausgaben. Für bedeutsame Investitionen der Länder und Gemeinden kann der Bund den Ländern Finanzhilfen gewähren. Die Regelungen des Länderfinanzausgleichs (→Finanzausgleich) sind politisch umstritten. Bis zur Einbeziehung in den Finanzausgleich erhielten die neuen Bundesländer 1990–94 Mittel aus dem →Fonds Deutsche Einheit zum Aufbau ihrer Wirtschaft. Mit mehr als zwei Drittel der Einnahmen werden die L. v.a. aus den →Landessteuern gespeist.

Länderkunde, Teil der →Geographie, der sich im Ggs. zur allgemeinen Geographie mit der Erforschung und Darstellung von bestimmten Teilräumen der Erdoberfläche, von Staaten, Ländern, Länderteilen oder größeren zusammenhängenden Räumen, Kulturerdteilen, auch Meeresgebieten, befasst. Die L. soll den Zusammenhang aller wesentl. geograph. Erscheinungen aufzeigen und den individuellen Charakter des betreffenden Raumes herausarbeiten.

Länderrat, 1) 1948–49 Organ im →Vereinigten Wirtschaftsgebiet.

2) 1945–49 eine regelmäßige Konferenz der MinPräs. der anfangs drei, dann vier Länder der amerikan. Besatzungszone Dtl. (Bayern, Nord-Württ./Nord-Baden, Hessen, Bremen).

Land|erziehungsheim, Internatsschule auf dem Land, heute i.d.R. in Stiftungsbesitz, in der neben dem Unterricht das Gemeinschaftsleben der Schüler besonders gepflegt wird. Die ersten L. wurden nach engl. Vorbild von H. Lietz, G. Wyneken, K. Hahn und P. Geheeb gegründet. Wyneken betonte den Gedanken einer eigenständigen Jugendkultur; Geheeb führte Koedukation und Kurssystem ein. Bekannte L. bestehen u.a. in Bieberstein (Rhön), Salem (Bodensee), Schondorf (Ammersee), Hinterzarten (»Birklehof«), Oberhambach (»Odenwaldschule«), Louisenlund bei Eckernförde, Marienau, L. am Solling bei Holzminden.

Landes [lãd, kelt. »Heide«] 1) in Frankreich häufiger Name für Landstriche, die mit Heide bewachsen, vermoort oder geröllbedeckt sind, z.B. die **L. de Gascogne** im SW zw. Gironde und Golf von Biscaya, etwa 14 000 km².

2) Dép. in SW-Frankreich, 9243 km², (1990) 311 000 Ew.; Hptst.: Mont-de-Marsan.

Landes|arbeitsamt, mittlere Verwaltungsbehörde der Bundesanstalt für Arbeit.

Landes|arbeitsgericht, →Arbeitsgerichtsbarkeit.

Landes|aufnahme (Landesvermessung), die systemat. Vermessung und kartograph. Darstellung eines Landes. Die L. umfasst die Einrichtung und Laufendhaltung des Lagefestpunktfeldes (Methoden: Triangulation, Trilateration, Satellitengeodäsie), des Höhenfestpunktfeldes (Methoden: Nivellement, trigonometr. Höhenmessung) und des Schwerefestpunktfeldes; das Lagefestpunktfeld ist auf ein Referenzellipsoid bezogen, das Höhenfestpunktfeld auf eine Niveaufläche nahe dem Geoid (→Normalnull), das Schwerefestpunktfeld wird durch Schweremessungen bestimmt. Außerdem gehören zur L. die topograph. Aufnahme (meist photogrammmetrisch ausgeführt) und die anschließende Erstellung und Herausgabe der Landeskartenwerke in versch. Maßstäben. – Die urspr. von militär. Dienststellen durchgeführte L. ist heute meist Aufgabe ziviler Vermessungsbehörden (in Dtl.: Landesvermessungsämter).

Landesbank Berlin Girozentrale [- 'ʒi:ro-], Tochtergesellschaft der →Bankgesellschaft Berlin AG.

Landesbanken, aus Provinzialhilfskassen, Provinzialbanken und Landeskreditkassen entstandene regionale öffentlich-rechtl. Kreditinstitute. Im Rahmen ihrer Tätigkeit als Universalbanken versorgen sie bes. die einzelnen Bundesländer mit Krediten und fördern die Wirtschaft des jeweiligen Landes. Durch Zusammenschluss mit den Girozentralen sind die L. zugleich Zentralinstitute der Sparkassen. In Dtl. gibt es elf L. sowie als Spitzeninst. die Dt. Girozentrale – Dt. Kommunalbank.

Landesbank Hessen-Thüringen Girozentrale [- 'ʒi:ro-], Kurz-Bez. **Helaba,** Frankfurt am Main und Erfurt, öffentlich-rechtl. Kreditinst.; entstand 1953 als **Hessische Landesbank – Girozentrale** aus Fusion der 1940 in Darmstadt verschmolzenen Institute (Hess. Landesbank-Staatsbank, Landeskommunalbank und Hess. Landeshypothekenbank) mit der Nassauischen Landesbank Wiesbaden und der Landeskreditkasse Kassel. Jetziger Name seit In-Kraft-Treten des Staatsvertrags zw. Hessen und Thüringen zum 1. 7. 1992. Kapitaleigner ist der Sparkassen- und Giroverband Hessen-Thüringen.

Landesbank Rheinland-Pfalz Girozentrale [-'ʒi:ro-], Mainz, internat. tätiges, öffentlich-rechtl. Kreditinst.; 1958 entstanden aus Niederlassungen der Hessischen Landesbank und Girozentrale, der Rhein. Girozentrale und Provinzialbank sowie der Landesbank und Girozentrale Kaiserslautern. Eigentümer: das Land Rheinl.-Pf. (50 %), die Westdt. Landesbank Girozentrale (37,5 %) und die Südwestdt. Landesbank Girozentrale (12,5 %).

Landesbank Schleswig-Holstein Girozentrale [-'ʒi:ro-], Kiel, universell tätiges öffentlich-rechtl. Kreditinst.; gegr. 1940 durch Zusammenschluss der Girozentrale Schlesw.-Holst. und der Landesbank der Prov. Schlesw.-Holst. Eigentümer: Westdt. Landesbank Girozentrale (39,9 %), Südwestdt. Landesbank Girozentrale (10 %), Land Schlesw.-Holst. (25,05 %) und der Sparkassen- und Giroverband für Schlesw.-Holst. (25,05 %). Seit 1997 mit 49,5 % an der Hamburgischen Landesbank Girozentrale beteiligt.

Länderfinanzen 1995 (in Mio. DM)

Land	Einnahmen (bereinigt)	Ausgaben [bereinigt]	Finanzierungssaldo	Verschuldung in DM je Einwohner
Baden-Württemberg	49591	53282	−3641	6234
Bayern	55483	57972	−2489	4118
Berlin	32483	43194	−10655	12144
Brandenburg	16095	19070	−2975	7654
Bremen	7809	7789	+21	24709
Hamburg	16083	17750	−1667	15305
Hessen'	27611	30504	−2891	9021
Mecklenburg-Vorpommern	11866	13982	−2116	6071
Niedersachsen	34296	38566	−4269	9549
Nordrhein-Westfalen	77793	83099	−5306	9607
Rheinland-Pfalz	18546	20205	−1673	8892
Saarland	6416	6120	+298	14791
Sachsen	27963	30385	−2422	5229
Sachsen-Anhalt	16851	20327	−3483	7065
Schleswig-Holstein	12636	13979	−1344	10729
Thüringen	15606	17688	−2081	6813
Länder insgesamt	417386	464170	−46689	6165

Landesfarben (Nationalfarben), in bestimmter Reihenfolge in Flaggen, Fahnen, Standarten, Kokarden, Abzeichen usw. vorkommende Farben eines (Bundes-)Landes, Staates oder einer Nation (für Dtl. →deutsche Farben).

Landesgerichte, in Dtl. Sammelbez. für die Gerichte der Länder aller Gerichtsbarkeiten; mit Ausnahme der →Bundesgerichte sind alle Gerichte L. In *Österreich* die Gerichtshöfe erster und auch zweiter Instanz der ordentl. Gerichtsbarkeit.

Landesgeschichte, als Disziplin der Geschichtswiss. die dynastisch-territoriale und kulturell-soziolog. Betrachtung räumlich begrenzter Gebiete, die ihre Eigenart in der Verbindung von Geographie und Geschichte entwickelte.

Landesgesetze, in Dtl. und Österreich die Ges. eines Landes im Unterschied zu Bundes-Ges. Die Kompetenz zum Erlass von L. ergibt sich in Dtl. aus Art. 70 GG; danach haben die Länder das Recht zur Gesetzgebung, soweit nicht durch das GG eine Gesetzgebungskompetenz des Bundes begründet ist (→Gesetzgebungsverfahren). Das Verfahren zur Verabschiedung der L. richtet sich nach der jeweiligen Landesverfassung.

Landeshauptmann, in Österreich der Vors. der Landesregierung; in Wien ist der L. der Bürgermeister.

Landesherrschaft, Bez. für die seit dem MA. im Hl. Röm. Reich sich entwickelnde höchste

Herrschergewalt unterhalb der des Kaisers. Die L. (lat. »dominium terrae«) erwuchs anfänglich der adligen Hausherrschaft, weiterhin trugen (zunächst begrenzt) überlassene Reichs- und Kirchenämter, verliehene Regalien sowie die Übertragung der Sorge um den Erhalt des Landfriedens zur weiteren Herausbildung der L. bei (festgeschrieben in den →Reichsgrundgesetzen Kaiser Friedrichs II.). Die Steigerung der landesherrl. Macht der Kurfürsten durch die Goldene Bulle (1356) ließ die übrigen Reichsstände einschl. der Reichsstädte die hohe Gerichtsbarkeit, die Wehrhoheit sowie v.a. das Gesetzgebungsrecht (unter Mitwirkung von Landständen) erstreben. Der Übergang der urspr. als reichslehnbares Recht in der Person des Herrschers gebundenen L. auf die Fürsten u.a. führte zur →Landeshoheit in den seit dem Spät-MA. sich herausbildenden dt. Territorialstaaten.

Landeshoheit, Bez. für die Gesamtheit der Hoheitsrechte eines Landesherrn, die diesem im Hl. Röm. Reich seit dem 14. Jh. mit der Überlassung von Regalien und der Gewährung von Privilegien erwuchsen. Die Anerkennung der L. als die allen anderen Hoheitsrechten und Rechtstiteln gegenüber selbstständige territoriale Herrschaftsgewalt vollzog sich 1648 im Westfäl. Frieden. Volle Souveränität oblag im Reich aber allein dem Kaiser und ging erst mit der Auflösung des Reiches (1806) auf die Landesherren über.

Landeshut in Schlesilen, Stadt in Polen, →Kamienna Góra.

Landeskirche, regional begrenzte Gliedkirche der →Evangelischen Kirche in Deutschland, selbstständige Körperschaft des öffentl. Rechts. Eine L. ist an ein bestimmtes Bekenntnis (luth., ref.) gebunden oder erkennt als **unierte L.** beide Bekenntnisse nebeneinander an. Die meisten L. mit gleichem Bekenntnisstand bilden außerdem eigene kirchl. Verbände (→Vereinigte Evangelisch-lutherische Kirche Deutschlands; →Evangelische Kirche der Union). Die geistl. Leitung einer L. liegt beim Landesbischof (Landessuperintendent, Kirchenpräs., Präses); oberste Verw.behörde ist das L.-Amt (L.-Rat, Konsistorium); oberstes gesetzgebendes Organ die Landessynode (Synode).

Landeskreditbank Baden-Württemberg, Karlsruhe, öffentlich-rechtl. Kreditinstitut; entstand 1972 durch Fusion der Bad. Landeskreditanstalt Karlsruhe und der Württemberg. Landeskreditanstalt Stuttgart. Baden-Württemberg ist Gewährträger der L. B.-W., die v.a. Wohnungsbau- und Infrastrukturprojekte finanziert.

Landeskultur, *Landwirtschaft:* Oberbegriff für die Maßnahmen zur Bodenerhaltung, Bodenverbesserung (Melioration), Neulandgewinnung und Flurbereinigung; unter L.-Politik werden die entsprechenden Maßnahmen des Staates verstanden.

Landeskunde, die Erforschung und Kenntnis eines bestimmten Raumes in der Gesamtheit seiner gestaltenden Faktoren, v.a. der natürl. Gegebenheiten und der histor. Entwicklungen, der Geo- und Soziofaktoren. In dieser Problemstellung (auch methodisch) eng verknüpft mit der Landesgeschichte (histor. L.) und der histor. Geographie; in jüngster Zeit verstärkt Hinwendung zu sozialgeograph. Fragestellungen.

Landesliste, der bei der Bundestagswahl in Dtl. für ein Bundesland geltende Wahlvorschlag einer Partei (→Wahlrecht).

Landeslordnungen, in den früheren dt. Territorien seit dem 15. und 16. Jh. Rechtsquellen, die die Landesgesetze schlechthin umfassen oder nur Gesetze mit öffentlich-rechtl. Inhalt.

Landespflege, Gesamtheit der Maßnahmen zum Schutz, zur Pflege und zur Entwicklung aller naturgegebenen Lebensgrundlagen des Menschen in Wohn-, Ind.-, Agrar- und Erholungsgebieten. L. umfasst Landschaftspflege, Naturschutz und Grünordnung und strebt den Ausgleich zw. den Kräften der Natur und den Erfordernissen der menschl. Gesellschaft an; Bestandteil der →Raumordnung mit Schwerpunkt im ökolog. Bereich.

Landesplanung, Teilgebiet der →Raumordnung und Grundlage aller raumordnungspolit. Entscheidungen in Planungsräumen. Die L. umfasst die Summe aller Maßnahmen zur Beseitigung vorhandener (meist historisch entstandener) Schäden und Nachteile und soll durch eine sinnvolle Raumnutzung und Raumentwicklung zu möglichst optimalen Lebensverhältnissen beitragen. Sie ist übergeordnete Raumplanung mit dem Grundsatz der funktionsgerechten Einordnung der Gemeinden und Regionen in die L. des größeren Raums unter Berücksichtigung der natürl., sozialen, kulturellen und wirtsch. Bedingungen.

Landesrat, in den österr. Bundesländern ein Mitgl. der Landesregierung.

Landesrecht, in Bundesstaaten das Recht der Gliedstaaten im Unterschied zum Bundesrecht.

Landesregierung, in den Ländern der Bundesrep. Dtl. das aus dem MinPräs. (Regierender oder 1. Bürgermeister, Präs. des Senats) und den Min. bestehende oberste Leitungsorgan (in Bayern und Sachsen: Staatsreg.; in Berlin, Bremen, Hamburg: Senat). Die Reg.chefs werden von den Parlamenten gewählt; hinsichtlich der Min. bestehen unterschiedl. Regelungen. – In den *österr.* Bundesländern besteht die L. aus dem Landeshauptmann, dessen Stellvertreter und den Landesräten. L. in Wien ist der Stadtsenat.

Landessportbund, Abk. **LSB,** Zusammenschluss der Fachverbände und überfachl. Organisationen zu einem Sportdachverband in den Ländern der Bundesrep. Deutschland.

Landessteuern, Gesamtheit der Steuern, die der Ertragshoheit der Länder unterliegen. Nach Art. 106 GG gehören dazu Vermögen-, Erbschaft-, Grunderwerb-, Kraftfahrzeug-, Bier-, Feuerschutz-, Rennwett- und Lotteriesteuer sowie Abgaben von Spielbanken. Darüber hinaus sind die Länder im Rahmen des →Finanzausgleichs an den Gemeinschaftsteuern (Einkommen-, Körperschaft- und Umsatzsteuer) beteiligt. Die Gesetzgebungshoheit liegt beim Bund; die Länder haben Gesetzgebungsbefugnis für die örtl. Verbrauch- und Aufwandsteuern, soweit diese nicht bundesgesetzlich geregelten Steuern gleichartig sind.

Landessynode, oberste Vertretung aller Gemeinden einer evang. Landeskirche; verabschiedet als gewähltes Organ Gesetze und Haushalt der Landeskirche und wählt den Landesbischof. Die Kirchenleitung ist der L. rechenschaftspflichtig.

Landesverfassung, die Verf. eines Bundeslandes. Nach Art. 28 Abs. 1 GG müssen alle Länder eine L. haben, die den Grundsätzen des republikan., demokrat. und sozialen Rechtsstaates entspricht (Homogenitätsklausel). In *Österreich* dürfen die Bundesländer gemäß dem Prinzip der relativen Verf.autonomie in ihren L. alle Regelungen treffen, die die Bundes-Verf. nicht berühren.

Landesvermessung, die →Landesaufnahme.

Landesverrat, im Unterschied zum Hochverrat und zur Rechtsstaatsgefährdung bestimmte, gegen die äußere Sicherheit und Machtstellung des Staates (im Verhältnis zu anderen Staaten) gerichtete Straftaten (§§94ff. StGB). L. begeht, wer →Staatsgeheimnisse einer fremden Macht mitteilt, sie an einen Unbefugten gelangen lässt oder öffentlich bekannt macht, um die Bundesrep. Dtl. zu benachteiligen oder eine feindl. Macht zu begünstigen und die Gefahr eines schweren Nachteils für die äußere Sicherheit herbeiführt (Freiheitsstrafe nicht unter einem Jahr). Das **Offenbaren von Staatsgeheimnissen** ohne die Nachteils- oder Begünstigungsabsicht wird i.d.R. milder bestraft. Das Verschaffen von Staatsgeheimnissen, um sie zu verraten oder zu offenbaren, wird als **landesverräter. Ausspähung** von Staatsgeheimnissen bestraft. Weitere Tatbestände sind: **Verrat illegaler Geheimnisse** (Mitteilung eines Geheimnisses, das kein Staatsgeheimnis ist, dessen Preisgabe aber die äußere Sicherheit gefährdet); **landesverräter. Agententätigkeit,** die auf die Erlangung oder Mitteilung von Staatsgeheimnissen gerichtet ist; **geheimdienstl. Agententätigkeit,** die auf die Lieferung von Tatsachen und Erkenntnissen, bei denen es sich nicht um Staatsgeheimnisse handeln muss, an den Geheimdienst einer fremden Macht gerichtet ist; **friedensgefährdende Beziehungen,** die unterhält, wer in der Absicht, einen Krieg oder ein bewaffnetes Unternehmen gegen die Bundesrep. Dtl. herbeizuführen, mit einer ausländ. Reg., Vereinigung oder Einrichtung in Verbindung steht; **landesverräter. Fälschung,** das Verbreiten von gefälschten Gegenständen, Nachrichten usw., die im Falle der Echtheit für die äußere Sicherheit der Bundesrep. Dtl. oder ihre Beziehungen zu einer anderen Macht von Bedeutung wären. – Ähnl. Vorschriften enthalten auch die Strafgesetzbücher *Österreichs* (§§252–258) und der *Schweiz* (Art. 266, 266 bis, 267).

Landesversicherungsanstalten, die Körperschaften des öffentl. Rechts, die Träger der Rentenversicherung der Arbeiter und der Handwerkerversicherung, auch von Gemeinschaftsaufgaben der Krankenversicherung sind.

Landeszentralbanken, Abk. **LZB,** unselbstständige Hauptverwaltungen der Dt. Bundesbank für die Bundesländer, die die Geschäfte mit dem Land oder den Ländern sowie mit den öffentl. Verwaltungen und den Kreditinstituten im Land oder in den Ländern ihres Zuständigkeitsbereichs durchführen. Die Präs., die Mitgl. des Zentralbankrats sind, werden vom Bundespräs. auf Vorschlag des Bundesrats ernannt. Die L. wurden 1947 als öffentlich-rechtl. Zentralbanken gegr. und 1948 in der Bank dt. Länder zusammengefasst, mit der die LZB 1957 zur Dt. Bundesbank verschmolzen wurden. Seit Nov. 1992 unterhält die Dt. Bundesbank statt der bisher 11 nur noch 9 L. für folgende Länder: Bad.-Württ.; Bayern; Berlin und Brandenburg; Bremen, Ndsachs. und Sa.-Anh.; Hamburg, Meckl.-Vorp. und Schlesw.-Holst.; Hessen; NRW; Rheinl.-Pf. und Saarland; Sachsen und Thüringen.

Landflucht, Abwanderung von Teilen der ländl. Bev. in Städte (Verstädterung), verbunden mit Verschiebungen in der Erwerbsstruktur zugunsten des sekundären und tertiären Sektors wie er für die Industrialisierungsphase typisch ist. L. ist i.d.R. ein Symptom ungleicher Entwicklung der Arbeits- und Lebensbedingungen in Stadt und Land. In Dtl. führte diese Abwanderung im 19. und frühen 20. Jh. nicht zu einer absoluten Verringerung der ländl. Bev., sondern zur Abnahme ihrer Zuwachsrate. Gegenwärtig ist L. eines der Hauptprobleme der Entwicklungsländer, das durch eine Reihe von Faktoren (rasche Bev.entwicklung, fehlende Bodenreformen und andere Mängel der polit., ökonom. und sozialen Struktur, Abhängigkeit vom Weltmarkt, Bodenspekulation, Ausbeutung von Rohstoffen im Interesse der Ind.länder u.a.) verschärft wird.

Landfriede, im alten dt. Reich ein vom Kaiser oder König erlassenes allg. Friedensgebot zur Verhinderung der Fehden, das örtlich begrenzt sein konnte. Die Verletzung des L. wurde mit Strafe

Landgewinnung als Küstenschutzmaßnahme im schleswig-holsteinischen Wattenmeer; durch den Deich (im Vordergrund) wird das dahinterliegende Marschland zum Koog

bedroht. Eines der Reichsgrundgesetze war der →Ewige Landfrieden von 1495.

Landfriedensbruch, Straftat, die vorliegt, wenn die öffentl. Sicherheit dadurch gefährdet wird, dass aus einer Menschenmenge heraus mit vereinten Kräften Gewalttätigkeiten gegen Personen oder Sachen begangen werden oder Menschen mit Gewalttätigkeiten bedroht werden oder wenn mit dieser Zielsetzung auf eine Menschenmenge eingewirkt wird. L. wird nach § 125 StGB mit Freiheitsstrafe bis zu drei Jahren oder Geldstrafe bestraft, in bes. schweren Fällen (beim Führen von Waffen, bei schweren Körperverletzungen, Tötungen oder Plünderungen) mit Freiheitsstrafe von sechs Monaten bis zu zehn Jahren (§ 125 a StGB). Das Mitführen von Schutzwaffen (z. B. Schutzschilde) und die Vermummung stehen seit 1989 ohne Zusammenhang mit dem L. unter Strafe. – Ähnl. Regelungen bestehen in *Österreich* (§ 274 StGB) und der *Schweiz* (Art. 260 StGB). In Österreich wird zudem das Versetzen der Bev. in Furcht und Unruhe durch Bedrohen von Leib, Leben und Vermögen als **Landzwang** mit Freiheitsstrafe bis zu drei Jahren bestraft (§ 275 StGB).

Landgericht, in Dtl. ein Gericht der ordentl. Gerichtsbarkeit, zw. dem Amtsgericht und dem Oberlandesgericht, das teils als zweite Instanz tätig wird, teils für Sachen von größerer Bedeutung die erste Instanz bildet. Die L. werden von einem Präsidium geleitet; Spruchkörper sind Kammern, in erster Linie Zivil-, Handels- und Strafkammern. Die Kammern sind grundsätzlich mit drei Berufsrichtern einschließlich des Vors. besetzt, in Zivilsachen können auch Einzelrichter beauftragt werden; zwei sachverständige ehrenamtl. Richter wirken neben einem Berufsrichter z. B. in der Kammer für Handelssachen mit, die mit einem Richter als Vors. und weiteren Richtern als Beisitzern besetzt sind. Die sachl. Zuständigkeit beginnt erstinstanzlich bei Streitwerten von mehr als 10 000 DM, sonst ist das L. Berufungsinstanz. In Strafsachen urteilt das L. durch die kleine Strafkammer (ein Berufsrichter; als Berufungsgericht gegen Urteile des amtgerichtl. erweiterten Schöffengerichts: zwei Berufsrichter, zwei Schöffen) oder große Strafkammer sowie als →Schwurgericht (grundsätzlich drei Berufsrichter einschießlich des Vors. und zwei Schöffen). Die kleine Strafkammer ist stets Berufungsinstanz, die große Strafkammer und das Schwurgericht sind erstinstanzl. Gerichte für gewichtigere Straftaten.

Landgewinnung (Neulandgewinnung), Gewinnung von Bodenflächen durch Auflandung von Flächen im Watten- und Flussdeltabereich, durch Strandaufspülungen (Küstenschutz), durch Abdämmung von Buchten mit künstl. Entwässerung durch ein Pumpwerk, durch Trockenlegung von Binnenseen oder durch Entwässerung von Mooren und Sümpfen; früher v. a. zur Vergrößerung der landwirtsch. Anbaufläche, heute v. a. als Maßnahme des Küstenschutzes. So wird an Küsten mit günstigen Anschwemmungsverhältnissen L. aus dem Wattenmeer betrieben. Das Ablagern von Sinkstoffen während der Flut wird gefördert durch in das Watt vorgetriebene →Lahnungen und →Buhnen und dazwischengezogene Gräben **(Gruppen, Grüppen).** Der Schlick wird auf zw. den Gräben liegende Flächen gebracht. Bewachsung mit →Queller festigt den Boden, der sich langsam erhöht. Wenn die Flächen das mittlere

Hochwasser um 80–100 cm überragen, werden sie zum Koog (Polder) eingedeicht.

Landgraf (lat. Comes provinciae, Comes provincialis), seit dem 12. Jh. Vertreter königl. Rechte v. a. in Landfriedensbezirken (Reichsgut) und Gebieten schwacher herzogl. Gewalt, die z. T. ab dem 13. Jh. als **Landgrafschaft** zur Landesherrschaft des L. wurden. Der Titel hielt sich in Thüringen bis 1806, in Hessen-Homburg bis 1866.

Landgrebe, 1) Gudrun, Schauspielerin, *Göttingen 20. 6. 1950; wurde bekannt mit Filmrollen, in denen sie zwiespältige Charaktere darstellt (»Die flambierte Frau«, 1982; »Oberst Redl«, 1984; »Annas Mutter«, 1984; »Rossini«, 1997; Fernsehfilme »Heimat« und »Matt in 13 Zügen«, beide 1984; »Die Hütte am See«, 1992).

2) Ludwig, Philosoph, *Wien 9. 3. 1902, †Köln 14. 8. 1991; arbeitete an phänomenolog. Analysen von Gesellschaft und Geschichte (»Philosophie der Gegenwart«, 1952; »Phänomenologie und Geschichte«, 1967; »Der Streit um die philosoph. Grundlagen der Gesellschaftstheorie«, 1975; »Faktizität und Individuation ...«, 1982).

Landhalbkugel, die Erdhalbkugel mit größtmögl. Landfläche (49 %); Zentrum in W-Frankreich (Loiremündung).

Landini (Landino), Francesco, italien. Organist und Komponist, *Fiesole um 1335, †Florenz 2. 9. 1397; bedeutendste Persönlichkeit der Florentiner Ars nova des italien. Trecento; erhalten sind etwa 140 zwei- und dreistimmige Ballate, 11 Madrigale, ein Virelai und eine Caccia.

Landjäger, → Gendarmerie.

Landkärtchen (Gitterfalter, Araschnia levana), Art der Fleckenfalter mit rotbrauner Frühjahrs- und schwarzweißer (gelblicher) Sommergeneration (Saisondimorphismus); Flügelunterseite mit landkartenähnl. Gitterzeichnung.

Landkreis, Gebietskörperschaft, → Kreis.

Land Lebus, → Lebus.

Ländler, alter bayerisch-österr., figurenreicher, mehrteiliger Werbetanz im langsamen $^3/_4$-Takt; Vorform des Walzers.

ländlicher Raum, in Raumordnung und Regionalforschung verwendeter Bez. für nicht verdichtete Gebiete im Ggs. zum Verdichtungsraum.

Landmann, Michael, schweizer. Philosoph, *Basel 16. 12. 1913, †Haifa 25. 1. 1984; arbeitete über antike Philosophie, Kulturphilosophie und philosoph. Anthropologie.

Werke: Philosoph. Anthropologie (1955); Der Mensch als Schöpfer und Geschöpf der Kultur (1961); Das Ende des Individuums (1971); Anklage gegen die Vernunft (1976).

Landmarke, weithin sichtbarer, in See- und Luftfahrtkarten eingetragener Geländepunkt, bes. wichtig an der Küste zur Schiffsortung.

Landmaschinen, Maschinen zur Mechanisierung der Landwirtschaft. L. dienen dem Ersatz tier. Zugleistung, der Vervielfältigung menschl. Arbeitsleistung und der Entlastung von schwerer körperlicher Arbeit. Bei **Feldmaschinen** unterscheidet man nach der Arbeitsfolge im Jahresverlauf u. a. Bodenbearbeitungsgeräte, Sämaschinen, Pflanzmaschinen, Düngerstreuer, Hackgeräte, Beregnungsanlagen, Pflanzenschutzgeräte, Mähmaschinen, Feldhäcksler, Heubergungsmaschinen, Ballenpressen, Ladewagen, Mähdrescher, Erntemaschinen und Ackerwagen zum Transport. Nicht selbstfahrende L. werden mit dem Traktor verbunden. Zu den **Hofmaschinen** gehören u. a. Beiz- und Häckselmaschinen, Fütterungs- und Melkanlagen.

Gudrun Landgrebe

Landmeister, im Dt. Orden die Vertreter des Hochmeisters in Preußen (bis 1309), Livland und Binnen-Dtl. (Deutschmeister).

Landmesser, Vermessungsingenieur.

Landnahme, durch Ansiedlung und Bearbeitung (z. B. Urbarmachung) erfolgende Inbesitznahme von herrenlosem oder einem Herrn gehörendem Grund und Boden. Die german. L. der Völkerwanderung vollzog sich meist in Form der Beschlagnahme. Das MA. kannte die innere Kolonisation durch **Landesausbau** auf Land, das rechtlich dem König gehörte, aber oft zum Zweck der L. einem Landesherrn als Grundherrn übertragen wurde.

Tommaso Landolfi

Landnámabók *das,* die Ende des 13. Jh. von mehreren Verfassern zusammengestellte Geschichte der Besiedlung Islands im 9. und 10. Jahrhundert.

Landolfi, Tommaso, italien. Schriftsteller, *Pico (Prov. Frosinone) 9. 8. 1908, †Ronciglione (Prov. Viterbo) 8. 7. 1979; schrieb fantastisch-iron. Erzählungen und Romane (»Der Mondstein«, 1939), ferner Dramen (»Faust 67«, 1969).

Landkärtchen: Weibchen der Sommergeneration

Landolt, Hans Heinrich, schweizer. Chemiker, *Zürich 5. 12. 1831, †Berlin 15. 3. 1910; arbeitete über optische Aktivität und Polarimetrie; 1883 Hg. der ersten »Physikalisch-chem. Tabellen« (mit R. Börnstein).

Landor ['lændə], Walter Savage, engl. Schriftsteller, *Ipsley Court (Cty. Warwickshire) 30. 1.

Walter Landor

Wanda Landowska

1775, †Florenz 17. 9. 1864. Sein Ruhm beruht auf den »Erdichteten Gesprächen« (5 Bde., 1824–53), fiktiven Gesprächen mit histor. Figuren v.a. über literar. und polit. Themen.

Landọwska, Wanda, poln. Cembalistin und Pianistin, *Warschau 5. 7. 1879, †Lakeville (Conn.) 16. 8. 1959; lebte seit 1900 in Paris, emigrierte 1941 in die USA; erwarb sich große Verdienste um die Wiedererweckung alter Cembalomusik.

Landpacht, entgeltl. Nutzung landwirtsch. Grundstücke oder Betriebe. Neben den allg. Vorschriften zur →Pacht gelten für L.-Verträge §§ 585 ff. BGB und ergänzend das L.-Verkehrsgesetz vom 8. 11. 1985. Nach Letzterem sind L.-Verträge, soweit sie nicht zw. Ehegatten und nahen Verwandten geschlossen sind, der Landwirtschaftsbehörde anzuzeigen. Die Behörde kann den Vertrag binnen eines Monats beanstanden, wenn die Verpachtung eine ungesunde Verteilung der Bodennutzung bedeutet, durch die Verpachtung räumlich und wirtsch. zusammenhängende Grundstücke unwirtsch. aufgeteilt werden oder der Pachtzins nicht in einem angemessenen Verhältnis zum ordnungsgemäß zu erzielenden Ertrag steht. L.-Verträge, die für länger als zwei Jahre geschlossen werden, bedürfen der Schriftform, sonst gelten sie für unbestimmte Zeit. Die regelmäßige Kündigungsfrist beträgt zwei Jahre, d.h., sie ist bis zum 3.Werktag eines Pachtjahres für den Ablauf des nächsten schriftlich auszusprechen. Stellt das gepachtete Grundstück die wesentl. Lebensgrundlage des Pächters dar, kann dieser der Kündigung widersprechen. L.-Verträge, die in der ehem. DDR geschlossen wurden, werden vom Zeitpunkt des Beitritts an nach den Vorschriften des BGB behandelt.

📖 *Landpachtrecht, begr. v.* R. LANGE *u.* H. WULFF, *neu bearb. v.* C. LÜDTKE-HANDJERY. *München* *[4]1997.*

Landpflanzen, außerhalb des Wassers lebende Pflanzen, die im Boden oder manchmal auf anderen Pflanzen **(Epiphyten)** wurzeln. Je nach der Feuchtigkeit des Lebensraumes werden sie als **Xerophyten, Mesophyten** oder **Hygrophyten** bezeichnet.

Lạndquart *die,* rechter Nebenfluss des Rheins im Kt. Graubünden, Schweiz, 43 km lang, kommt aus der Silvrettagruppe, durchfließt das Prättigau und mündet bei dem Ort Landquart.

Landrassen, urspr., von der menschl. Zuchtwahl kaum berührte Haustierrassen; wichtiges Genreservoir der Tierzucht.

Landrat, in den meisten dt. Ländern der oberste Beamte eines Landkr. und Leiter der Kreisverw. bzw. Leiter der unteren staatlichen Verw.behörde auf Kreisebene (Landratsamt); er wird entweder vom Volk oder vom Kreistag gewählt oder vom Staat mit Zustimmung des Kreistags ernannt. In NRW und Ndsachs. der ehrenamtl. Vors. des Kreistags, der vom Kreistag aus dessen Mitte gewählt wird (der oberste Beamte des Kreises und Leiter der Kreisverw. ist dort der Oberkreisdirektor). – In einigen *schweizer.* Kantonen Bez. für das Parlament.

Landrecht, 1) im MA. das allg. Recht im Ggs. zu den Sonderrechten (Stadt-, Hof-, Dienst- und Lehnsrecht).

2) in der Neuzeit Gesetzbücher, die bürgerl. Recht vereinheitlichten. Am bekanntesten ist das →Preußische Allgemeine Landrecht (1794).

Landrücken, lang gestreckter Höhenzug oder Hügelland mit gerundeten Bergformen, v.a. in ehem. Inlandeisgebieten (Endmoränenzüge).

Landsassen, bis 1806 die adligen, z.T. landständ. Untertanen eines Landesherrn, im Ggs. zu den Reichsunmittelbaren.

Wanda Landowska am Cembalo, Scherenschnitt (um 1920)

Lạndsberg, 1) Stadt im Saalkreis, Sa.-Anh., am Fuß des Landsberges (Kapellenberg), 4300 Ew.; Maschinen- und Apparatebau, Malzfabrik, Verzinkerei, Herstellung techn. Gase. – Reste der nach 1290 verfallenen Burg (erhalten ist die bed. spätroman. Doppelkapelle; 1860/61 und 1928–30 restauriert). – L. entstand neben einer Burg des späten 12. Jh. (Mittelpunkt der Markgrafschaft L. [eigenständiges Fürstentum 1261–91]); 1442 Stadt.

2) Landsberg a. Lech, Landkr. im RegBez. Oberbayern, 804 km^2, (1997) 100 700 Einwohner.

3) Landsberg a. Lech, Krst. von 2) in Bayern, Große Krst., 24 900 Ew.; Fachakademie, Technikerschule, Museum; elektron. Ind., Gerätebau, Maschinenbau, Stahlveredlung. – Barock geprägtes Ortsbild mit Resten eines mittelalterl. Mauerrings; Rathaus (1699–1702), Pfarrkirche (Mitte des 15. Jh.). – Seit 1260 Stadt, um 1268 an Bayern; Festung (im 19./20. Jh. Haftanstalt).

4) **Landsberg an der Warthe** (poln. Gorzów Wielkopolski), Hptst. der Wwschaft Gorzów, Polen, am N-Rand des Warthebruchs, an der Warthe, 125 000 Ew.; kath. Bischofssitz; Akademie für Leibeserziehung, Museum; Chemiefaserwerk, Seidenfabrik, Gießerei, Maschinenbau; Hafen. – Got. Dom.

Landsbergis, Vitautas, litauischer Politiker und Musikwissenschaftler, * Kaunas 18. 10. 1932; ab 1978 Prof. in Wilna; Veröffentlichungen zu Leben und Werk litauischer Komponisten der jüngeren Vergangenheit. Als Mitbegründer (1988) und Vors. der Volksfront »Sajudis« wurde er der führende Politiker der Unabhängigkeitsbewegung; rief nach dem Wahlsieg von »Sajudis« (Febr. 1990) am 11. 3. 1990 die staatl. Unabhängigkeit Litauens aus. 1990–92 Vors. des Obersten Rates von Litauen (Staatsoberhaupt).

Vitautas Landsbergis

Landschaft, ein bestimmter Teil der Erdoberfläche, der nach seinem äußeren Erscheinungsbild und durch das Zusammenwirken der hier herrschenden →Geofaktoren (einschl. der menschl. Tätigkeit) eine charakterist. Prägung besitzt und sich dadurch vom umgebenden Raum abhebt. Neben dem einzelnen, einmaligen L.-Individuum (Real-L.) gibt es **L.-Typen** (Ideal-L.), die sich über die Erde hin als **L.-Gürtel** oder **L.-Zonen** (v. a. klimatisch und vegetationsgeographisch) verfolgen lassen. Dabei ist zu beachten, dass die ursprüngl. L., die →Naturlandschaft, weithin durch menschl. Einwirkung in →Kulturlandschaft umgewandelt worden ist, in deren Gestaltung vielfach einzelne Faktoren dominieren (z. B. Agrar-L., Industrie-L.). Die Erforschung und Darstellung dieser L. ist Aufgabe der Geographie: Die **L.-Kunde** nimmt dabei eine vermittelnde Stellung zw. der allg. Geographie und der →Länderkunde ein. (→Landschaftsökologie)

📖 Müller-Hohenstein, K.: *Die Landschaftsgürtel der Erde. Stuttgart ²1981.* – Küster, H.: *Geschichte der L. in Mitteleuropa von der Eiszeit bis zur Gegenwart. München 11.–19. Tsd. 1996.*

Landschaften (landschaftliche Banken, Ritterschaften, ritterschaftliche Kreditvereine), öffentlich-rechtl. Agrarkreditanstalten, die systematisch zu den öffentlich-rechtl. Grundkreditanstalten gehören. Die ersten L. wurden in der 2. Hälfte des 18. Jh. in Schlesien, Pommern, Ost- und Westpreußen gegr., um den Rittergütern die Aufnahme langfristiger Kredite durch Ausgabe von Pfandbriefen zu ermöglichen.

Landschaftsgarten, →Gartenkunst.

Landschaftsmalerei, Gattung der Malerei. In den frühen Kulturen (z. B. in Ägypten und auf Kreta) findet man formelhafte landschaftl. Elemente zur Andeutung des Schauplatzes, illusionist. Landschaftsdarstellung in der hellenist. und röm. Kunst. Erst im 13. Jh. gewann die Landschaft neue Bedeutung, zuerst in der italien. Malerei (Giotto), im 14. Jh. ist sie bereits vereinzelt eigenständiges Bildthema (A. Lorenzetti). Entscheidend für die Entwicklung einer selbstständigen L. wurde die niederländisch-burgund. Buchmalerei (Brüder Limburg, Brüder van Eyck). Ein frühes Beispiel einer topographisch genauen Abbildung ist »Petri Fischzug« (1444, Musée d'Art et d'Histoire, Genf) von K. Witz mit einer Darstellung des Genfer Sees. Zum Studienobjekt ohne Figurenstaffage wurde die Landschaft in den Zeichnungen Leonardo da Vincis und in den Aquarellen A. Dürers. Eines der ersten reinen Landschaftsbilder nördlich der Alpen ist A. Altdorfers Gemälde »Donaulandschaft mit Schloß Wörth bei Regensburg« (1520–25, Alte Pinakothek, München). Daneben blieb die Landschaft Schauplatz v. a. bibl. Szenen, erhält aber Gewicht als Träger von Stimmungen oder Sinnbild kosm. Kräfte (»Weltlandschaften« der Niederländer J. Patimir, P. Bruegel d. Ä. u. a.). Die venezian. Malerei baute eine sympathet. Beziehung zw. Figur und Landschaft auf durch Wiedergabe der Stimmungen in Licht und Auflösung der Konturen in Farbabstufungen (Giorgione, Tizian). A. Elsheimer verband um 1600 beide Möglichkeiten in der **idealen Landschaft,** die zu den lyr. Kompositionen C. Lorrains führte. Auf N. Poussin geht die **heroische Landschaft** mit antiker Architektur und mytholog. Szenen zurück. Zur selbstständigen Gattung wurde die L. im 17. Jh. in den Niederlanden (J. Ruisdael, Rembrandt). Die L. des 18. Jh. bevorzugte wieder ideale (klassizist.) Ansichten, auch idyll. Parklandschaften (Watteau), die Romantiker suchten das Aufgehen des Menschen in der Natur zu versinnbildlichen (P. O. Runge, C. D. Friedrich, G. Carus). Zur gleichen Zeit entstand in England mit J. Crome und J. Constable eine realist. L., die auf unmittelbarem Naturstudium gründete. Ihrer Zeit weit voraus waren die Landschaftsbilder W. Turners. Der Einfluss der engl. L. reichte in Frankreich von der Schule von →Barbizon über G. Courbet bis zu den Impressionisten. P. Cézanne gestaltete die Landschaft in seinen Bildern durch Modulation von Farbtönen. In der Kunst des 20. Jh. war die Landschaft noch einmal ein wesentl. Gegenstand der Auseinandersetzung für die Expressionisten und die Vertreter der →Land-Art. In der zeitgenöss. Malerei kommt ihr nur gelegentlich größere Bedeutung zu.

In *Ostasien* spielt die L. eine bed. Rolle. Nach einem Höhepunkt chines. L. im 8. Jh. wurde sie in den um realist. Wiedergabe bemühten monochromen Meisterwerken des 11. und 12. Jh. (Fan Kuan, Guo Xi, Xu Daoning) weiterentwickelt. Seit dem 13. Jh. blühte die Literatenmalerei, die die L. als Ausdruck der Persönlichkeit auffasste. In Japan entwickelte sich die L. zw. dem 8. und 11. Jh. aus

Landschaftsmalerei

1

2

3

4

| **1** William Turner, »Genfer See mit Dent d'Oche« (um 1841; London, Britisches Museum) | **2** Paul Cézanne, »Berge in der Provence« (um 1879; Cardiff, National Museum of Wales) | **3** Casper David Friedrich, »Mönch am Meer« (1809/10; Berlin, Schloss Charlottenburg) | **4** Claude Lorrain, »Landschaft mit Apollon und Hermes« (um 1645; Rom, Galleria Doria Pamphili)

der buddhist. Malerei; auch die Tuschlandschaften der Mönchmaler (Minshō, Shūbun, Sesshū) vom 14. bis 16. Jh. sind noch als Ausdruck des Zen zu sehen; erst ab Ende des 16. Jh. wurde die japan. L. zu einer selbstständigen Kunstrichtung in betont dekorativem Stil.

📖 STEINGRÄBER, E.: *Zweitausend Jahre europ. L. München 1985.* – ESCHENBURG, B.: *Landschaft in der dt. Malerei. München 1987.* – BÄTSCHMANN, O.: *Entfernung der Natur. L. 1750–1920. Köln 1989.*

Landschafts|ökologie (Landschaftsbiologie), die Wiss. von den biolog. bzw. ökolog. Gegebenheiten in der durch den Menschen mehr oder weniger veränderten (Kultur-)Landschaft gewordenen Umwelt; die Erkenntnisse der L. können zur Verbesserung der Lebensbedingungen für Mensch, Tier und Pflanze genutzt werden.

Landschaftspflege, → Landespflege.

Landschaftsplanung, Fachplanung für den Naturschutz, die gemäß §§ 5, 6 Bundesnaturschutz-Ges. durch die Ausarbeitung überörtl. Landschaftsprogramme (für ein Bundesland) oder Landschaftsrahmenpläne (für Teile eines Landes) und, soweit erforderlich, von Landschaftsplänen für den lokalen Bereich zu verwirklichen ist. Sie umfasst alle Planungsmaßnahmen für Landschaften, die durch gehäufte Ansiedlungen (Zersiedlung), durch Industrie, Verkehr, Flurplanungen usw. bedroht sind.

Landschaftsschutz, Teilbereich des Naturschutzes mit weniger strengen Schutzbedingungen; versucht einen Ausgleich zw. den Lebensbedürfnissen der Menschen und der Belastbarkeit der Natur herzustellen.

Landschaftsschutzgebiete, naturnahe Flächen, die zur Erhaltung ihrer ökolog. Vielfalt sowie eines ausgeglichenen Naturhaushalts und ihres Erholungswertes gegen Veränderungen, z.B. Abholzung, Aufforstung, Überbauung und Industrialisierung geschützt werden. 1996 gab es in Dtl. 6 845 Landschaftsschutzgebiete.

Landschaftszonen, → Landschaft.

Landschildkröten (Testudinidae), Familie der Schildkröten mit meist hochgewölbtem Panzer, stämmigen, säulenförmigen Beinen und bis auf die Krallen zu Klumpfüßen verwachsenen Zehen; der Kopf kann vollständig eingezogen werden; vorwiegend Pflanzenfresser. In S-Europa kommt die knapp 30 cm lange **Grch. L.** (Testudo hermanni) sowie die 25–35 cm lange **Breitrandschildkröte** (Testudo marginata), in W-Asien und NW-Afrika die ihr ähnl. **Maur. L.** (Testudo graeca) vor; Trockengebiete Mittelasiens bewohnt die **Steppen-** oder **Vierzehenschildkröte** (Agrionemys horsfieldi) mit relativ flachem Panzer. Viele Arten sind vom Aussterben bedroht, so die **Strahlenschildkröte** (Asterochelys radiata) auf Madagaskar.

Landseer ['lænsɪə], Sir (seit 1850) Edwin Henry, engl. Maler und Bildhauer, *London 7. 3. 1802, †ebd. 1. 10. 1873; war bes. geschätzt wegen seiner Tierdarstellungen mit sentimentalen und anthropomorphisierenden Zügen (Kolossallöwen aus Bronze an der Nelson-Säule, London, Trafalgar Square). L. schuf auch Porträts und Kupferstiche. BILD Walter Scott

Landsgemeinde, in den schweizer. Kantonen Glarus und Appenzell-Innerrhoden das oberste Gesetzgebungsorgan in Gestalt der Versammlung der stimmfähigen Bürger. Die L. entscheidet über Änderungen der Verf. und über Annahme oder Änderung von Gesetzen, über wichtige, bes. finanzielle Verw.akte und wählt u.a. die Reg. des Kantons.

Landshut, 1) Landkreis im RegBez. Niederbayern, 1 348 km², (1997) 135 300 Einwohner.

2) kreisfreie Stadt, Verw.sitz des RegBez. Niederbayern und des Landkr. L., an der Isar, 59 100 Ew.; FH; Museen; Elektro-, Baustoff-, Papierind.,

Landshut 2): Der 1500 vollendete Turm der Stadtpfarr- und Stiftskirche Sankt Martin und Kastulus ist mit 130,6 m der zweithöchste Turm des deutschen Mittelalters; im Hintergrund die über der Stadt gelegene Burg Trausnitz aus dem 13. Jahrhundert

Maschinenbau, Glaswerk, Bekleidungsind., Lackherstellung, Gerätebau. – Gut erhaltenes Stadtbild mit Straßenmärkten, Giebelhäusern und Laubengängen; Stadtresidenz (1536–43); die Stadtpfarr- und Stiftskirche St. Martin und Kastulus (erste urkundl. Erwähnung 1389) und die Heiliggeistkirche (1407 begonnen) wurden von den Baumeistern Stethaimer errichtet; links der Isar das Kloster Seligenthal (die urspr. got. Kirche im 18. Jh. barockisiert); über L. die Burg Trausnitz aus dem 13. Jh., 1579 ff. im Renaissancestil ausgebaut. – Um 1150 erstmals erwähnt; um 1200 als Burgsiedlung ausgebaut, seit 1279 Stadt; 1255–1340 Hptst. von Niederbayern, 1392–1503 Residenz der Herzöge von Bayern-L. – »Die Landshuter Fürstenhochzeit anno 1475«, ein Volksfest mit histor. Umzug (→ Georg, Herrscher, Bayern), wird alle vier Jahre gefeiert.

Landshut 2) Stadtwappen

Landsknechte, urspr. seit dem 15. Jh. die zu Fuß kämpfenden dt. Söldner, die die Ritterheere ablösten; erstmalig 1486 die Söldner Maximilians I. – Die dt. L. sind das erste geordnete Fußvolk

Landschildkröten (von links): Griechische Landschildkröte und Breitrandschildkröte

der Neuzeit; ihre Organisation bildet die Grundlage allen späteren Heerwesens. Im Kriegsfall ernannte der Landesherr einen Feldhauptmann. Dieser wählte eine Anzahl Hauptleute als Führer der Fähnlein, die mit Musikbanden durchs Land zogen

Landsknechte: Darstellung eines Fähnrichs auf einem Holzschnitt aus dem Jahr 1545

und L. warben. 10–15 Fähnlein zu 300–500 Mann bildeten ein Regiment unter einem Oberst. Zu dessen Stab gehörten sein Stellvertreter (Locotenent, Leutnant, Oberleutnant), der Ambosat (Sprecher), der Rottmeister (Führer einer »Rotte«), der Fähnrich (Fahnenträger), der Schultheiß (Richter mit Hauptmannsrang), der Quartier- und der Proviantmeister, der Pfennigmeister (später Zahlmeister), der Hurenweibel und der Profos (Stockmeister). Die Waffen der L. waren der lange Spieß und ein Schwert, Einzelne trugen große Schwerter (Zweihänder). Die L.-Tracht war sehr farbenfreudig und bestand aus einem mit dickem Steppfutter versehenen Wams, mit oder ohne Schoß. Oberschenkelhosen wurden über meist ledernen Beinlingen (Ledersen) zu Kuhmäulern oder Hornschuhen und einem breitkrempigen, reich mit Straußenfedern geschmückten Barett getragen. Wams und Hosen waren mit Schlitzen versehen, durch die sich das Unterfutter bauschte. Im Verlauf des Dreißigjährigen Krieges änderte das Landsknechtstum seinen Charakter; an die Stelle der Landsknechtsheere traten die stehenden Heere.

Karl Landsteiner

📖 BAUMANN, R.: *L. Ihre Geschichte u. Kultur vom späten Mittelalter bis zum Dreißigjährigen Krieg. München 1994.*

Landskrona [-kru:na], Hafenstadt am Sund, im VerwBez. Malmöhus, Schweden, 36 200 Ew.; Werft, Maschinenbau, Düngemittel-, Textil-, Bekleidungsind. – Schloss (16. Jh.).

Landsmål [-mo:l, norweg. »Landessprache«] *das,* ältere Bez. für Nynorsk, eine →norwegische Sprache.

Landsmannschaft, 1) die regionalen Zusammenschlüsse der Heimatvertriebenen, nach 1945 entstanden zur Pflege heimatl. Traditionen, gegenseitiger Hilfe sowie zur Vertretung gemeinsamer Rechte und Interessen; seit 1957 im →Bund der Vertriebenen organisiert.

2) →studentische Verbindungen.

Landstände, in den dt. Territorien des MA. und der späteren ständestaatl. Epoche die nach Ständen (Geistlichkeit, Ritterschaft, Städte, selten auch die Bauern) gegliederte Vertretung des Landes gegenüber dem Landesherrn. Die L. traten meist nur auf Einberufung durch den Landesherren zusammen. Zu ihren Befugnissen gehörte bes. das Steuerbewilligungsrecht. Der Absolutismus verminderte im 17. und 18. Jh. die Macht der L., die sich in ihrer alten Form nur noch in Mecklenburg bis 1918 erhielten; nach 1814/15 durch verfassungsmäßige Vertreter ersetzt.

Landsteiner, Karl, österr. Bakteriologe, * Wien 14. 6. 1868, † New York 26. 6. 1943; entdeckte das AB0-System der Blutgruppen und erhielt hierfür 1930 den Nobelpreis für Physiologie oder Medizin. 1937 entdeckte er mit Alexander Salomon Wiener (* 1907, † 1976) das Rhesussystem.

Landstreicherei, das Umherziehen ohne regelmäßige Arbeit unter ständigem Wechsel des Nachtquartiers, wobei der Lebensunterhalt überwiegend auf Kosten anderer bestritten wird; L. ist seit 1974 nicht mehr strafbar.

Landstufe, stufenartiger Übergang von einer tieferen zu einer höheren Landschaft (→Schichtstufe der Schwäbischen und Fränkischen Alb).

Landstuhl, Stadt im Landkr. Kaiserslautern, Rheinl.-Pf., am N-Rand des Westrich, 9 300 Ew.; Porzellanfabrik, elektrotechn. Industrie. – In der Burg **Nannstein** bei L. wurde F. von Sickingen 1523 belagert und tödlich verwundet.

Landsturm, urspr. das Aufgebot aller Wehrfähigen. In Preußen endete die L.-Pflicht seit 1814 mit dem 50., in Dtl. seit 1888 bis in den 1. Weltkrieg hinein mit dem 45. Lebensjahr (→Volkssturm). *Österreich:* →Landwehr. *Schweiz:* die Waffenfähigen vom 49. bis 60. Lebensjahr.

Landtag, in der Bundesrep. Dtl. die Volksvertretung in den Ländern (in Bremen und Hamburg Bürgerschaft, in Berlin Abgeordnetenhaus gen.), die nach Art. 28 GG aus allg., unmittelbaren, freien, gleichen und geheimen Wahlen hervorgehen muss. Die L. haben das Recht der Gesetzgebung und der Haushaltsfeststellung; sie wählen die Reg.chefs (z. T. die Min.) und kontrollieren die

Landesreg. – In *Österreich* sind die L. die gewählten Volksvertretungen der Bundesländer; in Wien ist L. der Gemeinderat.

Geschichte: In den dt. Ländern bis 1806 hießen die Versammlungen der →Landstände Landtag. Im 19. Jh. war L. die Bez. für die Volksvertretungen (Abgeordneten- und Herrenhaus) in den konstitutionellen Staaten, später nur noch für das Abgeordnetenhaus. 1919–33 bestanden in allen dt. Ländern demokrat. gewählte L. (in den Hansestädten »Bürgerschaft«).

Landtechnik, Gesamtheit der techn. Hilfsmittel zur Mechanisierung der landwirtsch. Produktion. Im Mittelpunkt der L. stehen die →Landmaschinen und deren Einsatz.

Land- und Seewind, durch den Unterschied in der Erwärmung von Land und Wasser hervorgerufener Wind an Küsten und großen Seen, tagsüber vom Wasser zum stärker erwärmten Land **(Seewind),** nachts umgekehrt **(Landwind).**

Landungsfahrzeug, im 2. Weltkrieg entwickelter Kriegsschiffstyp für den Transport über See und die hafenunabhängige Anlandung von Truppen und Material an Küsten.

Landvogtei, im Hl. Röm. Reich der durch einen vom König eingesetzten **Landvogt** verwaltete Reichsgutbezirk (13.–15. Jh., z. T. bis 1806); in der *Schweiz* bis 1798 das von einem Landvogt verwaltete Untertanengebiet eines Kantons.

Landvolkbewegung, bäuerliche Protestbewegung in der Agrarkrise 1928–32, ausgehend von Schleswig-Holstein, verband antikapitalist. Positionen mit terrorist. Aktionen; bereitete ideologisch dem Nationalsozialismus den Weg.

Landwehr, 1) *Festungsbau:* (Landfrieden, Landgraben) eine bes. für die Germanen charakterist. Art der Grenzbefestigung (Wälle, Gräben), die größere Teile eines Gebiets umzog oder nur zur Sperrung von Zugängen diente, z. B. das →Danewerk (9. Jh.).

2) *Militärwesen:* das Aufgebot aller Wehrfähigen, 1813–1918 Bestandteil des preußisch-dt. Heeres, 1935–45 eine Form des Wehrdienstes. Die in Preußen 1813 aufgestellte L. umfasste alle nicht dem stehenden Heer angehörenden Männer vom 17. bis 40. Lebensjahr. 1814 wurde die milizartige L. in ein 1. Aufgebot (Wehrpflichtige vom 26. bis 32. Lebensjahr) und ein 2. Aufgebot (Wehrpflichtige vom 33. bis 39. Lebensjahr) geteilt. 1860 wurden die L.-Regimenter des 1. Aufgebotes in das stehende Heer übernommen, die übrige L. wurde zu einer aus der Feldarmee ausgegliederten Reserve. Ab 1888 dauerte die L.-Verpflichtung vom 28. bis 40. Lebensjahr, ab 1935 vom 35. bis 45. Lebensjahr. – In *Österreich* wurde die L. 1852 aufgelöst; später wurden mit L. (ungar. Honvéd) die stehenden Nationalheere in Österreich und Ungarn im Ggs. zur gemeinsamen (k. u. k.) Armee bezeichnet. Eine Verpflichtung zum **Landsturm** gab es schon seit dem 16. Jh. (Tiroler Landsturm in den Napoleon. Kriegen). – In der *Schweiz* die Altersklasse der Waffenfähigen vom 37. bis 48. Lebensjahr.

Landwehrkanal, Kanal in Berlin, der 21 km oberhalb der Spreemündung in die Havel aus der Oberspree abzweigt und nach 11 km bei Charlottenburg in die Unterspree mündet.

Landwirt, Eigentümer oder Pächter eines landwirtsch. Betriebs, allg. jeder, der eine landwirtsch. Berufsausbildung hat. Der Ausbildungsberuf L. erfordert eine prakt. Ausbildung (2–3 Jahre) in anerkannter Ausbildungsstätte mit Abschlussprüfung.

Landungsfahrzeug der deutschen Bundesmarine

Landwirtschaft, wirtsch. Nutzung des Bodens zur Gewinnung pflanzl. und/oder tier. Erzeugnisse. Die L. ist mit den Produktionsfaktoren Boden, Arbeit und Kapital Teil der Urproduktion (primärer Sektor). Zur L. gehören neben Ackerbau, Viehwirtschaft i. w. S. auch Gartenbau einschl. Zierpflanzen-, Gemüse- und Obstbau, Forstwirtschaft, Jagd sowie landwirtsch. Nebengewerbe (z. B. Mühlen, Molkereien, Kellereien).

Aufgrund der Nutzung als Acker, Grün- oder Gartenland durch Anbau von ein- oder mehrjährigen oder Dauerkulturen (Obst, Reben, Hopfen u. a.) sowie des jeweiligen Anteils der einzelnen Kulturpflanzen zueinander unterscheidet man versch. **Bodennutzungssysteme:** Grünland-, Futterbau-, Marktfruchtbau- (Getreide, Hackfrüchte, wie Kartoffeln und Zuckerrüben, Ölfrüchte u. a.), Gemüsebaubetriebe sowie weitere, einschl. der Übergänge zw. den einzelnen Bodennutzungssystemen. Im Fruchtfolgesystem, der Aufeinanderfolge der einzelnen Kulturpflanzen, unterscheidet man Feldwirtschaften mit Getreide und Blatt-(Hack-)Früchten, Wechselwirtschaften mit einem Wechsel zw. mehrjähriger Futternutzung und Ackerkulturen. Die pflanzl. Erzeugnisse dienen der menschl. Ernährung (einschl. Genussmittel), der Verwertung in der Viehwirtschaft oder der industriellen Verarbeitung. – Die **Viehwirtschaft** wird nach der Tiergattung (Rinder, Schweine, Geflügel u.a.), nach der Nutzungsform und dem Nutzungsziel (Milch, Fleisch, Wolle u.a.) unterschieden. Sie basiert auf der Futtergrundlage des Betriebes. – Den ökolog. Belastungen durch die herkömml. L. (hohe Schadstoffbelastungen von Boden und Erzeugnissen, u.a. Herbizidrückstände, Arzneimittelrückstände in Schlachttieren) suchen neue »alternative« Formen der L. zu begegnen (→ biologischer Landbau).

Die Betriebsgröße wird gemessen an der Ausstattung mit Anlagevermögen und Betriebsmitteln, der Zahl der Arbeitskräfte oder der Gesamtproduktion. Seit 1973 wird ein aufgrund der Nettoleistung der einzelnen Betriebszweige errechnetes Standardbetriebseinkommen als Größenmaßstab verwendet. – Nach der Betriebsstruktur werden L.-Betriebe häufig unterteilt in Vollerwerbsbetriebe, Zuerwerbsbetriebe (die geringe Betriebsgröße erzielt ein nicht ausreichendes Einkommen; der Besitzer geht einer ergänzenden Nebentätigkeit im nichtlandwirtsch. Bereich nach) und Nebenerwerbsbetriebe (werden nebenberuflich bewirtschaftet und zwingen den Besitzer, da sie keine Lebensgrundlage bilden können, einen nichtlandwirtsch. Hauptberuf auszuüben). – Nach der Besitzform unterscheidet man Eigentums- und Pachtbetriebe. Die früher in S-Europa anzutreffende Teilpacht ist noch in Entwicklungsländern verbreitet. Nach der Wirtschaftsform unterscheidet man bäuerl. (Familien-)Betriebe, Plantagenwirtschaft, Produktionsgemeinschaften.

Bis in das 19. Jh. war die L. der eindeutig dominierende Bereich der Volkswirtschaft; im Verlauf der wirtsch. Entwicklung ging und geht die Bedeutung der L. im Vergleich zum sekundären (Waren produzierendes Gewerbe) und tertiären Sektor (Dienstleistungen) zurück. In der Bundesrep. Dtl. sank die Anzahl der landwirtsch. Betriebe von (1949) 1,94 Mio. auf (1995) 578 000 und die Zahl der Erwerbspersonen in der L. von (1950) 5,33 Mio. auf (1994) 1,2 Mio. Die Probleme der L. in den marktwirtsch. orientierten Ind.staaten ergeben sich v.a. daraus, dass dem hohen Angebotsniveau aufgrund modernster Produktionstechniken eine geringe Nachfragesteigerung gegenübersteht. Dadurch entstehen Überschüsse an landwirtsch. Erzeugnissen, eine verschärfte Konkurrenz und die Tendenz zum relativen Sinken der Agrarpreise. Internat. wird von zahlr. Staaten (v.a. durch die USA und die Länder der → Europäischen Gemeinschaft) der Versuch unternommen, durch staatl. Maßnahmen zur Einkommensstützung, Flächenstilllegungen und strukturelle Anpassung dieser Entwicklung zu begegnen (→ Agrarpolitik).

In den meisten Entwicklungsländern ist die L. heute noch der wichtigste Wirtschaftsbereich. Vielen ist es bisher – trotz beträchtl. Fortschritte durch Einführung hoch ertragreicher Sorten in Verbindung mit mineral. Düngung und Bewässerung – nicht gelungen, die Nahrungsmittelproduktion der (v.a. durch starke Bevölkerungszunahme) wachsenden Nachfrage anzupassen.

Geschichte: Erste Spuren der Haustierhaltung (Ziegen) und des Ackerbaus (Weizen und Gerste) finden sich im Übergang von der Mittel- zur Jungsteinzeit im nordwestl. Irak aus dem 7. Jt. v. Chr. Die Fruchtbarkeit der bronzezeitl. Kulturen im Vorderen Orient war so groß, dass Großstädte mit einer erhebl. nichtlandwirtsch. Bev. bestehen konnten. Für China ist die L. im 5. Jt., für Südamerika um 2000 v. Chr. nachgewiesen. In Mitteleuropa breitete sie sich zw. 5000 und 1800 v. Chr. aus.

Die Produktionsverfahren wandelten sich nur langsam. Bis zum MA. herrschte in Europa die unregelmäßige Feld-Gras-Wirtschaft, seit dem 6. Jh. n. Chr. aber auch die Dreifelderwirtschaft. Diese wurde im 18. und 19. Jh. durch die Einführung des Ackerfutterbaus und der Hackfrüchte abgelöst. Weitere grundlegende Änderungen traten mit der Einführung der mineral. Düngung und des Pflanzenschutzes in der 2. Hälfte des 19. Jh. sowie der Mechanisierung ein.

📖 *Grünlandwirtschaft und Futterbau, hg. von* G. Voigtländer *u.* H. Jacob. *Stuttgart 1987.* – Born, M.: *Die Entwicklung der dt. Agrarlandschaft. Darmstadt* [2]*1989.* – Preuschen, G.: *Mensch u. Natur – Partner oder Gegner? Bad Dürkheim* [2]*1991.* – *L. u. Agrarpolitik im Wandel der Zeiten. Münster 1992.* – Tivy, J.: *L. u. Umwelt. Agrarökosysteme in der Biosphäre. A. d. Engl. Heidelberg u. a. 1993.*

landwirtschaftliche Arbeitskräfte, Personen, die in einem landwirtschaftl. Betrieb tätig sind. Die Statistik unterscheidet zw. den Familienarbeitskräften (Betriebsinhaber und die auf dem Betrieb beschäftigten Familienangehörigen) und den ständigen sowie den nicht ständigen (weniger als 3 Monate Beschäftigungsdauer) fremden Arbeitskräften.

landwirtschaftliche Produktionsgenossenschaft, Abk. **LPG,** in der DDR juristisch selbstständiger genossenschaftsähnl. Großbetrieb, ab 1952 durch staatlich organisierten Zusammenschluss von Landwirten und landwirtsch. Arbeitskräften gebildet. Die teils freiwillig, z.T. durch ökonom. und polit. Druck durchgeführte Kollektivierung war 1960 abgeschlossen. Die LPG wurden in den 70er-Jahren in spezialisierte LPG Pflanzenproduktion und LPG Tierproduktion aufgespalten, was z.T. zu großen ökolog. Problemen führte. Nach der dt. Vereinigung wurden die ehem. rd. 3850 LPG gemäß Landwirtschaftsanpassungs-Ges. (i.d.F.v. 3. 7. 1991) bis Ende 1991 als Betriebsform aufgelöst. Die Entwicklung privatwirtsch. Alternativen wird von der Bundesreg. mit zinsgünstigen

Krediten und Investitionshilfen gefördert. Vom Bundesverfassungsger. wurde 1997 entschieden, dass in privatwirtschaftl. Rechtsform überführte ehem. LPG für ihre Altschulden einstehen müssen.

landwirtschaftliches Bildungswesen, von staatl., halbstaatl. und freien Körperschaften getragenes Unterrichtswesen im Bereich der Landwirtschaft. Dort können 14 Ausbildungsberufe (3 Jahre), u.a. Fischwirt, Gärtner, Landwirt, Molkereifachmann, Winzer und versch. Forstberufe, erlernt werden; weiterbildende Einrichtungen sind Fachschulen, Höhere Landbauschulen, Technikerschulen oder Fachhochschulen (»Diplomingenieur FH« für Landbau, Gartenbau, Landespflege, Forstwirtschaft, Ernährung, Hauswirtschaft). Durch ein Hochschulstudium wird der Titel »Diplom-Agraringenieur Univ.«, »Diplom-Ingenieur Univ.« (für Landespflege), »Diplom-Forstwirt« oder »Diplom-Ökotrophologe Univ.« erworben.

landwirtschaftliche Vereine und Gesellschaften, Organisationen zur Interessenvertretung in der Landwirtschaft; entstanden Mitte des 18. Jh. aus den ökonom. Gesellschaften (z.B. Thüring. Landwirtschafts-Gesellschaft in Weißensee 1762). Aus ihnen entwickelten sich die →Landwirtschaftskammern, daneben die Bauernverbände (→Deutscher Bauernverband e.V., →Deutsche Landwirtschafts-Gesellschaft e.V.).

Landwirtschaftsfliegerei (Agrarluftfahrt), Einsatz von Flugzeugen (spezialisierte Starrflügelflugzeuge und Hubschrauber) zur Schädlings- und Unkrautbekämpfung, Düngung, Aussaat, Überwachung von Anbauflächen und Viehherden, Maßnahmen zum Frost- und Hagelschutz.

Landwirtschaftskammern, berufsständ. Vereinigungen in der Rechtsform von Körperschaften des öffentl. Rechts, die die Belange der Land- und Forstwirtschaft, z.B. Ausbildung, Wirtschaftsberatung, Mitwirkung beim Bodenverkehr, im Rahmen der →Landwirtschaftsverwaltung wahrnehmen. Organe sind Hauptversammlung, Vorstand, Präsident; die Aufgabenerledigung obliegt der Geschäftsführung. L. entstanden seit Mitte des 19. Jh.; 1933 wurden sie durch die Landesbauernschaften des Reichsnährstandes ersetzt. Die in der Bundesrep. Dtl. wieder gegründeten L. sind im Verband der L. (Bonn) zusammengeschlossen. In *Österreich* gibt es neun L. mit ähnl. Zielsetzung.

Landwirtschaftsministerium, →Landwirtschaftsverwaltung.

Landwirtschaftsstatistik (Agrarstatistik), Statistik der Land- und Forstwirtschaft, gliedert sich als Teil der amtl. Statistik in die Bereiche Betriebs- und Arbeitskräfte-, Erzeuger-, Ernährungswiss. und Preisstatistik sowie in die Statistik der Verkaufserlöse und Betriebsausgaben; niedergelegt im jährl. Agrarbericht der Bundesregierung.

Landwirtschaftsverwaltung, die Organe, durch die der Staat Verwaltungsfunktionen in der Landwirtschaft wahrnimmt. In Dtl. ist die untere Landwirtschaftsbehörde das Landwirtschaftsamt auf Kreisebene; mittlere Landwirtschaftsbehörde ist in Bayern und Bad.-Württ. der Reg.präs., in Hessen das Landesamt für Ernährung, Landwirtschaft, Landesentwicklung und Umwelt, in den anderen Ländern die →Landwirtschaftskammer; obere Landwirtschaftsbehörden sind die Landwirtschaftsministerien der Länder, auf Bundesebene das Bundesministerium für Ernährung, Landwirtschaft und Forsten.

Landwirtschaftswissenschaften (Agrarwissenschaften), Sammelbegriff der Forschungszweige, die sich auf die Landwirtschaft beziehen: Pflanzenproduktion (Acker- und Pflanzenbau, Pflanzenzucht, -ernährung, -krankheiten, Bodenkunde u.Ä.), Tierproduktion, Wirtschafts- und Sozialwiss. des Landbaus (landwirtsch. Betriebslehre, landwirtsch. Marktlehre, →Agrarsoziologie, →Agrarpolitik u.Ä.) und Technologie der Landwirtschaft (landwirtsch. Bauwesen, Landmaschinenkunde, Kulturkunde u.a.); i.w.S. auch Gartenbau-, Ernährungswiss. und Ökologie.

La Neuveville [lanœv'vil] (dt. Neuenstadt), Bezirkshauptort im Kt. Bern, Schweiz, am Bieler See, 3300 Ew.; histor., Weinbaumuseum; Uhrenind., Weinbau.

Lanfranco, Giovanni, italien. Maler, *Terenzo (bei Parma) 26.1.1582, †Rom 30.11.1647; setzte in seinen Decken- und Kuppelfresken den illusionist. Stil Correggios im Sinne einer lichterfüllten maler. Gestaltung fort (Himmelfahrt Mariä, Sant'Andrea della Valle in Rom, 1621–25; Kuppelfresko, Cappella di San Gennaro im Dom von Neapel, 1641); auch bed. Altarbilder.

Alexander Lang

Lang, 1) Alexander, Schauspieler und Regisseur, *Erfurt 24.9.1941; expressiver Charakterdarsteller; Regiearbeiten am Dt. Theater in Berlin sowie am Hamburger Thalia-Theater, daneben als Gastregisseur an den Münchner Kammerspielen; 1990–93 künstler. Direktor der Staatl. Schauspielbühne Berlin; gestaltete auch Filmrollen (u.a. »Solo Sunny«, 1979).

Fritz Lang

2) Fritz, österr.-amerikan. Filmregisseur und -produzent, *Wien 5.12.1890, †Los Angeles 2.8.1976; ⚭ mit T. von Harbou; Mitbegründer des film. Expressionismus (»Der müde Tod«, 1921; »Dr. Mabuse, der Spieler«, 1922; »Metropolis«, 1926; »M«, 1931); emigrierte 1933 in die USA, seine amerikan. Filme »Fury« (auch u.d.T. »Raserei«, 1936), »Du lebst nur einmal« (auch »Gehetzt«, 1936), »Rache für Jesse James« (1940), »Auch Henker sterben« (1943), »Die Frau im Fenster« (auch »Gefährl. Begegnung«, 1944), »Engel der Gejagten« (1951) waren internat. erfolgreich; letzte

Filme entstanden in der Bundesrep. Dtl. (u. a. »Der Tiger von Eschnapur«; »Das ind. Grabmal«, beide 1959).

Fritz Lang

Für den Film »Die Frau im Mond« (1928) hatte Fritz Lang als Fachberater den jungen Physiker Hermann Oberth verpflichtet, der 1923 das bahnbrechende Buch »Die Rakete zu den Planetenräumen« veröffentlicht hatte. Die nach seinen Entwürfen gebaute Filmrakete glich so sehr den später von Oberth mitentwickelten Waffen V1 und V2, dass im Dritten Reich alle Kopien des Films beschlagnahmt wurden.

Fritz Lang: Szene aus dem legendären Stummfilm »Metropolis« von 1926

3) Nikolaus, Künstler, *Oberammergau 12. 2. 1941; befasst sich v. a. mit der →Spurensicherung; seit 1986 stehen Kultur und Geschichte der Ureinwohner Australiens im Mittelpunkt seiner Arbeit.

Langage [lɑ̃ˈgaːʒ, frz. »Sprache«], →Langue.

Langbehn, Julius, Schriftsteller, *Hadersleben 26. 3. 1851, †Rosenheim 30. 4. 1907; gen. der »Rembrandtdeutsche«; nach seinem 1890 anonym erschienenen Werk »Rembrandt als Erzieher«, das gegen Materialismus und Rationalismus polemisierte und zu Verinnerlichung und Idealismus aufrief, beeinflusste er die Heimatkunst-Bewegung.

Langdon-Down-Krankheit [ˈlæŋdən-ˈdaʊn-, engl.], das →Down-Syndrom.

Christian Lange

Lange, 1) Christian, norweg. Politiker, *Stavanger 17. 9. 1869, †Oslo 11. 12. 1938; Pazifist, 1909–33 Gen.-Sekr. der Interparlamentar. Union und 1920–37 norweg. Vertreter im Völkerbund; erhielt 1921 zus. mit H. Branting den Friedensnobelpreis.

2) [læŋ], Dorothea, amerikan. Fotografin, *Hoboken (N. J.) 26. 1. 1895, †Marin County (Calif.) 11. 10. 1965; trat 1935–42 mit sozial engagierten Dokumentarbildberichten hervor; arbeitete 1954–55 für die Ztschr. »Life«, ab 1958 als Bildreporterin in Asien, Südamerika und im Nahen Osten.

3) Friedrich Albert, Philosoph, Sozialpolitiker, *Wald (heute zu Solingen) 28. 9. 1828, †Marburg 21. 11. 1875; bejahte den Materialismus als naturwissenschaftl. Methode, wies ihn jedoch als Metaphysik und Weltanschauung zurück (»Gesch. des Materialismus und Kritik seiner Bedeutung in der Gegenwart«, 2 Bde., 1866). Den dt. Pragmatismus begründend, erblickte L. den Sinn von Religion, Metaphysik und Kunst nicht in der Wahrheitsermittlung, sondern im Nutzen für den Menschen.

4) Hartmut, Schriftsteller, *Berlin 31. 3. 1937; war Dramaturg am Dt. Theater in Berlin (Ost), ab 1965 in Berlin (West), seitdem auch als Regisseur tätig; setzte sich in Dramen und Fernsehfilmen mit kultur- und gesellschaftspolit. Themen auseinander (»Marski«, 1965; »Die Gräfin von Rathenow«, 1969); Hörspiele, Prosa (»Die Selbstverbrennung«, R., 1982; »Die Ermüdung«, 1988; »Schnitzlers Würgeengel«, Nov., 1995).

5) Helene, Führerin der dt. Frauenbewegung, *Oldenburg (Oldenburg) 9. 4. 1848, †Berlin 13. 5. 1930; Lehrerin, forderte u. a. Neuordnung des Mädchenschulwesens unter weibl. Einfluss und unter Leitung von wiss. vorgebildeten Lehrerinnen. An der Spitze des von ihr gegr. »Allg. dt. Lehrerinnenvereins« übernahm sie die geistige Führung der Frauenbewegung (Ztschr. »Die Frau«, seit 1893). – *Werke:* Die Frauenbewegung in ihren modernen Problemen (1908); Lebenserinnerungen (1921); Kampfzeiten (2 Bde., 1928).

6) Horst, Schriftsteller, *Liegnitz 6. 10. 1904, †München 6. 7. 1971; ⚭ mit der Lyrikerin Oda Schaefer; gestaltete in seinen Romanen (»Schwarze Weide«, 1937; »Ein Schwert zw. uns«, 1952) ein düsteres Bild des Daseins; auch Lyrik und Erzählungen.

7) [læŋ], Jessica, amerikan. Filmschauspielerin, *Cloquet (Minn.) 20. 4. 1949; gehört zu den Charakterdarstellern Hollywoods (»Wenn der Postmann zweimal klingelt«, 1981; »Tootsie«, 1982; »Sweet dreams«, 1985; »Music Box«, 1990; »Kap der Angst«, 1992; »Rob Roy«, 1995).

8) Oskar, poln. Volkswirtschaftler und Statistiker, *Tomaszów Mazowiecki 27. 7. 1904, †London 2. 10. 1965; Prof. in Chicago und Warschau, 1945–48 poln. Botschafter in den USA, seit 1949 Mitgl. des ZK der poln. KP; Arbeiten zur Ökonometrie und zur Theorie der sozialist. Wirtschaftsordnung und -planung.

9) Samuel Gotthold, Dichter, *Halle (Saale) 22. 3. 1711, †Beesenlaublingen (Kr. Bernburg) 25. 6. 1781; verfocht zunächst die Ideen Gottscheds und gründete mit I. J. Pyra eine »Gesellschaft zur Förderung der dt. Sprache, Poesie und Beredsamkeit«; später bezogen beide gegen Gottsched Position. Sammlung »Thyrsis' und Damons freundschaftl. Lieder« (Hg. mit J. J. Bodmer, 1745, erweitert 1749).

Länge, 1) *allg.:* a) räuml. Ausdehnung in einer Richtung; b) zeitl. Ausdehnung, Dauer.

2) *Astronomie:* a) **ekliptikale L.** λ, Winkel zw. dem Frühlingspunkt und dem Schnittpunkt des ekliptikalen → Längenkreises des Gestirns mit der Ekliptik. b) **galakt. L.** l, Winkel zw. der Richtung zum galakt. Zentrum und dem Schnittpunkt des galakt. Längenkreises des Gestirns mit dem galakt. Äquator. (→ astronomische Koordinaten)

3) *Geographie:* Die geograph. L. eines Ortes auf der Erdkugel ist der Winkel zw. seinem Meridian **(Längenkreis)** und dem Nullmeridian von → Greenwich. Vom Nullmeridian aus wird nach O und W von 0° bis 180° gezählt. Orte auf dem gleichen Längenkreis haben gleiche Ortszeit, sodass man Unterschiede der L. auch in Zeit ausdrücken kann: 15° entsprechen einer Stunde.

4) *Physik:* eine die Ausdehnungen bzw. die gegenseitigen Abstände von Körpern beschreibende fundamentale physikal. Größe, Formelzeichen l, in Dimensionsgleichungen L. Die L. ist eine Basisgröße des Internat. Einheitensystems, SI-Einheit der L. ist das → Meter. Nach der Relativitätstheorie ist die L. zw. zwei Punkten eines Körpers abhängig von dessen Bewegungszustand (→ Längenkontraktion).

Dorothea Lange: »Migrant Mother« (1936)

Lạngeland [-lan], dän. Insel südöstlich von Fünen, 52 km lang, 3–11 km breit, 284 km², etwa 17 000 Ew.; Hauptort: Rudkøbing.

Lạngelsheim, Stadt im Landkreis Goslar, Ndsachs., an der Innerste, 13 900 Ew.; Niedersächs. Bergbaumuseum (im Stadtteil Lautenthal); chem., Metall verarbeitende, Textilind. Bei L. liegt die Innerste-Talsperre (20 Mio. m³). – Seit 1951 Stadt.

Lạngemark (Langemarck), ehem. selbstständiger Ort in der belg. Provinz Westflandern, 8 km nördlich von Ypern, seit 1977 Teil der Gemeinde Langemark-Poelkapelle, 8 000 Einwohner. – Im 1. Weltkrieg schwer umkämpft; 1914 verlustreicher Sturmangriff dt. Freiwilligenregimenter (v. a. aus Studenten und Schülern); dt. Kriegerfriedhof mit 45 000 Gräbern.

Helene Lange

Lange-Müller, Katja, Schriftstellerin, * Berlin (Ost) 13. 2. 1951; 1984 Übersiedlung nach Westberlin; bekannt durch Erzählungen, u. a. »Wehleid, wie im Leben« (1986), »Kaspar Hauser« (1988), »Verfrühte Tierliebe« (1995); 1986 Ingeborg-Bachmann-Preis.

Lạngen, Stadt im Landkr. Offenbach, Hessen, im Messeler Hügelland, 34 000 Ew.; FH des Bundes für öffentl. Verw. (Fachbereich Flugsicherung und Wetterdienst), Bundesamt für Sera und Impfstoffe; Elektrogerätebau, Metall verarbeitende, Textil-, Holz-, Getränkeindustrie. – Großherzogl. Jagdschloss Wolfsgarten (1721–24). – Seit 1883 Stadt.

Jessica Lange

Lạngen, 1) Albert, Verleger, * Antwerpen 8. 7. 1869, † München 30. 4. 1909; gründete 1893 den Verlag A. L. (seit 1895 in München), der 1932 mit dem von Georg Müller (* 1877, † 1917) 1903 gegr. Georg Müller Verlag zum L.-Müller Verlag fusionierte, seit 1967 zur F. A. Herbig Verlagsbuchhandlung gehörte, seit 1985 zur Ullstein-Langen-Müller GmbH & Co. KG. A. L. gründete 1896 den → Simplicissimus.

2) Eugen, Ingenieur und Unternehmer, * Köln 9. 10. 1833, † ebd. 2. 10. 1895; erfand mit N. A. Otto einen atmosphär. Flugkolben-Gasmotor, hatte wesentl. unternehmer. Anteil an der Erfindung des Ottomotors (1876), entwarf die Schwebebahn Barmen-Elberfeld (1893).

Katja Lange-Müller

Längen|änderung, → Dehnung 1).

Langenạrgen, Gemeinde im Bodenseekreis, Bad.-Württ., Kurort am Bodensee; 7100 Ew.; Institut für Seenforschung und Fischereiwesen; Fremdenverkehr; auf einer Landzunge im See Schloss Montfort (1866), heute Kurhaus.

Lạngenau, Stadt im Alb-Donau-Kr., Bad.-Württ., an der SO-Abdachung der Schwäb. Alb, 13 100 Ew.; Textil-, Metall verarbeitende Industrie. – Martinskirche (15. Jh.). – Seit 1376/1848 Stadt.

Lạngenbeck, Bernhard von (seit 1864), Chirurg, * Padingbüttel (bei Bremerhaven) 9. 11. 1810, † Wiesbaden 29. 9. 1887; bes. Verdienste um Kriegs-, Extremitäten- und plast. Chirurgie.

Bernhard von Langenbeck

Lạngenberg, 1) ehem. Stadt in NRW, gehört seit 1. 1. 1975 zu Velbert.

2) höchster Berg des Rothaargebirges und des Sauerlands, 843 m ü. M.; Wintersport.

Langenbielau, Stadt in Polen, → Bielawa.

Lạngenburg, Stadt im Landkr. Schwäbisch Hall, Bad.-Württ., auf dem Langen Berg über dem Jagsttal gelegen, 439 m ü. M., 1900 Ew.; Maschinenbau; Fremdenverkehr. – Renaissanceschloss

Langenburg: Das auf einem Bergkamm liegende Renaissanceschloss Hohenlohe-Langenburg schließt unmittelbar an die Stadt (rechts) an

der Fürsten zu Hohenlohe-Neuenstein-L. (15. bis 18. Jh.; Automuseum). – 1226 erstmals erwähnt.

Langeneß [-'ne:s], Hallig vor der Nordseeküste Schleswig-Holsteins, 8 km lang, 120 Ew. (auf 18 Warften); durch einen Damm über die Hallig Oland mit dem Festland verbunden.

Langenfeld (Rhld.), Stadt im Kr. Mettmann, NRW, 57 000 Ew.; Schuhfabrik, Röhrenwerk, Metallverarbeitung, Maschinen-, Fahrzeug-, Apparatebau. – Seit 1948 Stadt.

Längengrad, *Geographie:* Entfernung zw. zwei benachbarten Meridianen.

Langenhagen, Stadt im Landkr. Hannover, Ndsachs., 49 200 Ew.; Herstellung von Compactdiscs, Zigarettenfabrik, Nahrungs- und Genussmittelind., Metall verarbeitende und elektrotechn. Industrie; internat. Flughafen von Hannover. – Seit 1959 Stadt.

Längenkontraktion (Lorentz-Kontraktion), die Verkürzung der Länge eines relativ zu einem ruhenden Beobachter mit der Geschwindigkeit v in Längsrichtung bewegten Körpers um den Faktor $(1-v^2/c^2)^{1/2}$ gegenüber einem Beobachter, in dessen System der Körper ruht. Sie macht sich erst bei Geschwindigkeiten in der Nähe der Lichtgeschwindigkeit c bemerkbar. Die L. ergibt sich aus der speziellen →Relativitätstheorie; sie folgt unmittelbar aus der →Lorentz-Transformation.

Längenkreis, 1) *Astronomie:* jeder Großkreis an der Himmelskugel, der auf der Ekliptik senkrecht steht.

2) *Geographie:* ein durch Nord- und Südpol der Erdkugel verlaufender Großkreis; jeder L. schneidet den Äquator senkrecht; ein halber L. ist ein Meridian.

Längenmaße, die Längeneinheiten (ÜBERSICHT Einheiten).

Längenmessung (Längenmesstechnik), Sammelbez. für Verfahren und Geräte zum Messen (Vergleich mit einer Längeneinheit) und Prüfen (Vergleich mit Grenzmaßen und Toleranzen) geometr. Größen (Längen, Winkel). Nach den Funktionsprinzipien der verwendeten Geräte unterscheidet man mechan., opt., elektr., magnet. und pneumat. L. **Mechan. L.** (bes. Messungen kleiner Dicken) erfolgen mit Schieblehren, Dehnungsmessstreifen, Bügelmessschrauben und anderen Mikrometern. **Elektr. L.** beruhen auf messtechn. Ausnutzung der wegabhängigen Veränderung eines ohmschen, induktiven oder kapazitiven Widerstandes. **Magnet. L.** beruhen auf der Messung von Magnetfeld- bzw. Magnetflussänderungen an Grenzflächen, **pneumat. L.** meist auf der Messung von Strömungswiderständen, die ein gegen den Prüfling gerichteter Luftstrom erfährt. Bei der **Ultraschall-L.** wird entweder die Wellenlänge sich ausbildender stehender Wellen (bei Dickenmessungen) oder die Laufzeit von reflektierten Wellen (bei großen Strecken) bestimmt (→Echolot). Zu den Geräten der häufig verwendeten **opt. L.** gehören z. B. →Komparatoren und →Entfernungsmesser. Genaueste Längenmessungen werden mithilfe von Lichtinterferenzen ausgeführt **(Interferenz-L.),** wozu versch. Interferenzkomparatoren verwendet werden.

Langensalza, Bad, →Bad Langensalza.

Langenscheidt KG, Holdingges. der gleichnamigen Verlagsgruppe, Sitz: Berlin und München; 1856 von Gustav Langenscheidt (*1832, †1895) in Berlin gegr., brachte frz. und engl. »Unterrichtsbücher« (Methode Toussaint-L.; nach dem frz. Sprachlehrer Charles Toussaint [†1877]) heraus; auch »Enzyklopäd. Wörterbücher«. – 1961 Niederlassung in München, 1964 L. AG in Zürich, 1972 L.-Verlag GmbH in Wien, 1983 L. Publishers Inc. in New York; Verlagsprogramm: Wörterbücher, Sprachwerke in 64 Sprachen, Audio- und Videokassetten, Software mit Lernmaterialien, Kartographie. Tochtergesellschaften sind u. a. die Verlage Humboldt, Mentor, Polyglott, Bibliographisches Institut & F. A. Brockhaus AG (70 %), Karl Baedeker (50 %), American Map, Apa Publications.

Langensee, dt. Name des →Lago Maggiore.

Langeoog, eine der Ostfries. Inseln und Gemeinde im Landkr. Wittmund, Ndsachs., 14 km lang, 1,5 km breit, 19,7 km², 2 200 Ew.; Seebad; Schifffahrtsmuseum; Flugplatz, Fähre nach Esens-Bensersiel.

Langer, František, tschech. Schriftsteller, *Prag 3. 3. 1888, †ebd. 2. 8. 1965; Dramaturg, schrieb Erzählungen, realistisch-psycholog. Dramen (Schauspiel aus Prags Elendsvierteln »Peripherie«, 1925), Lustspiele (»Ein Kamel geht durchs Nadelöhr«, 1923) und Schilderungen seiner Erlebnisse aus den Weltkriegen; Erinnerungen: »Byli a bylo« (1963).

Langerhans, Paul, Pathologe, *Berlin 25. 7. 1847, †Funchal (Madeira) 20. 7. 1888; beschrieb den innersekretor. (endokrinen) Teil der →Bauchspeicheldrüse **(Langerhans-Inseln).**

Langer Marsch, der 1934/35 von den chines. Kommunisten und ihrer Roten Armee durchgeführte Marsch, ausgelöst durch den militär. Vorstoß der Truppen Chiang Kai-sheks gegen die 1931 in Jiangxi gegründete »Chines. Sowjetrepublik«. Die von Zhu De und Mao Zedong geführte Rote Armee zog unter großen Verlusten über 12 500 km von Jiangxi nach Yan'an (Prov. Shaanxi), wo ein neuer kommunist. Stützpunkt entstand.

Langes Parlament, das 1640 vom engl. König Karl I. einberufene und (mit Unterbrechungen) bis 1660 tagende Parlament; seit 1648 (Ausschluss der Presbyterianer) nur noch Rumpfparlament; 1653 von O. Cromwell gewaltsam auseinander getrieben; gab mit seiner Selbstauflösung (1660) den Weg für die Restauration der Monarchie frei.

Langeveld ['laŋəvɛlt], Martinus Jan, niederländ. Erziehungswissenschaftler, *Haarlem 30. 10. 1905; phänomenologisch fundierte, auf das erzieher. Handeln bezogene Erziehungstheorie; wesentl. Beiträge zur pädagog. Psychologie und zur Anthropologie des Kindes (»Einführung in die theoret. Pädagogik«, 1946; »Studien zur Anthropologie des Kindes«, 1956; »Das Kind und der Glaube«, 1956; »Erziehungskunde und Wirklichkeit«, 1971).

Langevin [lãʒ'vɛ̃], Paul, frz. Physiker, *Paris 23. 1. 1872, †ebd. 19. 12. 1946; formulierte die erste atomare Theorie für Paramagnetismus (Verallgemeinerung des curieschen Gesetzes) und Diamagnetismus; Arbeiten zur brownschen Molekularbewegung und kinet. Gastheorie.

Langer Marsch

Langer Marsch: Mao Zedong auf dem Langen Marsch 1934

Langgässer, Elisabeth, Schriftstellerin, *Alzey 23. 2. 1899, †Rheinzabern (Kr. Germersheim) 25. 7. 1950; erhielt 1936 (als Halbjüdin) Berufsverbot. Ihr Gesamtwerk ist von Naturmagie und Katholizität bestimmt; schrieb Lyrik in der Tradition Annette von Droste-Hülshoffs (»Die Tierkreisgedichte«, 1935; »Der Laubmann und die Rose«, 1947) sowie Romane (»Der Gang durch das Ried«, 1936; »Märk. Argonautenfahrt«, 1950; »Das unauslöschliche Siegel«, 1946); auch Hörspiele und Essays. Erhielt 1950 den Georg-Büchner-Preis.

Elisabeth Langgässer

Langhans, 1) Carl Ferdinand, Baumeister, *Breslau 14. 1. 1782, †Berlin 22. 11. 1869, Sohn von 2); Schüler seines Vaters und F. Gillys, beeinflusst von K. F. Schinkel, trat bes. als Theaterbaumeister hervor (Theater u. a. in Breslau, Dessau, Leipzig).

2) Carl Gotthard, Baumeister, *Landeshut i. Schles. 15. 12. 1732, †Grüneiche (heute zu Breslau) 1. 10. 1808, Vater von 1); tätig in Schlesien und seit 1788 in Berlin als Direktor des Oberhofbauamts. Seine Werke zeigten zunächst noch Elemente des Barock. Mit dem Bau des →Brandenburger Tors ging er zum Frühklassizismus über.

Langhaus (Langschiff), *Baukunst:* der lang gestreckte, i. d. R. von W nach O gerichtete Teil einer →Basilika oder →Hallenkirche, der bei mehrschiffigen Bauten aus dem Mittelschiff und den parallel laufenden Seitenschiffen besteht.

Langhoff, 1) Matthias, Regisseur, *München 5. 3. 1941, Sohn von 3), Bruder von 2); seine Zusammenarbeit mit Manfred Karge (*1938) begann am Berliner Ensemble; auch Inszenierungen in Hamburg, Genf und Frankreich; 1989–91 Theaterleiter

Langkofelgruppe mit dem Langkofel (rechts) und Plattkofel

in Lausanne; 1992/93 Kodirektor des Berliner Ensembles.

2) Thomas, Schauspieler und Regisseur, *Zürich 8. 4. 1938, Sohn von 3), Bruder von 1); trat an Berliner Bühnen mit Klassikeraufführungen hervor; inszeniert seit 1975 auch für das Fernsehen und die Oper; seit 1991 Intendant des Dt. Theaters Berlin.

3) Wolfgang, Regisseur, Theaterleiter, *Berlin 6. 10. 1901, †ebd. 25. 8. 1966, Vater von 1) und 2); war Schauspieler und Regisseur in Wiesbaden, Düsseldorf, emigrierte nach KZ-Haft (Bericht: »Die Moorsoldaten«, 1935) in die Schweiz, wo er am Züricher Schauspielhaus arbeitete. Er leitete 1946–63 das Dt. Theater in Berlin (Ost).

Langkofelgruppe (italien. Gruppo del Sasso Lungo), Gebirgsstock in den nordwestl. Dolomiten, Südtirol, Italien; im Langkofel 3181 m ü. M.; vom Sellajoch führt eine Kabinenbahn zur Scharte zw. Langkofel und Plattkofel.

Langköpfigkeit, →Brachyzephalie.

Langland ['læŋlənd], William, engl. Dichter, *in Shropshire (?) um 1332, †London (?) um 1400. Sein allegor. Versepos »The Vision of William concerning Piers the Plowman« schildert in Form von Traumvisionen die materielle und geistige Not des Volks sowie die kirchl. Missstände. L. gilt neben G. Chaucer als der bedeutendste engl. Dichter des Spätmittelalters.

Langlauf, *nord. Skisport:* Freizeit- und Wettkampfsport auf Loipen. Bei Geschwindigkeitswettbewerben werden je nach Strecke die klass. Lauftechnik oder die Skatingtechnik (Freistil) gelaufen. Ein Wettbewerb über kurze Distanz heißt Sprint. Bei den Olymp. Winterspielen laufen im Einzelwettbewerb (Regelung von 1992) Männer 10 km und 30 km klassisch, 15 km und 50 km Freistil, Staffelrennen 4×10 km je zwei Läufer klassisch und Freistil; Frauen 5 km und 15 km klassisch, 10 km und 30 km Freistil, Staffel 4×5 km je zwei Läuferinnen klassisch und Freistil.

Langmuir ['læŋmjʊə], Irving, amerikan. Physiker und Chemiker, *Brooklyn (N. Y.) 31. 1. 1881, †Falmouth (Mass.) 16. 8. 1957; entwickelte 1913 die gasgefüllte Glühlampe, erfand die Quecksilberkondensationsvakuumpumpe, stellte eine Theorie der chem. Bindung auf, untersuchte die Elektronenemission aus Kathoden, forschte über die heterogene Katalyse. Für seine Arbeiten über Adsorption und Absorption an Grenzflächen erhielt er 1932 den Nobelpreis für Chemie.

Langnau im Emmental, Hauptort des Bez. Signau, Kt. Bern, Schweiz, an der Ilfis, 673 m ü. M., 9100 Ew.; Käsefabrik und -handel; Maschinen-, Holzind.; Bunt- und Leinenweberei.

Langobarden [»Langbärte«], german. Stamm, der um Christi Geburt an der Unterelbe ansässig war. Nach Wanderungen und Kriegszügen kam es im 5. Jh. im nördl. Donauraum zu einer neuen Stammesbildung. 488 wurden L. im Land der Rugier (Niederösterreich) erstmals erwähnt. 508/509 besiegten sie die →Heruler. 546 siedelten sie nach Pannonien (Westungarn) über, vernichteten 567 das Reich der Gepiden und brachen 568 unter König Alboin in das damals byzantin. Italien ein, wo sie den größten Teil der später nach ihnen benannten Lombardei eroberten und bis Süditalien vordrangen. Ein Teil Italiens verblieb den Byzantinern (Exarchat) und dem Papst (Kirchenstaat). Südlich davon entwickelten sich die zeitweise unabhängigen langobard. Herzogtümer Spoleto und Benevent. Die Hinwendung zur röm. Kirche (seit Agilulf, †616) konsolidierte das Reich. Unter Rothari (636–652) wurde das langobard. Recht lateinisch aufgezeichnet. König Liutprand (712–744) führte das langobard. Reich auf den Gipfel seiner Macht. Aistulf (749–757) eroberte Ravenna und bedrohte Rom, wurde aber durch den Frankenkönig Pippin 754 und 756 gezwungen, seine Eroberungen herauszugeben. Sein Nachfolger Deside-

Langobarden

Den Langobarden bescheinigte schon Tacitus um 100 n. Chr. ein stark ausgeprägtes Stammesbewusstsein. Diesem gab die Stammessage Ausdruck, die den Ursprung des Volkes, ursprünglich Winniler geheißen, nach Skandinavien verlegte. Wodan selbst soll den schon auf der Wanderung befindlichen Winnilern eine neue Identität gegeben haben (Paulus Diaconus, Historia Langobardorum 1, 8):

»Als (der Gott) Wodan sie bei Sonnenaufgang sah, soll er gesagt haben: Wer sind diese Langbärte? Daraufhin habe (seine Gemahlin) Freyja ihm nahe gelegt, er solle denjenigen, denen er einen Namen gegeben habe, auch den Sieg verleihen. Und er schenkte ihnen den Sieg. ... Seit jener Zeit heißen die Winniler Langobarden.«

rius wurde 774 von Karl d. Gr. besiegt. Das langobard. Reich (ohne Benevent) kam daraufhin an das Frankenreich, behielt aber eine gewisse Selbstständigkeit, bis unter Otto d. Gr. die langobard. (italien.) Krone dauernd mit der dt. Königskrone verbunden wurde (951). Im S machte sich das langobard. Herzogtum Benevent zeitweise wieder selbstständig, bis es Ende des 11. Jh. unter die Herrschaft der Normannen kam.

📖 JARNUT, J.: *Geschichte der L. Stuttgart u. a. 1982.* – MENGHIN, W.: *Die L. Archäologie u. Geschichte. Stuttgart 1985.* – *Die L. Von der Unterelbe nach Italien, hg. v.* R. BUSCH. *Neumünster 1988.*

Langobardisch, oberdt. Mundart der Langobarden; nach ihrer Romanisierung starb das L. aus.

Langreo, Stadt in Asturien, Prov. Oviedo, Spanien, am Nalón, 54 000 Ew.; Steinkohlenbergbau, Eisen- und Stahlerzeugung, Maschinenbau, Chemie- und Textilindustrie.

Langres [lãgr], Stadt im Dép. Haute-Marne, Frankreich, auf dem Plateau von L. über der Marne, 11 000 Ew.; Museen; Textil-, Metallindustrie. – Innerhalb der alten Befestigungsanlagen (u. a. Reste eines galloröm. Tores) Kathedrale (12./13. Jh., Fassade 18. Jh.), Kirche St. Martin (13.–18. Jh.). – Der Ort war als **Andematunnum** Hauptort der kelt. Lingonen, später das römische **Lingones.**

Langschiff, *Baukunst:* das →Langhaus.

Langspielplatte, Abk. **LP,** eine →Schallplatte.

Längstal, ein parallel mit den Gebirgsketten verlaufendes Tal, z. B. das Inntal oberhalb Kufsteins; Ggs.: Quertal.

Langstreckenlauf, *Leichtathletik:* Geschwindigkeitswettbewerbe über Strecken von mehr als einer engl. Meile (1 609,3 m), internat. 3 000 m und 10 000 m (Frauen), 5 000 m und 10 000 m (Männer), dazu der Marathonlauf. Zum L. gehört auch das 100-km-Rennen von Biel (Schweiz).

Längstwellen, →Wellenlängenbereich.

Langue [lã:g, frz. »Sprache«] *die, Sprachwissenschaft:* von F. de Saussure geschaffenes Konstrukt, das das nach verbindl. Regeln verwendbare überindividuelle sprachl. Zeichensystem bezeichnet, an dem der Sprecher aufgrund seiner Sprachfähigkeit **(Langage)** teilhat und das er in konkreten Redeakten **(Parole)** individuell aktiviert und realisiert. Die Begriffe L. und Parole werden in der Forschung z. T. unterschiedlich definiert.

Languedoc [lãgˈdɔk] *das,* ehem. frz. Provinz (bis 1789), umfasst die Küstenebene am Mittelmeer westlich der unteren Rhone und das südl. Zentralmassiv; Hptst. war Toulouse. Das L. entstand, als das Herzogtum Narbonne und die Grafschaft Toulouse an die Krone fielen (1228 und 1271) nach der Unterwerfung der Albigenser.

Langue d'oc [lãgˈdɔk, frz.] *die,* die →provenzalische Sprache nach dem Wort oc (aus lat. hoc) für »ja«; im Unterschied zur mittelalterl. nordfrz. **Langue d'oïl,** nach der Bejahungsform oïl (aus lat. hoc ille) = oui, aus der sich das moderne Französisch entwickelte. (→französische Sprache)

Irving Langmuir

Languedoc-Roussillon [lãgdɔkrusiˈjɔ̃] *das,* Region in S-Frankreich, etwa dem Gebiet der histor. Landschaften Languedoc und Roussillon entsprechend; erstreckt sich von den Ostpyrenäen die Mittelmeerküste entlang bis zum Rhonedelta; umfasst die Dép. Aude, Gard, Hérault, Lozère, Pyrénées-Orientales; 27 376 km^2, (1990) 2,11 Mio. Ew.; Verw.sitz: Montpellier. Hinter der Küste mit Nehrungen und Strandseen breiten sich die Ebenen des Bas-Languedoc und des Roussillon aus. Im N Übergang in das südl. und südwestl. Zentralmassiv. Vorherrschend ist der Weinbau (eines der größten Weinbaugebiete der Erde), daneben Anbau von Reis, Weizen, Ölfrüchten, Mais, Obst und Frühgemüse. Im L.-R. liegt das größte Bauxitvorkommen Frankreichs. Neben Aluminiumindustrie Seesalzgewinnung, Nahrungsmittel-, Bekleidungs-, Wirkwaren- sowie Holzind.; Ausbau der Küste zur modernen Ferienlandschaft.

Langue d'oïl [lãgˈdɔj] *die,* →Langue d'oc.

Languren (Presbytis), südasiat. Gattung der Schlankaffen mit langem Schwanz; bekannteste Art ist der →Hulman.

Languste [frz. aus lat. locusta »Heuschrecke«] *die* (Palinurus vulgaris), scherenloser, bestachelter Panzerkrebs an den Felsenküsten des Mittelmeers und des Atlantiks; eine als Speisekrebs geschätzte Art ist die bis 45 cm lange und 8 kg schwere **Europäische L. (Stachelhummer),** an Felsküsten von O-Atlantik und Mittelmeer.

Languste: Die Europäische Languste ernährt sich vorwiegend von Muscheln, Schnecken und Stachelhäutern

Langvers, die →Langzeile.

Langwellen, Abk. **LW,** elektromagnet. Wellen mit Wellenlängen von 1 000 bis 10 000 m, entsprechend 300–30 kHz (1 050–2 000 m für Hörrundfunk). L. breiten sich als Bodenwellen aus, die der Erdkrümmung durch Beugung folgen und in diesem →Wellenlängenbereich kaum von der Erde absorbiert werden. Deshalb ist die Reichweite groß (besonders über den Meeren) und auch unabhängig von der Tageszeit.

Langzeile (Langvers), Vers der altgerman. Dichtung, der aus zwei durch Stabreim gebundenen, urspr. vierhebigen Kurzzeilen besteht. Da die Senkungen zw. den acht Hebungen mehrsilbig sein können oder auch ganz fehlen dürfen, kann die altgerman. L. sehr versch. Gestalt haben. In der mhd. Dichtung erscheinen durch den Endreim gebundene L. v. a. in Strophenformen (z. B. Nibelungenstrophe). Im nhd. Vers bedeutet L. mehr als vierhebige Zeilen, z. B. Alexandriner, Hexameter.

Joseph Lanner: Lithographie (um 1840)

Lanner, Joseph, österr. Komponist, * Wien 12. 4. 1801, † Oberdöbling (heute zu Wien) 14. 4. 1843; gründete 1824 ein eigenes Orchester; Meister des Wiener Walzers, dessen zyklische Form er entwickelte; komponierte Walzer, Ländler, Galopps.

Lanolin [von lat. lana »Wolle«] *das,* → Wollfett.

Lansdowne ['lænzdaʊn], Henry Charles Keith Petty-Fitzmaurice, 5. Marquess of L. (seit 1866), brit. Politiker, * London 14. 1. 1845, † Newtownanner (bei Clonmel, Irland) 3. 6. 1927; war 1883–88 Generalgouverneur von Kanada, 1888–93 Vizekönig von Indien, 1895–1900 Kriegsmin. In seine Amtszeit als Außenmin. (1900–05) fallen das britisch-japan. Bündnis von 1902 und die Grundlegung der britisch-frz. Entente cordiale (Abkommen von 1904). 1915/16 war L. Min. in der Koalitionsreg. Asquith; 1917 trat er für einen Verständigungsfrieden mit dem Dt. Reich ein.

Lansing ['lænsɪŋ], Hptst. des Bundesstaates Michigan, USA, am Grand River, 127 300 Ew.; kath. Bischofssitz; Univ. in **East-Lansing** (östl. Vorstadtbereich); Autoindustrie. – Hptst. seit 1847.

Lansing ['lænsɪŋ], Robert, amerikan. Politiker, * Watertown (N. Y.) 17. 10. 1864, † Washington (D. C.) 30. 10. 1928; Jurist, 1915–20 Außenmin.; erkannte im L.-Ishii-Abkommen (1917) die »besonderen Interessen« Japans in China an, musste wegen seiner Differenzen mit Präs. Wilson (u. a. Bedenken gegen den Völkerbund) zurücktreten.

Lanskoy [lãs'kɔj], André, eigtl. Graf Andrei Michailowitsch L., frz. Maler russ. Herkunft, * Moskau 31. 3. 1902, † Paris 22. 8. 1976; lebte seit 1921 in Paris; malte zunächst gegenständl. Bilder (Interieurs, Porträts, Stillleben) und wandte sich ab 1938 einer lyrisch-abstrakten Malerei in lebhaftem Kolorit und pastosem Duktus zu.

Lantane (Wandelröschen, Lantana), Gatt. der Eisenkrautgewächse; z. T. Zierpflanzen; Blüten bei manchen Arten anfangs gelb, später rot.

Lanthan [grch.] *das,* chem. Symbol **La,** silberweißes Metall aus der Gruppe der Lanthanoide; Ordnungszahl 57, relative Atommasse 138,9055, Dichte je nach Modifikation 6,162 cm^3 (hexagonal), 6,190 g/cm^3 (kubisch flächenzentriert) oder 5,97 g/cm^3 (kub. raumzentriert), Schmelzpunkt 920 °C, Siedepunkt 3 469 °C. – L. tritt in drei Modifikationen auf (unterhalb 310 °C hexagonal, zw. 310 °C und 868 °C kub. flächenzentriert, oberhalb 868 °C kubisch raumzentriert); es ist dehnbar, oxidiert rasch an der Luft und chemisch sehr reaktionsfähig. Unterhalb 6 K wird es supraleitend. Es kommt in der Natur v. a. mit Cer im → Monazit und Allanit vor. L.-Oxid wird wegen seiner hohen Brechzahl und niedrigen Dispersion für opt. Gläser verwendet.

Lanthanoide, Gruppenbezeichnung für die 14 auf Lanthan folgenden chem. Elemente der Ordnungszahlen 58 bis 71 (Cer bis Lutetium). Die L. sind ziemlich unedle, dem Lanthan ähnl. Metalle (Seltenerdmetalle), denen im Atombau drei äußere Valenzelektronen (in der 6. Elektronenschale) gemeinsam sind, während die 4. Elektronenschale von 18 auf 32 Elektronen aufgefüllt wird. Hierdurch erklärt sich die große chem. Ähnlichkeit der L. Ihre Trennung auf chem. Wege ist sehr schwierig und kann nur durch oft wiederholte fraktionierte Kristallisation, Adsorption oder Ionenaustausch bewirkt werden.

Henry Petty-Fitzmaurice, 5. Marquess of Lansdowne: Holzstich (um 1895)

Lantschou, chines. Stadt, → Lanzhou.

Lanugo [lat.] *die,* Flaum des menschl. Fetus, der sich während der 2. Schwangerschaftshälfte bildet

André Lanskoy: »Composition« (um 1955; Privatbesitz)

und kurz vor oder bald nach der Geburt wieder abgestoßen wird.

Lanús, Stadt in Argentinien, 467000 Ew., Teil von Groß-Buenos-Aires; Ind.; Wohnvorort.

Lanz, Johann Wilhelm, Fayence- und Porzellanmodelleur, † wohl Frankenthal (Pfalz) nach 1761; war 1748–54 in Straßburg, 1755–61 als Modellmeister an der Frankenthaler Porzellanmanufaktur tätig; schuf Genrefiguren von gedrungener Gestalt und natürl. Anmut. Bild S. 214

Lanza, Mario, eigtl. Alfredo Cocozza, amerikan. Sänger italien. Herkunft (Tenor), * New York 31. 1. 1921, † Rom 7. 10. 1959; wurde durch den Film »Der große Caruso« (1951) bekannt.

Lanzarote [lanθa'rote], die nordöstlichste der Kanar. Inseln, wüstenhaft, mit vielen Vulkanen; seit den Hauptausbrüchen (1730–36, 1824) sind mehr als 20 % der Insel von einer Lava- und Ascheschicht bedeckt; bis 670 m ü. M., 795 km², 54000 Ew., Hauptort: Arrecife (Hafen, internat. Flughafen). Das Klima ist arid (200–300 mm Jahresniederschlag). L. hat Wein-, Obst-, Gemüsebau (mittels Tauspeichermethode), Fischfang, Meersalzgewinnung; Fremdenverkehr; Nationalpark (5107 ha); Biosphärenreservat.

Lanze, aus Spitze, Schaft und L.-Schuh bestehende Angriffswaffe, in der Frühzeit mit Holz-, Knochen-, Stein-, später Metallspitze als Stoßklinge. Sie war von der Altsteinzeit bis zur Einführung der Feuerwaffen ein Hauptteil der Bewaffnung und wurde als Stoß- oder Wurfwaffe berittener Truppen benutzt.

Lanzelot, → Lancelot.

Lanzenschlangen (Lanzenottern), sehr giftige, bis 2 m lange Grubenottern Südamerikas.

Lanzette [frz.] *die,* spitzes, zweischneidiges Messerchen, bes. zum Impfen.

Lanzettfischchen (Branchiostoma), einzige rezente Vertreter der Schädellosen, eines Unterstamms der Chordatiere; Gestalt fischähnlich, aber ohne erkennbare Kopfregion, mit zeitlebens vorhandener Chorda dorsalis, Neuralrohr, das das Zentralnervensystem darstellt, segmental angeordneter Muskulatur und röhrenförmigem Herzschlauch; der glashell durchscheinende Körper ist bis 7 cm lang mit unpaarem Flossensaum; Bodenbewohner der Küsten vieler Meere.

lanzettlich (lanzettförmig), Bez. für die Form einer Blattspreite; lanzettl. Blätter sind etwa drei- bis viermal länger als breit, oben zugespitzt.

Lanzhou [landʒɔu̯] (Lanchow, Lantschou, bis 1946 auch Kaolan), Hptst. der chines. Provinz Gansu, am mittleren Hwangho, 1,32 Mio. Ew.; Univ., Chemiefachhochschule, Hochschule für Medizin; Forschungseinrichtungen (u. a. Erdölinst., Kernforschungszentrum); chem. Ind., Stahlwerk, Aluminium-, Zement-, Gummiind.; Flusshafen, Flughafen.

Lao, Volksgruppe der Tai im N und NO Thailands (13,8 Mio.) und in Laos (2,6 Mio.), wo sie das Staatsvolk bilden, sowie als kleine Minderheiten in Birma, Kambodscha und Vietnam mit Siedlungsschwerpunkt im Mekongtal. Sie leben v. a. als Reisbauern in den Städten und sind Anhänger des Hinajana-Buddhismus.

Mario Lanza

Laodikeia (lat. Laodicea), Städte des Altertums: **1) Laodikeia in Phrygien** (L. am Lykos), nördlich von Denizli, Türkei, 253 v. Chr. von Antiochos II. von Syrien gegr., in röm. Zeit eine blühende Stadt (Verarbeitung von Wolle). Hier entstand früh eine christl. Gemeinde. Im Byzantin. Reich bed., wurde L. 1402 von den Türken zerstört.

Lanzarote: Lava- und Aschenkegellandschaft im Südwesten der Insel

Johann Wilhelm Lanz (von oben): »Toilette der Venus«, Porzellan (um 1758; Hamburg, Museum für Kunst und Gewerbe); »Magd mit Wiege und einem Knaben«, Porzellan (um 1760; Mannheim, Städtisches Reiß-Museum)

2) Laodikeia in Syrien (L. am Meer), durch Seleukos I. um 300 v. Chr. gegr., das heutige → Latakia.

Laois [li:ʃ] (Laoighis, früher Leix), Cty. in der histor. Provinz Leinster, Rep. Irland, 1719 km², (1991) 52 300 Ew.; Verw.sitz: Portlaoise.

Laokoon, *grch. Mythos:* ein Priester des Apoll in Troja; er warnte die Trojaner vor dem hölzernen Pferd der Griechen, wurde bald darauf bei Darbringung des Opfers mit seinen beiden Söhnen von zwei Schlangen erwürgt. Die Sage ist v. a. durch Vergil (zweites Buch der Aeneis) bekannt. Die bedeutendste Darstellung des Mythos vom Tod des L. ist die Marmorgruppe der rhod. Bildhauer Hagesandros, Polydoros und Athenadoros, wohl aus dem 1. Jh. v. Chr. Die 1506 in Rom im Goldenen Haus des Nero wieder entdeckte Gruppe hat wie kein zweites antikes Werk anregend auf die Kunst gewirkt (Winckelmann, Lessing).

🕮 ANDREAE, B.: *L. u. die Kunst von Pergamon. Die Hybris der Giganten. Tb.-Ausg. Frankfurt am Main ²1996.*

Laon [lã], Hptst. des Dép. Aisne, in der Picardie, Frankreich, 26 500 Ew.; Metall-, chem. Ind.; bed. frühgotische Kathedrale (1160 begonnen), Kirche St. Martin (12./13. Jh.), Justizpalast (13./15. Jh.). – 497–1790 Bischofssitz. – L. hieß in der Spätantike Landunum.

Laos (amtlich laot. Sathalanalath Paxathipatai Paxaxon Lao; dt. Demokrat. Volksrepublik L.), Staat in SO-Asien, grenzt im N an China, im NO und O an Vietnam, im S an Kambodscha, im W an Birma und Thailand.

Staat und Recht: Nach der Verf. vom 14. 8. 1991 ist L. Volksrepublik. Staatsoberhaupt ist der auf fünf Jahre direkt gewählte Präs.; die Exekutive liegt beim Min.rat unter Vorsitz des MinPräs. Als Legislativorgan fungiert die Nationalversammlung (85 direkt gewählte Abgeordnete). Das neue Grundgesetz fixiert die Existenz unterschiedl. Eigentumsformen und den Übergang zu marktwirtsch. Strukturen, schreibt aber zugleich die Monopolstellung der Laot. Revolutionären Volkspartei (LPRP) fest.

Landesnatur: Der Binnenstaat L. erstreckt sich auf der Halbinsel Hinterindien in NW–SO-Richtung am Mekong. L. ist größtenteils gebirgig (Phou Bia; 2817 m ü. M.), mit eingelagerten Hochebenen und Becken, u. a. das ehem. strategisch wichtige Tranninhplateau (Ebene der Tonkrüge). Fruchtbare, dicht besiedelte Ebenen finden sich längs des Mekong unterhalb von Vientiane. Inselhaft ragt im S das Bolovenplateau bis 1702 m auf. Das Klima ist tropisch; Monsunregen von Mai bis September. Vorherrschend ist ein in der Trocken-

Laokoon: Marmorgruppe der rhodischen Bildhauer Hagesandros, Polydoros und Athenadoros, Höhe 184 cm (wohl 1. Jh. n. Chr.; Rom, Vatikanische Sammlungen)

Laos

Fläche: 236 800 km²
Einwohner: (1995) 4,88 Mio.
Hauptstadt: Vientiane
Verwaltungsgliederung: 16 Provinzen, Hauptstadtpräfektur
Amtssprache: Laotisch
Nationalfeiertag: 2. 12.
Währung: Kip
Zeitzone: MEZ +6 Std.

zeit das Laub abwerfender Wald, in feuchteren Höhenlagen immergrüner trop. Regenwald.

Bevölkerung: L. ist relativ dünn besiedelt, der Verstädterungsgrad ist gering (über 20%). Etwa 55% der Bev. sind Lao-Lum (Tal-Lao, die Lao i.e.S.), 3% Lao-Thai (Stammes-Lao), 27% Lao-Theung (Lao der Berghänge, auch Kha gen.) und 15% Lao-Sung (Lao der Berggipfel, einschl. Yao und Miao). – Das Schulsystem befindet sich noch im Ausbau (Einschulung ab 7. Lebensjahr); Analphabetenquote 43%. Neben Lehrerausbildungsanstalten gibt es eine Univ. in Vientiane (gegr. 1958) und drei techn. Hochschulen in anderen Städten. – Der Hinajana-Buddhismus ist die am weitesten verbreitete Religion (rd. 60% der Bev., bis 1975 Staatsreligion; 16 000 Mönche, 1 000 Nonnen).

Wirtschaft, Verkehr: L. gehört zu den am wenigsten entwickelten Ländern der Erde; es bestehen jedoch kaum Ernährungsengpässe. Wichtigster Wirtschaftszweig ist die Landwirtschaft. Die 1978 eingeleitete Kollektivierung führte zur Bildung von 4 000 Genossenschaften, in denen 74% der in der Landwirtschaft Erwerbstätigen beschäftigt sind. Hauptanbauprodukt ist Reis, gefolgt von Mais, Bataten, Maniok, Gemüse, Kaffee, Zuckerrohr und Tabak. Der Reichtum an Hölzern (etwa 40% des Landes sind bewaldet), v.a. Teak, wird nur sehr wenig genutzt. Unkontrollierter Brennholzeinschlag und Brandrodungsfeldbau verursachen aber erhebl. ökolog. Schäden. Im Goldenen Dreieck erfolgt der Anbau von Schlafmohn zur Opiumgewinnung (unter staatl. Kontrolle). Die z.T. umfangreichen Bodenschätze (Eisen-, Zinn-, Blei-, Kupfererz, Gold u.a.) werden kaum abgebaut. Das gewaltige Wasserkraftpotenzial wird bisher nur durch die Kraftwerke Nam Ngum (150 MW) und Xeset genutzt; der Strom wird z.T. nach Thailand exportiert. Die Ind. ist wenig entwickelt (v.a. Weiterverarbeitung von Agrarprodukten); L. ist auf Wirtschaftshilfe angewiesen. Exportiert werden u.a. Textilien, Holz, Kaffee, Zinn. – Wichtigste Wasserstraße ist der Mekong, doch ist er nicht durchgehend schiffbar (Stromschnellen). 1994 wurde die erste Brücke über den Mekong eröffnet (bei Tha Naleng). Nur etwas mehr als die Hälfte des über 14 000 km langen Straßennetzes ist auch in der Regenzeit befahrbar. Ein internat. Flughafen liegt bei der Hauptstadt.

Geschichte: Die aus S-China eingewanderten Lao errichteten im 14. Jh. das Königreich Lan Chang (»Land der Millionen Elefanten«), dessen erster Herrscher Fa Ngum (1353–73) war. 1563 wurde die Hptst. von Luang Prabang nach Vientiane verlegt. In der Reg.zeit von König Souligna Vongsa (1637–94), unter dem das Land eine Blütezeit erlebte, kamen die ersten Europäer nach Laos. Nach seinem Tod zerfiel Lan Chang in die miteinander rivalisierenden Reiche Luang Prabang, Vieng Chiang (Vientiane) und Champassak, die in der 2. Hälfte des 18. Jh. in Abhängigkeit von Siam (Thailand) gerieten. Im Krieg des Königs Anou Vong (1804–27) von Vientiane gegen die Thai wurde sein Reich weitgehend zerstört und danach eine Provinz Siams. Das seit 1893 unter dem Protektorat Frankreichs stehende L. gehörte zu Frz.-Indochina (mit Ausnahme des formal weiterbestehenden Königreichs Luang Prabang). Mehrere Aufstände, u.a. der Kha (1901–07) und der Miao (1918–22), richteten sich gegen die frz. Herrschaft. Im März 1945 eroberten die Japaner das Land; nach der japan. Kriegskapitulation proklamierte der laot. Prinz Phetsarat im Sept. 1945 die Unabhängigkeit des Landes; am 12. 10. 1945 wurde die provisor. Reg. des »Pathet Lao« (Land Lao) geschaffen. Im Frühjahr 1946 besetzten die Franzosen jedoch erneut das Land und setzten den Monarchen von Luang Prabang, Sisavang Vong, als König von ganz L. ein. 1949 wurde L. im Rahmen der →Französischen Union unabhängig; nach der frz. Niederlage im Indochinakrieg erhielt das Land 1954 die volle staatl. Souveränität. In den nachfolgenden Jahren entbrannte ein Machtkampf zw. den von den USA unterstützten prowestlichen Kräften (Prinz Boun Oum), den Neutralisten (Souvanna Phouma) und der prokommunist., von Nord-Vietnam unter-

Staatswappen

LAO
Internationales Kfz-Kennzeichen

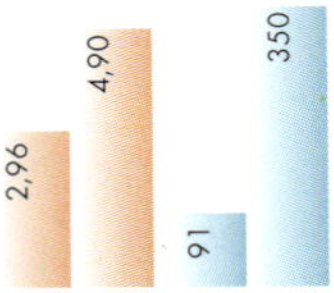

Bevölkerung (in Mio.)
Bruttosozialprodukt je Ew. (in US-$)

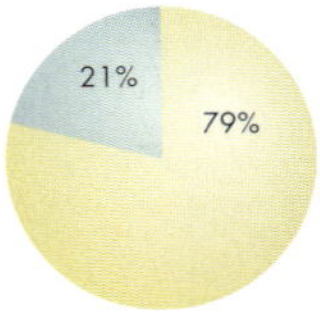

Bevölkerungsverteilung 1994

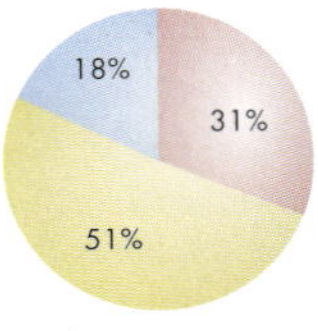

Bruttoinlandsprodukt 1993

Laos: Mekongtal in der Nähe der Stadt Luang Prabang im Norden des Landes

stützten Pathet-Lao-Bewegung (Souvanna Vong). Souvanna Phouma (1951–54, 1956–58 MinPräs.) nahm im Sinne einer Ausgleichspolitik 1957 Vertreter des Pathet Lao in seine Reg. auf. Als nach dem Sturz von Souvanna Phouma (1958) der Pathet Lao durch prowestliche Kräfte aus der Regierungsverantwortung gedrängt und verfolgt wurde, kam es zum Bürgerkrieg. Im Mai 1961 schlossen die laot. Konfliktparteien einen Waffenstillstand. Im Gefolge der Genfer L.-Konferenz (1961/62) wurde 1962 eine neue Koalitionsreg. unter Souvanna Phouma gebildet, die der Pathet Lao jedoch 1963 verließ. Der erneut ausbrechende Bürgerkrieg, in dessen Verlauf der Pathet Lao die Kontrolle über zwei Drittel des Landes gewann (wechselvolle Kämpfe um die »Ebene der Tonkrüge«), verband sich seit Mitte der 60er-Jahre zunehmend mit dem Vietnamkrieg (Einbeziehung des vom Pathet Lao kontrollierten Gebietes in das nordvietnames. Nachschubsystem des → Ho-Chi-Minh-Pfades, amerikanische Luftangriffe auf die »Ebene der Tonkrüge«, Vorstöße südvietnamesischer Truppen).

Nach Abschluss eines Friedensvertrags (1973) und der Bildung einer »Regierung der Nat. Einheit« (1974) unter Souvanna Phouma kam es nach dem Sieg der kommunist. Kräfte im Vietnamkrieg 1975 zu einer Machtverschiebung zugunsten des Pathet Lao. Am 2. 12. 1975 erfolgte die Proklamation der »Laot. Demokrat. Volksrepublik« mit Souvanna Vong als Staatspräs. (1975–86); allein regierende Staatspartei wurde die 1955 gegr. LPRP. Diese Veränderungen lösten einen Flüchtlingsstrom nach Thailand aus. Nachdem 1992–98 Nouhak Phoumsavanh Staatspräs. war, übernahm Khamtay Siphandone (1991–98 MinPräs., seit 1992 auch Vors. der LPRP) das Amt des Staatsoberhaupts. Reg.-Chef wurde 1998 Sisavath Keobounphanh. 1989, 1992 und 1997 fanden Parlamentswahlen statt, bei denen die Bewerber um ein Mandat von der kommunistisch gelenkten Dachorganisation »Nationale Aufbaufront« bestätigt werden mussten. 1995 ratifizierten L., Birma und China die Verträge über die Grenzfestlegung im Dreiländereck. Im Juli 1997 wurde L. Mitglied der ASEAN-Gruppe.

📖 SCHULTZE, MICHAEL: *Die Geschichte von L. Von den Anfängen bis zum Beginn der neunziger Jahre. Hamburg 1994.* – SCHULTZE, MICHAEL: *L.-Handbuch. Bielefeld 1995.*

Laoshan [-ʃ-] (Lauschan), Gebirge im SW der chines. Halbinsel Shandong; östlich der Bucht von Kiautschu im Hinterland von Tsingtau; aus Granit aufgebaut, bis 1087 m ü. M.

Laozi

Dem historisch nicht fassbaren chinesischen Philosophen Laozi wird das Hauptwerk des Daoismus, das »Daodejing«, zugeschrieben. Das »Dao« ist das allumfassende, unbeschreibbare Prinzip des Seins. Alles geht aus ihm hervor, ohne dass es selbst »handelt«. Ein Weg (Dao), die Einheit mit diesem Prinzip zu erlangen, ist das absichtslose oder Nicht-Handeln (wuwei); es findet in dem folgenden Aphorismus seinen Ausdruck.

Ohne aus der Tür zu gehen,
kennt man die Welt.
Ohne aus dem Fenster zu schauen,
sieht man den SINN des Himmels.
Je weiter einer hinausgeht,
desto geringer wird sein Wissen.

Darum braucht der Berufene
nicht zu gehen
und weiß doch alles.
Er braucht nicht zu sehen
und ist doch klar.
Er braucht nichts zu machen
und vollendet doch.

Laozi: Abbildung aus einem japanischen Bilderwerk

Laozi [chines. »alter Meister«] (Lao-tse), nur legendenhaft fassbarer chines. Philosoph (4.–3. Jh. v. Chr.?), Begründer des philosoph. → Daoismus. Zugeschrieben wird ihm das »Daodejing«, das »Buch von Dao und De«; es besteht aus 81 kurzen,

z. T. gereimten Abschnitten, aphoristisch aneinander gereiht, in denen gedankl. Tiefe mit sprachl. Einfachheit verbunden ist (→Dao).

La Palma, die nordwestlichste der Kanar. Inseln, 728 km², 73 000 Ew.; bis 2 423 m ü. M., vulkan. Ursprungs (der Teneguia war zuletzt 1971 aktiv); Nationalpark Caldera de Taburiente (bis 2 423 m ü. M.); Gemüse- und Tabakanbau, Reb- und Bananenkulturen; Hauptort: Santa Cruz de la Palma (Hafen, Flughafen); Fremdenverkehr.

Laparoskopie [grch.] *die* (Bauchspiegelung), zu diagnost. Zwecken vorgenommene Betrachtung der Bauchhöhle mit dem **Laparoskop,** einem Spezialendoskop, das nach örtl. Betäubung durch die Bauchdecke in die Bauchhöhle eingeführt wird.

Laparotomie [grch.] *die* (Bauchschnitt), das operative Eröffnen der Bauchhöhle.

La Paz [-s], größte Stadt Boliviens, in einem engen, vom Illimani überragten Talkessel, mit 3 100 bis 4 100 m ü. M. die höchstgelegene Großstadt der Erde, 711 000 Ew.; Sitz der Reg. und des Nationalkongresses (gesetzl. Hptst. ist Sucre); Erzbischofssitz; staatl. Univ., kath. Univ., wiss. Akademien, Kulturinstitute, Museen; wichtigster Ind.standort Boliviens, Verkehrsknotenpunkt, internat. Flughafen. – Kirchen San Pedro (vollendet 1790), San Agustín (17. Jh. ff.), San Francisco (1743–84), San Domingo (17. Jh., ein Hauptwerk des indian. Barockstils), Kathedrale (geweiht 1925). – Gegr. 1548 als Ciudad de Nuestra Señora de la P., nach 1825 La P. de Ayacucho gen., seit 1898 Reg.-Sitz.

La Pérouse [lape'ru:z], Jean François de Galaup Comte de, frz. Seefahrer, *Schloss Guo (bei Albi) 22. 8. 1741, †bei den Santa-Cruz-Inseln 1788; brach 1785 von Brest zu einer Weltreise (in westl. Richtung) auf, auf der er 1787 die nach ihm ben. **La-Pérouse-Straße** zw. Sachalin und Hokkaido entdeckte.

Lapilli [italien.], erbsen- bis nussgroße, eckige oder abgerundete Auswürflinge von Vulkanen; bilden **L.-Tuffe.**

Lapislazuli [lat.] *der* (Lasurstein), tiefblaues, undurchsichtiges Mineralaggregat, Hauptbestandteil **Lasurit,** $(Na,Ca)_8[(SO_4,S,Cl)_2 \| (AlSiO_4)_6]$; wird als Schmuckstein verwendet; früher diente er gemahlen als natürl. Ultramarinblau.

Lapithen, myth. Bewohner Thessaliens, Gegner der Kentauren, ihr König war Ixion.

Laplace [la'plas], Pierre Simon Marquis de (seit 1817), frz. Physiker, Mathematiker, Astronom, *Beaumont-en-Auge (Dép. Calvados) 28. 3. 1749, †Paris 5. 3. 1827; gab eine sehr detaillierte Darstellung der Bewegungsvorgänge der Himmelskörper, erklärte die Entwicklung des Sonnensystems (→Kant-Laplace-Theorie). L. begründete die Potenzialtheorie und entwickelte u. a. die **L.-Gleichung** sowie die **L.-Transformation,** eine Integraltransformation, und verfasste Arbeiten zur Schwingungs- und Wärmelehre sowie zur Wahrscheinlichkeitsrechnung. Sein Hauptwerk ist »Traité de mecanique céleste« (5 Bde., 1799–1825).

Laplace-Gleichung [la'plas-; nach P. S. de Laplace] (Potenzialgleichung), partielle Differenzialgleichung 2. Ordnung der Form $\Delta u = 0$. Dabei ist $u = u(x_1, x_2, ..., x_n)$ die zu bestimmende, von den Ortskoordinaten x_i abhängige Funktion und Δ der auf eine skalare Funktion anwendbare **Laplace-**

Lapislazuli
(angeschliffen)

La Paz
Stadtwappen

La Paz: Die höchstgelegene Großstadt der Erde wird, in einem Talkessel in einer Höhe von 3 100–4 100 m ü. M. liegend, von dem 6 438 m hohen Illimani überragt

Operator (Deltaoperator) div grad (→Divergenz, →Gradient), für den bei Verwendung kartes. Koordinaten im $\mathbb{R}^3$ gilt:

$$\Delta = \text{div grad} = \frac{\partial^2}{\partial x^2} + \frac{\partial^2}{\partial y^2} + \frac{\partial^2}{\partial z^2}.$$

laplacescher Dämon [la'plas-; nach P. S. de Laplace], die aus dem physikal. Determinismus und lückenloser Kausalität geborene Vorstellung einer übermenschl. Intelligenz, die aus der Kenntnis der Bewegungsgleichungen sämtl. Materieteilchen deren Konstellationen in Vergangenheit, Gegenwart und Zukunft und damit das gesamte Weltgeschehen berechnen könnte. Dieses Konzept ist nach den Erkenntnissen der Quantenmechanik nicht mehr haltbar.

Lappentaucher (von oben): Haubentaucher (Länge etwa 50 cm) und Zwergtaucher (Länge etwa 27 cm)

La Plata, 1) →Río de la Plata.

2) (1952–55 Evita Perón), Hptst. der Prov. Buenos Aires, Argentinien, am Río de la Plata, südöstlich von Buenos Aires; 520 400 Ew.; drei Univ., Museen, zoolog. und botan. Garten; Erzbischofssitz; Erdölraffinerie, Stahlwerk, Maschinen- und Fahrzeugbau, Nahrungsmittel-, Textil- u.a. Ind.; Hafen, Marinearsenal mit -akademie. – Gegr. 1882.

La-Plata-Staaten, die ganz oder großenteils zum Stromgebiet des Río de la Plata gehörenden Staaten: Argentinien, Uruguay und Paraguay.

Lappeenranta (schwed. Villmanstrand), Stadt in der finn. Provinz Kymi, am S-Ende des Saimasees; 55 800 Ew.; TU, Museen; Zementind., Maschinenbau, Pigmentherstellung; Flugplatz.

Lappen: Eine Rentierherde wird für die Wanderung zu den Winterweiden zusammengetrieben

Lappen [finn.] (Eigenbez. Samek, Sg. Sabme, in Norwegen und Schweden Samen), Volk mit finnougr. Sprache im äußersten N Europas (Lappland), in Schweden und Norwegen auch weiter südlich lebend. Urspr. Fischer und Jäger, die z.T. zur Rentierzucht übergingen, heute überwiegend sesshaft oder Halbnomaden mit Wohnhütten oder traditionellen Koten (kegelförmige Zelte) bei den Sommerweiden im Gebirge und Häusern bei den Winterweiden im Waldland. Die L. in Finnland, Norwegen und Schweden sind Lutheraner, die Skolt-L. auf der Halbinsel Kola orth. Christen.

📖 LINDKJØLEN, H.: *Die Samen im Norden. A. d. Norweg. Neuausg. Kiel 1995.*

Läppen, Feinbearbeitungsverfahren, bei dem der Werkstoffabtrag durch loses, in einer Paste oder Flüssigkeit (Läppgemisch, Läppsuspension) befindl. Korn (z.B. Elektrokorund, Siliciumcarbid, Borcarbid) erfolgt. Werkzeug (Läppplatten oder -scheiben, Läppdorne oder -hülsen) und Werkstück (aus Metall, Keramik, Glas, Kunststoff) gleiten bei fortlaufendem Richtungswechsel aufeinander, wodurch der Werkstoff durch die Schleifwirkung des Läppgemischs abgetragen wird. Beim L. können hohe Maßgenauigkeiten (bis 1 µm) und Oberflächengüten (R_z = 0,5–0,1 µm) erreicht werden.

Lappentaucher (Steißfüße, Podicipediformes), weltweit verbreitete Ordnung schwimm- und tauchgewandter Wasservögel verschilfter Binnengewässer; mit breiten Schwimmlappen beiderseits an den einzelnen Zehen und weit hinten ansetzenden Beinen (»Steißfüße«); bauen Schwimmnester aus faulenden Pflanzen und tragen häufig ihre Jungen auf dem Rücken; bekannte Arten: der 50 cm lange **Haubentaucher** (Podiceps cristatus) in Europa, Südafrika und Südostasien; der 27 cm lange **Zwergtaucher** (Podiceps ruficollis) in Europa, Südasien und Südafrika.

Lappi, größte Provinz in Finnland, 98 938 km², (1994) 202 900 Ew.; Hauptort: Rovaniemi; umfasst das finn. →Lappland.

lappische Sprache (samische Sprache), zur finnougrischen Sprachgruppe gehörende Sprache, die von den Lappen gesprochen wird; geht auf das Urlappische zurück, das sich nach geltender Ansicht aus der frühostseefinn. Spracheinheit ausgegliedert hat. Es gibt keine einheitl., sondern nur regionale Schriftsprachen, von denen die nordlapp. die weitaus wichtigste ist.

Lappland, urspr. das Wohngebiet der →Lappen, gehört politisch zu Norwegen (Finnmark), Schweden (Västerbotten, Norrbotten), Finnland (Lappi) und Russland (Halbinsel Kola). L. senkt sich vom skandinav. Hochgebirge nach O hin zu niedriger Wald- und Sumpflandschaft; im N Tundra. Das Klima wird an der Küste von Ausläufern des Golfstroms günstig beeinflusst; die zentralen Hochflächen haben Kontinentalklima mit kurzem, warmem Sommer und extrem kaltem Winter. Wirtschaftliche Grundlagen bilden Waldnutzung, Viehzucht (Rentiere), reiche Erzlager (Eisen, Kupfer, Nickel), die seit dem 17. Jh. abgebaut werden (heute in Kiruna, Malmberget, Kirkenes,

Petsamo) und Fremdenverkehr. Die **L.-Bahn** (476 km lang) durchquert L. von Luleå bis Narvik.

Lappo-Bewegung, radikale nationalist. Bauernbewegung in Finnland, 1929 in der Stadt Lapua (schwed. Lappo) entstanden, erzwang durch einen »Marsch auf Helsinki« 1930 den Rücktritt der Regierung und (nach Neuwahlen) die Verabschiedung antikommunist. Gesetze. Nach einem gescheiterten Putschversuch (1932) ging aus ihr die »Vaterländ. Volksbewegung« hervor (1944 endgültig verboten).

Lapsus [lat.] *der,* geringfügiger Fehler; **L. Calami,** Schreibfehler; **L. Linguae,** Sprechfehler.

Laptewsee, Randmeer des Nordpolarmeeres zw. der Halbinsel Taimyr und den Neusibir. Inseln; 662 000 km², bis 3385 m ü. M., den größten Teil des Jahres eisbedeckt.

Laptop ['læptɔp, Kurz-Bez. für engl. Laptop computer, von lap »Schoß« und top »Arbeitsplatte«] *der,* kompakter Computer von der Größe einer Reiseschreibmaschine (»Aktentaschencomputer«), der meist wie eine Aktentasche getragen werden kann. L. haben die Leistungsfähigkeit eines Personalcomputers, können netzunabhängig (Batterie, Akkumulator) betrieben werden und haben i. d. R. sehr flache Bildschirme, u. a. mit Elektrolumineszenz-, Flüssigkristall- oder Plasmaanzeige.

L'Aquila ['la:kuila], **1)** Provinz in der Region Abruzzen, Italien, 5034 km², (1995) 303 300 Einwohner.

2) Hptst. von 1) und der Region Abruzzen, 67 800 Ew.; Erzbischofssitz; Univ., Nationalmuseum der Abruzzen; Textil-, elektron., Baustoffind., Maschinenbau. – Kastell (16. Jh.). – L'A., nach Plänen Kaiser Friedrichs II. gegr., erlangte im 15. und 16. Jh. wirtsch. und polit. Bedeutung.

Lar [lat.] *der,* ein Affe, → Gibbons.

Larache [la'ratʃɛ], Stadt in Marokko, → Araisch.

Larbaud [lar'bo], Valéry, frz. Schriftsteller, * Vichy 29. 8. 1881, † ebd. 2. 2. 1957; Verfasser sensibler Romane (»Fermina Márquez«, 1911), Erzählungen (»Kinderseelen«, 1918) und Gedichte. Versch. Gattungen und Stile verwendet er in seinem Hauptwerk, dem kosmopolit. (autobiograph.) Roman »A. O. Barnabooth« (1. vollständige Ausg. 1913); auch Essayist und Übersetzer (W. Whitman, J. Joyce).

Lärche (Larix), Gattung sommergrüner Kieferngewächse mit weichen Nadeln, die in dichten Büscheln an Kurztrieben und einzeln an Langtrieben stehen, und kleinen Samenzapfen; Bäume der gemäßigten Zone der nördl. Erdhalbkugel, vorwiegend im Gebirge; beste Wuchsleistungen auf nährstoffreichen, lehmigen Standorten. Die **Europ. L.** (Larix decidua) ist bes. in den Alpen bis zur Baumgrenze verbreitet; angepflanzt wird in Mitteleuropa auch die in Sibirien bis O-Asien ausgedehnte Wälder bildende **Japan. L.** (Larix kaempferi). Die L. liefert wertvolles Nutzholz.

Laren: Darstellung auf einem Wandgemälde in einem Haus in Pompeji; zwei Laren halten ein Trinkhorn in die Höhe, die Schlange symbolisiert eine Schutzgottheit

Larderello, Teil der Gemeinde Pomarance in der Toskana, Italien, Prov. Pisa; aus den in und bei L. austretenden schwefelhaltigen heißen Gasen werden chem. Grundstoffe (Schwefel, Borsäure u. a.) gewonnen; 1913 entstand ein erstes geotherm. Kraftwerk (heutige Leistung 400 MW).

Laredo [la'reɪdəʊ], Stadt in Texas, USA, am Río Grande del Norte; 122 900 Ew.; Univ.; Konservenind.; Erdöl-, Erdgasfelder; Grenzübergang nach Mexiko (Nuevo Laredo); Fremdenverkehr.

Laren [lat. Lares], altröm. Gottheiten, Schutzgeister der Familie, Feldflur und der Reisenden; mit den Penaten verwandt. In der Kaiserzeit verband sich der L.-Kult mit dem des Kaisers.

largando [italien.], musikal. Vortragsbezeichnung: breiter, langsamer werdend.

larghetto [larg-; italien. »etwas breit«], musikal. Tempovorschrift: weniger breit als → largo.

largo [italien.], musikal. Tempovorschrift: langsam, breit; langsames Zeitmaß, dem Adagio verwandt. **Largo** bezeichnet ein Musikstück in diesem Zeitmaß.

Largo Caballero ['larɣo kaβa'ʎero], Francisco, span. Politiker, * Madrid 15. 10. 1869, † Paris 25. 3. 1946; Arbeiter, ab 1918 Abg. in der Cortes, 1918–37 Gen.-Sekr. des span. Gewerkschaftsverbandes Unión General de Trabajadores (UGT), war nach Ausrufung der Rep. (1931) 1931–33 Arbeitsmin. und 1936–37 MinPräs. einer Volksfrontregierung. Nach dem Sturz der Rep. (1939) emigrierte L.C. nach Frankreich. Von dort verschleppte ihn die dt. Besatzungsmacht 1942 in das KZ Oranienburg; 1945 befreit.

Lärche (von oben): Zweig mit rotem weiblichen und gelbem männlichen Blütenstand; Zweig mit Zapfen

La Rioja [-xa], Region im nördl. Spanien, umfasst die Prov. La R. (früher Logroño), 5045 km², (1991) 263400 Ew.; Hptst.: Logroño; benannt nach der histor. Landschaft Rioja im oberen Ebrobecken; erstreckt sich vom Ebro südwärts bis in die nördl. Ausläufer des Iber. Randgebirges (Sierra de la Demanda); bed. Weinbau (→Rioja), Anbau von Weizen, Zuckerrüben und Gemüse sowie Schafhaltung und Ölbaumkulturen.

Michail Larionow: »Tanzende Soldaten« (1909; Privatbesitz)

Larionow, Michail Fjodorowitsch, ukrain. Maler, *Tiraspol (bei Odessa) 3. 6. 1881, †Fontenay-aux-Roses (Dép. Hauts-de-Seine) 10. 5. 1964; ausgebildet in Moskau; entwickelte mit seiner Frau N. S. Gontscharowa den →Rayonismus und veröffentlichte 1913 das rayonist. Manifest; ab 1916 endgültig in Paris; v.a. Bühnendekorationen für die »Ballets Russes« von S. P. Diaghilew.

Larissa (Larisa), Hauptstadt der grch. Region Thessalien und des VerwBez. L., 102000 Ew.; Textilind., Zuckerfabrik, Kartonagen-, Papierherstellung. – Der Hügel von L. ist seit der Jungsteinzeit besiedelt.

Lärm, jedes als störend empfundene laute Geräusch, dessen Intensität psychologisch als Lautheit, physikalisch als Lautstärke bezeichnet wird. Zur psych. Beeinträchtigung kann es bereits bei 35–65 dB(A) kommen, zusätzl. phys. oder psych. Störungen sind bei 65–90 dB(A) möglich, Hörschädigung (→Lärmschwerhörigkeit) bei L. zw. 85 und 120 dB(A). L. wirkt nicht nur auf das Gehörorgan, sondern auf den Gesamtorganismus. Lang andauernder L. bewirkt v.a. vegetativ-psych. Veränderungen **(L.-Syndrom),** die sich u.a. in Nervosität, Herz- und Kreislaufbeschwerden, Verdauungsstörungen, Schlaflosigkeit, Kopfschmerzen und allg. Leistungsabnahme äußern. Als **L.-Schädigungsgrenzwerte** gelten folgende L.-Pegel: in reinen Ind.gebieten am Tag und in der Nacht 70 dB(A); in gemischten Baugebieten tagsüber 60 dB(A), nachts 45 dB(A); in reinen Wohngebieten tagsüber 50 dB(A), nachts 35 dB(A).

📖 *Taschenbuch der techn. Akustik, hg. v.* M. Heckl *u.* H. A. Müller. *Berlin u.a.* ²*1995.* – Schmidt, H.: *Schalltechn. Taschenbuch. Düsseldorf* ⁵*1996.*

Larmor-Präzession ['lɑːmɔː -; nach dem brit. Physiker J. Larmor, *1857, †1942], die ähnlich der Präzession eines mechan. Kreisels verlaufende Präzessionsbewegung eines elementaren magnet. Dipols in einem Magnetfeld; ihre Frequenz heißt **L.-Frequenz.** Ein elementarer Dipol ist z.B. ein Elektron, das aufgrund seiner Bewegung ein magnet. Dipolmoment besitzt.

Lärmschutz, Vorrichtungen und Maßnahmen, die schädl. Lärm von Menschen abhalten sollen; dazu gehören u.a. Schalldämpfer und Schalldämmstoffe an Maschinen, Erdwälle, L.-Zäune, Mindestflughöhen, Verwendung geräuscharmer Triebwerke bei Flugzeugen. Als individueller L. bei Arbeiten in lärmerfüllter Umgebung wird ein **Gehörschutz** verwendet, der teils direkt im Gehörgang getragen wird, teils ähnlich wie Kopfhörer die gesamte Ohrmuschel umschließt und abdeckt. L. dient der Vermeidung von Innenohrschäden (→Lärmschwerhörigkeit) sowie von funktionellen, organ. und psych. Störungen.

📖 *Techn. L., hg. v.* W. Schirmer. *Düsseldorf 1996.*

Lärmschwerhörigkeit, eine allmählich zunehmende, beiderseitige, meist symmetr. Hörstörung infolge Innenohrschädigung durch lang andauernde Lärmbelastung. Die Schadwirkung des Lärms beginnt bei einer Schallintensität von 85 dB(A); das kurzfristige Einwirken großer Schallintensitäten, z.B. durch Explosion, führt überwiegend zu einseitiger Hörminderung, dagegen langfristig einwirkende hohe Lärmintensitäten zu beiderseitiger Schwerhörigkeit. Die L. ist die häufigste Berufskrankheit.

Lärmsyndrom, →Lärm.

Larnaka, Hafenstadt an der SO-Küste Zyperns, 64000 Ew.; Museen; Zigaretten-, Seifenfabrik, Erdölraffinerie; Salzgewinnung; internat. Flughafen; Badestrände. – L., das antike **Kition,** entwickelte sich seit der späten Bronzezeit. Reste antiker Tempel, byzantin. Kirchen, Moscheen.

La Roche [la'rɔʃ], Marie Sophie, geb. Gutermann von Gutershofen, Schriftstellerin, *Kaufbeuren 6. 12. 1731, †Offenbach am Main 18. 2. 1807; Jugendgeliebte Wielands; verfasste von Werken S. Richardsons beeinflusste empfindsame Romane (»Geschichte des Fräuleins von Sternheim«, 2 Bde., 1771).

François VI., Herzog von La Rochefoucauld

La Rochefoucauld [larɔʃfu'ko], François VI., Herzog von La R., Prince de Marcillac, frz. Schriftsteller, *Paris 15. 12. 1613, †ebd. 17. 3. 1680; war Offizier, Gegner Richelieus und Mazarins, Anhänger der →Fronde, durfte erst 1656 nach Paris zurückkehren. Seine »Memoires« (1662) sind ein bed. Zeitzeugnis. La R.s Hauptwerk sind die »Betrachtungen oder moral. Sentenzen und Maximen« (1665, endgültige Fassung 1678). In aphoristisch prägnanter Form verleiht er darin seinem pessimist. Weltbild Ausdruck: Alles menschl. Handeln habe seinen Ursprung ausschließlich in der Selbstsucht. La R. gehört zu den →Moralisten; die »Maximen« als Kunstform beeinflussten nachhaltig die europ. Literatur (v. a. Goethe).

La Rochelle [larɔ'ʃɛl], Hauptstadt des Dép. Charente-Maritime, W-Frankreich, 73 700 Ew.; kath. Bischofssitz; Museen (u. a. für Meereskunde mit Aquarium); mit dem Vorhafen La Pallice einer der wichtigsten frz. Handels- und Fischereihäfen; Schiffs-, Auto- und Flugzeugbau, chem., Konservenindustrie. – Die Einfahrt zum alten Hafen wird von zwei Türmen (14. Jh.) flankiert; Kathedrale (18. Jh.), Arkadenhäuser. – La R. war der Hauptstützpunkt der Hugenotten, bis es 1628 von Richelieu erobert wurde.

La Roche-sur-Yon [la rɔʃ syr'jɔ̃], Hauptstadt des Dép. Vendée in W-Frankreich, 48 500 Ew.; Herstellung von Autoteilen und Haushaltsgeräten. – 1794 von Napoleon gegründet.

Larosière [larɔz'jɛːr], Jacques de L. de Champfeu, frz. Wirtschafts- und Währungsfachmann, *Paris 12. 11. 1929; stand 1978–86 an der Spitze des Internat. Währungsfonds, war 1987–93 Präs. der frz. Nationalbank und ist seit 1993 Präs. der Osteuropabank.

Sophie La Roche: zeitgenössische Kreidezeichnung (Marbach am Neckar, Schiller-Nationalmuseum)

Larousse, Librairie [librɛ'ri la'rus], Buchverlag und Exportbuchhandlung in Paris, gegr. 1852 von P. A. Boyer und P. Larousse (*1817, †1875), Hg. des Konversationslexikons »Grand dictionnaire universel du XIXe siècle« (15 Bde., 1865–76; 2 Erg.-Bde., 1878 und 1890); in den letzten Jahren u. a.: »La Grande Encyclopédie alphabétique« (60 Bde., 1971–76; 2 Erg.-Bde., 1978 und 1981), »Grand Dictionnaire encyclopédique L.« (10 Bde., 1982–85; 1 Erg.-Bd., 1992) und »Théma« (5 Bde., 1990–91).

La Rochelle: Blick auf den alten Hafen, dessen Einfahrt von zwei Türmen aus dem 14. Jh. flankiert wird

Larreta, Enrique Rodríguez, argentin. Schriftsteller, *Buenos Aires 4. 3. 1875, †ebd. 6. 7. 1961. Sein histor. Roman »Don Ramiro« (1908) gilt als eines der bedeutendsten Prosawerke des Modernismus; auch Lyriker, Essayist und Dramatiker.

La Rochelle

L'Arronge [la'rɔ̃ʒ], Adolf, Dramatiker und Theaterdirektor, *Hamburg 8. 3. 1838, †Kreuzlingen (Kt. Thurgau) 25. 5. 1908; leitete 1883–94 das von ihm mitgegründete Dt. Theater in Berlin; schrieb Singspiele, Volksstücke und Berliner Lokalpossen.

Larsson, Carl, schwed. Maler, *Stockholm 28. 5. 1853, †Sundborn (bei Falun) 22. 1. 1919; arbeitete zunächst in Frankreich, wurde dann Hauptmeister des Jugendstils in Schweden, war ein glänzender Zeichner und produktiver Buchillustrator, bekannt v. a. durch Aquarellfolgen, die sein Heim, sein Familienleben und das Landleben in Sundborn schildern (»Das Haus in der Sonne«, 1909).

Lartet [-'tɛ], Édouard, frz. Prähistoriker, *Saint-Guiraud (Dép. Gers) 15. 4. 1801, †Seissan (Dép. Gers) 28. 1. 1871. Mit seinen Ausgrabungen in Aurignac (Dép. Haute-Garonne) und im Dép. Dordogne begründete er die Erforschung der Altsteinzeit in Frankreich.

L'art pour l'art [larpur'laːr; frz. »die Kunst um der Kunst willen«] *das,* eine von V. Cousin (»Du vrai, du beau et du bien«, 1836) stammende Formel für eine Kunsttheorie, die in Frankreich 1830–70 verbreitet war und am entschiedensten von T. →Gautier vertreten wurde. Danach ist Kunst Selbstzweck, losgelöst von allen moralischen, polit. oder sonstigen außerkünstler. Zielsetzungen und wirkt nur durch die ästhet. Gestaltung. In Frankreich waren u. a. G. Flaubert, C. Baudelaire und J. K. Huysmans Anhänger dieses Konzepts, in England O. Wilde, in Dtl. der Kreis um S. George. Das Konzept war mitbestimmend für viele nachfol-

Lascaux: Die 1940 entdeckte Höhle ist eine bedeutende Fundstätte altsteinzeitlicher Felsmalereien

gende künstler. Richtungen, z. B. Symbolismus, Formalismus und Neuromantik.

Larve [lat.], **1)** im röm. Volksglauben die umherschweifenden Geister der Verstorbenen, ähnlich den → Lemuren.

2) *ursprünglich:* Gesichtsmaske.

3) *Zoologie:* jugendl., meist noch nicht fortpflanzungsfähiges Tier, das in seiner Gestalt (vor der Metamorphose) wesentlich von den geschlechtsreifen Formen abweicht. L.-Formen sind bei den Insekten Raupe, Engerling, Made, bei Krebstieren der Nauplius oder die Zoea, bei den meisten Lurchen die Kaulquappe. Die L. der Insekten wandelt sich über das Stadium der → Puppe in das ausgewachsene Vollinsekt um.

Larvenroller (Paguma larvata), in SO-Asien verbreitete Art nachtaktiver Schleichkatzen mit Schwarzweißzeichnung am Kopf; 50–75 cm lang, Schwanz etwa gleich lang; überwiegend baumbewohnend, Allesfresser.

Larvik, Hafenstadt in der Prov. Vestfold, Norwegen, am Skagerrak, 8 000 Ew.; Holzind., Mineralwasserabfüllung; Badeort (Heilquelle); Fährverkehr nach Frederikshavn (Dänemark).

Laryngitis *die,* → Kehlkopfentzündung.

Laryngologie *die,* Lehre vom Kehlkopf und seinen Krankheiten.

Laryngoskopie *die,* → Kehlkopfspiegelung.

Larynx [grch.] *der,* der → Kehlkopf.

Larynxkarzinom, der → Kehlkopfkrebs.

Larzac, Causses du [kosdylar'zak], die größte der Kalkhochflächen der → Causses im südl. Zentralmassiv, Frankreich, über 1 000 km^2, 560–920 m ü. M.; Weidewirtschaft (Schafe, Rinder).

Lasa, Hauptstadt von Tibet, → Lhasa.

Lasagne [la'saɲe, italien.], Teigwarengericht, das in Schichten mit geriebenem Käse in einer Backschüssel überbacken wird.

Las Casas, Bartolomé de, span. Missionar, Dominikaner, »Apostel der Indianer«, *Sevilla 1474, †Madrid 31. 7. 1566; Begleiter des Kolumbus; kämpfte gegen die Versklavung und Misshandlung der Indianer durch die span. Konquistadoren und erwirkte das Verbot der Indianersklaverei und die rechtl. Gleichstellung von Indianern und Spaniern in den »Neuen Gesetzen« (1542). Seit 1543 als Bischof von Chiapas (Mexiko) mit ihrer Durchführung befasst, scheiterte er an seinen Feinden unter den Konquistadoren. 1547 zur Rückkehr nach Spanien gezwungen, wirkte er seit 1551 als Berater am Hof weiter für die Rechte der Indianer. – Biograph des Kolumbus und bedeutender Geschichtsschreiber der Entdeckung und Inbesitznahme Amerikas.

📖 EGGESPERGER, T. *u.* ENGEL, U.: *B. de las C. Dominikaner – Bischof – Verteidiger der Indios. Mainz* ^{2}*1992.*

Lascaux

Im September 1940 schlüpfte in der Dordogne ein von vier Kindern verfolgter Hund in eine Höhle. Auf diese Weise kam es zur Entdeckung eines der beeindruckendsten Fundkomplexe der jungpaläolithischen Felsbildkunst: der Höhle von Lascaux.

Die Höhle gliedert sich in mehrere Abschnitte: »Saal der Stiere«, »Gang«, »Schiff«, »Apsis« und »Schacht«. An ihren Felswänden befinden sich etwa 600 mit Eisenoxiden und Manganerde ausgeführte Malereien und rund 1500 Gravierungen. Die ausdrucksvollen Darstellungen an Decken und Wänden zeigen teils überdimensionale Urrinder, Wildpferde, Hirsche und Steinböcke, ferner Wisente, Wildkatzen, Maskentänzer und symbolische Zeichen (Gitter, pfeilförmige Zeichen).

Beim Ausräumen der Bodenablagerungen fand man neben Tierknochen (ein Indiz für die Einnahme von Mahlzeiten in der Höhle) und Geschossspitzen aus Rengeweih auch die für die Anfertigung der Felsbilder benötigten Werkzeuge: Feuersteinmeißel, Farbschalen mit den Pigmenten und Steinlämpchen.

Lascaux [las'ko], 1940 entdeckte Höhle an der Vézère, bei Montignac (Dép. Dordogne), Frankreich; mit eindrucksvollen Wandmalereien und Gravierungen (v.a. Tierbilder, auch Szenen der Jagdmagie u.a.) aus der jüngeren Altsteinzeit; seit 1963 für den Publikumsverkehr geschlossen. Eine originalgetreue Nachbildung des Hauptteils der Höhle befindet sich in unmittelbarer Nähe.

Lasche, 1) *Bautechnik:* Verbindungsstück zweier stumpf aneinander stoßender Konstruktionsstücke, z.B. im Brücken-, Hoch-, Eisenbahnbau.

2) *Mode:* Zunge am Schnallen- oder Schnürschuh.

Lasen (Lazi), den Georgiern nahe verwandtes Volk mit kartwel. Sprache, an der SO-Küste des Schwarzen Meeres und im angrenzenden Pontischen Gebirge, v.a. in der Türkei (etwa 25 000) und als Minderheit in Georgien (etwa 5 000). Die L. sind sunnit. Muslime. Sie betreiben Landwirtschaft (Teeanbau), Fischerei und Handel.

Laser ['leɪzə; engl. Kw. für **l**ight **a**mplification by **s**timulated **e**mission of **r**adiation, »Lichtverstärkung durch induzierte Strahlungsemission«] *der,* Verstärker und Generator für kohärente elektromagnet. Wellen, v.a. im ultravioletten, sichtbaren und infraroten Spektralbereich, aber auch darüber hinaus (z.B. →Maser, →Röntgenlaser).

Wirkungsweise: Die Funktion des L. beruht auf der **induzierten (stimulierten) Emission;** sie kann eintreten, wenn ein angeregtes Atom oder Molekül mit einem elektromagnet. Strahlungsfeld in Wechselwirkung steht, dessen Frequenz der Energiedifferenz zw. dem angeregten und einem energetisch niedriger liegenden Zustand in dem System entspricht. Hierdurch wird ein Übergang in den niedrigeren Zustand induziert, wobei die Anregungsenergie als Photon emittiert wird. Als Voraussetzung für eine effektive Verstärkung des Strahlungsfeldes muss das höhere Niveau stärker besetzt sein als das tiefer liegende, da sonst die Schwächung der Strahlung durch Absorption (Übergang vom niederen zum höheren Zustand) größer wäre als die Verstärkung durch stimulierte Emission. Da eine derartige Besetzungsinversion in der Natur im therm. Gleichgewichtszustand nicht vorkommt, muss dem atomaren System von außen Energie (Pumpenergie) zur Umkehr der natürl. Besetzung zugeführt werden.

Wird ein laserfähiges (aktives) Medium in einen opt. Resonator eingebracht, der eine Rückkopplung der L.-Strahlung ermöglicht, so erhält man einen Oszillator (Generator) für elektromagnet. Schwingungen. Als Resonator dienen meist zwei einander gegenüberstehende ebene oder auch sphär. Spiegel, es sind aber auch Systeme mit drei oder mehr Spiegeln möglich **(Ringlaser).** Übertrifft die Strahlungsverstärkung im aktiven Medium die Verluste für einen Umlauf der zw. den Spiegeln hin- und herreflektierten Welle, so fängt der L. an, auf einer für das L.-Material charakterist. Wellenlänge zu schwingen, wobei sich zw. den Spiegeln ein stehendes Wellenfeld aufbaut. Wegen der gegenüber den Resonatorabmessungen kleinen Wellenlänge des Lichts werden sehr viele Resonatoreigenschwingungen **(Moden)** angeregt, sofern deren Zahl nicht durch selektive Verfahren **(Modenselektion)** reduziert wird; durch Phasenkopplung der Moden (**Modensynchronisation,** engl. Modelocking) können wesentlich kürzere L.-Impulse erzeugt werden. Zur Auskopplung der L.-Strahlung aus dem Resonator ist einer der Spiegel schwach durchlässig. Viele L.-Materialien können viele versch. Frequenzen verstärken (z.B. Argon, Krypton oder Kohlendioxid), andere (z.B. Lösungen organ. Farbstoffmoleküle) sogar jede Wellenlänge in einem breiten Frequenz-

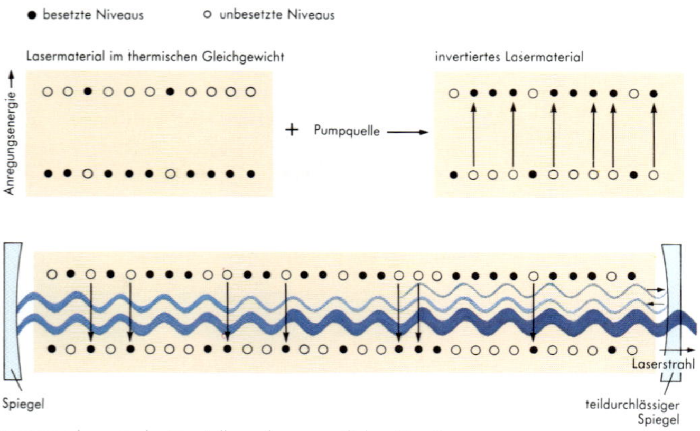

Laser: schematische Darstellung der wesentlichen Vorgänge in einem Laser (von oben): Erzeugung einer Besetzungsinversion mithilfe einer Pumpquelle; kohärente Verstärkung der Strahlung durch induzierte Emission und Rückkopplung der Strahlung mithilfe der Spiegel eines Resonators

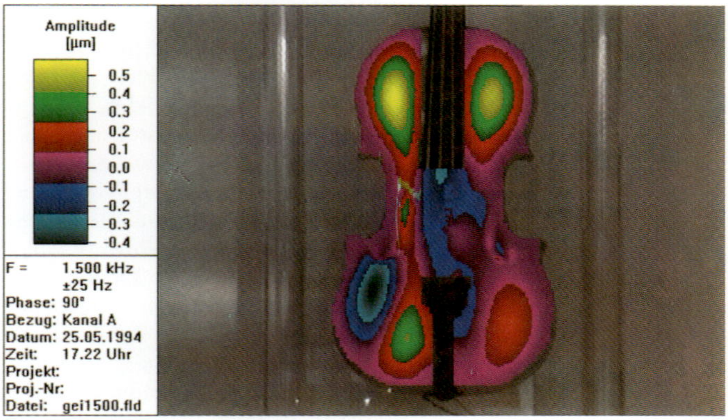

Laser: Schwingungsformen eines Geigenkörpers bei 1,5 kHz, aufgenommen mithilfe der Laservibrometrie; die unterschiedlichen Farben zeigen Größe und Vorzeichen der Amplitude an

Bartolomé de Las Casas

band. Um in diesen Fällen eine monochromat. Emission auf einer gewünschten Wellenlänge zu erhalten, müssen zur Unterdrückung der anderen Wellenlängen Filter (Prismen, Gitter u.a.) in den Resonator eingesetzt werden. Bei kontinuierl. Variation der Durchlasswellenlänge des Filters lassen sich dann breite Bereiche des Spektrums lückenlos mit monochromat. L.-Strahlung überdecken.

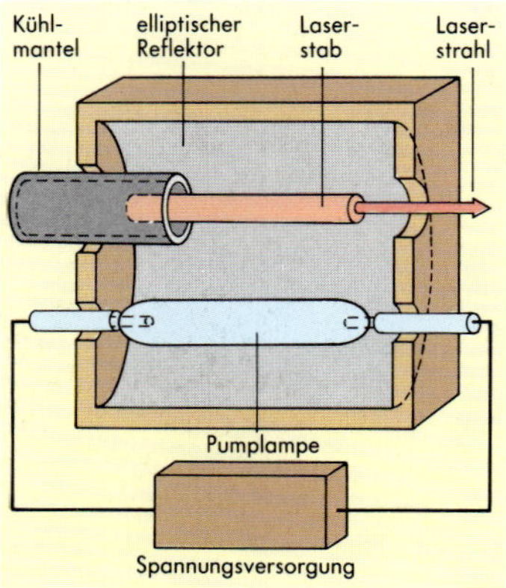

Laser: schematische Darstellung eines Festkörperlasers mit der Anordnung von Pumplampe und Lasermedium in einem reflektierenden Gehäuse in der Form eines elliptischen Zylinders

Typen: Man unterscheidet die L. nach dem aktiven Medium; verwendet werden Festkörper **(Festkörper-L.),** v.a. Rubinkristalle, mit Neodym dotierte Kristalle oder Gläser, Halbleiter **(Halbleiter-L.)** wie Gallium-Arsenid-Dioden, Flüssigkeiten (v.a. Lösungen organ. Farbstoffmoleküle, **Farbstoff-L.**) und Gase **(Gas-L.)** wie Kohlendioxid, Kohlenmonoxid, Stickstoff, Helium-Neon-Gemische, Metalldämpfe (z.B. Cadmium) und angeregte Edelgase sowie mit diesen gebildete Moleküle (sie bilden das L.-Medium der **Excimer-L.,** → Excimer). Die Besetzungsinversion lässt sich auf versch. Weise erzeugen, z.B. bei Gas-L. durch Elektronenstoß in einer Gasentladung, bei Halbleiter-L. durch Injektion von Ladungsträgern (Elektronen, Löcher) in einen pn-Übergang oder durch die intensive Strahlung einer therm. Hochleistungslichtquelle (Blitzlampe) oder eines anderen L. (dieses opt. Pumpen wird v.a. bei Festkörper- und Flüssigkeits-L. verwendet). **Chem. L.** nutzen die bei chem. Reaktionen freigesetzte Energie (chem. Pumpen) zur Besetzungsinversion. Die Strahlungsverstärkung in L. an freien Elektronen **(Freie-Elektronen-L.,** Abk. FEL; engl. Free-Electron-L.) erfolgt in einem hochenerget. Elektronenstrahl, der durch ein periodisch seine Richtung änderndes Magnetfeld geschossen wird. – Nach der Art der Strahlungsemission werden kontinuierl. **(Dauerstrich-L.)** bzw. diskontinuierl. L. **(Impuls-, Puls-L.)** unterschieden.

Eigenschaften und Anwendung: L.-Strahlung hat folgende Eigenschaften: 1) Die Strahlung ist räumlich kohärent, d.h., die von verschiedenen räuml. Punkten im aktiven Material emittierten Wellenzüge haben eine feste Phasenbeziehung. Die Strahlung wird nicht in alle Raumrichtungen abgegeben, sondern ist scharf gebündelt, sodass eine exakte Fokussierung mit extrem hohen Leistungsdichten (bis zu 10^{14} W/cm^2) möglich ist. 2) Ein L. emittiert lange fortlaufende Wellenzüge mit nur geringen Phasenschwankungen, d.h., der L.-Strahl ist zeitlich kohärent. Verbunden damit ist die hohe Monochromasie der Strahlung. Die Schwingungsfrequenz sichtbaren Lichts liegt in der Größenordnung 10^{15} Hz, die typ. Frequenzbandbreite des L. bei 10^8 bis 10^9 Hz. Durch Stabilisierungsmaßnahmen lässt sich die Größe der Frequenzschwankungen aber um mehrere Größenordnungen reduzieren. 3) Die in einem schmalen Wellenlängenbereich abgegebene Strahlungsleistung kann bei Puls-L., sog. Hochleistungs-L., Werte von 10^{10}–10^{13} W erreichen. Die hohe elektr. Feldstärke in einem derartigen L.-Strahl hat zur Entdeckung völlig neuartiger physikalischer Effekte bei der Wechselwirkung von Licht mit Materie geführt (→ nichtlineare Optik). 4) Mit L. können ultrakurze intensive Lichtpulse mit Pulsdauern weniger als 10^{-13} s erzeugt werden. – L. finden heute in fast allen Gebieten der Naturwiss., Technik und Medizin Anwendung. Sie werden u.a. zur Materialbearbeitung (Schweißen, Schneiden, Bohren von Metallen u.a.), in der Messtechnik (z.B. für Fluchtungs- und Steueraufgaben), zum Sichtbarmachen von Schwingungen mithilfe des → Doppler-Effekts (Vibrometrie; z.B. im Maschinenbau und bei Musikinstrumenten), zur Längenmessung, in der medizin. Diagnostik und Therapie, der Augen- und Mikrochirurgie (L.-Koagulation, L.-Chirurgie), im Umweltschutz sowie zur opt. Informationsübertragung und -verarbeitung (→ optischer Speicher, → Laserdrucker, opt. → Wellenleiter) eingesetzt. L. sind wegen der hohen Kohärenz ihrer Strahlung hervorragende Strahlungsquellen für → Holographie. – Weitere Anwendungen: Mikroskopie, → Spektralanalyse, → Spektroskopie, → Lidar; lasergesteuerte → Kernfusion **(L.-Fusion),** Reaktionssteuerung in der → Photochemie **(L.-Chemie),** Isotopentrennung u.a.

Geschichte: Die Theorie des L. geht auf die 1917 von A. Einstein vorausgesagte und 1928 von R. Ladenburg und H. Kopfermann in Gasen untersuchte induzierte Emission zurück. Die Anwendung des Maserprinzips auf Licht schlugen 1958 A. L. Schawlow und C. H. Townes vor, theoret. Grundlagen lieferten auch N. G. Bassow und A. M. Prochorow. T. H. Maiman konstruierte 1960 den ersten Rubin-L. Den ersten Gas-L. setzten 1961 A. Javan, W. R. Bennett und D. R. Herriott in Betrieb. 1962 wurden die ersten Halbleiter-L. entwickelt.

📖 KNEUBÜHL, F. K. *u.* SIGRIST, M. W.: *L. Stuttgart* ^{3}*1991.* – EICHLER, J. *u.* EICHLER, H.-J.: *L. High-Tech mit Licht. Berlin u. a. 1995.*

Laserchirurgie ['leɪzə-], Behandlung von Krankheiten mit scharf gebündelten Laserstrahlen, die daher nur eng begrenzte Gewebsveränderungen hervorrufen. Diese beruhen je nach Intensität und Wellenlänge des Lasers auf einer koagulierenden und anheftenden oder einer schneidenden Einwirkung. Der Kohlendioxidlaser entfaltet die beste Schnittwirkung, der Neodym-YAG-Laser die beste Koagulationswirkung (→Lichtkoagulation). Aufgrund der scharfen Bündelung ist auch der Einsatz eines Glasfaserlichtleiters bei endoskop. Eingriffen möglich. Zu den mit Laserstrahlen durchgeführten Operationen gehören v.a. die Behandlung der Netzhautablösung des Auges, die Entfernung von Tumoren (bes. im Gesichts- und Kehlkopfbereich), die blutstillende Wundverschorfung (bes. im Magen-Darm-Bereich) und die Entfernung von Warzen und Kondylomen.

Laserdrucker ['leɪzə-], *Datenverarbeitung:* von einem Mikroprozessor gesteuerter, nichtmechanisch arbeitender Drucker. Ein in seiner Richtung programmgesteuerter Laserstrahl bildet die zu druckenden Zeichen oder graf. Darstellungen auf eine elektrostatisch vorgeladene Photohalbleiterfolie ab. Das so entstehende Ladungsbild wird mithilfe von Tonerpartikeln von der mit der Folie überzogenen Drucktrommel auf das Papier übertragen. L. zeichnen sich durch hohe Auflösung (300–600 dpi), Druckqualität und -geschwindigkeit sowie geringe Geräuschentwicklung aus.

La Serena, Hptst. der Region Coquimbo, Chile, im Kleinen Norden, 120200 Ew.; kath. Erzbischofssitz; Obstverarbeitung, Fremdenverkehr (nahebei Seebad). In den Anden östlich von La S. befinden sich die Europ. Südsternwarte (La Silla) und das Cerro Tololo Interamerican Observatory.

Laserkoagulation ['leɪzə-], die →Lichtkoagulation.

Laserkraut (Laserpitium), Gattung eurasiat. Doldengewächse, heimisch u.a. das **Breitblättrige L.** (Laserpitium latifolium), bis 1,5 m hoch, mit großen Blattscheiden und bis 20 cm breiten weißen Blütendolden, in lichten Gehölzen, auf trockenen Bergwiesen.

Laserwaffen ['leɪzə-], in Entwicklung befindl. Waffen, deren zerstörer. Wirkung durch Hochenergielaserstrahlen hervorgerufen wird. L. sollen v.a. Flugkörper in Erdnähe und im Weltraum bekämpfen. Nicht unmittelbar als Waffe werden Laserstrahlen derzeit beim Militär v.a. zur Entfernungsmessung (u.a. bei Kampfpanzern, Flugabwehrsystemen, Artilleriebeobachtern) und zur Zielbeleuchtung verwendet.

Lash [læʃ, engl.; Kw. für **l**ighter **a**board **sh**ip], *Schifffahrt:* Transportverfahren, bei dem Spezialschiffe (Leichtertransportschiffe, Bargecarrier) Schwimmbehälter (Leichter, Bargen) im Huckepackverkehr über See befördern und nachfolgend auf Binnenwasserstraßen im Schubverband fahren. L. wurde erstmals 1969 auf der Route New Orleans–Rotterdam angewendet, heute ist es weitgehend durch Containerverkehr verdrängt.

Lasieren [zu Lasur], das Überziehen eines Werkstoffes (Holz) oder Gemäldes mit einer durchsichtigen Farb- oder Lackschicht; in der Aquarellmalerei Bez. für das dünne Auftragen von Wasserfarben (lasierende Aquarellmalerei).

Läsion [lat.] *die,* Verletzung oder Störung der Funktion eines Organs oder Körperglieds.

Lasker, 1) Eduard, Politiker und Publizist, *Jarotschin (heute Jarocin, Wwschaft Kalisz) 14. 10. 1829, †New York 5. 1. 1884; 1867–84 MdR; 1866–80 Führer des linken Flügels der Nationalliberalen, von denen er sich 1880 trennte.

2) Emanuel, dt.-amerikan. Mathematiker, *Berlinchen (bei Landsberg an der Warthe) 24. 12. 1868, †New York 13. 1. 1941; einer der bedeutendsten Schachspieler (1894–1921 Schachweltmeister); emigrierte 1933; hervorragender Schachtheoretiker.

Lasker-Schüler, Else, Schriftstellerin, *Elberfeld (heute zu Wuppertal) 11. 2. 1869, †Jerusalem

Else Lasker-Schüler

Else Lasker-Schüler: Aquarell von Christian Rohlfs (1920; Marbach am Neckar, Schiller-Nationalmuseum)

22. 1. 1945; ⚭ 1894–99 mit dem Arzt B. Lasker, 1901–11 mit H. →Walden; emigrierte 1933 aufgrund ihrer jüd. Abstammung in die Schweiz, lebte ab 1937 verarmt in Jerusalem. L.-S. gilt mit ihrem stark emotionalen Werk als Vorläuferin, Repräsentantin und Überwinderin des literar. Expressionismus. Sie begann mit eleg., dunkel-visionären Gedichten (»Styx«, 1902). In den schwärmer.-ekstat. »Hebr. Balladen« (1913) wurde das Motiv des Weltendes mit traumhaften, fantast. Erlösungshoffnungen verbunden. Die schwermütigen Gedichte in dem Band »Mein blaues Klavier« (1943) vermitteln ein ergreifendes Bild ihrer Emigration; neben Lyrik Erzählungen (»Der Prinz von Theben«, 1914) und das Drama »Die Wupper« (1909).

📖 KLÜSENER, E.: *E. L.-S. Reinbek 1985.* – ZELTNER, C.: *Die Modernität der Lyrik E. L.-S.s. Bern u. a. 1994.*

Ferdinand Lassalle

Laski ['læskı], Harold Joseph, brit. Politiker und Politikwissenschaftler, *Manchester 30. 6. 1893, †London 24. 3. 1950; Mitbegründer der Politikwissenschaft. Er entwickelte die Theorie des pluralist. Staates (→Pluralismus).

Las Palmas, span. Provinz auf den →Kanarischen Inseln, 4066 km², (1991) 768000 Ew; umfasst die Hauptinseln Gran Canaria, Lanzarote und Fuerteventura sowie sechs kleinere Inseln.

Las Palmas de Gran Canaria, Hauptstadt der Prov. Las Palmas, Spanien, im NO der Insel Gran Canaria, 373800 Ew.; kath. Bischofssitz; der Hafen spielt eine bed. Rolle im Transatlantikverkehr, Ausfuhr von Bananen, Tomaten, Frühgemüse; chem. u. a. Ind.; internat. Flughafen; Seebad mit bed. Fremdenverkehr. – Maler. Altstadt im Stil der span. Kolonialzeit.

Laspeyres-Index [las'pɛ:r -], nach dem Statistiker Ernst Louis Etienne Laspeyres (*1834, †1913) ben. Indexzahl, mit der der Einfluss der Inflation auf die Lebenshaltungskosten dargestellt wird.

La Spezia, 1) Provinz in Ligurien, Italien, 882 km², (1995) 225700 Einwohner.

2) Hauptstadt von 1), 98900 Ew.; Museen; bed. Hafen (Marine-, Handels- und Fischereihafen) im Golf von La S.; Erdölraffinerie, Werften, Eisenhütten- und Stahlwerk, Maschinenbau. – Entstand aus mehreren mittelalterl. Siedlungen. Nach starken Zerstörungen im 2. Weltkrieg wurde u. a. der Dom (16. Jh.) wieder aufgebaut.

Lassafieber, Infektionskrankheit, die in den trop. Regionen W-Afrikas auftritt und erstmals 1969 in Lassa (Nigeria) beobachtet wurde. Erreger ist das zu den Arenaviren gehörende Lassavirus, als dessen Reservoir Nagetiere gelten; die Inkubationszeit beträgt 3–17 Tage. Hauptsymptome sind plötzliches hohes Fieber, Gelenkschmerzen, Mund- und Gaumengeschwüre, Hautblutungen, heftige Brechdurchfälle und Lungenentzündung; die Krankheit endet häufig tödlich (tox. Kreislauf-, Nierenversagen). Die Behandlung beschränkt sich auf Intensivpflege (Isolierstation); eine spezif. Therapie ist bisher nicht möglich.

Lassalle [la'sal], bis 1846 Lassal, Ferdinand, Publizist und Politiker, *Breslau 11. 4. 1825, †(an den Folgen eines Duells) Genf 31. 8. 1864; Sohn eines wohlhabenden jüdischen Tuchhändlers, studierte 1843–46 Philologie, Geschichte und Philosophie; 1846–54 übernahm er die Vertretung im Scheidungsprozess der Sophie Gräfin von →Hatzfeld; 1849 war er Mitarbeiter an der »Neuen Rhein. Zeitung« von K. Marx. L., zeitlebens ein Anhänger Hegels, setzte sich in seinem polit. Hauptwerk »Das System der erworbenen Rechte« (1861, 2 Bde.) mit dessen Rechtsphilosophie auseinander: Ein gleiches Recht für alle sei erst in einem künftigen demokrat. Staat mit seiner solidar. Gesellschaft von Gleichen zu erreichen. Seine Stellungnahmen zur Arbeiterfrage (v. a. »Arbeiterprogramm«, 1863) brachten ihn in Kontakt mit den Arbeitervereinen. Auf die Bitte eines Komitees in Leipzig legte er in dem »Offenen Antwortschreiben« (1. 3. 1863) sein polit. Programm für einen allg. dt. Arbeiterkongress dar: Vom →ehernen Lohngesetz ausgehend, forderte er die Beteiligung der Arbeiter an der Produktion und ein allg. und gleiches Wahlrecht. Auf dieser programmat. Grundlage entstand am 23. 5. 1863 der »Allg. Dt. Arbeiterverein« (ADAV), zu dessen erstem Präs. L. gewählt wurde. Auf dem

Höhepunkt des preußischen Verfassungskonflikts suchte L. Kontakte zu Bismarck zur Erhaltung legaler Betätigungsmöglichkeiten. – L. Vorstellungen haben die →Sozialdemokratie stark beeinflusst.

📖 UEXKÜLL, G. VON: *F. L. Reinbek 14.–16. Tsd. 1979.*

Lassnig, Maria, österr. Malerin, *Kappel am Krappfeld (Bez. Sankt Veit an der Glan) 8. 9. 1919; beschäftigt sich in ihren Arbeiten mit Körperbewusstsein und -gefühl, wobei sie sich verschiedener Ausdrucksformen bedient.

Lasso [span. lazo »Schlinge«] *das,* auch *der,* Wurfriemen oder -strick mit leicht zusammenziehbarer Schlinge, die über ein Jagdtier oder ein anderes Ziel geworfen wird. Bei den Reiter- und Hirtenvölkern der Alten Welt seit der Antike bekannt. Die Spanier brachten das L. im 16. Jh. nach Amerika.

Lasso, Orlando di (Roland de Lassus), frankofläm. Komponist, *Mons (Hennegau) um 1532, †München 14. 6. 1594; 1553 Kapellmeister in Rom, leitete seit 1564 die Hofkapelle in München; neben Palestrina der bedeutendste Komponist seiner Zeit. Seine Kunst verkörpert den letzten Höhepunkt der frankofläm. Vokalpolyphonie. L. komponierte über 70 Messen, 4 Passionen, über 500 Motetten, etwa 100 Vertonungen des Magnifikat, über 200 italien. Madrigale, 146 frz. Chansons, rd. 90 dt. Lieder, über 30 Hymnen und Litaneien.

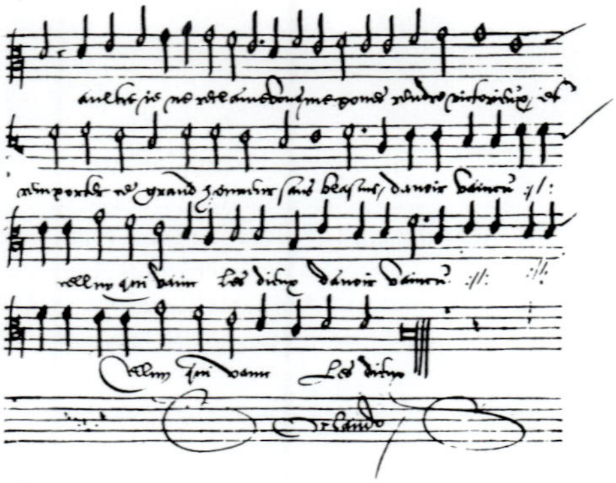

Orlando di Lasso: Autograph der Altstimme eines Chansons mit Autogramm

Last, *Technik:* Benennung einer Größe von der Art einer Masse (z. B. Trag-L. eines Krans), einer Kraft oder Gewichtskraft, einer Leistung (insbesondere in der Elektrotechnik, z. B. Blind-L.), auch Bez. für einen (zu transportierenden) Gegenstand.

Last, James, eigtl. Hans L., Orchesterleiter, Komponist und Arrangeur, *Bremen 17. 4. 1929; urspr. Jazzbassist; gründete 1965 eine Bigband; wurde populär mit seinen Swing-Bearbeitungen von Schlagern, Volksliedern, Filmmelodien u. a.

Maria Lassnig: »Einen Fisch essen« (1975; Privatbesitz)

Last|annahme, rechner. Größe, die Art, Größe und Richtung möglicher, auf ein Bauwerk, Fahrzeug oder Hebezeug ausgeübter Kräfte und deren mögl. Zusammenwirken vorgibt und die Grundlage für Dimensionierung, Berechnung und Festigkeitsversuche bildet.

Last|aufnahmemittel, eine nicht direkt zum →Hebezeug gehörende Einrichtung, die eine Verbindung zw. Tragmittel und Nutzlast ohne besondere Um- und Einbaumaßnahmen ermöglicht, z. B. Lasthebemagnet, Greifer, Blockzange, Kübel.

Lasten, *Recht:* die auf einer Sache oder einem Recht liegenden öffentlich-rechtl. oder privatrechtl. Verpflichtungen zu Leistungen, die aus der Sache oder dem Recht vom Eigentümer oder sonstigen Berechtigten zu entrichten sind und den Nutzungswert mindern, z. B. Hypotheken- und Grundschuldzinsen, Grundsteuer.

Lasten|ausgleich, in der Bundesrep. Dtl. nach dem 2. Weltkrieg der Vermögensausgleich zw. den durch die Kriegs- und Nachkriegsereignisse (Vertreibung, Flucht, Evakuierung, Währungsreform) Geschädigten und denen, die ihren Besitzstand ganz oder überwiegend bewahrt hatten (Ges. vom 14. 8. 1952, mehrfach geändert; gilt i. d. F. v. 2. 6. 1993 auch für Personen, die aus der DDR geflüchtet waren). Zur Durchführung wurden bis 31. 12. 1979 Ausgleichsabgaben erhoben: natürl. und jurist. Personen hatten 50% ihres Vermögens (Einheitswert) nach dem Stand vom 21. 6. 1948 als Abgabeschuld für 30 Jahre in Vierteljahresraten von 1–1,5% zu tilgen (**Vermögensabgabe**, Aufkommen: 42 Mrd. DM); eine **Hypothekengewinnabgabe** wurde auf Schuldnergewinne aus grundpfandrechtlich gesicherten Reichsmark-Verbindlichkeiten erhoben; die **Kreditgewinnabgabe** erfasste Schuldnergewinne der Währungsumstellung in der gewerbl. Wirtschaft. Die Erträge flossen dem Ausgleichsfonds zu. Seit 1980 werden verstärkt Mittel aus dem Bundeshaushalt zur Verfügung gestellt. Sie sind streng zweckgebunden, d. h., sie dürfen nur zur Finanzierung der Ausgleichsleistungen verwendet werden. Bei den Ausgleichsleistungen standen zunächst die Hilfen zur Eingliederung und zum laufenden Lebensunterhalt im Vordergrund. Die Zahlungen von **Unterhaltshilfe** (neben der Entschädigungsrente als Form der **Kriegsschadenrente**) bilden noch heute die bedeutsamste Ausgabenkategorie. Darlehen zur Beschaffung von Wohnraum und zum Aufbau einer berufl. Existenz sowie die Hausratentschädigung sind jetzt weniger bedeutend. Kern des L. ist die **Hauptentschädigung,** die 1957 einsetzte und die Verluste an land- und forstwirtsch. Vermögen, Grund- und Betriebsvermögen, Sparguthaben, Wertpapieren, Beteiligungen usw. abgelten soll. Zur Durchführung des L. wurden das →Bundesausgleichsamt und die Ausgleichsämter der Stadt- und Landkreise errichtet. Das L.-Gesetz (am 2. 6. 1993 neu gefasst) gilt in den neuen Bundesländern nur für Personen, die nach dem Beitritt und vor dem 1. 1. 1993 ihren ständigen Aufenthalt in diesem Gebiet genommen haben.

📖 WIEGAND, L.: *Der L. in der Bundesrep. Dtl. 1949 bis 1985. Frankfurt am Main 1992.*

Lasten|ausgleichsbank, bis 1986 Bez. der →Deutschen Ausgleichsbank.

Lastex [Kw. aus e**las**tisch und La**tex**] *das,* elast. Gewebe aus umsponnenen Gummifäden, bes. für Badebekleidung.

Lastigkeit, Schwimmlage (Trimm) eines Schiffes oder Fluglage eines Luftfahrzeugs bezüglich der Horizontalen in Längsrichtung; man unterscheidet Kopf-L. (Vor-, Bug-L.), Gleich-L. und Heck-L. (Achterlastigkeit).

Lastkraftwagen (Lastwagen), Abk. **Lkw, LKW,** ein →Kraftwagen, der nach Bauart und Einrichtung zum Transport von Ladungen (Gütern) bestimmt ist. Lkw werden nach ihrer Zuladekapazität in Leicht-, Mittel- und Schwerlastwagen eingeteilt. I. d. R. ist die Hinterachse als Treibachse mit Zwillingsbereifung ausgebildet, da sie gewöhnlich stärker belastet wird als die lenkende Vorderachse; geländegängige Lkw haben häufig Allradantrieb. Als Lkw-Motoren werden meist Dieselmotoren verwendet sowie Schaltgetriebe, die wesentlich mehr Abstufungen als bei Pkw ermöglichen (häufig sind 16 Gänge), wobei in Dtl. eine Leistung von 4,4 kW je Tonne zulässige Gesamtmasse vorgeschrieben ist. Je nach Transportgut werden entsprechende Aufbauten, z. B. Pritsche, Kipper, Koffer-, Tankaufbau, ausgeführt, Spezialformen gibt es z. B. für Müllabfuhr, Feuerwehr. Zur Steigerung der Transportleistungen werden Sattelkraftfahrzeuge (Sattelzugmaschine mit Auflieger) und Lastzüge (Lkw mit Anhänger) eingesetzt; ihr Gesamtgewicht darf im Regelfall 40 t nicht überschreiten. Außerhalb geschlossener Ortschaften haben Lkw (2,8 t bis 7,5 t) eine Höchstgeschwindigkeit von 80 km/h, ansonsten (über 7,5 t) von 60 km/h zu beachten; auf Autobahnen gilt für alle Kfz über 2,8 t eine Geschwindigkeitsbegrenzung auf 80 km/h.

📖 *Ein Jh. Automobiltechnik, hg. v.* O. VON FERSEN, *Bd. 2: Nutzfahrzeuge. Düsseldorf 1987.* – BRAUN, H. *u.* KOLB, G.: *LKW. Bonn* ^{4}*1995.*

Lastman, Pieter, holländ. Maler, *Amsterdam um 1583, begraben ebd. 4. 4. 1633; in Rom beeinflusst von Elsheimer und Caravaggio, dessen Helldunkelmalerei er seinem Schüler Rembrandt vermittelte; Bilder zu bibl., mytholog. und histor. Themen.

Lastkraftwagen: Seit 1996 baut die Mercedes-Benz AG den 420 kW starken Actros

Last-Minute-Angebot ['lɑːst 'mɪnɪt -; engl. last minute »in letzter Minute«], kurzfristiges Angebot von Reiseveranstaltern, Fluggesellschaften u. Ä., um gegen Preisnachlass für frei gebliebene Plätze noch Interessenten zu finden.

last, not least ['lɑːst nɔt 'liːst, engl.], als Letztes in der Reihenfolge, nicht in der Wertschätzung (nach Shakespeare, »König Lear«).

Lästrygonen, *grch. Mythos:* Menschen fressende Riesen, durch die Odysseus seine Flotte bis auf das eigene Schiff verlor.

Lastschrift, Buchung auf der Sollseite eines Kontos (Ggs.: Gutschrift). Im Giroverkehr Mitteilung an den Belasteten über ausgeführte Überweisungen.

Lastschriftverkehr, →Zahlungsverkehr.

Lasur *die,* Anstrich mit transparentem Anstrichmittel, dessen Farbpigmente oder -stoffe einen dünnen, durchscheinenden Film ergeben. Man unterscheidet L.-Anstrichstoffe auf der Basis von

lateinamerikanische Kunst (von links): Kirche und Kloster San Francisco (heute Museum) in Quito, Ecuador (1564–75) sowie die Jesuitenkirche in Cuzco, Peru (1650–68)

Kunststoffdispersionen (L.-Farben) und auf der Basis von Lacken (L.-Lacke). – In der *Kunst* dient die L. bei Gemälden dazu, die Farbwirkung der darunter liegenden Malschicht zu verändern, bes. bei den Venezianern (Tizian) oder bei Velázquez, Rembrandt, F. Hals; im 20. Jh. bei O. Dix.

Lasurstein, der →Lapislazuli.

Las Vegas [engl. læs ˈveɪgəs] Stadt in S-Nevada, USA, in einem wüstenhaften Gebiet, 258 300 Ew.; Univ.; Touristen- und Vergnügungszentrum mit Spielsalons; im Umland Viehwirtschaft, Bergbau.

Latakia (Lattakia, Ladikije), Hauptstadt der Prov. L. in Syrien, an der Mittelmeerküste, 303 000 Ew.; Univ.; wichtigster Hafen Syriens (bes. für Stückgut); Tabak-, Nahrungsmittel-, Zementind.; Flughafen. – Das antike **Laodikeia** war eine der bedeutendsten Städte des Seleukidenreiches.

Lätare [lat. »freue dich«], der dritte Sonntag vor Ostern, in kath. Gegenden auch **Rosensonntag** gen., weil an diesem Tag (bis 1967) der Papst die →Goldene Rose weihte; seit dem MA. mit zahlr. Volksbräuchen verbunden (»Sommer einbringen«, deshalb auch **Sommertag** gen.; »Tod austreiben«, im 14. Jh. aus den Pestnöten entstanden, im 18. Jh. zum »Wintervertreiben« umgedeutet).

Latein (Lateinisch), →lateinische Sprache.

Latein|amerika, Bez. für die Länder Süd- und Mittelamerikas, in denen eine roman. Sprache gesprochen wird, wobei unter Mittelamerika die Landbrücke Zentralamerikas, Mexiko und die Westind. Inseln verstanden werden. Synonym dazu wird der Begriff **Iberoamerika** gebraucht; **Hispanoamerika** umfasst die einst span., **Lusoamerika** die einst portugies. Kolonien. Zur Geschichte →Südamerika.

Latein|amerikanische Integrationsvereinigung (span. Asociación Latinoamericana de Integración, Abk. ALADI), Nachfolgeorganisation der Lateinamerikanischen Freihandelszone, gegr. 1980 durch den Vertrag von Montevideo, am 18. 3. 1981 in Kraft getreten; Sitz: Montevideo. Ziele: Förderung und Regulierung des Handels und der wirtsch. Zusammenarbeit der Mitgl. und Schaffung eines gemeinsamen Marktes durch ein System regionaler Abkommen und Zollpräferenzen; neuerdings Öffnung für multilaterale Abkommen mit Drittländern. Die ALADI umfasst drei Ländergruppen: Schwellenländer (Argentinien, Brasilien, Mexiko), Länder mit mittlerem Entwicklungsstand (Chile, Kolumbien, Peru, Uruguay, Venezuela) und wirtsch. schwache Länder (Bolivien, Ecuador, Paraguay).

latein|amerikanische Kunst (iberoamerikanische Kunst), die Kunst in den Spanisch und Portugiesisch sprechenden Ländern Mittel- und Südamerikas seit der Kolonisierung durch Spanien und Portugal (16. Jh.).

Spanische Kolonien: In Mexiko errichteten die Bettelorden festungsartige Klosteranlagen mit hohen Mauern. Die Klosterkirchen wurden im isabellin. Stil (nach Isabella I. ben., 15./16. Jh.) errichtet: einschiffig, mit rechteckiger oder quadrat. Apsis, mit Kreuzgewölben und mit nur wenigen Türen und Fenstern; dem Festungscharakter entsprechend krönt die Dächer ein Zinnenkranz. Die Ornamente fügen sich im Mudéjar-, meist jedoch im Platereskenstil ein. Luftgetrocknete Ziegel oder Hausteine dienten als Baumaterialien. Obwohl Einheimische an den Bauten mitwirkten, finden sich kaum Einwirkungen der altamerikan. Kunst. Bemerkenswert sind in Mexiko die Anlagen der Franziskaner in Huejotzingo, Cholula und San Andrés Calpan, der Dominikaner in Tepotzotlán, der Augustiner in Acolman und Actopan. Bei dem ecuadorian. Wehrkloster San Francisco (1564–75) in Quito zeigt sich der Einfluss des italien. Manierismus. Die früheste Kathedrale entstand in Santo Domingo (1520–41) auf der Antil-

lateinamerikanische Kunst (von oben): »Meine Eltern, einen Tag bevor sie wußten, daß ich geboren werde«, Werk des mexikanischen Künstlers Julio Galán (1988; Privatbesitz); »Der Stern kommt und leuchtet«, Werk des kubanischen Künstlers José Bedia Valdéz (1992; Privatbesitz)

leninsel Hispaniola. Bei den Kathedralen von Guadalajara, Oaxaca, Mexiko und Puebla in Mexiko sowie von Lima und Cuzco in Peru verbindet sich der strenge, schmucklose Stil der span. Spätrenaissance (Desornamentadostil) mit spätgot. Elementen. Im 17. Jh. wurde die Jesuitenkirche Il Gesù in Rom vorbildlich für Kirchen in Lateinamerika (→Jesuitenbaukunst). In Ecuador (Quito), Peru (Cuzco, Lima, Arequipa) und Argentinien (Córdoba) entstanden Jesuitenkirchen mit prunkvoll ausgestatteten Innenräumen, die nun ihrerseits zum Vorbild wurden für weitere Kirchenbauten. Im frühen 18. Jh. wurde der Churriguerismus (→Churriguera) in Mexiko eingeführt. Überreiche Ornamente finden sich am Außenbau v. a. an Portalen, im Innern an den Altären. In den größeren Städten wurden viele Paläste und öffentl. Gebäude errichtet; ihre reiche Baudekoration konzentrierte sich auf die Portale und Innenhöfe. Bes. ragen hervor die Kathedrale von Havanna auf Kuba, in Mexiko der sich an die Kathedrale anschließende Sagrario Metropolitano und die Kirche La Enseñanza Antigua in der Stadt Mexiko sowie die Rosenkranzkapelle (Capilla del Rosario) von Santo Domingo in Puebla, in Peru San Francisco, La Merced und der Palast Torre-Tagle in Lima, La Merced und Santo Domingo in Cuzco sowie das Kloster La Compañía in Arequipa, in Bolivien San Lorenzo in Potosí. In Ecuador und Bolivien (v. a. Quito, La Paz, Potosí, die Kirchen um den Titicacasee) ist der Bauschmuck der Sakralbauten mit indian. Motiven durchsetzt. In Mexiko ist das indian. Element in der Baukunst bes. häufig um Puebla zu finden (z. B. die Kirchen in Acatepec und Tonantzintla). Die *Skulptur* stand in den Kolonien v. a. im Dienst der Architektur. Ganz allg. ahmten die Bildhauer span. Vorbilder nach, meist sevillan. Skulpturen, jedoch bildeten sich durch einheim. Künstler gelegentlich regionale Varianten heraus. Die *Malerei* entwickelte sich unter dem Einfluss von Renaissance und Manierismus nach Vorbildern aus Spanien, Italien und Flandern. Wichtige Zentren der Malerei waren Quito, Potosí und La Paz.

Portugiesische Kolonien: In Brasilien setzte die künstler. Entwicklung später ein als in den span. Kolonien. Im 17. Jh. waren die Franziskaner und Jesuiten ihre Hauptförderer. Die europ. Stilelemente, bes. portugies. und italien., wurden fast unverändert übernommen. Die künstler. Zentren lagen an der Küste: Bahia (heute Salvador), Recife, Olinda und Rio de Janeiro. Nach dem Vorbild der ihrerseits von der italien. Architektur beeinflussten Kirchen São Roque und São Vincente de Fora in Lissabon wurden einschiffige Kirchen errichtet, meist ohne Vierung. Eine Besonderheit gegenüber Spanisch-Amerika stellen v. a. die Seitenkapellen des Presbyteriums dar. Schiff und Altarraum wurden mit Tonnengewölben geschlossen (meist aus Holz, oft mit kunstvoller Kassettierung). Die Kirchenfassaden des 17. Jh. waren relativ schmucklos, oft flankiert von zwei quadrat. Türmen (Olinda, Recife, Salvador). Giebel-, Tür- und Fensterrahmungen wurden sorgfältig ausgearbeitet. Im 18. Jh. zeigt sich der barocke Überschwang bes. in den reich mit vergoldeter Ornamentik ausgestatteten Kirchenschiffen (São Bento in Rio de Janeiro, São Francisco in Salvador, Capela Dourada und São Pedro dos Clérigos in Recife). Eine eigenständige Variante des Kolonialbarock bildete sich im 18. Jh. in dem an Gold u. a. Bodenschätzen reichen Staat Minas Gerais heraus. Hier war der Architekt und Bildhauer Aleijadinho tätig. Neben farbig gefassten, naturalistisch gestalteten *Skulpturen* gehören

Kanzeln und Chorgestühl zu den Meisterleistungen brasilian. Bildschnitzerkunst (São Bento in Rio de Janeiro, São Francisco in Salvador). Die *Malerei* in Brasilien, im 17. Jh. von europ. Ordensgeistlichen begründet, fand ihren Höhepunkt in den Wand- und Deckenmalereien der Kirchen von Minas Gerais, Salvador und Rio de Janeiro.

Moderne Staaten: Im 19. Jh. ließen Unabhängigkeitskriege und polit. Wirren eigene künstler. Kräfte in Lateinamerika kaum aufkommen. Die europ. Akademietradition dominierte. Erst im 20. Jh. kam es zu einer eigenständigen Entwicklung, bes. durch die Rückbesinnung auf altamerikan. Kulturerbe. Herausragendes Beispiel dafür ist der mexikan. →Muralismo. Bedeutende Wandmalereien schuf auch der Kolumbianer P. Nel Gómez (*1899). In Brasilien prägte v. a. der Maler C. Portinari eine nat. Kunstauffassung. Auch die Bildhauer Lygia Clark (*1920) und S. de Camargo (*1930) traten bes. hervor. Internat. Strömungen der Gegenwart werden oft von Künstlern vertreten, die in Europa, bes. Paris, und in den USA studierten, so von den Venezolanern J. R. Soto und G. Cruz-Díez. Für Kolumbien sind E. Negret (*1920), E. Ramírez-Vilamizar (*1923) und F. Botero repräsentativ, für Chile R. Matta Echaurren. In Argentinien setzten sich moderne Tendenzen bes. mit E. Pettoruti (*1892, †1971) durch, später beherrschten dort J. Le Parc (*1928) und E. Mac Entyre (*1929) die Kunstszene. Der Uruguayer J. Torres García (*1874, †1949) übte mit seiner konstruktivist. Auffassung großen Einfluss aus. – Die moderne Architektur Lateinamerikas erhielt z. T. Anregungen von europ. Emigranten, wie dem in Mexiko tätigen Spanier F. Candela, auch von O. Niemeyer (u. a. Kathedrale in Brasília, 1960 und 1969), der neben L. Costa, R. Levi und A. E. Reidy (*1909, †1964) für Brasilien zu nennen ist. C. R. Villanueva vertrat die Bestrebungen der modernen Architektur in Venezuela.

Spätestens seit dem letzten Jahrzehnt hat die l. K. durchweg den Anschluss an die zeitgenöss. internationalen Kunstrichtungen gefunden, ohne die Charakteristika ihrer Herkunft zu verleugnen. Seit den 1980er-Jahren hat die Tendenz, in raumgreifenden Installationen soziale, metaphys. und ästhet. Probleme zu bearbeiten, bei den südamerikan. Künstlern zugenommen. Im Bereich der erweiterten Fotografie mischen sich Dokumentation und Inszenierung.

📖 Gretenkord, B.: *Künstler der Kolonialzeit in Lateinamerika. Ein Lexikon. Berlin u. a. 1993. – L. K. im 20. Jh., hg. v.* M. Scheps, *Ausst.-Kat. Josef-Haubrich-Kunsthalle, Köln 1993. – Havanna, São Paulo. Junge Kunst aus Lateinamerika, bearb. v.* U. Hermanns, *Ausst.-Kat. Haus der Kulturen der Welt, Berlin 1995.*

lateinlamerikanische Literaturen. Der geograph. Raum der l. L. umfasst die von den Spaniern eroberten Gebiete Mittel- und Südamerikas sowie das von den Portugiesen eroberte Brasilien. Die brasilian. Literatur ist in portugies., die der anderen Länder in span. Sprache geschrieben. Die gemeinsame geschichtl. Erfahrung bewirkte, dass sich trotz der Bildung von Nationalstaaten ein lateinamerikan. Gemeinschaftsbewusstsein herausbildete. – Während der Kolonialzeit entwickelten sich die l. L. analog zu den Literaturen Spaniens bzw. Portugals. Im Lauf des 19. Jh. trat bes. der Einfluss Frankreichs in den Vordergrund (Romantik). Mit dem Aufkommen des →Modernismus gegen Ende des 19. Jh. wirkten die l. L. wieder auf Spanien zurück. Eine eigenständige Literatur entfaltete sich im Wesentlichen erst nach dem 1. Weltkrieg.

Jorge Luis Borges (1953)

Argentinien: Charakteristisch sind zuerst die volkstüml. Dichtungen, die das Leben der Gauchos behandeln; J. Hernández schrieb mit seinem Versepos »Martín Fierro« (1872–79) zugleich eines der bedeutendsten lateinamerikan. Werke des 19. Jahrhunderts. Ihm folgten R. Güiraldes und B. Lynch (*1880, †1951). Im Anschluss an die frz. Romantik suchte u. a. F. Sarmiento (*1811, †1888), der zur Gruppe »Asociación de Mayo« um E. Echeverría (*1805, †1851) gehörte, eine auf die Besonderheiten des eigenen Landes und Volkes abgestimmte Kunst zu verwirklichen. Die Romantik wurde fortgesetzt von O. V. Andrade (*1839, †1882) und R. Obligado (*1851, †1920). Bedeutend wurde die Essayistik mit B. Mitre (*1821, †1906) und V. F. López (*1815, †1903). Naturalist. Romane schrieben E. Cambaceres (*1843, †1888), L. V. López (*1848, †1894), J. Miró (*1867, †1896) und R. J. Payró (*1867, †1928). Mit R. Darío begann die Bewegung des Modernismus, den u. a. L. Lugones Argüello (*1874, †1934) und E. Larreta vertraten. Eine sehr individuelle Ausprägung fand diese Richtung in den Werken von E. Banchs (*1888, †1968), R. A. Arrieta (*1889, †1968) und B. Fernández Moreno (*1886, †1950). Neben dem Ultraísmo von J. L. Borges bildeten sich Gruppen von sozialkrit. und politisch aktiven Schriftstellern: R. E. Molinari

Adolfo Bioy Casares

Ernesto Sábato

Gabriela Mistral

(*1898, †1996), L. Marechal (*1900, †1970), E. Castelnuovo (*1893, †1982), F. L. Bernárdez (*1900, †1978), M. Fernández (*1874, †1952) und v. a. R. Arlt (*1900, †1942), der u. a. von H. Álvarez Murena (*1923, †1975) und A. Di Benedetto (*1922, †1986) als Vorläufer betrachtet wurde. Arlts existenziellen Pessimismus vertieften E. Mallea und E. Sábato. Bed. ist die teils metaphys., teils fantast. Literatur von A. Bioy Casares, J. Cortázar und Borges. Die beiden Letzteren wie auch E. Sábato und M. Puig charakterisiert ferner der Topos »Stadt« (meist Buenos Aires) als »bedrückende Gewalt«; als Dramatiker bekannt sind S. Eichelbaum (*1894, †1967) und O. Dragún (*1929). Nach der Machtübernahme durch die Militärs 1976 kam das kulturelle Leben fast zum Erliegen. Zahlr. Autoren mussten emigrieren, sind verschollen, kamen ums Leben. Seit 1983 kehrten viele Schriftsteller zurück. In den freiheitl., aber wirtschaftlich schwierigen Jahren nach 1983 hat sich eine Reihe jüngerer Prosaautoren auch internat. profiliert: C. Aira (*1949), J. Asís (*1946), M. Giardinelli (*1947), A. Laiseca (*1941), R. Piglia (*1941), H. Vázquez Rial (*1947).

Bolivien. Den ersten bed. Roman mit nat. Kolorit (»La isla«, 1854) schrieb M. M. Caballero (*1819, †1866). Romant. Lyriker waren R. J. Bustamente (*1821, †1886) und N. Aguirre (*1843, †1888). Mit dem Lyriker R. J. Freyre (*1868, †1933) erlebte der Modernismus einen Höhepunkt; zu dieser Richtung gehörte auch F. Tamayo (*1879, †1956). Naturalist. Romane schrieben A. Mendoza Chirveches (*1881, †1926) und A. Arguedas (*1879, †1946). Bed. als Lyriker ist G. Viscarra Fabre (*1901). Geschichtl. Ereignisse finden ihren Niederschlag in den Romanen und Erzählungen von

Pablo Neruda: zeitgenössische Zeichnung

O. Cerruto (*1912, †1981) und A. Céspedes (*1904, †1997). Zu den namhaften Autoren der Moderne gehören u. a. die Lyrikerin Y. Bedregal de Conitzer (*1916) und der Lyriker Y. P. Shimose (*1940), die Prosaschriftsteller R. Botelho Gonsálvez (*1917), N. Taboada Terán (*1929) und R. Prada Oropeza (*1937).

Brasilien: Bedeutendster Vertreter der romant. Lyrik war A. Gonçalves Dias (*1823, †1864). Gegen den romant. Subjektivismus entstand die sozial engagierte Lyrik von A. de Castro Alves (*1847, †1871) und T. Barreto (*1839, †1889). Realist. Romane schrieben M. A. de Almeida (*1830, †1861), J. M. de Alencar (*1829, †1877). Die Lyrik im Stil der frz. Parnassiens vertraten O. Bilac (*1865, †1918), J. M. Machado de Assis, der auch als Romancier bedeutend war, den Symbolismus J. da Cruz e Sousa (*1861, †1898) und A. de Guimarães (*1870, †1921). Naturalist. Romane schrieb A. Azevedo (*1857, †1913), regionalist. H. Coelho Neto (*1864, †1934) und E. da Cunha (*1866, †1909). Die Brüder M. R. Morais de Andrade (*1893, †1945) und J. O. de Andrade (*1890, †1954) waren neben M. Bandeira Filho (*1886, †1968) und R. de Carvalho (*1893, †1935) die Hauptvertreter des Modernismus. Bed. Lyriker waren ferner J. de Lima (*1895, †1953) und die Vertreter des Neomodernismus C. Drummond de Andrade (*1902, †1987), C. Meireles (*1901, †1964) und J. Cabral de Melo Neto (*1920). Die regionalist. Romantradition setzten fort J. Lins do Rêgo Cavalcanti (*1901, †1957), G. Ramos (*1892, †1953), J. Amado, É. Lopes Veríssimo (*1905, †1975), A. Filho und J. Guimarães Rosa; außerdem repräsentieren Clarice Lispector, A. Dourado (*1926), M. Scliar, J. U. Ribeiro, M. Souza u. a. die erzählende Prosa der Gegenwart.

Chile: Die Romantik vertraten v. a. F. Bilbao (*1823, †1865), G. Blest Gana (*1830, †1904) und E. Lillo (*1826, †1910). Realist. Romane schrieb A. Blest Gana (*1830, †1920). Der Modernismus gelangte nicht zu übernat. Bedeutung. Weltgeltung erhielt die Literatur im 20. Jh. durch die Lyriker Gabriela Mistral (Nobelpreis für Literatur 1945), V. Huidobro und v. a. P. Neruda (Nobelpreis für Literatur 1971). Lyriker und Romancier war P. Prado Calvos. Bed. Romanschriftsteller waren ferner E. Barrios (*1884, †1963), J. Edwards Bello (*1887, †1968), M. Rojas (*1896, †1973), C. Droguett, F. Alegría (*1918), E. Lafourcade (*1927), J. Donoso. Zu den namhaften Autoren, die nach dem Militärputsch 1973 ins Exil gingen, gehörten neben Droguett und Donoso u. a. P. Délano (*1936), A. Skármeta, Isabel Allende und A. Dorfman (*1942); den meisten ermöglichte die Liberalisierung seit Mitte der 1980er-Jahre die Rückkehr. Die Mehrzahl der seither erschienenen Werke beschäftigt sich mit polit. Verfolgung, Zensur und

Exil; weitere wichtige Autoren sind H. Valdés (*1937) und O. Lara (*1941), als Lyriker wurde R. Zurita (*1951) bekannt. Das Theater erlebte v.a. durch Studentengruppen einen beträchtl. Aufschwung.

Ecuador: Die Romantik vertrat bes. J. L. Mera (*1832, †1894). Essayist und Vorläufer des Modernismus war J. Montalvo (*1832, †1889). Modernist. Dichter waren u.a. A. Borja (*1892, †1912) und M. A. Silva (*1899, †1920). Soziale und polit. Probleme behandeln die Romane von J. Gallegos Lara (*1911, †1947), E. Gil Gilbert (*1912, †1973), José de la Cuadra (*1903, †1941), A. Ortiz und J. Icaza (*1906, †1978). Lyriker sind J. Carrera Andrade (*1902, †1978), J. Reyes (*1905); die Gegenwartsliteratur vertreten ferner A. Carrión (*1915, †1992), P. J. Vera (*1915), J. E. Adoum (*1923), R. Díaz Ycaza (*1939), J. Pazos Barrera (*1944) u.a.

Kolumbien: Den Übergang von der Neoklassik zur Romantik bilden die Werke von J. G. Ortiz (*1814, †1892). Romantiker waren J. E. Caro (*1817, †1853), R. Pombo (*1833, †1912), R. Núñez (*1835, †1894) und M. A. Caro (*1843, †1909). Den Modernismus in der Lyrik vertraten G. Valencia (*1873, †1943), M. A. Osorio (*1883, †1942) und in der Prosa J. M. Vargas Vila (*1860, †1933). Realistische regionalist. Romane schrieben T. Carrasquilla (*1858, †1940) und J. E. Rivera (*1889, †1928). Avantgardist. Tendenzen setzten sich durch mit den Werken von L. de Greiff (*1895, †1976) und J. Zalamea (*1905, †1969). Zu den bedeutendsten Schriftstellern der Gegenwart gehören u.a. E. Caballero Calderón (*1910, †1993), G. García Márquez (Nobelpreis für Literatur 1982) und M. Mejía Vallejo (*1923), in der Lyrik J. Ibáñez (*1919), Á. Mutis (*1923), J. García Maffla (*1944).

Carlos Fuentes

Kuba: Die ersten bed. Lyriker waren J. María de Heredia (*1803, †1839) und G. de la Concepción Valdés (*1809, †1844). Romantik und Prosa verbinden sich in den Werken von C. Villaverde (*1812, †1894) und A. Suárez y Romero (*1818, †1878). Vorläufer des Modernismus war J. Martí (*1853, †1895), modernist. Lyriker J. del Casal (*1863, †1893). Den lyr. Expressionismus vertraten E. Florit (*1903) und N. Guillén (*1902, †1989) mit der »poesía negra«, die jüngste Lyrik R. Fernández Retamar, H. Padilla (*1932), Z. Valdés (*1959); namhafte Prosaautoren sind A. Carpentier, J. Lezama Lima (*1910, †1976), G. Cabrera Infante (*1912), E. Desnoes (*1930), S. Sarduy, R. Arenas (*1943, †1990), M. Pereira (*1948), N. Fuentes (*1943), L. Otero und M. Barnet, die Dramatik vertreten u.a. V. Piñera (*1912, †1979), H. Quintero (*1942). Aus wirtsch. oder polit. Gründen gingen einige Autoren ins Exil, so Cabrera Infante, Padilla, Arenas. Regimekritiker, wie der im dt. Exil lebende J. Díaz (*1941), tragen seit den 1990er-Jahren zur histor. und intellektuellen Auseinandersetzung mit dem Schicksal des Landes bei.

Mexiko: Die Lyrik im Stil von L. de Góngora y Argote erreichte ihren Höhepunkt mit J. I. de la Cruz (*1651, †1695). Schelmenromane schrieb J. J. Fernández de Lizardi (*1776, †1827). Mittelpunkt einer Schule romant. Autoren war der Lyriker und Romancier I. M. Altamirano (*1834, †1893); romant. Lyriker waren F. Calderón (*1809, †1845) und J. Rodríguez Galván (*1816, †1842). Der Modernismus erreichte seine Blüte mit S. Díaz Mirón (*1853, †1928), M. Gutiérrez Nájera (*1859, †1895), A. Nervo (*1870, †1919), E. González Martínez (*1871, †1952). Realist. Romane schrieben J. A. Mateos (*1831, †1913), V. Riva Palacio (*1832, †1896) und R. Delgado (*1853, †1914), naturalist. Romane F. Gamboa (*1864, †1939). Zu einer eigenen Gattung entwickelte sich der politisch-histor. Roman über die Revolution von 1910: M. Azuela (*1873, †1952), M. L. Guzmán (*1887, †1976), G. López y Fuentes (*1897, †1966), R. F. Muñoz (*1899, †1972) und A. Yáñez (*1904, †1980). Die nachrevolutionäre Gesellschaft zeichnen J. Revueltas (*1914, †1976) und C. Fuentes. Großen Einfluss über Mexiko hinaus erreichten der »mag. Realist« J. Rulfo und der fantast. Erzähler J. J. Arreola (*1918). Spätexpressionist. Lyrik schrieb J. Torres Bodet (*1902, †1974). Existenzialist. Einflüsse zeigt das Werk von O. Paz (Nobelpreis für Literatur 1990). Bed. Prosaschriftsteller sind ferner R. Castellanos (*1928, †1974) mit indigenist. Romanen, J. Elizondo (*1932), J. García Ponce (*1932), F. del Paso, S. Galindo (*1926), Á. Mastretta (*1949), J. Agustín (*1944), J. Ibargüengoitia (*1928, †1983), E. Poniatowska (*1933), V. Leñero (*1933) und als Lyriker im Anschluss an Paz J. E. Pacheco (*1939), M. A. Montes de Oca (*1932) und H. Aridjis (*1940). Zur jüngeren Generation gehören u.a. die Erzähler H. Manjarrez (*1945), J. Aguilar Mora (*1946), L. Zapata (*1951) und A. Ramírez (*1950), die Lyriker D. Huerta (*1949) und A. Blanco (*1951) sowie die Dramatiker J. Agustín (*1944),

Antonio Skármeta

Isabel Allende

Gabriel García Márquez

Alejo Carpentier

C. Olmos (*1947) und S. Berman (*1953). Von großer Bedeutung ist die mexikan. Essayistik mit J. Vasconcelos (*1881, †1959), A. Reyes (*1889, †1959), L. Zea (*1912).

Octavio Paz

Mittelamerikanische Literatur: zusammenfassende Bez. für die Lit. der Länder Guatemala, El Salvador, Honduras, Nicaragua, Costa Rica und Panama.

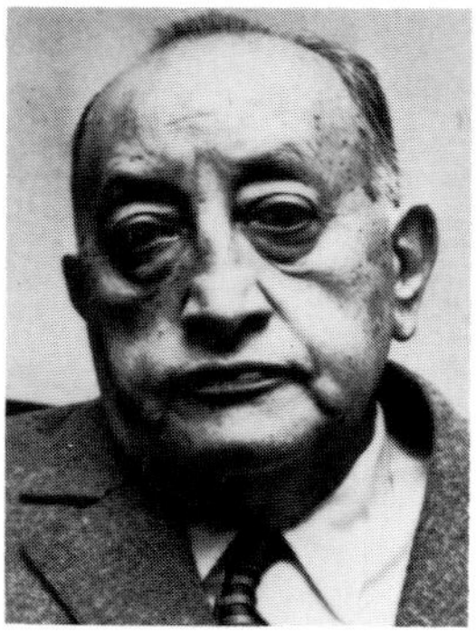

Miguel Ángel Asturias

Guatemala: Der Modernismus fand seine bedeutendste Ausprägung in der Prosa von E. Gómez Carrillo (*1873, †1927). Indigenist. und sozialkrit. Romane schreibt M. Monforte Toledo (*1911), Essayist und Lyriker war L. Cardoza y Aragón (*1904, †1992). Als hervorragendste Gestalt gilt M. Á. Asturias (Nobelpreis für Literatur 1967). Die um 1960 einsetzende Repression zwang viele Autoren ins Exil. Die Gegenwartsliteratur vertreten u.a. M. A. Carrera (*1945), der in Mexiko lebende A. Monterroso (*1921), M. A. Flores (*1937) und F. Galich (*1951).

Ernesto Cardenal

El Salvador: Erster namhafter Lyriker und Epiker war F. Gavidia (*1863, †1955). Vertreter eines poetisch-realist. Indigenismus waren S. Salazar Arrué (*1899, †1975) und J. N. Rodríguez Ruiz (*1917). Der bedeutendste salvadorian. Lyriker war R. Dalton (*1935, †1970); Prosa schreibt u.a. J. R. Cea (*1939).

Honduras: Die Neoklassik vertraten J. C. del Valle (*1780[?], †1834[?]) und J. J. Trinidad Reyes (*1797, †1855), die Romantik M. Molina Vigil (*1853, †1883), J. A. Domínguez (*1869, †1903), den Modernismus J. R. Molina (*1875, †1908); polit. und sozialkrit. Engagement trat in der Lyrik von C. Barrera (*1912, †1971) in den Vordergrund, diese Linie setzt u.a. O. Acosta (*1933) fort. Namhafte Prosaautoren sind R. Amaya Amador (*1916, †1966), V. Cáceres Lara (*1915), R. Paredes (*1948).

Nicaragua: R. Darío war der bedeutendste Lyriker Lateinamerikas, bes. als Begründer des Modernismus. Der Lyriker E. Cardenal, einer der schärfsten Kritiker der Somoza-Diktatur, wurde zum Vorbild junger Autoren. Der Repression unter der Somoza-Diktatur zum Opfer fielen u.a. P. J. Chamorro (*1924, ermordet 1978) und R. Morales (*1939, †1973). Die Lyrikerinnen Gioconda Belli (*1948) und Rosario Murillo (*1951) sind neben den Prosaautoren S. Ramírez (*1942), L. Chávez Alfaro (*1929) wichtige Vertreter der Gegenwartsliteratur.

Costa Rica: Die Literatur im 19. Jh. war vom Costumbrismo bestimmt, u.a. M. Agüello Mora (*1845, †1902); den Modernismus repräsentierte R. Brenes Mesén (*1874, †1947). Das Regionale betonten die sozialkrit. »Poetas de Turrialba«, u.a. J. Debravo (*1938, †1967) und L. Albán (*1942). Um die Analyse polit. und sozialer Wirklichkeit bemüht sind C. L. Fallas (*1909, †1966), J. Gutiérrez (*1918); die jüngere Prosa vertreten C. Naranjo (*1931), Q. Duncan (*1940) und v.a. der auch als Lyriker bekannte A. Chase (*1945).

Panama: Die mit dem Modernismus beginnende Literatur formierte sich um D. Herrera (*1870, †1914). Der Avantgardismus setzte sich mit R. Sinán (*1904) durch; M. Sevillano (*1902, †1950) vertrat eine agitatorische sozialkrit. Lyrik. Mit modernen Erzähltechniken behandeln J. Beleño (*1921), R. H. Jurado (*1922), E. Chuez (*1934), D. Lidio Pitty (*1941) polit. und soziale Probleme des Landes.

Paraguay: Erst mit dem Modernismus kam es zu breiterer literar. Aktivität, v.a. auf dem Gebiet der Lyrik; modernist. Lyriker waren F. L. Barreiro (*1872, †1929), E. Fariña Nuñez (*1885, †1925), G. Molinos Rolón (*1889, †1945), H. Fernández (*1903, †1927). Die Entwicklung der Prosa führte über den costumbrist. und sozialkrit. Roman hin zum »mag. Realismus« von A. Roa Bastos; zu namhaften Gegenwartsautoren gehören außerdem in der Lyrik und Essayistik J. Pla (*1909), E. Romero (*1926), R. Bareiro Saguier (*1930), R. Vallejos (*1943) und J. Canese (*1947), in der Prosa der wie fast alle Autoren ins Exil gegangene L. Silva (*1945). Seit dem Ende der Diktatur 1989 belebte sich das literar. Leben beträchtlich.

Peru: Als erstes großes Werk der hispanoamerikan. Literatur gilt das Werk des von einem Spanier und einer Inkaprinzessin abstammenden Garcilaso de la Vega (* 1539, † 1616). Die Romantik fand ihren Höhepunkt mit R. Palma (* 1833, † 1919). Dem Modernismus folgten in der Lyrik J. M. Eguren (* 1882, † 1942) und J. Santos Chocano (* 1875, † 1934), in der Prosa V. Garciá Calderón. Den ersten indigenist. Roman schrieb C. Matto de Turner (* 1854, † 1909). Avantgardistisch ist die Lyrik von C. Vallejo (* 1892, † 1938). Indigenist. Themen mit sozialkrit. Akzent behandeln C. Alegría (* 1909, † 1967), J. M. Arguedas (* 1911, † 1969) und M. Scorza, soziale Probleme v. a. der städt. Gesellschaft Y. R. Ribeyro und M. Vargas Llosa, der auch in den 1990er-Jahren der bekannteste Autor Perus bleibt. Die von C. Vallejo begründete Lyriktradition wird fortgeführt u. a. von A. Sánchez León (* 1947), E. Verástegui (* 1950) und C. Ollé (* 1947).

Ruben Darío: zeitgenössisches Gemälde

Uruguay: Patriot. Gedichte in der Tradition der Gaucholiteratur schrieb B. Hidalgo (* 1778, † 1823), romant. Lyrik J. Zorrilla de San Martín (* 1855, † 1931) romant. Prosa E. Acevedo Díaz (* 1851, † 1921). Realist., gelegentlich zum Naturalismus tendierende Prosaschriftsteller waren J. de Viana (* 1869, † 1926) und C. Reyles (* 1868, † 1938). Geheimnisvoll-schaurig sind die Erzählungen von H. Quiroga. Meister des modernist. Essays war J. E. Rodó (* 1871, † 1917), der modernist. Lyrik J. Herrera y Reissig (* 1875, † 1910). Bed. Dichterinnen waren D. Agustini (* 1886, † 1914) und J. de Ibarbourou. E. Amorim (* 1900, † 1960) schilderte die Welt der Gauchos, J. C. Onetti das Leben in der Stadt. Moderne psychologisierende Erzählkunst vertraten F. Espínola (* 1901, † 1973) und F. Hernández (* 1902, † 1964). Die Romane und Erzählungen von C. Martínez Moreno (* 1917) und M. Benedetti reflektieren indirekt den Zustand einer permanenten Staatskrise. Zw. dem Militärputsch 1973 und der Wiederherstellung der Demokratie 1985 kam das Kulturleben zum Erliegen; namhafte jüngere Prosaautoren sind J. C. Onetti, E. Galeano (* 1940), C. Peri Rossi (* 1941), Lyriker u. a. S. Ibargoyen Islas.

Venezuela. Die Literatur erlangte zuerst Bedeutung mit den klassizist. Dichtungen von A. Bello (* 1781, † 1865) und R. M. Baralt (* 1810, † 1860). Realistisch-satir. Sozialromane schrieb R. Blanco Fombona (* 1874, † 1944). Der bedeutendste Romanschriftsteller war R. Gallegos, der das Leben in den Llanos darstellte. Im modernist. Stil schrieben M. Díaz Rodríguez, P. E. Coll (* 1872, † 1947) und T. de la Parra (* 1895, † 1936). Romanschriftsteller sind A. Uslar Pietri, M. Picón Salas (* 1901, † 1965). Romanschriftsteller und Lyriker war M. Otero Silva; die Gegenwartsprosa vertreten außerdem A. Gonzáles León (* 1931), L. Britto García (* 1940), L. Antillano (* 1950), die Lyrik u. a. L. A. Crespo (* 1941).

📖 *Das moderne Theater Lateinamerikas, hg. v.* W. Floeck *u.* K. Kohut. *Frankfurt am Main 1993.* – Siebenmann, G.: *Die lateinamerikan. Lyrik 1892–1992. Berlin 1993. – Autorenlexikon Lateinamerika, hg. v.* D. Reichardt. *Neuausg. Frankfurt am Main 1994.* – Strosetzki, C.: *Kleine Geschichte der l. L. im 20. Jh. München 1994.* – Günther, D.: *Die l. L. von ihren Anfängen bis heute. Frankfurt am Main 1995. – Lateinamerikan. Literaturgeschichte, hg. v.* M. Rössner. *Stuttgart u. a. 1995.*

lateinamerikanische Musik. Die l. M. umfasst hauptsächlich die Musik der Spanisch und Portugiesisch sprechenden Länder Mittel- und Südamerikas. Es ist anzunehmen, dass die span. Eroberer im Bereich der Hochkulturen Mexikos und Perus eine hoch entwickelte Kunstmusik vorfanden, über deren ursprüngl. Gestalt jedoch kaum Sicheres bekannt ist. Mit der Kolonialisierung begann im Lauf des 16. Jh. eine völlig neue, europäisch bestimmte Musikentwicklung, zunächst auf dem Gebiet der Kirchenmusik. Diese zeigt eine nach europ. Vorbildern geschaffene Organisation mit Chorgesang und Schola; auch der Gebrauch der Orgel breitete sich schnell aus. Seit der Mitte des 18. Jh. dominierte zunehmend ein von der italien. Oper und der span. Zarzuela geprägtes Repertoire. Frühe Zentren des städt. Musiklebens entstanden in Buenos Aires (Theater seit 1778) und

Ventura Garciá Calderón

César Vallejo (Zeichnung von Pablo Picasso, 1938)

Mario Vargas Llosa

Juana de Ibarbourou

v.a. Havanna (Theater seit 1783), das mit seiner reichen kreol. Oberschicht im 19. Jh. eine führende Stellung innerhalb der Musikkultur Lateinamerikas einnahm. Bei fortdauernder Bindung an die europ. Entwicklung brachte erst das 19. Jh. eine schrittweise Einbeziehung von Elementen aus der Tradition der indian. Urbevölkerung und der v.a. aus Westafrika stammenden schwarzen Bevölkerung sowie das Hervortreten nat. Schulen. Seit den 1920er-Jahren bildete sich auf der Grundlage des lateinamerikan. Kolorits eine zur internat. Moderne zählende Musik aus.

Argentinien: Von großer Bedeutung für einen argentin. Nationalstil waren A. Williams (*1862, †1952), der sich auch die Zwölftontechnik aneignete, und J. Aguirre (*1868, †1924). Um die nat. Kunstmusik bemühten sich auch u.a. Komponisten wie C. Lopez Buchardo (*1881, †1948), F. Boero (*1884, †1958) und F. M. Ugarte (*1884, †1975). Moderne Techniken erschlossen sich u.a. J. C. Paz (*1901, †1972), der bes. bekannte A. Ginastera (*1916, †1983) sowie auf dem Gebiet der elektron. Musik M. Davidovsky (*1934). Internat. Bedeutung erlangte der seit 1957 in der Bundesrep. Dtl. tätige M. Kagel. – *Brasilien:* Führend im 19. Jh. waren J. M. N. Garcia (*1767, †1830), F. M. da Silva (*1795, †1865) sowie der auch in Europa bekannt gewordene Opernkomponist A. C. Gomes (*1836, †1896). Eine brasilian. Nationalmusik entwickelte sich seit dem Ende des 19. Jh. v.a. durch A. Nepomuceno (*1864, †1920). Als zentrale Komponistengestalt Lateinamerikas im 20. Jh. gilt H. Villa-Lobos. Bei der Durchsetzung moderner Techniken vermittelnd wirkten der Deutsche H.-J. Koellreuter (*1915) und der Schweizer E. Widmer (*1927). E. Krieger (*1928), G. Mendes (*1922), R. Duprat (*1932), M. Nobre (*1939), J. Antunes (*1942) und J. A. de Almeida Prado (*1948) orientierten sich an der internat. Avantgarde. – *Chile:* Bewusst national komponierte E. Soro Barriga (*1884, †1954). Den Übergang zur Moderne vollzog P. H. Allende Sarón (*1885, †1959); 1958 gründete J. V. Asuar (*1933) Lateinamerikas erstes Studio für elektron. Musik. Zur internat. Avantgarde zählen u.a. der seit 1957 in der Bundesrep. Dtl. lebende J. Allende-Blin (*1928), J. Lémann (*1928), H. Ramíres (*1941), E. Cáceves (*1955). – *Kuba:* Die ins 19. Jh. zurückreichende Tradition der Einbeziehung afrokuban. Elemente (z.B. durch J. Cervantes, *1847, †1905) führten im 20. Jh. A. Roldán (*1900, †1939), A. García Caturla (*1906, †1940) und J. Ardévol (*1911, †1981) fort, vermischt mit avantgardist. Techniken u.a. A. de la Vega (*1925), C. Fariñas (*1934) und L. Brouwer (*1939). – *Mexiko:* Nach der Revolution (1910–17) entwickelte sich Mexiko zu einem der führenden Länder der l. M. Seitdem ist die Folklore (einschl. indian. Elemente) Basis für die meisten Komponisten. Pionier auf diesem Gebiet war M. Ponce (*1882, †1948). Internat. Ruf erwarben sich C. Chávez Ramirez (*1899, †1978) und S. Revueltas (*1899, †1940). Vorwiegend an der Avantgarde orientierten sich u.a. M. Enríquez (*1926), H. Quintanar (*1936) und E. Mata (*1942). – *Venezuela:* In einem nat. Stil komponierten u.a. J. B. Plaza (*1898, †1965) und J. V. Lacuna (*1899, †1954). Vertreter der zeitgenöss. Musik sind A. Estévez (*1916), I. Carreño (*1919), J. L. Muños (*1928), der gebürtige Grieche Y. Ioannidis (*1930), A. Del Monaco (*1938) und E. Mendoza (*1953), in *Peru* C. G. Lecca (*1926), C. Bolanos (*1931), E. Valcárcel (*1932) und E. Iturriaga (*1918), in *Uruguay* E. Estrada (*1909, †1970), H. Tosar (*1923) sowie R. Storm (*1930) und in *Kolumbien* L. A. Escubar (*1925, †1993), die gebürtige Belgierin J. Nova (*1935, †1975), F. Zumaqué (*1945) und E. Barrera (*1949).

📖 *Die Musikkulturen Lateinamerikas im 19. Jh.*, *hg. v.* R. GÜNTHER. *Regensburg 1982.* – SCHREINER, C.: *Musica Latina. Musikfolklore zw. Kuba u. Feuerland. Frankfurt am Main 1982.* – *America latina en su musica, hg. v. J. Aretz. Paris [3]1983.*

lateinlamerikanische Philosophie. Das erste philosoph. Buch Lateinamerikas schrieb der span. Augustiner Fray Alonso de la Veracruz (*1504, †1584). Die folgenden Jh. wurden von den philosoph. Systemen Europas bestimmt, bes. von der Scholastik, sozialphilosoph. Gedankengut und dem Positivismus. Erst mit der Abwendung vom Positivismus setzte eine eigenständigere l. P. ein. Sie wird vertreten von A. Caso (*1883, †1946) in Mexiko, A. O. Deustúa (*1848, †1945) in Peru, A. Korn in Argentinien, R. de Ferías Brito (*1862, †1917) in Brasilien u.a. Anregungen gaben der Neukantianismus, die Lebensphilosophie, die Phänomenologie, die Existenzphilosophie und der Neuthomismus. Mit Wiss.- und Erkenntnistheorie beschäftigen sich M. Bunge (*1919) in Argentinien und F. M. Quesada (*1918) in Peru.

📖 KRUMPEL, H.: *Philosophie in Lateinamerika. Grundzüge ihrer Entwicklung. Berlin 1992.*

Lateinlamerikanisches Wirtschaftssystem, (span. Sistema Económico Latinoamericano, Abk. SELA), Organisation von 27 Staaten Süd- und Mittelamerikas sowie der Karibik einschließlich Kubas zur Intensivierung der regionalen Zusammenarbeit auf ökonom. und sozialen Gebieten, zur besseren Nutzung wirtsch. Ressourcen und zur Abstimmung ihrer Strategien für das Auftreten in internat. Organisationen und gegenüber Ind.staaten; gegr. 1975 durch den Vertrag von Panama, am 7. 6. 1976 in Kraft getreten, Sitz: Caracas.

lateinlamerikanische Tänze, *Tanzsport:* die Gruppe der Tänze lateinamerikan. Herkunft:

Rumba, Samba, Cha-Cha-Cha, Paso doble und Jive (im Unterschied zu den Standardtänzen).

lateinische Kirche, im Ggs. zu den unierten oriental. Kirchen der Teil der kath. Kirche, der den lat. Ritus befolgt und über ein eigenes Kirchenrecht (→Codex Iuris Canonici) verfügt. Seit dem Morgenländ. Schisma (1054) ist die l. K. verfassungsmäßig die unter dem Bischof von Rom als Patriarchen des Abendlandes stehende Kirche, geographisch-politisch die Kirche der westl. Reichshälfte, geistig-kulturell die zum römisch-lat. Kulturkreis gehörende Kirche. Aus der Ablehnung der Reformation und dem Beharren auf der überkommenen Kirchenverfassung folgte die Abspaltung der prot. Kirchen, sodass die l. K. seit M. Luther nur noch den kath. Teil der abendländ. Christenheit umfasst. Die verstärkte Mission im 19. Jh. führte zu einer Weltkirche, die bis heute stark lat.-abendländisch geprägt ist. Erst durch das 2. Vatikan. Konzil und die damit einhergehende Öffnung der l. K. für die Traditionen der außereurop. Kulturen ergab sich ein Zurückdrängen des kurialen Zentralismus zugunsten von nat. Bischofskonferenzen. Hierdurch ist der Charakter der l. K. als Teilkirche wieder verstärkt in den Blick gerückt.

lateinische Literatur, →römische Literatur, →frühchristliche Literatur, →mittellateinische Literatur, →neulateinische Literatur.

Lateinische Münz|union (Lateinischer Münzbund), 1865 in Paris zw. Frankreich, Belgien, Italien und der Schweiz (seit 1868 auch Griechenland) geschlossener Vertrag über die einheitl. Prägung von Gold- und Silbermünzen; erster Versuch eines einheitlichen Währungssystems, erlosch 1927.

lateinische Schrift, das Alphabet der Römer; die l. S. entwickelte sich seit etwa dem 7. Jh. v. Chr. aus der grch. Schrift. Hierbei entstanden z. B. aus dem grch. Gamma im Lateinischen c und g, das lat. f geht auf das Digamma des ältesten grch. Alphabets zurück. Die l. S. wurde mit der lat. Sprache zunächst über den westl. Teil des Röm. Reichs, schließlich (bes. mit der Ausbreitung des Christentums) weltweit verbreitet.

Lateinisches Kaisertum, Kreuzfahrerstaat des 13. Jh., →Byzantinisches Reich.

lateinische Sprache (Latein), die zum italischen Zweig der indogerman. Sprachen gehörende Sprache des antiken Rom, die sich schon früh über Latium, dann über ganz Italien und weite Teile W-Europas und des Mittelmeergebietes im Röm. Reich ausbreitete. Sie war bis etwa ins 19. Jh. die geläufige abendländ. Gelehrtensprache und ist noch heute liturg. Sprache (Kirchenlatein). In ihrer geschriebenen Form ist die l. S. eine Standardsprache, da keine lokalen Dialekte auftreten.

Geschichte: Die Sprache der ältesten Epoche (bis zur Mitte des 3. Jh. v. Chr.) ist nur in wenigen bruchstückhaften Zeugnissen erhalten; tiefgreifende (v. a. lautl.) Veränderungen zw. dem 5. und 2. Jh. v. Chr. (z. B. Monophthongierung von ei zu i, Rhotazismus von intervokal. s) sind in zahlreichen literar. Zeugnissen (Q. Ennius, T. M. Plautus, Terenz) der altlatein. Periode (bis etwa 100 v. Chr.) belegt. In dieser Zeit wurde der lat. Wortschatz durch Lehnwörter und -übersetzungen aus den Sprachen der unterworfenen Nachbarvölker stark erweitert und eine Schrift- und Dichtersprache ausgebildet. – Im 1. Jh. v. Chr. erreichte die Schriftsprache ihre verbindl. Normierung durch die Prosaschriftsteller der sog. goldenen Latinität, Cicero und Cäsar. – Kodifizierung der grammat. Regeln, klarer Periodenbau mit strengen syntakt. Regeln und Purismus im Wortschatz sind die Hauptmerkmale des Lateins der klass. Zeit. Der Wortakzent hob die vorletzte Silbe, wenn sie lang war, sonst die drittletzte hervor. Das aus indogerman. Zeit ererbte Verbalsystem wurde von Grund auf umgestaltet; es bezeichnete nicht mehr den Aspekt, sondern die Zeitverhältnisse, z. T. durch neu geschaffene Tempora wie etwa Plusquamperfekt. – In der Periode der silbernen Latinität (etwa 14–117 n. Chr.) machten sich Provinzialismen und Vulgarismen sowie auch Gräzismen und Archaismen bemerkbar. – Nach der archaisierenden Periode im 2. Jh. n. Chr. setzte der Verfall der klass. Standardsprache im 3. Jh. verstärkt ein (Spätzeit); der Einfluss der gesprochenen Volkssprache, vornehmlich bei christl. Autoren, wurde immer stärker. Neben der normierten Schriftsprache gab es von Anfang an das im alltägl. Gebrauch gesprochene **Vulgärlatein,** das sich ständig wandelte und zur Grundlage der roman. Sprachen wurde. Das gesprochene Latein entfernte sich in nachklass. Zeit immer stärker von der normierten Schriftsprache in Aussprache und Lautstand (z. B. ['tsitsero:] für ['kikero:] »Cicero«), im Wortschatz und in der Syntax. – Während des Altertums war die l. S. zugleich auch die über das ganze Röm. Reich verbreitete Amts- und Verwaltungssprache. – Das **Mittellatein** (ungefähr zw. 500 und 1500) überwand als Sprache der Geist-

lateinische Sprache

Unterricht an den Klosterschulen des Mittelalters war überwiegend Auswendiglernen. Das galt ganz besonders für den Lateinunterricht. Merkverse halfen beim Einüben der lateinischen Deklinationsformen:

Bonus vir est Robertus
Laudes gliscunt
Roberti
Christe fave Roberto
Longaevum fac Robertum.

(Ein guter Mann ist der Robert.
Es wächst der Ruhm des Robert.
Christus, sei gnädig dem Robert.
Lass alt werden den Robert.)

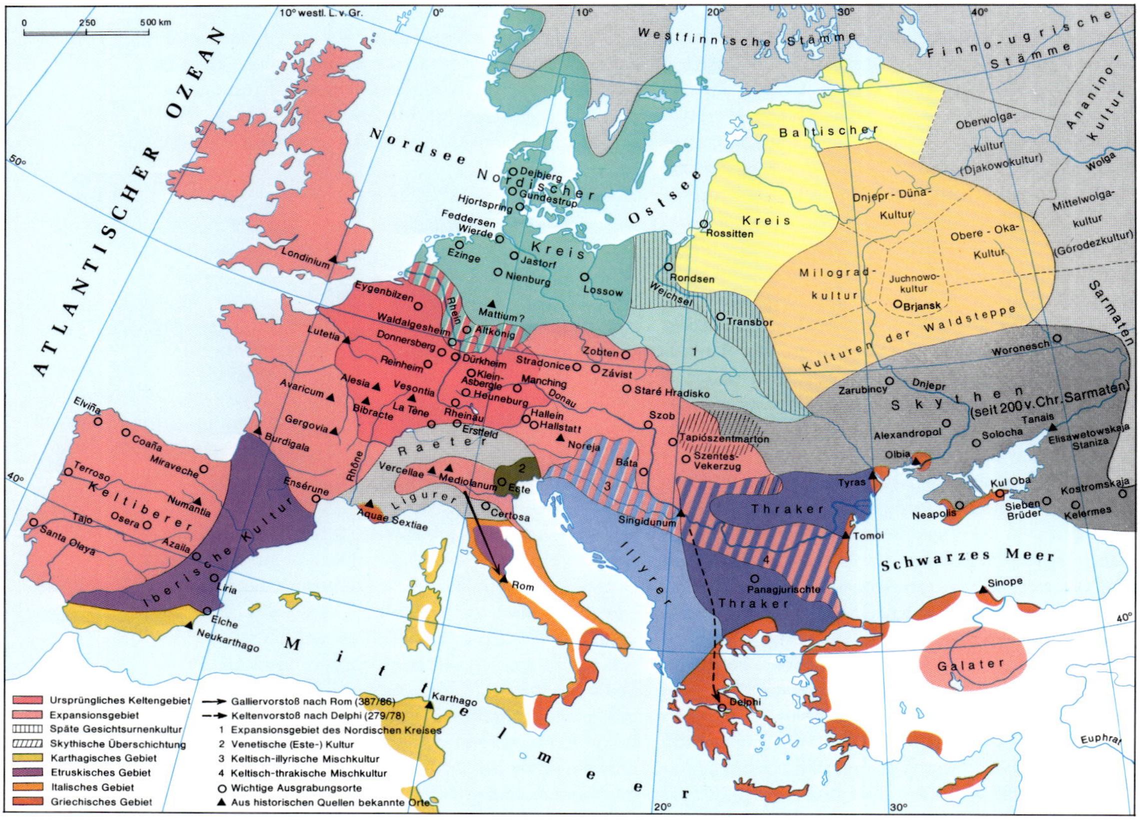

La-Tène-Kultur

lichkeit alle nat. Grenzen. Es war einerseits die am Vorbild der klass. Latinität entwickelte Literatursprache, andererseits nahm es Formen und Begriffe der german. und roman. Volkssprache auf. – Nach einer längeren Übergangsperiode (von der Mitte des 14. Jh. bis zum Anfang des 16. Jh.) wurde das mittelalterl. Latein vom sog. **Neulatein** verdrängt, für das allein die Sprache Ciceros vorbildhaft sein sollte. Die Gelehrten pflegten das Neulatein als internat. Verständigungsmittel, da v.a. in den Fachsprachen (Rechtswiss., Medizin, Philosophie, Theologie) eine bemerkenswerte lexikal. Kontinuität vorherrschte. Auch im akadem. Unterricht und in der Literatur behauptete sich noch bis ins 18. Jh. die l. S. in Europa als (Wiss.-)Sprache.

📖 HOFMANN, J. B.: *Lat. Umgangssprache. Heidelberg* [4]*1978.* – RUBENBAUER, H. *u.* HOFMANN, J. B.: *Lat. Grammatik. Bamberg u. a.* [11]*1989.* – EISENHUT, W.: *Die l. S. Zürich u. a.* [8]*1996.*

La-Tène-Kultur [la'tɛ:n -], nach dem Fundplatz La Tène am NO-Ende des Neuenburger Sees (Schweiz) benannte Kultur der jüngeren →Eisenzeit Europas (5.–1. Jh. v. Chr., **La-Tène-Zeit**); während ihrer größten Ausdehnung im 3. und 2. Jh. von Britannien bis zur unteren Donau und von der Mittelgebirgszone bis N-Italien verbreitet. Ihre Träger waren kelt. Stämme. Die La-T.-K. lässt sich anhand bestimmter Fibel-, Schwert- und Gefäßformen in drei Phasen gliedern. Die frühe La-T.-K. (nach dem Periodenschema von P. Reinecke Stufen A und B) reicht vom 5. bis Mitte des 3. Jh. v. Chr., die mittlere Phase (Stufe C) umfasst die 2. Hälfte des 3. sowie das 2. Jh. v. Chr., die späte Phase (Stufe D) das 1. Jh. v. Chr. Die frühe La-T.-K. ist aus Schatzfunden, v. a. aber aus dem Beigabengut von Fürstengräbern bekannt. In Holzkammern, oftmals unter mächtigen Grabhügeln (Dürrnberg, Hallein, Reinheim, Waldalgesheim), wurden mehrere Skelettbestattungen (öfter Frauen) mit vier-, später zweirädrigen Wagen und reichen Beigaben an Luxusgütern gefunden. Kennzeichnend für die frühe Phase sind u. a. auch Prunkwaffen (Langschwerter, Ovalschilde) und die Töpferscheibe.

Im Kunsthandwerk und in der bildenden Kunst wurden Palmetten- und Rankenmotive grch.-etrusk. Herkunft auf eigentüml., in schwellenden

Kurven stilisierende Weise abgewandelt. Die Schmuckfreude und die künstler. Meisterschaft sind in der frühen La-T.-K. am höchsten ausgebildet. Im 3. Jh. v. Chr. übernahmen die Kelten neue Elemente mediterraner Zivilisation und Wirtschaft, so eine eigene Münzprägung. Präge- u. a. Werkstätten waren in der späten La-T.-K. in den Oppida in der Nähe der Fürstensitze konzentriert (→ Manching). Die Oppida, urspr. Fluchtburgen für die umwohnende Stammesbev., wurden hierdurch zu Frühformen echter Städte und Zentren des polit. und wirtsch. Lebens. Durch das Vordringen german. Stämme nach S und W sowie durch die Ausweitung des Röm. Reiches in Gallien und nördlich der Alpen endete die La-T.-K. Ende des 1. Jh. v. Chr. Manche ihrer Traditionen wurden von der provinzialröm. Kultur aufgenommen und weitergeführt. Auf den Brit. Inseln, bes. in Irland, erlebte die La-T.-K. in den ersten Jahrhunderten n. Chr. eine späte Blüte.

latent [lat.], verborgen vorhanden.

latentes Bild, *Fotografie:* das unsichtbare Bild, das bei Belichtung fotograf. Schichten entsteht, durch die Entwicklung sichtbar und durch die Fixierung haltbar gemacht wird.

Latenz *die, Biologie:* 1) allg. das scheinbare Fehlen von Lebensäußerungen als Folge einer starken Herabsetzung des intermediären Stoffwechsels (**latentes Leben;** z. B. Kältestarre, Anabiose); 2) in der Sinnesphysiologie die Zeit **(L.-Zeit)** zw. Reizbeginn und einsetzender Reaktion; 3) in der Ökologie die Periode (L.-Zeit) geringer Populationsdichte beim Massenwechsel.

Latenzphase, *Entwicklungspsychologie:* nach S. Freud die Zeit etwa zw. dem 6. und 10. Lebensjahr, die (nach Abschluss der frühkindl. Triebentwicklung und vor Einsetzen der Pubertät) durch eine sexuell wenig betonte, stetige seel. Entwicklung gekennzeichnet ist.

Latenzzeit, *Medizin:* (Latenzphase) symptomfreie Phase zw. der Einwirkung einer Noxe (z. B. Krankheitserreger, ionisierende Strahlung) auf den Organismus und dem Auftreten von Krankheitssymptomen.

lateral [lat.], die Seite betreffend, seitlich gelegen; Ggs.: medial.

Lateran [nach den früheren Besitzern, der Familie Laterani], päpstl. Palast in Rom, 326 (Gelände und Bauten) durch Konstantin d. Gr. der Kirche geschenkt; bis 1308 Residenz der Päpste; unter Sixtus V. 1586–89 Bau des barocken **L.-Palastes** durch D. Fontana (1841–1967 L.-Museum, Bestände heute in den Vatikan. Museen). Die fünfschiffige **L.-Basilika** (San Giovanni in Laterano), Bischofskirche des Bischofs von Rom, geht in Grundriss und Maßen auf eine Gründung Konstantins d. Gr. zurück; 16.–18. Jh. umgestaltet (Barockisierung des Langhauses von F. Borromini, 1646–49; Fassade von A. Galilei, 1732–36).

Laterankonzilien (Lateransynoden), fünf im Lateran abgehaltene Konzilien (1123, 1139, 1179, 1215, 1512–17); gelten im Verständnis der kath. Kirche als → ökumenische Konzilien.

Lateranverträge, die am 11. 2. 1929 im Lateran zw. dem Apostol. Stuhl (Papst Pius XI.) und dem italien. Staat (B. Mussolini) abgeschlossenen Verträge (Staatsvertrag, Konkordat und Finanzabkommen). Der Staatsvertrag garantierte die Souveränität des Apostol. Stuhls auf internat. Ebene mit der Vatikanstadt als neuem Staat und dem Papst als Staatsoberhaupt. Das Konkordat bestätigte die kath. Religion als Staatsreligion und regelte die Rechtsstellung der kath. Kirche. Das Finanzabkommen sicherte dem Apostol. Stuhl eine einmalige Entschädigung von 1,75 Mrd. Lire für den Verlust des → Kirchenstaates zu. 1947 wurden die L. durch die italien. Verfassung bestätigt. Die Einführung der Zivilehe und Ehescheidung (1970) machten eine Revision notwendig, die zum Konkordat von 1984 führte (die Abschaffung der kath. Staatsreligion, die rechtl. Gleichstellung aller Religionsgemeinschaften, fakultativer Religionsunterricht und die Eigenfinanzierung der Kirche durch steuerlich begünstigte Spenden).

Laterit [lat. later »Ziegelstein«] *der,* gelber bis roter Verwitterungsboden der wechselfeuchten Tropen, angereichert von Tonerde, Aluminium- und Eisenoxidhydrat, das verhüttungsfähige Konkretionen und Krusten bilden kann. L. ist eine Vorstufe des Bauxits. – L.-Böden sind mäßig bis gering fruchtbar.

Laterna magica [lat. »Zauberlaterne«] *die,* Mitte des 17. Jh. erfundener einfacher Projektionsapparat für Glasdiapositive.

Laterne [lat.], *Baukunst:* türmchenartiger, architektonisch gegliederter Aufbau mit Fenstern zur Belichtung einer Kuppel.

Laternenträger (Fulgoridae), Familie meist trop. Zikaden, 9–90 mm lang, mit laternenförmigem Kopffortsatz und meist lebhaften Farben; ohne das ihnen nachgesagte Leuchtvermögen.

Latex [lat. »Flüssigkeit«] *der,* wässrige Dispersion von natürl. oder synthet. Polymeren. **Natürl. L.** ist der Milchsaft der Kautschukbäume (→ Kautschuk). **Synthet. L.** entsteht bei der Emulsionspolymerisation. Verwendet v. a. als Bindemittel für die umgangssprachlich als L.-Farben bezeichneten Dispersionsfarben.

Latifundien [lat.], im antiken Italien seit der 1. Hälfte des 2. Jh. v. Chr. mit Sklaven bewirtschafteter Grundbesitz röm. Senatoren. Seit Ausgang des MA. Bez. für Großgrundbesitz in Ländern mit betonter Weidewirtschaft und extensivem Getreideanbau in O-Europa, im Orient und v. a. in Lateinamerika. Die L. werden entweder als Einheit bewirtschaftet **(L.-Wirtschaft)** oder durch Pacht in kleinere Wirtschaftseinheiten aufgeteilt.

Latimeria chalumnae, ein Fisch, →Quastenflosser.

Latina, 1) Provinz in der Region Latium, Italien, 2250 km², (1991) 495900 Einwohner.

2) (bis 1947 Littoria), Hauptstadt von 1), 109900 Ew.; u.a. Autoreifen-, Nahrungs- und Genussmittelind.; Kernkraftwerk Foce Verde. – Die Stadt entstand ab 1932 (auf polygonalem Grundriss) im Zuge der Urbarmachung der →Pontinischen Sümpfe und wurde 1934 Prov.hauptstadt.

Latiner (lat. Latini), im Altertum die Bewohner Latiums, das sich von Rom bis Tarracina (Terracina) sowie vom Apennin bis Mons Lepinus (Monti Lepini) erstreckte. Als Hauptort galt Alba Longa (heute Castel Gandolfo), bed. Städte waren Tibur (Tivoli), Praeneste (Palestrina), Antium (Anzio) und Lavinium. Im 6. Jh. v. Chr. erhielt Rom das Übergewicht über die L., die sich zu Beginn des 5. Jh. v. Chr. von Rom lossagten und den Latin. Städtebund gründeten. Unter dem Druck der Bedrohung durch Volsker und Äquer schlossen L. und Römer ein Bündnis (493 v. Chr.?). Im Bundesgenossenkrieg erhielten 89 v. Chr. alle L. das röm. Bürgerrecht. Die L. gehörten sprachlich zu den Italikern.

Lattich: Kompasslattich

📖 HANTOS, T.: *Das röm. Bundesgenossensystem in Italien. München 1983.*

Latinrock ['lætɪn 'rɔk, engl.] *der,* Stilbereich der Rockmusik, der Spielelemente der lateinamerikan. Musik aufgreift; wurde um 1970 durch die Gruppe »Santana« bekannt.

Latinum [lat.] *das,* Nachweis bestimmter Lateinkenntnisse **(großes L., kleines L.);** Voraussetzung einiger Hochschulstudiengänge.

Latium (italien. Lazio), histor. Landschaft und Region in Mittelitalien, am Tyrrhen. Meer, 17227 km², (1995) 5,198 Mio. Ew., umfasst die Provinzen Frosinone, Latina, Rieti, Roma und Viterbo; Hptst. ist Rom.

Latosol *der,* stark und tiefgründig verwitterter roter und brauner Bodentyp der wechselfeuchten Tropen mit erhebl. Anreicherung an freien Aluminium- und Eisenoxiden.

Dieter Lattmann

La Tour [la'tu:r], **1)** Georges de, frz. Maler, *Vic-sur-Seille (Dép. Moselle) 1593, †Lunéville 30. 1. 1652; tätig in Lothringen; malte, beeinflusst von Caravaggio, v.a. Nachtstücke mit künstl. Beleuchtung, harter Linienführung und eigenwilliger Farbgebung, in denen er bibl. und profane Themen mystisch entrückt darstellt.

2) Maurice-Quentin de, frz. Maler, *Saint-Quentin 5. 9. 1704 †ebd. 17. 2. 1788; schuf mit virtuoser Beherrschung der Pastelltechnik meisterhafte Charakterbildnisse.

Georges de La Tour: »Der Drehleierspieler« (vor 1630; Nantes, Musée des Beaux-Arts)

Latte, sehr schmales und flaches, im Querschnitt rechteckiges Schnittholz; Verwendung u.a. für Dachdeckungen, Zäune.

Lattengebirge, wald- und almenreiche Gebirgsgruppe der Salzburger Kalkalpen in Bayern, südlich von Bad Reichenhall, im Karkopf 1739 m über dem Meeresspiegel.

Lattich (Lactuca), Korbblütlergattung; milchsafthaltige Kräuter mit zungenförmigen Blüten und geschnäbelten Früchten. Der hellgelb blühende **Kompass-L.** oder **Stachel-L.** (Lactuca serriola) hat am Rand stachlige Blätter, die er (fast) senkrecht zu den einfallenden Sonnenstrahlen stellen kann (→Kompasspflanzen). Weitere Arten sind neben dem **Garten-L.** **(Gartensalat,** Lactuca sativa; eine Varietät ist der Kopfsalat, →Salat) der **Gift-L.** (Lactuca virosa), bis 1,5 m hoch, und der **Blaue L.** (Lactuca perennis), mit blauen bis lilafarbenen Blütenkörbchen.

Lattmann, Dieter, Schriftsteller, *Potsdam 15. 2. 1926; 1969–74 Vors. des Verbandes Dt. Schriftsteller, 1972–80 MdB (SPD); Verf. realist. Romane, die im Nachkriegs-Dtl. spielen (»Ein Mann mit Familie«, 1962; »Schachpartie«, 1968; »Die Brüder«, 1985) sowie Essays (»Deutsch-deutsche Brennpunkte. Ein Schriftst. in der Politik«, 1990), auch Hörspiele und Erzählungen.

Lattre de Tassigny ['latrə də tasi'ɲi], Jean de, frz. Marschall (postum 1952), *Mouilleron-en-Pareds (Dép. Vendée) 2. 2. 1889, †Paris 11. 1. 1952; ab 1943 Oberbefehlshaber der 1. frz. Armee in Algerien, mit der er 1944 in S-Frankreich landete. Als Vertreter Frankreichs unterzeichnete er am 8. 5. 1945 die dt. Kapitulationsurkunde. 1948 wurde er Oberbefehlshaber der Landstreitkräfte der WEU, 1950–52 Hochkommissar und Oberbefehlshaber der frz. Streitkräfte in Indochina.

Lattuada, Alberto, italienischer Filmregisseur, *Mailand 13. 11. 1914; Vertreter des Neorealismus; filmte häufig nach literar. Vorlagen; u.a. »Der Mantel« (1952), »Bleib wie du bist« (1978).

Latwerge, *die,* breiförmige, nur noch selten hergestellte Arznei; landschaftlich auch für Pflaumenmus.

Laub, Gesamtheit der Blätter grüner Pflanzen, bes. der Holzgewächse.

Laubach, Stadt im Landkreis Gießen, Hessen, Luftkurort im Naturpark Vogelsberg, 230 m ü. M., 10 500 Ew.; Metall- und Holzverarbeitung, elektron. Industrie. – Fachwerkhäuser (16./17. Jh.), ausgedehnte Schlossanlage (13. bis 18. Jh.) mit Museum und größter europ. Privatbibliothek. – Wurde 1405 Stadt, kam 1418 an Solms.

Laubach: Teilansicht der im 16. und 18. Jh. ausgebauten Schlossanlage, die in ihrem Kern aus dem 13. Jh. stammt

Heinrich Laube: Holzstich des deutschen Reproduktionsstechers Johannes Sonnenleiter (um 1870)

Lauban, Stadt in Polen, →Lubań.

Laubbäume, baumartige →Laubhölzer.

Laubblatt, ein Blatt mit flächiger Spreite im Unterschied zum Nadelblatt.

Laube, Heinrich, Schriftsteller, Kritiker, Theaterleiter, *Sprottau (heute Szprotawa) 18. 9. 1806, †Wien 1. 8. 1884; zunächst Journalist und Redakteur; zeitweilig Wortführer des Jungen Deutschland (»Das neue Jh.«, 1833); wegen Veröffentlichung liberaler Schriften 1837–39 Festungshaft; seine Schriften wurden von der Bundesversammlung des Dt. Bundes verboten. Reisen nach Frankreich und Algerien, 1848 Mitgl. der Frankfurter Nationalversammlung; 1849–67 Direktor des Wiener Burgtheaters; 1871 begründete er das Wiener Stadttheater. Verfasste politische Skizzen, histor. Romane und Dramen (»Die Karlsschüler«, 1846; »Graf Essex«, 1856) sowie theaterhistor. Schriften.

Laube, 1) *allg.:* Gartenhäuschen.

2) *Baukunst:* ein hölzerner oder gemauerter offener Vorbau an der Front eines Gebäudes. Seit dem MA. dienen hallenartige L. öffentl. Zwecken (Gerichts-L. an Rathäusern, Markt-L.). Reihen sich L. an Straßen und Plätzen, entsteht ein **Laubengang.**

Laubengang, 1) in der *Baukunst* →Laube.

2) *Gartenbau:* (Pergola) Gartenweg oder Platz, der von dicht zusammengewachsenen, über einem Gerüst rankenden Kletterpflanzen eingefasst und überwölbt ist.

Laubenganghaus, das →Außenganghaus.

Laubenvögel (Ptilonorhynchidae), Familie der Sperlingsvögel mit 18 staren- bis dohlengroßen Arten in Australien und Neuguinea, die, mit wenigen Ausnahmen, unscheinbar gefärbt sind; die Männchen einiger Arten tragen verlängerte Schmuckfedern auf Kopf und Nacken. L. sind wegen ihrer aufwendigen Balz bekannt; die Männchen bauen für Balzspiele Reiserlauben mit bunten Steinen, Blumen, Federn u.a. Die Weibchen bauen ohne Unterstützung der Männchen ein napfförmiges Nest auf Bäumen oder Sträuchern, brüten die Eier aus und ziehen die Jungen auf.

Lauberhornrennen, *Skisport:* seit 1930 jährlich am Lauberhorn bei Wengen, Schweiz, ausgetra-

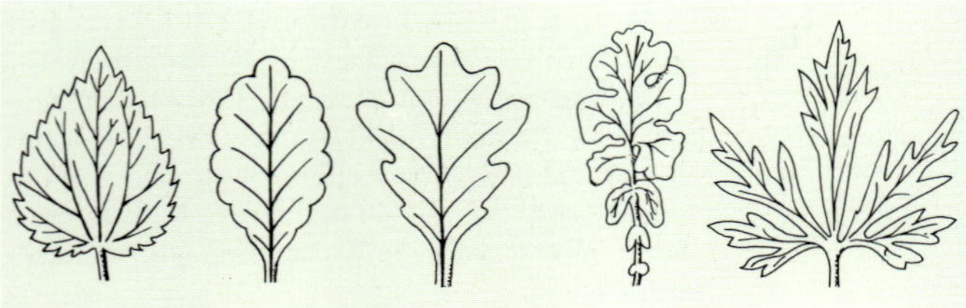

Laubblatt (von links): gesägte, gekerbte, gebuchtete, fiederspaltige und (dreizählig) gefingerte Blattform

gene Wettbewerbe für Herren in den alpinen Disziplinen.

Laubfrösche (Hylidae), hauptsächlich in Amerika und Australien verbreitete Familie meist baum- und strauchbewohnender, klettergewandter Froschlurche mit bezahntem Oberkiefer sowie

Laubfrösche: Europäischer Laubfrosch (Länge bis 5 cm)

Haftscheiben an Fingern und Zehen. In Europa und Kleinasien der bis 5 cm lange **Europäische Laubfrosch** (Hyla arborea); Oberseite meist laubgrün, von der weißl. Bauchseite durch ein schwarzes Band abgesetzt; Insektenfresser. Im nördl. Südamerika der 11,5 cm lange **Riesenlaubfrosch** (H. maxima) mit einem daumenartigen Fortsatz neben den vier Fingern. Durch das zunehmende Verschwinden von Feuchtgebieten (Laichplätze) gehören die einheim. L. zu den stark bedrohten Arten.

Laubheuschrecken (Laubschrecken, Tettigonioidea), weltweit verbreitete Überfamilie der Langfühlerschrecken, Hinterbeine zu kräftigen Sprungbeinen ausgebildet, Pflanzenfresser. In Dtl. u.a. die Gattung **Heupferd** (Tettigonia) mit dem bis 4 cm langen **Großen Grünen Heupferd** (Tettigonia viridissima), mit sehr langen, fadenartigen Fühlern.

Laubhölzer (Laubgehölze), Bäume und Sträucher mit flächigen, nicht nadelförmigen Blättern; Ggs.: Nadelhölzer.

Laubhüttenfest (hebr. Sukkoth), jüd. Fest zur Erinnerung an die Wüstenwanderung des Volkes Israel. Während des L. soll in einer Laubhütte geschlafen werden, um sich das provisor. Leben während des Wüstenzuges zu vergegenwärtigen (3. Mos. 23, 40). Das L. wird im Sept./Okt. begangen und dauert sieben Tage; urspr. Erntedankfest.

Laubkäfer (Melolonthinae), weltweit verbreitete Unterfamilie maikäferähnl. Blatthornkäfer; fressen Blätter von Laubhölzern, die Larven (Engerlinge) leben in der Erde und können durch Wurzelfraß an Kulturpflanzen schädlich werden.

Laubmoose, in Stängel und Blätter gegliederte → Moose.

Laubsänger (von oben): Zilpzalp (Größe 11 cm) und Waldlaubsänger (Größe 12,5 cm)

Laubsäge, Handsäge mit schmalem, dünnem Sägeblatt, das durch die Elastizität des u-förmigen Bogens gespannt wird. (→ Säge)

Laubsänger (Phylloscopus), Gattung der Grasmücken, verbreitet v.a. in Wäldern Eurasiens und NW-Afrikas; meist olivgrün bis grüngelblich gefärbte Singvögel; Insekten- und Beerenfresser, bauen überdachte Nester am oder knapp über dem Boden. In Mitteleuropa brüten der grauolivgrün gefärbte **Fitis** (**Fitis-L.,** Phylloscopus trochilus) und **Zilpzalp** (**Weiden-L.,** Phylloscopus collybita), beide Arten 11 cm lang und nur durch den Gesang zu unterscheiden, sowie der **Wald-L.** (Phylloscopus sibilatrix), 12,5 cm lang, Kehle und Brust schwefelgelb, Bauch weiß, oberseits grünlich.

Laubwald, Pflanzengemeinschaft, in der Laubhölzer vorherrschen.

Laubwerk (Blattwerk), *Baukunst, Kunsthandwerk:* Schmuckformen in der Antike, Gotik und Renaissance aus stilisierten oder naturalistisch nachgebildeten Blattformen zur Dekoration von Friesen, Gesimsen, Kapitellen und Konsolen.

Lauch (Allium), Gattung der Liliengewächse, Stauden, meist mit Zwiebel, mit schmalen oder schlauchförmigen Blättern und endständigem kugelig-doldigem Blütenstand auf röhrigem Schaft. Außer den Nutzpflanzen Knoblauch, Zwiebel, Winterzwiebel, Schalotte, Porree, Schnittlauch u.a. **Bär-L.** (Allium ursinum) mit intensivem Knoblauchgeruch, weißblütig, in Auenwäldern; **Allermannsharnisch** (**Bergalraun, Siegwurz,** A. victorialis) auf offenen, hochrasigen Hängen Eurasiens im Bereich der Waldgrenze, mit grünlich weißen bis gelbl. Blüten.

Laubheuschrecken: Weibchen des Großen Grünen Heupferds bei der Eiablage

Lauchhammer, Stadt im Landkreis Oberspreewald-Lausitz, Brandenburg, im Tal der Schwarzen Elster und im Niederlausitzer Braunkohlenrevier, 22 600 Ew.; Braunkohlentagebau mit Kokerei; Schwermaschinenbau, Möbelind., Kunstgießerei, Stahl- und Gerätebau.

Lauchstädt, Bad, → Bad Lauchstädt.

Lauda, Nikolaus (»Niki«), österr. Automobilrennfahrer, *Wien 22. 2. 1949; Automobilweltmeister der Formel 1 1975, 1977 und 1984.

Laubwerk
an einem Kapitell im Vorhof der Kirche Santissima Annuziata in Florenz (1450)

Lauda-Königshofen, Stadt im Main-Tauber-Kreis, Bad.-Württ., an der Tauber, 15 300 Ew.; 1975 durch Vereinigung von Lauda und Königshofen entstanden; Weinbau; Messgeräte-, Maschinen-, Förderanlagenbau, Möbelindustrie.

Laudanum [lat.] *das,* Beruhigungsmittel, bes. Opium oder opiumhaltige Zubereitungen.

Laudatio [lat.] *die,* Lobrede (auf Preisträger, Jubilare).

Laudes [lat.] *Pl.,* Morgenlob des →Stundengebets.

Laudon, Gideon Ernst Freiherr von (seit 1759), österr. Feldmarschall (seit 1779), *Tootzen (Livland) 2. 2. 1717, †Neutitschein (heute Nový Jičín) 14. 7. 1790; besiegte im Siebenjährigen Krieg Friedrich d. Gr. bei Kunersdorf (1759) und Landeshut i. Schles. (1760), wurde aber bei Liegnitz von ihm geschlagen. Als Oberbefehlshaber im Türkenkrieg 1787–92 eroberte L. am 8. 10. 1789 Belgrad.

Laue, Max von, Physiker, *Pfaffendorf (heute zu Koblenz) 9. 10. 1879, †Berlin 24. 4. 1960; Schüler von M. Planck, war Prof. in Zürich, Frankfurt am Main, Berlin und seit 1948 in Göttingen, zuletzt Direktor des Instituts für Physikal. Chemie und Elektrochemie in Berlin-Dahlem. L. entwickelte die Theorie der Beugung von Röntgenstrahlen an den Raumgittern von Kristallen, die Grundlage für die wichtigste Methode zur Analyse von Kristallstrukturen (→Laue-Verfahren), wofür er 1914 den Nobelpreis für Physik erhielt. Er entwickelte die Relativitätstheorie weiter, stellte eine relativist. Thermodynamik auf und gab eine Theorie der Supraleitung.

Laue-Gleichungen [nach M. von Laue], drei vom Kristallsystem unabhängige Gleichungen zur Deutung des Zustandekommens von Interferenzmaxima der Sekundärstrahlen bei der Beugung von Röntgenstrahlen am Raumgitter eines Kristalls.

Lauenburg, 1) ehem. dt. Herzogtum an der Niederelbe; im Früh-MA. von wend. Polaben besiedelt, im 12. Jh. von den Welfen unterworfen und germanisiert, bestand zum größten Teil aus der Grafschaft Ratzeburg, die 1180 (Sturz Heinrichs des Löwen) an die askan. Herzöge von Sachsen kam. Durch Teilung des askan. Hauses entstand 1260 das Herzogtum **Sachsen-L.;** 1689 fiel es an Lüneburg-Celle, 1705 an Hannover; 1815/16–64 gehörte es zu Dänemark, das L. mit Holstein 1864 an Österreich und Preußen abtrat. Durch den Gasteiner Vertrag kam es 1865 an Preußen, das es 1876 als Kreis Herzogtum L. der Provinz Schleswig-Holstein angliederte. 1890 wurde O. von Bismarck zum Herzog von L. erhoben. Seit 1946 gehört es zum Land Schleswig-Holstein.

2) Lauenburg/Elbe, Stadt im Kr. Herzogtum Lauenburg, Schlesw.-Holst., an der Einmündung des Elbe-Lübeck-Kanals in die Elbe, 11 800 Ew.; Elbschifffahrtsmuseum, Mühlenmuseum; Schiffswerften, Elbhafen, Reedereien; Zündholzfabrik, Maschinenbau. – Die Unterstadt zw. Strom und Geestrand hat maler. Straßenzüge (z. B. Elbstraße) mit zahlr. Fachwerkhäusern des 16. und 17. Jh.; Maria-Magdalena-Kirche (um 1300 und nach 1700) mit der Gruft der Herzöge von Sachsen-Lauenburg. Die neuere Oberstadt liegt auf dem bis 50 m hohen Steilufer. – Um die 1182 von den askan. Herzögen erbaute Burg L. entwickelte sich der Ort L.; seit 1260 Stadt. BILD S. 244

3) Lauenburg i. Pom., Stadt in Polen, →Lębork.

Laue-Verfahren, auf M. von Laue (1912) zurückgehende Methode zur Bestimmung der Struktur und Symmetrie von Kristallen. Ein durch einen dünnen Einkristall hindurchtretendes feines Bündel breitbandiger Röntgenstrahlen wird an den Netzebenen des Kristalls gebeugt. Die gebeugten Wellen breiten sich je nach Kristallstruktur in bestimmten Richtungen aus und erzeugen auf einem fotograf. Film eine regelmäßige Anordnung von Röntgenstrahlinterferenzen **(Laue-Diagramm),** aus der man die Lage der Netzebenen und damit die Kristallstruktur berechnen kann. BILD S. 244

Max von Laue
(um 1950)

Lauf, 1) *Anatomie:* (Laufbein) nur bei Vögeln vorkommender Knochen der hinteren Gliedmaße; entsteht aus der Verschmelzung der Mittelfuß- und eines Teils der Fußwurzelknochen.

Niki Lauda

Gideon Ernst Freiherr von Laudon
(Ausschnitt aus einem zeitgenössischen Kupferstich)

Lauenburg 2): Fachwerkhäuser aus dem 16. und 17. Jh. in der Elbstraße in der Unterstadt

2) *Jägersprache:* Bein der jagdbaren Säugetiere (ohne Bär, Dachs, Marder) und Hunde.

3) *Musik:* schnelle, stufenweise auf- oder absteigende Tonfolge.

4) *Waffentechnik:* Rohr von Handfeuerwaffen und Maschinengewehren.

Lauf|achse (Laufradsatz), nicht angetriebene, nur tragende Achse bei Schienenfahrzeugen; Ggs.: Treibachse.

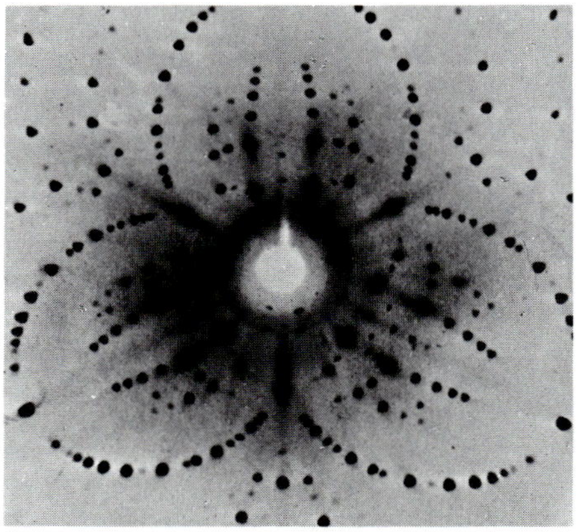

Laue-Verfahren: Laue-Diagramm

Lauf a. d. Pegnitz, Kreisstadt des Kr. Nürnberger Land, Bayern, 25 200 Ew.; Herstellung von Elektrokeramik, Fahrzeugbau, Holz- und Keramikverarbeitung. – Auf der Pegnitzinsel das »Wenzelsschloss« (14., 16. Jh.) mit got. Wappensaal und Kaisersaal. Evang. Stadtpfarrkirche mit spätgot. Chor und barockem Langhaus (um 1700). – Erhielt 1355 Stadtrechte.

Laufen, Fortbewegungsart, bei der im Unterschied zum Gehen nie beide Füße zugleich den Boden berühren. L. als Wettkampfsport bildet den Mittelpunkt der Leichtathletik. Wichtigste sportl. Wettbewerbe sind: →Kurzstreckenlauf, →Mittelstreckenlauf, →Langstreckenlauf, Marathonlauf (→Marathon), →Staffellauf, →Hürdenlauf, →Hindernislauf. Mit Ausnahme des Marathonlaufs werden sämtl. Laufwettbewerbe auf Laufanlagen (Aschen- oder Kunststoffbahnen) ausgetragen, die für Rekordanerkennungen 400 m lang sein müssen.

Laufen, 1) Stadt im Landkreis Berchtesgadener Land, Oberbayern, an der Salzach, 6 100 Ew.; Akademie für Naturschutz und Landschaftspflege. – Pfarr- und Stiftskirche Mariä Himmelfahrt (1332 begonnen), älteste got. Hallenkirche in Süd-Dtl.; Straßenbild mit typ. Laubengängen. – Seit 1041 Stadt.

2) Bezirkshauptort im Kt. Basel-Landschaft, Schweiz, im Tal der Birs, 4 600 Ew.; Museum des Laufentals; Textilind., Tonwarenfabriken, Herstellung von Aluminiumartikeln, Süßwarenfabrik; Kalksteinbrüche. – Der im Jura liegende Bez. L. gehörte bis 1994 zum Kt. Bern (nach Schaffung des Kt. Jura 1979 als Exklave).

Laufenburg, Bezirkshauptort im Kt. Aargau, Schweiz, am linken Ufer des Rheins, der hier bis 1914 Stromschnellen (»Laufen«) bildete, 1 900 Ew.; Keramik-, Holzind.; Wasserkraftwerk; Fremdenverkehr; maler. Stadtbild. – Die heutige Stadt L. entstand 1801 nach Teilung des rechts- (heute Laufen [Baden]) und linksrhein. österr. Laufenburg.

Laufenburg (Baden), Stadt im Landkreis Waldshut, Bad.-Württ., 8 300 Ew.; Fischerei- und Flößereimuseum; chem. Industrie.

laufender Hund, Ornamentband, →Mäander.

Läufer, 1) *Bauwesen:* mit seiner Langseite der Mauerflucht gleichlaufend verlegter Ziegel; Ggs.: Binder.

2) *Schach:* eine Schachfigur, die man nur diagonal bewegen kann.

3) *Technik:* umlaufender Teil bei Maschinen, z. B. bei Elektromotoren, Generatoren, Turbinen, Kreiselpumpen, Rotationsverdichtern.

Lauf|feldröhre, die →Wanderfeldröhre.

Lauffen am Neckar, Stadt im Landkreis Heilbronn, Bad.-Württ., 10 600 Ew.; Zementwerk, Textilind., Maschinen- und Gerätebau, Lederwaren-, Polstermöbel- und Schuhherstellung; Wein-, Obst- und Gemüsebau. – Evang. Pfarrkirche (13. Jh.) mit Wandmalereien des 16. Jh.; an der S-Seite die Regiswindiskapelle (13. Jh.) mit dem Steinsarg der Heiligen; Neckarbrücke von 1530. Das hochmittelalterl. »Untere Schloss« auf der Neckarinsel ist heute Rathaus. – 823 erstmals gen., seit 1234 Stadt.

Lauf|feuer (Bodenfeuer), sich rasch ausbreitendes Feuer, das trockene Bodenflora erfasst.

Laufhühnchen (Kampfwachteln, Turnicidae), Familie der Kranichvögel, 12–20 cm groß, auf dem Boden lebend; in Grasländern, offenem Busch- und Baumland warmer Gebiete der Alten Welt.

Läufigkeit, Brunst, Hitze der Hündin; zweimal jährlich 2–3 Wochen.

Laufkäfer (Carabidae), weltweit verbreitete Käferfamilie mit überwiegend dunkler, metallisch glänzender Körperfärbung; in Dtl. u.a. der **Große Puppenräuber** (Calosoma sycophanta), 24–30 mm groß, mit goldgrünen Flügeldecken.

Laufkatze, manuell oder elektrisch betriebenes fahrbares Hebezeug mit eigenem Laufwerk. Man unterscheidet versch. Ausführungen, z.B. Ein- und Zweischienen-L., Drehscheibenkatze (Hubwerk drehbar mit dem Fahrwerk verbunden), Auslegerkatze (L. mit Ausleger) und Dreh-L. (Auslegerkatze mit drehbarem Ausleger).

Laufmilben (Trombidiidae), Familie meist roter Milben mit stechborstenförmigen Kieferfühlern, z.T. Schmarotzer, so die **Herbst-** oder **Erntemilbe** (Trombicula autumnalis), die als Larve während der Ernte warmblütige Tiere und den Menschen befällt und Juckreiz und Quaddeln verursacht, und die plüschartig scharlachrot behaarte **Sammetmilbe** (Trombidium holosericum).

Laufrad, bei Strömungsmaschinen das rotierende beschaufelte Rad, in dem einem durchströmenden Medium mechan. Energie entzogen (Turbine) oder zugeführt (Kreiselpumpe oder -verdichter) wird.

Laufvögel, Sammelbez. für die flugunfähigen, aber laufgewandten Flachbrustvögel (Straußenvögel). Hierzu gehören Strauß, Nandu, Kasuare, Emu, Kiwis.

Laufwasserkraftwerk, ein →Wasserkraftwerk ohne Speichermöglichkeit für das Betriebswasser, z.B. Kraftwerke an Staustufen von Flüssen.

Laufwerk, **1)** *Datenverarbeitung:* elektromechan. Vorrichtung zum Antreiben sowie Beschreiben und Lesen von Speichermedien wie Disketten, Magnetband- und Magnetplattenspeicher.

2) *Technik:* bei vielen Maschinen, Geräten und Fahrzeugen die von einem Antrieb bewegten Teile (bei Kfz und Flugzeug aber Fahrwerk gen.); i.e.S. bei Schienenfahrzeugen die Bauteile (z.B. Radsätze, Radsatzlager, Tragfedern), die zur kraftschlüssigen Führung und Stützung auf dem Gleis dienen.

Laufzeit, **1)** *Datenverarbeitung:* Zeitdauer eines Programmlaufs vom Start bis zum Ende.

2) *Physik:* Zeit, die physikal. Vorgänge (z.B. elektromagnet. Wellen, Impulse, Signale) oder Teilchen zum Durchlaufen einer bestimmten Strecke benötigen; z.B. die L. der Elektronen in L.-Röhren.

3) *Wirtschaft:* Zeitraum zw. Vergabe und Rückzahlung eines Kredits, bei festverzinsl. Wertpapieren zw. Emission und Rückzahlung, bei Wechseln zw. Ausstellung und Fälligkeit.

Laufzeit|erscheinungen, in der Hochfrequenztechnik alle Effekte, die auftreten, wenn die Teilchenlaufzeit etwa so groß wie die Schwingungsdauer des Feldes ist. L. führen in dichtegesteuerten Elektronenröhren bei Frequenzen von über 1000 MHz zu großen Leistungsverlusten,

Laufkäfer: Großer Puppenräuber (Größe 24–30 mm)

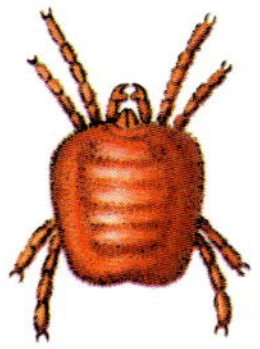

Laufmilben: Sammetmilbe (Größe bis zu 4 mm)

Laufenburg: Die Häuser vor der spätgotischen Pfarrkirche (15. Jh.) stehen dicht gedrängt auf einem in den Rhein vorkragenden Granitfelsen; die Grenzbrücke führt nach Laufenburg (Baden) im baden-württembergischen Landkreis Waldshut

werden aber bei Laufzeitröhren bewusst zur Erzeugung höchstfrequenter elektromagnetischer Schwingungen eingesetzt.

Laufzeitröhren, Elektronenröhren zur Verstärkung oder Erzeugung höchstfrequenter elektromagnet. Schwingungen (0,3 bis mehrere Hundert GHz) und Ausgangsleistungen bis in den MW-Bereich. Alle L. formen kontinuierliche in dichtemodulierte Elektronenströme um. (→Klystron, →Magnetron, →Wanderfeldröhre)

Charles Laughton in dem Film »Hinter den Mauern des Grauens« (1951)

Laufzeitspeicher, Informationsspeicher in nachrichtentechn. Geräten und Rechenanlagen, der auf der endl. Ausbreitungsgeschwindigkeit von elektr. und akust. Wellen beruht. Der L. besteht aus einer geschlossenen Schleife aus Signalgeber, elektr. oder akust. Verzögerungsleitung, Signalempfänger und Verstärker, in der die zu speichernde Signalfolge ständig umläuft.

Lauge, 1) *Chemie:* Bez. für eine wässrige Lösung von →Basen, sofern diese deutlich alkalisch reagiert, oft eingeschränkt auf wässrige Lösungen starker Basen, v.a. die Lösungen von Natrium- und Kaliumhydroxid (Natron-L. bzw. Kali-L.). Da auch Salze starker Basen mit schwachen Säuren alkalisch reagieren, heißen deren Lösungen auch L. (z.B. Bleichlauge).

2) *Technik:* wässrige Lösung, die – unabhängig von ihrem Gehalt an Hydroxidionen – alle möglichen Nutz- und Ballastbestandteile enthalten kann, z.B. Mutterlaugen, Ablaugen.

Laugengebäck, Weizengebäck (z.B. Brezeln), das vor dem Ausbacken zur Erzielung der glänzend braunen Kruste in heiße, 1- bis 4%ige Natronlauge getaucht und mit Salz bestreut wird.

Laugenvergiftung, durch innerl. Einwirkung von Lösungen ätzender Laugen (Ätzkali, -natron, -kalk), kohlensaurer Alkalien (Pottasche, Soda) oder Ammoniak hervorgerufene Gewebsschädigungen; dabei sind v.a. Rachen und Speiseröhre betroffen. Symptome sind heftige Schmerzen hinter dem Brustbein und im Magenbereich, Erbrechen bräunl. Massen, blutige Durchfälle und Blutharnen; in über 10% der Fälle tritt der Tod durch Schockwirkung ein. Folgeschäden bestehen v.a. in einer narbigen Verengung der Speiseröhre. Die Sofortmaßnahmen bestehen in einer reichl. Wassergabe und umgehender Krankenhauseinweisung.

Laughton [lɔ:tn], Charles, britisch-amerikan. Schauspieler, *Scarborough 1. 7. 1899, †Los Angeles 15. 12. 1962; vielseitiger Charakterdarsteller; ab 1928 Filmrollen (seit 1934 bes. in Hollywood): »Der Glöckner von Notre Dame« (1939), »Hinter den Mauern des Grauens« (1951), »Zeugin der Anklage« (1957); auch Regisseur u.a. des Films »Die Nacht des Jägers« (1955).

Laugung (Leaching), die Herauslösung von Metallen oder ihren Legierungen, von Salzen, Schwefel u.a. aus Haufwerken, Erzen, Lagerstätten oder Abfällen durch Lösungsmittel, mitunter mithilfe von oxidierenden Mikroorganismen **(biolog.** oder **bakterielle L., Bioleaching)** schon in der Lagerstätte, z.B. bei der Gewinnung von Kupfer.

Lauingen (Donau), Stadt im Landkreis Dillingen a.d. Donau, Bayern, am N-Rand des Donaurieds, 10800 Ew.; Strumpffabrik, Textilfärberei. – Schimmelturm (1457–78), got. Schloss (um 1480), Pfarrkirche St. Martin (um 1520) und klassizist. Rathaus (1783–90).

Launceston ['lɔ:nsestən], Stadt im N von Tasmanien, Australien, 88500 Ew.; Maschinenbau, Textil-, Elektro- u.a. Ind.; Ausfuhr- und Fährhafen an der Mündung des Tamar River.

Laupheim, Stadt im Landkreis Biberach, in Oberschwaben, Bad.-Württ., 17800 Ew.; Werkzeug-, chemisch-pharmazeut. Ind., Herstellung von Perücken; – Schlosskomplex Groß-L. (Altes Schloss, 16.Jh.; Neues Schloss, 18.Jh.) über älterer Burg.

Francesco Laurana: Büste der Eleonore von Aragonien, bemalter Marmor (1487/88; Wien, Kunsthistorisches Museum)

Laura, ostkirchl. Kloster, →Lawra.

Laurana, 1) Francesco, dalmatinisch-italien. Bildhauer, *Vrana (bei Zadar) um 1430, †Frankreich (Avignon?) vor dem 12. 3. 1502; die Eleganz und Kühle seiner Renaissanceplastik brachten ihm höf. Aufträge ein; schuf u.a. die für ihr Grabmal bestimmte Porträtbüste der Eleonore von Aragonien (*1405, †wohl nach 1480).

Luciano Laurana: Teilansicht des Arkadenhofes des Palazzo Ducale (15. Jh.) in Urbino

2) Luciano, italien. Baumeister, *Zadar (Dalmatien) um 1420, †Pesaro 1479; bildete die florentin. Frührenaissance in strengeren Formen fort, wirkte auf Bramante; schuf mit dem von ihm 1468-72 um- und ausgebauten (u.a. Arkadenhof) Palazzo Ducale in Urbino (1444 ff.) eine vorbildl. Fürstenresidenz des 15. Jahrhunderts.

Laurasia [zu Laurentia und Asien], *Geologie:* Urkontinent auf der Nordhalbkugel (Nordamerika, Europa und N-Asien), der seit dem Jura z.T. auseinander driftete. (→Kontinentalverschiebung)

Laureat [lat. laurus »Lorbeer«] *der,* Ausgezeichneter, Preisträger. (→Poeta laureatus).

Laurel ['lɔrəl], Stan, eigtl. Arthur Stanley Jefferson, amerikan. Filmkomiker brit. Herkunft, *Ulverston (Cty. Cumbria) 16. 6. 1890, †Santa Monica (Calif.) 23. 2. 1965; bildete ab 1927 (als prägender Partner) mit Oliver Hardy das Filmkomikerpaar »L. and Hardy« (»Stan und Ollie«; in Dtl. als Dick und Doof bekannt). BILD Oliver Hardy

Laurencin [lɔrã'sɛ̃], Marie, frz. Malerin, *Paris 31. 10. 1885, †ebd. 8. 6. 1956; gehörte früh zum Kreis der Kubisten um G. Apollinaire, Verbindung mit G. Braque und P. Picasso; malte meist lyr. Szenen mit Mädchen und Frauen. L. setzte die kubist. Prinzipien in eine eigene, von hellen Farben bestimmte Bildsprache um.

Laurens [lɔ'rãs], Henri, frz. Bildhauer, *Paris 18. 2. 1885, †ebd. 5. 5. 1954; schuf, vom Kubismus angeregt, Werke zunehmend abstrahierender Gestaltung; Bronzeskulpturen (Frauenakte) mit sinnbildhafter Thematik, auch Buchillustrationen, Holzschnitte, Gouachen, Bühnenbildentwürfe. BILD S. 248

Laurentia [nach dem latinisierten Namen des Sankt-Lorenz-Stroms], seit dem Präkambrium bestehender Festlandkern Nordamerikas, umfasst den Laurentischen Schild (→Kanadischer Schild).

Laurentius, Diakon in Rom und Märtyrer, †Rom 258; nach der Legende auf einem glühenden Rost verbrannt; Heiliger; Patron der mit Feuer beschäftigten Berufe (z.B. Feuerwehrleute), der Bibliothekare und Verwalter; Tag: 10. 8.

Laurentiusschwarm, die →Perseiden.

Laurentius von Brindisi, eigtl. Giulio Cesare Russo, kath. Theologe, *Brindisi 22. 7. 1559, †Belém (bei Lissabon) 22. 7. 1619; Kapuziner; trug entscheidend zur Bildung der kath. →Liga von 1609 bei; Kirchenlehrer; Heiliger, Tag: 21. 7.

Laurenziana (Biblioteca Medicea L.), Bibliothek bei San Lorenzo in Florenz, gegr. von den Medici, mit zahlr. kostbaren alten Handschriften.

Laurinsäure [zu lat. laurus »Lorbeer(baum)«] (n-Dodecansäure), $CH_3(CH_2)_{10}COOH$, höhere gesättigte geradkettige Fettsäure; die Salze und Ester der L. **(Laurate)** werden als Stabilisatoren, Weichmacher und Emulgatoren verwendet.

Laurion (ngrch. Lavrion), grch. Hafenstadt, an der O-Küste Attikas, nahe Kap Sunion, 9 000 Ew.; anstelle erschöpfter antiker Silberminen werden seit 1865 Blei-, Zink- und manganhaltige Eisenerze abgebaut; Munitionsfabrik.

Marie Laurencin: »Die Probe« (1936; Paris, Musée National d'Art Moderne)

Lausanne [lo'zan], Hauptstadt des Kt. Waadt, Schweiz, auf mehreren Hügeln am N-Ufer des Genfer Sees, 122 600 Ew., in der aus 42 Gemeinden bestehenden städt. Agglomeration rd. 285 000 Ew.; Sitz des schweizer. Bundesgerichts; Univ. (gegr. 1537, bis 1890 Akademie), Eidgenöss. TH, Konser-

Lausanne: Im Vordergrund das 1898–1906 erbaute Palais de Rumine, dahinter die Alte Akademie aus dem 16. Jh. und die Türme der 1173–1275 erbauten Kathedrale Notre-Dame

vatorium, Kantonale Kunsthochschule, Hotelfachschule; Museen; Blindeninst.; Forschungsinstitute (bes. Krebsforschung); Sitz des Internat. Olymp. Komitees. L. ist Handels-, Messe- und Kongressstadt sowie Ind.standort (Metall-, Nahrungsmittel-, Tabakind.); Fremdenverkehr; Metro. – Bed. Bauten: frühgotische Kathedrale Notre-Dame (1173–1275); Schloss (ehemaliger Bischofssitz, 1397–1406); Alte Akademie (1579–87), Rathaus (15./16. Jh., Neubau 1673–75); Palais de Rumine (1898–1906, heute u.a. Kantonalmuseum und Münzkabinett). – Siedlung aus vorröm. Zeit, in röm. Zeit ausgebaut; wurde um 590 Bischofssitz, 1434 (unter Vorbehalt der bischöfl. Rechte) freie Reichsstadt; 1536–1798 unter der Herrschaft Berns; seit 1803 Hptst. des Kt. Waadt. – Der **Friede von L.** vom 18. 12. 1912 beendete den Italien.-Türk. Krieg (1911/12), der **Friede von L.** vom 24. 7. 1923 den Grch.-Türk. Krieg (1919–22). Im **Vertrag von L.** am 9. 7. 1923 vereinbarten Dtl. und die Siegermächte des 1. Weltkrieges das formelle Ende der dt. Reparationszahlungen.

Lausanne
Stadtwappen

Lauscha, Stadt im Landkreis Sonneberg, Thür., im Thüringer Schiefergebirge, 613 m ü. M., 4400 Ew.; Museum für Glaskunst; Zentrum des Kunstglasbläserhandwerks in Dtl. mit Herstellung von Christbaumschmuck (in L. erstmals gefertigt), figürl. Glas, Glasaugen; Fremdenverkehr. – L. entstand aus einer 1597 erbauten Glashütte; seit 1958 Stadt.

Lauschan, Gebirge in China, → Laoshan.

Lausch|angriff, Schlagwort für das geheime Abhören des gesprochenen Wortes in bewohnten Räumen durch Ermittlungsbehörden. (→ Wohnung)

Lausche *die,* höchster Berg des Lausitzer Gebirges in Sachsen, an der Grenze zur Tschech. Rep., 793 m ü. M.

Läusekraut:
Karlszepter

Lauscher, *Jägersprache:* die Ohren des wiederkäuenden Schalenwildes.

Läuse (Echte Läuse, Anoplura), Unterordnung der Tier-L., auch als eigene Ordnung aufgefasst; flügellose kleine Insekten, Blutsauger auf Mensch und Säugetieren; flach, mit stechenden und saugenden Mundwerkzeugen, Klammerbeinen; mit unvollständiger Verwandlung. Am Menschen leben Kleiderlaus, Filzlaus, Kopflaus. Die **Kleiderlaus** (Pediculus humanus) wird bis 4 mm lang. Sie ist, ebenso wie die Eier (Nissen), hitzeempfindlich, dagegen wenig empfindlich gegen Kälte und Nässe; die Erreger von Fleckfieber, Rückfallfieber, Fünftagefieber werden unmittelbar durch Stiche der Kleiderlaus auf den Menschen übertragen. Entlausung durch Insektizide, Wäschewechsel; Wäsche wird durch trockene Hitze und durch Begasen entlaust. Die **Filzlaus** (Phthirius pubis) ist 1–1,5 mm lang, sitzt hauptsächlich an den Schamhaaren, seltener an anderen Körperhaaren; ihre Bisse hinterlassen manchmal bläul. Flecken. Übertragung durch Geschlechtsverkehr, Kleider, Bettwäsche. Entlausung durch Insektizide. Die **Kopflaus** (Pediculus capitis) ist nur 2–3 mm lang, kommt fast nur an menschl. Kopfhaar vor. Entlausung durch Einreiben der Haare mit Insektiziden.

Henri Laurens: »Sirene«, Bronze, Höhe 1,17 m (1945; Mannheim, Kunsthalle)

Läusekraut (Pedicularis), Gattung der Braunwurzgewächse mit etwa 500 Arten auf der N-Halbkugel, v.a. in den Gebirgen Zentral- und Ostasiens; meist auf Gräsern schmarotzende Halbparasiten; Stauden mit fiederspaltigen oder gefiederten Blättern und großen zweilippigen Blüten in traubigen Blütenständen. Alle einheim. Arten (etwa 10) sind geschützt, u.a. das auf feuchten Wiesen und Flachmooren Nordwest-Dtl.s vorkommende, 5–15 cm hohe **Wald-L.** (Pedicularis silvatica) mit roten bis hellpurpurfarbenen Blüten und das auf feuchten Wiesen, Flachmooren und an Seeufern vorkommende, vom Aussterben bedrohte **Karlszepter** (**Moorkönig,** Pedicularis sceptrum-carolinum) mit großen, gelben Blüten in bis 90 cm hohem Blütenstand.

Lausfliegen (Gefiederfliegen, Pupipara), als Blutsauger an Säugetieren und Vögeln lebende Zweiflügler, deren Flügel fehlen, verkümmert sind oder abgeworfen werden, mit lederartiger Haut und Klammerklauen, u.a. Schaflaus- und Fledermausfliege.

Lausick, Bad, → Bad Lausick.

Lausitz [von sorb. Łužica »Sumpfland«] *die,* das Gebiet um die Lausitzer Neiße und die obere Spree, in Brandenburg, Sachsen und in Polen, umfasst die histor. Markgrafschaft der → Niederlausitz im N und der → Oberlausitz im S. Bis auf den gebirgigen S gehört die L. zum Norddt. Tiefland.

Lausitzer Kultur: Mit Zierbuckeln und Riefen versehenes Tongefäß, Fundort Schönwalde bei Luckau, Höhe 24,5 cm (um 1100 v. Chr.; Berlin, Museum für Vor- und Frühgeschichte)

Lausitzer Bergland, aus Granit (Lausitzer Granit) aufgebautes, vielgestaltiges Gebiet in der südl. → Oberlausitz; waldbestandene, meist von NW nach SO ziehende, von breiten ackerbaulich genutzten Talmulden getrennte Bergrücken (Valtenberg, 589 m ü. M.) und Basaltdurchbrüche (Löbauer Berg, 447 m ü. M.; Landeskrone, 420 m ü. M.) bilden die höchsten Erhebungen. Im S geht das L. B. in das Lausitzer Gebirge über.

Lausitzer Gebirge (Zittauer Gebirge, tschech. Lužické hory), aus Kreidesandstein aufgebautes, reich bewaldetes Gebirge beiderseits der Grenze Dtl./Tschech. Rep.; Basalt- und v.a. Phonolithberge (Lausche, 793 m ü. M., Hochwald, 750 m ü. M.) bilden die höchsten Erhebungen.

Lausitzer Kultur, nach Funden in der Niederlausitz benannte Kulturgruppe im östl. Mitteleuropa (Mittlere und Jüngere Bronzezeit, Ältere Eisenzeit). Kennzeichnend sind formenreiche Tongefäße, anfangs mit Zierbuckeln und Riefen, später mit Bemalung. Die Funde stammen meist aus Urnengräbern (Urnenfeldern), Hortfunde von Bronzen in der späteren L. K. (»Lausitzer Äxte«). Die Funde lassen auf eine differenzierte Gesellschaftsordnung schließen.

Lausitzer Neiße, Grenzfluss zw. Dtl. und Polen, → Neiße.

Laut, in der Phonetik kleinste akustisch-artikulator. Einheit der gesprochenen Sprache. Die übl. Einteilung der L. erfolgt v.a. nach artikulator. Gesichtspunkten.

Vokale: Nach der Stellung der Sprechwerkzeuge werden die Vokale durch ihre Artikulation mit periodisch schwingenden Stimmlippen und geöffnetem Ansatzrohr (Gesamtheit der Hohlräume oberhalb der Stimmbänder) bestimmt; sie werden ohne Berührungsfläche in der Mittellinie des Gaumens artikuliert. Die Einteilung erfolgt 1. nach der **Zungenvertikallage** (Höhe der Zunge): hohe [i, y, u], fast hohe [ɪ, ʊ], mittelhohe [e, ø, o], mittlere [ə], mitteltiefe [ɛ, œ, ʌ, ɔ], fast tiefe [æ] und tiefe [a, ɑ] Vokale; 2. nach der **Zungenhorizontallage:** vordere (palatale) [i, y, ɪ, e, ø, ɛ, œ, æ, a], zentrale [ə] und hintere (velare) [u, o, ʌ, ɔ, ɑ] Vokale; 3. nach der **Lippenstellung** (Grad der Lippenrundung): ungerundete (illabiale) [i, ɪ, e, ɛ, æ, a, ə, ʌ, ɑ] und gerundete (labiale) [y, ø, œ, ə, u, ʊ, o, ɔ] Vokale. Vokalverbindungen mit nur einer Artikulationsbewegung (nur Schließ- oder nur Öffnungsbewegung) werden, wenn sie in derselben Silbe vorkommen, **Diphthonge** genannt [aɪ, aʊ, ɔɪ].

Konsonanten: Nach der Artikulationsart unterscheidet man folgende Hauptklassen: **Reibelaute** oder **Frikative** (auch **Spiranten**), bei denen an einer bestimmten Stelle im Ansatzrohr durch eine Verengung geräuschhafter Schall erzeugt wird [β, f, v, θ, ð, s, z, ʃ, ʒ, ç, x, h]; unter ihnen fasst man die **Zischlaute** oder **Sibilanten** zu einer eigenen Gruppe zusammen [s, z, ʃ, ʒ]. **Sprenglaute** oder **Explosivlaute** (auch **Okklusive** oder **Verschlusslaute**) werden durch »Explosion« oder Sprengung eines vollständigen Verschlusses hervorgebracht. Folgt der Sprengung des Verschlusses ein kurzes Geräusch nachstürzender Atemluft (Behauchung), so entstehen die **Aspiraten** [p, t, k]; folgt ihr ein längeres, an gleicher oder benachbarter Stelle erzeugtes Frikativgeräusch, entstehen die **Affrikaten** [ts, pf, kx]. Bei den **Nasalen** [m, n, ɲ, ŋ] entweicht die Luft durch die Nase, der Mund ist geschlossen. Bei den **Lateralen** [l, ʎ, ɫ] entweicht die Luft nicht durch den ganzen Mund, sondern auf einer Seite oder auf beiden Seiten der Zunge (Seiten-L.).

Nach der Artikulationsstelle unterscheidet man **Labiale** (Lippen-L.), darunter **Bilabiale** (Beidlippen-L.) [p, b, m, β, w, ɥ], **Labiodentale** (Zahnlippen-L.) [f, v], und **Dentale** (Zahn-L.) [t, d, n, l, r, θ, ð, s, z], darunter die **Alveolare** [t, d]. **Palatoalveolare** werden mit der Zungenspitze am vorderen Gaumen artikuliert [ʃ, ʒ]. Die **Dorsale** (mit dem Zungenrücken artikulierte L.) umfassen die **Palatale** (Gaumen-L.) [ç, ɲ, ʎ, j] und die **Velare** oder **Gutturale** (Gaumensegel-L.) [k, g, ŋ, x]. Ferner werden **Uvu-**

Laute: Darstellung eines Langhalslautenspielers auf einer mesopotamischen Stele (1186–1172 v. Chr.; Paris, Louvre); die Kurzhalslaute (rechts) wurde 1696 von dem deutschen Lautenmacher Joachim Tielke gebaut (Nürnberg, Germanisches Nationalmuseum)

lare (mit dem Zäpfchen artikulierte L., z. B. das Zäpfchen-r), **Laryngale** (Kehl-L.) und **Pharyngale** (Rachen-L.), z. B. der Hauch-L. [h], unterschieden.

Zur phonet. Beschreibung gesprochener Sprache wurden Systeme von Transkriptionssymbolen für die einzelnen L. entwickelt.

Laute [arab. al'ud »Holz«], Saiteninstrument mit Hals und bauchigem Korpus. Als L. im speziellen Sinn bezeichnet man die aus der arab. Kurzhals-L. Ud entstandene europ. Laute. Diese hat einen aus dünnen Holzspänen zusammengesetzten Resonanzkörper in Form einer längs gehälfteten Birne, einen kurzen, breiten Hals sowie einen abgeknickten Wirbelkasten. Das Griffbrett ist mit Bünden versehen, das Schallloch in der Decke mit einer Rosette verziert. Die bis zu 11 Saiten sind an einem Querriegel eingehängt und meist bis auf eine Melodiesaite chörig gestimmt (→Chor 1); Saitenzahl und Stimmung der L. schwankten im Laufe der Jh. ständig. Man unterscheidet **Lang-** und **Kurzhals-L.**, **Spieß-L.** mit durch den Korpus geführtem Stiel und **Hals-L.** mit angesetztem Stiel. Die **Erz-L.** haben für die Basssaiten einen zweiten Wirbelkasten. Besondere Formen: die **Theorbe,** bei der der Basswirbelkasten an einem kurzen Zwischenhals über dem ersten Wirbelkasten sitzt (ukrain. Sonderform: die Bandura); die **theorbierte L.,** bei der die beiden Wirbelkästen nebeneinander liegen; der **Chitarrone** mit einem langen Zwischenhals.

Geschichte: Lautenähnl. Instrumente waren bereits im 2. Jt. v. Chr. in Mesopotamien in Gebrauch, fanden dagegen erst relativ spät im antiken Griechenland Verwendung. Das Abendland übernahm die L. aus dem persisch-arab. Raum vermutlich über S-Italien und Spanien. Die L. wurde das wichtigste Instrument der beginnenden Neuzeit; im 15.–17. Jh. als Solo- und Begleitinstrument ähnlich beliebt wie später das Klavier.

Lautensack, Heinrich, Schriftsteller, *Vilshofen 15. 7. 1881, †Eberswalde 10. 1. 1919; Kabarettist (»Elf Scharfrichter«); schrieb Komödien (»Der Hahnenkampf«, 1908; »Die Pfarrhauskomödie«, 1911; »Das Gelübde«, 1916), ferner balladenhafte Gedichte. L. starb in geistiger Umnachtung.

Lautenschläger, Karl, Bühnentechniker, *Besungen (heute zu Darmstadt) 11. 4. 1843, †München 30. 6. 1906; richtete 1896 am Münchener Residenztheater die erste Drehbühne ein.

Lautentabulatur, →Tabulatur.

Lautenzug, Registerzug des Cembalos oder Spinetts, durch den die Saiten mittels einer mit Filz besetzten Leiste gedämpft werden und lautenähnlich klingen.

Lauterbach (Hessen), Kreisstadt des Vogelsbergkreises, Hessen, 14800 Ew.; Luftkurort; Papier-, Kartonagen-, Textil-, Holz-, elektrotechn., Nahrungs- und Genussmittelindustrie. – Fachwerkbauten, Teile der Stadtbefestigung, mittelalterl. Burg (1679–84 umgebaut), Stadtkirche (1763–67), Palais Hohaus (1773, Landschaftsmuseum). – Wurde 1265 Stadt.

Lauterberg im Harz, Bad, →Bad Lauterberg im Harz.

Lauterbrunnen, Gemeinde im Berner Oberland, Kt. Bern, Schweiz, 141 km², 2900 Ew.; umfasst die Talschaft der Weißen Lütschine, das **Lauterbrunner Tal** mit vielen Wasserfällen (Staubbachfall, Trümmelbachfall); Fremdenverkehr. Zur Gemeinde gehören auch die nur mit Bergbahnen erreichbaren, auf einer Hochterrasse gelegenen Wintersportzentren **Wengen** (1275 m ü. M.) und **Mürren** (1639 m ü. M.); von dort jeweils weitere Bergbahnen (u. a. auf das Schlithorn).

Läuterung, 1) *Forstwirtschaft:* vor der Durchforstung liegender waldbaul. Eingriff in Schonungen und Dickungen zur Entfernung minderwertiger Wuchsformen und unerwünschter Holzarten.

2) *kath. Theologie:* →Fegefeuer.

3) *Technik:* 1) bei der Erzaufbereitung das Befreien (Entschlämmen) der mineral. Rohstoffe von lehmigen und tonigen Verunreinigungen; 2) bei der Glasherstellung das Entgasen und Homogenisieren der Schmelze; 3) bei der Zuckergewinnung das Entfernen schäumender Bestandteile aus der Zuckerlösung.

Lautgesetze, Regeln, nach denen sich in einer bestimmten Sprache und zu einer bestimmten Zeit ein →Lautwandel vollzieht.

Lautheit, →Lautstärke.

Lautlehre, die Lehre von den Sprachlauten, ihrer Bildung (→Laut, →Phonetik), ihrer Geltung im Sprachsystem (→Phonologie) und ihrer Entwicklung (Lautgeschichte).

Lautmalerei (Lautnachahmung, grch. Onomatopöie), Versuch sprachlicher Wiedergabe außersprachl. Sinneseindrücke, z. B. von Tierlauten: so »kikeriki« für den Hahnenschrei.

Lautréamont [lotrea'mɔ̃], Comte de, eigtl. Isidore Lucien Ducasse, frz. Dichter, *Montevideo 4. 4. 1846, †Paris 24. 11. 1870. Einzelheiten über L.s Leben sind weitgehend ungeklärt, seit 1867 lebte er offenbar in Paris. Sein z. T. in der Nachfolge der schwarzen Romantik und des Symbolismus stehendes, in sechs Gesänge gegliedertes Prosagedicht »Die Gesänge des Maldoror« (erste vollständige Ausg. hg. 1874), das alle literar. Konventionen sprengt, wurde von den Surrealisten entdeckt und übte einen bed. Einfluss auf die Lyrik der Moderne aus.

📖 *Das Geheimnis des unglaubl. Comte de L., hg. v.* R. Bittermann. *Berlin u. a. 1982.*

Lautschrift, Schriftsystem zur möglichst getreuen Wiedergabe gesprochener Sprache. Es soll sowohl einprägsam als auch vollständig hinsichtlich der Zeichen für alle mögl. Laute sein **(phonet. Transkription).** Verwendet werden zumeist Buchstaben der Rechtschreibung und zusätzl. Zeichen, z. B. [ʃ] für »sch«, ferner diakrit. und prosod. Zeichen. Am verbreitetsten ist das System der »Association Phonétique Internationale« (seit 1886).

Lautsprecher, elektroakust. Gerät zum Umwandeln niederfrequenter Tonfrequenzströme in Schall. Meist setzt ein elektroakust. Wandler eine Membran in Schwingung, die den Schall abstrahlt. Eine möglichst originalgetreue Klangwiedergabe lässt sich wegen des breiten Tonfrequenzbandes (16 Hz–20 kHz, d. h. über 10 Oktaven) mit einem einzigen L. praktisch nicht verwirklichen; man verwendet deshalb in Hi-Fi-Anlagen anstelle von **Breitband-L.** (Frequenzbereich 50 Hz bis 15 kHz) meistens L.-Kombinationen aus **Hochton-L.** (»Tweeter«, 3 kHz bis 20 kHz), **Mittelton-L.** (300 Hz bis 5 kHz) und **Tiefton-L.** (»Woofer«, 20 bis 600 Hz). Für Hochton-L. setzt man Kalottenmembranen **(Kalotten-L.)** mit Diffusor ein, die wegen ihrer halbkugeligen Oberfläche den Schall in einem weiten Winkel abstrahlen. In passiven L.-Boxen sorgen hinter dem Leistungsverstärker angeordnete Frequenzweichen dafür, dass die Tonfrequenzbereiche dem jeweils adäquaten Einzel-L. zugeführt werden. L.-Boxen können als allseitig geschlossene Kompaktboxen oder als Bassreflexboxen mit einer Austrittsöffnung an der Vorder-

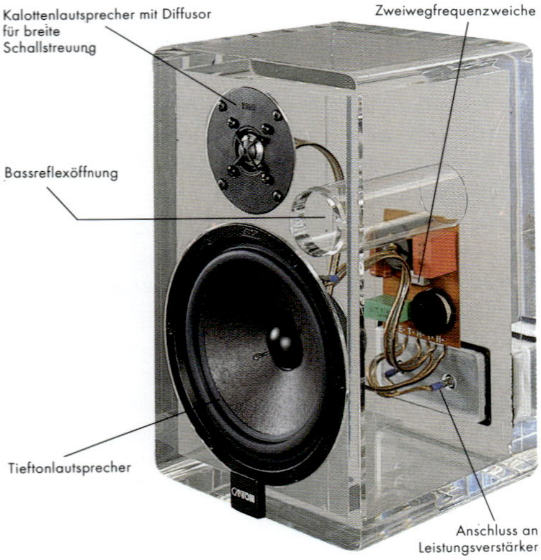

Lautsprecher: Demonstrationsmodell einer Zweiwegelautsprecherbox

seite ausgeführt werden. Nach dem Wandlerprinzip unterscheidet man: **elektromagnet. L.,** bei denen eine Spule einen Eisenanker magnetisiert, der im Feld eines Dauermagneten schwingt und die Membran antreibt; **elektrodynam. L.,** bei denen eine in einem Dauermagneten hängende bewegl. Schwingspule im Rhythmus des Tonfrequenzstroms schwingt; **elektrostat. L.,** bei denen sich die Gleichspannung an einem Kondensator proportional zur Tonfrequenzspannung ändert, wodurch eine Folie in Schwingungen versetzt wird und Schall abstrahlt; **piezoelektr. L.,** bei denen beim Anlegen einer Spannung an den Piezokristall Schwingungen und Deformationen auf eine Membran übertragen werden und so den Schall ermöglichen. Kommt es zu einem Druckausgleich zw. Vorder- und Rückseite der Membran, so ergibt sich ein »akust. Kurzschluss«.

📖 STARK, B.: *L.-Handbuch. München u. a. [6]1994.*

Lautstärke, die vom Gehörsinn abhängige, subjektiv empfundene Schallstärke, die sowohl von der Größe des Schalldrucks p als auch von der Frequenz des Tones abhängt. Das Pegelmaß für die L. ist der **L.-Pegel,** der in phon (→Phon) angegeben ist. Die Normal-L. wurde durch einen Ton der Frequenz von 1000 Hz mit einem Schalldruck p_0 von 20 μPa definiert und entspricht etwa der Hörschwelle. Bei dieser Frequenz ist die L. in phon gleich dem Schalldruckpegel in dB. Für den L.-Pegel gilt: $L_N = 20 \lg (p/p_0)$ phon. Eine physiolog. Bewertungsgröße der L. ist die **Lautheit,** deren relativer Wert durch Vergleich der subjektiven L.-Empfindung für frequenzgleiche Töne unterschiedl. →Schalldruckpegels ermittelt wird. Nach Definition entspricht einem L.-Pegel von $L_N = 40$ phon eine Lautheit von $N = 1$ sone.

Pierre Laval

Lautstärke|einstellung (Lautstärkeregelung), Veränderung der Lautstärke mithilfe von Dreh- oder Schiebeeinstellern bei elektroakust. Anlagen auf die gewünschte Größe. Die L. erfolgt i. Allg. manuell mithilfe von Potentiometern, die als Spannungsteiler auf das Tonsignal wirken. Ein Lautstärkeeinsteller kann mit einer automatisch wirkenden Klangbeeinflussung kombiniert sein.

Lautsubstitution, der Ersatz eines fremden Lautes durch einen artikulatorisch ähnl. Laut der eigenen Sprache. So wird das frz. [ʒ] (z. B. in Blamage) im Deutschen oft als »sch« [ʃ] gesprochen.

Lautsystem, die geordnete Zusammenstellung der Laute einer Sprache nach ihren akust. Eigenschaften oder nach charakterist. Stellungen der Sprechorgane, bes. der Zunge.

Lautverschiebung, gleichartige Veränderung größerer Teile des Lautsystems einer Sprache, bes. der Konsonanten. Die **erste** oder **germanische L.** unterscheidet alle german. von allen anderen →indogermanischen Sprachen. Sie besteht darin, dass 1) die stimmlosen Verschlusslaute (p, t, k) zu stimmlosen Reibelauten werden (f, Þ, χ) im Anlaut und im Inlaut unmittelbar hinter dem alten Wortton, zu stimmhaften (β, ð, ɣ) in allen anderen Stellungen (→Verner), z. B. lat. *p*ater, altnord. faðir »Vater«; 2) die behauchten stimmhaften Verschlusslaute (bh, dh, gh) zu stimmhaften Reibelauten (β, ð, ɣ) werden, schließlich zu stimmhaften Verschlusslauten (b, d, g), z. B. indogerman. ghostis, ahd. Gast; 3) die stimmhaften Verschlusslaute (b, d, g) zu stimmlosen (p, t, k), z. B. lat. genu, got. kniu »Knie«.

Die **zweite** oder **hochdeutsche L.** unterscheidet die hochdt. Mundarten einschl. des Langobardischen von allen anderen german. Sprachen. Dabei werden 1) die german. stimmlosen Verschlusslaute (p, t, k) im Anlaut und im Inlaut nach Konsonant sowie bei Verdoppelung zu Affrikaten (pf, ts, kch): z. B. niederdt. *p*und, hochdt. *Pf*und, sonst zu doppelten stimmlosen Reibelauten (ff, ss, hh/chch): z. B. niederdt. wa*t*er, ma*k*en, hochdt. Wa*ss*er, ma*ch*en; 2) die german. stimmhaften Verschlusslaute (b, d, g) zu stimmlosen (p, t, k): z. B. niederdt. *d*ag, hochdt. *T*ag; 3) die german. stimmhaften Reibelaute (β, ð, ɣ) zu stimmhaften Verschlusslauten (b, d, g): z. B. niederdt. ge*v*en, hochdt. ge*b*en. Im Ggs. zur ersten L. ist aber die Verbreitung dieser einzelnen Erscheinungen innerhalb des hochdt. Gebiets sehr verschieden, sodass sich zw. den niederdt. Mundarten, die die zweite L. nicht zeigen, und den schweizerischen, die sie vollständig durchführen, ein breites Übergangsgebiet findet. Die erste L. wird sehr verschieden datiert (500 v. Chr. bis 3. Jh. n. Chr.), die zweite hat sich in ihrem Kerngebiet im 7. Jh. n. Chr. durchgesetzt.

Lautwandel, jede sprachgeschichtl. Veränderung von Lauten nach bestimmten Regeln (Lautgesetzen). Der aufgrund von L. in etymologisch verwandten Wörtern einer Sprache vorkommende Wechsel von Lauten (»denken« – »Gedanke«) heißt **Lautwechsel** (→Ablaut).

Lava [italien. »Schlammmassen«] *die,* das bei Vulkanausbrüchen unter lebhafter Entgasung aus Spalten oder Schloten an die Erdoberfläche austretende glühend heiße (1000–1200 °C) →Magma und das daraus entstandene meist poröse, häufig auch glasige Ergussgestein. Erstarrung tritt ab 900–700 °C ein. In ebenem Gelände entstehen **L.-Decken,** beim Herabfließen **L.-Ströme,** deren Fließgeschwindigkeit (vom Siliciumgehalt abhängig) mehrere Meter in der Sekunde erreichen kann. Ihre Erstarrungsformen sind abhängig von Temperatur, Viskosität, Gasgehalt der Schmelze und der Gestalt der Erdoberfläche. Aus einer dünnflüssigen Schmelze entsteht die **Fladen-L.** sowie die seilartig gedrehte **Strick-L.** oder auch

Lava (von links): Fladen-, Strick- und Brockenlava

aufgetürmte **Schollen-L.**, zusammenfassend als **Pahoehoe-L.** bezeichnet. Bei mittlerer Viskosität entsteht die wie Schlacke aussehende **Brocken-L. (Aa-L.).** Bei zähflüssiger Schmelze bilden sich Halden von **Blocklava.** Bei untermeer. Ergüssen wird die heiße L. vom Meerwasser abgeschreckt, es bilden sich rundl. Formen mit einer Kruste aus vulkan. Glas **(Kissen-L.).** Andauernde Vulkantätigkeit kann zur Bildung eines **L.-Sees** im Krater führen (→Vulkan).

Laval, Hauptstadt des frz. Dép. Mayenne, an der Mayenne, 53 500 Ew.; Metall-, Leder-, Textilind., Gerätebau. – Roman. Kathedrale (1150–60, 14.–19. Jh.); Notre-Dame-d'Avénières (1140–70), Notre-Dame-des-Cordeliers (14., 15., 17. Jh.). Altes Schloss (v. a. 14./15. Jh.) mit roman. Kapelle (11. Jh.), Neues Schloss im Renaissancestil (1540), Alte Brücke (13. Jh.).

Laval, 1) Carl Gustaf Patrik de, schwed. Ingenieur, *Orsa (Verw.Bez. Kopparberg) 9. 5. 1845, †Stockholm 2. 2. 1913; u. a. erfand er unabhängig von C. A. Parsons die →Dampfturbine in Form einer einstufigen, schnell laufenden Gleichdruckturbine und konstruierte die **L.-Düse** (→Düse).

2) Pierre, frz. Politiker, *Châteldon (Dép. Puy-de-Dôme) 26. 6. 1883, †(hingerichtet) Paris 15. 10. 1945; Rechtsanwalt, 1932 und 1934–36 Außenmin., 1931–32, 1935–36 sowie ab 1942 MinPräs., trat nach der frz. Niederlage (1940) im 2. Weltkrieg für eine Zusammenarbeit mit Dtl. ein. 1944 wurde er nach Dtl. gebracht, versuchte 1945 zu fliehen, wurde von den Amerikanern an Frankreich ausgeliefert und dort wegen Kollaboration mit der dt. Besatzungsmacht zum Tode verurteilt.

La Valetta, Hptst. von Malta, →Valletta.

Lavandin|öl, äther. Öl aus den Blüten der **Lavandinpflanze** (Bastard aus zwei Lavendelarten), häufig anstelle von Lavendelöl verwendet.

Lavant *die,* linker Nebenfluss der Drau in Österreich, 64 km lang, entspringt am Zirbitzkogel (2 397 m ü. M.) in der Obersteiermark, durchfließt das im unteren Teil stark industrialisierte **L.-Tal** in Kärnten und mündet bei Lavamünd.

Lavant, Christine, eigtl. C. Habernig, geb. Thonhauser, österr. Schriftstellerin, *Großedling (heute zu Wolfsberg) 4. 7. 1915, †Wolfsberg 7. 6. 1973. Ihr von Not und Krankheit geprägtes Leben spiegelt sich in formstrenger Lyrik (»Die Bettlerschale«, 1956; »Spindel im Mond«, 1959, u. a.) und Erzählungen.

La Varende [lava'rãd], Jean Mallard Vicomte de, frz. Schriftsteller, *Schloss Bonneville-Chamblac (Dép. Eure) 24. 5. 1887, †Paris 8. 6. 1959; gestaltete in seinen anschaulich erzählten Romanen meist Stoffe aus seiner normann. Heimat: »Unter der Maske« (1937); »Der Himmelsreiter« (1938); schrieb auch histor. und kulturhistor. Essays.

Lavater [-va], Johann Kaspar, schweizer. evang. Theologe, Philosoph und Schriftsteller, *Zürich 15. 11. 1741, †ebd. 2. 1. 1801; Pfarrer in Zürich; rationaler Apologet des christl. Glaubens und der bibl. Offenbarung. In seinen »Physiognom. Fragmenten zur Beförderung der Menschenkenntnis und Menschenliebe« (4 Bde., 1775–78) erläuterte er die Kunst der Charakterdeutung aus den Gesichtsformen. Seine Dichtungen behandeln meist religiöse Gegenstände.

Johann Kaspar Lavater (Kupferstich von Johann Heinrich Lips nach einem Gemälde von Johann Heinrich Wilhelm Tischbein, 1781)

Lavater-Sloman [-va-], Mary, Schriftstellerin, *Hamburg 14. 12. 1891, †Zürich 5. 12. 1980; lebte zw. 1909 und 1919 in Russland, floh dann in die Schweiz, lebte 1920–22 in Athen; schrieb zahlr. histor. Romane und Biographien.

Lavendel [lat.] *der* (Lavandula), Gattung der Lippenblütler im Mittelmeergebiet, auf den Kanar. Inseln und in Vorderindien. Die bekanntesten Arten sind der **Echte L. (Kleiner Speik,** Lavandula angustifolia), bis 60 cm hoher, Lavendelöl enthaltender Halbstrauch mit blauvioletten Blüten, der auch als Gartenzierpflanze angebaut wird, und der **Große Speik** (L. latifolia), ein Halbstrauch mit filzig behaarten blauvioletten Blüten; beide Arten werden zur Gewinnung von →Lavendelöl und Speiköl angebaut; Hybriden aus beiden Arten liefern das Lavandinöl.

Lavendel: Echter Lavendel (Höhe bis zu 60 cm)

Lavendel|öl, farbloses äther. Öl aus den Blüten des Echten Lavendels; enthält v. a. Linalylacetat,

Lawine: Lockerschneelawine (links) und Abbruchstelle einer Lockerschneelawine

Verwendung in der Parfümerie, bes. zur Herstellung von Lavendelwasser.

La-Venta-Kultur, → Olmeken.

Laveran [la'vrã], Charles Louis Alphonse, frz. Mediziner, *Paris 18. 6. 1845, †ebd. 18. 5. 1922; arbeitete als Militärarzt in Algier v.a. über Malaria und die afrikan. Schlafkrankheit. Für die Entdeckung des Malariaerregers (1880) erhielt er 1907 den Nobelpreis für Physiologie oder Medizin.

lavieren [frz.], *Maltechnik:* die Farbe (Tusche) einer Pinsel- oder Federzeichnung mit nassem Pinsel verwischen zur Erzielung maler. Effekte; auch eine Federzeichnung (auch Bleistift) mit Wasserfarben kolorieren (lavierte Federzeichnung).

Lavigerie [lavi'ʒri], Charles Martial Allemand, frz. kath. Theologe, *Huire (bei Bayonne) 31. 10. 1825, †Algier 25. 11. 1892; wurde 1867 Erzbischof von Algier, 1884 auch von Karthago, und Primas von Afrika, 1882 Kardinal; gründete 1868 die Missionsges. der → Weißen Väter, 1869 die der Weißen Schwestern; bekämpfte die Sklaverei und förderte die Annäherung der frz. Katholiken an die Republik.

Lavoisier [lavwa'zje], Antoine Laurent de, frz. Chemiker, *Paris 26. 8. 1743, †(hingerichtet) ebd. 8. 5. 1794; Mitgl. der Akademie der Wiss. in Paris, wurde 1790 Mitgl. der Kommission für Maße und Gewichte; durch seine Elementaranalysen der Begründer einer neuzeitl. Chemie. L. schuf eine einheitl., die Verbrennung, Kalzination und Atmung umfassende Theorie, die die bisher geltende → Phlogistontheorie durch die richtige Deutung der Oxidation als Sauerstoffaufnahme ersetzte; definierte die Begriffe Element, Säure, Base und Salz neu. – Während der frz. Revolutionswirren als ehem. Steuerpächter der Erpressung angeklagt und guillotiniert.

Lävulinsäure (4-Oxopentansäure), kristalline Oxocarbonsäure, hergestellt aus Glucose oder Fructose und Salzsäure; im Textildruck und zur Herstellung von Weichmachern verwendet.

Lävulose [lat.-grch.] *die,* → Fructose.

Law [lɔ:], John L. of Lauriston, schott. Bankier und Wirtschaftstheoretiker, *Edinburgh 16. 4. 1671, †Venedig 21. 3. 1729. Die von ihm entwickelte Theorie des Papiergeldes und der produktiven Wirkungen des Kredits ging davon aus, dass durch Boden gedecktes Papiergeld besser zur Produktionsförderung geeignet sei als Metallgeld. Sein Plan zur Neuordnung der Bank von Schottland wurde vom schott. Parlament abgelehnt. 1716 gründete er in Paris die private Notenbank »Banque Générale« (ab 1718 als »Banque Royale« Staatsnotenbank unter L.s Direktion). 1719 vereinigte L. die frz. Überseehandelskompanien zur »Compagnie des Indes«, 1720 wurde er Generalkontrolleur der Finanzen. Der starke Anstieg der Aktienkurse der »Compagnie des Indes« führte zur ersten Papiergeldinflation, zum Bankrott der Notenbank und stürzte Frankreich 1720 in eine schwere Wirtschaftskrise. L. musste das Land verlassen und starb völlig verarmt.

Law and Order ['lɔ: ənd 'ɔdə, engl. »Recht und Ordnung«], polit. Schlagwort, betont die Notwendigkeit staatl. Ordnungsmacht gegenüber Gewalt und Verbrechen.

Lawine [ladin. lavina, von mlat. labina »Erdfall«, zu lat. labi »gleiten«] *die,* in der Schweiz **Laui,** in Tirol und Bayern **Lahn,** rasch abgleitendes oder abstürzendes Material, i. Allg. Schnee-L., seltener Eis-, Schutt-, Steinlawine. Voraussetzungen von Schnee-L. sind steile, i. Allg. waldfreie Hänge von mindestens 20° Neigung und eine schichtweise ungenügend verfestigte oder am Boden schlecht haftende Schneedecke. Erhöhte L.-Gefahr besteht bei großen Schneefällen, bei Tauwetter und tief greifender Erwärmung oder durch Schneeumlagerung (Triebschnee) verursachenden Wind. L. entstehen meist ohne menschl. Einwirkung, können aber auch durch Betreten (Skifahrer, Wild) lawinengefährdeter Hänge ausgelöst werden.

Nach der Anrissform unterscheidet man Schneebrett-L. und Lockerschnee-L. (beide Formen trocken oder nass). **Schneebrett-L.:** plötzl. Ablösung einer Schneetafel, die im Abgleiten in Schollen zerfällt; oft durch Skifahrer ausgelöst. **Lockerschnee-L.:** Entwicklung der Bewegung in lockerem Schnee von einem Punkt der Oberfläche ausgehend unter Zunahme an Breite und Tiefe. Bezüglich der Bewegungsform unterscheidet man Fließ-L. und Staublawinen. **Fließ-L.:** vorwiegend fließende Bewegung, dem Boden folgend, trocken oder nass bei Geschwindigkeiten von bis 40 m/s. **Staub-L.:** vorwiegend stiebende Bewegung durch die Luft infolge zunehmender Aufwirbelung des Schnees, trocken (Geschwindigkeit 15–70 m/s). Der Druck erreicht bei großen Fließ-L. häufig 500 kN/m² = etwa 50 t/m². Staub-L. erreichen große Geschwindigkeiten, haben aber wegen geringerer Schneedichte oft weniger zerstörende Wirkung als Fließlawinen. Die **Grund-L.** ist eine große, nasse Fließ-L., oft vermischt mit Erde und Geröll. Sie entsteht bes. im Frühjahr bei Durchnässung der Schneedecke und fährt meist als geschlossene, sich verdichtende Schneemasse zu Tal. Viele größere L. haben bekannte Bahnen **(L.-Züge, L.-Tobel, L.-Gassen, Lahngänge).** Den besten natürl. **L.-Schutz** bietet geschlossener Hochwald im Anrissgebiet (→Bannwald) oder ablenkende Geländeformen. Wo diese fehlen, sucht man Dörfer, Straßen usw. durch **L.-Verbauung** (Galerien, Lenkmauern, Bremshöcker, Fangdämme) zu sichern. Durch künstl. Auslösen der L. (Sprengung, Beschuss) kann die L.-Gefahr verringert werden.

Lawra: Das Kiewer Höhlenkloster; die Ursprünge des ältesten russischen Klosters gehen auf die von Eremiten bewohnten Höhlen am Dnjeprufer in der Nähe von Kiew zurück

📖 MUNTER, W.: *Neue Lawinenkunde. Bern ²1992. – Lawinenhandbuch, bearb. v.* K. GABL *u.* B. LACKINGER. *Innsbruck u. a. ⁶1996.*

Lawinenlaufzeitdiode, Halbleiterbauelement der Mikrowellentechnik, →IMPATT-Diode.

Lawntennis [ˈlɔːn-, engl.], Tennis, das auf Rasenplätzen gespielt wird.

Lawra [grch. »Gasse«] *die* (Laura), urspr. Einsiedlerkolonie im ostkirchl. Mönchtum, später auch Bez. für zönobit. Klöster; in Russland Ehrentitel bed. Großklöster, z.B. Troize-Sergijewa-L. in Sergijew Possad und Alexandro-Newskaja-L. in Sankt Petersburg. Besondere Bedeutung erlangten die »Große L.« auf dem →Athos; die bekannteste L. ist das 1051 gegründete Kiewer Höhlenkloster (Kiewo-Petscherskaja-L.), dessen Ursprünge auf von Eremiten bewohnte Höhlen am Ufer der Dnjepr zurückgehen.

Lawrence [ˈlɔːrəns], **1)** D. (David) H. (Herbert), engl. Schriftsteller, *Eastwood (Cty. Nottinghamshire) 11. 9. 1885, †Vence (bei Nizza) 2. 3. 1930; längere Aufenthalte in New Mexico, Italien und S-Frankreich. Grundthema seines Werkes ist der Kampf gegen erstarrte bürgerl. Konventionen, denen er die Forderung nach freier individueller Entfaltung, nach Harmonie von Instinkt und Intellekt sowie die Betonung des Naturverbundenen und Erotisch-Sexuellen gegenüberstellt. Stark autobiographisch ist der Roman »Söhne und Liebhaber« (1913); die Wandlung der konfliktreichen Beziehung zw. Mann und Frau schildern die Romane »Der Regenbogen« (1915) und »Liebende Frauen« (1920); »Lady Chatterley und ihr Liebhaber« (1928, dt. 1930, 1960 u. d. T. »Lady Chatterley«) durfte erst 1960 ungekürzt in Großbritannien gedruckt werden; Essays, Reisebücher, Lyrik, Dramen.

Lawrence von Arabien (1916)

📖 HAEFNER, G.: *Klassiker des engl. Romans im 20. Jh. Joseph Conrad, D. H. L., James Joyce, Virginia Woolf, Samuel Beckett. Heidelberg 1990.*

2) Ernest Orlando, amerikan. Physiker, *Canton (S. D.) 8. 8. 1901, †Palo Alto (Calif.) 27. 8. 1958; ab 1928 Prof. in Berkeley (Calif.), seit 1936 Direktor des heutigen Lawrence Berkeley Laboratory, entwickelte 1929/30 das →Zyklotron, mit dessen Hilfe er viele künstl. Radionuklide herstellte; erhielt dafür 1939 den Nobelpreis für Physik. L. isolierte die künstlich hergestellten Transurane Plutonium und Neptunium.

3) Sir (seit 1815) Thomas, engl. Maler, *Bristol 13. 4. 1769, †London 7. 1. 1830; bedeutendster engl. Porträtist in der Nachfolge von T. Gainsborough und J. Reynolds, Bildnisse von frischer, dekorativer Farbigkeit und lockerer Pinselführung. BILD S. 256

4) T. (Thomas) E. (Edward), gen. Lawrence von Arabien (engl. L. of Arabia), brit. Archäologe, Dip-

Thomas Lawrence: »Lady Orde mit ihrer Tochter Anna Maria« (um 1810/12; München, Neue Pinakothek)

plomat und Schriftsteller, *Tremadoc (Wales) 15. 8. 1888, †(Motorradunfall) Moreton (Cty. Dorset) 19. 5. 1935; nahm 1911–14 an Ausgrabungen (u. a. in Syrien) teil; im 1. Weltkrieg brit. Agent des Arab Bureau in Kairo, organisierte als Berater des späteren irak. Königs Feisal I. den Araberaufstand gegen die Türken (1916–18); geriet in scharfen Ggs. zur brit. Orientpolitik und schied 1922 nach kurzer Tätigkeit aus dem brit. Kolonialamt aus. Er diente dann unter dem Namen **J. H. Ross,** später **T. E. Shaw** als einfacher Soldat in der brit. Luftwaffe und war längere Zeit in Indien, bevor er 1935 den Abschied nahm. H. verfasste u. a. eine Darstellung des Araberaufstands (»Die sieben Säulen der Weisheit«; 1926).

Halldór Laxness

Lazulith: blaue Kristalle

📖 TABACHNICK, S. *u.* MATHESON, C.: *T. E. L. Wahrheit u. Legende. A. d. Engl. München 1988.*

Lawrẹncium [lɔr-; nach E. O. →Lawrence] *das,* **Lr** (früher Lw), zu den →Transuranen gehörendes, radioaktives metall. Element mit der Ordnungszahl 103, erstmals 1959 durch Beschuss von Californium mit Borionen hergestellt. Von dem dreiwertigen Element sind mehrere Isotope bekannt, deren langlebigstes (^{260}Lr, Halbwertszeit 180 s) ein α-Strahler ist.

Laxạntilen [lat.], die →Abführmittel.

Lạxenburg, Marktgemeinde im Bezirk Mödling, Niederösterreich, im Wiener Becken, 2500 Ew.; ein beliebtes Naherholungsgebiet ist der **Laxenburger Park** (250 ha), ein ehem. Schlosspark (nach 1765 als engl. Garten umgestaltet) des Alten Schlosses, einer ehem. Wasserburg, die als kaiserl. Sommerresidenz bes. im 17./18. Jh. in barockem Stil umgestaltet und erweitert wurde (Blauer Hof, Grünes Haus); auf einer Insel die neugot. Franzensburg (1798–1836), heute Schlossmuseum.

Laxịsmus [lat.] *der,* im 17. Jh. ausgebildete Richtung in der kath. Moraltheologie, die eine Handlung auch dann für erlaubt hält, wenn die Wahrscheinlichkeit, dass sie in moral. Hinsicht erlaubt sein könnte, sehr gering ist; 1665, 1666 und 1679 päpstlich verurteilt; Ggs. zum moral. Rigorismus (z. B. des →Jansenismus).

Lạxness, Halldór Kiljan, eigtl. Guðjónsson, isländ. Schriftsteller, *Reykjavík 23. 4. 1902, †ebd. 9. 2. 1998; anfangs vom Katholizismus, später von sozialist. Vorstellungen bestimmt. In seinen sozialkritischen Romanen (»Salka Valka«, 2 Tle., 1931/32; »Unabhängige Menschen«, 2 Bde., 1934/35; »Weltlicht«, 4 Bde., 1937–40; »Islandglocke«, Trilogie, 1943–46; »Atomstation«, 1948; »Das wiedergefundene Paradies«, 1960; »Auf der Hauswiese«, 1975) nahm er den epischen Sagastil auf und gestaltete ihn meisterhaft um. Schrieb auch Erzählungen, Gedichte, Dramen, Essays. L. erhielt 1955 den Nobelpreis für Literatur.

Lạye, Camara, guineischer Schriftsteller, *Kouroussa 1. 1. 1928, †Dakar 4. 2. 1980; lebte seit 1964 im Exil in Dakar; schrieb in frz. Sprache Romane, v. a. zur Kultur der Malinke (»Der Blick des Königs«, 1954; »Dramouss«, 1966).

Lay-out [leɪˈaʊt, engl. »Plan«, »Skizze«] *das,* bei Druckerzeugnissen Umbruch- und Aufteilungsentwurf, der im Unterschied zu den vorher angefertigten Skizzen den Gesamteindruck (Text- und Bildgestaltung) zeigt.

Lazarẹtt [aus Lazarus und Nazareth, der Kirche Santa Maria di Nazaret in Venedig] *das,* Militärkrankenhaus; als **Feld-L.** zur direkten Versorgung der kämpfenden Truppe.

Lazarillo de Tormes [laθaˈriʎɔ -], Titelheld des 1554 anonym erschienenen ersten span. Schelmenromans »La vida de L. de T. y de sus fortunas y adversidades« (1617 erstmals in dt. Sprache). Das Werk begründete die Gattung des pikaresken Romans.

Lazarịsten (Vinzentiner, lat. Congregatio Missionis), Abk. **CM,** kath. Männerorden (Gesellschaft des apostol. Lebens), der sich der Seelsorge, Mission und Priesterausbildung widmet; 1625 von Vinzenz von Paul gegr.; ben. nach seiner ersten Niederlassung Saint-Lazare in Paris; in Dtl. seit dem 18. Jh. verbreitet.

Lạzarus [grch.-lat. Kurzform des hebr. Namens Eleazar »Gott hilft«], **1)** der mit Geschwüren bedeckte Arme im Gleichnis vom »reichen Mann und armen L.« (Lk. 16,19–31); im MA. als Patron der Bettler und Armen, v. a. der Aussätzigen, verehrt.

2) (L. von Bethanien), der nach Joh. 11,1–44 durch Jesus von den Toten auferweckte Bruder der

Maria und Martha von Bethanien; nach einer Legende später Bischof von Marseille; Heiliger, Tag: 17. 12. Als Symbol der Auferstehungshoffnung war die **Aufweckung des L.** ein oft dargestelltes Motiv in der frühchristl. und mittelalterl. Kunst.

Lazulith *der* (Blauspat), blaues, glänzendes monoklines Mineral der chem. Zusammensetzung $(Mg,Fe)Al_2[OH|PO_4]_2$; Vorkommen v. a. in hydrothermalen Quarzgängen in Quarziten und metamorphen Schiefern; Schmuckstein.

Lazzaroni [italien.] *der,* neapolitan. Gelegenheitsarbeiter, die sich den Bourbonen als Hilfstruppen gegen Revolutionäre anboten, bes. 1798, 1821 und 1848.

Lazzi [italien.], kom., meist mim. Improvisationen und Späße der →Commedia dell'Arte.

lb [von lat. **libra**], Einheitenzeichen für →Pound.

LCD, Abk. für **l**iquid **c**rystal **d**isplay, →Flüssigkristallanzeige.

LC-Glied, aus einer Spule *L* und einem Kondensator *C* gebildeter frequenzabhängiger Vierpol. LC-G. werden als Filter (z. B. Siebschaltung) und als frequenzbestimmende Schaltung in Oszillatoren (LC-Oszillator) eingesetzt.

ld, mathemat. Zeichen für den →Logarithmus zur Basis 2.

LD, Abk. für →**L**etal**d**osis.

Ld. (Ltd., Lim.), Abk. für engl. →limited.

LDPD, Abk. für →**L**iberal-**D**emokratische **P**artei **D**eutschlands.

Lazarus 2): »Erweckung des Lazarus von Bethanien«, Wandgemälde im Raum XIII der Katakombe Santi Pietro e Marcellino in Rom (3. Jh.)

LD-Verfahren, das **L**inz-**D**onawitz-Verfahren (→Sauerstoffmetallurgie), in der Stahlherstellung verwendet.

Lea, *A. T.:* Tochter Labans und erste Frau →Jakobs.

Leadbelly ['ledbelı], eigtl. Huddie Ledbetter, amerikan. Bluessänger, *Mooringsport (La.) 21. 1. 1885, †New York 6. 12. 1949; Autodidakt, einer der bed. frühen Bluessänger.

League of Nations [li:g əv 'neıʃənz, engl.], der →Völkerbund.

Lazarillo de Tormes

Im Schelmenroman »Das Leben des Lazarillo von Tormes« tritt der Protagonist in die Dienste eines Blinden, der ihn seine Einfalt begreifen lässt und ihm damit die Augen fürs Leben öffnet.

»Wir zogen zur Stadt hinaus und kamen an die Brücke, vor der ein steinernes Tier steht, beinah wie ein Stier anzusehen. Der Blinde hieß mich nahe an das Tier herantreten, und als ich's tat, sagte er: ›Lazaro, leg dein Ohr an den Stier, und du wirst drinnen großes Getöse hören‹. Ich in meiner Einfalt glaubt's und gehorchte, und als er fühlte, dass ich den Kopf an den Stein gelegt hatte, holte er mit der Hand kräftig aus und gab mir eine gewaltige Maulschelle. Mein Kopf schlug so hart wider den maledeiten Stier, dass mir die Beule noch nach drei Tagen weh tat.«

Der Roman wurde 1559, vier Jahre nach seinem Erscheinen, auf den Index gesetzt, da er die offiziellen Institutionen der Lächerlichkeit preisgab. Erst 1573 konnte er in einer gereinigten Fassung erscheinen.

Leakey ['li:kı], Louis Seymour Bazett, kenian. Paläontologe und Prähistoriker brit. Herkunft, *Kabete (bei Nairobi) 7. 8. 1903, †London 1. 10. 1972; entdeckte u. a. 1932 bei Kanam und Kanjera primitive Steinwerkzeuge und menschl. Schädelreste und 1949 einen fossilen Menschenaffen (gen. »Proconsul«). L. führte zus. mit seiner Frau Mary (*1913, †1996) Ausgrabungen in Olduvai durch; sein Sohn Richard (*1944) fand am Turkanasee in N-Kenia u. a. ein fast vollständiges Skelett von Homo erectus (1,6 Mio. Jahre alt).

Louis Leakey

Leamington ['lemıŋtən], Stadt in England, →Royal Leamington Spa.

Lean [li:n], Sir (seit 1984) David, brit. Filmregisseur, *Croydon (heute zu London) 25. 3. 1908, †London 16. 4. 1991; erfolgreich durch Romanverfilmungen und Monumentalfilme, u. a. »Oliver Twist« (1948), »Die Brücke am Kwai« (1957), »Lawrence von Arabien« (1962), »Dr. Schiwago« (1965), »Ryans Tochter« (1971).

Leander (grch. Leandros), nach der Sage Geliebter der grch. Priesterin →Hero.

Leander, Zarah, schwed. Filmschauspielerin und Sängerin, *Karlstad 15. 3. 1907, †Stockholm 23. 6. 1981; einer der erfolgreichsten Stars der Ufa; bis 1949 Auftrittsverbot. – Filme: »La Habanera« (1937), »Heimat« (1938), »Es war eine rauschende Ballnacht« (1939) u. a. Autobiographie »Es war so wunderbar. Mein Leben« (1972).

Zarah Leander

Leanmanagement [li:n'mænıdʒmənt, engl. »schlankes Management«] *das,* in Japan entwickeltes Managementkonzept, das auf Steigerung der

Wettbewerbsfähigkeit durch Kostensenkung, Kundenorientierung und hohe Qualitätsstandards ausgerichtet ist und die gesamte Unternehmensführung an den Prinzipien der →Leanproduction orientiert. Eine besondere Rolle spielen Teamorganisation, Abbau von Hierarchien (flache Hierarchie), Outsourcing und Qualitätsmanagement.

📖 PFEIFFER, W. *u.* WEISS, E.: *Lean-Management. Berlin ²1994.* – WOMACK, J. P. *u.* JONES, D. T.: *Auf dem Weg zum perfekten Unternehmen. A. d. Amerikan. Frankfurt am Main u. a. 1997.*

Leanproduction [li:nprəˈdʌkʃn, engl. »entschlackte Produktion«] *die,* Form der Arbeitsorganisation im Industriebetrieb, die v. a. durch Gruppenarbeit und Automatisierung des Materialflusses zu einer erhebl. Senkung des Zeit- und Kostenaufwandes in Entwicklung und Produktion führt. Merkmale der L. sind: Teilfertigung in kleineren Teams, in denen jedes Mitgl. in der Lage ist, alle Arbeiten auszuführen; Integration der Qualitätskontrolle und Korrektur von Montagefehlern in den Arbeitsprozess; Beförderung von Entscheidungsprozessen durch regelmäßige Diskussion zw. Managern und Produktionsteams, Abbau hierarch. Strukturen und Verstärkung der Eigenverantwortlichkeit sowie Einbeziehung der Zulieferer in die Entwicklungsarbeit; erhebl. Reduzierung der Lagerzeiten und -kosten (→Just-in-time-Fertigung).

📖 LANG, K. *u.* OHL, K.: *Lean production. Ein praktischer Ratgeber. Köln ²1994.*

Lear [ˈli:r, engl. ˈlɪə], in den älteren Quellen Leir, sagenhafter König von Britannien; Held u. a. einer Tragödie von Shakespeare.

Edward Lear: »Libanonzedern« (1858; London, Victoria and Albert Museum)

Lear [ˈlɪə], **1)** Edward, engl. Dichter und Maler, *London 12. 5. 1812, †San Remo 30. 1. 1888; wurde mit seinen pointierten Ulkversen (meist Limericks) zum Begründer der »nonsense-poetry« (→Nonsensverse); als Maler trat er mit Landschaftsaquarellen hervor.

2) Evelyn, amerikan. Sängerin (Sopran), *New York 8. 1. 1928; wurde v. a. in Opernpartien von Mozart, Strauss sowie von A. Berg bekannt; auch Liedsängerin.

Learning by Doing [ˈlə:nɪŋ baɪ ˈdu:ɪŋ; engl. »Lernen durch Tun«], pädagogisch-didakt. Prinzip des »unmittelbaren Lernens«, das bes. vom Pragmatismus (J. Dewey) und von der Arbeitsschulbewegung (G. Kerschensteiner, H. Gaudig) entwickelt wurde; betont das Lernen in der selbstständigen Auseinandersetzung mit den Dingen oder Aufgaben.

Leasing [ˈlizɪŋ, von engl. to lease »leihen«] *das,* besondere Vertragsform der Vermietung von Ind.anlagen, Investitions- und Konsumgütern. Vermieter kann der Produzent **(direktes L.)** oder eine zwischengeschaltete L.-Gesellschaft **(indirektes L.)** sein. Das L.-Objekt bleibt juristisch Eigentum des L.-Gebers und wird dem L.-Nehmer gegen ein vereinbartes Entgelt (L.-Rate) zur Nutzung überlassen.

Beim **Financial L.** wird eine mehrjährige feste Grundmietzeit vereinbart, während der eine Kündigung von beiden Seiten ausgeschlossen ist. Das Investitionsrisiko liegt beim L.-Nehmer. Nach Ablauf des Vertrags hat der L.-Nehmer die Möglichkeit, das L.-Objekt gegen geringere Zahlungen weiter zu benutzen (Mietoption) oder käuflich zu erwerben (Kaufoption, Form des Mietkaufs). Beim **Operating L.** handelt es sich um kurzfristige und meist jederzeit kündbare Mietverträge, wobei das Investitionsrisiko beim L.-Geber liegt und dieser das L.-Objekt auch zu bilanzieren hat. Eine Sonderform des L. ist das **Sale-and-lease-back-Verfahren,** bei dem ein Unternehmen ein ihm gehörendes Objekt an einen L.-Geber verkauft, um es sofort wieder zu mieten. Nach der Art des L.-Objekts werden Mobilien-L. (Equipment-L.), Immobilien-L. (Plant-L.) und als Sonderform Personal-L. (→Arbeitnehmerüberlassung) unterschieden.

Trotz relativ hoher Kosten ergeben sich für den L.-Nehmer gegenüber dem Kauf bestimmte Vorteile: geringere Liquiditätsanspannung zum Zeitpunkt der Anschaffung; L.-Raten sind als Betriebsausgaben steuerlich absetzbar; Möglichkeit, ständig die modernsten L.-Objekte zu mieten.

📖 *L.-Handbuch für die betriebl. Praxis, hg. v.* K. F. HAGENMÜLLER *u.* W. ECKSTEIN. *Frankfurt am Main ⁶1992.*

Least developed Countries [ˈli:st dɪˈveləpt ˈkʌntriz, engl. »am wenigsten entwickelte Länder«], Bez. für bestimmte →Entwicklungsländer.

Léautaud [leoˈto], Paul, Pseud. Maurice Boissard, frz. Schriftsteller, *Paris 18. 1. 1872, †Robinson (heute zu Le Plessis-Robinson) 22. 2. 1956; Verfasser origineller, sarkast. Theaterkritiken (»Le théâtre de Maurice Boissard«, 2 Bde., 1926–43), auch Theaterstücke und Erzählungen; sein »Journal littéraire« (19 Bde., hg. 1954–66, dt. Ausw. 1966 u. d. T. »Literar. Tagebuch 1893–1956«) ist ein Spiegel des zeitgenöss. literar. Lebens.

Leba *die* (poln. Łeba), Fluss in Polen, 117 km lang, durchfließt in Pommern den 71,4 km² großen **L.-See,** mündet in der gleichnamigen Stadt (3 700 Ew.; Seebad, Fischereihafen) in die Ostsee.

Lebed, Alexander Iwanowitsch, russ. General und Politiker, *Nowotscherkassk (Gebiet Rostow) 20. 4. 1950; Offizier, später General bei den Luftlandetruppen, ging bei dem orthodox-kommunist. Putsch (Aug. 1991) gegen den sowjet. Präs. M. S. Gorbatschow zu den Reformkräften über. Im Auftrag des russ. Präs. B. Jelzin erzwang er 1992 als Befehlshaber der 14. russ. Armee bei bürgerkriegsähnl. Auseinandersetzungen in Moldawien einen Waffenstillstand. Nach dem Ausscheiden aus dem Militärdienst Mitgl. der Duma (seit Dez. 1995) gewann L. bei den Präsidentschaftswahlen 1996 im ersten Wahlgang (Juni) 14,7% der Stimmen. Als Tschtschenien-Beauftragter Präs. Jelzins schloss er mit der tschetschen. Seite im Aug. 1996 einen Waffenstillstand und ein Abkommen über die Beziehungen Tschetscheniens zur Russ. Föderation.

Lebedew, Pjotr Nikolajewitsch, russ. Physiker, *Moskau 8. 3. 1866, †ebd. 14. 3. 1912; wies 1895 die Doppelbrechung von elektromagnet. Wellen und 1905 den Strahlungsdruck des Lichtes nach.

Leben, Daseinsform aller Organismen, ein komplexes System von Eigenschaften. Typ. Merkmale des Lebendigen sind: Stoff- und Energiewechsel, Wachstum, Reizbarkeit, Bewegung, Fortpflanzungsvermögen, Vererbung, Individualität, Mutabilität, der Besitz von Nucleinsäuren (DNS und RNS) und Proteinen (Enzyme) und die Fähigkeit, Moleküle selbst zu synthetisieren. Viren stehen nur scheinbar zw. Unbelebtem und Lebendigem; es fehlt ihnen lediglich der eigene Stoffwechsel.

Die kleinste Bau- und Funktionseinheit der Lebewesen ist die →Zelle, die selbst einen Organismus darstellen kann (Einzeller). Mehrzellige Organismen zeichnen sich durch einen bestimmten Bauplan aus, der für die Ordnung der Organismen in ein System (Taxonomie) von entscheidender Bedeutung ist.

L. ist nur unter bestimmten Bedingungen (→Umwelt) möglich, die jedoch sehr unterschiedlich sein können (z. B. Temperatur von –50 bis +110 °C). L. auf anderen Himmelskörpern ist deshalb unwahrscheinlich, aber denkbar.

Der Anfang des L. auf der Erde ist nicht genau zu datieren. Anzunehmen ist, dass L. vor etwa 3–4 Mrd. Jahren in der Uratmosphäre (enthielt v. a. Wasserstoff sowie einfache Kohlenstoff-, Stickstoff-, Sauerstoff- und Schwefelverbindungen wie Methan, Ammoniak, Wasserdampf, Kohlenmonoxid, Schwefelwasserstoff u. a., jedoch zunächst keinen freien Sauerstoff) unter der Einwirkung versch. Energieformen (v. a. durch die UV-Strahlung der Sonne, elektr. Entladungen und hohe Drücke) entstanden ist. Zu Beginn des L. bildeten sich zuerst kleine, später größere Moleküle. Diese lagerten sich zu einfachen, dann zu komplizierteren Verbindungen und Molekülketten zusammen. Danach entstanden Makromoleküle wie Proteine und Nucleinsäuren. Diese Stoffe müssen jedoch in geordneter Weise zusammenwirken (Selbstorganisation) und sich selbst vermehren (Autokatalyse). Die Hyperzyklustheorie von M. Eigen entwickelte dazu eine Modellvorstellung von der Evolution biolog. Makromoleküle. Es werden aber auch andere Theorien diskutiert. – Die Formenmannigfaltigkeit des L. wird durch die Evolutionstheorie erklärt.

Künstliches Leben: Im Labor können Gene durch synthet. Aufbau der diesen zugrunde liegenden Nucleinsäuresequenzen künstlich erzeugt werden, jedoch ist man weit davon entfernt, das umfangreiche Genom eines Lebewesens auf diese Weise zu erstellen. Vollständige Individuen können dadurch erzeugt werden, dass man die Zellkerne von Körperzellen in entkernte Eizellen transplantiert. Dadurch lassen sich erblich ident. Kopien von Lebewesen (sog. Klone) in beliebiger Anzahl herstellen.

In der *Philosophie* wurde L. als göttl. Prinzip oft mit Seele oder Geist identifiziert. Materialist. Auffassungen, die Lebewesen als durch natürl. Gesetze entstanden, im Extremfall nur noch als kunstvoll und zweckmäßig geschaffene Automaten betrachten (R. Descartes, J. O. de La Mettrie), steht der Vitalismus (z. B. G. W. Leibniz, H. Driesch, R. Löw) gegenüber, der L. als von der anorgan. Natur unabhängige Kraft begreift, die zwar materielle Voraussetzungen hat, von diesen aber nicht erklärt werden kann. Weiterhin gibt es versch. Auffassungen, die zw. diesen beiden Positionen angesiedelt sind, z. B. vom L. als Seinsschicht zw. Materie und Seelisch-Geistigem. In der Gegenwart hat sich die Erforschung des L.-Problems zum großen Teil in die naturwiss. Einzeldisziplinen verlagert. – Die *Ethik* erkennt dem L. fast durchweg die Eigenschaft eines Wertes zu; die Unantastbarkeit des menschl. L. erscheint weitgehend als Grundforderung des Naturrechts. – L. zählt zu den elementaren Menschenrechten und ist als Recht auf L. und körperl. Unversehrtheit Grundrecht (in Dtl. GG Art. 2, Abs. 2). Eth. Fragen (z. B. im Zusammenhang mit Schwangerschaftsabbruch, Sterbehilfe, künstl. Verlängerung des Lebens u.a.) und durch die naturwiss.-medizin. Entwicklung der letzten Jahrzehnte (u.a. Gentechnologie) bedingte Probleme (u.a. Gesundheitsrisiken, Arten- und Tierschutz) sind ein zentrales Thema der öffentl. Diskussion. – In allen *Religionen* finden sich Aussagen über Entstehung, Wesen und Träger des L., ebenso wie über sein angenommenes letztes Ziel (→Unsterblichkeit, →Tod, →Wiedergeburt).

📖 *L. = Physik + Chemie? Das Lebendige aus der Sicht bedeutender Physiker, hg. v.* B.-O. KÜPPERS. *München u.a. ²1990.* – GIERER, A.: *Die Physik, das L. u. die Seele. München u.a. ⁵1991.* – EIGEN, M.: *Stufen zum Leben. München u.a. ³1993.* – *Was ist L.? Die Zukunft der Biologie. Eine alte Frage in neuem Licht – 50 Jahre nach Erwin Schrödinger, hg. v.* L. A. O'NEILL, *Beiträge v.* J. DIAMOND *u.a. Heidelberg u.a. 1997.*

Lebende Steine (Lithops), Gattung der Mittagsblumengewächse, Blattsukkulenten südafrikan. Trockengebiete, deren kugelige Blätter wie runde Steine aussehen.

lebend gebärend (vivipar), **1)** *Botanik:* Bez. für Pflanzen, deren Samen keimen, wenn die Frucht noch an der Mutterpflanze sitzt, z.B. Mangrovebaum.

2) *Zoologie:* lebende Junge zur Welt bringend; im Unterschied zu Eier legenden Tieren.

Lebendverbauung, Einsatz lebender Pflanzen als natürl., umweltgestaltende Ingenieurbauweise im Erd- und Wasserbau durch Bepflanzung mit Gräsern, Schilf, Gehölzen u.a.

Leben-Jesu-Forschung, in der Theologie Bez. für die von der Aufklärung inspirierte, seit dem Ausgang des 18. Jh. zunächst von evang. Theologen betriebene wiss. Untersuchung des Lebens Jesu anhand der bibl. und außerbibl. Quellen. Die Klärung der Frage, inwieweit die Evangelien des N.T. eine Rekonstruktion des Lebens des histor. Jesus erlauben, war dabei von grundsätzl. Bedeutung und führte in der Folge zur Entwicklung der Methoden der historisch-krit. →Exegese. Am Anfang der L.-J.-F. steht die Evangelienkritik H. S. Reimarus' (1778). Ausgehend von den Positionen eines krit. Rationalismus, wird zw. der Lehre Jesu selbst und der Lehre der Apostel als den Verfassern der neutestamentl. Schriften unterschieden. Die L.-J.-F. des 19. Jh. ist v.a. mit den Arbeiten D. F. Strauß' und B. Bauers verbunden. Strauß führte die Unterscheidung zw. dem »histor. Jesus« und dem (myth.) »Christus des Glaubens« ein (wogegen sich vonseiten der bibl. Theologie v.a. Martin Kähler [*1835, †1912] wandte), Bauer sprach der Person Jesu jede Historizität ab. In populärer Form zusammengefasst hat E. Renan die Ergebnisse der L.-J.-F. des 19. Jh. (»Das Leben Jesu«, 1863). A. Schweitzer kam in seiner Geschichte der L.-J.-F. (1906) zu dem Schluss, dass eine Darstellung des histor. Jesus unmöglich sei. Die moderne (auch kath. und jüd.) Jesusforschung sieht zu solcher Skepsis keinen Anlass und betrachtet Quellenlage und method. Instrumentarium als für die wiss. Erforschung der Person Jesu grundsätzlich ausreichend.

📖 SCHWEIZER, E.: *Jesus, das Gleichnis Gottes. Was wissen wir wirklich vom Leben Jesu? Göttingen ²1996.* – THEISSEN, G.: *Der histor. Jesus. Ein Lb. Göttingen 1996.*

Lebensbaum (Thuja), Gattung der Zypressengewächse, Nadelhölzer; mit kegelförmigem Wuchs und gegenständigen Schuppenblättchen, einhäusigen Blüten und kurzen Fruchtzapfen. Als Zierpflanze häufig der **Abendländ. L.** (Thuja occidentalis) aus Nordamerika; der **Morgenländ. L.** (Thuja orientalis) aus O-Asien ist frostempfindlich. Der **Riesen-L.** (Thuja plicata) des westl. Nordamerika wird bis zu 60 m hoch.

Lebensbaum: Abendländischer Lebensbaum (Höhe bis zu 15 m)

Lebensdauer, 1) *Bevölkerungsstatistik:* →Lebenserwartung.

2) *Biologie:* Zeitspanne zw. Geburt bzw. dem Entwicklungsbeginn und dem Tod eines Lebewesens, auch die Zeit des Am-Leben-Bleibens von Teilen eines Organismus oder von bestimmten Stadien (z.B. Dauerstadien, Sporen, Samen). Die maximale L. reicht von wenigen Stunden bis zu einigen Tausend Jahren bei versch. Arten (über 200 Jahre bei Riesenschildkröten, über 4000 Jahre beim Mammutbaum). Die mittlere (durchschnittl.) L. ist der Mittelwert der L. aller Individuen einer Population; sie schwankt stark.

3) *Physik:* **mittlere L.,** die Zeit τ, die im statist. Mittel verstreicht, bis von einer Ausgangszahl von radioaktiven Atomen, Atomkernen oder Elementarteilchen noch der e-te Teil vorhanden ist ($e = 2{,}71828...$ = Basis der natürl. Logarithmen). Die L. steht mit der →Halbwertszeit $T_{1/2}$ und der **Zerfallskonstanten** λ im Zusammenhang:

$\tau = T_{1/2}/\ln 2 = 1/\lambda$. Auch angeregte Zustände in der Elektronenhülle der Atome oder im Atomkern zerfallen nach einer charakterist. L., d.h., die Systeme kehren in ihren Grundzustand (Normalzustand) zurück. Die typ. L. angeregter Niveaus der Elektronenhülle liegt in der Größenordnung 10^{-8} s, bei angeregten Kernzuständen zw. 10^{-10} und 10^{-13} s.

4) *Technik:* i.e.S. die Zeit, bei der es bei einem definiert periodisch schwingend beanspruchten Maschinenteil durch Werkstoffermüdung zu dessen Versagen kommt. I.w.S. die beobachtete Zeitdauer vom Beanspruchungsbeginn bis zum Zeitpunkt des Ausfalls eines einzelnen Bauelements oder eines zusammengesetzten, nicht mehr reparierbaren Systems.

5) *Wirtschaft:* →Nutzungsdauer, →Produktlebenszyklus.

Lebens|elixier, *Volkskunde:* Zaubertrank, der Jugend, Schönheit und langes Leben verleihen soll.

Lebens|erwartung, die durchschnittl. Lebensdauer, die Individuen einer Organismenart oder einer Population zu erwarten haben. In der Bevölkerungsstatistik wird als mittlere L. eines Neugeborenen die wahrscheinl. Zahl der Jahre bezeichnet, die ein Neugeborenes entsprechend den herrschenden Sterbeverhältnissen (→Sterblichkeit) eines Beobachtungszeitraums leben wird. Sie wird anhand von →Sterbetafeln errechnet, i.d.R. getrennt nach männlich und weiblich. Ferner wird sie auch für jedes Lebensalter errechnet. Diese altersspezif. mittlere L. gibt dann an, wie viele Jahre ein Mensch eines bestimmten Alters wahrscheinlich noch leben wird; sie steigt in den ersten Lebensjahren an, nachdem die Gefahren des Säuglingsalters überwunden sind, und sinkt dann wieder ab. Die mittlere L. von Neugeborenen hat sich in den Ind.ländern in weniger als einem Jh. verdoppelt und stieg z.B. in Dtl. von rd. 35 Jahren Ende des 19. Jh. auf 50 bzw. 60 Jahre vor dem 1. bzw. 2. Weltkrieg. Die L. bei der Geburt liegt heute in vielen Ind.ländern mittlerweile um die 70 Jahre bei Männern und zw. 75 und 80 Jahren bei Frauen. Die um rd. 7 Jahre höhere L. der Frauen ist in den Ind.ländern stärker ausgeprägt als in den Entwicklungsländern und nimmt in Ersteren noch zu. Sie wird auf das Zusammenwirken verschiedenster Faktoren (z.B. genet. und hormonelle), Gesundheitsverhalten, Ernährung, Umgang mit Stress und seel. Belastungen zurückgeführt.

Lebensformen, *Biologie:* Gruppe nicht näher miteinander verwandter Lebewesen, die aufgrund ähnl. Lebensweise gleichartige Anpassungserscheinungen an die Umwelt aufweisen.

Lebensgemeinschaft, 1) *Ökologie:* →Biozönose.

2) *Recht:* auf Dauer angelegtes Zusammenleben zweier Menschen als ehel. L. (→Ehe, →Eherecht) oder als →eheähnliche Gemeinschaft; die rechtl. Anerkennung gleichgeschlechtl. L. ist umstritten.

Lebenshaltung, Gesamtheit der Güter und Leistungen für die Lebensführung privater Haushalte, finanziert aus Einkommen, Vermögen oder über Kredite. Die L. ist Hauptbestandteil des →Lebensstandards.

Lebenshaltungskosten, in der amtl. Statistik die bei der Berechnung des Preisindexes der Lebenshaltung ermittelten Ausgaben. Zugrunde gelegt wird ein **Warenkorb,** der aus einer nach Menge und Struktur über einen längeren Zeitraum (i.d.R. fünf Jahre) gleich bleibenden Kombination von Waren, Dienstleistungen und Nutzungen (z.B. Wohnungsmiete) gebildet wird. Die prozentuale Veränderung des Preisindexes für die Lebenshaltung aller privaten Haushalte gilt als Maßgröße für die Inflation. Die L. werden auch für versch. Haushaltstypen (z.B. Vierpersonenhaushalt von Angestellten und Beamten mit höherem Einkommen) und für die einfache Lebenshaltung eines Kindes ermittelt. GRAFIK S. 262

Lebenshilfe, im weitesten Sinn alle Hilfestellungen, die gegeben werden, um einen Mitmenschen zu befähigen, sein Leben zu bewältigen (z.B. soziale Unterstützung, Bildungsangebote, psycholog. Beratung oder die umfassende Betreuung älterer Menschen); v.a. die Unterstützung Behinderter, deren sich z.B. die »Bundesvereinigung L. für geistig Behinderte e.V.« (gegr. 1958, Geschäftsstelle: Marburg) annimmt.

Lebenslauf, kurze schriftl. Darstellung des eigenen Lebens- und Entwicklungsverlaufs (bes. bei Bewerbungen). (→Biographie)

Lebenslini|e, *Chirologie:* die um den Daumenballen laufende, ausgeprägte Linie der Handinnenfläche.

Lebensmittel, nach den Definitionen des L.-Rechts Bez. für alle Stoffe, die dazu bestimmt sind,

Lebenserwartung[1] in ausgewählten Ländern (in Jahren)

Staat	Jahr[1]	männlich	weiblich	Jahr[1]	männlich	weiblich
Ägypten	1975	52,3	55,2	1991	62,9	66,4
Brasilien	1970/75	57,6	62,2	1990/95	63,5	69,1
China	1975/80	65,5	66,2	1985/90	68,0	70,9
Deutschland[2]	1986/88	71,7	78,0	1992/94	72,8	79,3
Frankreich	1980	70,2	78,4	1994	73,6	81,8
Großbritannien	1980	70,2	76,2	1993	73,6	78,9
Italien	1980	70,6	77,4	1994	74,7	81,2
Japan	1980	73,4	78,8	1993	76,5	83,1
Malaysia	1980	66,7	71,6	1990	69,5	73,9
Niederlande	1980	72,7	79,3	1993	74,0	80,0
Österreich	1980	69,0	76,1	1994	73,3	79,7
Russland[3]	1979/80	61,5	73,0	1994	57,3	71,1
Schweiz	1980/84	72,8	79,6	1994	75,1	81,6
USA	1980	70,0	77,4	1993	72,1	78,9

[1] zum Zeitpunkt der Geburt; berechnet gemäß der nat. Methode der für ein Jahr oder einen Mehrjahreszeitraum berechneten Sterbetafel. – [2] früheres Bundesgebiet und Gebiet der ehem. DDR. – [3] bezieht sich auf das Gebiet des heutigen Staates

in rohem, zubereitetem oder verarbeitetem Zustand von Menschen aufgenommen zu werden, also Nahrungs- und Genussmittel sowie Zusatzstoffe.

Lebensmittelbestrahlung, die Behandlung von Lebensmitteln mit energiereichen Strahlen (Ultraviolett-, Röntgen- oder Gammastrahlen). Sie dient v.a. zur Konservierung durch Vernichtung von Bakterien oder anderer Schädlinge (Trichinen, Insekten). In Dtl. ist nur die Entkeimung von Trinkwasser (Molkereien, Brauereien) und der Oberfläche von Obst, Gemüse und Hartkäse mit ultravioletter Strahlung erlaubt.

Lebensmittelchemie, Teilgebiet der Chemie, das die Zusammensetzung und Eigenschaften pflanzl. und tier. Lebensmittel sowie die bei der Lagerung, Zubereitung oder industriellen Verarbeitung sich abspielenden Veränderungen erforscht, umfasst auch Arbeitsrichtungen aus der Physik, der Biochemie, der Mikrobiologie, der Toxikologie und der Sensorik der Lebensmittel. Schwerpunkte sind die Untersuchung der Lebensmittel nach den Anforderungen des Lebensmittel- und Bedarfsgegenstände-Ges. und die Bestimmung der ernährungsphysiologisch bed. Inhaltsstoffe.

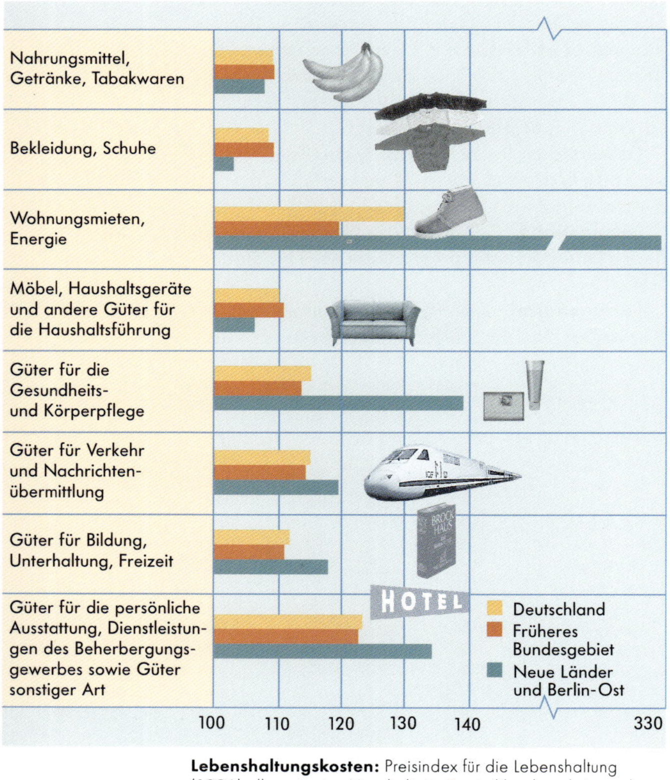

Lebenshaltungskosten: Preisindex für die Lebenshaltung (1996) aller privaten Haushalte in Deutschland nach Ausgabegruppen (1991 = 100)

📖 *Allgemeines Lehrbuch der L., hg. v.* C. Franzke. *Hamburg* [3]*1996.*

Lebensmittelrecht, die Gesamtheit der rechtl. Bestimmungen zum Schutz des Verbrauchers vor Gesundheitsschädigung und wirtsch. Benachteiligung durch nicht einwandfrei beschaffene oder bezeichnete Lebensmittel, Zusatzstoffe, Tabakerzeugnisse, kosmet. Mittel oder Bedarfsgegenstände. Das L. gehört zur konkurrierenden Gesetzgebung des Bundes (Art. 74 Ziffer 19, 20 GG). Es ist geregelt im →Lebensmittel- und Bedarfsgegenstände-Gesetz (LMBG) i.d.F.vom 8. 7. 1993 u.a. lebensmittelrechtl. Vorschriften. Immer stärkeres Gewicht erlangen die Vorschriften des Europ. Gemeinschaftsrechts. Allerdings gilt in diesem Bereich das Heimatlandprinzip, nach dem sich Verkehrsfähigkeit und Kennzeichnung von Lebensmitteln nach dem Recht des Ursprungslandes richten. Die **Lebensmittelüberwachung,** d.h. die Überwachung des Verkehrs mit Lebensmitteln, ist Ländersache, praktisch durchgeführt von den unteren Verw.behörden (Städte, Kreise), denen zur Durchsetzung der Vorschriften des L. durch das LMBG Eingriffsrechte auch mit Mitteln des Polizei- und Ordnungsrechts gegeben sind.

📖 Lips, P.: *Wegweiser durch das L. München* [4]*1993.*

Lebensmitteltechnik, Teilgebiet der Verfahrenstechnik, das sich mit Methoden und Verfahren zur rationellen Erzeugung und Verarbeitung von Lebensmitteln befasst. Zu den mechan. Methoden zählen u.a. Reinigen, Sortieren, Zerkleinern, Sieben, Mischen, Filtrieren, Pressen, Emulgieren, Zentrifugieren und Extrahieren. Therm. Methoden (z.B. Pasteurisieren, Gefrieren) haben v.a. bei der Konservierung Bedeutung. Daneben werden auch zahlr. biochem. Verfahren angewandt, die meist zu einer tief greifenden Veränderung der Ausgangsmaterialien führen (z.B. bei den Gärprozessen, Säuerung).

📖 *Grundzüge der L., hg. v.* H.-D. Tscheuschner. *Hamburg* [2]*1996. – Lebensmitteltechnologie. Biotechnolog., chem., mechan. u. therm. Verfahren der Lebensmittelverarbeitung, hg. v.* R. Heiss. *Berlin u.a.* [5]*1996.*

Lebensmittel- und Bedarfsgegenstände-Gesetz, Gesetz i.d.F. vom 8. 7. 1993, das den Verkehr mit Lebensmitteln, Zusatzstoffen, Tabakerzeugnissen, kosmet. Mitteln sowie mit Bedarfsgegenständen regelt. Das L. verbietet, Lebensmittel derart herzustellen oder in den Verkehr zu bringen, dass ihr Genuss die menschl. Gesundheit zu schädigen geeignet ist und dass Erzeugnisse, die keine Lebensmittel sind, mit diesen verwechselt werden können. Ferner ist verboten, zum Zweck der Täuschung Lebensmittel nachzumachen und diese ohne ausreichende Kenntlichmachung in den

Verkehr zu bringen. Nur ausdrücklich zugelassene Zusatzstoffe dürfen Lebensmitteln zugesetzt werden. Bedarfsgegenstände sind hauptsächlich solche, die mit dem menschl. Körper in Berührung kommen, u.a. Verpackungen, Bekleidung, Reinigungs- und Pflegemittel, Spielwaren.

Lebensmittelvergiftung (Nahrungsmittelvergiftung), Erkrankung durch Genuss giftiger Tiere (Giftfische) und Pflanzen (Giftpilze), bakteriell infizierter, chemisch verunreinigter oder zersetzter Speisen bzw. Getränke. 2–36 Stunden nach der Aufnahme verdorbener Nahrung kommt es meist zu Übelkeit, heftigem Erbrechen, Koliken und Durchfällen. In jedem Fall ist eine Blut- bzw. Stuhluntersuchung erforderlich, um eine (meldepflichtige) Salmonellenerkrankung auszuschließen. Durch Lebensmittelüberwachung und Fleischbeschau wird die Möglichkeit einer L. stark eingeschränkt. (→Botulismus)

Lebensphilosophie, eine im 19. Jh. entstandene Sammelbez. für Philosophien, die im Prinzip des Lebens den metaphys. Grund der Wirklichkeit sehen. Sie stellen rationalist. und mechanist. Denkmodellen, aber auch dem Anspruch eines allein vom Geist her allgemein begrifflich deduzierten Weltbildes eine Ganzheitssicht entgegen, die das Dynamische, individuell Einmalige, Schöpferische im Leben für alle Bereiche der Wirklichkeit (ontologisch, ethisch, erkenntnistheoretisch, ästhetisch) als bestimmend ansieht. Der Geist wird als höchste Stufe des Lebens aufgefasst (W. Dilthey) oder als Mittel im Dienst des Lebens (H. Bergson) oder als Widersacher des Lebens, weil er dessen frei strömenden Fluss festlege (L. Klages). – Die L. knüpfte bes. an Gedanken Herders und des jungen Goethe, der Romantik, Schellings, Schopenhauers, v.a. an Nietzsche und Kierkegaard an. Ihre wichtigsten Vertreter im 20. Jh. waren Bergson, M. Blondel und Dilthey. Dilthey, M. Scheler und G. Simmel haben die L. v.a. nach der Seite einer Theorie der Geisteswiss., einer materialen Wertethik und eines dialekt. Pluralismus hin entwickelt. Vertreter fand die L. außerdem in der Soziologie, Kulturphilosophie, Psychologie und Ästhetik; ihre Auswirkungen reichten bis zu M. Heidegger und E. Husserl. Vielfach wurde die L. in der Form eines dichterisch oder gedanklich ausgestalteten Weltbildes entfaltet (H. Keyserling, Klages).

📖 KÜHNE-BERTRAM, G.: *Aus dem Leben – zum Leben. Entstehung, Wesen u. Bedeutung populärer L. in der Geistesgeschichte des 19. Jh. Frankfurt am Main u. a. 1987.*

Lebensqualität, Begriff für die Summe der wesentl. Elemente, die die Lebensbedingungen in einer Gesellschaft beschreiben und das subjektive Wohlbefinden des Einzelnen ausmachen. Das v.a. am Wirtschaftswachstum und am Sozialprodukt orientierte Wohlstandskonzept wird ergänzt um soziale Indikatoren für die verschiedensten Lebensbereiche (wie Arbeitsbedingungen, Bildung, Gesundheit, Freizeit, natürl. Umwelt, polit. Engagement), um zu einem qualitativen →Wachstum zu gelangen. Dabei werden auch die subjektive Einschätzung von Glück und Zufriedenheit berücksichtigt und traditionelle gesellschaftspolit. Zielstellungen (wie Freiheit, Solidarität) einbezogen. (→nachhaltige Entwicklung)

📖 *Einstellungen u. Lebensbedingungen in Europa, hg. v.* W. GLATZER. *Frankfurt am Main u. a. 1993.* – KORCZAK, D.: *L.-Atlas. Umwelt, Kultur, Wohlstand, Versorgung, Sicherheit u. Gesundheit in Deutschland. Opladen 1995. – Wohlfahrtsentwicklung im vereinten Dtl. Sozialstruktur, sozialer Wandel u. L., hg. v.* W. ZAPF *u.* R. HABICH. *Berlin 1996.*

Lebensraum, 1) *Biologie:* →Biotop.

2) *Politik:* ein zentraler Begriff der Geopolitik, im letzten Drittel des 19. Jh. in den polit. Sprachgebrauch gelangt, diente v.a. in der 1. Hälfte des 20. Jh. zur Begründung von Gebietsforderungen und territorialer Expansion. – Der Nationalsozialismus machte den Titel des Romans von H. Grimm »Volk ohne Raum« (1926) zum Schlagwort seiner L.-Propaganda.

Lebensschutz (Biophylaxe, Bioprotektion), seit 1962 Oberbegriff für die Gesamtheit aller Schutzmaßnahmen zur Erhaltung der Lebensgrundlagen für Menschen, Tiere und Pflanzen. L. umfasst somit alle Bereiche des Natur- und Umweltschutzes.

Lebensstandard, i.e.S. der materielle →Wohlstand. I.w.S. umfasst L. das Niveau der Arbeits- und Lebensbedingungen der Bev. eines Landes. Dabei werden auch Faktoren wie Freizeit, soziale Sicherheit, Infrastruktur und Umwelterhaltung berücksichtigt, wodurch L. und Lebensqualität fast synonyme Begriffe werden.

Lebensversicherung, Personenversicherung zur Deckung eines im Versicherungsfall beim Versicherungsnehmer entstehenden Geldbedarfs. Durch den Versicherungsvertrag wird der Versicherer entweder zu einer einmaligen (Kapitalversicherung) oder zu einer regelmäßig wiederkehrenden (Rentenversicherung) Leistung verpflichtet. Beim Vertragsabschluss verpflichtet sich der Versicherte zur regelmäßigen, meist monatl. Zahlung des Beitrags. Der Versicherungsbeitrag beruht auf Sterbetafeln, Wahrscheinlichkeitsrechnungen und Zinseszinstabellen, hängt u.a. auch vom Alter des Versicherten bei Vertragsbeginn, von der Vertragsdauer und der Höhe der Versicherungssumme ab. Versicherungsfälle sind v.a. Tod der versicherten Person(en) oder Ablauf (Erleben) eines vereinbarten Termins. Im Zuge der Harmonisierung des europ. Versicherungsbinnenmarkts sind die L.-Unternehmen in der Tarifgestaltung seit dem 29. 7. 1994 frei.

L. dienen v.a. der Absicherung der Hinterbliebenen im Todesfall, der zusätzl. Altersversorgung oder des Geldbedarfs bei bestimmten Ereignissen. Der Hinterbliebenenabsicherung dient die **Risiko-L.;** meist wird dieser Risikoschutz verknüpft mit einem Sparvorgang zur Kapitalbildung **(Kapital-L.).** Zur Risiko-L. zählen: **kurzfristige Risikoversicherung,** bei der die Versicherungsleistung nur fällig wird, wenn der Versicherte während der begrenzten Vertragsdauer stirbt (Zweck: Hinterbliebenenversorgung, Absicherung eines Kredits); **lebenslange Todesfallversicherung** mit abgekürzter oder lebenslanger Prämienzahlung, bei der die Versicherungsleistung mit dem Tode des Versicherten fällig wird (z.B. Erbschaftsteuerversicherung). Hauptformen der Kapital-L. sind: **Erlebensfallversicherung,** bei der die Versicherungsleistung fällig wird, wenn der Versicherte ein bestimmtes Alter erreicht (Leibrenten- und Pensionsversicherung); **abgekürzte (gemischte) L.** auf den Todes- oder Erlebensfall, bei der die Versicherungsleistung (Kapital oder Rente) mit dem Tod des Versicherten oder nach Ablauf des Versicherungsvertrages gezahlt wird; Sonderformen sind die **verbundene L.,** bei der zwei Personen versichert werden, und die **fondsgebundene L.,** bei der der Sparanteil in Investmentfonds angelegt wird; **Versicherung mit festem Auszahlungstermin,** bei der die Versicherungsleistung an einem festgesetzten Zeitpunkt fällig wird mit Prämienfreiheit vom Tode des Versicherten an (v.a. als **Aussteuer-** und als **Ausbildungsversicherung**); **Pflegerentenversicherung** zur Absicherung des Pflegefallrisikos. **Zusatzversicherungen:** Bei der Berufsunfähigkeitszusatzversicherung (BUZ) werden Prämienfreiheit ab Berufsunfähigkeit und eventuell eine Rente geboten. Bei der Unfallzusatzversicherung wird bei Unfalltod i.d.R. eine doppelte Todesfallleistung erbracht. **Gruppenversicherungen,** für Unternehmen, Verbände u.a. abgeschlossen, sind wegen der geringeren Verwaltungskosten preiswerter als **Einzelversicherungen.**

Georg Leber

Julius Leber

Leber (Hepar), größte, bei den Säugetieren und beim Menschen im Oberbauch unter der rechten Zwerchfellkuppel liegende Drüse der Wirbeltiere. Ihr Gewicht beträgt beim Menschen ungefähr 1500 g. Die L. ist äußerlich durch eine Furche in einen größeren rechten und einen kleineren linken L.-Lappen gegliedert. Die L.-Pforte, eine Vertiefung an der Eingeweideseite der L., markiert die Ein- bzw. Austrittsstelle der Blutgefäße und Gallengänge. Die Versorgung der L. mit sauerstoffreichem Blut erfolgt über die **L.-Arterie,** mit nährstoffreichem über die **Pfortader.** Das verbrauchte Blut fließt durch die **L.-Vene** ab. Die Pfortader zweigt sich in der L. auf und tritt an die **L.-Läppchen** (Durchmesser 1–2 mm), in deren Zentrum eine **Zentralvene** verläuft. Zu dieser Zentralvene sind die **L.-Zellbalken** strahlenförmig angeord-

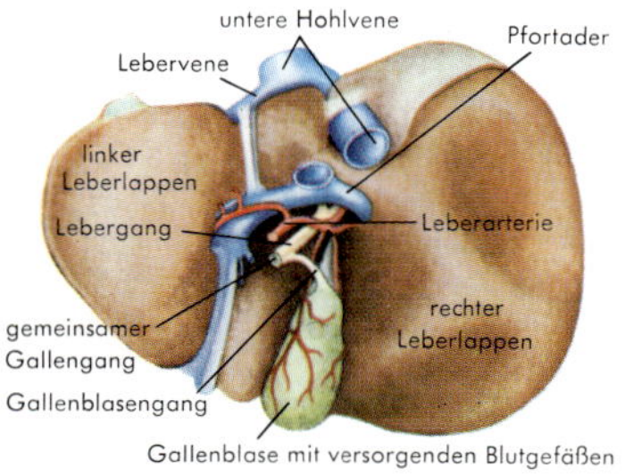

Leber: Rückansicht der unteren Leberfläche

net. Die zw. ihnen verlaufenden L.-Kapillaren (Blutkapillaren) enthalten in den Wänden die **Von-Kupffer-Sternzellen,** die als Bindegewebszellen Speicher- und Abwehrfunktion haben. Die L.-Zellen, die die L.-Zellbalken aufbauen, produzieren die **Gallenflüssigkeit,** die sich in den **Gallenkapillaren** sammelt und über die **Gallengänge** zur Gallenblase bzw. zum Zwölffingerdarm

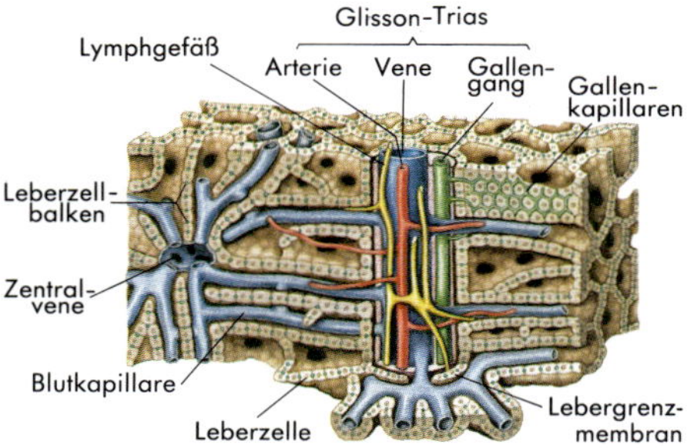

Leber: Funktionsschema eines Leberläppchens

geleitet wird. Der Flüssigkeitsstrom in den Gallenkapillaren verläuft in umgekehrter Richtung wie der Blutstrom in den Blutkapillaren. Das Bindegewebsfeld zw. den L.-Läppchen, das die Arterien, die Vene und den Gallengang enthält, bezeichnet man als **Glisson-Trias (Glissondreieck).** Die L. nimmt eine zentrale Stellung im Stoffwechsel ein. Zu ihren Aufgaben gehören: Verwertung der Kohlenhydrate, v.a. Bildung und Speicherung von Glykogen, das nach Bedarf in Traubenzucker umgewandelt und dem Blut zugeführt wird; im Eiweißstoffwechsel bes. die Ausscheidung der Endprodukte wie Harnstoff und Harnsäure in das Blut; Bildung eines großen Teils des Fibrinogens; Absonderung von Gallensaft mit den für die Fettverdauung wichtigen Gallensäuren; Entgiftung der über die Pfortader vom Darm aufgenommenen Stoffe.

Leber, 1) Georg, Gewerkschafter und Politiker (SPD), * Obertiefenbach (Rhein-Lahn-Kreis) 7. 10.

1920; Maurer, 1957–66 Vors. der IG Bau, Steine, Erden, 1957–83 MdB, war 1966–72 Bundesverkehrs-, 1972–78 Bundesverteidigungsmin. und 1979–83 Vizepräs. des Dt. Bundestages.

2) Julius, Politiker (SPD), *Biesheim (Elsass) 16. 11. 1891, †(hingerichtet) Berlin 5. 1. 1945; 1924–33 MdR, 1933–37 im KZ, stand danach im engen Kontakt zum Kreisauer Kreis und beteiligte sich an den Vorbereitungen zum 20. Juli 1944; am 4. 7. 1944 verhaftet und am 20. 10. zum Tode verurteilt.

Leber|atrophie (Leberdystrophie), Schwund des Lebergewebes infolge eines Hungerzustands, auszehrender Krankheiten und im Alter **(braune L.)** oder infolge tox. Leberzellschädigung mit ausgedehnten Lebernekrosen, Gelbsucht, starken Schmerzen im Oberbauch, Erbrechen, Verwirrtheit und Koma **(akute gelbe Leberatrophie).**

Leberbalsam (Ageratum), aus Amerika stammende Korbblütlergattung mit herzförmigen Blättern und blauen, rötl. bis weißen Blüten. Eine in vielen Sorten kultivierte Zierpflanze ist die aus Mittelamerika stammende Art **Ageratum houstonianum.**

Leberbiopsie, zur Diagnose und Verlaufskontrolle von Lebererkrankungen durchgeführte Untersuchung von Lebergewebe, das mittels direkter Leberpunktion während einer Laparoskopie, häufiger jedoch durch Blindpunktion gewonnen wird, wobei unter Ultraschall- oder Röntgenkontrolle auch eine gezielte Entnahme aus herdförmigen Veränderungen der Leber möglich ist.

Leberblümchen (Hepatica), Hahnenfußgewächsgattung mit dreilappigen Blättern; in Dtl. in Laubwäldern das geschützte **Echte L.** (Hepatica nobilis); bis 15 cm hohe Staude, Blüten blau, seltener weiß; früher ein Mittel gegen Leberleiden.

Leberdystrophie, die →Leberatrophie.

Leber|egel, Sammelbez. für bestimmte Saugwürmer, die erwachsen v. a. in Gallengängen der Leber von Wild- und Haustieren (bes. Wiederkäuer, Schweine, Pferde), z. T. auch des Menschen leben; u. a. **Großer L.** (Fasciola hepatica), bis 4 cm lang; lanzettlich-blattförmig. Die Eier werden mit dem Kot ausgeschieden. Bei Regen oder Überschwemmungen gelangt die daraus schlüpfende Larve (Miracidium) in Gewässer, wo sie sich in Wasserschnecken einbohrt und dort zu einer Sporozyste heranwächst. Diese erzeugt die zweite Larvengeneration (Redien), die ihrerseits die dritte Larvengeneration (Zerkarien) bildet. Die Zerkarien durchbrechen die Schneckenhaut, setzen sich an landbewohnenden Pflanzen fest und kapseln sich ein, von wo sie vom Endwirt aufgenommen werden. Bei Haustieren können sie die **L.-Krankheit (Egelkrankheit, Fasziolose)** hervorrufen; führt durch Leberschädigung zu Abmagerung,

Leberblümchen: Echtes Leberblümchen

Verminderung der Milchsekretion, Wollausfall (bei Schafen) u. a. – **Kleiner L. (Lanzettegel,** Dicrocoelium dendriticum), etwa 1 cm lang; lanzettförmig. Als erster Zwischenwirt fungieren Schnecken trockener Gebiete, als zweiter Zwischenwirt Ameisen, als Endwirt v. a. Schafe.

Leberbalsam: Ageratum hostonianum

Leber|entzündung, die →Hepatitis.

Leberfleck (Lentigo), brauner, etwa linsengroßer, angeborener oder später auftretender Pigmentfleck der Haut. Entweder liegt eine örtl. Pigmentvermehrung vor, oder der L. setzt sich aus sog. Naevuszellen (→Muttermal) zusammen.

Leberfunktionsprüfungen, labordiagnostische Untersuchungen zur Beurteilung der Stoffwechselleistung der Leber und zur Feststellung des Schweregrads bestimmter Lebererkrankungen. Geprüft werden Ausscheidungsleistung und Eiweißsynthese der Leber, Serumenzyme sowie Antikörper gegen Leberzellbestandteile.

Lebermoose, Klasse der →Moose.

Leberegel: Der Große Leberegel kann bis zu 4 cm lang werden

Leberpilz (Fleischschwamm, Ochsenzunge, Fistulina hepatica), Porling (Familie Reischlinge) mit dickfleischigem, dunkelrotem bis dunkelbraunem, konsolen- oder zungenförmigem, jung essbarem Fruchtkörper, bes. an Eichen. BILD S. 266

Leberpunktion, →Leberbiopsie.

Leberpilz: Der dunkelrote bis dunkelbraune Fruchtkörper ist bis zu 60 cm breit und kann jung verzehrt werden

Leberstärke, → Glykogen.

Lebertran (Oleum Jecoris), aus der Leber von Heilbutten oder Dorschen gewonnenes klares, schwach fischartig riechendes, fettes Öl von gelbl. Farbe, mit hohem Anteil an ungesättigten Fettsäuren und den Vitaminen A, E und D; Anwendung u. a. als Stärkungsmittel, äußerlich in Salben zur Wundbehandlung.

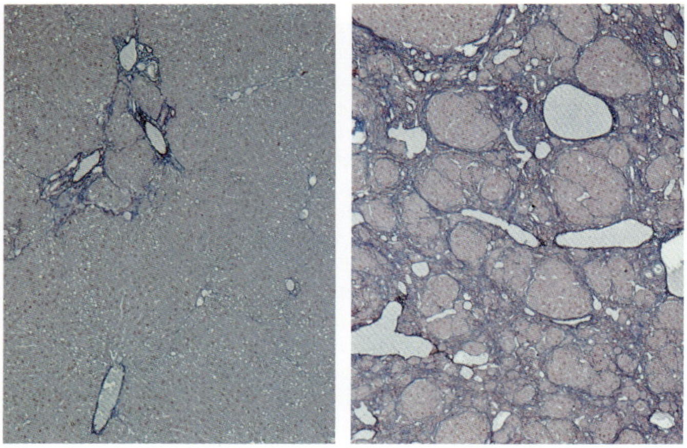

Leberzirrhose: Leber im gesunden Zustand (links) und zirrhotisch verändertes Lebergewebe

Lebertransplantation, die operative Übertragung einer menschl. Leber als Spenderorgan von einem Verstorbenen, neuerdings auch von Leberlappen eines lebenden Spenders (bis zu 80% des Lebergewebes können ohne Funktionsbeeinträchtigung entnommen werden) auf einen menschl. Empfänger. (→ Transplantation)

Albert Lebrun

Leberverfettung, → Fettleber.

Leberwurstbaum, der → Elefantenbaum.

Leberzirrhose (Leberschrumpfung), chronisch fortgeschrittene Erkrankung der Leber, die durch Zerstörung der Leberzellen und Umbau der Organstruktur gekennzeichnet ist und so die Leberfunktion beeinträchtigt. Als Ursachen einer L. kommen in erster Linie chron. Alkoholmissbrauch und/oder Fehl- und Mangelernährung, jedoch auch Leberentzündung, erbl. Stoffwechselstörungen, Gallengangsverschlüsse u. a. in Betracht. Bisher ist noch keine spezif. Therapie bekannt.

Lebesgue [lə'bɛg], Henri Léon, frz. Mathematiker, *Beauvais 28. 6. 1875, †Paris 26. 7. 1941; Mitbegründer der modernen Theorie der reellen Funktionen, förderte entscheidend die Maß- und Integrationstheorie. Die von ihm eingeführten **Lebesgue-Integrale** verallgemeinern den riemannschen Integralbegriff (→ Integralrechnung).

Lebewesen (Organismus), ein aus Zellen oder einer Zelle bestehender lebender Körper (→ Leben). L. sind Mikroorganismen, Pflanzen und Tiere (einschl. Mensch).

Lebkuchen (Pfefferkuchen), Dauerbackware aus Mehl, (Kunst-)Honig und einer L.-Gewürzmischung aus Nelken, Muskat, Koriander, Kardamom, Anis, Zimt, Ingwer.

Leblanc [lə'blã], Nicolas, frz. Chemiker, *Ivoy-le-Pré (Dép. Cher) 6. 12. 1742, †(Selbstmord) Saint-Denis 16. 1. 1806; erfand das nach ihm benannte Verfahren zur Sodaherstellung.

Le Blon [lə'blɔ̃], Jakob Christof, Maler und Kupferstecher, *Frankfurt am Main 21. 5. 1667, †Paris 16. 5. 1741; erfand, ausgehend von der Farbentheorie I. Newtons, um 1710 den Vierfarbendruck.

Le Bon [lə'bɔ̃], Gustave, frz. Philosoph und Sozialwissenschaftler, *Nogent-le-Rotrou (Dép. Eure-et-Loir) 7. 5. 1841, †Paris 15. 12. 1931; urspr. Arzt, Begründer der Massenpsychologie. – *Werk:* Psychologie der Massen (1895).

Lębork ['lɛmbɔrk] (dt. Lauenburg in Pommern), Stadt in der Wwschaft Słupsk (Stolp), Polen, an der Leba, 33 000 Ew.; elektrotechn., Textil-, Holzindustrie. – Das **Land Lauenburg** kam 1310 an den Dt. Orden, 1460 als poln. Lehen an Pommern, 1657 an Brandenburg.

Le Bourget [ləbur'ʒɛ], Gemeinde im frz. Dép. Seine-Saint-Denis, nordöstlich von Paris, 11 700 Ew.; Luftfahrtmuseum; Flugzeugbau, Gummi-, Elektroindustrie. Der Flughafen Le B. ist der älteste, kleinste und der Stadt am nächsten gelegene der drei internat. Flughäfen von Paris.

Lebọwa, ehem. Homeland in der Rep. Südafrika, ging in der neuen Nordprovinz auf.

Lebrun [lə'brœ̃], **1)** Albert, frz. Politiker, *Mercy-le-Haut (Dép. Meurthe-et-Moselle) 29. 8. 1871, †Paris 6. 3. 1950; Ingenieur, seit 1900 Abg., 1911–19 mehrmals Min., war von 1932 bis (zum 13. 7.) 1940 (letzter) Präs. der Dritten Republik.

2) (Le Brun), Charles, frz. Maler, *Paris 24. 2. 1619, †ebd. 12. 2. 1690; Generalinspektor der königl. Sammlungen, Direktor der Gobelin- und Möbelmanufaktur, Hofmaler und seit 1668 Rektor der Akademie. Seine Malereien sind akademisch und von theatral. Pracht (Spiegelgalerie in Versailles; Apollon-Galerie im Louvre). L. leitete v.a. die Ausstattung der königl. Schlösser.

Lebus, Stadt im Kr. Märkisch-Oderland, Brandenburg, an der Oder, 2100 Ew.; Befestigungen aus der späten Bronze- und frühen Eisenzeit; um 600 n.Chr. erneute Befestigung durch die slaw. **Leubuzzi.** Im 12. Jh. Entstehung der Stadt. – Das **Bistum L.,** errichtet um 1125, ab 1420 dem Erzbistum Magdeburg unterstellt, wurde 1555 säkularisiert.

Lebus, Land, flachwellige Grundmoränenplatte links der mittleren Oder in Brandenburg; Ackerbau; am Rande liegen Frankfurt (Oder), Müncheberg, Seelow und Fürstenwalde/Spree.

Lec [lɛts], Stanisław Jerzy, poln. Lyriker und Satiriker, *Lemberg 6. 3. 1909, †Warschau 7. 5. 1966; floh 1943 aus dem KZ, kämpfte in der Partisanenbewegung; schrieb Gedichte und v.a. Aphorismen: »Unfrisierte Gedanken« (1957, 2. Zyklus 1964).

Lecanuet [ləkaˈnɥe], Jean, frz. Politiker, *Rouen 4. 3. 1920, †Paris 22. 2. 1993; 1965 Präsidentschaftskandidat, beteiligte sich maßgeblich an der Neuformierung der polit. Mitte: Gründung u.a. des »Demokrat. Zentrums« (1966). 1974–77 war er Min., 1978–88 Präs. der »Union für Demokratie« (UDF).

Le Carré [engl. leˈkerɪ, frz. ləkaˈre], John, eigtl. David John Moore Cornwell, engl. Schriftsteller, *Poole (Cty. Dorset) 19. 10. 1931; realist. Spionageromane mit aktuell polit. Thematik, u.a. »Ein Mord erster Klasse« (1962), »Der Spion, der aus der Kälte kam« (1963), »Dame, König, As, Spion« (1974), »Eine Art Held« (1977), »Das Rußlandhaus« (1989), »Der heiml. Gefährte« (1991), »Der Schneider von Panama« (1997).

Lecce 2): Die Fassade der Kirche Santa Croce (1549–1695) mit zwei deutlich voneinander abgehobenen Geschossen; die Fensterrose stammt aus dem Jahr 1646

Charles Lebrun: »Das Martyrium des heiligen Johannes des Evangelisten« (um 1640; Paris, Saint-Nicolas-du-Chardonet)

Le Cateau [ləkaˈto] (früher Cateau-Cambrésis), Stadt im frz. Dép. Nord, 8300 Ew. – Le C. war im MA. eine Burg des Bischofs von Cambrai. Hier schlossen Frankreich und Spanien am 3. 4. 1559 den Frieden, der die spanisch-habsburg. Herrschaft in Italien und den burgund. Gebieten anerkannte.

Lecce [ˈlettʃe], **1)** Provinz in Apulien, Italien, 2759 km², (1995) 816500 Einwohner.

2) Hauptstadt von 1), auf der Peninsula Salentina, 100800 Ew.; Bischofssitz; Univ.; Baumaschinen-, Textil-, Tabakind., Ölmühlen, Weinkellereien. – Ausgrabungen aus röm. Zeit. Das Stadtbild dominiert ein üppiger Barockstil; Domplatz mit Dom (1659–70 erneuert), bed. Kirchen, u.a. Santi Niccolò e Cataldo (1180 ff.), Santa Croce (1549–1695); Kastell (1539–49).

Lecco, 1) Provinz in der Lombardei, Italien, 816 km², (1995) 301400 Einwohner.

2) Hauptstadt von 1), am Comer See, 45400 Ew.; Eisen- und Stahlwerk, Zement-, Papier-, Seidenind.; Fremdenverkehr, Hafen für die Passagierflotte am Comer See.

Lech *der,* rechter Nebenfluss der Donau in Österreich und Dtl., 263 km lang, entsteht als Abfluss des Formarinsees in den westl. Lechtaler Alpen (Vorarlberg), tritt bei Füssen nach Bayern ein, mündet unterhalb von Donauwörth; mehrere Staustufen, Speichersee zw. Füssen und Roßhaupten (Forggensee, 15,3 km²).

Stanisław Lec

Jean Lecanuet

John Le Carré

Ödön Lechner: Innenansicht des 1893–96 erbauten Kunstgewerbemuseums in Budapest

Le Chatelier [ləʃatə'lje], Henry Louis, frz. Chemiker, *Paris 8. 10. 1850, †Miribel-les-Échelles (Dép. Isère) 17. 9. 1936; untersuchte bes. den Einfluss der Zustandsgrößen Druck und Temperatur auf chem. Gleichgewichtsreaktionen; entwickelte 1884–88 das Prinzip des kleinsten Zwanges **(Le-Chatelier-Braun-Prinzip).** Nach diesem bewirkt bei Gleichgewichtsreaktionen jede durch äußere Einwirkung erzwungene Änderung einer Zustandsgröße eine Verlagerung des Gleichgewichts derart, dass das System dem äußeren Zwang ausweicht. So entgeht z. B. ein unter hohem Druck stehendes Gas dem äußeren Zwang, indem es sich unter Volumenverminderung verflüssigt.

Lẹcher-Leitung [nach dem österr. Physiker Ernst Lecher, *1856, †1926], symmetr. Doppelleitung für Anwendungen in der Mikrowellentechnik. Sie besteht aus zwei parallelen Drähten, deren Abstand voneinander groß gegenüber dem Drahtradius ist; bekanntes Anwendungsbeispiel: Antennen-Flachbandkabel.

Lẹchfeld, Schotterebene zw. Lech und Wertach, südlich von Augsburg. Die **Schlacht auf dem L.,** in der Otto I., d. Gr., 955 die Ungarn besiegte, fand nicht an dieser Stelle statt, sondern am 10. 8. westlich von Augsburg und am 11./12. 8. auf dem O-Ufer des Lechs.

Lẹchner, 1) Leonhard, Komponist, *in Südtirol um 1553, †Stuttgart 9. 9. 1606; seit 1595 ebd. Hofkapellmeister, einer der bed. dt. Musiker um 1600 auf dem Gebiet des dt. Liedes und der Motette. – *Werke:* Johannespassion (vor 1593); Das Hohe Lied Salomonis (1606); Dt. Sprüche von Leben und Tod (1606).

2) Ödön, ungar. Architekt, *Pest (heute zu Budapest) 27. 8. 1845, †Budapest 10. 6. 1914; führender Vertreter der Jugendstilarchitektur in Ungarn, u. a. Kunstgewerbemuseum (1893–96) und Postsparkasse (1899–1901) in Budapest.

Lẹchtaler Ạlpen, Teil der Nördl. Kalkalpen in Tirol und Vorarlberg, Österreich, zw. Großem Walsertal und Lechtal im N und NO sowie Kloster-, Stanzer- und Inntal im S und SO. Die Parseierspitze (3 038 m ü. M.) ist der höchste Gipfel der Nördl. Kalkalpen; bed. Wintersportgebiet.

Lẹchter, Melchior, Maler und Buchkünstler, *Münster (Westf.) 2. 10. 1865, †Raron (Wallis) 8. 10. 1937; Vertreter des Jugendstils. Stattete 1897–1907 sämtl. Werke S. Georges aus. Typisch für seine Arbeiten sind die schmückenden Randleisten, in die die Schrift eingeordnet ist.

Lecithịne [grch. lékithos »Eigelb«] (Lezithine, Phosphatidylcholine), zu den Glycerinphosphatiden zählende fettähnl. Stoffe, bei denen zwei Hydroxylgruppen des Glycerins mit langkettigen Fettsäuren verestert sind, die dritte Hydroxylgruppe über Phosphorsäure mit Cholin. L. sind wichtige Bestandteile der Zellen, bes. der biolog. Membranen. Reich an L. sind Blutplasma, Eigelb, Hefen, Hülsenfrüchte u. a. – L. werden v. a. in der Nahrungsmittelind., daneben als Emulgatoren in kosmet. Präparaten sowie in der Leder- und Textilindustrie verwendet.

Leck, undichte, gas- oder flüssigkeitsdurchlässige Stelle an Rohrleitungen, Behältern, Schiffen.

Leckage [lɛ'kaʒə] *die, Frachtverkehr:* Verlust an flüssigen Waren durch Verdunsten **(gewöhnl. L.)** oder Auslaufen **(außergewöhnl. L., Rinnverlust).**

Melchior Lechter: Vorzeichnung zum Titelbild von Stefan Georges Gedichtzyklus »Der Teppich des Lebens und die Lieder von Traum und Tod«, Autotypie aus dem Jahr 1899

Leckstrom (Streustrom, Irrstrom), elektrischer Strom, der nicht im vorgesehenen Stromkreis, sondern durch die Isolierung und über leitende Teile (auch durch das Erdreich) zurückfließt.

Lecksuchgerät, Vorrichtung zum Auffinden kleiner Undichtigkeiten in Vakuumapparaturen u.a. Behältern, die dicht abgeschlossen sein müssen. Durch eine Düse wird ein Testgas (z.B. Helium) auf den evakuierten Behälter geblasen. Die durch undichte Stellen ins Innere eintretenden Gasmoleküle lösen im L. eine Anzeige aus, die proportional zur einströmenden Testgasmenge ist und eine quantitative Bestimmung der Leckrate erlaubt.

Leclair [lə'klɛːr], Jean-Marie, gen. L. l'Aîné, frz. Komponist und Violinist, *Lyon 10. 5. 1697, †(ermordet) Paris 22. oder 23. 10. 1764; einer der besten Violinisten seiner Zeit; schrieb die Oper »Scylla et Glaucus« (1746), Violinkonzerte, Solo- und Triosonaten sowie Duos.

Leclanché-Element [ləklɑ̃'ʃe-, nach dem frz. Chemiker G. Leclanché, *1839, †1882], meist als Trockenelement gebautes →galvanisches Element, bei dem die Anode durch einen von Braunstein umgebenen Kohlestab gebildet wird, während die Kathode aus amalgamiertem Zink besteht. Das L.-E. liefert eine Spannung von 1,25–1,50 Volt.

Le Clézio [ləkle'zjo], Jean-Marie Gustave, frz. Schriftsteller, *Nizza 13. 4. 1940; stark beeinflusst von außereurop. Kulturen; seine zivilisationskrit., z.T. autobiograph. Romane artikulieren Trauer um versunkene Welten: »Der Goldsucher« (1985), »Onitsha« (1991), »Poisson d'or« (1997). Er schrieb auch Erzählungen, Essays und die Biographie »Diego et Frida« (1993).

Leconte de Lisle [ləkɔ̃tdə'lil], Charles Marie, eigtl. C. M. Lecomte [lək'ɔ̃t], frz. Lyriker, *Saint-Paul (auf Réunion) 22. 10. 1818, †Voisins-le-Bretonneux (bei Paris) 18. 7. 1894; Vorbild und wichtigster Vertreter der →Parnassiens. Seine formvollendeten Gedichte (»objektive Poesie«) verarbeiten meist Themen aus Mythologie und Geschichte (»Poèmes antiques«, 1852; »Poèmes barbares«, 1862; »Poèmes tragiques«, 1884).

Le Corbusier [lekɔrby'zje], eigtl. Charles-Édouard Jeanneret-Gris, frz.-schweizer. Architekt, *La Chaux-de-Fonds 6. 10. 1887, †Roquebrune-Cap-Martin (Dép. Alpes-Maritimes) 27. 8. 1965; fand neue Formen des Stahlbetonbaus, dessen auf wenige Stützen (Pilote) beschränktes System tragende Wände entbehrlich machte und somit die Möglichkeit zu völlig freien Grundrisslösungen, der Abhebung des 1. Geschosses vom Erdboden und durchlaufender Fensterzonen bot (zwei Häuser in der Weißenhofsiedlung in Stuttgart, 1927, u.a.). Nach dem 2. Weltkrieg zeigten seine Bauten skulpturale Formen, Materialverwendung im Sinne des Brutalismus und in monumentalem Maßstab (Wohneinheiten in Marseille, 1947–52, in Berlin, 1957). Le C., auch als Städteplaner in der ganzen Welt tätig, entwarf u.a. seit 1950 den Bebauungsplan für die ind. Stadt Chandigarh, in der er auch mehrere Gebäude errichtete. Eines seiner bekanntesten Werke wurde die Wallfahrtskirche Notre-Dame-du-Haut in Ronchamp (1950–54), ein nicht an geometr. Ordnungen gebundener, sondern nach plast. Vorstellungen gestalteter Bau.

Le Corbusier: Die 1950–54 erbaute Wallfahrtskirche Notre-Dame-du-Haut in Ronchamp

📖 *Le Corbusier 1910–65, bearb. v.* W. Boesiger *u. a. Zürich* [4]*1993.* – Vogt, A. M.: *Le Corbusier, der edle Wilde. Zur Archäologie der Moderne. Braunschweig u. a. 1996.*

Le Creusot [ləkrø'zo], Stadt im frz. Dép. Saône-et-Loire, am NO-Rand des Zentralmassivs, am Canal du Centre, 29200 Ew.; in der Umgebung Steinkohlen- und Erzlager; bed. Stahl- und Eisenerzeugung, Maschinen-, Geräte-, Lokomotivenbau, Waffenfabrikation.

LED, Abk. für engl. **l**ight **e**mitting **d**iode, →Lumineszenzdiode.

Leda, 1) *Astronomie:* ein Mond des Planeten →Jupiter.

2) *grch. Mythos:* Mutter der Dioskuren, von Klytämnestra und Helena; Geliebte des Zeus, der sich ihr als Schwan näherte.

Leder, von den Haaren befreite und gegerbte, meist auch gefettete und gefärbte Tierhaut. Die Bez. der versch. Arten richtet sich nach dem verarbeiteten Hautmaterial, nach dem angewendeten Gerbverfahren, nach besonderen Zurichteverfahren sowie nach dem Verwendungszweck. Bei der L.-Herstellung wird die Rohware i.d.R. durch Konservieren (Salzen, Trocknen) haltbar gemacht, danach in Wasser geweicht, um Schmutz, Salz und lösl. Eiweißstoffe zu entfernen. Dann werden das Unterhautbindegewebe durch Scheren und Entfleischen entfernt, die Haare gelockert (→Äscher) und mechanisch entfernt. Die dicke L.-Haut wird anschließend gespalten (Teilung der Haut in mehrere Schichten); für weiche L. vorgesehene Häute werden gebeizt. Dann erfolgt die →Gerbung, anschließend die Zurichtung (Oberflächenveredlung), das Egalisieren von Dickenunterschieden, Färben, Fetten, Trocknen, Glätten, ggf. Prägen.

Jean-Marie Le Clézio

Charles Marie Leconte de Lisle

Leder, Rudolf, Schriftsteller, →Hermlin, Stephan.

Leder|arbeiten, kunsthandwerkl. Arbeiten aus Leder, z.B. Kästen, Futterale, Bucheinbände; schon aus den Kulturen des Alten Orients bezeugt. Die kopt. L. (4.–8. Jh.) zeigen Ritz- und Schälarbeit, Goldauflagen, Flechtarbeit, Färbung, Punzierung. Die frühesten europ. L. stammen aus dem 13. Jh. Bei dem im 14. und 15. Jh. bevorzugten **Lederschnitt** wird eine ornamentale oder figürl. Zeichnung eingeschnitten, einzelnen Teilen auch ein Relief durch Treibarbeit von der Rückseite her gegeben. Seit Ende des 15. Jh. wurde die **Blindpressung** durch Stempel, später auch Prägeplatten und Rollen üblich, bei der die Darstellung erhaben auf niedergepresstem Grund erscheint. Gleichzeitig kam die Vergoldung auf, deren Verfahren, Blattgold mit erwärmten Stempeln einzupressen **(Goldpressung),** aus dem Orient übernommen wurde, ebenso wie das aus Ein- oder Auflagen verschiedenfarbigen Leders gefertigte **Ledermosaik.** Sehr verbreitet waren bis ins 18. Jh. die zuerst von den Mauren in Spanien eingeführten **Ledertapeten,** die gepresst, bemalt und versilbert wurden. Neuartige Gestaltungen in den tradierten Techniken brachte v.a. der Jugendstil.

📖 *Europ. L. vom 14. bis 19. Jh., bearb. v.* E. MÜHLBÄCHER, *Ausst.-Kat. Kunstgewerbemuseum, Berlin 1988.*

Joshua Lederberg

Lederberg ['leidəbə:g], Joshua, amerikan. Mikrobiologe, *Montclair (N.J.) 23. 5. 1925; wies durch Kreuzung von Bakterienstämmen in Zusammenarbeit mit E. L. Tatum die geschlechtl. Fortpflanzung von Bakterien nach. Darüber hinaus gelang ihm 1952 der Nachweis der Transduktion von Bakteriophagen. Für diese Forschungsarbeiten erhielt L. (mit G. W. Beadle und Tatum) 1958 den Nobelpreis für Physiologie oder Medizin.

Leon M. Lederman

Lederer, Hugo, österr. Bildhauer, *Znaim (Mähren) 16. 11. 1871, †Berlin 1. 8. 1940; schuf in einem traditionsgebundenen, doch tektonisch vereinfachenden Stil vor allem Denkmäler und Brunnen (u.a. Bismarckdenkmal in Hamburg, 1902–08).

Lederhaut, *Anatomie:* **1)** Teil der →Haut.

2) Teil des →Auges.

Le Duc Tho

Lederman ['ledəmən], Leon Max, amerikan. Physiker, *New York 15. 7. 1922; Prof. an der Columbia University in New York, danach Direktor des Fermi National Accelerator Laboratory in Batavia (Ill.); experimentierte ab 1962 mit Neutrinostrahlen, mit denen er die Dublettstruktur der Leptonen durch die Entdeckung des Myon-Neutrinos nachwies. 1988 erhielt er mit M. Schwartz und J. Steinberger den Nobelpreis für Physik.

Lederzecken (Argasidae), Familie zeitweilig Blut saugender Zecken mit ledriger Körperdecke; Parasiten bei Kleinsäugern, Vögeln, Schlangen und Fledermäusen; z.B. →Taubenzecke.

Ledóchowska [lɛdu:'xɔfska], Maria Theresia Gräfin von, *Loosdorf (Bez. Melk) 29. 4. 1863, †Rom 6. 7. 1922; aus wolhyn. Adel; förderte die kath. Mission, gründete ab 1888, angeregt durch Kardinal C. Lavigerie, Vereine gegen die Sklaverei, aus denen 1894 die **Petrus-Claver-Sodalität** hervorging (→Claver); 1975 selig gesprochen; Tag: 6. 7.

Lederarbeiten (von oben): Vermutlich für Siegel verwendetes Futteral mit Wappen, Schriftzeichen, Tier- und Pflanzenornamenten, bemalter böhmischer Lederschnitt (um 1377; Offenbach am Main, Deutsches Ledermuseum); Brieftasche mit Chinoiserie und Rankenornament, Goldpressung aus Deutschland (um 1840; Offenbach am Main, Deutsches Ledermuseum)

Ledoux [lə'du], Claude-Nicolas, frz. Baumeister, *Dormans (Dép. Marne) 27. 3. 1736, †Paris 19. 11. 1806; vertrat einen nüchternen, auf strenge geometr. Formen zielenden Klassizismus; neben E.-L. Boullée wichtigster Vertreter der Revolutionsarchitektur (Entwürfe für die Salinenstadt von Arc-et-Senans, 1774–79; nur z.T. ausgeführt).

Le Dục Ạnh, vietnames. Politiker und General, *1919; kämpfte im Vietnamkrieg als Truppenkommandeur gegen die südvietnames. Armee und leitete 1979 die militär. Intervention in Kambodscha. 1982 wurde er Mitgl. des Politbüros der KP und war 1991–92 für die Bereiche Sicherheit, Armee und Außenbeziehungen zuständig; seit 1992 ist er Staatspräsident.

Le Dục Thọ, vietnames. Politiker, *Dich Le (Prov. Nam Ha) 14. 10. 1911, †Hanoi 13. 10. 1990; 1930 Mitbegründer der KP Indochinas und 1941 des →Vietminh; 1955–86 Mitgl. des Politbüros;

vereinbarte als nordvietnames. Hauptunterhändler bei der Pariser Vietnamkonferenz mit H. A. Kissinger 1973 ein Waffenstillstandsabkommen (→Vietnamkrieg). Dafür erhielt er 1973 mit Kissinger den Friedensnobelpreis, dessen Annahme er jedoch ablehnte.

Lee, die dem Wind abgekehrte Seite des Schiffs; Ggs.: Luv.

Lee [li:], **1)** Christopher, brit. Filmschauspieler, *London 27. 5. 1922; internat. bekannt durch Rollen in Horrorfilmen wie »Frankenstein«, »Dracula« und »Fu Manchu«. – *Weitere Filme:* »Verschollen im Bermuda-Dreieck« (1977); »Mio, mein Mio« (1987); »Eine Frau mit Biß« (1992); »Die Bibel – Moses« (TV-Produktion, 1996).

2) David Morris, amerikan. Physiker, *Rye (N. Y.) 20. 1. 1931; Prof. an der Cornell University in Ithaca (N. Y.); entdeckte 1971/72 bei Tieftemperaturuntersuchungen die suprafluiden Phasen des Heliumisotops ^{3}He. 1996 erhielt er dafür zus. mit D. D. Osheroff und R. C. Richardson den Nobelpreis für Physik.

3) Robert Edward, amerikan. General, *Stratford (Va.) 19. 1. 1807, †Lexington (Va.) 12. 10. 1870; führte im Sezessionskrieg 1862–65 das Hauptheer der Südstaaten in Virginia; 1865 wurde er Oberbefehlshaber der Konföderierten. Nach anfängl. militär. Erfolgen unterlag er 1863 bei Gettysburg und musste am 9. 4. 1865 vor der Übermacht General U. S. Grants kapitulieren. Sein Landgut in →Arlington wurde nat. Ehrenfriedhof.

4) Spike, eigtl. Shelton Jackson L., amerikan. Filmregisseur, *Atlanta (Ga.) 20. 3. 1957: beschäftigt sich in seinen Filmen (»Malcolm X«, 1992; »Clockers«, 1996) mit der Situation der Schwarzen in den USA; auch Schauspieler.

5) Tsung Dao, amerikan. Kernphysiker chines. Herkunft, *Schanghai 25. 11. 1926; arbeitet über statist. Mechanik, Hydrodynamik und Feldtheorie; war an der Konstruktion der chines. Atombombe beteiligt. Ab 1953 in den USA, gelang ihm mit C. N. Yang der Nachweis, dass bei schwachen Wechselwirkungskräften zw. Elementarteilchen der Erhaltungssatz der Parität nicht gilt; erhielt dafür 1957 mit Yang den Nobelpreis für Physik.

6) Yuan Tseh, amerikan. Chemiker chines. Herkunft, *Hsinchu (Taiwan) 29. 11. 1936; seit 1974 Prof. in Berkeley (Calif.); erarbeitete mit D. R. Herschbach die Methode der gekreuzten Molekularstrahlen zur Erforschung der chem. Reaktionskinetik und erhielt dafür mit diesem und J. C. Polanyi 1986 den Nobelpreis für Chemie.

Leeds [li:dz], Ind.- und Handelsstadt in der Metrop. County West Yorkshire, England, am Aire, im NO eines großen Steinkohlendistrikts sowie des größten brit. Ind.gebietes; 721800 Ew.; Univ. (seit 1904), Leeds Polytechnic, Museen, u. a. für Wiss. und Industrie, Hall of Steel (Ritterrüstungen, Waffen u. a.), Zentralbibliothek; zur älteren, heute noch bed. Woll- und Bekleidungsind. traten Leder-, Möbel-, Papier-, metallurg., elektrotechn. u. a. Ind.; Kanalverbindung mit Liverpool und dem Humber, Flughafen. – Kirche Saint John's im Perpendicular Style.

LEED-Verfahren [li:d-], Abk. für engl. **l**ow **e**nergy **e**lectron **d**iffraction, Verfahren zur Strukturanalyse von Festkörperoberflächen oder dünnen Schichten, bei dem die Probe mit niederenerget. Elektronen (etwa 10 bis 100 eV) beschossen wird, d. h. einer Wellenlänge von etwa 0,1 nm, die den Atomabständen im Kristallgitter entspricht. Wegen der sehr geringen Eindringtiefe wird das Beugungsbild durch die obersten Atomlagen bestimmt. Die LEED-Technik bildet eine Ergänzung zur Auger-Elektronenspektroskopie und eignet sich bes. zur Untersuchung adsorptiv gebundener Materie, z. B. an Katalyseoberflächen.

Leer, 1) Landkreis im RegBez. Weser-Ems, Ndsachs., 1086 km^2, (1996) 154700 Einwohner.

2) Krst. des Kr. Leer in Ndsachs., an der Mündung der Leda in die Ems, 32700 Ew.; Fachbereich Seefahrt der FH Ostfriesland; Eisengießerei, Landmaschinenbau, Kunststoff-, Milchverarbeitung. See- und Binnenhafen mit Verbindungen zur Nordsee und zum Rheinisch-Westfäl. Industriegebiet. – L. entstand um die 800 gegr. Kirche des Missionars Liudger.

leere Menge, mathemat. Zeichen ∅ oder {}; die Menge, die kein Element enthält, etwa die Menge der ungeraden ganzen Zahlen, die ohne Rest durch 2 teilbar sind (→Mengenlehre).

Leerkosten, Teil der fixen Kosten, der auf nicht genutzte Kapazitäten entfällt; Ggs.: Nutzkosten.

Leerlauf, bei Maschinen, Geräten, Spannungs-, Stromquellen u. Ä. der unbelastete Betriebszustand ohne nutzbare Arbeit.

David M. Lee

Tsung Dao Lee

Yuan Tseh Lee

Claude-Nicolas Ledoux: Entwurf für das Haus der Flussinspektoren in der Salinenstadt von Arc-et-Senans (um 1774; Paris, Bibliothèque Nationale)

Leeuwarden: Gracht in der Altstadt mit Blick auf den spätgotischen Kirchturm Oldehove, das Wahrzeichen von Leeuwarden, im Hintergrund

Leerlaufstrom, der von einem elektr. System zur Energieumwandlung und -übertragung im unbelasteten Zustand aufgenommene elektr. Strom; bei elektr. Maschinen der Magnetisierungsstrom, bei Kabeln und Freileitungen der Ladestrom zum Aufbau des elektr. Feldes.

Leeuwarden Stadtwappen

Leeuwarden ['le:wardə], Hptst. der niederländ. Prov. Friesland, 86 800 Ew.; fries. Museum, Princessehof (Museum für Keramik und Porzellan u. a. aus Ostasien); Gießerei, Möbel-, Papier-, Textil-, Kunststoff- und Nahrungsmittelind.; Handelszentrum, bes. für landwirtsch. Erzeugnisse; Hafen (Containerterminal, durch Kanäle mit Harlingen und Groningen verbunden). – Die Altstadt ist sternförmig von einer Gracht umgeben; Bürgerhäuser des 17. und 18. Jh., Grote Kerk (12. Jh., 1492 erneuert); Wahrzeichen von L. ist der spätgot. Kirchturm Oldehove (1529–32, unvollendet). – 825 erstmals erwähnt, erhielt Ende des 13. Jh. Stadtrecht, war bis ins 15. Jh. Seehafen.

Antoni van Leeuwenhoek

Leeuwenhoek ['le:vənhu:k], Antoni van, niederländ. Naturforscher, *Delft 24. 10. 1632, †ebd. 27. 8. 1723; entdeckte mit selbst angefertigten Mikroskopen mit bis zu 270facher Vergrößerung viele Einzeller, Bakterien, die roten Blutkörperchen, die Spermien und die quer gestreiften Muskelfasern.

LEF [russ. ljɛf], Abk. für **lewy front** iskusstwa (»linke Front der Kunst«), 1923 in Moskau von W. Majakowski begründete literar. Gruppe um die gleichnamige Zeitschrift (1923–25; 1927/28 als »Nowy LEF« [»Neue LEF«]). Das (wahrscheinlich) von Majakowski verfasste Manifest steht in der Tradition des Futurismus, von dem sich die LEF dadurch abhob, dass ihre Vertreter »keine Hohen Priester der Kunst, sondern Arbeiter, die einen sozialen Auftrag ausführen«, sein wollten.

LeFanu ['lefənju:], J. S. (Joseph Sheridan), irischer Schriftsteller, *Dublin 28. 8. 1814, †ebd. 7. 2. 1873; Vorläufer moderner Kriminalliteratur; schrieb volkstüml. Balladen sowie Erzählungen und Romane über geheimnisvolle, gespenst. Ereignisse (»Onkel Silas«, 3 Bde., 1864).

Lefebvre [lə'fɛ:vr], **1)** Marcel, frz. kath. Theologe, *Tourcoing 29. 11. 1905, †Martigny (Schweiz) 25. 3. 1991; 1932–37 Missionar in Gabun; seit 1955 Erzbischof von Dakar; stand politisch der rechtsgerichteten Action française nahe; lehnte die Reformen des 2. Vatikan. Konzils als liberalist. und modernist. Neuerungen ab; gründete 1970 die traditionalist. →Internationale Priesterbruderschaft des Hl. Pius X.; wurde 1976 von Papst Paul VI. als Bischof suspendiert; weihte 1988 vier Priester seiner Bruderschaft ohne päpstl. Zustimmung zu Bischöfen und exkommunizierte damit nach kath. Kirchenrecht sich selbst und die Geweihten.

🕮 SCHIFFERLE, A. W.: *M. L., Ärgernis u. Besinnung. Kevelaer 1983.*

2) Pierre François Joseph, Herzog von Danzig (seit 1807), frz. Marschall (seit 1804), *Rufach (Elsass) 20. 10. 1755, †Paris 14. 9. 1820; General der Revolutionsarmee, stand beim Staatsstreich von 1799 als Gouv. von Paris auf der Seite Napoléon Bonapartes, erfolgreich in den Napoleon. Kriegen (u. a. 1807 Einnahme Danzigs). – Seine Frau Catherine, eine ehem. Wäscherin, wurde als »Madame Sans-Gêne« bekannt.

Lefèbvre [lə'fɛ:vr], Henri, frz. Philosoph und Soziologe, *Hagetmau (Dép. Landes) 16. 6. 1901, †Pau 29. 6. 1991; verfasste Arbeiten zu einer zeitgemäßen marxist. polit. Handlungslehre und zur Theorie des Alltagslebens.

Lefkoṣa [-ʃa], türk. Name von →Nikosia.

Le Fort [lə'fɔ:r], Gertrud Freiin von, Schriftstellerin, *Minden 11. 10. 1876, †Oberstdorf 1. 11. 1971; gestaltete religiöse und histor. Themen, u. a. »Das Schweißtuch der Veronika« (1928), »Die Letzte am Schafott« (Nov., 1931), »Das Schweigen« (Legende, 1967).

Lefuel [ləfy'ɛl], Hector, frz. Architekt, *Versailles 14. 11. 1810, †Paris 31. 12. 1880; entwarf die Verbindungstrakte des Louvre mit den Tuilerien (1854–68), wobei er auf Formen der Renaissance und des Manierismus zurückgriff. Für die Pariser Weltausstellung (1855) erbaute er das Palais des Beaux-Arts.

Lefzen, die Lippen des Raubwildes und des Hundes.

legạl [lat.], dem Gesetz entsprechend, gesetzlich.

Legạldefinition, Erläuterung eines Rechtsbegriffs durch das Gesetz selbst.

Legalisatiọn [lat.] *die* (Legalisierung), amtl. Bestätigung der Echtheit einer ausländ. öffentl. Ur-

Gertrud von Le Fort: zeitgenössische Rötelzeichnung (Marbach am Neckar, Schiller-Nationalmuseum)

kunde im Inland (durch einen Konsul oder Gesandten) bzw. einer Urkunde, die im Ausland vorgelegt werden soll. Erleichterte Bestimmungen können durch zwischenstaatl. Verträge vereinbart werden.

Legalität *die, allg.:* **1)** Gesetzmäßigkeit, Übereinstimmung von Handlungen oder Maßnahmen (des Staates oder von Privatpersonen) mit dem geltenden Recht (anders die →Legitimität).

2) *Ethik:* bei I. Kant die Art einer Handlung, die in äußerl. Übereinstimmung mit dem Gesetz, jedoch nicht sittlich motiviert geschieht.

Legalitätsprinzip, im Strafprozess die Verpflichtung der Strafverfolgungsbehörden, wegen aller mit Strafe bedrohten und verfolgbaren Handlungen bei zureichenden Anhaltspunkten von Amts wegen (ohne Strafanzeige) einzuschreiten, sofern nicht im Rahmen des →Opportunitätsprinzips Ausnahmen bestehen (§ 152 StPO). Die vorsätzl. Nichtbeachtung des L. ist als Strafvereitelung im Amt (§ 258a StGB) strafbar. – Das L. gilt auch in *Österreich* und der *Schweiz.*

Legasthenie [grch.-lat.] *die* (Lese-Recht-schreib-Schwäche), Abk. **LRS,** Schwäche im Erlernen des Lesens und orthograph. Schreibens bei vergleichsweise durchschnittl. oder sogar guter Allgemeinbegabung des Kindes. Die L. tritt bes. bei Jungen (bei etwa 6%) auf und äußert sich v.a. in der Umstellung und Verwechslung einzelner Buchstaben oder ganzer Wortteile. Bei frühzeitiger Hilfe (z.B. Aufmerksamkeitstraining, systemat. Verbesserung des Sprachvermögens, intensives Üben und fortwährende Wiederholung des im Rechtschreibunterricht Gelernten, ständige Ermutigung) kann die Lernstörung nach und nach abgebaut werden.

📖 SCHENK-DANZIGER, L.: *L. Zerebral-funktionelle Interpretation, Diagnose u. Therapie. München u. a. ²1991.* – MÜLLER, RUDOLF: *Frühbehandlung der Leseschwäche. Weinheim u. a. ⁴1993.*

Legat [lat.] *das,* das →Vermächtnis.

Legat [lat.] *der,* **1)** im alten Rom der Gesandte, auch der ständige Gehilfe des Feldherrn oder Statthalters. In der Kaiserzeit trugen die Generäle, die den Oberbefehl in den Prov. innehatten, den Titel »Legatus Augusti pro praetore« (L. des Kaisers anstelle des Prätors).

2) *kath. Kirchenrecht:* päpstl. Gesandter: 1) **Apostolischer L.** →Nuntius; 2) →Apostolischer Delegat; 3) ein Kardinal, der den Papst mit einem genau bestimmten besonderen Auftrag vertritt.

legato [italien.] (ligato), musikal. Vortragsbezeichnung: gebunden, d.h. die aufeinander folgenden Töne ohne Unterbrechung z.B. des Atemstroms oder Bogenstrichs lückenlos aneinander reihend; in der Notenschrift durch den **Bindebogen (Legatobogen)** bezeichnet.

Legebohrer (Legeröhre, Legestachel), Eiablageorgan vieler weibl. Insekten.

Legenda aurea [lat. »goldene Legende«], im MA. weit verbreitete Sammlung von Heiligenlegenden, von →Jacobus de Voragine lateinisch

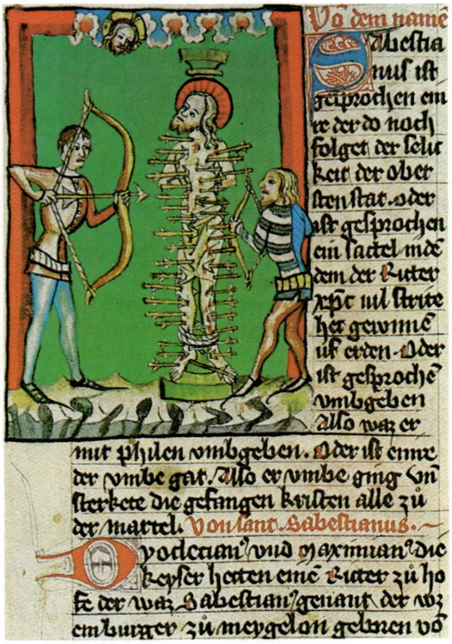

Legenda aurea: Die Miniatur zeigt das Martyrium des heiligen Sebastian, Seite aus einer in Straßburg entstandenen Handschrift in elsässischer Mundart (1362; München, Bayerische Staatsbibliothek)

Marcel Lefebvre

Fernand Léger: »Frau mit Blumen in der Hand« (1922; Düsseldorf, Kunstsammlung Nordrhein-Westfalen)

verfasst (um 1270); oft übersetzt; bed. Quelle für Motive und Themen der europ. Literatur.

Legende [lat. legenda, »das zu Lesende«] *die,* **1)** *allg.:* unverbürgte Erzählung; Bildunterschrift, Erläuterung zu Abbildungen und Zeichnungen; Zeichenerklärungen auf Landkarten u.a.; Text der Inschrift auf Münzen und Siegeln.

2) *Literatur:* Darstellung der Lebensgeschichte eines Heiligen oder Märtyrers oder exemplar. Geschehnisse daraus. Darbietungsformen sind die volkstüml. Erzählung und die literar. Verarbeitung. Die ältesten L. finden sich in den apokryphen Evangelien und Apostelgeschichten. Die älteste erhaltene lat. Prosasammlung stammt von Papst Gregor I., d. Gr.; die bedeutendste mittelalterl. Sammlung ist die →Legenda aurea. Einen ersten Aufschwung nahm die L. mit der Verbreitung der Heiligenverehrung im 6.Jh. (Gregor von Tours, Venantius Fortunatus), eine zweite Blüte bildete sich in der Karolingerzeit (z.B. Alkuins L. über den hl. Willibrord). Im 10.Jh. schuf Hrotsvith von Gandersheim L.-Erzählungen und L.-Dramen. Die ältesten volkssprachl. L. sind Heiligenhymnen (»Annolied«, Ende 11.Jh.). Um 1150 leitete die L. durch Einbeziehung weltl. Elemente zur ritterl. Epoche über (»Kaiserchronik«, »Orendel«). In der mhd. Blütezeit wurde die L. zu einer höf. Kunstform (Heinrich von Veldeke, Hartmann von Aue, Rudolf von Ems, Konrad von Würzburg). L.-Charakter tragen viele Mariendichtungen. Ende des 13.Jh. entstanden die gereimten Sammlungen des Dt. Ordens »Passional« und »Väterbuch«. Am Ausgang des MA. erlangte das L.-Spiel als Mirakelspiel Bedeutung (z.B. im 15.Jh. das niederdt. »Spiel von Theophilus«, D. Schernbergs »Spiel von Frau Jutten«, entstanden um 1480). Die Reformation drängte die L. zurück, die Gegenreformation ließ neue L.-Sammlungen entstehen. In der Wiederbelebung der L. zur Zeit der Romantik waren die ästhetisch-poet. Motive vorherrschend. Mittelalterl. L. finden bis zur Gegenwart in Übersetzungen und Nacherzählungen Verbreitung. Auch neue L.-Dichtungen wurden geschrieben (G. Keller, N. S. Leskow, Selma Lagerlöf, R. M. Rilke, R. G. Binding), z.T. als Spiel (M. Mell u.a.).

📖 ROSENFELD, H.: *L. Stuttgart [4]1982.* – KARLINGER, F.: *Legendenforschung. Aufgaben u. Ergebnisse. Darmstadt 1986.*

Legendre [lə'ʒãdr], Adrien Marie, frz. Mathematiker, *Paris 18. 9. 1752, †ebd. 10. 1. 1833; arbeitete auf dem Gebiet der Zahlentheorie, der Variationsrechnung, der partiellen Differenzialgleichungen und der ellipt. Integrale; entdeckte 1805 (unabhängig von C. F. Gauß) die Methode der kleinsten Fehlerquadrate und führte (u.a. zu deren Anwendung) eine wichtige Klasse von Polynomen **(Legendre-Polynome)** ein.

Léger [le'ʒe], Fernand, frz. Maler und Grafiker, *Argentan (Dép. Orne) 4. 2. 1881, †Gif-sur-Yvette (bei Paris) 17. 8. 1955; urspr. Architekt, fand, angeregt vom Kubismus, seinen eigenen Stil mit geometr. Abstraktionen aus Kuben, Zylindern und Kugeln, deren Formen techn. Gegenständen ähneln. 1920 arbeitete er mit Le Corbusier zusammen. In den 30er- und 40er-Jahren verarbeitete er Anregungen des Surrealismus. Im Zentrum des Spätwerks stehen große, schematisierte Figurengruppen. L. entwarf Glasfenster, Keramiken, schuf Bühnenausstattungen und bemalte Skulpturen; bedeutend ist auch sein Experimentalfilm »Le ballet mécanique« (1924).

📖 *F. L. 1911–1924. Der Rhythmus des Modernen Lebens, hg. v.* D. KOSINSKI, *Ausst.-Kat. Kunstmuseum Wolfsburg. München u.a. 1994.*

Legeröhre, →Legebohrer.

Legföhre, die Latsche (→Kiefer).

leggiero [le'dʒe:ro, italien.] (leggieramente), musikal. Vortragsbezeichnung: leicht, perlend.

Leggings (engl. Leggins), lederne Beinlinge bzw. hosenartige Bekleidung nordamerikan. Indianer. – In der *Mode* heute eine Strumpfhose ohne Füßlinge.

Leg|horn (Weiße L.), rein weiße Hühnerrasse mit hoher Legeleistung; in den USA aus weißen italien. Landhühnern gezüchtet, seit 1910 auch in Europa verbreitet.

Legien, Carl, Gewerkschaftsführer und Politiker (SPD), *Marienburg (Westpr.) 1. 12. 1861, †Berlin 26. 12. 1920; 1890 Mitbegründer und bis 1919 Vors. der Generalkommission der Gewerkschaften Dtl.s, 1919 Mitbegründer und Vors. des ADGB, leitete die Zusammenarbeit zw. Gewerkschaften und Unternehmern ein; 1893–98 und ab 1903 Mitglied des Reichstags.

legieren [lat.], *Gastronomie:* Suppen und Soßen mit Mehl, Sahne oder Eigelb binden.

Legierungen, metall. Gemische aus mindestens zwei Komponenten, einem die Hauptmasse bildenden Grund- oder Basismetall mit einem oder mehreren anderen metall. oder nichtmetall. Elementen als Zusätzen. Man unterscheidet nach der Zahl der Legierungskomponenten binäre, ternäre, quaternäre und höhere L. (oder Zweistoff-, Dreistoff-, Vierstoff- und Mehrstoff-L.), nach der Zahl der Phasen bzw. Gefügebestandteile **einphasige (homogene)** und **mehrphasige (heterogene) L.** Durch die Bildung von L. sollen bestimmte günstige Eigenschaften des Grundmetalls verbessert werden; mitunter ergeben sich auch ganz neue Eigenschaften. L. werden meist durch Zusammenschmelzen oder -sintern der Bestandteile oder durch Diffusion eines Elements in die Oberfläche des anderen (Tempern) hergestellt, bisweilen auch durch gleichzeitige Reduktion der Partner aus den Erzen, durch gemeinsame Elektrolyse oder Zersetzung von Verbindungen oder durch Aufdampfen. – Technisch haben L. eine weitaus größere Bedeutung als reine Metalle; sie werden nach dem Basismetall benannt, z. B. Eisen-, Aluminium-, Kupfer-, Blei- und Zink-L., verbreitet sind auch histor. Namen wie Bronze, Messing und Amalgam. Je nach Weiterverarbeitung unterscheidet man Guss- und Knetlegierungen. (→ Eutektikum)

Legion [lat.] *die,* **1)** im Altertum oberste Einheit des röm. Heeres, 4000–6000 Mann zu Fuß (in der Spätantike nur noch rd. 1000 Mann), rd. 300 Reiter, dazu Tross; sie war in 10 Kohorten, 30 Manipel und 60 Zenturien unterteilt.

2) in neuerer Zeit eine selbstständige Truppe aus Angehörigen fremder Staaten, die für Sold dienen (→ Fremdenlegion; → Legion Condor).

Legionärskrankheit (Veteranenkrankheit), eine schwer verlaufende Form der Lungenentzündung; Erreger ist das Bakterium **Legionella pneumophila;** die L. wurde erstmals 1976 in den USA beobachtet. Die Infektion vollzieht sich durch Einatmung des v. a. durch Aerosole von Klimaanlagen sowie durch Warmwasserleitungen verbreiteten Bakteriums.

Legion Condor, Verbände der dt. Wehrmacht, die im Span. Bürgerkrieg (1936–39) auf General F. Francos Seite kämpften (Zerstörung von → Gernika Lumo); Stärke bis zu 5500 Mann.

Legion Mariens, kath. Laienvereinigung für Seelsorgehilfe; 1921 in Dublin gegr.; heute weltweit rd. 10 Mio. Mitglieder.

Legislative [lat.] *die,* die → gesetzgebende Gewalt, auch die gesetzgebende Körperschaft.

Legislaturperiode, der Zeitraum, für den eine Volksvertretung gewählt ist.

legitim [lat.], **1)** *allg.:* vertretbar, berechtigt.

2) *Familienrecht:* ehelich (von einem Kind).

3) *Rechtswissenschaft:* rechtmäßig, zulässig.

Legitimation [lat.] *die,* **1)** *allg.:* Beglaubigung, Nachweis der Berechtigung zu einer Handlung, Ausweis über die Person des Inhabers.

2) *Familienrecht:* bis zur Neuregelung des Kindschaftsrechts (Ges. vom 16. 12. 1997) die Anerkennung eines nichtehel. Kindes als ehelich, entweder kraft Gesetzes durch nachfolgende Ehe des Vaters mit der Mutter des Kindes (§ 1719 BGB) oder durch Ehelichkeitserklärung, d. h. Verfügung des Vormundschaftsgerichts auf Antrag des Vaters (§§ 1723 ff. BGB). Die L. durch Ehelichkeitserklärung erfolgte, wenn dies dem Wohl des Kindes entsprach und ihr keine schwerwiegenden Gründe entgegenstanden. Die Einwilligung des Kindes oder, wenn noch minderjährig, der Mutter sowie die der Frau des Antragstellers, falls er verheiratet war, mussten vorliegen. Der mit der Neuregelung verfolgte Zweck, von Gesetzes wegen gleiche rechtl. Bedingungen für die Entwicklung ehel. und → nichtehelicher Kinder zu schaffen, hat den Vorschriften über die L. ihren Sinn genommen, sodass sie zum 1. 7. 1998 aufgehoben wurden.

Legitimationspapier, Urkunde über ein Recht, die den Schuldner berechtigt, mit befreiender Wirkung an jeden Inhaber zu leisten, der diese Urkunde vorlegt, ohne dessen Berechtigung zu prüfen (z. B. Garderobenschein, sog. einfaches L.). Qualifizierte L. werden zu den Wertpapieren gerechnet; sie enthalten den Namen des Gläubigers und werden mit der Bestimmung ausgegeben, dass an jeden Inhaber geleistet werden kann (§ 808 BGB, z. B. Sparkassenbuch, Pfandschein).

Legitimität *die, Staatsrecht, Politikwissenschaft:* die Rechtfertigung des Staates, seiner Herrschaftsgewalt und seiner Handlungen durch höhere Werte und Grundsätze, im Unterschied zur formellen Gesetzmäßigkeit (→ Legalität) und zur rein fakt. Machtausübung. Die Vorstellungen polit. L. sind dem histor. Wandel unterworfen. Die monarch. Herrschaft war vom MA. bis in das 18. Jh. durch das → Gottesgnadentum legitimiert, während heute die entscheidende L.-Basis der repräsentativen Demokratie auf den Prinzipien der Volkssouveränität beruht.

📖 HOFMANN, H.: *L. gegen Legalität. Berlin* [3]*1995.*

Legnano [leˈɲaːno], Stadt in der Lombardei, Italien, Prov. Mailand, 52 200 Ew.; Maschinenbau, Baumwoll-, Kunstfaser-, chem., Elektroind., Fahrradwerk. – Hier siegten die lombard. Städte am 29. 5. 1176 über Kaiser Friedrich Barbarossa.

Legnica [lɛgˈnitsa] (dt. Liegnitz), Hptst. der Wwschaft Legnica, Polen, an der Katzbach, 107 100 Ew.; Zweigstelle der Breslauer TH; Kupferhütte (um L. Kupfererzbergbau) und -museum; Textil-, elektrotechn. Ind., Maschinen-, Klavierbau. – Got. Pfarrkirche (14. Jh.), bed. Barockbauten, u. a. Johan-

Le Havre: Blick über den zweitgrößten Hafen Frankreichs

Le Havre Stadtwappen

neskirche (1714–30) mit Mausoleum der letzten Piastenherzöge, mittelalterl. Piastenschloss (im 16./17. Jh. ausgebaut). – Die bei einer im 12. Jh. bezeugten Burg entstandene Marktsiedlung wurde 1241 durch die Mongolen zerstört; zw. 1242 und 1252 Neugründung als Stadt mit dt. Recht; bis zum Aussterben der schles. Piasten (1675) Hptst. des Fürstentums Liegnitz. – Am 9. 4. 1241 erlitt bei L. ein dt.-poln. Ritterheer unter Herzog Heinrich II. von Niederschlesien (der hierbei fiel) eine Niederlage gegen die Mongolen.

Legros [lə'gro], Alphonse, frz. Maler, Grafiker, Bildhauer, *Dijon 8. 5. 1837, †Watford 8. 12. 1911; lebte seit 1863 in London; bekannt v.a. durch Radierungen und Lithographien, in denen er Tod und Schrecken mit dämon. Fantasie gestaltete.

Leguane: Grüner Leguan (Länge bis zu 1,5 m)

Leguane [haitisch] (Iguanidae), vorwiegend in Amerika, aber auch auf Madagaskar und auf den Fidschiinseln verbreitete Echsenfamilie. Der bis 1,5 m lange **Grüne L.** (Iguana iguana) lebt auf Bäumen, der über 1 m lange **Nashornleguan** (Cyclura cornuta) sowie die kleinen **Erd-L.** (Liolaemus-Arten) auf dem Boden. Weitere L. sind z.B.: Basilisk, Drusenkopf, Meerechse.

Leguminosen [lat.], die →Hülsenfrüchtler.

Leh ['lei], Hauptort von Ladakh, im ind. Teil von Kaschmir, 3520 m ü.M., 8700 Ew.; Zentrum für den Handel zw. Indien und Tibet. – Palast der Könige von L. (16. Jh.); in der Nähe einige der größten Klöster von Ladakh.

Lehár, Franz, österr. Komponist, *Komorn 30. 4. 1870, †Bad Ischl 24. 10. 1948; wurde vom Orchestergeiger und Militärkapellmeister zu einem der erfolgreichsten Komponisten der Wiener Operette, die er dem Singspiel annäherte.

Werke: Die lustige Witwe (1905); Der Graf von Luxemburg (1909); Paganini (1925); Der Zarewitsch (1927); Das Land des Lächelns (1929).

📖 FREY, S.: *F. L. oder das schlechte Gewissen der leichten Musik. Tübingen 1995.*

Le Havre [lə'a:vr], Hafenstadt im Dép. Seine-Maritime, Frankreich, am N-Ufer der Trichtermündung der Seine, 197 200 Ew.; Werften, chem., petrochem., Textil-, Holz-, Zement-, Nahrungsmittelind., Maschinen-, Fahrzeug-, Flugzeugbau. Der Hafen ist nach Marseille der größte Frankreichs; Erdölhafen am Kap Antifer nördlich von Le H. (Erdöl; Erdöl-, Erdgas- und Produktenleitungen nach Paris); Passagierhafen (Autofähre nach Southampton). Vom Hafen führt ein 24 km langer Kanal nach Tancarville an der Seine, über diese die 2114 m lange »Brücke der Normandie« nach Honfleur; Flughafen. – König Franz I. ließ Le H. 1517 als Ersatz für den versandeten Hafen Harfleur anlegen. Die Stadt erlitt im 2. Weltkrieg schwere Zerstörungen.

Lehen, →Lehnswesen.

Lehesten, Stadt im Landkr. Saalfeld-Rudolstadt, Thür., am NW-Rand des Frankenwaldes, 1700 Ew.; Schieferbrüche (bes. Dachschiefer).

Lehm, ein Verwitterungsprodukt versch. Gesteine, durch Eisenverbindungen gelb bis braun gefärbter, kalkarmer sandhaltiger Ton.

Lehmann, 1) Hans Ulrich, schweizer. Komponist, *Biel 4. 5. 1937; Schüler von P. Boulez und K. Stockhausen; wendet in seinen Kompositionen serielle Techniken an.

2) Karl, kath. Theologe, *Sigmaringen 16. 5. 1936; wurde 1968 Prof. in Mainz, 1971 in Freiburg im Breisgau; seit 1983 Bischof von Mainz; seit 1987 Vors. der Dt. Bischofskonferenz.

3) Lotte, amerikan. Sängerin (dramat. Sopran) dt. Herkunft, *Perleberg 27. 2. 1888, †Santa Barbara (Calif.) 26. 8. 1976; seit 1936 in den USA; bed. Wagner- und Strauss-Interpretin.

Franz Lehár (um 1930)

4) Wilhelm, Schriftsteller, * Puerto Cabello (Venezuela) 4. 5. 1882, † Eckernförde 17. 11. 1968; Lehrer, wurde mit Prosa bekannt (»Weingott«, R., 1921). Thema seiner Lyrik (u. a. »Der grüne Gott«, 1942; »Sichtbare Zeit«, 1967) ist die realistisch erfasste, ins Magische gesteigerte Natur und die Beziehung des Menschen zu ihr. L. wirkte stark auf die dt. Nachkriegslyrik; schrieb neben weiteren Romanen (»Ruhm des Daseins«, 1953) auch Essays (»Dichtung als Dasein«, 1956).

Lehmbau, Bauweise mit ungebranntem Lehm (im Ggs. zum Backsteinbau). Beim **Stampf-L.** wird Lehm in Formkästen, die verschoben werden können, gestampft, im **Lehmziegelbau** werden luftgetrocknete Ziegel (Adobe) verbaut (z. T. sind sie mit Fasern versetzt); beim **Lehmwellerbau** wird mit Stroh vermischter Lehm aufgeschichtet und später der gewünschten Form gemäß abgestochen. – *Geschichte:* Der L. ist in Vorderasien für den Siedlungs- und Städtebau seit dem Spätneolithikum belegt; er trat im 4. Jt. in Mesopotamien und Ägypten, im 3. und 2. Jt. in Indien und Pakistan, später in Zentral- und Ostasien, in N-Afrika und im Sudan sowie auf dem amerikan. Kontinent auf. In Mitteleuropa begann der eigentl. L. erst im MA. Lehmbauten sind heute v. a. aufgrund ihrer günstigen wohnklimat. Eigenschaften in heißen Klimazonen verbreitet (Vorderasien; N-China; südl. Mittelmeerraum; SW der USA, bes. New Mexico und Kalifornien). Auch in Europa ist L., v. a. unter ökolog. Gesichtspunkten, denkbar.

Wilhelm Lehmann: Radierung von Ludwig Meitner (1957; Marbach am Neckar, Schiller-Nationalmuseum)

Lehmbruck, Wilhelm, Bildhauer, * Meiderich (heute zu Duisburg) 4. 1. 1881, † (Selbstmord) Berlin 25. 3. 1919; bed. Vertreter der expressionist. Plastik; arbeitete 1910–14 in Paris, wo ihn H. Matisse, A. Archipenko, C. Brâncuşi, A. Modigliani und A. Maillol nachhaltig beeinflussten. Seine überlängten, feingliedrigen Figuren tragen stark sinnbildhafte Züge. Wichtige Arbeiten (u. a. »Große Kniende«, 1912; »Der Gestürzte«, 1916) bilden den Grundstock des 1964 gegr. Wilhelm-Lehmbruck-Museums in Duisburg.

📖 SCHUBERT, D.: *Die Kunst L.s. Worms u. a.* [2]*1990.*

Lehmbau in der Oasenstadt Agadès in Niger

Lehmwespen (Eumenidae), Familie schlanker, schwarzgelb gezeichneter Faltenwespen, die meist gemörtelte Brutzellen oder -röhren in Lehmwänden, Böschungen und Pflanzenstängeln bauen; in Mitteleuropa u. a. die Gattungen **Mauerwespen** (Odynerus) und **Pillen-** oder **Glockenwespen** (Eumenes).

Lehn, Jean-Marie Pierre, frz. Chemiker, * Rosheim (Elsass) 30. 9. 1939; Prof. in Straßburg; erhielt »für die Entwicklung und Verwendung von Molekülen mit strukturspezif. Wechselwirkung von hoher Selektivität« 1987 den Nobelpreis für Chemie (mit D. J. Cram und C. J. Pedersen).

Jean-Marie Lehn

Lehnert, Martin, Anglist, * Rixdorf (heute als Neukölln zu Berlin) 20. 6. 1910, † Berlin 4. 3. 1992; trat v. a. mit sprachwiss. Arbeiten und Übersetzungen alt- und mittelengl. Literatur (G. Chaucer, »Die Canterbury-Erzählungen«, 1962; »Beowulf«, 1986) hervor.

Lehnhoff, Nikolaus, Opernregisseur, * Hannover 20. 5. 1940; debütierte bei Wieland Wagner in Bayreuth, es folgten Arbeiten in Paris, San Francisco und München (1992, »Prinz von Homburg« von H. W Henze). L. inszeniert an der Metropoli-

Lehmbruck: »Der Gestürzte«, Steinguss (1916; Duisburg, Wilhelm-Lehmbruck-Museum)

tan Opera in New York, der Mailänder Scala und bei den Festspielen in Salzburg und Glyndebourne.

Lehnin: Der Backsteinbau der Klosterkirche aus dem 12. Jahrhundert wurde nach teilweisem Verfall in den Jahren 1871–77 restauriert

Lehnin, Gemeinde im Landkreis Potsdam-Mittelmark, Brandenburg, 3100 Ew. – Von dem ehem. Zisterzienserkloster (1180 gegr.) sind die Kirche (ein frühgot. Backsteinbau mit spätroman. Ostteilen, geweiht 1270, im 19. Jh. wiederhergestellt), Kapitelsaal und Kreuzgang, das Abtshaus (»Königshaus«, 15. Jh.), das »Falkonierhaus« (15. Jh.) und das Kornhaus (14. Jh.) erhalten.

Lehnswesen, die auf dem Lehnverhältnis beruhende Rechts- und Gesellschaftsordnung, das Grundelement des →Feudalismus in West- und Mitteleuropa. Das **Lehen** oder **Lehn (feudum)** war ein geliehenes Gut, dessen Empfang zu ritterl. Kriegsdienst und Treue verpflichtete; es unterschied sich einerseits vom →Allod, andererseits vom bäuerl. und städt. Leihegut. – Das L. des dt. MA. ging aus der seit dem 8. Jh. im Frankenreich vollzogenen Verschmelzung der personenrechtl. Vasallität und des sachenrechtl. Benefizialwesens hervor. Die **Vasallität** war das Treudienstverhältnis, das den **Lehnsmann** (Vasall) durch **Lehnseid** verpflichtete, dem Schutz und Unterhalt gebenden **Lehnsherrn** (Senior) gegen Unterhalt Dienst und Gehorsam zu leisten. Die Treuepflicht galt für beide. Das **Benefizium** (später auch Feudum gen.) war die Form der dingl. Landleihe. In spätfränk. Zeit wurde es üblich, den Vasallen anstelle des Unterhalts Grundstücksnutzungen zu gewähren. Das Lehnsverhältnis wurde begründet durch förml. **Belehnung** (Investitur) vor dem **Lehnshof** (Gesamtheit der übrigen Vasallen). Entsprechend der bei der Belehnungszeremonie vergebenen leiherechtl. Symbole hießen die Lehen der weltl. Fürsten **Fahnlehen,** die der geistl. **Zepterlehen.** Beim Tod des Lehnsmannes (Mannfall) oder des Lehnsherrn (Herrenfall) musste um Lehnserneuerung (Mutung) nachgesucht werden. Mit dem Erblichwerden der Lehen entstand ein Anspruch auf Belehnung. Vor dem **Lehnsgericht** (Sondergericht des Lehnsherrn) erwiesener Treuebruch des Lehnsmannes führte zum Entzug des Lehens. Der **Lehnsdienst** bestand v. a. aus Heerfahrt, d. h. dem Kriegsdienst für den Lehnsherrn, sowie Hoffahrt, der Anwesenheit am Hof des Lehnsherrn zu Rat und Hilfe. Die Karolinger zogen die großen Grundbesitzer mit ihren Gefolgsleuten für den Dienst im Reiterheer heran; so trat neben das altgerman. Volksheer ein berittenes Berufskriegerheer, das schließlich den allg. Heerbann völlig verdrängte. Von der Heeresverf. griff das L. auf die ganze Staatsverf. über. Die Heerschildordnung (→Heerschild) entwickelte sich zum Rangsystem der lehnsrechtlich gegliederten Adelsgesellschaft. In der Lehnspyramide trennten die **Kronvasallen** (Lehnsfürsten) als Lehnsmänner des Königs/Kaisers diesen von den **Aftervasallen** (z. B. Ministeriale) und den Untertanen. Während des Hoch-MA. konnten die engl. und frz. Könige ihre direkte Herrschaft über die Untervasallen durchsetzen. Im Hl. Röm. Reich kam es hingegen zur Ausbildung von →Landesherrschaften mit Verfügungsgewalt über alle Lehen im eigenen Machtbereich (Lehnshoheit). Im ausgehenden MA. verlor das L. seine Bedeutung als Grundlage der Heeresverf. durch das Aufkommen der Söldnerheere und

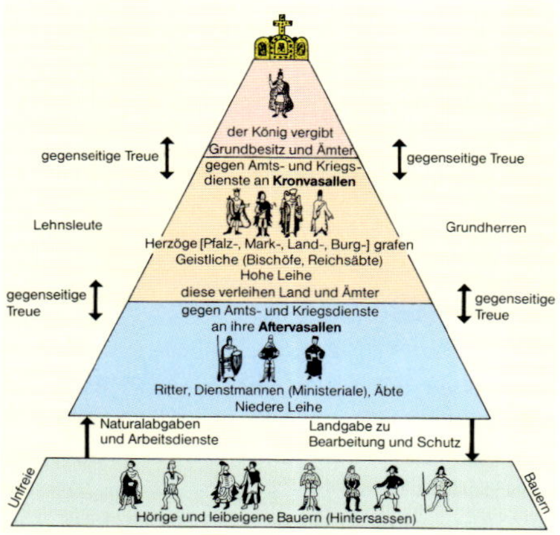

Lehnswesen: Schema der Lehnspyramide

der Feuerwaffen. Auch aus den Ämtern wurden die Lehnsleute verdrängt. Doch ist das Hl. Röm. Reich bis 1806 formell ein Lehnsstaat geblieben. Die Aufhebung der Lehen erfolgte in Dtl. zumeist im 19. Jh., z. T. erst nach 1918 durch Gesetze der Länder und des Dt. Reichs.

📖 MITTEIS, H.: *Der Staat des hohen Mittelalters. Weimar* [11]*1986.* – GANSHOF, F. L.: *Was ist das L.? A. d. Frz. Darmstadt* [7]*1989.*

Lehn|übersetzung, wortwörtl. Nachbildung fremdsprachl. Begriffe (z.B. »Schöngeist« nach frz. »bel esprit«).

Lehnwort, aus einer fremden Sprache aufgenommenes, in Phonetik, Morphologie und Orthographie der aufnehmenden Sprache angepasstes Wort, z.B. dt. Mauer aus lat. murus.

Lehr|amt, in öffentl. Schulen die Stelle des beamteten Lehrers an Grund-, Haupt-, Real- und Sonderschulen oder des Studienrates an Gymnasien, Gesamtschulen oder beruflichen Schulen. (→kirchliches Lehramt)

Lehr|auftrag, die Verpflichtung, an einer (Hoch-)Schule Vorlesungen und Übungen abzuhalten.

Lehrbrief, Studienbrief, →Fernunterricht.

Lehrbuch, systematisch und didaktisch aufgebaute, auf die jeweilige Ausbildungsstufe ausgerichtete Darstellung eines Wissensgebietes.

Lehrdichtung (didaktische Dichtung), Sammelbegriff für Literatur, die Wissen bzw. Belehrung in poet. Form vermittelt. Bei der L. i.e.S. ist die Belehrung Hauptzweck; didakt. Elemente enthalten u.a. auch die Gattungen →Fabel, →Epigramm, →Spruch, →Parabel. Bed. Werke der L. entstanden in der Frühzeit der Völker (ind. Veda, babylon. »Gilgamesch-Epos«, Hesiods »Theogonie« u.a.). In hellenist. und röm. Zeit wurden bestimmte Wissensbereiche systematisch in poet. Form vorgetragen, so von Lukrez (»De rerum natura«), Vergil (»Georgica«), Horaz (»Ars poetica«). Reich ist die geistl. und moralisch-prakt. L. des MA. (Freidanks »Bescheidenheit«, 13. Jh.; Hugo von Trimbergs »Der Renner«, 1300, u.a.). Eine neue Blütezeit setzte in Renaissance und Humanismus ein. In der Aufklärung lebte die L. noch einmal auf. Die L. Englands (J. Dryden, A. Pope, J. Thomson, E. Young) wirkte auf gleich gerichtete dt. Bestrebungen bei J.J. Bodmer, B.H. Brockes, A. von Haller. In den philosoph. Gedichten Schillers (»Die Künstler«, »Der Spaziergang«) und Goethes (»Metamorphose der Pflanzen«) gewann die L. hohen Rang. Zur jüngsten L. gehören die Lehrstücke B. Brechts.

📖 ALBERTSEN, L. L.: *Das Lehrgedicht. Århus 1967.* – SIEGRIST, C.: *Das Lehrgedicht der Aufklärung. Stuttgart 1974.* – BOESCH, B.: *Lehrhafte Lit. Lehre in der Dichtung u. L. im dt. Mittelalter. Berlin 1977.* – EFFE, B.: *Dichtung u. Lehre. München 1977.*

Lehre, 1) *allg.:* Lehrmeinung, wiss. System.

2) *Messtechnik:* festes oder auf bestimmte Werte einstellbares Messmittel zum Prüfen der Maße und Formen von Werkstücken auf Einhaltung vorgegebener Toleranzen. Man unterscheidet:

Lehrdichtung: Die erste Seite von Vergils »Georgica« (1. Jh. v. Chr.) in einer Handschrift von 1473/74 (Rom, Vatikanische Sammlungen)

Maß-L. zum Messen von Dicken und Durchmessern (z.B. Fühllehre). **Form-L.** zur Überprüfung der Konturen des Prüfstücks (z.B. Radius-L.), **Paarungs-L.,** eine Kombination von Maß- und Form-L. zur Prüfung der Paarung zweier zusammengehöriger Teile, und **Grenz-L.** (z.B. Grenzrachen-L., Grenzlehrdorne) zur Kontrolle beider Grenzmaße, wobei ihre Gutseite eine Paarungs-L. zur Prüfung des Paarungsmaßes, ihre Ausschussseite eine Maß-L. zur Prüfung des Istmaßes darstellt.

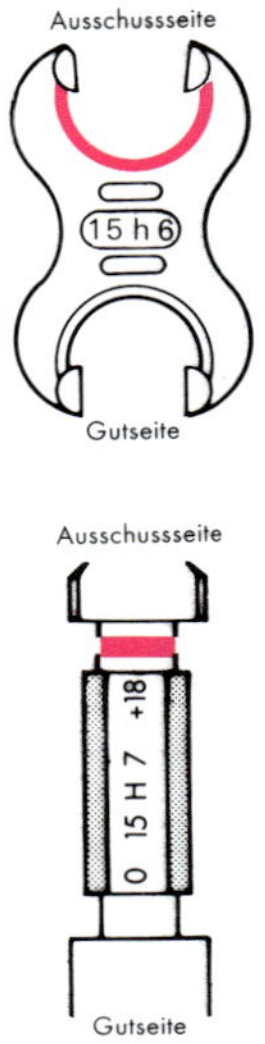

Lehre 2): Grenzrachenlehre (oben) und Grenzlehrdorn

Lehrer, Lehrender, Unterrichtender; i.e.S. die Lehrkräfte an Schulen und Lehrbeauftragten an Hochschulen.

Lehrerbildung: Die Volksschul-L. entstammten bis ins 19. Jh. dem Handwerk, dem Soldatenstand oder niederen kirchl. Diensten (Küster). Eine reguläre staatl. Ausbildung zum Volksschul-L. gab es erst mit dem preuß. Generallandschulreglement von 1763. Eine eigenständige Gymnasiallehrerbildung erfolgte in Dtl. erstmals am 1787 gegr. gymnasialen L.-Seminar in Berlin und wurde mit Beginn des 19. Jh. zur Aufgabe der Universitäten. Die nachuniversitäre zweijährige Referendarzeit und die Ausbildung an Studienseminaren mit abschließendem (zweitem) Staatsexamen entwickelte sich zw. 1924 und 1931. Nach 1945 wurden die Reifeprüfung und die akadem. Ausbildung für alle L. verbindlich. Das Studium erfolgt seitdem an pädagog. Hochschulen oder an Univ. und Gesamthochschulen, seit 1964 differenziert in Grundschul- und Hauptschullehrer-Studiengänge. Das 1970 von der Kultusministerkonferenz vorgeschlagene Modell der Ausbildung nach dem Stufenlehrerprinzip (d. h. für Primarstufe, Sekundarstufe I und Sekundarstufe II) wurde v. a. in NRW und Bremen aufgegriffen. Nachdem die Ausbildung von Realschul-L. lange Zeit über die prakt. Weiterbildung von Volksschul-L. erfolgte, gibt es heute dafür eigene Studiengänge an pädagog. Hochschulen und Universitäten. Sonderschul-L. (für Lern- oder Körperbehinderte, Blinde, Gehörlose, geistig Behinderte) werden an Inst. für Sonder- bzw. Heilpädagogik ausgebildet, die Univ. oder pädagog. Hochschulen angegliedert sind. Akadem. L. an berufl. Schulen (früher Gewerbe-L., heute Studienrat an berufl. Schulen) studieren je nach Studienfach an Univ., techn. Hochschulen oder techn. Univ. mit anschließendem Referendariat. L. für Fachpraxis werden bei mittlerem Schulabschluss und abgeschlossener Berufsausbildung über einen mindestens dreisemestrigen Fachschulbesuch und eine weitere, mindestens zwei Jahre dauernde Berufstätigkeit qualifiziert.

Die L.-Fortbildung wird von Landesinstituten, Hochschulen und z. T. Fachverbänden in Form von (freiwilligen) Studienangeboten organisiert. L.-Weiterbildung umfasst Maßnahmen, die auf eine zusätzl. Lehrbefugnis oder auf Ergänzungsstudien zielen.

In *Österreich* absolvieren die Volksschul-L. auf der Grundlage des Abiturs ein Studium an pädagog. Akademien. Die Ausbildung der Gymnasial-L. erfolgt an den Univ.; über ein Unterrichtspraktikum werden sie in den Beruf eingeführt.

In der *Schweiz* werden die Primar-L. an L.-Seminaren in 4- bis 5-jährigen Kursen ausgebildet, aufbauend auf der Sekundar-(Real-)Schule. Sekundar-(Real-)Schul-L. absolvieren nach Gymnasium oder L.-Seminar ein beschränkt wiss. Fachstudium in meist vier Fächern an einer der Univ. angeschlossenen »Lehramtsschule«. Gymnasial-L. absolvieren ein volles wiss. Univ.studium.

📖 MANDEL, H.-H.: *Geschichte der Gymnasiallehrerbildung in Preußen-Dtl. 1787–1987. Berlin 1989.* – HAMMEL, W.: *Beruf u. Rollenbilder des L. Hamburg 1995.*

Lehrerkonferenz, die Dienstversammlungen der Lehrer einer Schule oder eines Bereichs. Als kollegiales Organ hat die L. Mitsprache- bzw. Mitentscheidungsrecht. In **Schulkonferenzen** wirken Vertreter der Eltern, der Schüler und der Lehrer zusammen.

Lehrerverbände, Berufsverbände der Lehrer, u. a. mit dem Ziel der Verbesserung der Aus- und Fortbildung sowie des Sozialstatus der Lehrer. In Dtl. schlossen sich der Deutsche Philologenverband e. V., der Verband Bildung und Erziehung sowie die Verbände der Realschullehrer, Lehrer an berufl. Schulen und dt. Diplom-Handelslehrer im **Dt. Lehrerverband (DL)** zusammen. Ferner bestehen die **Gewerkschaft Erziehung und Wissenschaft** (**GEW,** im DGB), der **Bundesarbeitskreis der Lehrer an Studienseminaren (BAK),** konfessionelle Lehrerverbände u. a.

Lehrfilm, zu Lehrzwecken bestimmter Film. Das »Institut für Film und Bild in Wiss. und Unterricht« (FWU) in Grünwald bei München stellt L. her und leiht sie aus. Für die Hochschulen besteht das »Institut für den wiss. Film« (IWF) in Göttingen.

Lehrfreiheit, 1) *Kirchenrecht:* in der kath. und den evang. Kirchen die den lehrenden Theologen im Rahmen der Lehraussagen und Bekenntnisse der jeweiligen Kirchen offen stehende Freiheit zur Darlegung der Glaubensinhalte. (→Lehrverpflichtung)

2) *Staatsrecht:* das durch Art. 5. Abs. 3 GG geschützte Grundrecht, die aus wiss. Forschung gewonnenen Erkenntnisse und Überzeugungen frei von staatl. Einflussnahme in Wort und Schrift zu verbreiten. Die L. entbindet nicht von der Treue zur Verfassung; sie gilt nach herrschender Meinung nicht für den Unterricht an allgemein bildenden Schulen. – In *Österreich* ist die L. ähnlich geregelt (Art. 17 Staatsgrund-Ges.). In der *Schweiz* garantiert der Bund die L. für die bundeseigenen Lehranstalten. Im Übrigen gewährleisten die Kantone die L. in unterschiedl. Ausmaß.

Lehrgerüst, *Bautechnik:* aus Stahlrohr gefertigtes Traggerüst zur Führung der Schalung und Aufnahme der Lasten der eingeschalten Konstruktion von Massivbauwerken.

Lehrling, →Auszubildender.

Lehrmaschinen (Lernmaschinen), apparative Lerngeräte oder Lehrautomaten, die auf der Grundlage elektron. oder elektr. Steuerung eine Führung und Kontrolle über die Lernvollzüge mehrerer Schüler durch eingegebene Programme (v. a. in Sprachlabors) ermöglichen und damit selbstständiges Lernen mit einem den eigenen Bedürfnissen angepassten Arbeitstempo ohne direkte Einwirkung eines Lehrers, aber auch ohne soziale Interaktionen gestatten. L. liefern dem Schüler Informationen, verlangen Reaktionen (Beantwortung von Fragen) zur Überprüfung des Lernerfolgs und bestätigen oder korrigieren die Antworten. Die pädagog. Grundlage für L. ist die Theorie des →programmierten Unterrichts.

Lehrmittel, Hilfsmittel für den Unterricht, i. e. S. Unterrichtsfilme, Anschauungsmittel, Karten, Modelle, Sammlungen u. Ä. Von den L. unterscheidet man **Lernmittel:** Hefte, Bücher, Geräte,

Zeichen- und Werkmaterial u.a. **Lernmittelfreiheit,** d.h. unentgeltl. Überlassung von Lernmitteln, ist in unterschiedl. Umfang (teils Lernmittelhilfe) in allen Bundesländern sowie in Österreich und der Schweiz eingeführt.

Lehrplan, die Festlegung von Auswahl, Umfang, Reihenfolge und Zusammenhang der Lehrinhalte; er umschreibt Ziele und Aufgaben bestimmter Schulformen, -stufen oder -zweige, heute meist in Form von Rahmenrichtlinien oder Richtlinien für den Unterricht.

Lehrstück, Bezeichnung B. Brechts für eine Gruppe kleinerer Dramen aus den Jahren 1929/30, die, einer marxistisch-leninist. Gesellschaftslehre verpflichtet, an Modellsituationen Missstände aufzeigen; eine Form der →Lehrdichtung.

Lehrstuhl, planmäßige Stelle an einer Univ., die von einem Prof. (Ordinarius) besetzt wird.

Lehrte, Stadt im Landkreis Hannover, Ndsachs., 40100 Ew.; Metall verarbeitende, Zuckerind., Kalibergbau.

Lehrverpflichtung, in den *evang. Kirchen* die Verpflichtung der Pfarrer und Religionslehrer, den christl. Glauben entsprechend dem Bekenntnis ihrer Kirche zu verkündigen; in der *kath. Kirche* die rechtl. Bindung der mit der kirchl. Verkündigung Beauftragten an die lehramtl. Aussagen (→kirchliches Lehramt), bindend auch für die Hochschullehrer an staatlichen theolog. Fakultäten. (→Lehrfreiheit)

Lehtonen, Joel, finn. Erzähler, *Sääminki (bei Savonlinna) 27. 11. 1881, †(Selbstmord) Huopalahti (bei Helsinki) 20. 11. 1934; Übersetzer und Literaturkritiker; schrieb Romane mit malerisch-realistischer Volksdarstellung. Seine späten Werke sind von tiefer Skepsis und bitterer Weltsicht geprägt.

Lei *Pl.,* rumän. Währungseinheit Leu. →Währung, ÜBERSICHT.

Leib Christi, 1) auf Paulus (Röm. 12, 4f. u.a.) zurückgehendes theolog. Bild für die Kirche.

2) auf die neutestamentl. Abendmahlsüberlieferung (1. Kor. 11, 24 u.a.) zurückgehende Bez. des Brotes der Abendmahlsfeier. (→Hostie)

Leib|eigenschaft, eine von der Sklaverei grundsätzlich zu unterscheidende bäuerl. Unfreiheit, die persönl. Abhängigkeit vom **Leibherrn** (mit Abgabe- und Dienstpflicht bei relativer Eigentumsfähigkeit); bestand vom MA. bis zur →Bauernbefreiung. Bereits in der ersten Entwicklungsphase der L. (9. Jh. bis Ende des 12. Jh.) flossen Leib- und Grundherrschaft zusammen, wobei die von den **Hörigen** (Grundholden) – die an den Boden gebunden waren bzw. sich als Freie in den Schutz des Grundherren begeben hatten – unterschiedenen **Leibeigenen** den Hörigen in ihrer sozialen Stellung teils sehr nahe kamen. Sozialer Aufstieg war möglich durch Freilassung, im dt. Bereich durch den persönl. Sonderdienst (→Ministerialen). Die zweite Entwicklungsphase (13.–15. Jh.) war zunächst durch eine Lockerung der L. gekennzeichnet, bedingt v.a. durch die Auflösung der Fronhofsverfassung. Im dt. SW hingegen vollzog sich, um den Rückgang der grundherrl. Einnahmen auszugleichen, eine Neubildung von L., die zur histor. Bez. L. im 14. Jh. führte. Demgegenüber entstand seit dem 15. Jh. durch Beseitigung der Sonderrechte aus der dt. Ostsiedlung im ostelb. Dtl., in Böhmen, Polen und Ungarn auf der Basis der →Gutsherrschaft die aus bäuerl. Schollengebundenheit entwickelte **Erbuntertänigkeit,** die im Extremfall bis in die Nähe sklav. Knechtschaft führen konnte. Sie wurde bereits in der polit. Aufklärung als eigentl. **Real-L.** interpretiert. – Die russ. L., seit der 2. Hälfte des 16. Jh. im Zuge der Ausbildung des Dienstadels entstanden, war erbl. Verfügungsrecht eines (meist adligen) Herrn bzw. des Staates oder der Kirche, uneingeschränkt gegenüber dem Gut, eingeschränkt (d.h. ohne Tötungsrecht) gegenüber dem Leibeigenen.

📖 RABE, H.: *Das Problem L. Wiesbaden 1977. – Strukturen der Grundherrschaft im frühen Mittelalter, hg. v.* W. RÖSENER. *Göttingen 1989.*

Leibesfrucht, das Kind im Mutterleib (→Embryo). – *Recht:* Die L. ist zwar nicht allg. rechtsfähig, wird aber unter der Voraussetzung späterer Lebendgeburt z.T. als rechtsfähig behandelt. So kann die L. erben (§1923 BGB) und ist schadensersatzberechtigt, z.B. wegen Schädigung im Mutterleib. Zur Wahrung ihrer Rechte kann ein Pfleger bestellt werden (§1912 BGB). – Ähnl. Grundsätze gelten im *österr.* (§22 ABGB) und *schweizer.* Recht (Art. 31, 309, 393, 544 ZGB).

Leibeshöhle, zw. Körperwand und Verdauungskanal liegender, unterschiedlich unterteilter Hohlraum der Tiere und des Menschen. Die **primäre L.** ist die Furchungshöhle (Blastozöl) des Blasenkeims. Die **sekundäre L.** (Zölom) ist von einem Epithel ausgekleidet. Sie wird von den Ausführgängen der Ausscheidungs- und Geschlechtsorgane sowie des Verdauungssystems durchbrochen. Die L. der Säugetiere und des Menschen wird durch das Zwerchfell in Brust- und Bauchhöhle geteilt.

Leibes|übungen, alle Bewegungen und Kraftanwendungen, die zur Vervollkommnung des Körpers dienen, als planmäßig betriebene körperl. Übungen zur Erhaltung oder Steigerung der phys. und psych. Leistungsfähigkeit. Die Bez. L. wird heute häufig durch »Sport« ersetzt. Die L. umfassen für alle Altersstufen und beide Geschlechter vielfältige Formen. Sie sind Hauptmittel der →Sportpädagogik. Die früher oft vertretene strenge Trennung in Turnen, Sport und Spiel wurde fallen gelassen, da der Leistungsgedanke mit dem spieler. Element weitgehend übereinstimmt.

Leibesvisitation, allg. Bez. für die →Durchsuchung einer Person.

Wilhelm Leibl: »Küche in Kutterling« (1896; Köln, Wallraf-Richartz-Museum)

Leibgarde, seit Ende des 15. Jh. die zum persönl. Schutz eines Fürsten, später zu besonderen Diensten bei Hofe bestimmte Truppe.

Leibgedinge, →Altenteil.

Leibholz, Gerhard, Staatsrechtslehrer, *Berlin 15. 11. 1901, †Göttingen 19. 2. 1982; 1931–35 Prof. in Göttingen, emigrierte 1938 nach Großbritannien, 1947 wieder Prof. in Göttingen, 1951–71 Richter am Bundesverfassungsgericht; veröffentlichte zahlr. grundlegende Arbeiten zur Rechtsgeschichte und zum Verfassungsrecht.

Gerhard Leibholz

Leibl, Wilhelm, Maler, *Köln 23. 10. 1844, †Würzburg 4. 12. 1900; bed. Vertreter des Realismus in Dtl.; trat 1864 in die Münchener Akademie ein. Das Hauptwerk dieser Frühzeit, das »Bildnis der Frau Gedon« (1868/69; München, Neue Pinakothek), brachte ihn in freundschaftl. Kontakt mit G. Courbet. In München versammelte L. 1870 gleich gesinnte Maler, den »Leibl-Kreis«, um sich (W. Trübner, C. Schuch, T. Alt, K. Haider, zeitweilig auch H. Thoma). Seit 1873 lebte er mit dem Maler J. Sperl in Oberbayern, wo er nicht die Landschaft, sondern ihre Menschen und das bäuerl. Leben malte und sich sein Stil zu einzigartiger Detailtreue entwickelte (Die Kokotte, 1869, Tischgesellschaft, 1872/73, beide Köln, Wallraf-Richartz-Museum; Die Dorfpolitiker, 1877, Winterthur, Stiftung O. Reinhart; Drei Frauen in der Kirche, 1878–81, Hamburg, Kunsthalle). Im letzten Jahrzehnt näherte er sich dem Impressionismus, doch wahrte er stets die geschlossene Körperlichkeit seiner Gestalten.

📖 Röhl, B.: *W. L. Leben u. Werk. Hildesheim u. a. 1994.*

Leibnitz, Bezirks-Hptst. in der südl. Steiermark, Österreich, in der von der Mur durchflossenen Ebene des **Leibnitzer Feldes**, nahe der slowen. Grenze, 6600 Ew.; Getreide-, Obst- und Weinbau. Metall-, Kunststoff-, Textilindustrie. – In der Nähe liegen Schloss Seggau (13. Jh., spätere Umbauten) und die spätbarocke Wallfahrtskirche Frauenberg (1170 erwähnt). – L. entstand um 970, Neugründung 1170; seit 1913 Stadt.

Leibniz, Gottfried Wilhelm, Universalgelehrter, v. a. Philosoph und Mathematiker, *Leipzig 1. 7. 1646, †Hannover 14. 11. 1716; wurde 1676 Bibliothekar und Rat des Herzogs Johann Friedrich von Braunschweig-Lüneburg in Hannover, später Hofgeschichtsschreiber, regte die Gründung der »Societät der Wissenschaften« (später »Preuß. Akademie der Wissenschaften«) in Berlin (1700) an. L. war ein bed. Mathematiker (u. a. trug er unabhängig von Newton entscheidend zur Entwicklung der Infinitesimalrechnung bei, führte den Funktionsbegriff ein und entwickelte das Dualsystem), Rechtsgelehrter, Physiker und Techniker (konstruierte die erste Rechenmaschine mit Staffelwalzen 1675), polit. Schriftsteller, Geschichts- und Sprachforscher. Mit fast allen bed. Gelehrten Europas stand er in regem Briefwechsel. Als Philosoph hat L. ein nichtmechanist., rationalistisch-idealist. Denkgebäude entworfen, das die mechanist. Naturerklärung des Descartes durch die Einführung

Wilhelm Leibl: »Die Kokotte« (1869; Köln, Wallraf-Richartz-Museum)

des Begriffs der Zweckursachen mit dem religiösen Glauben zu versöhnen suchte. An die Stelle der toten Atome setzte L. individuelle, nicht ausgedehnte und daher unteilbare, äußeren mechan. Einwirkungen unzugängl. Substanzen bzw. Einheiten (Monaden), deren Lebensgrund die unendl. Urmonade der Welt, die Gottheit, bilde (→Conway). In jeder dieser »nackten« oder beseelten Monaden spiegele sich das Weltgeschehen mit versch. bewussten bis unbewussten Graden der Wahrnehmung (Perzeption), in den »nackten« Monaden als Bausteinen der Materie in unbewusster Weise. Die Weltvorgänge in den einzelnen »fensterlosen« Monaden sollen durch einen von vornherein von Gott angelegten Gleichklang aufeinander abgestimmt sein (»prästabilierte Harmonie«). Die Lehre L.' ist weltbejahend; die Ansicht, dass die Welt die vollkommenste unter allen mögl. Welten sei, benutzt er zur Rechtfertigung Gottes.

Werke: Système nouveau de la nature et de la communication des substances (1695); Theodizee (frz., 1710); Monadologie (frz., 1839).

📖 MacDonald Ross, G.: *G. W. L. Leben u. Denken. A. d. Engl. Bad Münder am Deister 1990.* – Holz, H. H.: *G. W. L. Frankfurt am Main u. a. 1992.* – Zingari, G.: *L., Hegel u. der dt. Idealismus. A. d. Italien. Dettelbach 1993.*

Leibowitz, René, frz. Komponist, Dirigent und Musikschriftsteller poln. Herkunft, *Warschau 17. 2. 1913, †Paris 28. 8. 1972; als Komponist bed. Vertreter der Zwölftonmusik; als Dirigent setzte er sich v. a. für die Werke A. Schönbergs und seiner Schüler ein.

Leibrente, meist Geldrente, die einem anderen auf dessen Lebenszeit i. d. R. vierteljährlich im Voraus zu leisten ist (§§ 759–761 BGB). Die Verpflichtung kann auf einem Vertrag, einer letztwilligen Verfügung oder unmittelbar auf Gesetz (z. B. Schadensersatz) beruhen. – In *Österreich* ist die vertragl. L. in §§ 1284 ff. ABGB geregelt, in der *Schweiz* in Art. 516 ff. OR.

Leibschmerzen (Bauchschmerzen), im Bereich des Bauchs oft krampfartig auftretende Schmerz- und Spannungszustände vielfältiger Ursachen: Magenverstimmung, Krämpfe der Eingeweidemuskulatur (→Kolik), Entzündungen der Bauchorgane (z. B. Blinddarmentzündung, Gallenblasenentzündung), Steinerkrankungen (z. B. Gallensteine), Menstruationsschmerzen u. a.

Leib-Seele-Problem, das →psychophysische Problem.

Leicester ['lestə], Verw.sitz der engl. Cty. Leicestershire, am Soar, 278 000 Ew.; Univ., Polytechnikum; Zentrum der Strumpf- und Wirkwarenind., elektrotechn., Schuhind., Maschinenbau. – Reste röm. Anlagen; anglikan. Kathedrale (urspr. Saint Martin's; 12./13. und 19. Jh.); Guildhall (14. Jh.); Burgruine (11. Jh.); Bibliothek und Univ.institute von J. Stirling (1959–63) und O. Arup (1972).

Gottfried Wilhelm Leibniz: Gemälde des deutschen Malers Andreas Scheits (1703; Braunschweig, Herzog Anton Ulrich-Museum), darunter Autogramm

Leicester ['lestə], Robert Dudley ['dʌdlɪ] Earl of (seit 1564), engl. Offizier, *24. 6. 1532 (oder 1533), †Cornbury (bei Oxford) 4. 9. 1588; Sohn des Herzogs von Northumberland, war seit 1559 Günstling der Königin Elisabeth I., konnte aber die angestrebte Ehe mit ihr nicht erreichen; 1585–87 befehligte er erfolglos die engl. Hilfstruppen in den Niederlanden gegen Spanien.

René Leibowitz

Leicestershire ['lestəʃɪə], Cty. im mittleren England, 2 553 km², (1995) 923 000 Ew.; Verw.sitz ist Leicester.

Leich [ahd. leih »gespielte Weise«], Form der mhd. Sangverslyrik. Der L. geht zurück auf die lat. Sequenzen des Kirchengesanges, er ist dem frz. →Lai verwandt. Im Unterschied zur Folge gleichartiger Strophen beim Lied weist der L. nach Umfang und Bau ungleiche Teile auf, die aber in zumeist zwei umfassenden Gruppen und in Untergruppen miteinander korrespondieren. Inhaltlich unterscheidet man religiöse, Minne- und Tanzleiche.

Leicester
Stadtwappen

Leich, Werner, evang. Theologe, *Mühlhausen/Thüringen 31. 1. 1927; 1978–92 Landesbischof der Evang.-Luth. Kirche in Thüringen; 1986–89 Vors. des Bundes der Evang. Kirchen in der DDR.

Leichdorn, das →Hühnerauge.

Leiche [ahd. lih »Körper«] (Leichnam), Körper eines Menschen nach dem Eintritt des Todes.

Recht: Der Verstorbene ist vor der Bestattung von einem Arzt zu untersuchen **(L.-Schau),** der über Todesursache, -zeitpunkt und -art den L.-Schauschein ausstellt. Die L.-Schau soll die Bestattung Scheintoter verhindern und verhüten, dass eines nichtnatürl. Todes Gestorbene vor der Feststellung der Todesursache begraben werden. Ein L.-Fund und jeder Verdacht eines nichtnatürl. Todes muss unverzüglich den Ordnungsbehörden (Polizei- und Gemeindebehörden) gemeldet werden, die zur Anzeige an die Staatsanwaltschaft oder das Amtsgericht verpflichtet sind (§ 159 StPO). Die Bestattung richtet sich im Wesentlichen nach Landesrecht. (→Erdbestattung, →Feuerbestattung) – Nach § 168 StGB wird die »Störung der Totenruhe« mit Freiheitsentzug bis zu drei Jahren oder mit Geldstrafe bestraft. Hierunter fällt bes. die unbefugte Wegnahme einer Leiche. Zivilrechtlich sind L. herrenlose Sachen und gehen nicht in das Vermögen der Erben über. – Die Wegnahme einer L. wird auch nach *österr.* (§ 190 StGB) und *schweizer.* Recht (Art. 262 StGB) bestraft.

Leichenfledderei, Diebstahl von Sachen, die einem Toten beigegeben sind; wird wegen »Störung der Totenruhe« (§ 168 StGB) bestraft.

Leichengifte (Ptomaine), Bez. für die bei der Eiweißfäulnis entstehenden biogenen Amine Cadaverin und Putrescin, die u. a. vorwiegend den Verwesungsgeruch von Leichen verursachen.

Leichen|öffnung, die →Sektion.

Leichenschändung, → Störung der Totenruhe.

Leichenschau, →Leiche.

Leichenstarre, die →Totenstarre.

Leichhardt, Ludwig, Forschungsreisender, *Berlin 23. 10. 1813, †1848 (?); erforschte 1844/45 als Erster den NO Australiens, beim Versuch einer O-W-Durchquerung des Kontinents (Beginn März 1848) ist er verschollen.

Leichlingen (Rheinland), Stadt im Rhein.-Berg. Kreis, an der Wupper, NRW, 26 300 Ew.; große Rehabilitationsklinik, Behindertenschule; Konserven- und Metallindustrie, Elektrotechnik; Obstbau und -verwertung.

Leichnam, →Leiche.

Leicht|athletik, Sammelbez. für das sportl. Gehen, Laufen, Springen, Werfen oder Stoßen um die kürzeste Zeit, größte Weite oder Höhe nach den in jeder Disziplin gültigen Wettkampfregeln. Heute ist die L. Kernstück der modernen Olymp. Spiele. Es werden eine Vielzahl von Wettbewerben ausgetragen. Laufwettbewerbe: →Kurzstreckenlauf, →Mittelstreckenlauf, →Langstreckenlauf, →Staffellauf, →Hürdenlauf, →Hindernislauf, →Gehen, →Marathonlauf; Wurfwettbewerbe: Diskuswerfen (→Diskus), →Hammerwerfen, →Kugelstoßen, →Speerwerfen; Sprungwettbewerbe: →Hochsprung, →Stabhochsprung, →Weitsprung, →Dreisprung sowie der →Mehrkampf. (→Weltrekord)

Organisationen: Oberster Verband der L. in Dtl. ist der **Deutsche L.-Verband (DLV),** gegr. 1898,

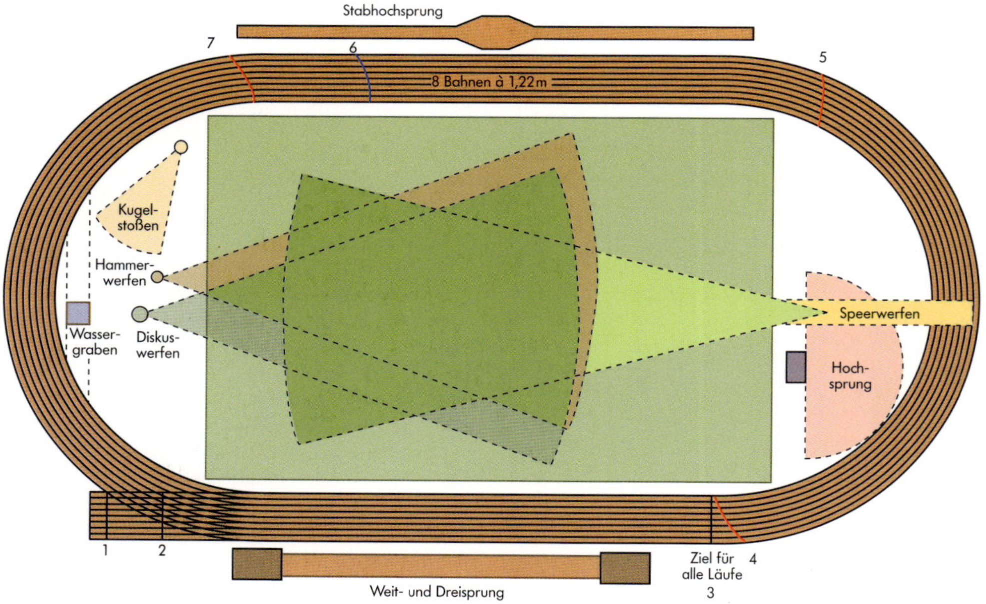

Leichtathletik: Vorschriftsmäßige Anlage mit 400-m-Rundbahn für alle international üblichen Disziplinen; 1 Start 110 m Hürden, 2 Start 100 m, 3 Ziel für alle Läufe, 4 Start 400 m, 800 m, 10 000 m, 5 Start 1 500 m, 6 Start 3 000 m Hindernis, 7 Start 5 000 m

Sitz: Darmstadt, in Österreich der **Österr. L.-Verband (ÖLV),** gegr. 1900, Sitz: Wien, in der Schweiz der **Schweizer. L.-Verband (SLV),** gegr. 1905, Sitz: Bern. In Europa sind die Leichtathleten in der **European Athletic Association (EAA),** gegr. 1970, Sitz: Frankfurt am Main, organisiert. Internat. Dachverband für L. ist die **International Amateur Athletic Federation (IAAF),** gegr. 1913, Sitz: London.

Leichtbau, die Anwendung besonderer Baustoffe (→Leichtbaustoffe), Bauweisen und Bauformen (Hohlprofile, Sandwichbauweise) bei der Konstruktion tragender Elemente im Hoch-, Fahrzeug- und Maschinenbau. Mit ihr wird große Tragfähigkeit bei geringer Masse erreicht, z.B. bei Flugzeugzellen, selbsttragenden Karosserien im Kraftfahrzeugbau, Brücken mit Kastenträgern aus Stahl- oder Leichtmetallblechen

Leichtbauplatten, aus Holzwolle mit anorgan. Bindemitteln (z.B. Zement, Magnesit) gebundene, nagelbare Bauplatten. **Mehrschicht-L.** bestehen aus Schaumstoff- und L.-Schichten.

Leichtbaustoffe, Bau- und Werkstoffe mit vergleichsweise geringer Dichte. L. bestehen zumeist aus leichten, porösen anorg. (Bims, Blähton, Kieselgur u.a.) oder organ. Materialien (Kork, Torf u.a.) oder sie sind aus diesen Materialien und Bindemitteln geformt. Ebenso zu den L. zählen geschäumte Stoffe, Glas-, Holz- und Mineralwolle sowie Leichtmetalle (z.B. Aluminium, Titan). L. sind zur Verwendung im →Leichtbau geeignet.

Leichter [niederdt. lichten »entladen«], kleineres, offenes Wasserfahrzeug ohne Eigenantrieb, das größeren Schiffen Ladung abnimmt oder zuführt. Spezielle L. werden von Schubschiffen im Binnenverkehr befördert (**Schub-L.,** meist im Verband von zwei bis vier L.) oder in der Seeschifffahrt als →Lash verwendet.

Leichtfertigkeit, *Strafrecht:* erhöhter Grad von Fahrlässigkeit.

Leichtgewicht, *Sport:* eine Gewichtsklasse; im Boxen (Amateure) bis 60 kg, im Berufsboxen teilweise bis 61,237 kg, im Gewichtheben bis 67,5 kg, im Judo (Männer) bis 71 kg, im Karate bis 65 kg, im Ringen bis 68 kg, im Taekwondo bis 64 kg.

Leichtmetalle, Metalle und Legierungen mit einer Dichte (meist) unter 4,5 g/cm^3. Zu den L. gehören die Alkali- und Erdalkalimetalle, Aluminium, Magnesium und Scandium, mitunter auch Yttrium und Titan.

Leichtminerale, Minerale mit einer Dichte bis 2,9 g/cm^3; sie bilden mehr als 90% der festen Erdkruste. Ggs.: →Schwerminerale.

Leicht|öl, aus Steinkohlen- oder Braunkohlenteer gewonnenes Kohlenwasserstoffgemisch. Der Siedebereich liegt zw. 80°C und 180°C.

Leichtwasserreaktor, Abk. **LWR,** mit leichtem Wasser (H_2O) moderierter und gekühlter →Kernreaktor.

Leiden: Die in der Altstadt liegende Sint-Pancraskerk (Hooglandse Kerk) stammt aus dem 14. Jahrhundert

Leid, Sammelbegriff für alles, was den Menschen körperlich und seelisch belastet, Schmerzempfindungen in ihm hervorruft (z.B. Krankheit, Entbehrung, Verletzung wesentl. Bedürfnisse) und ihn den (unwiederbringl.) Verlust von für sein Leben wesentl. Personen, Beziehungen und Dingen bewusst werden lässt.

Religionsgeschichte: In den Religionen ist die Frage nach Ursprung, Zweck und Überwindung des L. sehr unterschiedlich beantwortet worden. Die Naturreligionen erkennen im L. häufig eine Einwirkung dämon. Kräfte oder mag. Mittel. Der Konfuzianismus setzt Glück und L. in einen Kausalzusammenhang zum moral. Verhalten des Menschen, ähnlich auch die ind. Lehre vom Karma. Der frühe Buddhismus sah im L. die beherrschende Qualität des individuellen Seins, das mit dem Eingang ins Nirvana überwunden wird, die →Gnosis die Gefangenschaft der Seele im Gefängnis des Körpers. Für den Islam ist L. eine Prüfung, die zu Allah führen und das Vertrauen auf ihn festigen soll. Das Judentum sieht im L. die Strafe für menschl. Schuld (den Missbrauch der ihm gegebenen Freiheit) und die Prüfung seines Glaubens (→Hiob) durch Gott. Im Christentum fließen beide Elemente exemplarisch im stellvertretenden Leiden Jesu Christi am Kreuz zusammen. Zum Widerspruch zw. der postulierten Allmacht Gottes und dem realen L. in der Welt →Theodizee.

Leiden
Stadtwappen

📖 *Warum leiden? Die Antwort der Weltreligionen,* hg. v. A. T. KOURY u. P. HÜNERMANN. *Freiburg im Breisgau u. a. 1987.* – KREINER, A.: *Gott u. das L. Paderborn* [3]*1995.*

Leiden, Stadt in der Prov. Südholland, Niederlande, am Alten Rhein, 113800 Ew.; Univ. (gegr. 1575), Laboratorium für Weltraumforschung, Forschungsinst. für Pflanzen, Sternwarte, bed. wiss. Museen, botan. Garten; Maschinen-, Apparate- und Karosseriebau, Herstellung von kosmet. Artikeln, Medienprodukten u.a. Ind., Chromverarbeitung; Handelszentrum für Vieh, Käse und bes. Blumenzwiebeln. – L., von zahlr. Kanälen durchzogen, ist eine der ältesten Städte der Niederlande (1266 Stadtrecht); reich an schönen Bauten, v.a. aus der Renaissance: Gemeenlandshuis, Lakenhal (Tuchhalle) mit Stadtmuseum, Rathaus (1593/94; 1929 durch Brand zerstört, Fassade restauriert), spätgot. Pieterskerk (Baubeginn 1294), Lodewijkskerk (1538) und Sint-Pancraskerk (Hooglandse Kerk; 14. Jh.).

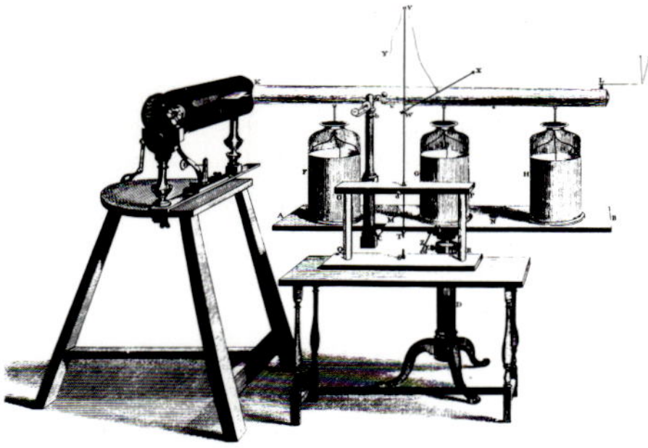

Leidener Flaschen mit Elektrisiermaschine (links), Kupferstich aus der Zeitschrift »Philosophical Transactions of the Royal Society of London« von 1768

Leidener Flasche [nach der Stadt Leiden] (kleistsche Flasche), älteste Form des elektr. Kondensators; ein innen und außen mit leitenden Belägen (Stanniol) versehenes Glasgefäß. 1745 (unabhängig voneinander) von dem Physiker E. J. von Kleist (*1700, †1748) und dem Leidener Physiker P. van Musschenbroek (*1692, †1762) erfunden.

Leidenfrost-Phänomen [nach dem Mediziner J. G. Leidenfrost, *1715, †1794], das nicht benetzende Verhalten einer Flüssigkeit, wenn die Temperatur des berührten Körpers oberhalb der Siedetemperatur der Flüssigkeit liegt. Ein Beispiel für das L.-P. ist das Schweben von Wassertropfen auf einer über 100 °C erwärmten Platte. Durch den sich zw. Wassertropfen und Platte bildenden Dampfmantel, der eine schlechte Wärmeleitfähigkeit besitzt, wird der Wassertropfen vor sofortiger Verdampfung geschützt.

Vivien Leigh

Leidenschaft, starker Antrieb, übermäßiges Begehren, das das Fühlen und Handeln eines Menschen unabhängig von vernünftiger Einsicht bestimmt.

Leier [grch.], **1)** *Astronomie:* (Lyra) Sternbild des nördl. Himmels, mit dem Stern 1. Größe Wega (Alpha Lyrae).

2) *Musik:* altgrch. Saiteninstrument, die →Lyra.

Leier|antilopen, Gattung der Kuhantilopen in Steppen und Savannen Afrikas mit meist leierförmig geschwungenem Gehörn; zwei Arten: **Buntbock** und **Damaliscus lunatus** (Leierantilope i.e.S.); letztere mit zahlreichen Unterarten, z.B. **Korrigum** (Damaliscus lunatus korrigum).

Leierkasten, andere Bez. für →Drehorgel.

Leierschwänze (Menuridae), Familie bis 1,3 m großer Sperlingsvögel mit zwei austral. Arten: **Prachtleierschwanz** (Leierschwanz i.e.S.) und **Schwarzleierschwanz;** die Männchen haben einen etwa 70 cm langen, leierförmigen Schwanz, der während der Balz fächerförmig über den Kopf geschlagen wird.

Leif Eriksson, normann. Seefahrer, Sohn Erichs des Roten, *um 975, †um 1020; gelangte auf einer Fahrt vom südl. Grönland aus um 1000 an die Küste Nordamerikas und drang bis in die Gegend des heutigen Boston vor, die er »Vinland« nannte. Er gilt als erster europ. Entdecker Amerikas, doch blieb seine Entdeckung ohne Folgen.

Leifs [lɛjfs], Jón, isländ. Komponist, Dirigent und Musikschriftsteller, *Sólheimar 1. 5. 1899, †Reykjavík 30. 7. 1968; trug mit seinen von der isländ. Volksmusik beeinflussten Kompositionen wesentlich zur Ausbildung eines nat. Stils bei.

Leigh [li:], Stadt in der Metrop. Cty. Greater Manchester, England, 45 300 Ew.; Maschinenbau und elektrotechn. Ind. (früher Steinkohlenbergbau und die Baumwollindustrie).

Leigh [li:], Vivien, brit. Schauspielerin, *Darjeeling (Indien) 5. 11. 1913, †London 8. 7. 1967; 1940–60 ⚭ mit Sir L. Olivier, mit dem sie v.a. Theatertourneen (»Romeo und Julia«) unternahm; spielte auch in Filmen, u.a. in »Vom Winde verweht« (1939), »Caesar und Cleopatra« (1944/45), »Endstation Sehnsucht« (1951).

Leierantilopen: Das Korrigum ist mit einer Schulterhöhe bis zu 1,4 m die größte Leierantilope

Leih|arbeitsverhältnis, befristete Überlassung eines Arbeitnehmers durch seinen Arbeitgeber (Verleiher) zur Arbeitsleistung im Betrieb eines anderen Arbeitgebers (Entleiher), ohne dass das

Arbeitsverhältnis mit dem Verleiher gelöst wird. Die Überlassung ist nur mit Zustimmung des Arbeitnehmers möglich. Die gewerbl. →Arbeitnehmerüberlassung bedarf der behördl. Erlaubnis.

Leierschwänze: Prachtleierschwanz in Balzstellung

Leihbücherei (Leihbibliothek), gewerblich betriebene Bibliothek, die Bücher befristet gegen Vergütung verleiht.

Leihe, die vertragl., unentgeltl. Gebrauchsüberlassung einer Sache mit der Verpflichtung zur Rückgabe (**Gebrauchs-L.;** §§598ff. BGB). Gefälligkeitshandlungen sind keine Leihverträge. Gebrauchsüberlassung gegen Entgelt ist rechtlich Miete oder Darlehen, auch wenn sie umgangssprachlich als L. bezeichnet wird. – Ähnliches gilt in *Österreich* (§§971ff. ABGB) und in der *Schweiz* (Art. 305 ff. OR).

Leihhaus (Pfandhaus, Pfandleihanstalt), i. Allg. gewerbl. Unternehmen, das gegen Verpfändung von Sachen Geld auf kurze Zeit ausleiht. Die Errichtung eines L. bedarf der behördl. Erlaubnis (§34 Gewerbeordnung i.d.F. v. 1. 1. 1987). Über Pfand und Darlehen werden Pfandscheine **(Leihscheine)** ausgestellt. In Dtl. wurde das erste L. 1402 in Frankfurt am Main gegründet (→Montes).

Leihmutter, Frau, die stellvertretend für eine andere Frau deren Kind austrägt und ihr das Kind nach der Geburt überlässt; im medizin. Sinne nur, wenn die L. mit dem Kind nicht genetisch verwandt ist. In der Bundesrep. Dtl. gilt das Adoptionsvermittlungs-Gesetz i.d.F. v. 27. 11. 1989, wonach die Vermittlung einer L. unter Strafe gestellt wird.

Leih-Pacht-System, das →Lend-lease-System.

Leimbau (Holzleimbau), eine Ingenieurholzbauweise, bei der zur Verbindung der Hölzer Kunstharzleime dienen.

Leime, kolloide, wasserlösl. →Klebstoffe auf Basis tier., pflanzl. oder synthet. Grundstoffe wie Eiweiß, Gelatine (Glutin), Stärke oder Cellulosederivate. L. werden flüssig aufgetragen. Durch Verdampfen, Verdunsten oder Abwandern des Wassers erhärtet der L. und klebt, wobei chem. Reaktionen (z.B. Gerinnung oder Gelieren der wirksamen Grundstoffe) zur Klebewirkung beitragen. **Kalt-L.** binden bei normaler Temperatur, **Warm-L.** bei 50–80 °C, **Heiß-L.** bei 100–160 °C ab. Zusätze von Härtern vermindern die Abbindetemperatur oder leiten das Aushärten ein.

Leimen, Stadt im Rhein-Neckar-Kreis, Bad.-Württ., 24600 Ew.; Zementwerk, Brauerei, Weinbau. – Im Stadtteil Sankt Ilgen die roman. Säulenbasilika St. Ägidius, im 18. Jh. barockisiert.

Leimfarbe, pigmenthaltiger Anstrichstoff mit Leim als Bindemittel; feuchtigkeitsempfindlich; wird für den Innenanstrich von Decken- und Wandflächen verwendet.

Leimkraut (Silene), Gattung der Nelkengewächse, z.T. mit klebrigem Stängel; zu ihr gehören u.a. **Gemeines L.** (**Taubenkropf,** Silene vulgaris), auf trockenen Wiesen, mit blasigem Kelch und weißl. Blüten; **Stängelloses L.** (Silene acaulis), polsterwüchsige Zwergstaude mit roten Blüten; **Nickendes L.** (Silene nutans), drüsig-weichhaarig, in trockenen Wäldern.

Leimringe, Pergament- oder Baumwollstreifen mit Aufstrich aus Harzen, Wachsen und Weichmachern, mit Zusätzen von Gift- und Farbstoffen;

Leimkraut: Das Gemeine Leimkraut wird auch Taubenkropf genannt

werden im Herbst um die Stämme der Obstbäume zum Fangen von Baumschädlingen gelegt.

Lein [zu lat. linum] (Echter L.), → Flachs.

Leinberger, Hans, Bildhauer, * Landshut (?) um 1480–85, † ebd. nach 1530; zw. 1510 und 1530 in Landshut nachweisbar. Der Donauschule nahe stehend, erfüllte L. seine Figuren mit leidenschaftl. Pathos und kraftvollem Ausdruck. Die Oberfläche

Hans Leinberger: Madonna, Sankt Kastulus (links) und Kaiser Heinrich II. (rechts), Schreinfiguren (1513/14) im Hochaltar der ehemaligen Stiftskirche Sankt Kastulus in Moosburg a. d. Isar

der Skulpturen ist malerisch aufgelockert, mit stark bewegtem Faltenstil. – Hauptwerke: Hochaltar der ehem. Stiftskirche St. Kastulus in Moosburg a. d. Isar (1513/14); Rosenkranzmuttergottes (um 1516–18; Landshut, St. Martin); Sitzender Jakobus (um 1523–25; München, Bayer. Nationalmuseum); hl. Georg (um 1525; München, Frauenkirche).

📖 Behle, C.: *H. L. München 1984.*

Leinkraut: Die Blüten des Gemeinen Leinkrauts liefern einen gelben Farbstoff

Leine *die,* linker Nebenfluss der Aller, in Ndsachs. und Thür., 241 km lang, entspringt auf dem Eichsfeld bei Worbis, durchfließt in nördl. Richtung (von Friedland südlich Göttingen bis Nordstemmen) den tektonisch angelegten **L.-Graben** (beiderseits des L.-Grabens erstreckt sich das **L.-Bergland,** das im W in das Weserbergland übergeht); mündet bei Schwarmstedt; auf 112 km schiffbar.

Leinefelde, Stadt im Landkreis Eichsfeld, Thür., an der Leine im → Eichsfeld, 16 600 Ew.; Textilindustrie. – Barocke Maria-Magdalena-Kirche (1729). – 1227 erstmals erwähnt; seit 1969 Stadt.

Leinen (Leinwand, Linnen), festes, wenig geschmeidiges Gewebe in **Leinwandbindung,** das ganz oder teilweise aus den Bastfasergarnen des Flachses besteht; v. a. für Wäsche, Kleider und Dekorationsstoffe. Der Name Reinleinen darf nur für Gewebe aus 100 % Flachsgarn gebraucht werden. Halbleinen muss in Kette und Schuss aus Leinen bestehen und mindestens 40 % der Gesamtmasse Flachs enthalten. Hanf-L. besteht aus Hanfgarnen, Pack- und Sack-L. meist aus Hanf oder Jute, Grobleinen (Bauernleinen, Hausleinen) vielfach aus Werggarnen (Hedelinnen, Wergleinen). Stark appretierte L.-Stoffe sind Futterleinen (als Glanzleinen geglättet und geglänzt).

Leinen|einband, Einbandart, bei der der Buchblock mit einer vollständig (Ganz-L.) oder teilweise (Halb-L.) von Gewebe (früher aus reinen Leinengarnen) überzogenen Buchdecke versehen ist.

Leinfelden-Echterdingen, Stadt (Große Kreisstadt) im Landkreis Esslingen, Bad.-Württ., auf den Fildern, 35 100 Ew.; Spielkartenmuseum, Mühlenmuseum; Elektrogeräte- und Metallind., Maschinenbau, Verlage und Druckereien, Spielkartenfabrik; im SO der Flughafen von Stuttgart. – 1975 durch Zusammenschluss von Leinfelden (1269 erstmals erwähnt, seit 1965 Stadt), Echterdingen und zweier weiterer Gemeinden entstanden.

Leiningen, ehem. Grafschaft und gräfl. Familie, urspr. im Wormsgau (später auch u. a. im Elsass und in Lothringen). 1317 Teilung in eine ältere Linie, 1467 in weibl. Linie fortgeführt (L.-Westerburg), und eine jüngere Linie, die 1467 die Grafschaft Dagsburg erhielt (seither L.-Dagsburg); 1560 Teilung in die Linien L.-Dagsburg-Falkenburg und L.-Dagsburg-Hardenburg (1779 in den Reichsfürstenstand erhoben), die 1803 ein neu errichtetes (1806 Baden unterstelltes) rechtsrhein. Fürstentum um Amorbach erhielt.

Leinkraut (Frauenflachs, Linaria), Gattung der Braunwurzgewächse mit schmalen Blättern und gespornten, löwenmaulähnl. Blüten in endständigen Trauben. An Wegrändern und auf Schutt wächst das ausdauernde **Gemeine L.** (Linaria vulgaris), eine alte Arzneipflanze.

Leino ['lɛinɔ], Eino, eigtl. Lönnbohm, finn. Schriftsteller, *Paltamo (Prov. Oulu) 6. 7. 1878, †Tuusula (Prov. Uusimaa) 10. 1. 1926; Lyriker, auch Kritiker, Essayist, Übersetzer; gilt als bed. Vertreter der neuromant. finn. Literatur (u. a. Balladensammlung »Helkavirsiä«, 2 Bde., 1903–16, dt. Ausw. u. d. T. »Finn. Balladen«).

Lein|öl, aus Leinsamen gepresstes oder extrahiertes goldgelbes, fettes Öl; wird als Speiseöl, zur Herstellung von Firnis und für Ölfarben verwendet.

Leinpfad (Treidelweg), Weg längs eines Flusses oder Schifffahrtskanals, von dem aus früher die Schiffe an Seilen gezogen (getreidelt) wurden.

Leinsamen, fett- und eiweißhaltige Samen des Flachses, die zur Gewinnung von Leinöl verwendet werden (Rohfettgehalt 32–34 %). L. finden auch in der Medizin Anwendung (u. a. bei Darmträgheit); Pressrückstände der Leinölgewinnung (Leinkuchen, Leinmehl) werden für Umschläge bei Koliken und Entzündungen genutzt.

Leinsdorf, Erich, amerikan. Dirigent österr. Herkunft, *Wien 4. 2. 1912, †Zürich 11. 9. 1993; 1938–43 und 1958–62 Dirigent an der Metropolitan Opera in New York, 1962–69 Chefdirigent des Boston Symphony Orchestra sowie 1978–80 des Radio-Sinfonie-Orchesters Berlin.

Leinster ['lenstə] (irisch Cúige Laighean), die südöstlichste der fünf histor. Provinzen Irlands, 19 633 km², (1991) 1,86 Mio. Einwohner.

Leinwandbindung, *Textiltechnik:* Grundbindungsart, bei der die Kettfäden abwechselnd über und unter den Schussfäden liegen.

Leip, Hans, Schriftsteller, *Hamburg 22. 9. 1893, †Fruthwilen (Kt. Thurgau) 6. 6. 1983; seine Romane und Erzählungen (»Jan Himp und die kleine Brise«, 1934) sind meist im Bereich der Seefahrt angesiedelt; seine Lyrik umfasst neben kunstvollen Kadenzen volksliedhafte, an Shantys erinnernde Balladen, bekannt wurde sein Lied »Lili Marleen« (1915).

Leipzig, 1) RegBez. in Sachsen, 4 386 km² und (1996) 1,11 Mio. Ew.; umfasst die kreisfreie Stadt L. sowie die Landkreise Delitzsch, Döbeln, Leipziger Land, Muldentalkreis und Torgau-Oschatz.

2) kreisfreie Stadt in Sachsen, in der Leipziger Tieflandsbucht, am Zusammenfluss von Parthe, Pleiße und Weißer Elster, 471 400 Ew.; Verw.sitz des RegBez. L. und des Landkreises Leipziger Land; Sitz des sächs. Verfassungsgerichtshofs und Finanzgerichts sowie (seit 1997) des 5. Senats des Bundesgerichtshofs; Univ. (gegr. 1409), Hochschule für Technik, Wirtschaft und Kultur, Herder-Inst. (für Auslandsstudenten), Hochschule für Musik und Theater, Hochschule für Grafik und Buchkunst, FH (Telekom), Sächs. Akademie der Wiss., Freie Akademie der Künste, Verw.- und Wirtschafts-Akademie, Umweltforschungszentrum L.-Halle, zwei Max-Planck-Institute, Inst. für Länderkunde; Nat. Forschungs- und Gedenkstätten Johann Sebastian Bach; zahlr. Museen, u. a. Dt. Buch- und Schriftmuseum, Museum für Völkerkunde, Museum für Bildende Künste, Naturkundemuseum; Dt. Bücherei, Univ.-Bibliothek; Oper, mehrere Theater, Gewandhausorchester, Thomanerchor; Zoo, botan. Garten. Führende Industriezweige sind Maschinenbau, elektrotechn. und elektron., polygraph., Textil-, Bekleidungs- und chem. Ind.; Druckereien und Verlage; Rauchwarenhandel (Pelzauktionen); internat. Fachmessen (→Leipziger Messe); Eisenbahnknotenpunkt (größter Kopfbahnhof Europas), internat. Flughafen Leipzig-Halle.

Leipzig 2): Die nach dem Zweiten Weltkrieg wieder aufgebaute Fassadenseite des Mitte des 16. Jh. unter der Leitung von Hieronymus Lotter im Renaissancestil umgebauten Alten Rathauses, dessen Arkaden aus dem beginnenden 20. Jh. stammen

Leipzig 2)
Stadtwappen

Stadtbild: Mittelpunkt der durch ehem. Messehäuser mit zahlr. Passagen (u. a. »Specks Hof«, Mädlerpassage [mit Auerbachs Keller], Petershof) geprägten Altstadt ist der Markt mit dem Alten Rathaus (1556 ff. im Renaissancestil umgebaut; beherbergt heute das Stadtgeschichtl. Museum Leipzig) und der Alten Waage (1523). Benachbart sind die frühbarocke Alte Börse (1678–87), die Thomaskirche (got. Hallenkirche, 14./15. Jh.) und der Thomaskirchhof mit dem rekonstruierten Bosehaus (jetzt Johann-Sebastian-Bach-Museum) und die Nikolaikirche (12./16. Jh., Inneres klassizistisch umgestaltet). Am Augustusplatz entstanden an der Stelle des zerstörten Neuen Theaters (1864–67, von C. F. Langhans) das Opernhaus (1956–60), die heutigen Gebäude der Univ. (1968–75; 1968 Sprengung der Univ.- oder Pauliner-Kirche) und das Neue Gewandhaus (1977–81, BILD). Das Neue Rathaus entstand 1899–1907 an der Stelle der Pleißenburg; bed. auch der Hauptbahnhof (1907–15) und der Bayer. Bahnhof (1841–44). – Im Stadtteil Gohlis das Schillerhaus (Museum) und das Gohliser Schlösschen (um 1755/56).

Erich Leinsdorf

Geschichte: 1015 wird der befestigte Ort urbs Libzi (wohl »Lindenort«) genannt; im 12. Jh. Marktsiedlung (seit um 1165 Jahrmärkte); Stadtrecht zw. 1161 und 1170. Anfang des 14. Jh. wurde L. endgültig in das wettin. Territorium eingegliedert

Völkerschlacht bei Leipzig am 18.10.1813

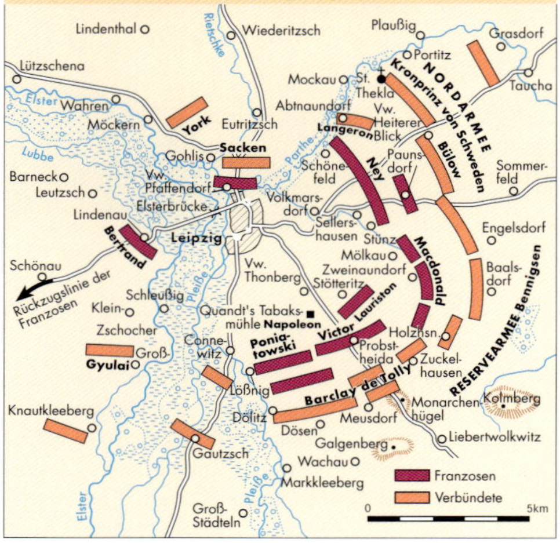

(1485 an die Albertiner). Durch kaiserl. Privilegien (1497) für die Jahrmärkte (seit 1458 zu Neujahr, Ostern und Michaelis) entwickelte sich L. zu einem bed. Handelszentrum (Leipziger Messe); 1409 Gründung der Univ. durch aus Prag ausgezogene dt. Magister und Studenten (1544 in humanist. Geist erneuert). Bis Mitte des 18. Jh. erreichte das Kunst- und Kulturleben europ. Bedeutung (u.a. J. S. Bach); seit dem späten 17. Jh. gewannen Rauchwaren-, Musikalien- und v.a. Buchhandel (1825 Gründung des Börsenvereins des Dt. Buchhandels) und der Buchdruck zunehmende Bedeutung. 1830 und 1848 war L. Zentrum der revolutionären bürgerl. Bewegung. Mit dem Bau eines sächsisch-dt. Eisenbahnnetzes (1839 1. dt. Ferneisenbahn L.–Dresden) setzte gegen Mitte des 19. Jh. eine rege Industrialisierung ein (1863 Gründung des ADAV). Im 2. Weltkrieg erlitt L. schwere Zerstörungen (v.a. am 4. 12. 1943). 1952–90 war L. Hptst. des gleichnamigen DDR-Bezirks. Die Montagsdemonstrationen von Sept. 1989 bis März 1990 (bed. v.a. am 2. und 9. 10. 1989) trugen wesentlich zum Sturz des SED-Regimes 1989 bei. – Die **Völkerschlacht bei L.** (16.–19. 10. 1813) war die Entscheidungsschlacht des Herbstfeldzugs 1813 der Befreiungskriege (Sieg der verbündeten Armeen über Napoleon I.; Einnahme von L. und Gefangennahme König Friedrich Augusts I. von Sachsen; Napoleon entkam). Völkerschlachtdenkmal (1898 bis 1913).

📖 SCHNEIDER, W.: *L. Streifzüge durch die Kulturgeschichte. Leipzig* [2]*1995. – L. – ein geograph. Führer durch Stadt und Umland, hg. v.* L. GRUNDMANN *u.a. Leipzig 1996.*

Leipziger Allerlei, Gericht aus jungen Erbsen, Karotten, Blumenkohl, Spargel und Morcheln.

Leipziger Disputation, theolog. Streitgespräch vom 27. 6. bis 16. 7. 1519 zw. J. Eck, Karlstadt und Luther in der Pleißenburg zu Leipzig, dessen Hauptthema die Bedeutung des Papstamtes war. Von Eck provoziert, bestritt Luther die Heilsnotwendigkeit des päpstl. Primates und die Irrtumslosigkeit der Konzilien, womit er – der Häresie bezichtigt – seinen endgültigen Bruch mit dem Papsttum einleitete.

Leipziger Land, Landkreis im RegBez. Leipzig, Sachsen, 980 km², (1996) 237 000 Ew.; Verw.sitz ist Leipzig.

Leipziger Messe, bis 1947 (Enstehung des Messestandorts Hannover) universelle dt. Messe, zu DDR-Zeiten Mittelpunkt des Ost-West-Handels. Die L. M. ist aus den um 1165 bezeugten Märkten hervorgegangen (1497 und 1507 von Maximilian I. privilegiert) und war bereits im 18. Jh. bedeutendste Warenmesse. Die L. M. wurde 1895 zur Mustermesse, die bis 1991 als jährl. Universalmesse im Frühjahr und Herbst veranstaltet wurde. Seitdem finden das ganze Jahr über Fachmessen (u.a. die Leipziger Buchmesse) statt. Im April 1996 wurde das bisherige Messegelände im SO der Stadt durch die Neue Messe im N von Leipzig abgelöst.

Leipziger Mission (eigtl. Evangelisch-Lutherische Mission zu Leipzig), 1836 in Dresden gegr., bald nach Leipzig verlegte luth. Missionsges.; wirkte v.a. in S-Indien, O-Afrika und Neuguinea, wo aus ihrer Tätigkeit heute selbstständige luth. Kirchen hervorgingen.

Leipzig

Die Völkerschlacht

Der Vormarsch der Verbündeten, besonders der Schlesischen Armee (unter Generalfeldmarschall Blücher) und der Nordarmee (Bernadotte), zwang Napoleon, sich von Dresden nach Leipzig zurückzuziehen; die wesentlich dem Rat von Blüchers Generalquartiermeister Gneisenau entstammenden konzentrischen Operationen hatten ihn mit der Einschließung bedroht. Nach mehreren Teilschlachten in der Umgebung Leipzigs (Liebertwolkwitz, Wachau, Möckern) schlugen die Verbündeten (Preußen, Österreicher, Russen und Schweden) am 18. 10. im Vormarsch von Nordosten, Osten und Süden die Truppen Napoleons, der sich zum Rückzug entschließen musste. Am 19. 10. erstürmten die Verbündeten in Straßenkämpfen Leipzig; Napoleon entkam mit Mühe. Der sächsische König, bis zum letzten Augenblick an der Seite des französischen Kaisers, geriet in Gefangenschaft. Starke französische Truppenverbände konnten sich aufgrund der nur halbherzig durchgeführten Verfolgung retten.

Leipziger Tieflandsbucht (Sächsische Tieflandsbucht), weit in die dt. Mittelgebirgsschwelle eingreifender Teil des Norddt. Tieflands, in Sachsen und Sa.-Anh. zw. Fläming, Harz, dem Thüringer Becken und Mittelsächs. Bergland. Das flache bis hügelige Land ist bes. in seinem zentralen Teil ein bed. Agrargebiet.

Leiris [lɛ'ris], Michel, frz. Schriftsteller und Ethnologe, *Paris 20. 4. 1901, †Saint-Hilaire (Dép. Essonne) 30. 9. 1990; arbeitete für das Musée de l'Homme in Paris (u.a. durch Forschungsreisen); schrieb nach surrealist. Lyrik, Reisebüchern und Essays (»Phantom Afrika«, 1934) v.a. Bekenntnisliteratur mit schonungsloser Selbstanalyse (»Mannesalter«, 1939; »Die Spielregel«, 4 Bde., 1948–76).

Leis, geistl. Refrainlied des MA., das zu einer einprägsamen Melodie gesungen und mit »Kyrieleis« abgeschlossen wurde; war v.a. im dt. Sprachraum verbreitet. Als ältester L. gilt das vom Anfang des 10. Jh. stammende Freisinger Petruslied »Unser Herr hat dem hl. Petrus die Macht verliehen«, ein anderes bekanntes Beispiel ist der Oster-L. »Christ ist erstanden« (12. Jh.). L. wurden v.a. im Rahmen von gottesdienstl. Veranstaltungen und Wallfahrten gesungen.

Leisegang, Hans, Philosoph, *Bad Blankenburg 13. 3. 1890, †Berlin 5. 4. 1951; arbeitete insbes. zur hellenist. Philosophie und zur Gnosis: »Hellenist. Philosophie von Aristoteles bis Plotin« (1923); »Denkformen« (1928).

Leisewitz, Johann Anton, Dramatiker, *Hannover 9. 5. 1752, †Braunschweig 10. 9. 1806. Sein Bruderzwist-Drama »Julius von Tarent« (1776) gehört in der Tendenz der Sturm-und-Drang-Dramatik an, hält aber formal an der Dramaturgie G. E. Lessings fest.

Leishmaniosen [laɪʃ-] (Leishmaniosen) [nach dem brit. Tropenarzt W. B. Leishman, *1865, †1926], durch Flagellaten der Gatt. **Leishmania** verursachte Krankheiten in warmen Ländern mit unterschiedl. geograph. Verbreitung. Die Übertragung erfolgt durch Stechmücken (Phlebotomen, Schmetterlingsmücken). Beim Menschen treten die L. je nach Art des Erregers in drei Krankheitsbildern auf: Die **Eingeweide-L.** (**Kala-Azar;** Erreger: Leishmania donovani) befällt die inneren Organe. Unter ständigem Fieber, Leber- und Milzvergrößerung, Blutveränderungen und Kräfteverfall endet die Krankheit unbehandelt innerhalb einiger Monate bis Jahre meist tödlich. Die **Haut-L.** (**Orientbeule, Aleppobeule;** Erreger: Leishmania tropica oder major) bildet länger anhaltende, jedoch gutartige Geschwüre auf der Haut. Die **amerikan. Haut- und Schleimhaut-L.** (**Espundia, Uta;** Erreger: Leishmania brasiliensis) verursacht chron. Entzündungen der Haut und Schleimhaut, bes. im Gesicht, die im Lauf der Jahre zu entstellenden Defekten führen können. Die *Behandlung* wird durch Abstrich oder Punktion mit Antimonpräparaten durchgeführt. – Bekämpfungsmaßnahmen richten sich gegen die Überträgermücken.

Leipziger Messe: Mit ihrer von Gerkan, Marg + Partner erbauten Halle aus Stahl und Glas (Eröffnung 1996) verfügt die Neue Messe über das größte Glasgebäude Europas

Leisnig, Stadt im Landkreis Döbeln, Sachsen, an der Freiberger Mulde, 8000 Ew.; Maschinen-, Motoren-, Möbelbau, Textil-, Metallwarenindustrie. – Über der Stadt Schloss Mildenstein (v.a. 14. und 15. Jh.). – 1046 erstmals gen., seit dem 13. Jh. Stadt.

Michel Leiris

Leiste, 1) *Anatomie:* (Leistenbeuge, Leistengegend) bei Säugetieren und beim Menschen der seitl. Teil der Bauchwand am Übergang zum Oberschenkel. In der L. zw. Bauchhöhle und Schamgegend verläuft der **Leistenkanal,** der beim Mann den Samenstrang, bei der Frau das runde Mutterband enthält.

2) *Heraldik:* verschmälerter →Balken, aber breiter als ein →Faden.

3) *Technik:* schmaler Stab aus Holz, Metall oder Kunststoff mit rechtwinkligem, dreikantigem oder profiliertem Querschnitt, v.a. zur Deckung von Fugen und zum Schutz von Kanten.

Leisten [ahd.], bei der Schuhherstellung Form, über die der Schuh gearbeitet wird.

Leistenbruch, häufigste Form des →Eingeweidebruchs, bei dem die Bruchpforte in der Leistengegend liegt. Man unterscheidet zw. dem häufigeren **indirekten L.,** bei dem der Bruchinhalt (Bauchfell und Darmschlingen) dem Leistenkanal folgt und bis in den Hodensack **(Hodenbruch)** gelangen kann, und dem **direkten L. (Schenkelbruch),** bei dem der Bruch auf kürzestem Weg unterhalb des Leistenbandes durch die Bauchdecke tritt.

Leistenhoden, Form des →Kryptorchismus.

Walter Leistikow: »Kraniche«, Farblithographie (1899)

Leistikow [-ko], Walter, Maler und Grafiker, *Bromberg 25. 10. 1865, † (Selbstmord) Schlachtensee (heute zu Berlin) 24. 7. 1908; Initiator der Berliner Sezession und Mitbegründer des Dt. Künstlerbundes, malte v.a. stimmungsvolle Ansichten der märk. Seen- und Waldlandschaft mit vereinfachten Formen und einer Tendenz zum Dekorativen im Sinne des Jugendstils.

Leistung, 1) *allg.:* Grad der körperl. und geistigen Beanspruchung sowie deren Ergebnis.

2) *Betriebswirtschaftslehre:* die Menge (L.-Einheiten, Output) oder der Wert (Geldgröße, Ertrag) der innerhalb eines Zeitraums im betriebl. Produktionsprozess hervorgebrachten Sachgüter (L.-Ergebnis) oder der bereitgestellten Dienstleistungen. Die wertmäßige Gesamt-L. eines Betriebes als Ggs. zu den Kosten setzt sich zusammen aus der Markt-L. (absatzbestimmte L.) und L., die für den Wiedereinsatz im eigenen Unternehmen bestimmt sind (innerbetriebl. Leistung).

3) *Physik:* Formelzeichen P, die von einer Kraft je Zeiteinheit Δt geleistete Arbeit bzw. aufgenommene oder abgegebene Energie ΔW, $P = \Delta W / \Delta t$. Ist die während gleicher Zeitintervalle geleistete Arbeit nicht konstant, so wird die L. zu jedem Zeitpunkt durch die zeitl. Ableitung der Arbeit gegeben, $P = \mathrm{d}W/\mathrm{d}t$. Die **elektr. L.** bei einem Gleichstrom ist gleich dem Produkt aus Spannung U und Stromstärke I, $P = U \cdot I$. SI-Einheit der L. ist das →Watt: $1\,\mathrm{W} = 1\,\mathrm{J/s} = 1\,\mathrm{Nm/s}$.

4) *Zivilrecht:* 1) der Gegenstand eines Schuldverhältnisses. Man unterscheidet Haupt-L. (vertragl., wesentl. Pflichten, z.B. Kaufpreiszahlung) und Neben-L. (dienen u.a. der Vorbereitung der Haupt-L., z.B. Auskunftspflichten). Ein Schuldverhältnis erlischt, wenn die geschuldete L. ordnungsgemäß erbracht wird (→Erfüllung). 2) bei der →ungerechtfertigten Bereicherung die zweckgerichtete bewusste Vermehrung fremden Vermögens.

Leistungsbilanz, *Außenwirtschaft:* Teilbilanz der →Zahlungsbilanz.

Leistungs|elektronik, Sammelbegriff für die Anwendungsgebiete elektron. Bauelemente und Schaltungstechniken in Einrichtungen zum Steuern, Schalten und Umformen elektr. Energie. Besondere Bedeutung haben dafür Silicium-Halbleiterbauelemente (z.B. →Thyristor) erlangt, die bei geeigneter Wärmeableitung und Betriebsart mit sehr großen Strömen und Spannungen betrieben werden können. Die Strombelastbarkeit von L. liegt in einem Bereich von einigen Watt bis zu mehreren Megawatt. L. wird u.a. angewendet in Stromversorgungsgeräten, geregelten Antrieben, der Beleuchtungstechnik und der Hochspannungstechnik. Die L. lässt sich innerhalb der Elektrotechnik sowohl in die elektr. Energietechnik als auch in den Bereich der Elektronik einordnen.

Leistungsfähigkeitsprinzip, Grundsatz für die Verteilung der Steuerlast auf die Staatsbürger, nach dem der Einzelne entsprechend seinen Möglichkeiten (Einkommen, Vermögen) besteuert werden soll. Ggs.: Äquivalenzprinzip.

Leistungsfaktor (Wirkfaktor), *Elektrotechnik:* der L. $\cos\varphi$ ist der Quotient von →Wirkleistung zur →Scheinleistung.

Leistungsgefahr, →Gefahr.

Leistungsgesellschaft, eine Gesellschaftsform, in der die materiellen und sozialen Chancen, die soziale Anerkennung sowie die soziale Position wesentlich von der vom Einzelnen erbrachten Leistung abhängen. Die Ursprünge des **Leistungsprinzips** liegen im Emanzipationsbestreben des Bürgertums gegen die Statusvorrechte des Adels. Es gilt als Voraussetzung einer umfassenden Entfaltung der menschl. Produktivkräfte und des Wohlstandes; gleichzeitig aber delegiert es die Verantwortung für bestehende soziale Ungleichheit an den Einzelnen. Die L. wurde oft kritisiert als in allen Bereichen durch das abstrakt-formale Leistungsprinzip beherrscht und geprägt durch den Verlust sinngebender Werte (z.B. Berufsethos), zunehmende Bedeutung der messbaren Leistung und gleichzeitige Vernachlässigung des Leistungsinhalts. Die L. ist v.a. in der modernen Ind.gesellschaft in weitem Umfang verwirklicht.

Leistungsgewicht (Leistungsmasse), Quotient aus Masse (Gewicht) und Nutzleistung eines Motors, Angabe in kg/kW.

Leistungsklage, Klage, mit der die Verurteilung des Beklagten zu einem Tun, Dulden oder Unterlassen verlangt wird.

Leistungslohn, → Lohn.

Leistungsmessgerät, 1) Gerät zur Messung einer mechan. Leistung (z.B. der Bremsleistung mithilfe des Bremsdynamometers); 2) elektr. Messgerät zur Messung elektr. Leistungen (auch **Wattmeter**), das meist ein elektrodynam. Messwerk enthält, durch dessen feste Spule ein zum Verbraucherstrom und durch dessen bewegl. Spule ein zur Spannung proportionaler Strom fließt. Gemessen wird i.d.R. die Wirkleistung, mithilfe spezieller Schaltungen auch die Blindleistung.

Leistungs|ort, → Erfüllung.

Leistungsprinzip, → Leistungsgesellschaft.

Leistungsprüfung, *Landwirtschaft:* nach einheitl. Richtlinien meist von Zuchtverbänden durchgeführte Feststellung der Leistungen von Nutztieren, die sich auf unmittelbare (z.B. Arbeit, Milch, Fleisch) und mittelbare Leistungen (z.B. Gesundheit, Fruchtbarkeit) erstreckt.

Leistungsschutz, der rechtl. Schutz, den bestimmte wiss., techn., organisator. oder künstler. Leistungen aufgrund des Urheberrechtsgesetzes (§§ 70 ff., »verwandte Schutzrechte«) genießen. Im Unterschied zur Werkleistung des Urhebers stellen diese Leistungen keine schöpfer. geistige Arbeit, sondern i.d.R. eine Nachschöpfung dar (Wiedergabe oder Auswertung eines fremden Werks). Geschützt wird vor unbefugter Verwertung, indem dem Träger des Schutzrechts das Vervielfältigungs- und Verbreitungsrecht vorbehalten bzw. eine Vergütungspflicht festgelegt wird.

Leistungssport (Spitzensport, Hochleistungssport), intensive sportl. Betätigung, bei der im Unterschied zum Gesundheits- und Breitensport die Spitzenleistung (Siege, Rekorde) im Vordergrund steht.

Leistungsstörungen, Hindernisse, die der ordnungsgemäßen Erfüllung eines Vertrages entgegenstehen; rechtlich als Unmöglichkeit, Verzug und positive Vertragsverletzung erfasst.

Leistungsverwaltung, Tätigwerden der öffentl. Verw. durch Bereitstellen von Einrichtungen oder Erbringen von Leistungen für den Bürger auf den Gebieten der Wirtschafts-, Gesellschafts-, Sozial- und Kulturpolitik, im Ggs. zur Eingriffs- oder Ordnungsverw. (z.B. im Steuerrecht). Die L. dient der Daseinsvorsorge und lässt sich in Vorsorgeverw. (z.B. Krankenhäuser), Sozialverw. (z.B. Sozialversicherung) und Förderungsverw. (z.B. Förderung von Kunst und Wiss.) gliedern.

Leistungszeit, Zeitpunkt, zu dem ein Schuldverhältnis zu erfüllen ist. Die Bestimmung der L. unterliegt der freien Vereinbarung der Vertragsparteien. Ist eine Zeit für die Leistung weder bestimmt noch aus den Umständen zu entnehmen, so kann der Gläubiger die Leistung sofort verlangen, der Schuldner sie sofort bewirken (§ 271 BGB). Der Zeitpunkt, an dem der Schuldner leisten muss, ist die **Fälligkeit.** Die **Erfüllbarkeit** bestimmt, wann der Schuldner leisten darf.

Leistungszentrum, zentrale Trainingsstätte für Spitzensportler einer oder mehrerer Sportarten.

Leit|artikel, größerer Aufsatz an bevorzugter Stelle in einer Zeitung, der aktuelle Zeitfragen kommentiert.

Leitbündel, → Leitgewebe.

Leit|einrichtungen, Verkehrseinrichtungen zur opt. Kontrolle von Fahrtrichtung, Fahrtrichtungsänderung und Fahrbahnbegrenzung durch z.B. weiße Leitlinien und -male, Leitpfosten, Leitplanken und -tafeln (alle meist reflektierend), Leitpfeile zum rechtzeitigen Einordnen.

leitende Angestellte, Gruppe von Arbeitnehmern, die gemäß § 5 Abs. 3 Betriebsverfassungs-Ges. grundsätzlich nicht der betriebl. Mitbestimmung unterliegen, also weder aktiv noch passiv wahlberechtigt zum Betriebsrat sind. L. A. sind nach diesem Gesetz v.a. Personen, die nach Stellung und Arbeitsvertrag zur selbstständigen Einstellung und Entlassung anderer Arbeitnehmer befugt sind oder Generalvollmacht oder selbstständig nutzbare Prokura besitzen oder regelmäßig Aufgaben wahrnehmen, die für Bestand und Entwicklung eines Unternehmens/Betriebs von Bedeutung sind. In Betrieben mit i.d.R. mindestens zehn l. A. werden Sprecherausschüsse als eigenständiges betriebl. Interessenvertretungsorgan der l. A. gebildet (Sprecherausschuss-Ges. vom 20. 12. 1988). Nach dem Mitbestimmungs-Ges. vom 4. 5. 1976 bilden die l. A. bei der Wahl zum Aufsichtsrat eine eigene Gruppe. Für l. A. bestehen gesetzl. Sonderbestimmungen, z.B. bei Kündigungsschutz und Arbeitszeit.

Leiter, Steiggerät aus zwei Holmen mit dazwischen angebrachten Stufen **(Stufen-L.)** oder Sprossen **(Sprossen-L.).** Man unterscheidet u.a. Steh-L. (frei aufstellbare L. mit Stützvorrichtung), Strick-L., Steig-L., Feuer-L. (als Anstell-, Klapp-, Schiebe- oder Drehleiter).

Leiter, *Physik, Technik:* allg. ein Stoff oder Körper, der eine mit Energietransport verbundene physikal. Größe, wie elektr. Strom, elektromagnet. Wellen (Wellen-L., Hohl-L., Koaxialkabel), Licht (Licht-L.), Schall oder Wärme, mit geringem Wi-

Leiter

derstand leitet. I. e. S. bezeichnet man als L. Stoffe mit guter elektr. Leitfähigkeit, v. a. Festkörper, und unter diesen bes. die Metalle (→Energiebändermodell). Neben der Leitung durch **Elektronen-L.** (z. B. Metalle, →Halbleiter) und →Supraleiter tritt elektr. Leitfähigkeit auch in **Ionen-L.** (z. B. Elektrolyte) und **Superionen-L.** sowie in Gasen, Plasmen und manchen Schmelzen auf (Ionen- und Elektronen-L.) oder sie kann künstlich erzeugt werden, z. B. in elektrisch leitfähigen Polymeren.

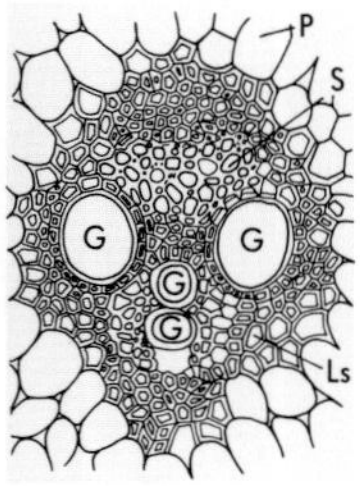

Leitgewebe: schematischer Querschnitt durch ein kollaterales Leitbündel des Maissprosses; G Gefäß des Xylems, S Siebteil, P Parenchym, Ls Leitbündelscheide

Leiterplatte (Platine), →gedruckte Schaltung.

Leitfähigkeit, die Fähigkeit eines Stoffes, elektr. Strom **(elektr. L.)** oder Wärme (→Wärmeleitfähigkeit) zu leiten. Die elektr. L. ist gleich dem Kehrwert des spezif. Widerstandes, ihr Wert ist von der Beweglichkeit von Ladungsträgern (Elektronen, Ionen, Defektelektronen) in dem betreffenden Material abhängig; SI-Einheit ist Siemens durch Meter (S/m).

Leitfossili|en, Fossilien, die für einen bestimmten Zeitabschnitt der Erdgeschichte kennzeichnend sind; geeignet sind möglichst kurzlebige, weit verbreitete und nur in bestimmten Gesteinsschichten vorkommende Formen.

Leitgewebe, lang gestreckte, der Stoffleitung dienende Zellelemente im Innern der höheren Pflanzen, meist zu **Leit-** oder **Gefäßbündeln** vereinigt. Im **Sieb-** oder **Bastteil (Phloem)** werden die gelösten organ. Stoffe transportiert, und zwar in **Siebröhren,** die aus einer Reihe lebender Zellen bestehen, deren aneinander grenzende, meist schräge Querwände von Poren durchbrochen sind (Siebplatten). Im **Holz-** oder **Gefäßteil (Xylem)** wird das Bodenwasser mit den gelösten Mineralsalzen von den Wurzeln nach oben in toten Gefäßen **(Tracheen, Tracheiden)** geleitet, deren Wände durch ring-, schrauben- oder netzförmige Verdickungsleisten elastisch versteift oder vollständig verholzt sind, bis auf runde oder längl. Aussparungen **(Tüpfel),** durch die der Wassertransport in die angrenzenden Gewebe ermöglicht wird.

Ferdinand Leitner

Leitha *die,* rechter Nebenfluss der Donau, 180 km lang, entsteht aus den Quellflüssen Schwarza und Pitten südlich von Wiener Neustadt, durchfließt das südl. Wiener Becken und mündet bei Mosonmagyaróvár, Ungarn.

Leithagebirge, bis 483 m (Sonnenberg) hoher Ausläufer der Zentralalpen, Burgenland und Niederösterreich, der bewaldete Gneisrücken bildet die SO-Begrenzung des Wiener Beckens. Leitha und L. bildeten bis 1918 z. T. die Grenze zw. dem österr. (Zisleithanien) und dem ungar. (Transleithanien) Reichsteil von Österreich-Ungarn.

Leitkreis, bei einer Ellipse oder Hyperbel ein Kreis mit Mittelpunkt in einem Brennpunkt und dem Radius $r = 2a$ (Länge der Hauptachse). Diese beiden Kegelschnitte sind die geometr. Orte der Punkte, die von einem Punkt (Brennpunkt) und vom L. gleiche Entfernung haben.

Leitlini|e (Leitgerade), bei Kegelschnitten eine Senkrechte auf der Hauptachse, die so liegt, dass für alle Kurvenpunkte das Verhältnis ε ihrer Entfernung von den Brennpunkten der Kurve zu ihrem Abstand von der L. unveränderlich ist, z. B. bei Parabeln $\varepsilon = 1$, bei Ellipsen $\varepsilon < 1$, bei Hyperbeln $\varepsilon > 1$; ε heißt die numer. Exzentrizität.

Leitmeritz, Stadt in der Tschech. Rep., →Litoměřice.

Leitminerale, Minerale, deren Vorhandensein auf ganz bestimmte Bildungsbedingungen hinweist, z. B. bei magmat. und metamorphen Gesteinen die typomorphen Minerale, bei Sedimenten die Schwerminerale.

Leitmotiv, in der Musik eine zur Wiederholung bestimmte charakterist. Tonfolge, die in einem Tonstück durch ihr erstes Auftreten in Verbindung mit einer Gestalt, einem Vorgang, einer Naturstimmung oder einer Gefühlsäußerung eine charakterisierende Funktion erhält und bei ihrer Wiederkehr die Erinnerung daran auslöst. Der Begriff ist von H. von Wolzogen für die Hauptthemen in den Musikdramen R. Wagners geprägt worden (von Wagner Grundthemen genannt). In der Oper nach Wagner (z. B. R. Strauss, C. Debussy, A. Berg) spielt das L. ebenfalls eine große Rolle. Auch in der Filmmusik wird es vielfach benutzt.

Leitner, Ferdinand, Dirigent, *Berlin 4. 3. 1912, †Forch (bei Zürich) 3. 6. 1996; wirkte in Berlin, Hamburg, München und Stuttgart; 1969–84 musikal. Oberleiter der Züricher Oper, 1976–80 Leiter des Residentie-Orkest in Den Haag.

Leitrad, bei Turbinen und Axialverdichtern der fest stehende Teil, durch den mithilfe der Leitschaufeln das strömende Medium in die vorgesehene Richtung umgelenkt wird.

Leitrim ['li:trım] (irisch Liatroim), County im NO der Prov. Connacht, Rep. Irland, 1525 km², (1991) 25 300 Einwohner; Verw.sitz ist Carrick-on-Shannon.

Leitstrahlfunkfeuer, Navigationshilfsmittel, das mit funktechn. Mitteln Signale erzeugt, die auf einer Referenzlinie oder in einer Referenzfläche einen Leitstrahl bilden und dadurch eine gute Orientierungshilfe z. B. beim Landeanflug sind. Der Leitstrahl entsteht durch wechselweise Tastung zweier sich teilweise überlappender Richtdiagramme, die von zwei Richtantennen abgestrahlt werden.

Leitstudi|e (Pilotstudie), *empir. Sozialforschung:* Untersuchung mit nichtstandardisierten Mitteln (Gruppendiskussion, Beobachtung), die mitunter der Vorbereitung einer größeren Studie (mit standardisierten Techniken) dient.

Leitton, *Musik:* Ton, der aufgrund seiner Stellung im Satzgefüge und in der herrschenden Tonart stark zum Weiterschreiten um einen Halbtonschritt nach oben (oder unten) drängt, im Dur-Moll-System bes. der Halbton unter der Tonika. Der L. kann natürlich (leitereigen) oder künstlich (durch chromat. Erhöhung oder Erniedrigung gebildet) sein.

Leitung, *Technik:* Einrichtung zum Fortleiten von Stoffen oder Energien. a) Zur L. von festen Körpern, Flüssigkeiten oder Gasen dienen →Rohrleitungen, →Pipeline, →Rohrpost. b) Zur Übertragung von elektr. Energie und/oder elektr. Signale dienen draht- oder rohrförmige Werkstoffe, die gute elektr. Leitfähigkeit aufweisen (z.B. Kupfer oder andere metall. Werkstoffe). Außen-L. sind →Freileitungen und →Kabel. Als Innen-L. verwendet man versch. Arten mehradriger L. mit Kunststoffmantel. Zur Übertragung von elektr. Signalen werden in der Hoch- und Höchstfrequenztechnik Koaxialkabel (→Koaxialleitung) und →Hohlleiter benutzt.

Leitungs|anästhesie, Form der →Anästhesie.

Leitungsband, →Energiebändermodell.

Leitwährung, Währung, die auf internat. Devisen-, Geld-, Kapital- und Rohstoffmärkten eine hervorgehobene Rolle spielt und an der sich andere Länder bei geldpolit. Maßnahmen orientieren. Die L. gilt zugleich als internat. Transaktions- und Reservewährung. Der US-Dollar, der nach dem 2. Weltkrieg das brit. Pfund als weltweite L. abgelöst hatte, büßte seit den 1970er-Jahren durch starke Kursschwankungen gegenüber anderen Währungen an Einfluss ein. In Europa hat die D-Mark und im asiatisch-pazif. Raum der Yen teilweise L.-Funktion erhalten. – Eine L.-Funktion für Teile ihrer jeweiligen ehemaligen Kolonialgebiete nehmen das brit. Pfund (→Sterlingblock) und der frz. Franc (→Franc-Zone) ein.

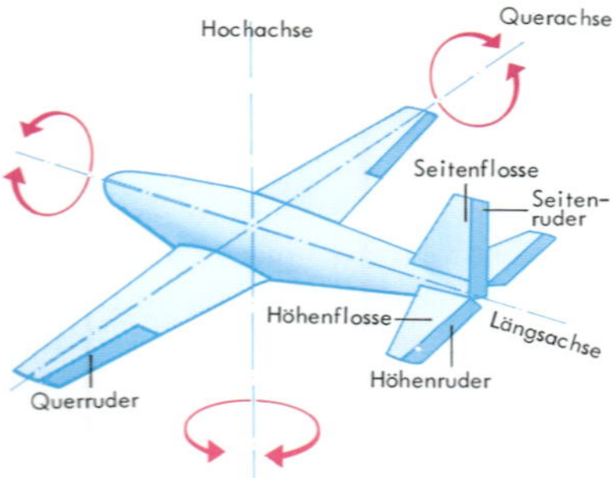

Leitwerk 2) und Drehachsen eines Flugzeugs

Leitwerk, **1)** *Computertechnik:* →Steuerwerk eines Computers.

2) *Flugzeugtechnik:* neben Tragflügel und Querruder Baugruppe des Flugzeugs zur Stabilisierung der Fluglage und zur Steuerung um die drei Achsen. **Höhen-** und **Seiten-L.** sind meist am Rumpfende angeordnet und in die fest stehenden Dämpfungsflächen (Höhen-, Seitenflosse) und die bewegl. Ruder (Höhen-, Seitenruder) unterteilt. Das Höhen-L. dient der Längsstabilisierung und -steuerbarkeit, das Seiten-L. zusammen mit dem Tragflügel der Querstabilität und -steuerbarkeit. Die Querruder sind an den hinteren Tragflügelkanten angebracht.

Leitwert, *Elektrizitätslehre:* kurz für **elektr. L.,** Formelzeichen *G,* Kehrwert des elektr. →Widerstandes *R,* $G = 1/R$; SI-Einheit des L. ist Siemens ($1\,S = 1/\Omega$). Bei Wechselströmen unterscheidet man zw. Wirk-, Blind- und Scheinleitwert.

Leit|zahl, *Fototechnik:* die Leistungsfähigkeit einer Blitzlichtquelle kennzeichnender Zahlenwert, bezogen auf eine bestimmte Filmempfindlichkeit. Die zu wählende Blendenzahl ist der Quotient aus L. und Entfernung zum Aufnahmeobjekt.

Leit|zins, von der nat. Notenbank festgesetzter Zinssatz für Refinanzierungskredite an Geschäftsbanken; i.d.R. der Diskontsatz (→Diskont), der Lombardsatz (→Lombardgeschäft) und der Pensionssatz (→Pensionsgeschäft). Der L. dient als Instrument der Geldpolitik, da er das allg. Zinsniveau beeinflusst. Für Habenzinsen wird z.T. der Spareckzins (Zinssatz für Spareinlagen mit gesetzl. Kündigungsfrist) als L. betrachtet.

Lẹk *der,* Währungseinheit in Albanien: 1 L. = 100 Qindarka. (→Währung, ÜBERSICHT)

Lẹk *der,* der nördl. Rheinarm in den Niederlanden, im Rhein-Maas-Delta, berührt Arnheim und Rotterdam; 61 km lang, schiffbar.

Lektiọn [lat.] *die,* **1)** *allg.:* Lehrstunde, Vorlesung; Übungseinheit, Unterrichtsabschnitt; Belehrung, Zurechtweisung.

2) *Liturgie:* die Lesung aus der Hl. Schrift im Gottesdienst (→Perikope), auch der Text selbst.

Lektionạr [kirchenlat. »Lesebuch«] *das,* liturg. Buch, das die →Lektionen enthält.

Lẹktor [lat.] *der,* **1)** *Hochschulwesen:* nicht habilitierter Hochschullehrer für Einführungskurse und Übungen, bes. in philolog. Fächern (z.B. Sprachunterricht).

2) *Verlagswesen:* Mitarbeiter bei Verlagen, oft im **Lektorat,** z.T. auch bei Rundfunk- und Fernsehanstalten. Der Verlags-L. begutachtet eingehende Manuskripte, veranlasst gegebenenfalls Umarbeitungen, macht Vorschläge für Buchprojekte, sucht dafür Autoren oder Übersetzer.

Lẹkythos [grch.] *die,* schon früh im Totenkult verwendetes altgrch. Ölgefäß, schlank, einhenklig, mit engem Hals und abgesetzter Schulter. Bei den weißgrundigen L. des 5. Jh. v. Chr. sind die farbigen Bilder mit zarten Farben auf einen weißen Tonüberzug gemalt. (→Vase)

Lekythos: Attisches Ölgefäß aus Ton (um 450–440 v. Chr.; Berlin-Charlottenburg, Antikenmuseum)

Le Mans: Kathedrale Saint-Julien (11./12. Jh.)

Le Locle [lə'lɔkl], Bezirks-Hptst. im Kt. Neuenburg, Schweiz, nahe der Grenze zu Frankreich, 11000 Ew.; Technikum für Präzisionsmechanik; ein Zentrum der Uhrenind., Herstellung von Werkzeugmaschinen, Messgeräten, Metall- und Kunststoffwaren, Schokoladenfabrik, Druckereien. Unterird. Mühle aus dem 17. Jh. (heute Industriemuseum); Uhrenmseum.

Le Mans
Stadtwappen

Leloir [lə'lwa:r], Luis Federico, argentin. Biochemiker frz. Herkunft, * Paris 6. 9. 1906, † Buenos Aires 3. 12. 1987; erhielt 1970 für die Aufklärung der Biosynthese von Polysacchariden den Nobelpreis für Chemie.

Luis Leloir

Lelouch [lə'luʃ], Claude, frz. Filmregisseur, * Paris 30. 10. 1937; arbeitet mit betont ästhet. Kameraeinstellungen; drehte u. a. »Ein Mann und eine Frau« (1966), »Ein glückl. Jahr« (1973), »Ein ganzes Leben« (1974), »Mariage« (1974), »Allein zu zweit« (1979), »Es lebe das Leben« (1983), »Ein Mann und eine Frau ... 20 Jahre danach« (1986), »Der Löwe« (1989).

Lelystad ['le:li:stat], Hauptstadt der Prov. Flevoland, Niederlande, am IJsselmeer, 60200 Ew.; Informationszentrum für die IJsselmeerpolder, Rechenzentrum; Metall verarbeitende, Lack- und Gummiwarenind., Bau von Jachten; Bahnlinie nach Amsterdam; Hafen. L. ist auch Entlastungsort für die → Randstad Holland. – 1958 gegründet.

Lem [lɛm], Stanisław, poln. Schriftsteller, * Lemberg 12. 9. 1921; schreibt neben philosoph. und literar. Essays, Hör- und Fernsehspielen v. a. utop., jedoch Struktur und Methode gegenwärtigen wiss. Denkens spiegelnde Romane und Erzählungen, mit denen er zu den bedeutendsten Sciencefictionautoren zählt; u. a. »Der Planet des Todes« (R., 1951, auch u. d. T. »Die Astronauten«), »Das Hospital der Verklärung« (R., 1955), »Eden« (R., 1959), »Transfer« (R., 1961), »Fiasko« (R., dt. 1986), »Solaris« (R., 1997).

Lemberg
Stadtwappen

Lemaître [lə'mɛtr], Georges, belg. Theologe und Astronom, * Charleroi 17. 7. 1894, † Löwen 20. 6. 1966; Mitgl. der Belg. Akademie und Präs. der Päpstl. Akademie der Wiss.; bewies, dass dynam. Weltmodelle mit der Relativitätstheorie in Einklang stehen; insbesondere geht die Hypothese vom Urknall und die Vorstellung vom expandierenden Weltall auf L. zurück.

Le Mans [lə'mã], Hauptstadt des Dép. Sarthe, NW-Frankreich, an der Sarthe, 148500 Ew.; kath. Bischofssitz; Univ., Kunst-, archäolog. und Automuseum; Renaultwerk (Herstellung von Traktoren und Autoteilen), Bau von Kesseln, elektro- und filmtechn. Geräten, Gießereien, Elektronik-, chemisch-pharmazeut., Bekleidungs-, Tabak- und Nahrungsmittelindustrie. Bei Le M. Automobilrennstrecke (13,459 km lang), auf der das 24-Stunden-Rennen von Le M. gefahren wird. – Galloröm. Stadtmauer (3./4. Jh.), Kathedrale Saint-Julien (11./12. Jh.). – Le M., das antike **Suindunum,** war die Hptst. der kelt. Cenomanen.

Le Mas-d'Azil:
Pferdeskulptur aus der Zeit des Azilien (Paris, Louvre)

Le Mas-d'Azil [lə masda'zil], Stadt im Dép. Ariège, SW-Frankreich, 1400 Ew.; nahebei eine Höhle (420 m lang) mit reichen alt- und mittelsteinzeitl. Funden (Gravierungen, Skulpturen, bemalte Kiesel u. a.). Eine mittelsteinzeitl. Stufe, das **Azilien,** ist nach der Höhle benannt.

Stanisław Lem
(1977)

Lẹmberg (ukrain. Lwiw, russ. Lwow, poln. Lwów), Hptst. des Gebiets Lwiw, Ukraine, kulturelles und wirtsch. Zentrum der W-Ukraine, 809000 Ew.; Univ., Institute der Ukrain. Akademie der Wiss., mehrere Hochschulen, Museen und Theater, Opernhaus; Maschinen-, Autobusbau, elektrotechn., chem., Nahrungsmittel-, Textil-, Keramik-, Glas-, Druckindustrie; Flughafen. – Nach den Zerstörungen durch die beiden Weltkriege blieben erhalten: Mauerteile der Festung (13. Jh.), Arsenal und Pulverturm (1554–56), röm.-kath. Kathedrale (1360–1493, barock umgestaltet), armen. Kathedrale (1363–70, barock überarbeitet, Fassade 1908), Uspenski-Kathedrale (1591–1631), Dominikaner- und Georgskirche (beide 18. Jh.) sowie das »Schwarze Haus« (1577), das Rathaus (1828–37) und das Landtagsgebäude (1877–81; heute Univ.). – Das als Festung gegen die Mongolen gegründete L. wurde 1256 erstmals urkundlich erwähnt; 1340 und erneut 1349 vom poln. König Kasimir d. Gr. erobert; erhielt 1356 Magdeburger Stadtrecht. Bei national wie konfessionell stark gemischter Bev. (Polen, Ukrainer, Armenier, Deutsche, Juden) wurde L. im 15. und 16. Jh. wirtsch. und kulturelles Zentrum von »Rotreußen«. L. fiel 1772 an Österreich (bis 1918 Hptst. Galiziens); nach Eroberung durch Polen (1918) 1919–39 Hptst. einer Wwschaft; 1939 der UdSSR (Ukraine) angegliedert; gehörte während der dt. Besetzung (1941–44) als Hptst. des »Distrikts Galizien« zum →Generalgouvernement (Deportation und Vernichtung der jüd. Bev.); nach Rückeroberung durch die Rote Armee (1944) Vertreibung der poln. Bev. und Ansiedlung von Ukrainern.

🕮 *L. – Lwow – Lviv. Eine Stadt im Schnittpunkt europ. Kulturen, hg. v.* P. Fässler *u. a. Köln u. a.* [2]*1995.*

Lemercier [ləmɛr'sje], Jacques, frz. Baumeister, *Pontoise um 1585, †Paris 4. 6. 1654; gehörte zu den Initiatoren der klass. frz. Architektur des Barock. Er erweiterte den Louvre, entwarf die Pläne für Schloss und Stadt Richelieu (Dép. Indre-et-Loire) und schuf in Paris die Kirche der Sorbonne, die Kuppel der Chapelle du Val-de-Grâce und das Palais Richelieu (jetzt Palais Royal).

Lemgo, Stadt im Kr. Lippe, NRW, im Lipper Bergland, 41600 Ew.; Sitz des Landesverbandes und der FH Lippe; Holzverarbeitung, Maschinenbau, Herstellung von zahnärztl. Instrumenten, Laborgeräten, Draht. – Rathaus (v. a. 15.–17. Jh.) u. a. Stein- und Fachwerkbauten der Spätgotik und Renaissance; Nikolaikirche (13.–15. Jh.), Marienkirche (13./14. Jh.). – Um 1200 gegr., erhielt 1245 Stadtrecht, seit dem 13. Jh. Mitgl. der Hanse.

Lemgo: Das Rathaus ist ein Komplex von mehreren, vorwiegend aus dem 15.–17. Jh. stammenden Gebäudeteilen, dahinter sind die Türme der Nikolaikirche (13.–15. Jh.) zu sehen

Lemminge: Berglemminge mit Jungtier

Lemma [grch.] *das,* **1)** *Lexikographie:* Stichwort in einem Nachschlagewerk (Lexikon oder Wörterbuch).

2) *Mathematik:* Hilfssatz bei mathemat. und log. Beweisen, der oft das methodisch Wesentliche der Beweise enthält.

Lemmer, Ernst, Politiker, *Remscheid 28. 4. 1898, †Berlin (West) 18. 8. 1970; Journalist, 1924–33 MdR (DDP, dann Dt. Staatspartei), war 1945 Mitbegründer und 1947–48 2. Vors. der CDU in der sowjet. Besatzungszone (1948 von der SMAD abgesetzt), 1952–70 MdB (für Berlin), 1956–57 Bundespostmin., 1957–62 Bundesmin. für gesamtdt. Fragen, 1964–65 Bundesvertriebenenmin. und 1965–69 Sonderbeauftragter für Berlin.

Lemminge [dän.], Gattungsgruppe der Wühlmäuse, kleine, bodenbewohnende Nagetiere Eurasiens und Nordamerikas. Der skandinav. **Berg-L.** (Lemmus lemmus) unternimmt nach periodisch alle 3–4 Jahre auftretenden Massenvermehrungen Wanderungen infolge Nahrungsknappheit und mangelnder Unterschlupfmöglichkeiten, bei denen viele Tiere den Tod finden.

Jack Lemmon

Lemmon ['lɛmən], Jack, amerikan. Schauspieler, *Boston (Mass.) 8. 2. 1925; v. a. bekannt als Komiker in Filmen (»Manche mögen's heiß«, 1959; »Das Appartment«, 1960; »Das Mädchen Irma La Douce«, 1963), auch Rollen in »Das China Syndrom« (1978) und »Vermißt« (1982).

Lemniskate [grch.-lat.] *die, Mathematik:* Kurve in Form einer liegenden Acht, Spezialfall einer →cassinischen Kurve.

Lemnos (neugrch. Limnos), grch. Insel im nördl. Ägäischen Meer, 476 km², 15700 Ew.; Fremdenverkehr. – Kam um 510 v. Chr. an Athen (bis etwa 200 v. Chr.); im MA. zum Byzantin. Reich, 1453–56 zu Genua, ab 1479 zum Osman. Reich; fiel 1912 an Griechenland.

Lemoyne: »Herkules und Omphale« (1724; Paris, Louvre)

Lemongras|öl, äther. Öl der trop. Grasart Cymbopogon flexuosus; Rohstoff zur Gewinnung von Citral, auch in der Kosmetikind. verwendet.

Philipp Lenard (um 1910)

Lemonnier [ləmɔn'je], Camille, belg. Schriftsteller frz. Sprache, *Ixelles 24. 3. 1844, †Brüssel 13. 6. 1913; schrieb naturalistisch-sozialkritische Romane (u.a. »Der Wilderer«, 1881; »Der eiserne Moloch«; 1886); hatte wesentl. Anteil an der Herausbildung einer eigenständigen belg. Literatur.

Lemoyne [lə'mwan], François, frz. Maler, *Paris 1688, †(Selbstmord) ebd. 4. 6. 1737; Vertreter des frühen Rokoko, Hofmaler Ludwigs XV.; an Rubens und venezian. Meistern geschult, schuf er elegante, bewegte Wand- und Deckenmalereien, auch Tafelbilder (Deckengemälde: Marienkapelle von St.-Sulpice in Paris, 1731; Herkulessaal zu Versailles, 1733–36).

Lemper, Ute, Sängerin, Tänzerin und Schauspielerin, *Münster 4. 7. 1963; spielte u.a. in den Musicals »Cabaret« (Sally Bowles) sowie »Der blaue Engel« (Lola) und tanzte in M. Béjarts »La mort subite« (Der plötzl. Tod); singt auch Songs von Brecht/Weill, Schlager und Jazzstandards.

Lemuren (lat. Lemures), bei den Römern Schadensgeister, die Seelen friedlos umherirrender Verstorbener, im Ggs. zu den segensreichen Laren und Penaten; zu ihrer Versöhnung wurde das Fest der **Lemuria** gefeiert.

Lemuren [nach den gleichnamigen röm. Geistern] (Makis, Lemuridae), Familie heute nur noch auf Madagaskar lebender Halbaffen mit verlängerter Schnauze und langem, dicht behaartem Schwanz; nachtaktive Allesfresser. Der **Mausmaki** (Microcebus murinus; Gattung Katzenmakis), ein Insektenjäger, ist mit 13 cm Körperlänge das kleinste Herrentier. Zu den **Makis** (Lemur) zählen der in Felsen lebende, etwa 50 cm körperlange **Katta** (Lemur catta) und der **Vari** (Lemur variegatus), der Schlafnester in den Bäumen baut; Bestände stark bedroht.

Lena *die,* Strom in NO-Sibirien, Russland, 4400 km lang, Einzugsgebiet 2,49 Mio. km², entspringt im Baikalgebirge, mündet mit großem Delta in die Laptewsee; 6–7 Monate eisbedeckt; schiffbar von Ust-Kut (Beginn der Baikal-Amur-Magistrale) bis Tixi (Hafen an der Nordostpassage).

Le Nain [lə'nɛ̃] (Lenain), drei frz. Maler, in Werkstattgemeinschaft arbeitende Brüder aus Laon; lebten seit etwa 1629 in Paris und wurden 1648 in die Akademie aufgenommen: Antoine Le N. (*um 1600, †1648), Louis Le N. (*um 1602, †1648) und Mathieu Le N. (*um 1610, †1677). Sie schufen Einzelbildnisse und Gruppenporträts in fläm. Tradition, in grauen und braunen Tönen gehaltene bäuerl. Genrebilder, die Anregungen niederländ. Malerei und Elemente italien. Bambocciaden verarbeiten (auch Einflüsse Caravaggios); daneben mytholog. und bibl. Darstellungen.

Lenard, Philipp, Physiker, *Preßburg 7. 6. 1862, †Messelhausen (heute zu Lauda-Königshofen) 20. 5. 1947; schuf durch Einbau einer Aluminium-

Philipp Lenard

Der Physiker Philipp Lenard, der 1905 den Nobelpreis für seine Arbeiten über die Kathodenstrahlen erhielt, konnte Engländer nicht ausstehen. Seine Abneigung, besonders gegen englische Wissenschaftler, ging so weit, dass er jegliche Erwähnung Isaac Newtons vermied. Bei seinen Vorlesungen musste an entsprechender Stelle ein Student Newtons Namen an die Tafel schreiben und sofort wieder auswischen, während Lenard selbst sich abwendete. So wundert es auch nicht, dass er Einsteins Relativitätstheorie als »jüdisch« bekämpfte und 1936/37 in vier Bänden eine spezielle »Deutsche Physik« entwarf, welche die neuen, mathematisch komplizierten Theorien der Physik ignorierte.

folie in die Wand einer Entladungsröhre **(L.-Fenster)** die Möglichkeit, Elektronen (Kathodenstrahlen) aus der Röhre austreten zu lassen und zu untersuchen; analysierte die Wechselwirkungen zw. Elektronen und Licht (Photoeffekt, Phosphoreszenz, Lumineszenz). 1905 erhielt er den Nobelpreis für Physik für Arbeiten über Kathodenstrahlen. Als Antisemit und Gegner der Relativitätstheorie verfasste L. später eine 4-bändige »Dt. Physik« als Gegenstück zur »jüd. Physik«.

Lemuren: Katta (Kopf-Rumpf-Länge 50 cm)

Lenard-Effekt [nach P. Lenard], 1) Trennung elektr. Ladungen beim Zerspritzen von Wassertropfen; infolgedessen ist die Luft in der Nähe von Wasserfällen negativ, das Wasser positiv geladen. 2) durch UV-Strahlung hervorgerufene Ionisation eines Gases.

Lenau, Nikolaus, eigtl. N. Franz Niembsch, Edler von Strehlenau, österr. Schriftsteller, *Csatád (Ungarn, heute Lenauheim, Rumänien) 13. 8. 1802, †Oberdöbling (heute zu Wien) 22. 8. 1850; lebte 1807–18 in Ungarn; studierte u. a. in Wien, stand in Stuttgart mit dem schwäb. Dichterkreis in Verbindung. Eine unglückl. Liebe zu Sophie von Löwenthal, der Frau seines Freundes, steigerte seine Schwermut bis zum geistigen und körperl. Zusammenbruch (1844); lebte bis zu seinem Tod in Heilanstalten. L. ist einer der großen Lyriker der Melancholie, dem die Natur zum beseelten Träger seiner Stimmungen und Erlebnisse wird (»Gedichte«, 1832, erweitert 1834; »Neuere Gedichte«, 1838). Viele seiner Gedichte wurden vertont. Zum Teil fragmentarisch blieben seine episch-dramat. Dichtungen um Stoffe der Weltliteratur, die gedanklich den freiheitl. Anschauungen des Jungen Dtl. nahe kommen (»Faust«, Fragment, 1836; »Savonarola«, 1837; »Don Juan«, Fragment im Nachlass; »Die Albigenser«, 1842). BILD S. 300

🕮 HAMMER, J.-P.: *N. L. A. d. Frz. Schwaz 1993.*

Lenbach, Franz von (seit 1882), Maler, *Schrobenhausen 13. 12. 1836, †München 6. 5. 1904; lernte bei K. von Piloty in München, lehrte 1860–62 an der Weimarer Kunstschule und hielt sich 1863–68 in Italien und Spanien auf, wo er Bilder alter Meister für den Grafen →Schack kopierte. Etwa 1860 begann seine glanzvolle Karriere als Porträtmaler. In seinen realist. Porträts von bed. Persönlichkeiten seiner Zeit (über 80 Porträts von Bismarck), für die er Fotografien zur Vorlage nahm, wird das Gesicht in markanten und charakterisierenden Zügen aus dem tonig braunen Hintergrund durch Lichteffekt hervorgehoben. Der »Malerfürst« ließ sich 1881–91 von G. von Seidl eine prächtige Villa, das Lenbachhaus, erbauen (heute Städt. Galerie im Lenbachhaus). Weiteres BILD Bismarck

🕮 BARANOW, S. VON: *F. von L. Leben u. Werk. Köln 1986.* – RANKE, W.: *F. von L. Köln 1986.*

Lenclos [lã'klo], Anne, gen. Ninon de L., frz. Kurtisane, *Paris 10. 11. 1620, †ebd. 17. 10. 1705; eine schöne und gebildete Frau, deren Salon Treffpunkt bed. Persönlichkeiten war (u. a. Molière). Umfangreiche Korrespondenz, nur z. T. authentisch, so die Briefe an Madame de Maintenon.

Lende, Körpergegend zw. Wirbelsäule, 12. Rippe und Darmbeinkamm.

Lendenschurz, kurzes, nur Schamteile und Gesäß bedeckendes Kleidungsstück vieler Naturvölker.

Lend-lease-System [lend'li:s'sɪstəm, engl.] (Leih-Pacht-System), die von den USA im 2. Weltkrieg getroffenen Maßnahmen (Lend-lease-Act vom 11. 3. 1941) zur Versorgung der Alliierten mit wichtigen Kriegs- und Zivilgütern ohne Bezahlung. Bis 1946 wurden Lieferungen und Kredite in Höhe von etwa 50 Mrd. US-$ geleistet, wovon mehr als die Hälfte auf Großbritannien und rd. 11 Mrd. US-$ auf die UdSSR entfielen (Rückerstattung von lediglich 17 %).

Ute Lemper

Franz von Lenbach (Selbstporträt, Ausschnitt, 1895)

Louis Le Nain: »Die Bauernfamilie« (1642; Paris, Louvre)

Nikolaus Lenau: Gemälde des österreichischen Malers Friedrich von Amerling (um 1830; Marbach am Neckar, Schiller-Nationalmuseum)

Leng (Lengfisch, Molva molva), bis 2 m lange Art der Dorsche, v.a. im Nordpolarmeer und Nordatlantik; Raubfisch; guter Speisefisch.

Lengefeld, 1) Charlotte von, Gemahlin von → Schiller.

2) Karoline von, Schwester von 1), → Wolzogen, Karoline.

Lengerich, Stadt im Kr. Steinfurt, NRW, am Südhang des Teutoburger Waldes, 21900 Ew.; Westfäl. Klinik für Psychiatrie und Neurologie; Maschinenbau, Papier-, Kunststoff verarbeitende, Arzneimittel-, Kalk-, Zementindustrie. – Evang. Stadtpfarrkirche mit spätroman. Stufenportal. – Wurde 1727 Stadt.

Lenggries, Gemeinde im Landkreis Bad Tölz-Wolfratshausen, Oberbayern, im Voralpenland, an der Isar, 679 m ü. M., 8100 Ew.; besteht aus 50 Einzelortschaften; Sommerfrische, Wintersportort.

Lengyelkultur ['lɛndjɛl-; nach Lengyel, Gemeinde im Bezirk Tolna, Ungarn], jungsteinzeitl. Kulturgruppe im Ungar. Tiefland und dem heutigen Österreich (Ende des 5. Jt./Anfang des 4. Jt. v. Chr.), gekennzeichnet durch bemalte Keramik und weibl. Idolplastiken aus Ton. Ihre Einflüsse reichen bis Mittel- und O-Europa.

Lenica [le'nitsa], Jan, poln. Maler, Grafiker und Animationsfilmer, *Posen 4. 1. 1928; lebt seit 1963 auch in Frankreich; international bekannt durch seine Plakate, Kinderbücher und surrealist. Zeichentrickfilme.

Filme: Labyrinth (1962); Die Nashörner (1963); A (1964); Adam 2 (1969); Ubu ... (1979).

📖 *J. L., hg. v.* J.-L. PASSEK, *Paris 1980.*

Lenin, Wladimir Iljitsch, seit etwa 1901 polit. Deckname von W. I. Uljanow, russ. Revolutionär und Politiker, Begründer der Sowjetunion, *Simbirsk 22. 4. 1870, †Gorki Leninskoje (bei Moskau) 21. 1. 1924; Sohn eines in den Dienstadel aufgestiegenen Schulinspektors. Veranlasst durch die Hinrichtung seines Bruders Alexander (1887 wegen Beteiligung an der Vorbereitung eines Attentats auf Zar Alexander III.), nahm L. bereits während seines Jurastudiums (1887–91) in Kasan und Samara Verbindung zur revolutionären Bewegung auf. Nach kurzer Anwaltstätigkeit organisierte er in Sankt Petersburg, wo er 1894 seine spätere Frau und Mitarbeiterin N. K. Krupskaja kennen lernte, 1895 den »Kampfbund zur Befreiung der Arbeiterklasse«. 1895 wurde er verhaftet und 1897–1900 nach O-Sibirien (Dorf Schuschenskoje) verbannt,

Wladimir Iljitsch Lenin (um 1920), darunter Autogramm

wo sein Werk »Die Entwicklung des Kapitalismus in Rußland« (1899) entstand. Seit 1900 in der Emigration (Dtl., Großbritannien, Schweiz), gründete L. mit G. W. Plechanow und L. Martow die Zeitung »Iskra« (»Der Funke«); ihre erste Nummer erschien im Dez. 1900 in Leipzig. In dieser Zeitung, v.a. aber in seiner theoret. Schrift »Was tun? Brennende Fragen unserer Bewegung« (1902), entwickelte er sein Konzept einer revolutionären Kaderpartei als Avantgarde des Proletariats im Kampf um die Schaffung einer sozialist. Staats- und Gesellschaftsordnung, das 1903 die Spaltung der russ. Sozialdemokratie in Menschewiki und die von ihm geführten Bolschewiki hervorrief. Während der Revolution von 1905–07 wieder in Russland, ging er nach deren Scheitern erneut in die Emigration (bis 1917; Hauptstationen: Genf, Paris, Krakau, Bern, Zürich). In seinen wichtigsten

Lenin

Vertrauen ist gut, Kontrolle ist besser!

Dieser Satz (auch mit der Variante »Vorsicht ist besser«) wird häufig dem russisch-sowjetischen Politiker Wladimir I. Lenin zugeschrieben, obwohl er in dieser Form in keiner seiner Reden und Schriften belegt ist. Allerdings benutzte Lenin sehr häufig das russische Sprichwort »Dowerjai, no prowerjai« (»Vertraue, aber prüfe nach«). Es ist anzunehmen, dass dieses Sprichwort in Übersetzungen seiner Texte gelegentlich abgewandelt (russisch »prowerit« kann auch mit kontrollieren wiedergegeben werden) und dann die neue Formulierung als leninsche Prägung angesehen wurde.

Schriften aus dieser Zeit arbeitete er an einer Weiterentwicklung der marxist. Philosophie (»Materialismus und Empiriokritizismus«, 1909) und der Imperialismustheorie (»Der Imperialismus als höchstes Stadium des Kapitalismus«, 1916). 1912 setzte er die Konstituierung der Bolschewiki als eigenständige Partei durch und begann mit der Herausgabe der Parteizeitung »Prawda« (»Wahrheit«). L. agitierte seit 1914 unablässig gegen den 1. Weltkrieg, den er als Beginn der allgemeinen Krise des Kapitalismus deutete. In der russ. Februarrevolution 1917 sah er die Möglichkeit, den »Krieg in einen Bürgerkrieg« umzuwandeln, um so die proletar. Revolution herbeizuführen. Mithilfe der dt. Regierung gelangte L. von der Schweiz über Dtl., Schweden und Finnland im April 1917 nach Petrograd, wo er in seinen »Aprilthesen« ein radikales Aktionsprogramm mit massenwirksamen Parolen (»Frieden um jeden Preis!«, »Alles Land den Bauern!«, »Alle Macht den Sowjets!«) verkündete. Im Juli 1917 flüchtete er nach Finnland, nachdem ein von den Bolschewiki getragener Aufstand gescheitert war; dort entwickelte er in »Staat und Revolution« (1917) eine kommunist. Staatstheorie (»Diktatur des Proletariats«). Nachdem die Bolschewiki in einem von Trotzki vorbereiteten Aufstand (→Oktoberrevolution) am 25. 10. (7. 11. n. St.) 1917 die Macht erobert hatten, wurde L. als Vors. des Rates der Volkskommissare (1917–24) Reg.chef Sowjetrusslands bzw. (nach ihrer Gründung 1922) der UdSSR. 1918 setzte er gegen starken innerparteil. Widerstand den mit großen Gebietsverlusten verbundenen Frieden von Brest-Litowsk durch, um Sowjetrussland eine Atempause zu verschaffen. 1919 gründete er die →Komintern, mit deren Hilfe er die »Weltrevolution« voranzutreiben suchte. Die während des Bürgerkrieges eingeführte Politik des »Kriegskommunismus« ersetzte L. 1921 durch die »Neue Ökonom. Politik«. Er unterdrückte gewaltsam (»roter Terror«, 1917 Gründung der →Tscheka) die Opposition. Darüber hinaus schuf er die Grundlagen für die Zentralisierung der Macht in einer kleinen Führungsgruppe der KP (Bildung des Politbüros und des Sekretariats des ZK 1919, Verbot der Fraktionsbildung 1921). Bereits 1918 bei einem Attentat verletzt, musste er sich wegen schwerer Krankheit ab 1922 zunehmend aus der Reg.arbeit zurückziehen und konnte den Aufstieg des von ihm kritisierten Stalin (seit 1922 Gen.Sekr. der KP) zum mächtigsten sowjet. Politiker nicht mehr verhindern. Nach seinem Tod wurde L. in einem Mausoleum in Moskau beigesetzt. – Die aus seinen Schriften entwickelte Lehre erhoben seine Nachfolger als **Leninismus** oder **Marxismus-Leninismus** zur Staats- und Parteidoktrin des Kommunismus. Weiteres BILD Oktoberrevolution

Jan Lenica: Plakat zu Alban Bergs Oper »Wozzeck« aus dem Jahr 1964

📖 WEBER, G. *u.* WEBER, H.: *L.-Chronik. München 1983.* – WOLKOGONOW, D.: *L. Utopie u. Terror. A. d. Russ. 1994.* – WEBER, H.: *L. mit Selbstzeugnissen u. Bilddokumenten dargest. Reinbek 73.–74. Tsd. [15]1995.*

Lenin, Pik, 7134 m ü.M., höchster Gipfel im Transalai, auf der Grenze Tadschikistan/Kirgistan.

Leninabad, 1936–91 Name der tadschik. Stadt →Chudschand.

Lengyelkultur: In Niederösterreich gefundenes Tongefäß (um 4000 v. Chr.; Wien, Bundesdenkmalamt)

Leninakan, 1924–91 Name der armen. Stadt →Gümri.

Leningrad, 1924–91 Name der russ. Stadt →Sankt Petersburg.

Leninsk-Kusnezki, Bergbau- und Industriestadt im Gebiet Kemerowo, W-Sibirien, Russland, im Kusnezker Kohlenbecken, 133 400 Ew.; Steinkohlenförderung, Stahlwerk, Maschinenbau.

Lẹnis [lat.] *die,* mit schwacher Muskelanspannung artikulierter stimmhafter Konsonant, z. B. b, d.

Lẹnk, Gemeinde im Kt. Bern, Schweiz, im Simmental, 1068 m ü. M., 2300 Ew.; Schwefelbad, Wintersport.

Lenk|achsen, Achsen von Schienenfahrzeugen, die in den Achshaltern längs und quer verschiebbar gelagert sind, sodass sie Gleiskrümmungen folgen können.

Lenkbombe, antriebsloser Flugkörper, der durch zusätzl. Anbau von Steuer- und meist auch Tragflächen am Bombenkörper entsteht und durch Fern- oder Eigenlenkung geführt wird. Neben Fernseh- und Infrarotlenkverfahren werden Laserzielsuchsysteme bevorzugt, die auf die Strahlungsenergie eines vom Ziel reflektierten Laserstrahles ansprechen, der von einem vorgeschobenen Beobachter als Markierung auf das zu bekämpfende Ziel gerichtet wird.

Lenkerberechtigung, österr. Bez. für →Fahrerlaubnis.

Lenkflugkörper, Bez. für meist militär. Zwecken dienende Flugkörper, deren Bewegungsbahn durch Fern- oder Eigenlenkung beeinflusst werden kann; Verwendungszweck als →Fernlenkwaffen (mit Raketenantrieb als →Raketenwaffen), →Köderflugkörper sowie Aufklärungs- und Zieldarstellungsflugkörper. L. besitzen i. d. R. einen Eigenantrieb, wobei für geringe Reichweiten Raketenantriebe, für große Reichweiten luftatmende Strahltriebwerke (z. B. bei →Cruisemissile) verwendet werden.

Lenkung, Vorrichtung, die bei Straßenfahrzeugen oder Flugkörpern der Richtungsänderung dient. Bei Straßenfahrzeugen wird die L. fast nur durch Schwenken der Vorderräder bewirkt. Bei Kraftwagen ist die **Achsschenkel-L.** üblich (1890 von C. F. Benz eingeführt). Durch Drehen des Lenkrads werden über ein Lenkgetriebe die Räder eingeschlagen. Die gelenkten Räder sind auf den Achsschenkeln gelagert, die um eine nahezu senkrechte Achse, den Lenkzapfen, geschwenkt werden können. Durch das Lenktrapez, das aus der Spurstange und den Lenkspurhebeln gebildet wird, wird das kurveninnere Rad so viel stärker als das kurvenäußere eingeschlagen, dass alle Räder mit möglichst geringem seitl. Gleiten abrollen. Die Räder haben eine seitl. Neigung (Sturz), eine Einwärtsdrehung (Vorspur), und die Lenkachsen sind in Fahrtrichtung (Nachlauf) und senkrecht dazu (Spreizung) geneigt. Bei Anhängern und Fuhrwerken wird meist die **Drehschemel-L.** verwendet. Die ganze gelenkte Achse wird um die Vertikalachse in der Fahrzeugmittelebene geschwenkt. Bei der **Hilfskraft-L. (Servo-L.)** wird die vom Fahrer aufgebrachte Lenkkraft hydraulisch verstärkt. Ein am Lenkgetriebe angebrachtes und von der Lenksäule betätigtes Steuerventil steuert den Öldruck in den Lenkzylinder, der ihn in eine auf das Getriebe wirkende Hilfskraft umwandelt. Einspurfahrzeuge (Fahrräder, Krafträder) besitzen eine bes. einfache L., bei der die mit dem Vorderrad verbundene Gabel drehbar gelagert ist. Die mit der Gabel verbundene **Lenkstange** (Lenker) ermöglicht das Einschwenken des Vorderrades.

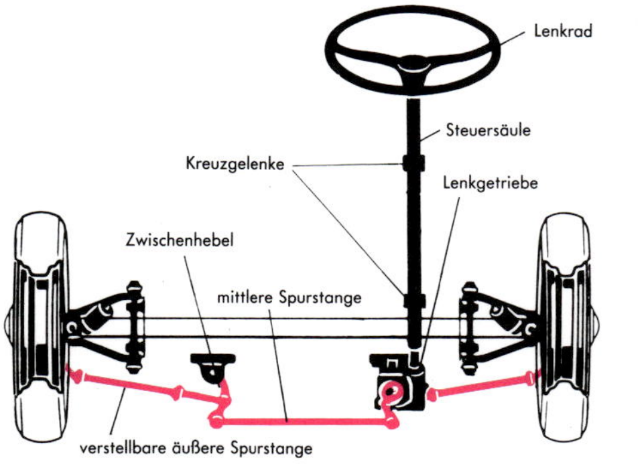

Lenkung: Schema des Lenkgestänges eines Personenkraftwagens

In der Raketentechnik verwendet man zur L. das Hauptantriebssystem (z. B. Schwenken und Schubdrosselung einzelner Triebwerke) oder Steuertriebwerke. Bei einigen (v. a. militär.) Raketen ist die L. im Bereich der Atmosphäre auch durch Luftruder (»Stabilisierungsflossen«) möglich. Voraussetzung für jegliche L. ist bei Raketen ein Navigationsgerät, das den augenblickl. Standort des Raumfahrtgerätes und damit etwaige Abweichungen zur gewünschten Position ermittelt.

Lẹnne *die,* linker Nebenfluss der Ruhr, entspringt am Kahlen Asten, mündet bei Herdecke.

Lenné [lɛˈne], Peter Joseph, Gartengestalter und Generaldirektor der königlich-preuß. Gärten, *Bonn 29. 9. 1789, †Potsdam 23. 1. 1866; schuf Parkanlagen im Stil des engl. Landschaftsgartens u. a. für die Schlösser Sanssouci, Babelsberg (Potsdam) und Charlottenburg.

Lẹnnegebirge, Teil des Sauerlands zw. Lenne und Ruhr, stark bewaldet, im Homert 656 m ü. M.

Lẹnnestadt, Stadt im Kr. Olpe, NRW, im Sauerland, 27 600 Ew.; Ökolog. Landesanstalt; Abbau von Baryt und Pyrit, Eisen und Kunststoff verarbeitende Industrie; Fremdenverkehr. – 1969 durch Zusammenlegung von Elspe, Grevenbrück u. a. Gemeinden entstanden.

Lennon [ˈlenən], John, engl. Rockmusiker (Gitarrist, Sänger, Keyboarder), *Liverpool 9. 10. 1940, †(ermordet) New York 8. 12. 1980; Gründer und

John Lennon

Mitgl. der →Beatles. Nach Auflösung der Gruppe 1970 lebte er in den USA; trat als Komponist, Texter und Sänger zahlr. engagierter Lieder (»Give Peace a Chance«) hervor, ferner als Buchautor, Stückeschreiber und Maler; ⚭ mit der Happening-Künstlerin und Sängerin Yoko Ono.

Lenorensage, in Märchen und Volkslied weit verbreiteter Stoff, Ballade von G. A. Bürger 1774: Der tote Bräutigam will die klagende Braut zu Pferd in sein Reich holen. Vor dem offenen Grab gelingt es dem Mädchen zu entfliehen.

Le Nôtre [lə'no:tr] (Lenôtre), André, frz. Gartenarchitekt, *Paris 12. 3. 1613, †ebd. 15. 9. 1700; schuf den frz. Gartenstil (→Gartenkunst), dessen unübertroffener Meister er war. Seine Parkanlagen in Versailles (seit 1661), Saint-Germain, Saint-Cloud u.a. blieben bis ins 18. Jh. für ganz Europa vorbildlich.

lento [italien.], musikal. Vortragsbezeichnung: langsam; **l. assai,** sehr langsam.

Lentulus, Beiname einer röm. Patrizierfamilie, die zum Geschlecht der Cornelier gehörte. Bed. Vertreter: **1)** (Publius Cornelius L. Sura), †Rom 5. 12. 63 v. Chr.; war 71 v. Chr. Konsul, 75 und 63 Prätor, wurde als Teilnehmer an der Verschwörung Catilinas hingerichtet.

2) (Publius Cornelius L. Spinther), †47/46 v. Chr.; erwirkte 57 v. Chr. als Konsul die Rückberufung Ciceros und fand als Anhänger des Pompeius den Tod.

Lenya, Lotte, österr.-amerikan. Schauspielerin und Sängerin, *Wien 18. 10. 1898, †New York 27. 11. 1981; bes. bekannt als Darstellerin und Sängerin in Werken von Brecht mit der Musik von K. Weill, ihrem ersten Mann, mit dem sie 1933 in die USA emigrierte. Seit 1955 trat sie auch wieder in Europa auf.

Lenz, 1) Heinrich, russ. Physiker dt. Herkunft, *Dorpat (heute Tartu) 24. 3. 1804, †Rom 10. 2. 1865; brachte durch Anwendung des →Peltier-Effekts Wasser zum Gefrieren, stellte die **lenzsche Regel** für die Richtung eines induzierten elektr. Stromes auf (→Induktion).

2) Hermann, Schriftsteller, *Stuttgart 26. 2. 1913, †München 12. 5. 1998; schrieb Gedichte, Erzählungen und Romane (»Verlassene Zimmer«, 1966; »Im inneren Bezirk«, 1970; »Die Begegnung«, 1979; »Ein Fremdling«, 1983; »Seltsamer Abschied«, 1988); erhielt 1978 den Georg-Büchner-Preis.

3) Jakob Michael Reinhold, Dichter, *Seßwegen (Livland) 12. 1. 1751, †Moskau 24. 5. 1792; begegnete als Hofmeister in Straßburg Goethe (1771) und kam 1776 nach Weimar, das er nach Differenzen mit Goethe und der Hofgesellschaft noch im gleichen Jahr verlassen musste. Seit 1781 führte er ein unstetes Wanderleben in der Schweiz und in Russland. Er verband als Dramatiker des Sturm und Drang Sozialkritik mit realist. Psychologie. Die Dramen (von L. als »Komödien« bezeichnet) »Der Hofmeister« (1774; bearbeitet von B. Brecht, 1950) und »Die Soldaten« (1776; bearbeitet von H. Kipphardt,

Jakob Michael Reinhold Lenz: Holzstich aus dem 18. Jahrhundert

1968) weisen auf die Werke von G. Büchner und C. D. Grabbe voraus. Seine »Anmerkungen übers Theater« (1774) sind ein bed. Dokument der Poetik der Geniezeit. G. Büchner setzte ihm mit der Novelle »Lenz« (1835) ein Denkmal.

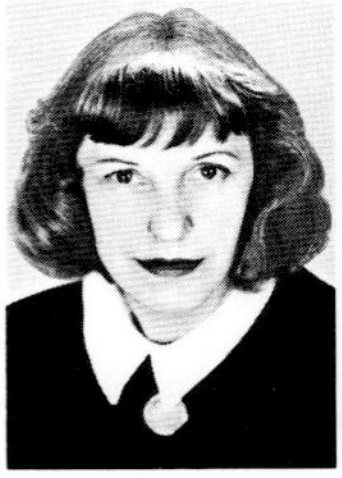

Lotte Lenya

4) Siegfried, Schriftsteller, *Lyck 17. 3. 1926; gehörte seit 1952 zur »Gruppe 47«; schreibt Romane und Erzählungen, die durch eine klare Sprache, Zeitnähe und ein wiederkehrendes autobiograph. Moment gekennzeichnet sind. Grundthemen seines Werkes sind Schuld und Verfolgung, Erlebnis von Einsamkeit und Versagen sowie die Frage nach der Anpassung des Individuums an die gesellschaftl. Verhältnisse. Im Roman »Deutschstunde« (1968) wird dt. Verhalten im Nationalsozialismus parabelhaft gedeutet. Charakteristisch sind Stoffe, Motive und Personen der masur. Heimat (»Heimatmuseum«, R., 1978); weitere Werke sind u.a.

Siegfried Lenz (1987)

»Das Vorbild« (R., 1973), »Der Verlust« (R., 1981), »Exerzierplatz« (R., 1985), »Das serb. Mädchen« (Erz., 1987), Essays, u.a. »Über das Gedächtnis. Reden und Aufsätze« (1992); 1988 Friedenspreis des Börsenvereins des Dt. Buchhandels.

Lenzburg: Die Schlossanlage, im 11. Jh. angelegt und im 17. Jh. erweitert, stammt zum großen Teil aus dem 15. Jahrhundert

Lenzburg, Hauptort des Bez. L. im Kt. Aargau, Schweiz, an der Hallwiler Aa, 7500 Ew.; Nahrungsmittelind., Papierverarbeitung, Herstellung von Sportwaffen; Weinbau. – Bei der Burg der Grafen von L. entstand eine Siedlung, die 1254 Markt- und 1306 Stadtrecht erhielt. – Schloss (11.–15. Jh. und 17. Jh.), mit Stadt- und Schlossmuseum.

Papst Leo XIII.

Lenzerheide (bündnerroman. Lai), Fremdenverkehrsort im Kt. Graubünden, Schweiz, 1550 m ü. M., in einem Hochtal zw. Chur und Tiefencastel, 2400 Ew.; mit dem benachbarten **Valbella** (1800 Ew.) ein bed. Wintersportzentrum.

Lenzkirch, Gemeinde im Landkreis Breisgau-Hochschwarzwald, Bad.-Württ., 4900 Ew.; heilklimat. Kurort und Wintersportplatz am Südhang des Hochfirst im Haslachtal; feinmechan. Industrie, Apparatebau.

lenzsche Regel, → Induktion.

Leo [lat.], das Sternbild → Löwe.

Leo, byzantin. Kaiser, → Leon.

Leo, Päpste: **1) L. I., der Große** (seit 440), * in der Toskana, † Rom 10. 11. 461; erwirkte 445 die Anerkennung des Jurisdiktionsprimats des Papstes über die Gesamtkirche durch Kaiser Valentian III. und setzte ihn im Abendland durch; bewog 452 den Hunnenkönig Attila zum Rückzug aus Italien; Kirchenlehrer; Heiliger, Tag: 10. 11.

2) L. III. (seit 795), † Rom 12. 6. 816; floh vor seinen Gegnern zu Karl d. Gr. nach Paderborn, dessen Oberherrschaft über den Kirchenstaat er anerkannte; kehrte unter fränk. Schutz nach Rom zurück und krönte Karl am 25. 12. 800 zum Röm. Kaiser. Heiliger, Tag: 12. 6.

3) L. IX. (seit 1049), eigtl. Graf Bruno von Egisheim und Dagsburg, * Egisheim (Elsass) 21. 6. 1002, † Rom 19. 4. 1054; führte die → kluniazensische Reform zum Sieg und leitete die gregorian. Reform ein; legte den Grund für das Kardinalskollegium als Leitungsorgan der Gesamtkirche. Heiliger, Tag: 19. 4.

4) L. X. (seit 1513), eigtl. Giovanni de' Medici, * Florenz 11. 12. 1475, † Rom 1. 12. 1521; bedeutendster Renaissancepapst; Kunstmäzen (u. a. Michelangelo, Raffael); sah sich v. a. als Politiker und vernachlässigte seine geistl. Pflichten; versuchte zunächst die Wahl Karls V. zum Kaiser zu verhindern, verbündete sich 1521 aber mit ihm gegen Franz I. von Frankreich, den er früher unterstützt hatte; ging auf Reformvorschläge des 5. Laterankonzils nicht ein; verhängte am 3. 1. 1521 den Kirchenbann über M. Luther.

📖 BÄUMER, R.: *Martin Luther u. der Papst.* *Münster [5]1987.*

5) L. XIII. (seit 1878), eigtl. Vincenzo Gioacchino Pecci, * Carpineto (bei Anagni) 2. 3. 1810, † Rom 20. 7. 1903; bed. Gelehrter und Politiker, förderte die → christlich-sozialen Bewegungen (1891 Enzyklika »Rerum novarum«) und den Neuthomismus (→ Neuscholastik); vertrat traditionalist. Positionen in der Verurteilung des Amerikanismus und der Betonung des röm. Zentralismus; beendete den → Kulturkampf.

Papst Leo X.: Ausschnitt aus einem Gemälde von Raffael (1517/18; Florenz, Uffizien)

Leoben, Bezirks-Hptst. in der Obersteiermark, Österreich, an der Mur, 28900 Ew.; Montan-Univ., Institut für Festkörperphysik, Höhere Lehranstalt für Maschinenbau-Hüttentechnik, Museen, Stadttheater; Zentrum der Schwerind. mit Eisenhütte und Stahlwerk im Stadtteil **Donawitz,** in **Göß** Säge- und Spanplattenwerk, Brauerei, Elektronikind., Metallverarbeitung. – Mittelalterl. Stadtanlage. – 904 Zentrum einer Grafschaft **(Liupina),** seit 1160 Markt, zw. 1261 und 1280 Anlage einer neuen Stadt. 1939 wurden Donawitz und Göß (ehem. Benediktinerinnenstift, um 1800 gegr.; spätgot. Stiftskirche) eingemeindet. – Der

Vorfrieden von L. (18. 4. 1797) zw. der Frz. Republik und Österreich mündete in den Frieden von Campoformio.

Leobschütz, Stadt in Polen, → Głubczyce.

Leochares, att. Bildhauer des 4. Jh. v. Chr., arbeitete um 360–340 am Skulpturenschmuck des Mausoleums in Halikarnassos. Die Zuweisung der Vorbilder des »Apoll vom Belvedere« (Vatikan. Sammlungen) und der »Artemis von Versailles« (Louvre) ist umstritten.

Leo Hebräus, → Abravanel 2).

Leo Maior [lat.], das Sternbild Großer → Löwe.

Leo Minor [lat.], das Sternbild Kleiner → Löwe.

Leon (lat. Leo), byzantin. Kaiser: **1) L. I., der Große** (seit 457), * in Thrakien um 400, † Konstantinopel 3. 2. 474; vom Heer zum Kaiser erhoben und als Erster vom Patriarchen gekrönt; suchte den german. Einfluss einzudämmen, kämpfte seit 468 erfolglos gegen die Wandalen in Afrika.

2) L. III., der Syrer oder (wohl fälschlich) **der Isaurier** (seit 717), * Germanikeia (N-Syrien) um 675, † Konstantinopel 18. 6. 741; verteidigte Konstantinopel gegen die Araber und Bulgaren (717/718), erneuerte das Heerwesen, die Rechtsprechung und die Finanzwirtschaft und verbot die → Bilderverehrung.

3) L. V., der Armenier (seit 813), † (ermordet) Konstantinopel 25. 12. 820; schloss mit den Bulgaren Frieden (um 814). Er nahm den Kampf gegen die Bilderverehrung wieder auf.

4) L. VI., der Weise oder **der Philosoph** (seit 886), * Konstantinopel (?) 866, † ebd. 11. 5. 912; vollendete die Kodifizierung des byzantin. Rechts (60 Bücher »Basilika«). L. erlitt schwere Rückschläge gegen Bulgaren und Araber. 911 musste er mit dem Kiewer Reich einen Handelsvertrag schließen.

León, 1) histor. Gebiet in NW-Spanien. L. wurde 910 Königreich und zuerst 1037, dann 1230 mit Kastilien vereinigt. Heute mit den Prov. L., Zamora und Salamanca aufgegangen in der autonomen Region Kastilien-León.

2) Provinz Spaniens, im NW von Altkastilien, 15 581 km², (1991) 525 900 Einwohner.

3) Hauptstadt von 2), 137 800 Ew.; Bischofssitz (seit 792); Museen; Metall verarbeitende, chemisch-pharmazeut. Ind.; Flugplatz. – Roman. Kirche San Isidoro mit der Königsgruft (»Panteón des los Reyes«; bed. Wandmalereien des 12. Jh., reiche Ausstattung), frühgot. Kathedrale (Glasfenster des 13.–20. Jh.); in der Stadt und Umgebung zahlr. Klöster. – 910 bis 1230 Hptst. des Königreichs L., 988 durch die Mauren z. T. zerstört; wichtige Station an der Pilgerstraße nach Santiago de Compostela.

4) Provinz-Hptst. in Nicaragua, 172 000 Ew.; Bischofssitz; Univ.; Nahrungsmittel-, Textil-, Schuh- u. a. Ind.; Bahnknotenpunkt. – Die fünfschiffige Kathedrale (18. Jh.) gehört zu den größten Gotteshäusern Mittelamerikas.

León, Fray Luis de, span. Schriftsteller, * Belmonte (Prov. Cuenca) 1527, † Madrigal de las Altas Torres (Prov. Ávila) 23. 8. 1591; Augustiner, 1572–76 von der Inquisition eingekerkert; verfasste theolog. Werke in lat. Sprache, übersetzte u. a. aus dem Hebräischen und Italienischen. Seine Traktate, u. a. »Die perfekte Gattin« (1583), sind Höhepunkte der span. Prosa.

Leoben: Das in einer Schleife der Mur gelegene Stadtzentrum

Leonardo da Vinci [-'vintʃi], italien. Maler, Bildhauer, Architekt, Kunsttheoretiker, Naturforscher und Ingenieur, * Vinci (bei Florenz) 15. 4. 1452, † Schloss Cloux (heute Clos-Lucé, bei Amboise) 2. 5. 1519. Bei Verrocchio in Florenz ausgebildet. Nach langjähriger Tätigkeit (1482–99) am Mailänder Hof des Herzogs Ludovico il Moro (Ludwig von Mailand) kehrte L. über Mantua und Venedig nach Florenz (1500–06) zurück, ging dann jedoch auf Einladung des frz. Statthalters wieder nach Mailand, 1513 nach Rom und 1516 an den Hof Franz' I. nach Frankreich.

Leonardo da Vinci (Selbstbildnis, Rötelzeichnung, 1512–15; Mailand, Pinacoteca Ambrosiana)

Der Bestand an gesicherten Gemälden ist zahlenmäßig gering. Neben vereinzelten Werken der Wandmalerei (»Abendmahl«, 1495–97; Mailand, Santa Maria delle Grazie) schuf L. Bildnisse (»Dame mit Hermelin«, um 1484–88, Krakau, Museum Narodowe; »Mona Lisa«, um 1503–05, Paris, Louvre) und Andachtstafeln (»Verkündigung«, 1473, Florenz, Uffizien; »Madonna mit Nelke«, um 1475, München, Alte Pinakothek; »Madonna Benois«, um 1478–80, Sankt Petersburg, Eremitage; »Felsgrottenmadonna«, 1483–86, Paris, Louvre, 2. Fassung unter Mitwirkung von Schülern 1503–06, London, National Gallery; »Anna selbdritt«, 1508–11, Paris, Louvre). Einige Werke blie-

Leonardo da Vinci: Ginevra de' Benci (um 1478; Washington D. C., National Gallery of Art)

ben unvollendet (»Anbetung der Könige«, um 1481, Florenz, Uffizien; »Hl. Hieronymus«, um 1480, Rom, Vatikan. Sammlungen; »Anghiari-Schlacht«, 1503–06, für den Florentiner Rathaussaal, zerstört, in Kopien überliefert). Seine durch ungewöhnl. Beobachtungsschärfe, waches Naturgefühl und psycholog. Einfühlung gekennzeichneten Werke streben kompositionell nach einer formalen Ausgewogenheit von klass. Klarheit und erscheinen malerisch in ein weiches Halblicht (»Sfumato«) getaucht. Als Bildhauer beschäftigte sich L. in Mailand mit zwei monumentalen Reiterstandbildern: das Denkmal für Francesco Sforza und das Grabmonument für den Feldherrn Gian Giacomo Trivulzio; Skizzen und Bronzemodelle zeugen von der weit über die Epoche hinausweisenden Großartigkeit der nie ausgeführten Projekte. Eine Vielzahl von Entwürfen für ideale Garten- und Schlossanlagen, Kirchenbauten, Festungswerke, Kanäle und mehrgeschossige Straßen belegen seine Tätigkeit auf architekton. Gebiet. Einige der skizzierten Baupläne aus den letzten Jahren wurden bei der Errichtung des Schlosses Chambord verwendet.

Leonardo da Vinci: »Abendmahl«, Wandgemälde (1495–97) für das Refektorium von Santa Maria delle Grazie in Mailand (Zustand vor der Restaurierung)

Von seiner Vielseitigkeit legen v.a. seine Zeichnungen (in Silberstift, Feder, Kreide, Kohle, Rötel oder Tusche) Zeugnis ab. Sie beziehen sich nicht nur auf vollendete oder geplante Werke in Malerei, Plastik und Architektur, sondern weisen L. als Wegbereiter einer anschaul. Naturforschung auf dem Gebiet der Anatomie, Botanik, Zoologie, Geologie, Hydrologie, Aerologie, Optik und Mechanik aus. Der Naturforscher L. war einerseits philosophisch orientiert, ablesbar v.a. in seinem künstler. Werk (z.B. den Landschaftsgestaltungen), andererseits empirisch, wenn er Einzelerscheinungen untersuchte, um die dahinter stehenden Kräfte und Gesetze zu erkennen. In prakt. Anwendung aufgefundener Gesetzmäßigkeiten konstruierte er zahlr. Geräte, u.a. Stechheber, Pumpen, Brennspiegel, Fallschirme, Fluggeräte, Kräne, Schleudern sowie Maschinen zur Tuchherstellung. Auf einer bisher verklebten Rückseite des »Codice Atlantico« fanden sich in den letzten Jahren Konstruktionsentwürfe für ein fahrradähnl. Fahrzeug. Seine Landkarten der Toskana sind Marksteine der modernen Kartographie. Ziel seiner schriftl. Aufzeichnungen war eine umfassende Lehre von den mechan.-funktionellen Urgesetzen der Natur, eine Art groß angelegter Kosmologie. – Universalgenie wie kein anderer seiner Zeitgenossen, hat sich L. in einer neuartigen Synthese von Kunst und Wissenschaften in den Dienst eines neuzeitl. Erkenntnisdranges gestellt.

📖 ALBERTI DE MAZZERI, S.: *L. da V. Die moderne Deutung eines Universalgenies. A. d. Italien. Neuausg. München 1995.* – BRAMLY, S.: *L. da V. Eine Biographie. A. d. Frz. Neuausg. Reinbek 1995.* – *L. da V. Künstler, Erfinder, Wissenschaftler, hg. v.* M. M. GREWENIG *u.* O. LETZE. *Ostfildern 1995.*

Leonardo von Pisa, der italien. Mathematiker Leonardo Fibonacci (→Fibonacci-Folge).

Leonard-Schaltung ['lenəd-; nach dem amerikan. Elektrotechniker Harry Ward Leonard, *1861, †1915], Schaltung zur verlustarmen Drehzahlsteuerung von Gleichstrommotoren. Heute weitgehend durch über Stromrichter gespeiste Gleichstrommotoren verdrängt.

Leonberg, Große Kreisstadt im Landkr. Böblingen, Bad.-Württ., westlich von Stuttgart, im Strohgäu, 43 700 Ew.; Gummiwerke, Maschinenfabriken, opt. Ind., Lederwarenfabrikation. – Got.

Pfarrkirche (13./14. Jh.); Fachwerkbauten, u. a. Rathaus (1482); Schloss (16. Jh.). – Seit 1248 Stadt.

Leoncavallo, Ruggiero, italien. Komponist, *Neapel 23. 4. 1857, †Montecatini 9. 8. 1919; mit P. Mascagni und G. Puccini Hauptvertreter der verist. Oper (→Verismus). Weltberühmt wurde seine Oper »I Pagliacci« (»Der Bajazzo«; Text von L., 1892); schrieb die Oper »La Bohéme« (1897), zahlreiche Operetten, Lieder und Klavierstücke.

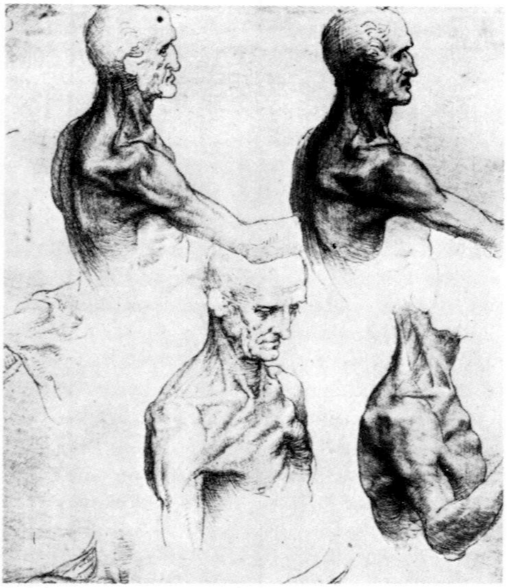

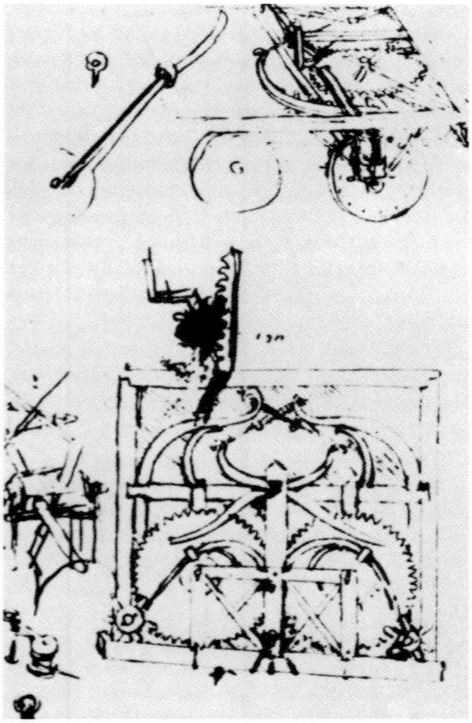

Leonardo da Vinci (von oben): Arm- und Schulterstudien (1510; Windsor Castle, Royal Library) und Skizze eines durch ein Federwerk bewegten und mit einem Differenzialgetriebe versehenen Wagens (Mailand, Biblioteca Ambrosiana)

Ruggiero Leoncavallo

León de los Aldamas, Stadt im Staat Guanajuato, Mexiko, 1880 m ü. M. in einem fruchtbaren Hochtal, 920 000 Ew.; Textil-, Leder-, Papier-, chem., Nahrungsmittelind., Maschinenbau; Flugplatz. – 1576 gegründet.

Leonding, Stadt (seit 1976) im südwestl. Vorortbereich von Linz, Oberösterreich, 21 200 Ew.; mit bed. Ind. (Herstellung von Textilmaschinen, Feuerwehrgeräten, Schuhen, Strickwaren).

Leone, 1) Giovanni, italien. Staatsrechtler und Politiker, *Neapel 3. 11. 1908; hatte maßgebl. Anteil an der Ausarbeitung der republikan. Verfassung Italiens; Mitgl. der Democrazia Cristiana (DC), war 1971–78 Staatspräsident. BILD S. 308

2) Sergio, italien. Filmregisseur, *Rom 3. 1. 1929, †ebd. 30. 4. 1989; drehte zunächst Historienfilme (»Der Koloß von Rhodos«, 1960), dann Meisterwerke des Italowesterns, u. a. »Für eine Handvoll Dollar« (1964), »Spiel mir das Lied vom Tod« (1968), »Mein Name ist Nobody« (1973), außerdem »Es war einmal in Amerika« (1984). BILD S. 308

Wolfgang Leonhard

Leonhard, 1) Rudolf, Schriftsteller, *Lissa (heute Leszno) 27. 10. 1889, †Berlin (Ost) 19. 12. 1953, Vater von 2); Anhänger K. Liebknechts, ging 1927 nach Frankreich, lebte seit 1950 in Berlin (Ost). 1933 Mitbegründer des »Schutzverbandes dt. Schriftsteller im Exil«; im Frühwerk vom Expressionismus geprägt, bevorzugte er später eine realist. Gestaltung; neben Lyrik, Dramen, Prosa auch Essays und Übersetzungen.

2) Wolfgang, Publizist, *Wien 16. 4. 1921, Sohn von 1); 1933 Emigration mit seiner Mutter nach Schweden, 1935 in die UdSSR; kam nach 1945 mit der Gruppe Ulbricht nach Dtl., Funktionär der SED, verließ 1949 die sowjet. Besatzungszone und ging über Jugoslawien in die Bundesrep. Dtl. (1950); setzt sich kritisch mit Existenz und Gesch. des Sozialismus auseinander (u. a. »Die Revolution entläßt ihre Kinder«, 1955; »Dämmerung im Kreml«, 1984; »Spurensuche«, 1992).

Leonidas, König von Sparta (seit 488 v. Chr.), fiel 480 v. Chr. bei der Verteidigung der →Thermopylen gegen die pers. Übermacht.

Leoniden [lat.], aus dem Sternbild (Großer) Löwe kommender →Meteorstrom Mitte November; beste Sichtbarkeit alle 33 Jahre.

leoninischer Vers [nach Papst Leo I.], Sonderform des Hexameters, bei der sich jeweils Zäsur und Kadenz reimen.

Leonow, 1) Alexei Archipowitsch, russ. Kosmonaut, *Listwjanka (Sibirien) 30. 5. 1934; verließ am 18. 3. 1965 als erster Mensch bei einem Raumflug das Raumfahrzeug und bewegte sich 12 min 9 s im freien Raum.

2) Leonid Maximowitsch, russ. Schriftsteller, *Moskau 31. 5. 1899, †ebd. 8. 8. 1994; verbindet in seinen Romanen gesellschaftspolit. Thematik und psycholog. Analyse: »Die Dachse« (1924), »Der Dieb« (1928), »Das Werk im Urwald« (1931), »Der russ. Wald« (1954).

Leonid Maximowitsch Leonow

Giovanni Leone (links) und **Sergio Leone**

Leontief [lɪˈɔntɪəf], Wassily, amerikan. Volkswirtschaftler russ. Herkunft, *Sankt Petersburg 5. 8. 1906, †New York 5. 2. 1999; hatte großen Anteil an der Entwicklung und Anwendung der Methoden quantitativer, empir. Wirtschaftsforschung (Input-Output-Rechnung), beschäftigte sich mit Fragen der Weltwirtschaft und Problemen der Entwicklungsländer; erhielt 1973 den Nobelpreis für Wirtschaftswissenschaften.

Wassily Leontief

Leopard [lat. leo »Löwe« und pardus »Parder«] *der* (Panther, Panthera pardus), etwa 1–1,5 m lange (mit Schwanz bis 2,5 m messende), überwiegend dämmerungs- und nachtaktive, meist allein jagende Großkatze bes. in Steppen, Savannen, Regenwäldern, auch Hochgebirgen Afrikas, SW- und S-Asiens; Fell oberseits fahl- bis rötlich gelb, unterseits weißlich, mit schwarzen Flecken, aber auch völlig schwarze Exemplare **(Schwarzer Panther)**; wegen seines Fells stark verfolgt, einige Unterarten sind bereits ausgestorben.

Leopard, *Militärwesen:* Bez. für versch. Typen dt. Kampfpanzer. Der **L. 1** – ausgerüstet mit einer 105-mm-Bordkanone – wurde seit Ende der 50er-Jahre entwickelt und 1965 in die Bundeswehr eingeführt, später auch in die Streitkräfte anderer Staaten. Der **L. 2** – eingeführt 1979 – hat eine stabilisierte 120-mm-Glattrohrkanone, Infrarot-Passiv-Nachtsicht-Ausrüstung, Laser-Entfernungsmesser, Feuerleitrechner und Schichtpanzerung.

Leopardi, Giacomo Graf, italien. Dichter, *Recanati 29. 6. 1798, †Neapel 14. 6. 1837; gilt mit seiner von klass. Formwillen geprägten Lyrik, die Ausdruck seiner seel. Zerrissenheit und romant. Schwermut ist, als der bedeutendste italien. Lyriker nach F. Petrarca (Samml. »Gesänge«, 1831); verfasste auch satir. Prosa und moral. Schriften. Wichtig für das Verständnis seiner Lyrik sind die »Pensieri di varia filosofia e di bella letteratura« (entstanden 1817–32, hg. 1898–1907; dt. Auswahl u. a. 1943 u. d. T. »Gedanken aus dem Zibaldone«).

🕮 *G. L. Rezeption – Perspektiven – Interpretation, hg. v.* H. L. Scheel *u. a. Tübingen 1992. – L. u. der Geist der Moderne, hg. v.* F. Janowski. *Tübingen 1993.*

Leopold, Herrscher:

Hl. Röm. Reich: **1) L. I.,** Kaiser (1658–1705), König von Ungarn (seit 1655) und Böhmen (seit 1656), *Wien 9. 6. 1640, †ebd. 5. 5. 1705; Sohn Ferdinands III., begründete nach zwei Türkenkriegen (1662–64 und 1683–99) und dem Frieden von Karlowitz (1699) die Donaumonarchie und den Aufstieg Österreichs zur europ. Großmacht. Gegen die Reunionspolitik Ludwigs XIV. von Frankreich beteiligte er sich am Holländ. Krieg, am Pfälz. Erbfolgekrieg u. a. antifrz. Allianzen. 1701 nahm er den →Spanischen Erbfolgekrieg auf. Innenpolitisch veranlasste L. eine Straffung der Verwaltung.

🕮 Spielman, J. P.: *L. I. Aus dem Engl. Graz 1981.*

2) L. II., Kaiser (1790–92), König von Ungarn (seit 1790) und Böhmen (seit 1791), als **L. I.** Großherzog von Toskana (1765–90), *Wien 5. 5. 1747, †ebd. 1. 3. 1792; Sohn Franz' I. und Maria Theresias, hob als Nachfolger seines Bruders Joseph II. dessen Reformen z. T. wieder auf. Der Aufruhr in den Österr. Niederlanden und in Ungarn wurde unterdrückt, der Ausgleich mit Brandenburg-Preußen (Konvention von Reichenbach 1790) erreicht. 1792 schloss L., der die Frz. Revolution zunächst verhalten begrüßt hatte, ein Bündnis mit Friedrich Wilhelm II. von Preußen zum Schutz der frz. Monarchie.

🕮 Peham, H.: *L. II. Herrscher mit weiser Hand. Graz 1987.*

Anhalt-Dessau: **3) L. I.,** der **Alte Dessauer,** Fürst (seit 1693), preuß. Feldmarschall (seit 1712), *Dessau 3. 7. 1676, †ebd. 9. 4. 1747; führte im preuß. Heer u. a. den Gleichschritt und eiserne La-

Leopard: Die Großkatze kann ausgezeichnet klettern und verfolgt Beutetiere bis in die unteren Wipfelregionen der Bäume (Körperlänge bis zu 1,5 m)

destöcke ein; kämpfte erfolgreich im Span. Erbfolgekrieg, im Nord. sowie im 2. Schles. Krieg.

Belgien: **4) L. I.,** König (1831–65), *Coburg 16. 12. 1790, †Laeken (heute zu Brüssel) 10. 12. 1865, Sohn des Herzogs Franz von Sachsen-Coburg-Saalfeld, Vater von 5); seit 1832 ⚭ in 2. Ehe mit Louise (*1812, †1850), Tochter König Louis Philippes von Frankreich; lehnte die grch. Königskrone ab und wurde 1831 zum »König der Belgier« gewählt. Er gewann großen Einfluss im Land und galt als Vorbild eines konstitutionellen Herrschers.

5) L. II., König (1865–1909), *Brüssel 9. 4. 1835, †Laeken (heute zu Brüssel) 17. 12. 1909, Sohn von 4); geschickter Diplomat und Finanzmann; eignete sich das von H. M. →Stanley in seinem Auftrag erkundete Kongogebiet privat als »Kongofreistaat« an, als dessen Souverän er 1885 (Berliner Kongokonferenz) anerkannt wurde; musste seine Kolonie 1908 dem belg. Staat übertragen.

6) L. III., König (1934–51), *Brüssel 3. 11. 1901, †ebd. 25. 9. 1983; Sohn Alberts I., heiratete 1926 die schwed. Prinzessin Astrid (*1905, †1935), 1941 Marie Lilian Baels (Prinzessin de Réthy, *1917); kapitulierte im 2. Weltkrieg nach dem dt. Einmarsch (Mai 1940). 1940–44 war er auf Schloss Laeken interniert, 1944–45 in dt. Kriegsgefangenschaft, danach bis 1950 im Exil. Starke Widerstände v. a. seitens der Sozialisten und Liberalen gegen seine Rückkehr veranlassten ihn, trotz einer für ihn günstigen Volksabstimmung (1950) 1951 zugunsten seines Sohnes Baudouin abzudanken.

Leopold I., Kaiser des Hl. Römischen Reiches: Ausschnitt aus einem zeitgenössischen Kupferstich

Hohenzollern-Sigmaringen: **7) L.,** Fürst, *Krauchenwies 22. 9. 1835, †Berlin 8. 6. 1905; war 1870 Kandidat für den span. Thron (→Hohenzollernsche Thronkandidatur).

Österreich: **8) L. III.,** Markgraf (seit 1095), *Melk um 1073/75, †15. 11. 1136; ging 1105 von Kaiser Heinrich IV. zu Heinrich V. über, dessen Schwester Agnes (†1143) er heiratete; erreichte so den Aufstieg der Babenberger und gilt als erster »österr.« Herrscher; gründete das Chorherrenstift Klosterneuburg, das Zisterzienserkloster Heiligenkreuz und das Benediktinerkloster Klein-Mariazell; Heiliger; Patron (Nieder)Österreichs; Tag: 15. 11.

Leopoldina (Deutsche Akademie der Naturforscher L.), älteste naturforschende Gesellschaft, 1652 gegr., 1742 in »Kaiserlich Leopoldinisch-Carolin. Akademie der Naturforscher« umbenannt, seit 1878 mit Sitz in Halle (Saale); Abteilungen für Naturwiss., Medizin und deren Geschichte.

Leopard: Kampfpanzer Leopard 2, Besatzung vier Mann, Gewicht 55 t, Geschwindigkeit 70 km/h

Léopoldville [-ˈvil], bis 1966 Name der Stadt →Kinshasa.

LEP, Abk. für engl. **L**arge **E**lectron **P**ositron Storage Ring, Elektron-Positron-Speicherring am →CERN.

Lepanto, italien. Name der grch. Stadt →Naupaktos.

Le Parc, Julio, argentin. Künstler, *Mendoza 23. 9. 1928; lebt in Paris, wo er die »Group de Recherche d'Art visuel« mitbegründete. Er ist ein wichtiger Vertreter der kinet. Kunst, der u. a. auch Licht in seine Arbeiten einbezieht.

Lepcha [ˈlɛptʃa] (Leptscha, Selbstbez. Rongpa), mongolides Volk mit tibetobirman. Sprache in Sikkim, in den Nachbardistrikten Darjeeling und Kalimpong, Indien (etwa 52 000 L.) sowie in Bhutan (etwa 20 000 L.); Buddhisten. Die L. sind die älteste Bev.-Schicht Sikkims.

Leopold I., Fürst von Anhalt-Dessau (Ausschnitt aus einem Gemälde von Antoine Pesne)

Lepidodendron *das,* →Schuppenbaum.

Lepidokrokit *der,* ein Mineral, der →Rubinglimmer.

Lepidus, Beiname einer altröm., zum patriz. Geschlecht der Aemilier gehörenden Familie. Bed. Vertreter: **1)** Marcus Aemilius, Konsul (187 und 175 v. Chr.); ließ die Via Aemilia bauen; Mitbegründer der röm. Kolonien Mutina (heute Modena) und Parma.

2) Marcus Aemilius, röm. Staatsmann, *um 87 v. Chr., †13/12 v. Chr.; schloss 43 v. Chr. mit Antonius und Octavian das zweite Triumvirat; wurde 36 v. Chr. von Octavian entmachtet, blieb aber Pontifex maximus.

Leporello [nach der langen Liste der Geliebten Don Giovannis, die sein Diener Leporello in Mozarts Oper anlegt] *das,* harmonikaartig gefaltete Landkarten, Prospekte, Bilderbücher und Ähnliches.

Leptis Magna: Das augusteische Theater mit den Zuschauerrängen (links) und den Resten der Bühnenwand wurde im 1./2. Jh. n. Chr. erbaut

Leppich, Johannes, kath. Theologe, Jesuit, *Ratibor (heute Racibórz) 16. 4. 1915, †Münster 7. 12. 1992; seit 1946 als Seelsorger u.a. in Flüchtlingslagern, Gefängnissen tätig; bekannt durch seine Volks- und Straßenpredigten in zahlr. Städten.

Lepra [grch.] *die* (Aussatz), chron. bakterielle Infektionskrankheit des Menschen mit vorwiegendem Befall der Haut und/oder des peripheren Nervensystems, die zu Verunstaltungen des Körpers, bes. der Weichteile und der Körperenden (z.B. Nase, Kinn, Hände), führt. Die Übertragung des Erregers Mycobacterium leprae erfolgt nur bei lang dauerndem, unmittelbarem Kontakt mit L.-Kranken, vermutlich durch Tröpfchen- oder Schmierinfektion; die Inkubationszeit beträgt meist 2–5 Jahre (auch 9 Monate bis 40 Jahre); sie tritt bes. in Afrika, Asien und Lateinamerika auf. Die medikamentöse Behandlung der L. (Chemotherapeutika wie Diaminodiphenylsulfon, Thiambutosin, auch Corticoide) ist langwierig (zwei Jahre bis lebenslang). Inzwischen ist auch eine Impfung mit abgeschwächten L.-Bakterien möglich.

Lerchen (von oben): Feld-, Hauben- und Heidelerche

Lepsius, 1) Karl Richard, Ägyptologe und Sprachforscher, *Naumburg (Saale) 23. 12. 1810, †Berlin 10. 7. 1884; leitete die preuß. Expedition, die 1842–46 das Niltal bis in den Sudan erforschte; seit 1865 Direktor des Ägypt. Museums in Berlin; einer der Begründer der dt. Ägyptologie.

2) Mario Rainer, Soziologe, *Rio de Janeiro 8. 5. 1928; Arbeiten zur Industrie- und Betriebssoziologie, histor. und polit. Soziologie, soziolog. Theoriebildung, Institutionen- und Sozialstrukturanalyse. L. ist Mit-Hg. der »Kölner Ztschr. für Soziologie und Sozialpsychologie« und der Max-Weber-Gesamtausgabe.

Leptis Magna (Lepcis Magna), antike Hafenstadt in Nordafrika, östlich von Tripolis (Libyen), gegr. (im 10. Jh. v. Chr.?) als Handelsplatz der Phöniker; im 6. Jh. karthagisch, seit 46 v. Chr. zum Röm. Reich gehörig, Blütezeit 193–217 unter dem röm. Kaiser Septimius Severus, im 7. Jh. von Arabern zerstört; Ausgrabungen seit 1921. Nächst dem Hafenbecken liegt das alte Zentrum mit Markt, Kurie und Tempeln des 1. Jh. n. Chr. Westlich liegt ein zweiter Markt mit augusteischem Theater, weiter südlich die Hadriansthermen (123–127). Unter Septimius Severus und Caracalla entstanden v.a. das neue Forum (Arkadenhof 100 m × 60 m mit Podiumtempel), Basilika (216 vollendet), Prachtstraße zum Hafen und Ehrenbogen des Septimius Severus. Im O der Stadt wurden ein Circus und ein Amphitheater freigelegt, im W eine Thermenanlage (UNESCO-Weltkulturerbe).

lepto... [grch.], zart..., schmal..., dünn..., klein...

Lepton *das,* neugrch. Scheidemünze; 1 L. = $^1/_{100}$ Drachme.

Leptonen [grch.], Familie »leichter« Elementarteilchen mit halbzahligem Spin, die somit der Fermi-Dirac-Statistik genügen. Die L. unterliegen (im Ggs. zu den Hadronen) nicht der starken Wechselwirkung. Zu den L. zählen die elektrisch geladenen Teilchen →Elektron (e^-), →Myon (μ^-), und →Tauteilchen (τ^-), deren elektrisch neutrale →Neutrinos (ν_e, ν_μ, ν_τ) und die zugehörigen Antiteilchen, die **Anti-L.,** u.a. das →Positron (e^+). Treten z.B. beim β-Zerfall L. auf, spricht man von lepton. Zerfall. – Die L. gelten zus. mit den →Quarks als die fundamentalen Bausteine der Materie.

Leptonenzahlen, ladungsartige Quantenzahlen der Elementarteilchen, die nur bei den Leptonen von null abweichende Werte (+1 bei Leptonen, −1 bei Antileptonen) aufweisen.

leptosom [grch.], schmalwüchsig, ein Körperbautypus (→Konstitutionstypen).

Leptospirosen [lat.-grch.], weltweit verbreitete Gruppe von Infektionskrankheiten, die durch parasitäre Serotypen der Gatt. Leptospira (zu den →Spirochäten gehörende Bakterien) hervorgerufen werden, z.B. →Weil-Krankheit, →Kanikolafieber.

Leptscha, mongol. Bergvolk →Lepcha.

Lepus [lat.], das Sternbild →Hase.

Le Puy-en-Velay [lə pɥiãvəˈlɛ], Hptst. des Dép. Haute-Loire in der Auvergne, S-Frankreich, an der Borne, 23 400 Ew.; Wallfahrtsort und kath. Bischofssitz (seit dem 4. Jh.); Zentrum der frz. Spitzenherstellung, Lederind., Karosseriebau, Bekleidungs- und Nahrungsmittelindustrie. – Maler. Altstadt mit mittelalterl. Häusern, roman. Kathedrale (11./12. Jh.); auf steilem Basaltfelsen die Kirche St. Michel d'Aiguilhe (Ende 11./12. Jh.).

Michail Jurjewitsch Lermontow: Ausschnitt aus einem zeitgenössischen Gemälde

Lerchen (Alaudidae), weltweit verbreitete Familie bodenbewohnender, meist unauffällig gefärbter Singvögel baumarmer Gebiete; charakteristisch ist die verlängerte Kralle der Hinterzehe (»L.-Sporn«). In Eurasien die durch ihren Fluggesang bekannte **Feld-L.** (Alauda arvensis); Heiden und Waldblößen bewohnt die 14 cm lange **Heide-L.** (Lullula arborea), Ödländer die **Hauben-L.** (Galerida cristata) mit spitzer Federhaube.

Lerchensporn (Corydalis), Gattung der Erdrauchgewächse; niedrige Stauden mit geteilten Blättern, in einfachen Trauben stehenden Blüten und schotenähnl., zweiklappiger Kapselfrucht. Der bis 0,4 m hohe, purpurfarben oder weiß blühende **Hohle L.** (Corydalis cava) wächst in Laubwäldern Mittel- und Südeuropas und Nordasiens. Der südeurop. **Gelbe L.** (Corydalis lutea) ist eine Zierpflanze.

Lérida, ['leriða], Stadt und Provinz in Katalonien, Spanien, → Lleida.

Lẹrmontow, Michail Jurjewitsch, russ. Dichter, * Moskau 15. 10. 1814, † (im Duell) Pjatigorsk 27. 7. 1841; Offizier, wurde zweimal strafweise in den Kaukasus versetzt. L. ist der Hauptrepräsentant der russ. Romantik nach Puschkin. Sowohl in Technik wie auch Thematik (Stilisierung des Schmerzes, der Sehnsucht, Verachtung der Gesellschaft) war Byron Vorbild. L.s Lyrik wirkt musikalisch (oft vertont), z. T. auch rhetorisch; Thematik und Form verbinden sich beispielhaft im lyr. Versepos »Der Dämon« (1840). Sein Roman »Ein Held unserer Zeit« (1840) eröffnete die Reihe der großen russ. realist. Romane, in denen die psycholog. Analyse eines »überflüssigen Menschen« zu scharfer Gesellschaftskritik wird; auch Dramatiker (»Maskerade«, 1835).

Lẹrmoos, Gemeinde in Tirol, Österreich, 995 m ü. M., in einem von der Loisach durchflossenen Becken am Fuß der Zugspitze, 950 Ew.; Luftkurort, Wintersportplatz.

Lernäische Schlange, *grch. Mythos:* → Hydra.

Lernbehinderte, Bez. der Sonderschulpädagogik für schwach begabte und/oder milieugeschädigte Schüler, die nicht primär sinnesgeschädigt sind, aber anhaltend nur sehr geringe schul. Leistungen zeigen.

Lernen, der Erwerb, die Aneignung von Kenntnissen und Fähigkeiten, die Änderung von Denken, Einstellungen und Verhaltensweisen aufgrund von Einsicht oder Erfahrung. Der Nachweis von Lernerfolgen ist zu einem Schlüssel der Verteilung sozialer Positionen und Chancen geworden. – Man unterscheidet versch. Lernarten, die sich nicht nur auf Einsicht- und Kenntnisgewinnung, sondern auch auf die Schulung der Wahrnehmungsfähigkeit und den Spracherwerb, auf die Prägung von Bewegungsabläufen und sozialen Verhaltensweisen beziehen. Der Lernerfolg ist von zahlr. Faktoren abhängig: Anlagen, Milieueinflüssen, Reife des Lernenden, Motivation, Art der Vermittlung u. a. Mit den Bedingungen des L. befasst sich v. a. die Lernpsychologie, die versch. → Lerntheorien zur Beschreibung und Erklärung des Lernprozesses entwickelt.

📖 Buck, G.: *L. u. Erfahrung – Epagogik. Darmstadt ³1989.* – Roth, G.: *Das Gehirn u. seine Wirklichkeit. Neuausg. Frankfurt am Main 1997.*

lernende Automạten, techn. Systeme mit der Fähigkeit, durch Lernen Wissen zu erwerben und zu verändern. Bei Zugrundelegung eines entsprechend einfachen Begriffs des Lernens kann bereits ein speicherprogrammierbarer Automat (z. B. eine Steuerung) als l. A. bezeichnet werden. Diesem Begriff fehlen jedoch wesentl. Merkmale des na-

Lerchensporn: Hohler Lerchensporn (Höhe 10–35 cm)

»**Lernen** *ist wie Rudern gegen den Strom. Sobald man aufhört, treibt man zurück.«*

Benjamin Britten

Le Puy-en-Velay: Stadtansicht mit der auf einem steilen Felskegel gelegenen Kirche St. Michel d'Aiguilhe (Ende 11./12. Jh.)

türl. bzw. höheren Lernens, nämlich die Selbstbezogenheit (Selbstreferenz) und die Aktivität. Neben den übl. Komponenten Eingabe, Zustand, Zustandsänderung, Codierung und Ausgabe kommen bei l. A. Erfahrungsspeicher und ein programmiertes Modell der Umwelt hinzu. Die ständige Neuanpassung der Modellparameter wird auf der **Lernmatrix** erfasst; sie enthält für jeden zu lernenden Begriff eine Gruppe verknüpfender und speichernder Elemente. In der **Lernphase** werden dem System gleichzeitig Eigenschaftsmengen und die dazugehörigen Bedeutungen zugeführt. Die Lernmatrix ordnet dann in der **Kannphase** z.B. einem beliebigen Satz von Eigenschaften die ähnlichste zu. **Belehrte Automaten** haben eine besondere Mensch-Maschine-Schnittstelle, die es erlaubt, dem Lernen förderl. Informationen einzubringen. – Anwendung u.a. zur Optimierung von Arbeitsprozessen, zur Zeichenerkennung, in der Spieltheorie. (→künstliche Intelligenz)

Heinrich Lersch

lernende Organisatiọn, Leitbild für eine Organisation, die im Interesse ihrer Wettbewerbsfähigkeit ihre Fähigkeiten als Organisation und die Kompetenzen ihrer Mitgl. durch ständiges Lernen entwickelt; fußt insbesondere auf lern- und systemtheoret. Überlegungen. Organisationales Lernen erfolgt einerseits im Wechselspiel zw. Individuum und Kollektiv und andererseits durch Interaktionen zw. einer Organisation und ihrer Umwelt.

Alexander Lernet-Holenia

Lerner ['lə:nə], Abba Ptachya, amerikan. Volkswirtschaftler russ. Herkunft, *in Bessarabien 28. 10. 1903, †Tallahassee (Fla.) 27. 10. 1982; entwickelte neue Ansätze für die Wohlfahrtstheorie sowie wesentl. Thesen zum Gleichgewicht der Einkommensverteilung und zum Verhältnis von Sparneigung und Vermögensbestand **(L.-Effekt).**

Lẹrnet-Holẹnia, Alexander, österr. Schriftsteller, *Wien 21. 10. 1897, †ebd. 3. 7. 1976; wesentl. Thema seiner Romane ist der Zerfall Österreich-Ungarns (»Die Standarte«, 1934; »Der Graf Luna«, 1955; »Das Halsband der Königin«, 1962; »Die Geheimnisse des Hauses Österreich«, 1971); ferner Novellen (»Der siebenundzwanzigste November«, 1946) und Dramen. L.-H. schrieb auch formstrenge Lyrik.

Lernmaschinen, die →Lehrmaschinen.

Lernmatrix, →lernende Automaten.

Lernmittel, →Lehrmittel.

Lernmittelfreiheit, →Lehrmittel.

Lerntheori|en, durch die Lernforschung in der Psychologie entwickelte Theorien über Bedingungen und Mechanismen zur Erklärung von Lernprozessen. Am Anfang standen behaviorist. Reiz-Reaktions-Theorien, die das Lernen nach dem Prinzip von Versuch und Irrtum bzw. durch Konditionierung erklärten (B. F. Skinner, I. P. Pawlow, J. B. Watson, E. L. Thorndike u.a.). Seit den 1960er-Jahren gewinnen gestaltpsycholog. Ansätze an Einfluss (K. Koffka, K. Lewin, J. Piaget, J. S. Bruner u.a.), die von zielgerichtetem, erwartungsgesteuertem Verhalten ausgehen und das Lernen aus »Einsicht« (auch bei Tieren) in den Mittelpunkt stellen. Zum Teil weisen diese Gedanken in die Richtung von Informationsverarbeitungsmodellen. Gegenwärtig steht nicht mehr die Suche nach einer umfassenden L. im Mittelpunkt, sondern es werden Theorien für einzelne Lernarten (z.B. Problemlösen) und Lerndimensionen (z.B. motor., emotionales, soziales Lernen) entwickelt. Die neurophysiolog. Grundlagen der Lernprozesse rücken in den Vordergrund.

Le roi est mort, vive le roi [lə'rwaɛ'mɔ:r, vi:vlə'rwa, frz. »Der König ist tot, es lebe der König«], Ausdruck für den Rechtssatz, dass in einer Erbmonarchie die Krone im Augenblick des Todes des Throninhabers auf den Thronfolger übergeht.

Lẹrsch, 1) Heinrich, Schriftsteller, *Mönchengladbach 12. 9. 1889, †Remagen 18. 6. 1936; Kesselschmied; schrieb Gedichte (»Mensch im Eisen«, 1925), Erzählungen und den autobiograph. Roman »Hammerschläge« (1930).

2) Philipp, Psychologe, *München 4. 4. 1898, †ebd. 15. 3. 1972; widmete sich bes. der Ausdruckspsychologie (»Gesicht und Seele«, 1932) und der Charakterkunde (»Der Aufbau des Charakters«, 1937).

Lerwick ['lə:wɪk], Hauptstadt der Shetlandinseln, Schottland, an der O-Küste von Mainland, 7900 Ew.; Hafen; Fischerei und Fisch verarbeitende Ind.; Versorgungsbasis für die Nordsee-Erdölwirtschaft.

Alain René Lesage: Kupferstich (1735)

Lesage [lə'sa:ʒ], Alain René, frz. Schriftsteller, *Sarzeau (Dép. Morbihan) 8. 5. 1668, †Boulogne-sur-Mer 17. 11. 1747; schrieb Theaterstücke, u.a. die Komödie »Turcaret« (1709), eine Satire auf das frz. System der Steuerverpachtung; mit den Romanen »Der hinkende Teufel« (1707, überarbeitet 1720) und »Gil Blas von Santillana« (4 Bde., 1715–35) führte er den span. Schelmenroman in die frz. Literatur ein und nutzte ihn zur Kritik an der zeitgenöss. frz. Gesellschaft.

lesbische Liebe [nach der Insel Lesbos mit Bezug auf Sappho, die hier lebte], →Homosexualität.

Lesbos (ngrch. Lesvos, auch Mytilene, Mytilini), grch. Insel vor der kleinasiat. Küste, 1630 km², bis 968 m ü.M.; 88600 Ew.; Anbau von Getreide, Wein, Oliven; Fremdenverkehr; Hauptort ist Mytilene an der O-Küste. – L., mindestens seit dem 4.Jt. v.Chr. besiedelt, wurde im 11.–10.Jh. v.Chr. von äol. Einwanderern besetzt und gehörte im 5.Jh. v.Chr. zum 1., seit 378 v.Chr. zum 2. Att. Seebund. 1355 kam es an die genues. Familie Gattilusi, 1462 an das Osman. Reich, 1912 an Griechenland. Weist frühchristl. Bauten auf. – Heimat der Lyrikerin Sappho, des Dichters Alkaios und des Philosophen Theophrast.

Lescot [lɛsˈko], Pierre, frz. Baumeister, * Paris (?) um 1510, † ebd. 10. 9. 1578; Vertreter des Manierismus; baute den klar gegliederten, von J. →Goujon mit Skulpturen geschmückten Westflügel des Louvre an der Cour Carrée in Paris (seit 1546) und das Hôtel des Ligneries (1544 ff., heute Musée Carnavalet).

Les Diablerets [lɛdjabləˈrɛ], →Diablerets.

Lese, Traubenernte.

Lesebuch, literar. Sammlung, die Texte unter einer bestimmten Zielsetzung (z.B. Einführung in eine Literaturepoche) bietet; im nichtschul. Bereich meist als Anthologie bezeichnet. Als Reader enthält es eine Auswahl von wiss. Texten zur Studienhilfe und Einführung in ein Sachgebiet. Das L. für den Schulunterricht bietet eine Auswahl aus Sprachwerken im Hinblick auf Alter und Schulart. Es dient dem Lesenlernen (Fibel), der Leseerziehung und dem Literaturunterricht. – Das erste L. für Gymnasien gab J.G. Sulzer 1768 heraus, das erste L. für Volksschulen (Grundschulen) F.E. von Rochow 1776 (»Der Kinderfreund«).

Lesegerät, 1) *Datenverarbeitung:* (Zeichenleser) elektr. Abtastgerät zur direkten Informationseingabe in einen Computer, wobei die auf dem Datenträger gespeicherten Informationen abgetastet und in binärer oder codiert binärer Form gespeichert und übertragen werden. Wichtige L. sind Balken- oder Strichcodeleser (Barcodeleser), Magnetschriftleser, Scanner. (→Zeichenerkennung)

2) *Dokumentationstechnik:* (Mikrofilm-L.), →Mikrodokumentation.

Lesen, Fertigkeit, etwas Geschriebenes mit den Augen (bzw. dem Tastsinn, bei Blinden) und dann mit dem Verstand zu erfassen; war lange ein Privileg einer Bildungsschicht (geistl. und weltl. Gelehrte, Hofbeamte, auch Kaufleute), die sich seit Erfindung des Buchdrucks allmählich erweiterte und sich seit der Aufklärung auf breite bürgerl. Schichten erstreckte (Bildungsbürgertum). Im 19.Jh. erlosch in Mitteleuropa nach und nach, v.a. seit Einführung der Schulpflicht, das Analphabetentum; in der Dritten Welt gelten der Alphabetisierung große Anstrengungen. – Heute wird, um dem abnehmenden Interesse am Lesen entgegenzuwirken, Leseförderung als kulturpolit. Aufgabe erkannt.

Pierre Lescot: Hôtel des Ligneries (16. Jh.) in Paris, heute Musée Carnavalet

Lese-Rechtschreib-Schwäche, die →Legasthenie.

Lese- und Rechtschreib|unterricht, die method. Vermittlung der Fähigkeit des Lesens und Schreibens. Für den Erstleseunterricht war bis ins 19.Jh. die Buchstabiermethode, später die Lautiermethode üblich. Daneben traten in den 30er-Jahren Ganzheitsmethoden, die von Wörtern oder Sätzen ausgehen und die Schüler sich wiederholende Buchstaben bzw. Laute »entdecken« lassen. Der Schreibunterricht beginnt i.d.R. nach dem Erstleseunterricht; am Anfang steht eine Vorbereitungsphase mit motor. Übungen, die allmählich zu buchstabenähnl. Formen übergehen.

Lesezirkel, gewerbl. Unternehmen, das Ztschr. gegen Entgelt befristet verleiht (rechtlich: vermietet). Diese werden ins Haus gebracht und nach vereinbarter Zeit wieder abgeholt.

Les Franches-Montagnes [lɛfrãʃmɔ̃ˈtaɲ], Landschaft und Bezirk in der Schweiz, →Freiberge.

Lesgi|er (Lesghier), ostkaukas. Volk im SO Dagestans und in N-Aserbaidschan. Die etwa 383000 L. sprechen eine ostkaukas. Sprache und sind überwiegend sunnit. Muslime.

Leshan [-ʃ-] (Loshan), Stadt in der Prov. Sichuan, China, südlich von Chengdu, an der Mündung des Dadu He in den Minjiang, etwa 100000

Leshan: Die monumentale, 803 vollendete Buddhastatue am Steilufer des Minjiang

Ew.; Teeanbau, Seidenraupenzucht, Seidenweberei. Ausgangsort für buddhist. Wallfahrten auf den Emei Shan. – Am Steilufer des Minjiang monumentale Buddhastatue (803 vollendet).

Leskien, August, Slawist und Indogermanist, *Kiel 8. 7. 1840, †Leipzig 20. 9. 1916; 1869 Prof. in Jena, ab 1870 in Leipzig; einer der Begründer der junggrammat. Schule, bed. Arbeiten zur Geschichte und vergleichenden Grammatik der baltisch-slaw. Sprachen.

Nikolai S. Leskow

Leskow, Nikolai Semjonowitsch, Pseud. N. Stebnizki, russ. Schriftsteller, *Gorochowo (Gouv. Orel) 16. 2. 1831, †Sankt Petersburg 5. 3. 1895; zunächst Beamter, dann Angestellter einer engl. Handelsfirma. Wegen seiner Polemik gegen die revolutionär gesinnte Intelligenz (»Ohne Ausweg«, R., 1864; »Bis aufs Messer«, R., 1870) wurde er von der tonangebenden Kritik angegriffen; auch über Russland hinaus bekannt machte ihn seine Romanchronik »Die Klerisei« (1872), die erste bed. Darstellung des Lebens der russ. Geistlichkeit. Seine Kunst zeigt sich ebenso in der Kurzform der Erzählung (z.B. »Lady Macbeth von Mzensk«, 1865). Unter dem Einfluss Tolstois wandte er sich der Volkslegende zu, die er durch Bearbeitung und eigene Schöpfungen erneuerte. L. gilt als Meister der kleinen Form und wirkte bes. durch seine Erzähltechnik auf die spätere russ. Erzählprosa.

Doris Lessing

Leśniewski [lɛɕj'njɛfski], Stanisław, poln. Logiker und Philosoph, *Serpuchow 28. 3. 1886, †Warschau 13. 5. 1939; seit 1919 Prof. für Philosophie und Mathematik in Warschau. Seine Untersuchungen galten einer alternativen, d.h. nicht mengentheoretisch orientierten Begründung der Mathematik, welche die bekannten Antinomien vermeidet. L. war einer der Begründer der Warschauer Schule der Logik.

Lesotho (amtlich Sotho: Muso oa Lesotho, engl. Kingdom of Lesotho, dt. Königreich L.), Binnenstaat in Südafrika, vollständig von der Rep. Südafrika umgeben.

Staat und Recht: Nach der Verf. von 1993 ist L. eine konstitutionelle Monarchie im Commonwealth. Staatsoberhaupt ist der König. Die Legislative liegt bei der Nationalversammlung, bestehend aus einem Unterhaus (65 gewählte Abg.) und einem Senat (22 Stammeshäuptlinge und 11 vom König ernannte Mitgl.). Die Exekutivgewalt liegt seit 1993 bei einer Zivilreg. unter Vorsitz des MinPräs. Einflussreichste Parteien sind: Basotho Congress Party (BCP) und Basotho National Party (BNP).

Landesnatur: L. ist überwiegend ein über 2000 m ü.M. liegendes Hochland, das im O in den Drakensbergen mit dem Thabana Ntlenyana bis 3482 m ü.M. ansteigt; es wird vom Oranje und seinen Nebenflüssen in bis zu 800 m tiefe Täler zerschnitten. Der Hochfläche ist im W ein 1000–1500 m hohes Vorland vorgelagert, Hauptsiedlungs- und Landwirtschaftsraum des Landes. Es herrscht gemäßigtes subtrop. Klima, entsprechend der Höhenlage mit starken tages- und jahreszeitl. Temperaturschwankungen; jährl. Niederschläge von 1000 mm (im O) bis 750 mm (im W). Im Bergland können die Niederschläge im Winter als Schnee fallen. Weit verbreitet sind Grasländer und Torfmoore.

Bevölkerung: Die Bev. gehört fast ausschließlich dem Bantuvolk der Sotho an, ferner gibt es wenige Europäer und Asiaten. Einzige städt. Agglomeration ist die Hauptstadt Maseru; die Geburtenrate ist mit 2,7% sehr hoch. Etwa 88000 Lesother leben als Wanderarbeiter in der Rep. Südafrika. Allg. Schulpflicht besteht vom 6.–12. Lebensjahr; in Roma bei Maseru gibt es eine Universität. – Mehr als 90% der Bev. sind Christen, davon mehr als die Hälfte Katholiken; die Übrigen sind Anhänger von traditionellen afrikan. Religionen.

Wirtschaft, Verkehr: L. ist ein wenig entwickeltes Agrarland; nur 10,5% der Landesfläche sind ackerbaulich nutzbar. Hauptzweige sind Viehhaltung (Wollschafe, Angoraziegen, Rinder) sowie Anbau von Weizen, Mais, Hirse, Hülsenfrüchten, Gemüse. Haupteinnahmequelle sind jedoch die Geldüberweisungen der in der Rep. Südafrika tätigen Wanderarbeiter. Die Diamantenförderung hat ihre Bedeutung weitgehend verloren. Zwischen L. und der Rep. Südafrika wurde 1986 das »L. Highland Water Project« vereinbart, das u.a. die Errichtung von sechs Staudämmen und eines Wasser-

Lesotho

Fläche: 30 355 km²
Einwohner: (1995) 2,05 Mio.
Hauptstadt: Maseru
Verwaltungsgliederung: 10 Verwaltungsbezirke
Amtssprachen: Sotho und Englisch
Nationalfeiertag: 4. 10.
Währung: 1 Loti (M; Plural: Maloti) = 100 Lisente (s)
Zeitzone: MEZ +1 Std.

kraftwerkes zur Stromversorgung von L. vorsieht. Es entwickelten sich Verarbeitungsind. und der Dienstleistungssektor. L. steht in Zollunion mit Südafrika, Botswana und Swasiland. Exportiert werden Schaf- und Mohairwolle, Textilien, Lederwaren, Lebendvieh, importiert Nahrungsmittel, Konsumgüter, Maschinen, Fahrzeuge, Mineralöl; Haupthandelspartner ist die Rep. Südafrika. – L. hat keine Eisenbahnen, lediglich einen 1,6 km langen Anschluss an das südafrikan. Eisenbahnnetz. Das Straßennetz umfasst 7100 km, davon 600 km asphaltiert; internat. Flughafen bei Maseru.

Geschichte: Seit 1868 war das Gebiet des heutigen L. als **Basutoland** brit. Protektorat. 1964 erhielt es innere Autonomie und wurde 1966 als Königreich L. innerhalb des Commonwealth unabhängig. Im Zuge eines Staatsstreiches schaltete Premiermin. L. Jonathan 1970 die BCP, die zuvor bei den allgemeinen Wahlen einen Sieg errungen hatte, aus. Im Jan. 1986 stürzte Generalmajor J. Lekhanya den seit 20 Jahren diktatorisch herrschenden Premiermin. und setzte sich an die Spitze eines Militärrates, der seitdem die Reg.politik weitgehend bestimmte. Im Nov. 1990 setzte der Militärrat König Moschesch II. ab und erhob dessen Sohn als Letsie III. auf den Thron. Mit dem Inkrafttreten einer neuen Verf. 1993 übergab der Militärrat seine Machtbefugnisse an Ntsu Mokhehle, den Vors. der BCP, die die im selben Jahr abgehaltenen Wahlen gewonnen hatte. Der Versuch Letsies III. 1994, die Regierung abzusetzen und die Verf. außer Kraft zu setzen, scheiterte am Widerspruch bes. der Rep. Südafrika (Reg. Mandela). Im Jan. 1995 verzichtete Letsie III. zugunsten seines Vaters und Vorgängers auf den Thron, bestieg ihn jedoch wieder nach dessen Tod (Jan. 1996) im Febr. 1996.

📖 BARDILL, J. E. *u.* COBBE, J. H.: *L. Boulder, Col., 1985.*

Lespinasse [lɛspiˈnas], Julie de, frz. Schriftstellerin, *Lyon 9. 11. 1732, †Paris 23. 5. 1776; in ihrem Salon in Paris verkehrten bes. die →Enzyklopädisten; schrieb leidenschaftl., schwärmer. Briefe an den Grafen Hippolyte Guibert (*1744, †1790), die zu den bedeutendsten persönl. Briefen des 18. Jh. gehören.

Less developed Countries [les dɪˈveləpd ˈkʌntrɪz, engl. »wenig entwickelte Länder«], Abk. **LDC,** Bez. für bestimmte →Entwicklungsländer.

Lesseps, Ferdinand Vicomte de, frz. Diplomat und Ingenieur, *Versailles 19. 11. 1805, †La Chênaie (Dép. Indre) 7. 12. 1894; leitete 1859–69 den Bau des Sueskanals (nach Plänen A. v. Negrellis). Sein Versuch, den Panamakanal zu bauen, scheiterte.

Lessing, 1) Doris, engl. Schriftstellerin, *Kermanschah (Iran) 22. 10. 1919; aufgewachsen in Rhodesien, kam 1949 nach England; schrieb gesellschaftskrit. und psycholog. Romane, Kurzgeschichten, bes. über Probleme in Afrika: »Afrikan. Tragödie« (R., 1950), »Kinder der Gewalt« (R.-Zyklus, 5 Bde., 1952–69), »Das goldene Notizbuch« (R., 1962), »Die Liebesgeschichte der Jane Somers« (1984); weitere Arbeiten zeigen die mystisch-utop. Vision einer nicht mehr fragmentierten Welt, u. a. »Canopus im Argos. Archive« (5 Bde., 1979–83), »Das fünfte Kind« (R., 1988), »Rückkehr nach Afrika« (R., 1992), »Memoiren einer Überlebenden« (R., 1997).

2) Gotthold Ephraim, Schriftsteller und Kritiker, *Kamenz 22. 1. 1729, †Braunschweig 15. 2. 1781, Großonkel von 3); Sohn eines Pastors, Schüler der Fürstenschule St. Afra in Meißen, danach Student in Leipzig (Medizin, Theologie, Philologie). L. erwarb sich ersten Ruhm mit anakreont. Liedern und durch im Stil der sächs. Typenkomödie verfasste Stücke (»Der junge Gelehrte«, Uraufführung 1748, Erstausgabe 1754, »Der Freygeist«, entstanden 1749, Erstausgabe 1755, »Die Juden«, Uraufführung 1749, Erstausgabe 1754). L. lebte seit 1748 mit Unterbrechungen in Berlin und arbeitete als Hg. und Mitarbeiter mehrerer Zeitschriften, u. a. als Kritiker für die spätere »Voss. Zeitung« (1748–55) und in der mit F. Nicolai und Moses Mendelssohn gegr. Ztschr. »Briefe die neueste Literatur betreffend« (1759–65). Mit der Tragödie

Staatswappen

LS
Internationales Kfz-Kennzeichen

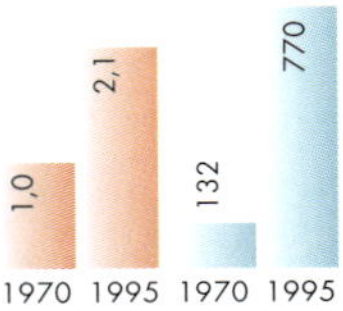

Bevölkerung (in Mio.) Bruttosozialprodukt je Ew. (in US-$)

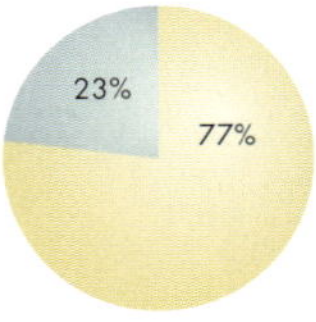

Stadt
Land
Bevölkerungsverteilung 1995

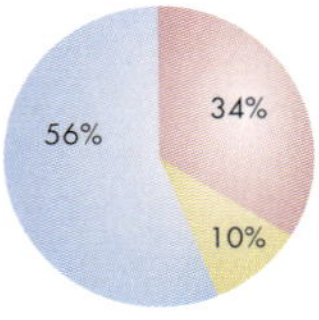

Industrie
Landwirtschaft
Dienstleistung
Bruttoinlandsprodukt 1995

Gotthold Ephraim Lessing: Gemälde von Anton Graff (1771; Wolfenbüttel, Herzog August Bibliothek) und Autogramm

»Miss Sara Sampson« (1755) begründete er das dt. →bürgerliche Trauerspiel, angeregt durch S. Richardson und H. Fielding. In Berlin veröffentlichte er 1759 seine wegen der Abhandlungen zur Fabeltheorie bedeutsamen »Fabeln« und das Trauerspiel »Philotas«. 1760–65 war er Sekretär des preuß. Kommandanten von Breslau, B. F. von Tauentzien. 1767 ging er als Dramaturg an das neu gegr. »Dt. Nationaltheater« in Hamburg. Nach dem Zusammenbruch des Unternehmens (1768) wurde er 1770 Bibliothekar in Wolfenbüttel.

L. gilt als herausragender Vertreter der Ideale und Aktivitäten der Aufklärung und wird als literar. Wegbereiter der Emanzipation eines sich konstituierenden Bürgertums verstanden. Seine Wirkung als Kritiker und Kunsttheoretiker war groß. Das Kunstwerk schien ihm nicht an die Erfüllung der verstandesmäßigen Formvorschriften der Franzosen (Einheit von Raum und Zeit im Schauspiel) gebunden. So befreite er, in origineller Interpretation der aristotel. Gattungslehre, die dt. Dichtung aus ihrer Abhängigkeit von frz. Mustern, rechtfertigte Shakespeares kühne, bis dahin weitgehend unverstandenen Werke vor dem künstler. Gewissen der Zeit und wurde damit zum Wegbereiter der Klassik wie einer dt. Nationalliteratur überhaupt. Seine Theorien über Drama und Schauspielkunst (»Hamburg. Dramaturgie«, 1767–68) und über die bildende Kunst (»Laokoon oder Über die Grenzen der Mahlerey und Poesie«, 1766) haben die Entwicklung der dt. Literatur, bes. die Kunstauffassung und -ausübung der Klassik, ebenfalls entscheidend mitbestimmt. – Als Dichter sah L. die trag. Gegensätze zw. der Gewissensfreiheit des Einzelnen und seiner gleichzeitigen Entscheidungs- und Handlungsabhängigkeit aufgrund sozialer Verhältnisse (»Emilia Galotti«, vollendet 1772). Mit der »Minna von Barnhelm« (1767) schrieb L. eines der schönsten dt. Lustspiele: Es bezeichnet die Ablösung der Typenkomödie durch die Charakterkomödie. Sein dramat. Gedicht »Nathan der Weise« (1779), mit dem die Form der fünffüßigen Jamben (→Blankvers) für das dt. Drama vorbildlich wurde, ist ein Zeugnis der Humanität und der Toleranz. In engem Zusammenhang mit dem hier formulierten Ideal stehen die letzten Prosaschriften »Ernst und Falk. Gespräche für Freymäurer« (2 Tle., 1778–80) und »Die Erziehung des Menschengeschlechts« (1780). – In theologisch-philosoph. Schriften (z. T. im Zusammenhang mit der Herausgabe der Fragmente von H. S. →Reimarus und dem Streit mit J. M. →Goeze [»Anti-Goeze«, 1778]) wandte sich L. sowohl gegen die dogmat. Orthodoxie wie auch gegen einen verengten Rationalismus: Voller Besitz der Wahrheit sei dem Menschen versagt; die Suche danach sei seine Aufgabe; das Gute solle um seiner selbst willen, nicht mit Rücksicht auf Belohnung oder Strafen, getan werden. – L.s klarer, durch Ironie und Witz wirksamer Sprachstil wurde beispielhaft für die dt. Prosa, bes. für die Essayistik. Weiteres BILD Drama

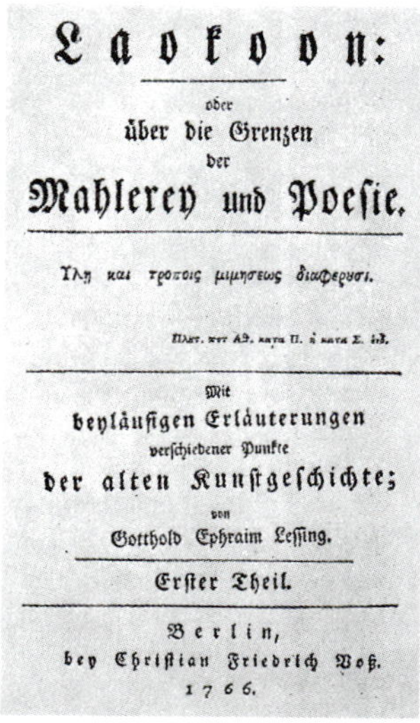
Laokoon:
oder
über die Grenzen
der
Mahlerey und Poesie.

Ὕλῃ καὶ τρόποις μιμήσεως διαφέρουσι.

Πλουτ. ποτ. Αθ. κατα Π. ἢ κατα Σ. ἐνδ.

Mit
beyläufigen Erläuterungen
verschiedener Punkte
der alten Kunstgeschichte;
von
Gotthold Ephraim Lessing.

Erster Theil.

Berlin,
bey Christian Friedrich Voß.
1766.

Gotthold Ephraim Lessing: Titelblatt der 1766 erschienenen Schrift »Laokoon oder Über die Grenzen von Mahlerey und Poesie«

📖 *G. E. L. Leben u. Werk, hg. v.* J. BARK. *Stuttgart 1986. – L. Epoche – Werk – Wirkung, Beiträge v.*

W. Barner *u. a. München* [5]*1987.* – Drews, W.: *G. E. L. mit Selbstzeugnissen u. Bilddokumenten dargest. Reinbek 117.–119. Tsd.* [24]*1995.*

Karl Friedrich Lessing: »Hussitenpredigt« (1836; Düsseldorf, Kunstmuseum)

3) Karl Friedrich, Maler, *Breslau 15. 2. 1808, †Karlsruhe 5. 6. 1880, Großneffe von 2); einflussreicher Vertreter der Düsseldorfer Schule, der in Historienbildern zeitgenöss. polit. Ideen und Tendenzen Ausdruck verlieh; daneben stimmungsvolle Landschaften

4) Theodor, Publizist und Kulturphilosoph, *Hannover 8. 2. 1872, †(ermordet) Marienbad 31. 8. 1933; stammte aus einer liberalen jüd. Familie, 1922–25 Prof. in Hannover, Vertreter der antirationalist. Kultur- und Gesellschaftskritik und einer skept. Geschichtsdeutung. Publizistisch vertrat er einen pragmat. Sozialismus (u. a. Gleichberechtigung der Frau, Völkerverständigung). – *Werke:* Europa und Asien (1918); Gesch. als Sinngebung des Sinnlosen (1919); Die verfluchte Kultur (1921).

Lesueur [ləsy'œ:r] (Le Sueur), **1)** Eustache, frz. Maler, getauft Paris 16. 11. 1616, †ebd. 30. 4. 1655; schuf, beeinflusst von Poussin und Raffael, ausgewogene Kompositionen von einer gewissen Distanziertheit in ruhigen, manchmal kühlen Farben. L. gehörte zu den Gründern der Académie royale de peinture et de sculpture.

2) Jean-François, frz. Komponist , *Drucat-Plessiel (bei Abbeville) 15. 2. 1760, †Paris 6. 10. 1837; Kapellmeister u. a. an Notre-Dame in Paris, Hofkapellmeister Napoleons I., dann Ludwigs XVIII.; strebte nach neuen klangl. Möglichkeiten mit reichen instrumentalen Mitteln (Vorläufer seines Schülers H. Berlioz); komponierte acht Opern, z. B. die Revolutions- und Schreckensoper »La Caverne« (1793) und die romantische Oper »Ossian ou les bardes« (1804), sowie Kirchenmusik (u. a. Messen, Oratorien).

Lesung, 1) *allg.:* öffentl. Lesen eines Textes.

2) *christl. Liturgie:* die →Lektion.

3) *Recht:* die Beratung einer Gesetzesvorlage oder eines Antrags im Parlament; meist sind drei L. erforderlich.

Leszczyński [lɛʃ'tʃiĩski], König von Polen, →Stanislaus 1).

Leszno ['lɛʃnɔ] (dt. Lissa), Hptst. der Wwschaft Leszno, Polen, 60 400 Ew.; Metall-, Nahrungsmittel-, Textilind.; Eisenbahnknotenpunkt. – Erhielt 1547 dt. Recht; seit dem Dreißigjährigen Krieg Hauptsitz der Böhm. Brüder in Polen (Comenius); kam 1793 an Preußen, 1920 an Polen.

letal [lat. letalis, zu letum »Tod«], tödlich.

Letaldosis, Abk. **LD,** innerhalb eines bestimmten Zeitraums zum Tod führende Dosis, z. B. LD_{50} (Dosis eines Arzneimittels, bei der 50% der Tiere sterben).

Letalfaktoren, durch Mutation veränderte Gene oder Chromosomenabschnitte, die den Tod eines Individuums vor Erreichen des fortpflanzungsfähigen Stadiums bewirken.

Letalität *die,* →Sterblichkeit.

L'état c'est moi [letasɛ'mwa, frz. »Der Staat bin ich«], angebl. Ausspruch Ludwigs XIV., kennzeichnet die absolutist. Regierungsform.

Lethargie [grch.] *die,* Teilnahmslosigkeit, Interesselosigkeit, auch Schlafsucht.

Lethe [grch. »das Vergessen«] *die, grch. Mythos:* Fluss oder Quelle in der Unterwelt, woraus die Seelen der Verstorbenen Vergessen trinken.

Letmathe, ehem. Stadt an der Lenne, seit 1975 Stadtteil von →Iserlohn.

Leto (lat. Latona), *grch. Mythos:* Göttin aus dem Geschlecht der →Titanen, Geliebte des Zeus, durch ihn Mutter der göttl. Zwillinge Apoll und Artemis; diese verteidigten L. gegen die Angriffe des Riesen Tityos und rächten die Schmähungen der Niobe.

Reinhard Lettau

Theodor Lessing

Lettau, Reinhard, Schriftsteller und Literaturwissenschaftler, *Erfurt 10. 9. 1929, †Karlsruhe 17. 6. 1996; schrieb skurril-fantast. Erzählungen (»Auftritt Manigs«, 1963); polit. Engagement zeigte u. a. »Feinde« (Kurzprosa, 1968); 1988 erschien der Prosaband »Zur Frage der Himmelsrichtungen«.

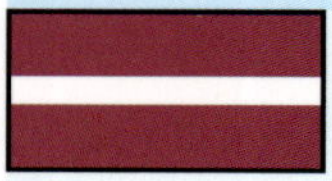

Lettland

Fläche: 64 600 km²
Einwohner: (1995) 2,557 Mio.
Hauptstadt: Riga
Verwaltungsgliederung: vier Regionen und die Hauptstadt
Amtssprache: Lettisch
Nationalfeiertag: 18. 11.
Währung: 1 Lats (Ls) = 100 Santims (s)
Zeitzone: OEZ

Staatswappen

LV
Internationales Kfz-Kennzeichen

Bevölkerung (in Mio.)
Bruttosozialprodukt je Ew. (in US-$)

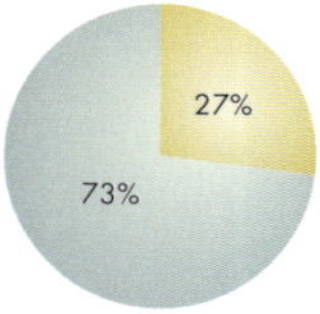

Stadt
Land
Bevölkerungsverteilung 1995

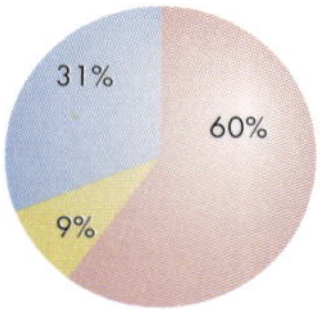

Industrie
Landwirtschaft
Dienstleistung
Bruttoinlandsprodukt 1995

Letten, Bez. für verschiedenfarbige, schwach verfestigte, eisenoxidreiche Schiefertone, z. B. des Keupers.

Letten, zum balt. Zweig der indoeurop. Sprachfamilie gehörendes Volk. Von den insgesamt etwa 1,6 Mio. L. leben rd. 1,46 Mio. in Lettland.

Letter [lat.] *die* (Drucktype), *graf. Gewerbe:* Schriftkörper aus Letternmetall (Blei-Antimon-Zinn-Legierung), Holz oder Kunststoff mit dem erhabenen, spiegelverkehrten Schriftbild eines Buchstabens zur Herstellung einer Druckform für den Hochdruck.

Lette-Verein, 1866 in Berlin von W. A. Lette (*1799, †1868) gegr. »Verein zur Förderung der Erwerbsfähigkeit des weibl. Geschlechts« (seit 1872 L.-V.); Träger von Berufsfachschulen.

Lettgallen (lett. Latgale), histor. Provinz und heutige Region in Lettland.

lettische Literatur. Über Jahrhunderte gab es eine reiche, nur mündlich überlieferte Volkspoesie: die Dainas (Volkslieder) und Märchen. Im 16. Jh. begann eine geistl. Literatur und mit J. Alunāns (*1832, †1864) die eigentl. Kunstliteratur. Bald folgten große Dichter aller Richtungen: philosoph. Neuromantiker wie Aspazija, J. Rainis und J. Poruks, Realisten wie die Brüder R. und M. Kaudzīte, R. Blaumanis, A. Saulietis, später J. Janševskis, K. Zariņš, J. Ezeriņš, A. Grīns und J. Jaunsudrabiņš, Vertreter versch. geistiger Strömungen wie K. Skalbe, Anna Brigadere, J. Akurāters, E. Virza, Elza Stērste, der Balladendichter V. Plūdonis, dann J. Medenis, A. Čaks. Mit der Besetzung durch die sowjet. Armee 1944 setzte eine Massenflucht in den Westen ein. Die ungebrochene Vitalität der Schriftsteller ließ im Exil seit den 1960er-Jahren eine Literatur von Rang entstehen (u. a. Zinaida Lazda, M. Zīverts, Zenta Maurina). Die Literatur in der Lett. SSR repräsentierten zunächst kommunist. Schriftsteller wie A. Upītis, Vizma Lāas und J. Sudrabkalns; allmählich wurde aber eine größere Freiheit in Form und Inhalt möglich; Belebung war bes. in der Lyrik spürbar, u. a. bei Vizma Belševica, O. Vācietis, I. Ziedonis und J. Peters, in der Prosa bei A. Bels, A. Jakubāns, Regina Ezera, in der Dramatik bei G. Priede. Seit der Unabhängigkeit Lettlands 1991 kann sich die Lit. wieder ungehindert entfalten. Neben den älteren Autoren konnten Vertreter der jüngeren Generation (in der Lyrik u. a. L. Briedis, Māra Zālīte, Amanda Aizpuriete, in der Prosa u. a. A. Kļavis, Andra Neiburga, G. Berelis) ein größeres Publikum erreichen. Die Werke der lett. Exilautoren erscheinen wieder im Druck. Eine krit. Auseinandersetzung mit dieser Exillit. und mit der Literatur in der Lett. SSR ist im Gange.

📖 Scholz, F.: *Die Literaturen des Baltikums. Ihre Entstehung u. Entwicklung. Opladen 1990.*

lettische Sprache, gehört zum balt. Sprachzweig des Indogermanischen; drei Dialektgruppen (Mittel-, Hochlettisch und Thamisch). Die l. S. wird in lat. Schrift mit Zusatzzeichen geschrieben.

Lettland (lett. Latvija, amtlich Latvijas Republika), Staat in NO-Europa, grenzt im W an die Ostsee, im N an die Rigaer Bucht und an Estland, im O an Russland, im SO an Weißrussland und im S an Litauen.

Staat und Recht: L. ist eine Rep. mit Mehrparteiensystem. Seit dem 6. 7. 1993 gilt die Vorkriegsverf. von 1922, Staatsoberhaupt ist der vom Parlament gewählte Präs. Die Legislative liegt beim Saeima (100 Abg.), die Exekutive bei der Reg. unter Vorsitz des MinPräs. Einflussreichste Parteien und Vereinigungen: Lett. Weg, Bewegung der Nat. Unabhängigkeit, Harmonie für L. und Wiedergeburt der Volkswirtschaft, Pro L., Lett. Bauernunion.

Landesnatur: L. liegt im NW der glazial überformten osteurop. Ebene. Neben Grundmoränen bestimmen Endmoränenzüge mit kuppigen Höhen und zahlr. eingelagerten Seen (Lubānas-, Rēznassee) die Oberfläche. Im W zergliedern auf der Halbinsel Kurland breite Schmelzwassertäler die Kurländ. Höhen (bis 184 m ü. M.). Östlich der zentrallett. und Semgaller Ebene, die an der unteren Düna, Kurländ. Aa und an der tief in das Land eingreifenden, flachen Rigaer Bucht liegen, erreichen die Livländ. Höhen 311 m, im SO die Lettgall. Höhen 289 m ü.M. Entlang der wenig gegliederten Ostseeküste erstreckt sich eine 10–40 km breite Küstenebene. L. verfügt über ein dichtes Flussnetz. Wichtigster Fluss des Landes ist die im Unterlauf schiffbare Düna. Das Klima ist ozeanisch geprägt und hat relativ milde Winter und kühle Sommer. Die mittleren Jahresniederschläge liegen an der Küste und in den Niederungen zw. 550 und 600 mm, in den Höhenlagen bei 700 bis 800 mm. Knapp 40% der Fläche sind bewaldet. Die größten Waldgebiete (Kiefern und Fichten) finden sich auf der Halbinsel Kurland. In den Niederungen sind Laubwälder (bes. Birken und Erlen) verbreitet. Die einst vermoorten Wiesen (auf 17% der Fläche) wurden durch Melioration größtenteils in weidewirtsch. genutztes Grünland verwandelt; rund 5% sind Moor- und Sumpfland.

Bevölkerung: Der Anteil der Letten erreichte 1995 54,8%, der der Russen 32,8%, der Weißrussen 4,3%, der Ukrainer 2,8%, der Polen 2,6% und der Litauer 1,4%. Nur in vier der zehn größten Städte des Landes stellen Letten die Mehrheit. Von den Bewohnern leben 73% in Städten. Etwa 55% der Bev. sind Mitglieder luther. Kirchen, 24% sind kath., 9% russ.-orthodox. L. hat eine Univ. (gegr. 1919) und eine TH in Riga sowie fünf diesen gleichgestellte Akademien und Hochschulen sowie eine Reihe weiterer Hochschuleinrichtungen.

Wirtschaft, Verkehr: L. befindet sich in der Übergangsphase von der sozialist. Plan- zur freien Marktwirtschaft, deren Aufbau durch die überkommene Verflechtung mit der russ. Ind. und durch die Abhängigkeit von russ. Brennstofflieferungen erschwert wird. Der staatl. Einfluss in der Wirtschaft ist noch groß. Wirtschaftsreformen ebneten den Weg für die Privatisierung und Reprivatisierung (bisher v.a. in der Landwirtschaft verwirklicht). Im Vordergrund der Landwirtschaft steht die Rinder- und Schweinehaltung; Anbauprodukte sind Futterpflanzen, Getreide, Kartoffeln, Flachs, Gemüse und Zuckerrüben. Unter den balt. Ländern besitzt L. das größte forstwirtsch. Potenzial. Holz und Holzprodukte sind die größten Deviseneinnahmequellen des Landes. Bedeutung hat auch die Hochseefischerei. Außer Torf (wichtiger Brennstoff für private Haushalte), Kalkstein, Ton und Sanden besitzt L. keine Bodenschätze. Der Entwicklungsstand der verarbeitenden Ind. ist relativ hoch. Wichtigste Ind.zweige sind der Landmaschinen-, Diesel- und Elektromotoren-, Elektrogeräte- (Rundfunk-, Fernsehempfänger, Telefonanlagen) und Fahrzeugbau (Kleinbusse, Mopeds, Waggons), ferner die chemisch-pharmazeut., Möbel-, Papier-, Nahrungsmittel- (Verarbeitung

Lettland

von Fisch, Fleisch, Milch), Leder- und die traditionsreiche Textilind. (Baumwoll- und Leinenverarbeitung). Die wichtigsten Ind.zentren sind Riga, Daugavpils (Dünaburg) und Liepāva (Libau). Der Fremdenverkehr (Seebäder und Kurorte) wird verstärkt entwickelt. Die wichtigsten Handelspartner sind Russland, Dtl., Litauen, Estland, Finnland und Schweden. – Das Verkehrsnetz ist relativ gut ausgebaut. Das Straßennetz umfasst 64700 km, davon 20000 km mit fester Decke, das Eisenbahnnetz 2400 km, das schiffbare Flussnetz 347 km (bes. die Unterläufe von Düna und Kurländ. Aa). Wichtigste Hochseehäfen sind Riga, Ventspils im NW (Ausfuhr von durch die Pipeline von Polozk

Lettland - Wirtschaft

Lettland: Flusslandschaft im Westen der Baltenrepublik

herangeführtem russ. Erdöl) und Liepāva. Internat. Flughäfen gibt es bei Riga und Jelgava.

Geschichte: Bis zum Ende des 1. Weltkrieges hatten die Letten kein eigenes nat. Staatswesen; ihre Siedlungsgebiete waren im MA. Teil Livlands. 1180 begann die Missionierung der lett. Stämme. Die Lettgallen, Liven, Selen, Kuren und Semgaller wurden im 13. Jh. vom Schwertbrüderorden bzw. (ab 1237) vom Dt. Orden unterworfen. Im Erzbistum Riga, im Bistum Kurland und im Gebiet des Dt. Ordens herrschte eine dt. Ober- und Bürgerschicht (→Deutschbalten) über eine einheim. Bauernbevölkerung. Nach dem Zerfall des Ordensstaates fiel →Livland 1561 an Polen, 1629 an Schweden; →Kurland wurde 1561 unter dem letzten Ordensmeister Gotthard Kettler ein Herzogtum unter poln. Lehnshoheit. Seit dem 18. Jh. gehörte das gesamte lett. Territorium (seit 1772 auch Lettgallen) zum russ. Kaiserreich. Im 19. Jh. entstand eine lett. Nationalbewegung. Eine aus Emigranten gebildete lett. Sowjetreg. proklamierte im Dez. 1918 ein unabhängiges L. und ließ große Teile des Landes durch bolschewist. Truppen (lett. Schützendivisionen) besetzen. Der von den Deutschen unterstützten Nationalreg., die bereits am 18. 11. 1918 eine »Rep. L.« ausgerufen hatte (MinPräs. Karlis Ulmanis), gelang es erst 1919 mithilfe dt. und baltendt. Freiwilligenverbände, die Kontrolle über den größeren Teil L.s zu gewinnen. Die erneute Unabhängigkeitserklärung vom Mai 1920 wurde von der Sowjetreg. im Rigaer Abkommen vom Aug. 1920 akzeptiert. Die Grenzen wurden nach der Sprachgrenze festgesetzt; L. umfasste Kurland, das südl. Livland und Lettgallen. Der dt.-balt. Großgrundbesitz (1300 Rittergüter) wurde 1920 enteignet. Das über eine tolerante Minderheitengesetzgebung verfügende kleine Staatswesen erlebte eine kulturelle und wirtsch. Blüte, die auch durch den Staatsstreich im Mai 1934 und das anschließende autoritäre Regime unter Ulmanis nicht unterbrochen wurde. Im Dt.-Sowjet. Nichtangriffspakt vom 23. 8. 1939 wurde L. dem Einflussbereich der Sowjetunion überlassen, die im Okt. 1939 von L. den Abschluss eines Beistandspaktes erzwang und dieses am 5. 8. 1940 als Lett. SSR ihrem Territorium einverleibte. Nach 1945 wurden etwa 100 000 Letten nach Mittelasien und Sibirien deportiert, dieselbe Zahl von Nichtletten in L. angesiedelt.

Im Zuge der sowjet. Reformpolitik seit 1985 bildete sich 1988 eine Volksfront für die Unabhängigkeit L.s von der UdSSR. Nach deren Wahlsieg im März 1990 proklamierte das lett. Parlament am 4. 5. 1990 die Wiederherstellung der souveränen Rep. L.; A. Gorbunovs wurde als Parlamentspräs. (seit 1988) bestätigt (im Amt bis 1995). Gemeinsam mit Litauen und Estland belebte L. im Mai 1990 den →Baltischen Rat wieder. Die angestrebte Loslösung von der UdSSR führte zum Konflikt mit der Unionsreg. (u. a. blutiger Militäreinsatz in Riga im Jan. 1991). Am 3. 3. 1991 erbrachte eine Volksbefragung eine eindeutige Mehrheit für eine »demokrat. und unabhängige« Rep. L. Nachdem im Zusammenhang mit dem Staatsstreich gegen Unionspräs. M. Gorbatschow im August sowjet. Truppen in die Hptst. Riga einmarschiert waren, setzte L. am 21. 8. seine bereits im Mai 1990 verkündete Unabhängigkeitserklärung in Kraft (am 17. 9. 1991 Aufnahme in die UN). Im Okt. 1991 wurde ein neues Einbürgerungsgesetz wirksam (mit Beschränkungen für die nach 1940 zugewanderten Russen). Außenpolitisch erstrebt L. v. a. eine stärkere wirtsch. Anbindung an W-Europa und die Zurückdrängung des Einflusses von Russland. Am 31. 8. 1994 war der Abzug der russ. Truppen aus L. abgeschlossen. Am 27. 10. 1995 beantragte L. als erster der balt. Staaten die Mitgliedschaft in der Europ. Union (seit 12. 6. 1995 Assoziierungsabkommen). Staatspräs. wurde 1993 G. Ulmanis (Lett. Bauernunion; 1996 Wiederwahl). Nach G. Krasts (Reg.-Chef 1997–98) übernahm im Nov. 1998 V. Krištopans (Lett. Weg) das Amt des Ministerpräsidenten.

📖 RAUCH, G. VON: *Geschichte der balt. Staaten. München ³1990.* – *Die balt. Nationen. Estland, L., Litauen, hg. v.* B. MEISSNER. *Köln ²1991.* – LUDWIG, K.: *Das Baltikum. Estland, L., Litauen. München ³1992.* – *Balt. Länder, hg. v.* G. VON PISTOHLKOHRS. *Berlin 1994.* – STOPINSKI, S.: *Das Baltikum im Patt der Mächte. Zur Entstehung Estlands, L. u. Litauens im Gefolge des Ersten Weltkriegs. Berlin 1997.*

Lettner [von lat. lectorium »Lesepult«] *der,* in mittelalterl. Kirchen die halbhohe Wand, die den Chor- vom Gemeinderaum trennt. Der L. entstand seit Ende des 12. Jh. aus den seit frühchristl.

Zeit übl. niedrigen Chorschranken. Der von einer Pforte (auch mehreren) durchbrochene L. wurde immer reicher ausgebildet und mit Skulpturen geschmückt. Schon die Spätgotik empfand die Scheidewand als störend und machte den L. daher so durchsichtig wie möglich. Im Barock wurden, bes. in Frankreich, die meisten L. beseitigt und durch Chorgitter und Kommunionbank ersetzt.

Lettow-Vorbeck [-to:-], Paul von, preuß. General, *Saarlouis 20. 3. 1870, †Hamburg 9. 3. 1964; 1913–18 Kommandeur der Schutztruppe von Dt.-Ostafrika, nahm 1920 am Kapp-Putsch teil. 1928–30 war er MdR (DNVP).

Lettres de Cachet [lɛtrdəka'ʃɛ, frz.], geheime Haftbefehle der frz. Könige; 1790 durch Dekret beseitigt.

Lëtzebuerg, luxemburgisch für die Stadt und das Großherzogtum Luxemburg.

Letzlinger Heide, →Colbitz-Letzlinger Heide.

Letzte Ölung, die →Krankensalbung.

letzter Wille (letztwillige Verfügung), das →Testament.

Leu ['le:u] *der,* Währungseinheit in Rumänien und Moldawien (Moldau-L.); 1 L. = 100 Bani. (→Währung, ÜBERSICHT)

Leu, Hans d. J., schweizer. Maler und Zeichner, *Zürich um 1490, ⚔ am Gubel 24. 10. 1531; seine Landschaftsdarstellungen sind in ihrem Stimmungsgehalt Werken der →Donauschule verwandt.

Leubus, Gemeinde in Polen, →Lubiąż.

Leuchtbakteri|en, Gruppe vorwiegend im Meer lebender gramnegativer, begeißelter Bakterien, die ein bläulich grünes Leuchten (u. a. Meeresleuchten) verursachen. Einige Arten leben in Symbiose mit Tinten- und Tiefseefischen in deren Leuchtorganen.

Leuchtdichte, Formelzeichen *L,* photometr. Größe für die vom Auge empfundene Helligkeit einer leuchtenden Fläche. Sie ist der Quotient aus der von einem Flächenelement $\mathrm{d}A$ eines Strahlers unter dem Winkel φ zur Flächennormalen abgestrahlten Lichtstärke $\mathrm{d}I$ und der Projektion $\mathrm{d}A \cdot \cos\varphi$ senkrecht zur betrachteten Richtung: $L = \mathrm{d}I/(\mathrm{d}A \cdot \cos\varphi)$. Einheit der L. ist Candela pro Quadratmeter ($\mathrm{cd/m^2}$). Der L.-Bereich umfasst Werte von 10^9 (Sonne) bis $10^{-5}\ \mathrm{cd/m^2}$ (Helligkeitsschwelle). Die analog zur L. mit der Strahlstärke anstelle der Leuchtstärke gebildete Strahlungsgröße ist die **Strahldichte** mit der Einheit $\mathrm{W/m^2\,sr}$.

Leuchtdiode, →Lumineszenzdiode.

Leuchte, Gerät zur Aufnahme und zum Betrieb künstl. Lichtquellen (Lampen, z. B. Glühlampen, Entladungslampen, Leuchtstofflampen, Leuchtröhren), bestehend aus den zur Befestigung, zum Schutz gegen Staub, Beschädigung und Feuchtigkeit sowie zur Energieversorgung notwendigen Bestandteilen, wie z. B. Fassungen, Leitungen, Vorschaltgeräte, Starter, Zündeinrichtungen, Anschlussklemmen. Die gewünschte Lichtverteilung und eine Blendungsbegrenzung werden erreicht durch opt. Reflektoren, klare oder getrübte Abschlusswannen, Raster aus Metall oder Kunststoff, Streugläser, Prismenrefraktoren. VDE-Vorschriften regeln die Sicherheitsbestimmungen für L. z. B. in explosionsgefährdeten Anlagen.

Geschichte: Schon aus vorgeschichtl. Zeit sind einfachste L. bekannt, wie sie dann, reicher ausgestattet, aus den antiken Kulturen vielfach überliefert sind. Als Brennstoffe dienten organ. Flüssigkeiten, v. a. Tran (später Öl). Die Erfindung des Dochtes führte durch Verwendung leicht schmel-

Lettner des Naumburger Doms, um 1250–60 erbaut; er gilt als einer der ältesten der deutschen Baukunst

Hans Leu d. J.: »Der heilige Hieronymus in gebirgiger Landschaft«, Federzeichnung (undatiert; Frankfurt am Main, Städelsches Kunstinstitut)

zender fester Brennstoffe (Talg, Wachs) zur →Kerze. Diese wurde auf Leuchter gesteckt oder auf hohe Ständer, die Kandelaber. Das bekannteste Beispiel ist der siebenarmige Leuchter des nachexil. Tempels zu Jerusalem (5. Jh. v. Chr.). Im profanen Gebrauch des MA. ist der Kerzenleuchter im 6. Jh. nachweisbar. Allg. blieb der Talg in Brennnäpfen und als Kerze vorherrschend, bis um etwa 1400 auch Leinöl und Rüböl als Brennstoffe aufkamen. Auch der Kronleuchter kommt im späteren MA. auf. Als Leittyp ist der fläm. Kronleuchter aus Messing anzusehen, bei dem von einem an Ketten aufgehängten profilierten Mittelstück s-förmige Arme ausgehen, die in Kerzenhaltern enden. Er war der formale Ausgangspunkt für die zuerst in Murano bei Venedig hergestellten Glaslüster, die bis zum 19. Jh. zu überladenen Prunkgebilden entwickelt wurden.

Der Gebrauch von Mineralöl (Petroleum) setzte Ende des 18. Jh. ein. 1782 wurde in Paris der Flachdocht erfunden, bald darauf der Ringdocht und der Glaszylinder zum Schutz der Flamme gegen Luftzug. 1855 konstruierte der Amerikaner B. Silliman die erste Petroleumlampe. Seit dem späteren 19. Jh. wurde die Beleuchtung mit Gasglühlicht (→Gasbeleuchtung) verwendet. Die Erfindung der Glühlampe und später der Leuchtstofflampe revolutionierte die Beleuchtungstechnik und führte zu völlig neuen Formen von Leuchten.

Leucht|elektron, Bez. für ein (Valenz-)Elektron in einer nicht abgeschlossenen Schale eines Atoms, das bes. leicht durch Anregung auf ein höheres Energieniveau gebracht werden kann; bei der Rückkehr in einen tieferen oder den Grundzustand sendet es die Energiedifferenz der Zustände als Photon aus.

Leuchtenberg, Eugen, Herzog von, →Beauharnais 2).

Leuchtender Pfad, →Sendero Luminoso.

Leuchtfarben, mit →Leuchtstoffen vermischte Anstrichstoffe, die bei Beleuchtung mit kurzwelligem Licht eine leuchtende Farbe haben, z. T. auch nach Einwirkung von Licht im Dunkeln nachleuchten (→Lumineszenz).

Leuchtfeuer, starke Lichtzeichen, die in der Schifffahrt das Navigieren in Küstennähe, in der Luftfahrt die Orientierung bei Start und Landung (→Befeuerung) bei Nacht oder schlechter Sicht erleichtern. Die in der *Schifffahrt* für →Seezeichen verwendeten L. unterscheiden sich durch 1) Farbe: weiß (Leitweg, Fahrwasser, Ortsangabe, Gefahrenpunkt), grün (Steuerbord, rechts, frei), rot (Backbord, links, Gefahr, geschlossen), gelb (Sonderfeuer), 2) Kennung: Funkel-L. (mehr als 60 Blitze pro Minute), Blitzfeuer (Lichtschein aus relativ langer Dunkelheit heraus kürzer als eine Sekunde), Blinkfeuer (Lichtschein mindestens zwei Sekunden aus relativ langer Dunkelheit), Festfeuer (steter Lichtschein ohne Unterbrechung), 3) Funktion als Fahrwasserbefeuerung: Richtfeuer (zwei L. hintereinander; markieren die Fahrwassermitte), Leitfeuer (mit Leit- und Warnsektoren), Quermarkenfeuer, Einzelgefahrenfeuer, Torfeuer, Leuchttonne u. a. – L. werden mithilfe von L.-Verzeichnissen erkannt.

Leuchtgas, frühere Bez. für →Stadtgas.

Leuchtkäfer (Lampyridae), Familie dämmerungs- oder nachtaktiver Käfer; die Männchen **(Johanniskäfer)** sind meist geflügelt, die Weibchen **(Glühwürmchen, Johanniswürmchen)** ungeflügelt. Käfer und Larven haben an der Unterseite des Hinterleibs Leuchtorgane. L. treten in Mitteleuropa um den Johannistag (24. 6.) auf.

Leuchtkäfer: Weibchen

Leuchtkraft, *Astronomie:* die Strahlungsleistung eines Sterns (die je Sekunde von ihm abgestrahlte Energie); wird in Watt gemessen. Ein Maß für die L. ist die absolute bolometr. Helligkeit. Die **L.-Funktion** ist die Verteilungsfunktion der relativen Häufigkeit der Sterne in Abhängigkeit von der L. Nach abnehmender L. unterteilt man in die **L.-Klassen:** 0 = Über-Überriesen; I = Überriesen, II = helle Riesen, III = (normale) Riesen, IV = Unterrie-

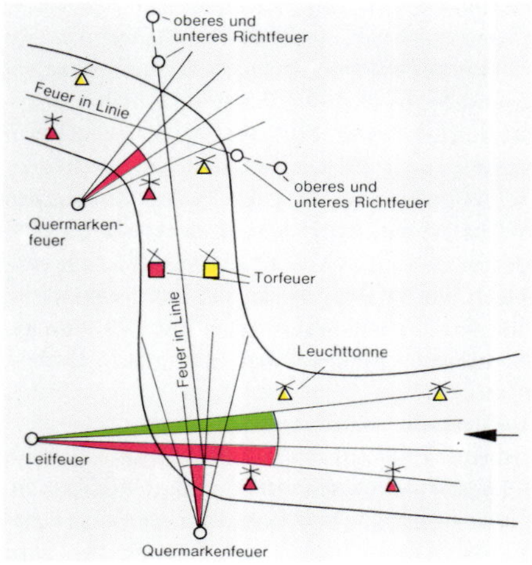

Leuchtfeuer: Befeuerung eines Fahrwassers

sen, V = Zwerge (Hauptreihensterne), VI = Unterzwerge. (→ Hertzsprung-Russell-Diagramm)

Leuchtkrebse (Euphausiacea), in allen Meeren verbreitete Ordnung bis 8 cm langer, garnelenförmiger Krebse mit Leuchtorganen; Hauptbestandteil des → Krills.

Leuchtmoos (Schistostega pennata), etwa 1 cm hohes Laubmoos schattiger, luftfeuchter Standorte Europas; sein Vorkeim leuchtet grünlich (»Smaragdalge«), da das in seinen linsenförmigen Zellen gesammelte Tageslicht zurückgestrahlt wird.

Leucht|organismen, Lebewesen, die die Fähigkeit zur Lichterzeugung durch biochem. Vorgänge (Biolumineszenz) besitzen. L. haben z. T. spezielle Leuchtorgane, z. B. Leuchtkäfer, -krebse.

Leuchtpilze, Hutpilzarten, bei denen im Verlauf von Stoffwechselprozessen Substanzen entstehen, die enzymatisch verändert werden. Dabei entsteht Energie, die bis zu 80 % als sichtbares Licht frei wird (Biolumineszenz), z. B. Myzel des Hallimasch.

Leuchtpistole, einschüssige Hinterladerpistole mit glattem Lauf für Leucht- und Signalpatronen.

Leuchtsätze, → Pyrotechnik.

Leuchtschirm (Fluoreszenzschirm, Lumineszenzschirm, Bildschirm), mit Leuchtstoffen beschichteter Auffangschirm zur Sichtbarmachung von elektromagnet. oder Korpuskularstrahlung. Farbton und Nachleuchtdauer lassen sich durch geeignete Leuchtstoffe erreichen.

Leuchtspurgeschoss (Lichtspurgeschoss), Geschoss mit einem Leuchtsatz von beliebiger Farbe zum Sichtbarmachen der Flugbahn.

Leuchtstoffe (Luminophore), zur → Lumineszenz fähige Stoffe, die die Energie elektromagnet. Strahlung (γ-Röntgen-, UV-Strahlung, sichtbares Licht) oder von Korpuskularstrahlung (α-, β-Strahlung) absorbieren und als sichtbares Licht aussenden. Gase und Halbleiter werden v. a. elektrisch zur Lichtemission angeregt (→ Gasentladung). Bei den festen L. bildet entweder eine Atom- oder Molekülgruppe oder ein kennzeichnender Aktivator das Leuchtzentrum, oder der Festkörper wird durch Gitterstörungen oder Dotierung mit Fremdstoffen aktiviert.

Neben den **natürl. (selbst leuchtenden) L.** (u. a. Calcium- und Magnesiumwolframat) unterscheidet man **fluoreszierende L.** (z. B. in Fernsehbildschirmen, Leuchtstofflampen, als Leuchtfarbenzusätze für Verkehrsschilder u. a.), deren Lichtemission praktisch nach Beendigung der Anregung endet (Nachleuchtdauer $< 10^{-8}$ s), und **phosphoreszierende L.,** die ein längeres Nachleuchten zeigen. Letztere sind z. B. für die Herstellung von Signalfarben von Bedeutung, die in der Dunkelheit nachleuchten, und werden zur Beschichtung von Oszillographenröhren sowie Röntgenschirmen verwendet; zu ihnen zählen auch die opt. Aufheller und Fluoreszenzfarbstoffe. Als L. werden häufig Zinksulfid sowie andere Salze der Erdalkalimetalle und ihrer Nebengruppenelemente verwendet, die u. a. mit Kupfer, Silber, Mangan und Europium aktiviert werden.

Leuchtstofflampen (Leuchtstoffröhren), Niederdruckentladungslampen, an deren Innenwand Leuchtstoffe aufgebracht sind, die unter dem Einfluss der erzeugten langwelligen UV-Strahlung Licht mit einem kontinuierl. Spektrum ausstrahlen. Die Lichtstrahlung der Gasentladung selbst dringt nur wenig durch die Leuchtstoffschicht. Die → Leuchtstoffe sind im Wesentlichen für die Lichtausbeute und die Lichtfarbe (Tageslicht, Universalweiß, Warmton) ausschlaggebend. L. werden für versch. Leistungen gebaut; Standard-L. werden unter Vorschaltung einer Drosselspule an das Ortsnetz (Nennspannung 230 V) angeschlossen. Beim Einschalten sorgt ein Zündgerät (Starter) für ein kurzes Aufheizen der Elektroden und über das Vorschaltgerät für die Erzeugung eines Spannungsstoßes zum Einleiten der Entladung. Drosselspule und Starter können auch durch eine elektron. Schaltung ersetzt sein. Vorteile der L. sind hohe Lichtausbeute und lange Lebensdauer (bis zu einem Mehrfachen der Werte gewöhnl. Glühlampen) sowie die Unempfindlichkeit gegen Erschütterungen. L. eignen sich bes. zur Beleuchtung von Arbeitsplätzen und Räumen mit großem Lichtbedarf; L. werden heute in großem Umfang in der Straßenbeleuchtung verwendet. Zunehmend werden **Kompakt-L.** auch im Wohnbereich eingesetzt, wo sie ein den übl. Glühlampen entsprechendes Licht erzeugen, jedoch bei wesentlich geringerer Leistungsaufnahme **(Energiesparlampen).** Bei den Kompakt-L. mit u- oder kreisförmig gebogenen, zylinderförmig oder anders gestalteten Entladungsröhren befinden sich Vorschalt- und Zündgerät im Schraubsockel, sodass sie in gewöhnl. Glühlampenfassungen eingeschraubt werden können.

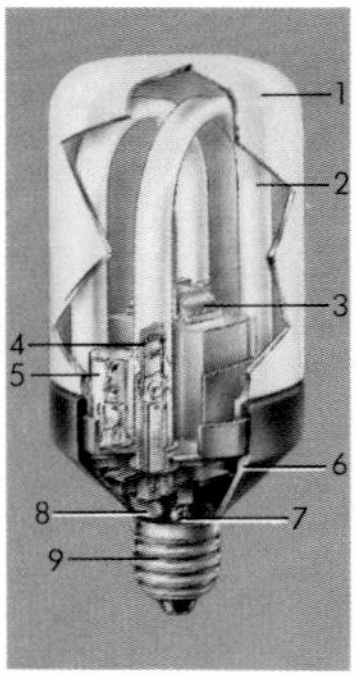

Leuchtstofflampen: Schnittzeichnung einer Kompaktleuchtstofflampe; 1 Glaskolben, 2 Entladungsrohr mit Leuchtstoff, 3 Vorschaltgerät, 4 Elektrode, 5 Starter, 6 Kunststoffgehäuse, 7 Thermosicherung (zum Schutz vor Überhitzung), 8 Kondensator, 9 Schraubsockel

Leuchtturm, als Schifffahrtszeichen dienender hoher und daher weithin sichtbarer Turm mit einem starken → Leuchtfeuer an der Spitze, der sich an für die Navigation wichtigen geograph. Punkten befindet und durch Form, Farbe und → Kennung identifizierbar ist. Sein Licht wird durch → Fresnel-Linsen und/oder Spiegelsysteme stark gebündelt, sodass es scharf abgegrenzt und weithin sichtbar ist. Zusätzlich sind meist Radaranlagen, Einrichtungen für Nebel- und Sturmwarndienst,

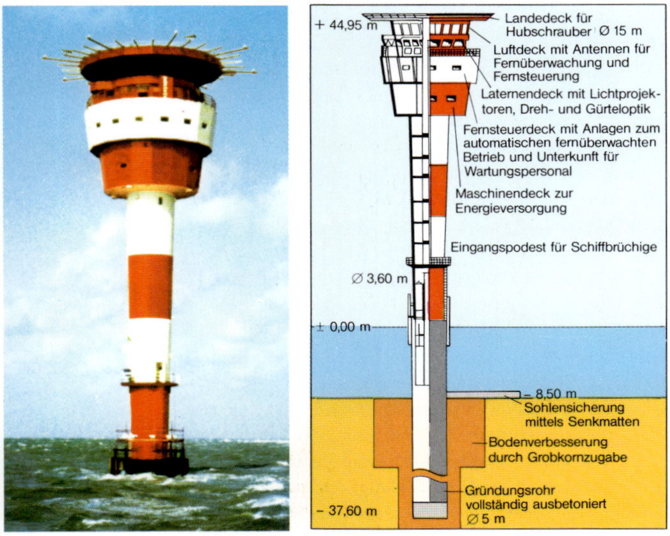

Leuchtturm: »Großer Vogelsand« nordwestlich von Cuxhaven mit Schnittzeichnung (rechts)

Wetter-, Schiffsmelde- und Seenotdienst, Energieversorgungsstationen und Hubschrauberlandeplätze vorhanden. L. werden heute meist ferngesteuert und -überwacht (z. B. »Großer Vogelsand« nordwestlich von Cuxhaven). – Der L. war schon im Altertum bekannt, v. a. der L. von Pharos vor Alexandria; 299–277 v. Chr. von Sostratos aus Knidos erbaut, mehr als 120 m hoch, eines der sieben Weltwunder; er trug jedoch vermutlich erst seit dem 1. Jh. n. Chr. ein Feuer; bei zwei Erdbeben im 14. Jh. stürzte er ein.

Leucin [grch.] *das,* für den Menschen und viele Tiere essenzielle Aminosäure, Eiweißbestandteil aller Organismen.

Leucit [grch.] *der,* Mineral der chem. Zusammensetzung K [$AlSi_2O_6$], weiß bis grauweiß, kristallisiert in zwei temperaturabhängigen Modifikationen (tetragonal unterhalb 605 °C, kubisch oberhalb 605 °C); in vielen basischen vulkan. Laven und Tuffen.

Leuenberger Konkordie, nach dem Tagungsort Leuenberg bei Basel benannte Übereinkunft reformator. Kirchen Europas, die in ihrer letzten Fassung vom 16. 3. 1973 die Kanzel- und Abendmahlsgemeinschaft zw. den beteiligten luth., ref. und unierten Kirchen herstellt, die versch. Bekenntnisse jedoch bestehen lässt.

leuk…, leuko… [grch.], weiß…

Leuk (frz. Loèche-Ville), Bezirkshauptort im Kt. Wallis, Schweiz, 747 m ü. M., an der Mündung der Dala in die Rhone, mit der Ortschaft Susten links der Rhone 3200 Ew.; Weinbau und -handel; Satellitenbodenstation (für INTELSAT) auf dem Plateau von Brentjong. – Ehem. bischöfl. Schloss (1415 umgebaut), unterhalb der Stadt die barocke Ringackerkapelle. – Erstmals um 515 urkundlich erwähnt, erhielt L. um 1330 Stadtrecht.

Leukämie [grch.] *die* (Leukose, Weißblütigkeit, volkstümlich: Blutkrebs), bösartige, generalisierte Wucherungen der weißen Blutkörperchen (Leukozyten) im blutzellbildenden Gewebe, vorwiegend im Knochenmark, in der Milz und in den Lymphknoten, verbunden mit z. T. exzessiver Vermehrung der Leukozyten im zirkulierenden Blut infolge Überproduktion oder Akkumulation. Zu einer Erhöhung des Krankheitsrisikos führen möglicherweise chem. Karzinogene (z. B. Benzol) und ionisierende Strahlung; der Einfluss einer genet. Disposition (Chromosomenaberrationen) und die ursächl. Beteiligung von Tumorviren werden vermutet. Die Einteilung der L. richtet sich nach den betroffenen Blut bildenden Organen und dem Verlauf (akut oder chronisch). Grundsätzlich wird die **myeloische L. (Myelose),** eine krebsige Entartung der Granulozyten des Knochenmarks, von der **lymphat. L.,** einer Fehlbildung der Lymphozyten des lymphat. Systems (Milz, Lymphknoten), unterschieden.

Der Verlauf der **akuten L.,** die unbehandelt in wenigen Wochen bis Monaten tödlich endet, ist durch eine fortschreitende schwere Knochenmarkinsuffizienz aufgrund einer Verdrängung der übrigen Blut bildenden Zellen bestimmt. Es kommt zu einem Mangel an roten Blutkörperchen, Blutplättchen und funktionsfähigen (reifen) Granulozyten; die Gesamtzahl der Leukozyten ist dabei um mehr als das Zehnfache erhöht, kann aber auch geringfügig erniedrigt sein. Symptome sind zunächst heftige grippeähnl. Beschwerden und Fieber, später anäm. Zustände (Schwäche, Blässe), erhöhte Blutungsneigung und Abwehrschwäche. Häufigste Todesursache bilden Infektionen und akute Blutungen. Die **chron. L.,** bei denen Organveränderungen im Vordergrund stehen, sind fast ausschließlich Erkrankungen im Erwachsenenalter. Die **chronisch-myeloische L.** ist durch das Vorhandensein von Zellen aller Reifungsstadien im Blut und eine starke Vermehrung von Granulozyten und deren Vorstufen u. a. im Knochenmark gekennzeichnet. In 80–90 % der Fälle liegt eine Anomalie des Chromosoms 22 (»Philadelphia-Chromosom«) in den Knochenmarkzellen vor. Symptome sind Fieberschübe, Infektionsanfälligkeit und starke Milz- und Lebervergrößerung. Die **chronisch-lymphat. L.** tritt im höheren Lebensalter auf und ist durch starke Vermehrung lymphat. Zellen mit Lymphknotenschwellungen und Hauterscheinungen (Juckreiz, Ekzeme) gekennzeichnet. – Die *Behandlung* der L. wird mit Kombinationen zytostat. Mittel (Chemotherapie), Interferon, Corticosteroiden, Röntgenbestrahlung, Antibiotika zur Infektionsprophylaxe oder -therapie und Bluttransfusionen sowie Knochenmarktransplantationen durchgeführt. – Bei Tieren wird die L. als **Leukose** bezeichnet. Sie kommt bei allen Haussäugetieren, vielen Wildtieren und Vögeln, bes. Hühnern, vor.

L.n u. Lymphome. Fortschritte u. Hoffnungen, hg. v. D. LUTZ *u. a. München u. a. 1988.* – HILLER, E. *u. a.: Klin. Hämatologie. Stuttgart 1994.*

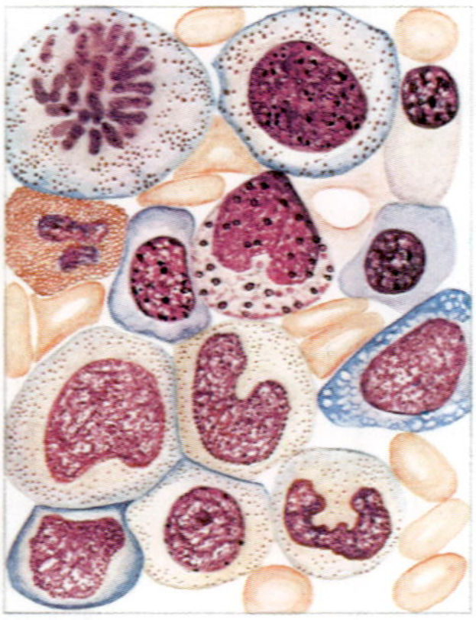

Leukämie: mikroskopische Aufnahme von Knochenmarkszellen bei chronisch-myeloischer Leukämie; symptomatisch ist eine starke Vermehrung von Granulozyten (mit hantelförmigem Zellkern, z. B. rechts unten) und deren Vorstufen (mit annähernd rundem Zellkern, z. B. rechts oben)

Leukas (ngrch. Levkas), **1)** eine der Ion. Inseln, 303 km², 19 900 Ew.; gebirgig (bis 1158 m ü. M.) und vielfach bewaldet; der Durchstich einer Nehrung trennt die Insel vom Festland.

2) Hptst. des VerwBez. L., Griechenland, an der NO-Spitze der Insel L., 6 700 Ew.; Museum; Hafen; Kettenbrücke zum Festland.

Leukerbad (frz. Loèche-les-Bains), Kurort im Kt. Wallis, Schweiz, nördlich von Leuk, 1411 m ü. M., 1500 Ew.; schwefelhaltige Thermen (51 °C); Wintersport.

Leukipp (Leukippos), grch. Philosoph des 5. Jh. v. Chr., wohl aus Milet, Lehrer des Demokrit; Mitbegründer der Atomistik.

Leukopenie [grch.] *die* (Leukozytopenie), verminderte Zahl weißer Blutkörperchen (Leukozyten) im Blut, z. B. bei Virusinfektionen.

Leukoplakie [grch.] *die* (Weißschwielenkrankheit), Bildung unregelmäßiger, scharf begrenzter, etwas erhabener Epitheltrübungen der Schleimhaut durch Verhornung; bes. auf Zunge, Wangen und am Gaumen bei Gewohnheitsrauchern; gilt als Präkanzerose und muss deshalb beobachtet und ggf., auch in ihrer Ursache, behandelt werden.

Leukose [grch.] *die,* →Leukämie.

Leukozyten [grch.], weiße Blutkörperchen (→Blut).

Leukozytose [grch.] *die,* erhöhte Zahl von weißen Blutkörperchen im Blut, z. B. bei akuten Entzündungen.

Leuktra, Ebene und Ort im südl. Böotien; hier siegten 371 v. Chr. die Thebaner unter Epaminondas über die Spartaner.

Leumundszeugnis, →Führungszeugnis.

Leuna, Stadt im Landkreis Merseburg-Querfurt, an der Saale, Sa.-Anh., 8 100 Ew.; Sitz der →Leuna-Werke AG. – L. ist Fundstätte eines Körpergräberfeldes aus dem 3. Jh. (Silber-, Bronze- und Glasgefäße).

Leuna-Werke AG, Leuna, eines der größten dt. Chemieunternehmen, gegr. 1916 als **Ammoniakwerk Merseburg GmbH** von der BASF AG, ab 1925 zu 75 % im Besitz der I. G. Farbenindustrie AG; kriegswichtig war insbesondere die Produktion von Stickstoff und synthet. Leuna-Benzin (aus Kohlehydrierung); nach 1945 enteignet und als SAG (Sowjet. AG) weitergeführt, seit 1954 als VEB Leuna-Werke »Walter Ulbricht« im Besitz der DDR; 1990 Umwandlung in eine AG. Hauptprodukte: Diesel- u. a. Kraftstoffe, Ammoniumsulfat, Ammoniak, Hochdruckpolyäthylen. Nach Stilllegung veralteter und umweltschädigender Anlagen, Sanierung der Altlasten und der Ausgliederung von Produktionsbereichen wurde die Raffinerie 1992 zus. mit der Minol AG und den Hydrierwerken Zeitz an ein dt.-frz. Konsortium verkauft. Die L.-W. AG wurde 1995 nach Geschäftsfeldern privatisiert, wobei rd. ein Dutzend größerer Unternehmen unterschiedl. Eigner entstand.

Wilhelm Leuschner

Leuschner, Wilhelm, Gewerkschafter und Politiker (SPD), *Bayreuth 15. 6. 1890, †(hingerichtet) Berlin 29. 9. 1944; Bildhauer, 1924–33 MdL in Hessen, 1928–32 hess. Innenmin., seit 1932 Vorstandsmitgl. des ADGB; 1933–34 im KZ, danach Führer gewerkschaftl. Widerstandsgruppen, stand in Kontakt zum Kreisauer Kreis. Nach dem 20. 7. 1944 verhaftet und zum Tode verurteilt.

Leuthen (poln. Lutynia), Ort in Polen, westlich von Breslau. Bei L. besiegte Friedrich II., d. Gr., von Preußen im Siebenjährigen Krieg am 5. 12. 1757 mithilfe der schiefen Schlachtordnung die Österreicher unter Karl von Lothringen.

Sabine Leutheusser-Schnarrenberger

Leutheusser-Schnarrenberger, Sabine, Politikerin (FDP), *Minden 26. 7. 1951; Juristin, seit 1990 MdB, war 1992-95 Bundesjustizministerin.

Leutkirch im Allgäu, Stadt (Große Kreisstadt) im Kr. Ravensburg, Bad.-Württ., an der Eschach, 654 m ü. M., 21 600 Ew.; Luftkurort; Holz-, Metall-, Kunststoffverarbeitung, Zeitungsverlag; Käseherstellung und -handel. – Maler. Stadtbild, Reste der mittelalterl. Stadtbefestigung, Rathaus (1740 bis 1742), Marienkirche (1514–19), Dreifaltigkeitskir-

Leverkusen
Stadtwappen

che (1613–15) u.a. – 848 erstmals erwähnt; erhielt 1293 Stadtrecht, 1397–1802 Reichsstadt.

Leutnant [frz. lieutenant »Stellvertreter«] *der,* in fast allen Armeen unterster Offiziersdienstgrad.

Leutschau, Stadt in der Slowakei, →Levoča.

Leuven ['lø:və], belg. Stadt →Löwen.

Leuwerik, Ruth, Film- und Bühnenschauspielerin, *Essen 23. 4. 1926; seit den 50er-Jahren v.a. erfolgreich in Film-, später auch Fernsehrollen (»Die Buddenbrooks«, 1979, 11 Tle.).

Lev., Abk. für **Leviticus** (A. T.).

Levade [frz.] *die,* Figur der hohen Schule, bei der das Pferd mit angezogenen Vorderbeinen seinen Körper auf den gebeugten Hinterbeinen balanciert.

Levalloistechnik [leval'wa-], nach einer Fundstelle in Levallois-Perret benannte Steinbearbeitungstechnik, v.a. der mittleren Altsteinzeit W-Europas; typisch sind breite Klingenabschläge.

Levante [italien., eigtl. »(Sonnen-)Aufgang«] *die,* Bez. für die Länder des östl. Mittelmeers, insbesondere für deren Küste.

Levantiner, die in der Levante geborenen Abkömmlinge eines europ. Vaters und einer oriental. Mutter. Auch Sammelname für die armen., grch., italien. und jüd. Kaufleute und Händler in den Hafenstädten des östl. Mittelmeerraumes.

Le Vau [lə'vo] (Levau), Louis, frz. Baumeister, *Paris um 1612, †ebd. 11. 10. 1670; »Erster Architekt des Königs«; einer der Schöpfer des Repräsentationsstils in der Epoche Ludwigs XIV.; war Bauleiter des Louvres, der Tuilerien, des Schlosses in Versailles. 1656–51 errichtete er für den Finanzmin. N. Fouquet Schloss Vaux-le-Vicomte nordöstlich von Melun.

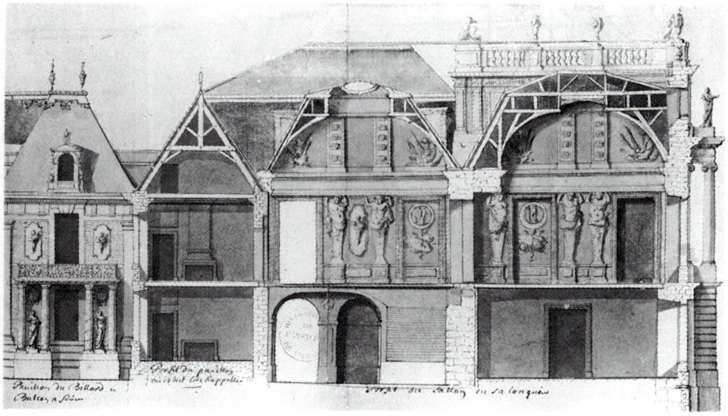

Louis Le Vau: Schnittzeichnung für einen Flügel des Schlosses von Versailles (undatiert; Paris, Bibliothèque de l' Institut de France)

Levee [lə've, frz.] *die,* veraltet für Aushebung von Rekruten, Aufgebot. **Levée en masse,** allgemeines Aufgebot der männl. Bev. zum Kriegsdienst (erstmals 1793 in Frankreich für die Unverheirateten zw. 18 und 25 Jahren).

Level ['levl, engl.] *der,* erreichtes Niveau, Leistungsstand, Rang, Stufe, Spielebene (bei Computerspielen).

Leventina, Bezirk im Kt. Tessin, Schweiz, Hauptort ist Faido; umfasst die Talschaft des oberen Tessin, also das 34 km lange **Valle L.** (dt. **Livinental**) von Airolo (rd. 1200 m ü.M.) bis Biasca, von der Gotthardbahn und -autobahn durchzogen, sowie das anschließende Bedrettotal.

Lever [lə've, frz. »das Aufstehen«] *das,* am frz. Hof im 17. und 18. Jh. die Morgenaudienz des Königs im Schlafzimmer, entsprechend auch beim hohen Adel.

Leveraged-Buy-out ['li:vərɪdʒd baɪ'aʊt, engl.] *der,* Abk. **LBO,** kreditfinanzierter Kauf eines Unternehmens, z.T. unter Einbeziehung des Managements dieses Unternehmens, durch eine Investorengruppe, die dabei wenig oder kein eigenes Kapital investiert, sondern bis zur Höhe des Kaufpreises z.B. hochriskante Anleihen (engl. junk bonds) ausgibt, wobei die Zins- und Tilgungszahlungen aus den laufenden Einnahmen oder dem Verkauf von Teilen des erworbenen Unternehmens geleistet werden. LBO von Börsenspekulanten dienen v.a. dazu, durch Zerschlagung des Unternehmens und Weiterverkauf bes. der noch Gewinn bringenden Unternehmensbereiche kurzfristig einen Gewinn zu erzielen. Demgegenüber soll durch die kreditfinanzierte Übernahme durch das eigene Management (→Management-Buy-out) der Bestand des Unternehmens längerfristig gesichert werden.

Leverage-Effekt ['li:vərɪdʒ-, engl.] (Hebelwirkung), Begriff für die Beschreibung des überproportional starken Einflusses, den ein hoher Fremdkapitalanteil auf die Rentabilität des eingesetzten Eigenkapitals ausübt; an der Börse eine Kennziffer zur Beurteilung von Optionsscheinen, die ausdrückt, wie der Schein auf prozentuale Veränderungen des Kurses des zugrunde liegenden Wertpapiers reagiert (bei Optionsscheinen auf Aktien der Quotient aus Aktienkurs und Kurs des Optionsscheins).

Leverkusen, kreisfreie Stadt im RegBez. Köln, NRW, am rechten Ufer des Niederrheins, 163 000 Ew.; Kekulé-Bibliothek, Japan. (botan.) Garten; Sitz und Hauptbetriebsstätte der →Bayer AG und der Agfa-Gevaert AG, Walzwerk, Maschinen- und Autozubehörbau. – In L.-Schlebusch Schloss Morsbroich (18./19. Jh.) mit Museum für moderne Kunst. – 1862 gründete Carl Leverkus [*1804, †1889] in Wiesdorf die Ultramarinfabrik Leverkusen, deren Namen die Stadt Wiesdorf (Stadtrecht 1921) bei der Eingemeindung der umliegenden Ortschaften 1930 erhielt. 1975 wurden die Städte

Opladen und Bergisch Neukirchen mit L. zusammengeschlossen.

Le Verrier [ləvɛ'rje] (Leverrier), Urbain Jean Joseph, frz. Astronom, *Saint-Lô 11. 3. 1811, †Paris 23. 9. 1877; seit 1854 Direktor der Sternwarte von Paris; sagte aus den Bahnabweichungen des Planeten Uranus den Ort und die genäherte Bahn des Neptuns voraus; 1846 durch J. G. Galle bestätigt.

Levi, Sohn Jakobs und der Lea (nach 1. Mose 29,34); Stammvater des Stammes Levi. (→Leviten)

Levi, 1) Carlo, italien. Schriftsteller, Maler und Arzt, *Turin 29. 11. 1902, †Rom 4. 1. 1975; wurde wegen antifaschist. Einstellung 1935/36 nach Lukanien verbannt; seine Erfahrungen schilderte er in dem dokumentar. Roman »Christus kam nur bis Eboli« (1945; verfilmt 1978), in dem er auf die sozialen Probleme Süditaliens aufmerksam macht.

2) Primo, italien. Schriftsteller, *Turin 31. 7. 1919, †(Selbstmord) ebd. 11. 4. 1987; war Chemiker; sein subtiles, in dokumentar. Präzision geschriebenes literar. Werk ist wesentlich durch das Schlüsselerlebnis seiner Deportation nach Auschwitz 1944 bestimmt (»Ist das ein Mensch? Erinnerungen an Auschwitz«, 1947; »Atempause. Eine Nachkriegsodyssee«, 1963; »Wann, wenn nicht jetzt?«, R., 1982; »Die Untergegangenen und die Geretteten«, Essay, 1986). Schrieb neben autobiographisch inspirierten ironisch-melanchol. Erzählungen (»Das period. System«, 1975) auch Erzählungen mit fantast. Thematik.

📖 ANISSIMOV, M.: *P. L. ou la tragédie d'un optimiste. Biographie. Paris 1996.*

Leviathan [hebr.] *der,* myth. kanaanäisches Meeresungeheuer (Schlange oder Drache); im A. T. Personifikation der gottfeindl. Mächte.

Levi-Montalcini [-'tʃi:ni], Rita, italienisch-amerikan. Neurobiologin, *Turin 22. 4. 1909; für ihre Forschungsarbeiten zur Isolierung und Charakterisierung des Nervenwachstumsfaktors (Nerve Growth Factor, Abk. NGF) erhielt sie 1986 mit S. Cohen den Nobelpreis für Physiologie oder Medizin.

Levin, Rahel, →Varnhagen von Ense.

Levinas [levi'nas], Emmanuel, frz. Philosoph, *Kaunas 12. 1. 1906, †Paris 25. 12. 1995; Prof. in Paris-Nanterre (1962) und an der Sorbonne (1973). Ausgehend von E. Husserl, M. Heidegger und der jüd. Tradition gründet L. seine Philosophie auf die Ethik. Der klassisch-philosoph. Kategorisierung des Seins stellt er die Nichtkategorisierbarkeit und Nichtberechenbarkeit des Menschen, des schlechthin »Anderen«, entgegen, was zu unbedingter Verantwortung ihm gegenüber aufruft; er schrieb u. a. »Totalität und Unendlichkeit« (1961), »Jenseits des Seins oder anders als Sein geschieht« (1974), »Die Zeit und der Andere« (1983).

📖 KREWANI, W. N.: *E. L. Denker des Anderen. Freiburg im Breisgau 1992.*

Levine [lə'vaɪn], James, amerikan. Dirigent und Pianist, *Cincinnati (Oh.) 23. 6. 1943; wurde 1976 musikal. Leiter und 1983 künstler. Direktor der Metropolitan Opera in New York; ab 1999 Leiter der Münchner Philharmoniker.

Primo Levi

Levinson ['levɪnsn], Barry, amerikan. Regisseur, *Baltimore (Md.) 6. 4. 1942; gehört zu den namhaftesten amerikan. Filmregisseuren (»Diner«, 1982; »Der Unbeugsame«, 1983; »Tin Men«, 1986; »Rain Man«, 1988; »Avalon«, 1989; »Bugsy«, 1992; »Enthüllung«, 1994).

Rita Levi-Montalcini

Levirat [lat. levir »Bruder des Ehemannes«] *das* (Leviratsehe), bei altoriental. und afrikan. Völkern der Brauch, die Frau des kinderlos verstorbenen Bruders zum Zweck der Kindeszeugung (und Versorgung der Frau) zu heiraten.

Lévi-Strauss [levi'stro:s], Claude Gustave, frz. Ethnologe, *Brüssel 28. 11. 1908; 1959–82 Prof. am Collège de France; begründete in Verbindung mit linguist. Methoden die »strukturale Anthropologie«, die allg. (strukturale) Gesetzlichkeiten in empirisch ermittelten sozialen Phänomenen der Kulturen aufdeckt. Seine Lehren führten zum frz. →Strukturalismus.

Werke: Strukturale Anthropologie (1958); Das Ende des Totemismus (1962); Das wilde Denken (1962); Mythologica, 4 Bde. (1964–71).

James Levine

Levitation [aus lat. levis »leicht«] *die,* das Anheben (Elevation) von Gegenständen (→Psychokinese), das freie Schweben des menschl. Körpers im Raum durch Aufhebung der Schwerkraft; Traumerlebnis oder Erscheinung der →Parapsychologie.

Leviten, der nach →Levi benannte israelitische Stamm, dessen Angehörige besondere Kultfunktionen ausübten (Priester, Tempeldiener). INFO S. 328

Claude Lévi-Strauss

Levitikus (Leviticus), das dritte Buch Mose; enthält vorwiegend kult. (levit.) Vorschriften (Gesetze) und Strafbestimmungen. (→Priesterschrift)

Levkoje [grch. »Weißveilchen«] *die* (Matthiola), Gattung der Kreuzblütler, v. a. im östl. Mittelmeergebiet; Kräuter oder Halbsträucher mit längl.

Blättern, Blüten in Trauben, einfach oder gefüllt, unterschiedlich gefärbt, oft duftend; bekannte Zierpflanzen, v. a. die je nach Kultur als **Sommer-, Herbst-** oder **Winter-L.** bezeichneten Sortengruppen der Art Matthiola incana.

Levkoje: Die im Mittelmeergebiet beheimatete Wildform der Art Matthiola incana ist eine einjährige, bis zu 1 m hohe Staudenpflanze

Levkosia, Hptst. von Zypern, → Nikosia.

Levoča ['lɛvɔtʃa] (dt. Leutschau), Stadt im O der Slowakei, in der Zips, 12 700 Ew.; Zipser Museum, Textilindustrie. – Die histor. Altstadt steht unter Denkmalschutz (Stadtbefestigung, 14. Jh.; got. St.-Jakobs-Kirche, 14. Jh.; Rathaus im Renaissancestil). – 1245 von dt. Kolonisten gegr., war Vorort der 24 dt. Zipser Städte.

Edward B. Lewis

Lévy-Bruhl [levi'bry:l], Lucien, frz. Philosoph und Ethnologe, *Paris 10. 4. 1857, †ebd. 13. 3. 1939; Prof. an der Sorbonne; unterschied das »prälogische« Denken der Naturvölker, das primär Analogie- und Sympathieschlüssen u. Ä. folge, vom rationalen der abendländ. Mentalität: »Das Denken der Naturvölker« (1910), »Die geistige Welt der Primitiven« (1922).

Lew [lɛf; von lat. leo »Löwe«] *der,* bulgar. Währungseinheit; 1 L. (Lw) = 100 Stotinki (St).

Lewin ['le:vi:n, le'vi:n], Kurt, amerikan. Psychologe dt. Herkunft, *Mogilno (bei Gnesen) 9. 9. 1890, †Newtonville (Mass.) 12. 2. 1947; Prof. u. a. in Berlin und an der University of Iowa (seit 1935), Vertreter der Berliner Schule der Gestaltpsychologie (→ Gestalt), versuchte eine topolog. Psychologie (→ Feldtheorie) zu entwickeln; Forschungen zur Gruppendynamik.

Leviten

Jemandem die Leviten lesen

Die umgangssprachliche Wendung stammt aus dem Mönchswesen. Bereits im 8. Jahrhundert gehörten Andachts- und Bußübungen zum Ordensleben der Benediktiner. Dabei wurde meist ein Bibeltext verlesen, häufig aus dem 3. Buch Moses, das vorwiegend Verhaltensregeln für Priester (= Leviten) enthält und deshalb auch »Leviticus« genannt wird. Den Lesungen folgten oft Strafpredigten zur Besserung der lasterhaften Geistlichkeit, sodass das Lesen des »Leviticus« als Umschreibung für Tadel und Ermahnung zur festen Wendung werden konnte. Wenn wir also heute jemandem die Leviten lesen, dann weisen wir ihn wegen eines tadelnswerten Verhaltens gehörig zurecht.

Lewis ['lu:ɪs], **1)** Carlton Frederick (Carl), amerikan. Leichtathlet, *Birmingham (Ala.) 1. 7. 1961; gewann zw. 1983 und 1996 acht WM-Titel; außerdem neun Goldmedaillen bei Olymp. Spielen in den Disziplinen 100 m, 4 × 100-m-Staffel und, viermal hintereinander, im Weitsprung.

2) Cecil Day, → Day Lewis.

3) Clive Staples, engl. Schriftsteller und Literarhistoriker, *Belfast 29. 11. 1898, †Oxford 22. 11. 1963; schrieb fantast. religiöse Romane, u. a. »Jenseits des schweigenden Sterns« (1938), »Die böse Macht« (1945).

4) Edward B., amerikan. Genetiker, *Wilkes-Barre (Pa.) 20. 5. 1918; war Prof. am California Institute of Technology (Caltech). Mit Methoden der klass. Genetik gelang ihm der Nachweis, dass Erbanlagen in einer aufeinander abgestimmten Weise bei der Embryonalentwicklung zusammenwirken; erhielt (mit C. Nüsslein-Volhard und E. Wieschaus) 1995 den Nobelpreis für Physiologie oder Medizin.

5) Gilbert Newton, amerikan. Physikochemiker, *Weymouth (Mass.) 23. 10. 1875, †Berkeley (Calif.) 23. 3. 1946; bed. Arbeiten zur Theorie der chem. Bindung, zur Elektrolyse und → Säure-Base-Theorie. 1933 gelang ihm die elektrolyt. Gewinnung des schweren Wassers.

6) Harry Sinclair, amerikan. Schriftsteller, *Sauk Centre (Minn.) 7. 2. 1885, †Rom 10. 1. 1951; in seinen realist. Erzählungen und Romanen übte L. Kritik an der amerikan. Gesellschaft, verspottete in satir. Weise ihre Scheinideale und wandte sich gegen die Kommerzialisierung des religiösen Lebens (»Die Hauptstraße«, 1920; »Babbitt«, 1922; »Elmer Gantry«, 1927; »Sam Dodsworth«, 1929; »Das Kunstwerk«, 1934). L. erhielt 1930 als erster Amerikaner den Nobelpreis für Literatur.

7) Jerry (Joseph Levitch), amerikan. Filmschauspieler und -regisseur, *Newark (N. J.) 16. 3. 1926; als Schauspieler (seit 1949) häufig Zusammenarbeit mit Dean Martin (*1917, †1995); zahlreiche Filmkomödien (»Geld spielt keine Rolle«, 1963; »Wo, bitte, geht's zur Front?«, 1970; »Slapstick«, 1982; »Immer auf die Kleinen«, 1982; »The King of Comedy«, 1982).

8) John Aaron, amerikan. Jazzpianist und Komponist, *La Grange (Ill.) 3. 5. 1920; gründete 1951 mit Milt Jackson das erfolgreiche »Modern Jazz Quartet« (1974 aufgelöst).

9) Percy Wyndham, engl. Schriftsteller und Maler, *auf See vor Nova Scotia 17. 3. 1882, †London 7. 3. 1957; vertrat als Maler eine abstrakte Richtung (→ Vortizismus), wandte sich in satir. Romanen

Carl Lewis gewinnt mit diesem Sprung über 8,50 m bei den Olympischen Spielen 1996 in Atlanta seine insgesamt neunte Goldmedaille

(Trilogie: »The human age«, 1928–55) und zeitkrit. Schriften gegen die moderne technisierte Großstadtkultur; stand zeitweise unter dem Einfluss des Imagismus.

10) Sir (seit 1963) William Arthur, brit. Volkswirtschaftler, *Castries (Saint Lucia) 31. 1. 1915, †Barbados 15. 6. 1991; seit 1948 Prof., seit 1963 an der Princeton University (N. J.); beschäftigte sich bes. mit ökonom. Problemen der Entwicklungsländer und der Wachstumstheorie. 1979 erhielt L. mit T. W. Schultz den Nobelpreis für Wirtschaftswissenschaften.

Lewis-Base ['lu:ɪs-], →Säure-Base-Theorie.

Lewitan, Issaak Iljitsch, russ. Maler, *Kybartai (Litauen) 30. 8. 1860, †Moskau 4. 8. 1900; einer der bedeutendsten russ. Landschaftsmaler des 19. Jahrhunderts. BILD S. 330

LeWitt [lə'wɪt], Sol, amerikan. Künstler, *Hartford (Conn.) 9. 9. 1928; einer der Hauptvertreter der Minimalart und der Conceptart in den USA; dreidimensionale Arbeiten, meist mit gitterartiger Struktur; auch Zeichnungen (Wandzeichnungen).

Lex [lat. »Gesetz«] *die,* im *röm. Recht* das meist nach dem Geschlechtsnamen des Antragstellers ben. Volksgesetz. In der *dt. Rechtsgeschichte* Bez. für bestimmte Rechtsquellen, →germanische Volksrechte. In der *Rechtslehre* Gebrauch z. T. noch in lat. Zusammensetzungen, z. B. **L. specialis derogat legi generali** (das speziellere Gesetz geht dem eine allg. Regelung enthaltenden Gesetz vor). Im *Staatsrecht* ein aus einem bestimmten Anlass ergangenes Gesetz, vielfach (nicht offiziell) nach dem Antragsteller oder Betroffenen benannt.

Lexem [grch.] *das, Sprachwissenschaft:* kleinste semant. Einheit, Träger der lexikal. Bedeutung; das L. tritt als Einzelwort (z. B. Wald), als Teil eines Wortes (z. B. »wald-« in waldig) und als Wortverbindung auf (z. B. Hausfreund).

Lexik *die,* der Wortschatz einer Sprache.

Lexikographie [grch.] *die,* Aufzeichnung und Erklärung des Wortguts einer Sprache oder der Begriffe eines oder mehrerer Sachbereiche in einem →Lexikon oder →Wörterbuch.

Lexikologie [grch.] *die,* Bereich der Sprachwiss., der sich mit dem Wortschatz einer Sprache beschäftigt, und zwar mit der Herkunft, der morpholog. Zusammengehörigkeit (Wortbildung) und den inhaltl. (semant.) Zusammenhängen der Wörter untereinander.

Lexikon [grch.] *das,* **1)** *allg.:* alphabetisch geordnetes Nachschlagewerk, sowohl Sprach- wie Sachwörterbuch (→Enzyklopädie, →Konversationslexikon).

2) *Sprachwissenschaft:* Gesamtheit der bedeutungstragenden Einheiten (Lexeme) einer Sprache.

Lexington-Fayette ['leksɪŋtən feɪ'et], Stadt im nördl. Kentucky, USA, 237 600 Ew.; zwei Univ.; Pferdezuchtzentrum; Tabakmarkt, Nahrungsmittel-, Elektronik- und Papierwarenindustrie.

Ley [laɪ], Robert, Politiker (NSDAP), *Niederbreidenbach (heute zu Nümbrecht) 15. 2. 1890, †(Selbstmord) Nürnberg 26. 10. 1945; Chemiker; ab 1934 Reichsorganisator, vollzog am 2. 5. 1933 die Gleichschaltung der Gewerkschaften und leitete danach die Dt. Arbeitsfront. 1945 wurde er in Nürnberg angeklagt.

Leyden ['lɛidə], Lucas van, Maler, →Lucas van Leyden.

Leyen, Friedrich von der, Germanist, *Bremen 19. 8. 1873, †Kirchseeon (Kr. Ebersberg) 6. 6. 1966; arbeitete über Märchen und Sagen; Hg. der Reihe

H. Sinclair Lewis

Jerry Lewis

W. Arthur Lewis

Percy Wyndham Lewis: »Die Menin-Straße – Zeichnung des Großen Krieges, Nr. 1« (um 1918; Southampton, Art Gallery)

»Die Märchen der Weltliteratur« (1912–40; Neue Folge 1956 ff.).

Leyte ['lɛi̯tə], Insel im östl. Teil der Visayas, Philippinen, 7214 km², 1,5 Mio. Ew.; die Küsten sind dicht besiedelt; Anbau von Reis, Mais, Zuckerrohr, Manilahanf; Kokospalmpflanzungen.

Issaak Iljitsch Lewitan: »Der Birkenhain« (1889; Moskau, Tretjakow-Galerie)

lg, Abk. für dekad. oder Zehner**log**arithmus (→Logarithmus).

LH, Abk. für →**l**uteinisierendes **H**ormon.

Lhasa [tibet. »Götterstätte«] (chines. Lasa), Hptst. der Autonomen Region Tibet, China, in einem Becken des Transhimalaja, etwa 3700 m ü. M., 343 000 Ew.; Verkehrsknotenpunkt und Handelszentrum Tibets; neben Kunsthandwerk Zement-ind., Pumpenfabrik u.a. Industrie; Flugplatz. – Heilige Stadt des →Lamaismus; der Palast **Potala** (UNESCO-Weltkulturerbe) war bis 1959 Sitz des →Dalai Lama; im 17. Jh. entstand der dreizehnstöckige »Rote Palast« als Mitteltrakt, der dem Bau seine heutige Gestalt verleiht. Jokhang-Tempel (7. Jh., tibet. Nationalheiligtum), zahlr. Klöster. – L. ist seit dem 7. Jh. polit., wirtsch., kulturelles und religiöses Zentrum Tibets.

Lhasa: Die ehemalige Residenz des Dalai Lama, der auf das 7. Jh. zurückgehende Palast Potala, erhielt mit dem dreizehnstöckigen »Roten Palast« aus dem 17. Jh. seine heutige Gestalt

LHC, Abk. für engl. **l**arge **h**adron **c**ollider, am europ. Forschungszentrum für Elementarteilchenphysik →CERN geplanter Doppelspeicherring für Protonen, der im Endausbau bis 2008 eine Energie von 14 TeV erreichen soll.

LHD-Technik [Abk. für **L**oad-**h**aul-**d**ump-Technik; engl. »Laden-Fördern-Entladen«], v.a. im Kali- und Erzuntertagebergbau angewandte Technik der gleislosen Förderung, z.T. nur auf Zwischensohlen, z.T. im ganzen Betrieb. Wichtigste Geräte sind flach gebaute, wendige, gummibereifte Fahrlader, die Haufwerk aus Abbaubetrieben, Rolllöchern und Streckenvortrieben laden, zur nächstgelegenen Bunkerung oder zum Rollloch fahren und dort entladen.

L'Hospital [lopi'tal], Guillaume François Antoine, Marquis de Sainte-Mesme, frz. Mathematiker, *Paris 1661, †ebd. 2. 2. 1704; verfasste 1696 das erste Lehrbuch der Infinitesimalrechnung, darin die **l'hospitalsche Regel** für die Bestimmung von Grenzwerten des Quotienten zweier Funktionen.

Lhotse [tibet. »Südgipfel« (des Everest)], vierthöchster Berg der Erde, im Himalaja, 8516 m ü. M.; Erstbesteigung 1956 (E. Reiss und F. Luchsinger).

Li, chemisches Symbol für →Lithium.

Li (Le, Loi, K'lai), Sammelbez. für paläomongolide Volksgruppen auf der südchines. Insel Hainan, von Reisanbau und Jagd lebend; rd. 816 000 Menschen; ihre Sprache gehört zu den Taisprachen.

Liaison [liɛ'zɔ̃, frz. »Verbindung«] *die,* **1)** *allg.:* Liebesverhältnis.

2) *Phonetik:* Aussprache eines sonst stummen Endkonsonanten in einer Wortgruppe, z. B. frz. les hôtes [le'so:t], aber les haricots [leari'ko:].

Lianen [frz.] (Kletterpflanzen), Gewächse versch. Pflanzenfamilien, die an Stützen emporwachsen, z. B. durch Windbewegungen **(Schlingpflanze),** durch Wurzeln **(Wurzelkletterer),** durch Ranken **(Rankenpflanze).**

Liangchow (Liangtschou), chines. Stadt, →Wuwei.

Liaodong (Liaotung), gebirgige Halbinsel in NO-China, Prov. Liaoning, zw. dem Golf von L. und der Koreabucht; größte Stadt und Industriezentrum ist Dalian.

Liao He (Liaoho), 1345 km langer Fluss in NO-China, entspringt im südwestl. Bergland, mündet bei Yingkou in das Gelbe Meer.

Liaoning (Liauning), Provinz in NO-China, 145 700 km², (1994) 40,7 Mio. Ew.; Hptst. ist Shenyang.

Libanon

Fläche: 10 452 km²
Einwohner: (1995) 3,009 Mio.
Hauptstadt: Beirut
Verwaltungsgliederung: 5 Provinzen
Amtssprache: Arabisch
Nationalfeiertag: 22. 11.
Währung: 1 Libanesisches Pfund (L£) = 100 Piastres (P.L.)
Zeitzone: OEZ

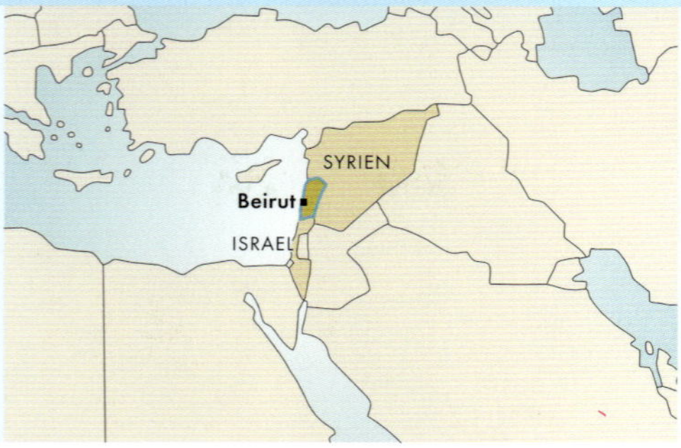

Lias [frz., zu liais »harter, feinkörniger Sandstein«] *der* oder *die,* der untere →Jura; in Süd-Dtl. auch »Schwarzer Jura« genannt.

libanesische Literatur. Seit mehreren Jahrhunderten ist der Libanon der abendländ., bes. der frz. Kultur geöffnet. Er war schon mit frz. Kreuzfahrern in Berührung gekommen, und bereits 1535 einigten sich die Osmanen mit Franz I. über die Einrichtung von frz. Handelsniederlassungen und Missionsschulen. Vom 19. Jh. an wurden Texte in frz. Sprache veröffentlicht. Man unterscheidet dabei eine gegen die osman. Herrschaft gerichtete von einer durch die Suche nach libanes. Identität (auf der Grundlage der phönik. Vergangenheit) geprägten Literatur; sodann eine Phase des Anschlusses an die zeitgenöss. frz. Literaturszene (1945–75) und schließlich eine z. T. politisch stark engagierte (v. a. von den Kriegserfahrungen im Libanon) geprägte Literatur. Internat. wurden u. a. Georges Schehadé und Andrée Chédid bekannt.

Herausragende Autoren der l. L. in arab. Sprache waren u. a. Butrus al-Bustani und Suleiman al-Bustani, der die erste Übersetzung der »Ilias« in arab. Versen und, in seiner »Einleitung« dazu, die erste literaturkrit. Untersuchung in der modernen arab. Literatur geliefert hatte, sowie Nasif und Ibrahim al-Jasidji, die maßgeblich an der Übersetzung der Bibel ins Arabische beteiligt waren. Der in arab. und engl. Sprache schreibende Djubran wurde zum Begründer der bekanntesten symbolist. Schule der modernen arab. Literatur. Auch der Bürgerkrieg hat deutl. Spuren in der l. L. arab. Sprache hinterlassen.

Libanon (amtlich arab. Al-Djumhurijja al-Lubnanijja, dt. Libanesische Republik), Staat an der O-Küste des Mittelmeeres in Vorderasien, grenzt im N und O an Syrien und im S an Israel.

Staat und Recht: Nach der Verf. von 1926 (mehrfach, zuletzt 1990 geändert) ist L. eine parlamentar. Rep., deren Reg.system auf einer Verteilung der Funktionen im Staat unter den Religionsgemeinschaften basiert. Staatspräs. soll stets ein Maronit (Christ), MinPräs. ein Sunnit und Parlamentspräs. ein Schiit sein. Staatsoberhaupt ist der vom Parlament auf sechs Jahre gewählte Präs. Er ernennt die Reg. unter Vorsitz des MinPräs. Die Legislative liegt bei der auf vier Jahre gewählten Nationalversammlung. Im Mai 1991 beschloss das Parlament, das seit 1943 bestehende Proporzsystem aufzuheben und die 128 Mandate paritätisch zw. Christen und Muslimen aufzuteilen. Die Parteien sind weitgehend konfessionell gebunden. Zu den einflussreichsten Parteien und Bewegungen zählen: die christl. Phalange, die Forces Libanaises (gegr. als Parteimiliz der Phalange), die überwiegend drus. Progressive Sozialist. Partei, die schiit. Bewegung Amal sowie die radikal schiitische, politisch-militär. Organisation Hisbollah.

Landesnatur: L. gliedert sich von W nach O in vier küstenparallele Landschaften: in den schmalen, dicht besiedelten Küstenstreifen, das →Libanongebirge, die Beka (die zw. L.-Gebirge und Antilibanon eingebrochene Tiefscholle des Syr. Grabens) und den Antilibanon. – Der Küstenstreifen mit bewässerten Intensivkulturen ist der Kernraum des Landes. Die W-Seite des L.-Gebirges erhält genügend Winterregen und wird intensiv bebaut. Die höheren, verkarsteten Bergrücken und Hochflächen sind dürftige Weidegebiete. Nach O fällt das L.-Gebirge steil zum tekton. Graben der Beka ab; hier reichen die Niederschläge nur im S-Teil für Regenfeldbau. Im N werden nur in Bewässerungsoasen reiche Ernten erzielt. Die landwirtsch. Nutzung im sehr trockenen Antilibanon beschränkt sich auf Bergfußoasen.

Bevölkerung: Trotz der gemeinsamen arab. Sprache bestehen innerhalb der Bev. bed. Gegensätze, die bis heute v. a. in der Religionszugehörigkeit gründen. In der Zeit der Verf.gebung bildeten die Christen die Mehrheit; seither hat der Anteil der Muslime durch Einwanderung und höhere Geburtenziffern stark zugenommen, sodass die Angehörigen nichtchristl. Religionsgemeinschaften – neben sunnit. und schiit. Muslimen v. a. Drusen – mittlerweile überwiegen. Unter den Christen sind

Staatswappen

RL

Internationales Kfz-Kennzeichen

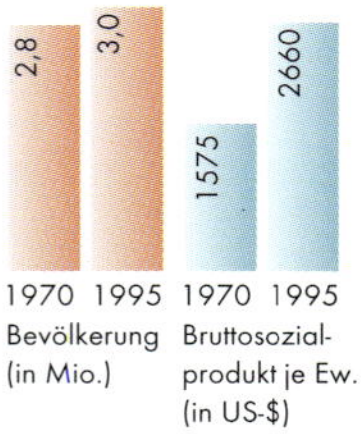

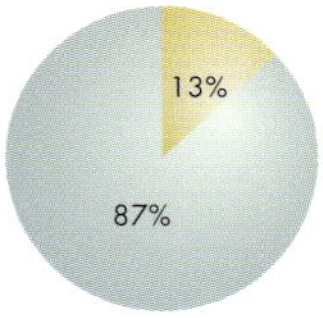

Bevölkerungsverteilung 1995

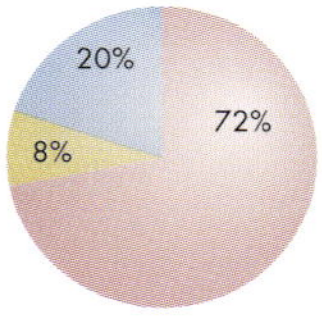

Bruttoinlandsprodukt 1993

Libanon

die mit Rom unierten Maroniten, bei denen seit 1926 auch die polit. Führung lag, die größte Gruppe; daneben sind v. a. die grch.-orth., die melkit. und die beiden armen. Kirchen vertreten. Über 1 Mio. Libanesen leben im Ausland. Die Zahl der in L. registrierten Palästinenser wird mit (1993) 325 900 angegeben. In Städten leben etwa 87 % der Bevölkerung. Es besteht keine Schulpflicht; der Abschluss der fünfjährigen Grundschule berechtigt zum Besuch weiterführender Schulen. Es gibt acht Univ. bzw. vergleichbare Hochschulen, die meisten in Beirut.

Wirtschaft, Verkehr: Bis zum Ausbruch des Bürgerkriegs (1975) war L. trotz seiner Gebirgsnatur einer der dynamischsten und höchstentwickelten Staaten unter den arab. Ländern. Schon in der zweiten Hälfte des 19. Jh. haben sich hier moderne Einflüsse durchsetzen können. Im Verlauf des Bürgerkriegs wurde die Wirtschafts- und Infrastruktur weitgehend zerstört, die Inflationsrate stieg. Viele Libanesen wanderten aus; Beirut (BILD) verlor seine Rolle als wichtigstes Finanz-, Handels- und Dienstleistungszentrum des Nahen Ostens. Erst seit 1993 wächst die Wirtschaft wieder nennenswert. L. verfügt nur über geringe Bodenschätze. Vor dem Bürgerkrieg waren die Textil-, Nahrungsmittel- und Holzind. die wichtigsten Ind.zweige. Die Raffinerien in Tripoli und Saida verarbeiteten Erdöl aus Saudi-Arabien bzw. Irak, sind aber seit Jahren stillgelegt. Etwa die Hälfte der landwirtsch. Nutzfläche liegt in der Beka. Bed. ist der Obstbau (Küstenebene, Berghänge) mit seiner Spezialisierung auf Zitrusfrüchte, Tafeläpfel und Weintrauben. Die agrar. Produktion kann aber nur ein Drittel des einheim. Bedarfs decken. Der Tourismus, bis 1975 einer der Hauptwirtschaftszweige, war fast völlig zum Erliegen gekommen; 1993 konnten wieder 350 000 Besucher gezählt werden. – Das Eisenbahnnetz (417 km) ist seit dem Bürgerkrieg stillgelegt. Das gut ausgebaute Straßennetz ist 7370 km lang. 1992 nahm der Hafen von Beirut seinen Betrieb wieder auf; internat. Flughafen von Beirut ist Al-Chalda.

Geschichte: Im Altertum war L. Schwerpunkt →Phönikiens. Seit 64 v. Chr. zur röm. Provinz Syria, dann zum Byzantin., im 6. Jh. zum Pers. Reich, 7.–9. Jh. zum arab. Kalifat, 9.–11. Jh. unter ägypt. muslim. Dynastien. 1516–1918 unter osman. Herrschaft; 1864 auf Betreiben Frankreichs Einsetzung eines christl. Gouv.; 1918 zus. mit Syrien frz. Völkerbundmandat. 1920 schuf Frankreich das Gebiet L. in seinen heutigen Grenzen, mit einer geringen Mehrheit christl. Einwohner. Nach Besetzung durch alliierte Truppen erfolgte 1941 die Unabhängigkeitserklärung, erst 1944 jedoch die Aufhebung des frz. Mandats und 1946 Räumung. Am 1. Israelisch-Arab. Krieg 1948/49 nur nominell beteiligt, musste L. zahlr. Palästinaflüchtlinge aufnehmen. Zunehmender arab. Nationalismus verstärkte in der Folgezeit die Spannungen zw. den prowestl. Christen und den arabisch-nationalist. Muslimen. Auf Ersuchen von Staatspräs. Chamoun intervenierten 1958 Truppen der USA in L. (1. Bürgerkrieg). Zunehmende Guerillatätigkeit der Palästinenser von libanes. Gebiet aus provozierte israel. Vergeltungsschläge. Die Palästinenser erhielten einen exterritorialen Status. Mit dem Ausbruch schwerer Kämpfe zw. christl. Milizen (den »Libanes. Streitkräften« [FL]) und muslimisch-drus. Formationen (v. a. PLO-Freischärler) bes. in Süd-L. begann im April 1975 ein 2. Bürgerkrieg, der sich immer mehr mit dem →Nahostkonflikt verband. Ab April 1976 griffen syr. Truppen im Norden (Beirut) ein, ab Okt. 1976 im Rahmen einer arab. Abschreckungsstreitmacht. Von März bis Juli 1978 besetzten israel. Streitkräfte zeitweilig Süd-L. Im März 1978 wurde eine UN-Friedenstruppe eingesetzt, die jedoch die immer wieder aufflammenden Kämpfe nicht unterbinden konnte. Im Febr. 1980 zogen die syr. Truppen aus Beirut ab. Im Sommer 1982 vertrieben israel. Truppen die PLO und ihre militär. Einheiten gewaltsam aus Beirut. Der zum Staatspräs. gewählte Führer der christl. Milizen, B. Gemayel, wurde am 14. 9. 1982 ermordet; daraufhin besetzten israel. Truppen das von der PLO geräumte W-Beirut. Präs. A. Gemayel (1982–88) beugte sich dem wachsenden Einfluss Syriens. In das durch den Rückzug Israels bis Juni 1985 (bis auf eine schmale Sicherheitszone im S) entstandene Machtvakuum drängten neben den christl. Milizen rivalisierende islam. Milizen, die schiit. prosyr. Amal-Miliz und die proiran. Hisbollah. In der Sicherheitszone bildete sich 1984 eine mehrheitlich christl., proisrael. »Südlibanes. Armee«. Im Febr. 1987 rückten syr. Truppen in W-Beirut ein. Ende Sept. 1988 übergab A. Gemayel sein Amt provisorisch an den (christl.) Oberbefehlshaber der (offiziellen) libanes. Armee, M. Aoun. Da dieser den Friedensplan von Taif (Okt. 1989) nicht anerkannte und den von Teilen des Parlaments im Nov. 1989 gewählten neuen Präs. E. Hrawi ablehnte, kam es ab Jan. 1990 zu den schwersten Kämpfen seit 1975 zw. den christl. Milizen und den christl. Armeeverbänden unter Aoun. Unter Druck Syriens kapitulierte Aoun schließlich im Okt. 1990 und emigrierte. Mit der Verfassungsreform vom Aug. 1990 (nach dem Plan von Taif), dem Friedensschluss der rivalisierenden schiit. Milizen sowie dem Abzug aller Milizen aus Beirut und Süd-L. im Nov./Dez. 1990 wurde der Bürgerkrieg bis Mai 1991 offiziell beendet.

Durch die Neuernennung von 40 Abg. im Mai 1991 sicherte sich die Regierung unter MinPräs. O. Karame im Parlament eine prosyr. Mehrheit, die einen syrisch-libanes. Kooperationsvertrag verabschiedete, der L. praktisch zu einem Protektorat Syriens macht (Sept. 1991 verstärkt durch ein libanesisch-syr. Sicherheitsabkommen). Bis Juli 1991 übernahmen die Truppen der Regierung alle ehemals drus. und christl. Stellungen sowie den bisher von der PLO kontrollierten Süden (Entwaffnung der PLO). Bei den Parlamentswahlen von 1992, die wegen der Präsenz syr. Streitkräfte von den Christen (Maroniten) und Drusen boykottiert wurden, errangen die Schiiten die Mehrheit. MinPräs. ist seitdem R. al-Hariri. Im Sept. 1993 schlossen Syrien und L. mehrere Abkommen über Zusammenarbeit auf handels-, landwirtschafts-, gesundheits- sowie wirtschafts- und sozialpolit. Gebiet. Differenzen zw. dem christlich-maronit. Staatspräs. Hrawi, dem sunnit. MinPräs. al-Hariri und dem schiit. Parlamentspräs. N. Berri führten häufiger zu innenpolit. Spannungen. Im Okt. 1995 verlängerte das Parlament die Amtszeit Hrawis um drei Jahre.

Als Anwort auf antiisrael. militär. Aktionen bes. der Hisbollah, der Hamas und palästinens. Freischärler unternahm Israel seit 1991 wiederholt militär. Vorstöße in den südl. L. Wiederholte Raketenangriffe der Hisbollah auf Grenzgebiete im Norden Israels führten 1996 zu schweren Kampfhandlungen und einer Seeblockade der Häfen im Süden L.s; zum ersten Mal seit 1982 griff die israel. Luftwaffe 1996 wieder Ziele in Beirut an.

📖 Klaer, W.: *Eine Landnutzungskarte von L. Heidelberg 1963.* – Hitti, P. K.: *Lebanon in history. From the earliest times to the present. London ³1967.* – Baaklini, A. I.: *Legislative and political development – Lebanon, 1842–1972. Durham, N. C., 1976.* – *Frühe Phöniker im L., hg. v.* R. Hachmann. *Ausst.-Kat. Institut für Vor- u. Frühgeschichte u. Vorderasiat. Archäologie der Universität des Saarlandes. Mainz 1983.* – Gordon, D. C.: *The Republic of Lebanon. A nation in Jeopardy. Boulder, Colo., 1983.* – Schlicht, A.: *L. zwischen Bürgerkrieg u. internationalem Konflikt. Bonn 1986.* – Rieck, A.: *Die Schiiten u. der Kampf um den L. Polit. Chronik 1958–1988. Hamburg 1989.* – Hanf, T.: *Koexistenz im Krieg. Staatszerfall u. Entstehen einer Nation im L. Baden-Baden 1990.* – Schnittger, O.: *Der L. im Kreuzfeuer. Eine Zeittafel. Berlin 1993.* – Perthes, V.: *Der L. nach dem Bürgerkrieg. Baden-Baden 1994.* – Phares, W.: *Lebanese Christian nationalism. The rise and fall of ethnic resistance. Boulder, Colo., 1995.* – Salem, E. A.: *Violence and diplomacy in Lebanon. The troubled years. 1982–1988. London 1995.* – Douwes, D.: *The Ottomans in Syria and Lebanon. A history of justice and oppression. London 1996.* – Gilsenan, M.: *Lords of the Lebanese Marches. Violence and narrative in an Arab society. London u. a. 1996.* – Winslow, C.: *Lebanon. War and politics in a fragmented society. London u. a. 1996.* – Harris, W. W.: *Faces in Lebanon. Sects, wars, and global extensions. Princeton, N. J., 1997.* – Harris, W. W.: *Faces in Lebanon. Sects, wars, and global extensions. Princeton, N. J., 1997.* – Ranstorp. M.: *Hizb'allah in Lebanon. Basingstoke u. a. 1997.*

Libanon: Zerstörung in West-Beirut (Juni 1982)

Libanongebirge (arab. Djebel Lubnan al-Gharbija), 175 km langer, bis zu 25 km breiter Gebirgszug in Libanon, im Kurnet es-Sauda 3088 m ü. M. Trotz starker Niederschläge können die ver-

Libanongebirge: Die an der niederschlagsreichen Westseite angelegten Terrassen werden landwirtschaftlich intensiv genutzt

karsteten, weitgehend entwaldeten Höhenregionen nur als Weidetrift genutzt werden. Die Libanonzedern sind nur noch in geringen Beständen erhalten. An den Westhängen intensive Bewirtschaftung (Obst-, Weinbau); bedeutendes Erholungs- und Wintersportgebiet.

Willard F. Libby

Libau, Stadt in Lettland, → Liepāja.

Libby ['lɪbɪ], Willard Frank, amerikan. Chemiker, * Grand Valley (Colo.) 17. 12. 1908, † Los Angeles 8. 9. 1980; Mitgl. der amerikan. Atomenergie-Kommission; bed. Beiträge zur Entwicklung des Gasdiffusionsverfahrens zur Uranisotopentrennung; erhielt für die Entwicklung der → Radiocarbonmethode 1960 den Nobelpreis für Chemie.

Libelle [lat. »kleine Waage«] *die,* **1)** *Biologie:* Wasserjungfer, → Libellen.

2) *Messtechnik:* Teil der → Wasserwaage.

Libellen (Wasserjungfern, Odonata), Insektenordnung; Vollinsekten mit vier netzartig geäderten, meist farblosen Flügeln und schlankem, oft lebhaft gefärbtem Körper, Kopf gut beweglich mit großen halbkugelförmigen Augen und kleinen Fühlern; bei der Paarung bilden Männchen und Weibchen ein »Rad«, indem das Männchen mit seinem Hinterleibsende das Weibchen hinter dem Kopf festhält. Vollkerfe und Larven leben räuberisch; die unvollkommene Verwandlung erfolgt im Wasser. Man unterscheidet die Unterordnungen **Klein-L.** (Zygoptera) mit langsam fliegenden Arten (z. B. die zur Familie der Schlanklibellen gehörende Becherazurjungfer und die zur Familie der Prachtlibellen gehörende Blaue Prachtlibelle) und **Groß-L.** (Anisoptera) mit bis zu 13 cm langen, schnell fliegenden Arten.

Libellen

*Libellen gelten als das perfekte Flugtier schlechthin. Ihre Flugmanöver, bei denen sie z. B. plötzlich in der Luft anhalten, um dann ohne einen Flügelschlag weiterzuschweben, haben schon den ukrainisch-amerikanischen Helikopterpionier Igor Sikorski (*1889, †1972) fasziniert und inspiriert.*

Libellen verfügen über zwei Flügelpaare und können jeden einzelnen Flügel unabhängig bewegen. Dazu besitzen sie gewaltige Brustmuskeln, also genau das, was uns zum Fliegen aus eigener Körperkraft fehlt. Wenn auch viele Arten gefährdet sind, so kommen doch immerhin achtzig der ursprünglich einhundert europäischen Arten noch bei uns in Deutschland vor.

liberal [lat.], freiheitlich, nach allen Seiten offen, den Einzelnen wenig beschränkend und seine Selbstverantwortung unterstützend; die Weltanschauung des → Liberalismus betreffend.

Liberaldemokratische Partei, Abk. **LDP** (japan. Jiyū minshutō), polit. Partei in Japan mit konservativer Orientierung, führte seit ihrer Entstehung (1955, durch Zusammenschluss der Liberalen Partei und der Demokrat. Partei) die Regierung, stand nach den Parlamentswahlen 1993 erstmals 1993–94 in der Opposition; seit 1996 stellt sie wieder den Ministerpräsidenten.

Liberal-Demokratische Partei Deutschlands, Abk. **LDPD,** polit. Partei in der DDR; gegr. 1945 in Berlin als Liberal-Demokrat. Partei, Abk. LDP, benannte sich 1952 in LDPD um. 1949/50–89 war sie in das von der SED beherrschte Blocksystem eingebunden. Nach dem Umbruch in der DDR (1989/90) bezeichnete sie sich im Febr. 1990 wieder als LDP. Im Rahmen des Bundes

Freier Demokraten nahm sie im März 1990 an den Volkskammerwahlen teil. Im Aug. 1990 vereinigte sie sich mit der FDP.

Liberale Internationale (Liberale Weltunion), 1947 in Oxford gegründeter loser Zusammenschluss liberaler Parteien.

Liberale Partei der Schweiz, Abk. **LPS,** Partei in der Schweiz, 1977 aus der Liberaldemokrat. Union der Schweiz (gegr. 1961) hervorgegangen, verfolgt einen antizentralist. Kurs.

Liberales Forum, Abk. **LF,** österr. Partei, gegr. 1993, als eigenständige Fraktion im Nationalrat unter Führung von Heide Schmidt, sucht in Auseinandersetzung mit den Freiheitlichen dem liberalen Gedankengut eine neue Plattform zu geben. Bei den Wahlen zum Nationalrat gewann sie 1994 zehn, 1995 neun Mandate.

liberale Theologie, neben konservativer und Vermittlungstheologie die dritte Hauptrichtung der prot. Theologie des 19. Jh.; von ihren Vertretern als wiss. Theologie der dogmat. Theologie gegenübergestellt; prüfte mithilfe der von ihr entwickelten historisch-krit. Methode die Quellen zur Gesch. von Christentum, Kirche und kirchl. Lehre. Hauptvertreter: v. a. A. von Harnack, E. Troeltsch und die →religionsgeschichtliche Schule.

Liberalisierung [lat.] *die,* **1)** *allg.:* der Abbau bestehender Einschränkungen.

2) *Wirtschaftspolitik:* Aufhebung bzw. Reduzierung wirtschaftspolit. Eingriffe, im Konzept der angebotsorientierten Wirtschaftspolitik gleichbedeutend mit →Deregulierung; bezogen auf den Außenwirtschaftsverkehr der systematische Abbau von Handelshemmnissen (Zölle, Kontingente) und Kapitalverkehrsbeschränkungen.

Liberalismus [aus lat. liberalis »die Freiheit betreffend«] *der,* Staats-, Gesellschafts- und Wirtschaftsauffassung, die die Freiheit des Einzelnen als grundlegende Norm menschl. Zusammenlebens ansieht und den Fortschritt in Kultur, Recht, Sitte, Wirtschaft und sozialer Ordnung als den Inhalt geschichtl. Entwicklung versteht.

Die **geistesgeschichtl. Wurzeln** des L. liegen im neuzeitl. Individualismus (Renaissance), in der Aufklärung sowie im Neuhumanismus und Idealismus. Zu der Lehre des L. trugen v. a. bei: in England J. Locke, F. Hutcheson, A. Ferguson, J. Bentham, später J. S. Mill; in Frankreich neben Montesquieu und E. J. Sieyès die mit der »Encyclopédie« verbundenen Denker D. Diderot, J. d'Alembert, J.-J. Rousseau, A. R. Turgot, A. Condorcet; in Dtl. v. a. I. Kant. Im großen Umfang politisch wirksam wurde der L. zuerst in der Unabhängigkeitserklärung und Verf. der USA, dann im 1. Abschnitt der Frz. Revolution (Erklärung der Menschenrechte von 1789, Verf. von 1791). In der Folgezeit konzentrierte sich der **polit. L.,** nunmehr von breiten Schichten des Bürgertums getragen, bes. auf die Forderung des Rechts- und Verfassungsstaats, außerdem auf Beseitigung stând. Vorrechte, Selbstverwaltung der Gemeinden u. a. Der L. wurde zum geistigen Gehalt der »bürgerl. Revolutionen« (1830, 1848) und nat. Einigungsbewegungen (Italien, Dtl.). Innenpolit. Freiheitsbestrebungen verbanden sich mit einer machtpolit. Richtung in der Außenpolitik, die imperiale Ideen verfocht. Als Reaktion auf die Annäherung v. a. des nat. orientierten L. an den Konservativismus entwickelte sich eine radikale linksliberale Richtung, die die demokrat. Ideen weiterentwickelte.

Der **wirtsch. L.** erhielt seine klass. Begründung durch A. Smith, D. Ricardo, J. Mill und fand seinen Ausdruck im 19. Jh. in der Forderung nach Gewerbefreiheit, freiem Wettbewerb, →Freihandel und in seiner extremsten Form im →Manchestertum. Staatseingriffe, wie sie für den Merkantilismus typisch sind, lehnt der klass. Wirtschafts-L. ab. Künstl. Produktionsbeschränkungen, die z. B. das Zunftsystem kennzeichnen, gelten ebenso als Fesseln des Fortschritts wie Zollbarrieren. Das Gebot der Nichteinmischung des Staates gilt prinzipiell auch für die Beziehung zw. Arbeitgebern und Arbeitnehmern. Die soziale Frage kann nach Auffassung des klass. L. nur durch Selbsthilfe der Betroffenen und durch eine Verbesserung des Bildungswesens gelöst werden. Unter Berücksichtigung prakt. Erfahrungen zeigt sich der wirtsch. L. des 20. Jh. als →Neoliberalismus, dessen wissenschaftliche Grundlagen weitgehend der Freiburger Schule entstammen.

Die liberalen Parteien spielten in allen Parlamenten des 19. Jh. eine bedeutende Rolle. Aufbau-

Libellen (von links): Paarungsrad der zu den Schlanklibellen gehörenden Becherazurjungfer; das Weibchen der Blauen Prachtlibelle legt seine Eier an Wasserpflanzen ab

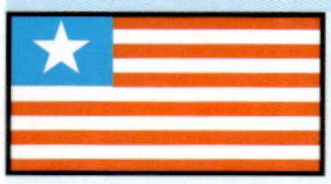

Liberia

Fläche: 111 369 km²
Einwohner: (1995) 3,039 Mio.
Hauptstadt: Monrovia
Amtssprache: Englisch
Nationalfeiertag: 26. 7.
Währung: 1 Liberianischer Dollar (Lib$) = 100 Cents (c)
Zeitzone: WEZ

Staatswappen

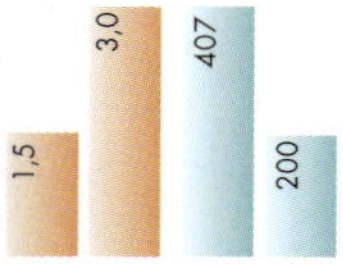

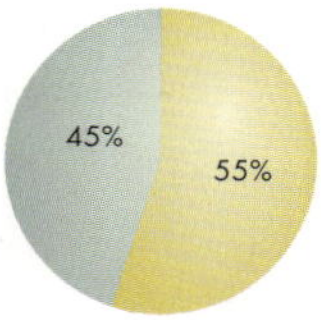

Stadt
Land
Bevölkerungsverteilung 1994

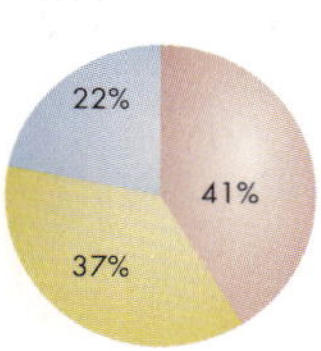

Industrie
Landwirtschaft
Dienstleistung
Bruttoinlandsprodukt 1989

end auf der Wirtschaftslehre des L. entwickelte sich die hochkapitalist. Wirtschaftsform (→ Kapitalismus). Im 20. Jh. führten die innere Entwicklung der industriellen Gesellschaftsordnung zu neuen wirtsch. und rechtl. Bindungen sowie die Hinwendung vieler Wähler zu anderen polit. und sozialen Konzepten zu einer Krise des L. Wo totalitäre Systeme an die Macht gelangten, wurde der L., als ihr ideeller Widerpart, praktisch ausgeschaltet. Dass der L. den Gedanken notwendiger Bindungen, bes. den des sozialen Ausgleichs, in sich aufnimmt, stellt eine neuere Phase seiner Entwicklung dar (Neoliberalismus). Heute sind viele der liberalen Grundwerte in Staat und Gesellschaft im Wesentlichen präsent; auch andere Parteien vertreten liberale Vorstellungen (Beachtung der Grundrechte, Rechtsstaat, repräsentative Demokratie, angestrebte Chancengleichheit, freiheitlich-demokrat. Gesellschaftsvorstellungen). Gegenwärtig zielt der L. v. a. darauf ab, die unkontrollierte Machtentfaltung von Bürokratie und multinationalen Unternehmen einzudämmen.

📖 RAWLS, J.: *Die Idee des polit. L., hg. v.* W. HINSCH. *Frankfurt am Main 1994. – L. u. Region. Zur Geschichte des dt. L. im 19. Jh., hg. v.* L. GALL *u. a. München 1995. – L. Interpretationen u. Perspektiven, hg. v.* E. BRIX *u. a. Wien u. a. 1996.*

Liberal Party ['libərəl 'pɑ:ti, engl.], brit. polit. Partei; ging Mitte des 19. Jh. aus der Partei der Whigs hervor und vertrat v. a. industrielle, mittelständ. und nichtanglikan. Interessen; war bis ins beginnende 20. Jh. neben den Konservativen tragende Kraft des brit. Parlamentarismus. Nach dem 1. Weltkrieg wurde sie durch die Labour Party in den Hintergrund gedrängt. 1988 schloss sie sich mit der Social Democratic Party (SDP) zu den Social and Liberal Democrats zusammen.

Liberec ['libɛrɛts] (dt. Reichenberg), Stadt im Nordböhm. Gebiet, Tschech. Rep., an der Lausitzer Neiße, 100 800 Ew.; Hochschule für Maschinenbau und Textiltechnik, Nordböhm. Museum, Theater, botan. und zoolog. Garten. Außer der führenden Textilind. sind Maschinen- und Fahrzeugbau, Papier-, Schuh-, Holzind. und Bierbrauereien vertreten; Seilschwebebahn auf den Jeschken (1 012 m ü. M.). – Got. Erzdekanatkirche St.-Antonius (Ende 16. Jh.), barocke Heiligkreuzkirche, Bürgerhäuser des 17./18. Jh. (darunter die Wallensteinhäuser); Renaissanceschloss (16. Jh., im 18./19. Jh. umgebaut). – L. wurde 1255–78 von dt. Kolonisten gegr.; 1350 erstmals erwähnt.

Liberia (amtlich engl. Republic of L.), Staat in Westafrika, grenzt im SW an den Atlantik, im NW an Sierra Leone, im N an Guinea, im O an die Rep. Elfenbeinküste.

Staat und Recht: Nach der 1986 in Kraft getretenen Verf. ist L. eine präsidiale Rep.; Staatsoberhaupt, Oberbefehlshaber der Streitkräfte und oberster Inhaber der Exekutive (Reg.chef) ist der auf sechs Jahre direkt gewählte Präs. Die Legislative liegt beim Zweikammerparlament, bestehend aus Senat (26 Mitgl.) und Repräsentantenhaus (64 Abg.). Die verfassungsmäßigen Organe wurden 1990 nach dem Militärputsch aufgelöst und bis zu Neuwahlen, die am 19. 7. 1997 stattfanden, durch einen Interimspräs. sowie ein Übergangskabinett, das mit Dekreten regierte, ersetzt.

Landesnatur: An die 570 km lange, nur schwer zugängl. Küste (»Pfefferküste«) schließt sich eine 10–50 km breite, meist sumpfige Küstenebene (Mangrovensümpfe) an; dahinter erhebt sich ein Plateau- und Hügelland (200–400 m ü. M.), das im N durch Mittelgebirge überragt wird (im Nimba 1384 m ü. M.). Das Klima ist subäquatorial mit einer Regenzeit, im äußersten S zwei Regenzeiten. Das Land ist überwiegend mit trop. Regenwald bedeckt, der an manchen Stellen starke anthropogene Veränderungen (u. a. Rodungen) zeigt.

Bevölkerung: Staatstragende Schicht (jedoch nur 3 % der Bev.) sind die Nachkommen der 1822 eingewanderten 16 400 ehem. Sklaven aus den Südstaaten der USA; die meisten von ihnen sind Christen. Die Bev.mehrheit besteht aus 20 ethn. Gruppen von Sudaniden (Kpelle, Bassa, Kru u. a.) sowie Libanesen. Die Bev.dichte ist an der Küste und in den Bergbau- und Kautschukanbaugebieten am größten. Infolge des seit 1989 andauernden Bürgerkriegs sind etwa 750 000 Liberianer nach Guinea und in andere Nachbarstaaten geflohen. – Allg. Schulpflicht besteht vom 6. bis 16. Lebensjahr; die Analphabetenquote liegt bei 62%. In Monrovia gibt es eine Univ. (gegr. 1862 als College, seit 1951 Univ.) sowie zwei Hochschulen. – Rd. 40% der Bev. gehören traditionellen Stammesreligionen (Naturreligionen) an, 37% sind Christen, etwa 20% Muslime.

Wirtschaft, Verkehr: Hauptzweig ist die Landwirtschaft, die über die Hälfte der Erwerbstätigen beschäftigt; für den Eigenbedarf Anbau von Reis, Maniok, Bataten, Jamswurzeln, Bananen, Zitrusfrüchten, Zuckerrohr; für den Export hat die Kautschukgewinnung (Plantagen) größte Bedeutung, ferner Kaffee, Kakao, Ölpalmen. Die Viehhaltung ist wegen der Tsetsefliege eingeschränkt; Fischerei spielt zunehmend eine Rolle; die Forstwirtschaft verfügt über enorme Reserven an wertvollen Hölzern (etwa ein Drittel des Landes wird forstwirtsch. genutzt). Zweitgrößter Wirtschaftsfaktor ist der Bergbau: Eisenerzabbau, Gewinnung von Diamanten und Gold. Entwickelt sind die Bereiche der verarbeitenden Ind., bes. Eisenerzaufbereitung und Kautschukverarbeitung. Die Einnahmen aus der Tanker- und Transporterflotte (meist ausländ. Schiffe unter liberian. Flagge) sind leicht rückläufig. Haupthandelspartner sind die USA, Dtl. und andere EU-Länder. – Die drei Eisenbahnlinien dienen fast ausschl. dem Erztransport; das Straßennetz umfasst 6100 km. Haupthäfen: Monrovia (mit Freihafen), Buchanan (Eisenerztransport), Greenville, Hasper (Holzexport). Internat. Flughafen Robertsfield bei Monrovia.

Liberia: Tagebau in der Eisenerzlagerstätte im Nimba

Geschichte: Ab 1822 wurden östlich von Kap Mesurado und entlang der Pfefferküste 16 400 freigelassene schwarze amerikan. Sklaven angesiedelt. Gegen den Widerstand der einheim. Bev. kolonisierten sie das Land und riefen am 26. 7. 1847 die unabhängige Rep. L. aus. Bis weit ins 20. Jh. lebten die Amerikoliberianer von amerikan. Unterstützung. Versuche Präs. W. Tubmans (1944–71), die Rivalität zw. den Eingeborenen (Afroliberianer) und den Amerikoliberianern zu beseitigen und die zahlr. ethn. Gruppen in den Staat zu integrieren, blieben auch unter seinem Nachfolger W. R. Tolbert (1971–80) weitgehend ohne Erfolg. Eine geplante Preiserhöhung für Reis führte 1979 zu blutigen Aufständen (»Reisunruhen«). Am 12. 4. 1980 erfolgte ein Militärputsch unter S. K. Doe, der die Verf. aufhob und nach der Ermordung Tolberts als erster Afroliberianer Staatsoberhaupt wurde.

William Tubman

Im Dez. 1989 brach in L. ein Aufstand gegen Präs. Doe aus, der sich ab Aug. 1990 zu einem bewaffneten Konflikt zw. versch. Rebellengruppen und der ehem. Regierungsarmee ausweitete. Mit der Entsendung einer Friedenstruppe suchten die in der Westafrikan. Wirtschaftsgemeinschaft (engl. Abk. ECOWAS) zusammengeschlossenen Staaten den Bürgerkrieg zu beenden. Sie setzten im Nov. 1990 eine »Übergangsregierung der nat. Einheit« unter Präs. Amos Sawyer ein, der seit Mai 1994 weitere Übergangsregierungen folgten. Im Sept. 1993 beschloss der UN-Sicherheitsrat die Entsendung einer Beobachtermission. Trotz der Vermittlungsbemühungen der ECOWAS-Staaten, der OAU und der UN flackerten die Kämpfe, unterbrochen von zahlreichen Waffenstillstandsbe-

Samuel Doe

Liberia: Mangrovensümpfe in der Nähe der Hauptstadt Monrovia

schlüssen und Friedensabkommen, immer wieder auf, lösten Flüchtlingsbewegungen in die Nachbarländer aus und zogen diese auch (bes. Sierra Leone, Elfenbeinküste) in Mitleidenschaft. Unter dem Druck der UN, der USA und des ECOWAS-Präs. J. Rawlings (Ghana) auf die Führer der einander bekämpfenden Milizen schlossen diese im Aug. 1996 ein neues Friedensabkommen. Ihm entsprechend fanden im Juli 1997 allgemeine Wahlen statt, bei denen C. G. Taylor zum Präs. gewählt wurde und die ihn stützende Partei die absolute Mehrheit erhielt.

📖 HOGAN, E. M.: *Catholic missionaries and L. A study of Christian enterprise in West Africa, 1842–1950. Corc 1981.* – KRAAIJ, F. P. VAN DER: *The open door policy of L. An economic history of L., 2 Bde. Bremen 1983.* – DUNN, D. E. u. HOLSOE, S. E.: *Historical dictionary of L. Metuchen, N. J., 1985.* – BOOM, D. VAN DEN: *Bürgerkrieg in L. Münster u. a. 1993.* – GIFFORD, P.: *Christianity and politics in Doe's L. Cambridge u. a. 1993.* – DUNN, D. E.: *L. Oxford u. a. 1995.* – KORTE, W.: *Ethn. Tradition u. militär. Intervention in Afrika. Essay über den Putsch in L. Münster 1995.* – KÖRNER, P.: *Macht- u. Interessenpolitik in der ECOWAS-Region u. der Krieg in L. Hamburg 1996.*

Libero [italien. »freier Mann«] *der,* im Fußball taktisch frei bewegl. Abwehrspieler ohne direkten Deckungsauftrag; schaltet sich auch in das Angriffsspiel ein.

Libertas, röm. Göttin der Freiheit; Attribute: Zepter und der von den freigelassenen Sklaven aufgesetzte Hut (pilleus). Sie wurde häufig auf röm. Münzen dargestellt.

Liberté, Égalité, Fraternité [frz.], »Freiheit, Gleichheit, Brüderlichkeit«, das Losungswort der Frz. Revolution und Wahlspruch des frz. Staates. Die 2. Rep. 1848–51 übernahm ihn als Leitbegriff, während der 3. Rep. (1870–1940) wurde er zur offiziellen Devise erklärt.

Libertinismus [lat.] *der,* ausschweifender Lebenswandel; Haltung eines Menschen, der sich an die traditionellen sittl. Normen (bes. auf sexuellem Gebiet) nicht mehr gebunden fühlt.

Liberum arbitrium [lat.], freier Wille, Wahlfreiheit. (→Willensfreiheit)

Libido [lat.] *die,* das sexuelle Verlangen, die Lust; nach S. Freud die Energie des Sexualtriebes, die sich auf versch. Objekte oder Vorstellungen richten kann; nach C. G. Jung die in der Intensität psych. Vorgänge sich äußernde Lebenskraft oder psych. Energie.

Li Bo, chines. Lyriker, →Li Taibai.

LIBOR, Abk. für engl. **L**ondon **I**nter**b**ank **O**ffered **R**ate, Referenzzinssatz, zu dem internat. tätige Großbanken in London im Rahmen von Geldmarktgeschäften untereinander kurzfristige Einlagen anbieten. Es gibt keinen allg. verbindl. L.-Satz, er kann für versch. Währungen und Laufzeiten unterschiedlich sein. Im Kreditvertrag werden daher einige Referenzbanken genannt, aus deren Zinsofferten der jeweilige L. als Mittelwert fixiert wird. Der L. hat bes. Bedeutung als Basiszinssatz für →Roll-over-Kredite und →Floating-Rate-Notes. Für andere internat. Finanzplätze gibt es analoge Interbankraten, z. B. →FIBOR.

Libra [lat.] *die,* **1)** *Astronomie:* lat. Name des Sternbilds und Tierkreiszeichens →Waage.

2) *Maßwesen:* alte Gewichtseinheit; die röm. L. betrug 327,5 g; in Spanien, Portugal und deren Kolonien lag der Wert der L. zw. 450 und 460 g, als Apothekergewicht um 345 g.

Library of Congress ['laɪbrərɪ əv 'kɔŋgres], die Nationalbibliothek (seit 1897) der USA in Washington (D. C.). 1800 als Parlamentsbibliothek gegründet, seit dem 2. Weltkrieg nat. Informationszentrum; untergliedert in acht Departments; internat. Zentrum zur Vergabe des Copyrights.

Libration [lat.] *die,* scheinbares Pendeln des Mondes, das durch den ungleichförmigen Umlauf in seiner ellipt. Bahn um die Erde **(L. in Länge)** sowie durch die Neigung der Mondrotationsachse gegen seine Bahnebene **(L. in Breite)** verursacht wird. Durch die L. in Länge (Breite) kann von der Erde aus zeitweilig über den O- bzw. W-Rand (den N- bzw. S-Pol) des Mondes gesehen werden. Diese Effekte sowie die gleichzeitige Erdrotation **(tägl.** oder **parallakt. L.)** bewirken, dass etwa 59 % der Mondoberfläche von der Erde aus zu sehen sind.

Libretto [italien. »Büchlein«] *das,* Textbuch zu einer Oper, einer Operette oder einem Ballett, im übertragenen Sinn der Text selbst.

Libreville [librə'vil], Hptst. von Gabun, am N-Ufer des Gabunästuars, 419 600 Ew.; kath. Erz-

Libyen

Fläche: 1 759 540 km²
Einwohner: (1995) 5,407 Mio.
Hauptstadt: Tripolis
Verwaltungsgliederung: 13 Bezirke
Amtssprache: Arabisch
Nationalfeiertag: 1. 9.
Währung: 1 Libyscher Dinar (LD.) = 1 000 Dirhams
Zeitzone: OEZ

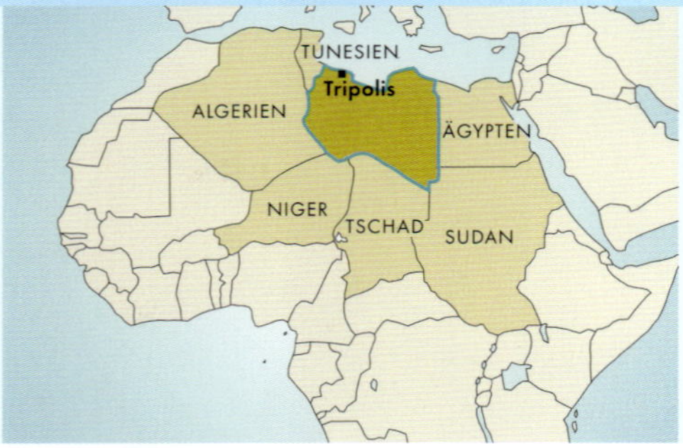

bischofssitz; Univ. (gegr. 1970), Colleges, Forschungsinstitute, Nationalmuseum; Textil- und chem. Ind., Sägewerke, Schiffbau, Brauerei; Tiefwasserhafen in Owendo; internat. Flughafen. – 1849 für befreite Sklaven gegründet.

Libuda, Walter, Maler und Grafiker, *Zechau-Lesen (heute Zechau [zu Kriebitzsch]) 24. 6. 1950; in einer expressiven, koloristisch reichen Malerei, bei der die menschl. Figur wichtigster Ausdrucksträger ist, verdichtet er die Wirklichkeit zu Zeichen, Szenen und Gleichnissen.

Libussa, in der von Cosmas von Prag überlieferten Sage die Gründerin von Prag, Ahnherrin der Přemysliden. – Schauspiele von C. Brentano (»Die Gründung Prags«, 1815), F. Grillparzer (»L.«, 1872); Oper »L.« von F. Smetana (1881).

Libyen (amtlich arab. Al-Djumhurijja al-Arabijja al-Libijja ash-Shabijja al-Ishtirakijja, dt. Sozialist. Libysch-Arabische Volksrep.), Staat in Nordafrika, grenzt im N an das Mittelmeer, im O an Ägypten, im SO an die Rep. Sudan, im S an Tschad und Niger, im W an Algerien und Tunesien.

Staat und Recht: Nach der Verf. von 1976 ist L. eine Sozialist. Arab. Volksrep. Staatsoberhaupt ist de facto der vom Allg. Volkskongress gewählte Führer der Revolution. Die von der Verf. proklamierte Volksdemokratie basiert auf Volkskongressen und -komitees, Gewerkschaften und Berufsverbänden. Oberstes Organ der Legislative ist der Allg. Volkskongress (980 Mitgl.), der von einem Generalsekretariat geleitet wird. Der Sekretär des Allg. Volkskongresses ist de jure zugleich Staatsoberhaupt. Als Exekutive fungiert das Allg. Volkskomitee unter Leitung des Generalsekretärs. Parteien sind nicht zugelassen.

Landesnatur: L. erstreckt sich von der rd. 2 000 km langen Mittelmeerküste beiderseits der Großen Syrte südwärts bis weit in die Sahara. Auf den Küstenstreifen folgt im NW der Steilanstieg zu einem bis 968 m hohen Bergland. Südlich davon liegt ein Schichtstufen- und Plateauhochland, das in eine Hammada überleitet; weiter südlich der durch eine Steilstufe von ihr abgetrennte Fessan und die im SW liegenden Ausläufer des Tassili. Auf den Golf der Großen Syrte folgt unmittelbar eine stark gegliederte unfruchtbare, aber erdölreiche Schichtstufen- und Plateaulandschaft. Im O, in der Cyrenaika, folgt auf einen Küstenstreifen ein bis 876 m hoher Gebirgszug. Er geht nach S in die Libysche Wüste über. In den Ausläufern des Tibesti im S werden 2 285 m ü. M. erreicht. 90 % des Landes sind Wüste. Der Küstenstreifen hat mediterranes Klima mit Winterregen, das Landesinnere Wüstenklima mit z. T. völlig ausbleibenden Niederschlägen und extremen Temperaturen.

Bevölkerung: Araber (34 %) und arabisierte Berber (30 %) bilden den Hauptteil der Bev., die zu 90 % in der Küstenzone lebt. Die in traditionellen Stammesgesellschaften lebenden Berber (25 %) bewohnen den N (u. a. Djebel Nefusa), ferner einige Oasengebiete. Im Fessan nomadisieren die Tuareg sowie die Tubu; ferner leben dort negride Stämme. In der Erdöl- und Erdgaswirtschaft arbeiten etwa 800 000 Gastarbeiter, v. a. aus arab. Nachbarstaaten. – Schulpflicht besteht vom 6. bis 15. Lebensjahr (unentgeltl. Unterricht); die Analphabetenquote beträgt etwa 24 %. Univ. gibt es in Bengasi, Tripolis, Mersa el-Brega und Sebha. – Fast die gesamte Bev. (97 %) bekennt sich zum Islam (Staatsreligion), eine Minderheit zum Christentum.

Wirtschaft, Verkehr: Wichtigster Wirtschaftsfaktor ist die Erdölwirtschaft; die großen Ölvorkommen im Syrtebecken, 1958 entdeckt, werden seit 1961 gefördert. Erdöl und Erdgas haben einen Anteil von 90 % an den Exporterlösen. Außerdem werden Eisenerz, Kali-, Steinsalz, Kalk, Gips, Phosphat und Schwefel gewonnen. Die wichtigsten Ind.zweige sind Erdölraffinerien und Erdgasverflüssigungsanlagen; ein Stahl- und Eisenhüttenwerk hat 1990 in Misurata die Produktion aufgenommen. Um der starken Abhängigkeit vom Rohölexport entgegenzuwirken, fördert der Staat den Ausbau anderer Ind.bereiche (chem., Baustoff-, Nahrungsmittel-, Textil-, Schuh-, Möbelind.) und

Staatswappen

LAR

Internationales Kfz-Kennzeichen

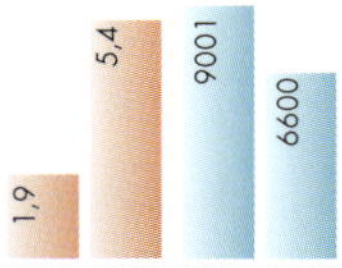

Bevölkerung (in Mio.)

Bruttosozialprodukt je Ew. (in US-$)

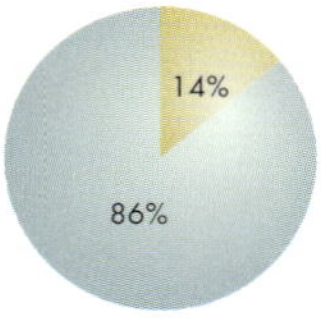

Bevölkerungsverteilung 1994

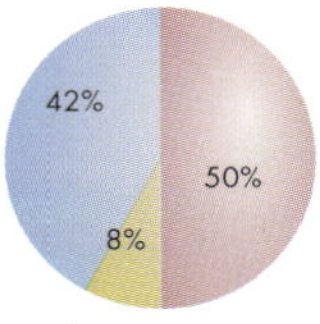

Bruttoinlandsprodukt 1993

Libyen: Im Südwesten des Landes gelegener Wadi mit dem Akakus-Gebirge im Hintergrund

Moamar Gaddhafi

die Landwirtschaft, die nur auf 2% der Landesfläche betrieben werden kann. Hauptanbauprodukte sind Weizen, Gerste, Gemüse (Tomaten), Kartoffeln, Orangen, Oliven, Mandeln, Datteln und Weintrauben. Da die Erträge zur Versorgung der Bev. bei weitem nicht ausreichen, soll durch das Bewässerungsprojekt »Großer künstl. Fluss« (Baubeginn 1991) fossiles Grundwasser durch Rohrleitungen aus dem Süden in die Küstengebiete geleitet werden, um höhere Ernten zu erzielen. Viehhaltung wird bes. von Nomaden betrieben (Schafe, Ziegen, Kamele, Pferde), in staatl. Betrieben v.a.

Libyen - Wirtschaft

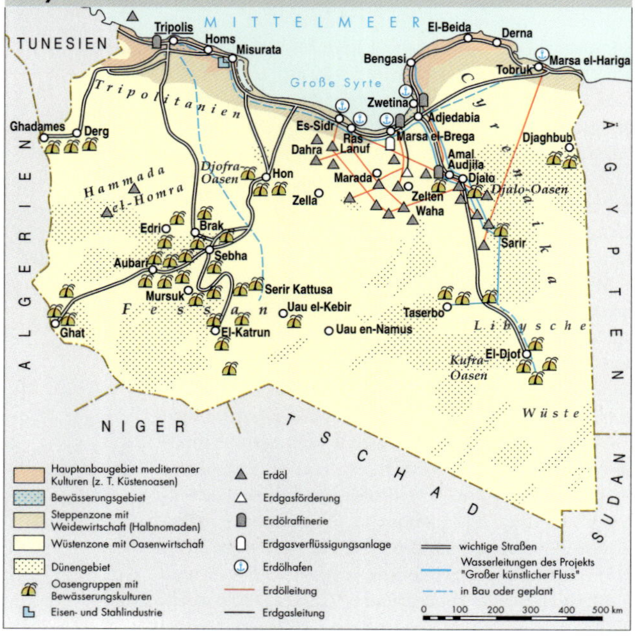

Rinder- und Geflügelzucht. Tourismus entwickelt sich erst in bescheidenen Ansätzen. – Haupthandelspartner sind Italien, Dtl. und Spanien. – L. hat keine Eisenbahn; das Straßennetz umfasst 19300 km, bes. gut ausgebaut entlang der Küste. L. hat die drittgrößte Handelsflotte in Afrika. Haupthäfen sind Tripolis, Tobruk, Bengasi, Misurata und die Erdölhäfen an der Großen Syrte. Internat. Flughäfen bei Tripolis und Bengasi.

Geschichte: Im grch. Altertum war L. der Name für N-Afrika westlich von Ägypten. Während im O das grch. Kyrene entstand (→Cyrenaika), gehörte der westl. Küstenstrich (Tripolis) zum karthag. Machtgebiet. 46 v. Chr. kam Tripolis zum Röm., später zum Byzantin. Reich. Die Araber eroberten um 650 n. Chr. das ganze Land. Es kam im 16. Jh. unter osman. Oberhoheit. Tripolis bildete bis 1835 ein von der Beidynastie Karamanli regiertes, fast autonomes Staatswesen, bis ab 1835 der Sultan seine Herrschaft wieder durchsetzte. Neben den osman. Statthaltern regierten in L. seit 1843 die →Senussi. Im italienisch-türk. Krieg (1911/12) kamen die beiden türk. Provinzen Tripolitanien und Cyrenaika an Italien und wurden 1934 mit Fessan zur Kolonie L. **(Libia)** vereinigt. 1940–43 war das Land Kriegsschauplatz. 1947 verzichtete Italien auf L. Am 24. 12. 1951 wurde L. unabhängiges föderatives Königreich unter König Idris as-Senussi, der 1963 L. zum Einheitsstaat proklamierte. Seit dem Militärputsch vom 1. 9. 1969 unter Führung von Oberst →Gaddhafi betreibt L. eine Politik des panarab. Nationalismus (Fusionspläne mit mehreren arab. Staaten scheiterten). 1970 wurden fast alle Italiener ausgewiesen, ausländ. Erdölges., Banken und Versicherungen verstaatlicht. Gaddhafi trat 1979 zurück, bestimmt jedoch als »Revolutionärer Führer« weiterhin die Politik. Im 1. →Golfkrieg unterstützte L. Iran. 1980 griffen libysche Truppen in den Bürgerkrieg im Tschad ein; nachdem L. seine Herrschaft über den N-Teil des Landes gesichert hatte, zog es sich 1987 zurück (Friedensvertrag 1989). Das Verhältnis zu den westl. Staaten ist durch die libysche Unterstützung terrorist. Organisationen und den Bau einer Giftgasfabrik (Rabta) gespannt. Im April 1986 vergalten die USA Terroranschläge mit einem Luftangriff auf Bengasi und Tripolis. Im 2. Golfkrieg unterstützte L. offen Irak. Ein vom UN-Sicherheitsrat beschlossenes Luftverkehrs- und Waffenembargo wurde im April 1992 gegen L. verhängt, da L. die Auslieferung zweier mutmaßl. Flugzeugattentäter von Lockerbie verweigerte. Den im Sept. 1993 von der PLO und Israel eingeleiteten Friedensprozess lehnt Gaddhafi ab. Gemäß einer Entscheidung des Internat. Gerichtshofes in Den Haag (Febr. 1994) zog sich L. aus dem zum Tschad gehörenden Aouzou-Grenzstreifen zurück.

Libysche Wüste

📖 KIRSTEN, E.: *Nordafrikan. Stadtbilder. Antike u. Mittelalter in L. u. Tunesien. Neuausg. London 1983.* – WRIGHT, J.: *Libya. A modern history. Neuausg. London 1983.* – BRILL, H.: *L.s Außen- u. Sicherheitspolitik. Moamar el Gaddafis Motive u. Visionen. Baden-Baden 1988.* – BERGS, R.: *Erdöl-self-reliance-Krise. Der Entwicklungsweg L.s unter Qaddafi 1969–1988. Frankfurt am Main 1989.* – KHELLA, K.: *Die lib. Herausforderung. L. von den Anfängen bis zur Gegenwart. Hamburg [3]1990.* – ST. JOHN, R. B.: *Historical dictionary of Libya. Metuchen (N. J.) [2]1991.* – *Die Bewässerungsgebiete im Mittelmeerraum, hg. v.* H. POPP *u.* K. ROTHER. *Passau 1993.* – SCHNURBUSCH, I.: *L. im Fadenkreuz. Bonn 1994.* – *Libyen im 20. Jahrhundert, hg. v.* S. FRANK *u.* M. KAMP. *Hamburg 1995.* – MATTES, H.: *Qaddafi u. die islam Opposition in L. Hamburg 1995.* – MATTES, H.: *Qaddafi u. die islam. Opposition in L. Hamburg 1995.* – *Qadhafi's Lybia, 1969–1994. hg. v.* D. J. VANDEWALLE. *New York 1995.* – GURNEY, J.: *Libya. The political economy of oil. Oxford 1996.* – SIMONS, G. L.: *Libya: the struggle for survival. Houndsmill u. a. [2]1996.*

Libysche Wüste, Landschaftsraum im NO der Sahara (Libyen, Ägypten, Rep. Sudan), etwa 1,5 Mio. km². Weiträumige Tafellandschaften mit ausgeprägten Schichtstufen, nach S ansteigend in die Massive des Djebel Arkanu (1435 m ü. M.) und Djebel Uweinat (1892 m ü. M.); in großen Teilen eine Kieswüste, in den Beckenregionen Sandwüste. In der Mitte liegen die Oasen von Kufra, im NW die →Kattarasenke.

Lic., Abk. für lat. **lic**entiatus, →Lizenziat.

Licata, Stadt in der Prov. Agrigent, an der S-Küste von Sizilien, Italien, 41 200 Ew.; Seebad; Düngemittelind., Schwefelraffinerien; Fischfang; Hafen. – L. wurde als Phintias 284 v. Chr. von Akagras aus gegründet.

Licence [li'sãs, frz.] *die,* frz. akadem. Grad, erworben nach 3-jährigem Hochschulstudium geisteswiss. (L. ès lettres), naturwiss. (L. ès sciences) Fächer, der Rechtswiss. (L. en droit) und der Theologie (L. de théologie).

Lich, Stadt im Landkreis Gießen, Hessen, am hügeligen N-Rand der Wetterau, 13 300 Ew.; Brauerei, Orgelbau, pharmazeut. Industrie. – Schloss (um 1300, im 17. und 18. Jh. umgebaut); spätgot. Stiftskirche Sankt Maria (1510–25) mit Orgelprospekt von 1621–24 und spätbarocker Kanzel (1767–74), zahlr. Fachwerkhäuser. – Erhielt 1300 Stadtrecht, seit 1418 im Besitz der Grafen zu Solms.

Lich: Die spätbarocke Kanzel in der Stiftskirche Sankt Maria wurde 1774 vollendet

Lichen [lat.-grch.] (Knötchenausschlag), Sammelname für Hautkrankheiten, die durch das Auftreten bis erbsengroßer, flacher oder spitzer, einzeln oder gruppiert stehender, oft juckender Knötchen von unterschiedl. Farbgebung charakterisiert sind.

Lichenes [grch.-lat.], *Botanik:* die →Flechten.

Lichfield ['lɪtʃfi:ld], Stadt in der Cty. Staffordshire, England, nördlich von Birmingham, 25 600 Ew.; Viehmarkt, Fremdenverkehr. – Got. Kathedrale (13./14. Jh.), Marienkapelle mit bed. Glasmalereien.

Lichnowsky, schles. Adelsgeschlecht, seit 1491 bezeugt; 1727 in den böhm. Grafenstand, 1773 in den preuß., 1846 in den österr. Fürstenstand erhoben. Bed. Vertreter:

1) Felix Fürst, *Grätz (heute Hradec, bei Troppau) 5. 4. 1814, †(ermordet) Frankfurt am Main 18. 9. 1848, Onkel von 2); Vertreter der äußersten Rechten in der Frankfurter Nationalversammlung.

2) Karl Max Fürst, *Kreuzenort (heute zu Krzyżanowice, bei Racibórz) 8. 3. 1860, †Berlin 27. 2. 1928, Neffe von 1); 1912–14 dt. Botschafter in London, bemühte sich um die britisch-dt. Verständigung und wandte sich gegen die bedingungslose Unterstützung Österreich-Ungarns.

Licht, i. e. S. die für das menschl. Auge sichtbare elektromagnet. Strahlung mit Wellenlängen zw. 380 und 780 nm (sichtbares L.), i. w. S. der Wellenlängenbereich zw. etwa 100 nm und 1 mm (opt. Strahlung), der auch die Ultraviolett- und Infrarotstrahlung umfasst; die Grenzen zu noch lang- bzw. kurzwelligerer Strahlung sind fließend. Während **monochromat. (einfarbiges) L.** nur eng benachbarte Frequenzen enthält, entsteht **weißes L.** als Überlagerung aller Wellenlängen der sichtbaren Strahlung; durch ein Prisma kann es räumlich abgelenkt (→Brechung) und in seine Spektralfarben zerlegt werden (→Dispersion). L. breitet sich im Vakuum geradlinig mit der →Lichtgeschwindigkeit c aus; Frequenz ν und Wellenlänge λ sind durch die Beziehung $\nu \cdot \lambda = c$ verknüpft.

Das einfachste Beschreibungsmodell des L. liefert die geometr. Optik, in der die Gesetzmäßigkeiten der L.-Ausbreitung (z. B. Reflexion, Brechung) als geradlinige Strahlenbündel behandelt werden. Die meisten Eigenschaften des L. sind jedoch nur erklärbar, wenn man berücksichtigt, dass L. wie jede andere elektromagnet. Strahlung sowohl Wellen- als auch Teilcheneigenschaften aufweist. Diese sind im Sinne der Quantentheorie komplementär (→Komplementarität, →Dualismus). Welche Art der Beschreibung anzuwenden ist, richtet sich nach den experimentellen Gegebenheiten. Mit der Quantennatur des L. sind Emission (L.-Entstehung) und Absorption erklärbar (z. B. →Photoeffekt, →Compton-Effekt), wobei das L. aus Elementarteilchen, den **L.-Quanten** oder →Photonen, mit der Ruhemasse null besteht, die die Energie $W = h\nu$ und den Impuls $p = h\nu/c$ tragen (h plancksches Wirkungsquantum). L.-Absorption und -Emission basieren auf energet. Übergängen in der Elektronenhülle der Atome. Dabei wird beim Übergang eines atomaren Systems von einem angeregten Zustand auf einen niedrigeren Energiezustand die Energiedifferenz $\Delta W = h\nu$ als L. definierter Wellenlänge bzw. Frequenz ν abgestrahlt. Dieser Übergang kann zufällig erfolgen oder – wie beim →Laser – durch Strahlung angeregt werden (spontane bzw. induzierte Emission). – Über die Lehre vom L. →Optik, über Erzeugung und Anwendung →Lichttechnik, über L.-Messung →Photometrie.

Geschichte: Im Ggs. zu dem von I. Newton 1704 entwickelten Korpuskelbild **(Emanations-** oder **Emissionstheorie),** wonach L. aus kleinen materiellen Teilchen bestehen sollte, waren die frühen Vorstellungen vom L. gekennzeichnet durch die **Wellen-** oder **Undulationstheorie** (C. Huygens 1678). Danach wurde die L.-Ausbreitung als Überlagerung von Kugelwellen (→huygenssches Prinzip) in einem sehr feinen Medium, dem L.-Äther (→Äther), erklärt. Die Experimente zur Interferenz, Beugung und Polarisation des L. von T. Young (ab 1800), A. J. Fresnel (ab 1815) und J. Fraunhofer (ab 1821) und ihre wellentheoret. Deutung schienen die L.-Wellentheorie eindeutig zu bestätigen. J. C. Maxwell erkannte 1861–64 den elektromagnet. Charakter der L.-Wellen, der von H. Hertz (1888) experimentell nachgewiesen wurde. Mit den von M. Planck (1900) eingeführten Energiequanten und der aus der Erklärung des Photoeffekts entstandenen **Photonentheorie** von A. Einstein (1905) wurden dem L. wieder korpuskulare Eigenschaften zugesprochen; N. Bohr interpretierte beide Vorstellungen im Rahmen der Quantentheorie als **Welle-Teilchen-Dualismus** des Lichts.

Biologie: Das L. führt den Organismen die zur Erhaltung des Lebens notwendige Strahlungsenergie zu, die in Wärme- oder in chem. Energie umgewandelt wird. L. ermöglicht durch den physikal. Reiz auf das Auge als Strahlungsempfänger das →Sehen. – Für die Pflanzen ist L. Voraussetzung für die →Assimilation des Kohlenstoffs (Photosynthese) zum Aufbau organ. Stoffe (→Kohlenhydrate u. a.).

Religion und *Philosophie:* L. und sein Ggs. Dunkelheit gehören zu den Ursymbolen der Menschheit. Ihre Polarität wird oft zu einem religiösen oder metaphys., kosm. oder eth. Dualismus gesteigert (→Gnosis, →Manichäismus); im Rahmen der Ontologie wurde das L. v. a. im Neuplatonismus als Seinsgrund gedeutet (R. Grosseteste). Die Lichtmetaphysik war im MA. für Theologen vielfach der Anlass, sich wissenschaftlich mit Fragen der Optik zu beschäftigen (Dietrich von Freiberg).

📖 Tevini, M. *u.* Häder, D.-P.: *Allgemeine Photobiologie. Stuttgart u. a. 1985.* – Malmede, H. H.: *Die Lichtsymbolik im Neuen Testament. Wiesbaden 1986.* – Haken, H.: *L. u. Materie, 2 Bde. Mannheim ²1989–95.* – Minnaert, M.: *L. u. Farbe in der Natur. A. d. Niederländ. Basel u. a. 1992.*

Licht|ablenkung (Gravitationsaberration), die entsprechend der allg. →Relativitätstheorie als Folge der durch das Gravitationsfeld bestimmten

Krümmung des Raumes auftretende Krümmung der Lichtstrahlen, z. B. im Schwerefeld der Sonne oder bei →Gravitationslinsen.

Licht|ausbeute, das Verhältnis des von einer Lichtquelle abgegebenen →Lichtstromes (in Lumen, lm) zur Leistungsaufnahme der Lichtquelle (in Watt, W); kennzeichnet die Wirtschaftlichkeit der Lichtquelle. Die L. beträgt z. B. bei Kerzen 0,1, bei Glühlampen 10–15, bei Leuchtstofflampen 80–90 und bei Natriumdampflampen 85–120 lm/W.

Georg Christoph Lichtenberg: Zeitgenössische Zeichnung

Lichtbehandlung (Phototherapie), die Anwendung von Sonnenlicht (Heliotherapie) oder von künstl. Lichtquellen (z. B. Rotlicht-, UV-Lichtlampen) zu therapeut. Zwecken: bei chron. Entzündungen, Haut-, Blut- und Knochenkrankheiten.

Lichtbild, im dt. Sprachraum seit etwa 1841 übliche Bez. für ein auf fotograf. Weg erzeugtes Bild (→Fotografie).

Lichtbogen, hell leuchtende Gasstrecke einer Bogenentladung, verbunden mit hoher Stromstärke bei kleinem Spannungsabfall und hoher Wärmeentwicklung. Beim frei brennenden L. wird die Bogenentladung durch eine kurze Berührung der Elektroden gezündet. Bei Hochdruck- und Höchstdruckentladungslampen brennt der L. in einem geschlossenen Entladungsgefäß aus Quarzglas oder Keramik zw. Elektroden aus hochschmelzendem Metall. L. werden außerdem bei Quecksilberdampfgleichrichtern und bei der L.-Erwärmung angewendet; unerwünscht sind L. beim elektr. Durchschlag von Isolationen und beim Öffnen von Schalterkontakten.

Lichtbogen|ofen, elektr. Schmelzofen zur Gewinnung bes. von Elektrostahl (→Stahl). Beim indirekt beheizten L. brennt der Lichtbogen über dem Schmelzgut, beim direkt beheizten L. zw. Schmelzgut und Elektrode.

Lichtdermatosen, *Medizin:* →Lichtschäden.

Lichtdruck, 1) *graf. Technik:* ein Druckverfahren, das auf der Lichtempfindlichkeit von Chromsalzen in Verbindung mit organ. Kolloiden beruht und bei dem die Druckelemente von einem bildgemäß abgestuften, gehärteten und gequollenen Gelatinerelief gebildet werden. Die Chrom-Gelatine-Schicht ist auf eine Glasplatte aufgebracht, beim Trocknen und dem nach dem Kopieren durchgeführten Wässern ergibt sich ein feines Runzelkorn, die Schicht quillt entsprechend der Belichtung unterschiedlich und nimmt die Druckfarbe verschieden stark an. Der L. ist bes. für Gemäldereproduktionen geeignet.

2) *Physik:* →Strahlungsdruck.

Licht|echtheit, *Textiltechnik:* Maß für die Farbechtheit von Färbungen, Farbstoffen, Drucken gegenüber der Bleichwirkung von Tageslicht oder einer entsprechenden Lichtquelle. Die Bewertung reicht von 1 (sehr gering) bis 8 (sehr hoch).

lichte Höhe, →lichtes Maß.

licht|elektrischer Effekt, *Physik:* der →Photoeffekt.

licht|empfindliche Gläser, →phototropes Glas, →Brille.

Licht|empfindlichkeit, *Fotografie:* auch als »Geschwindigkeit« (nach dem engl. speed) bezeichnete →Empfindlichkeit eines Aufnahmematerials.

Lichtenberg, Stadtbez. von →Berlin.

Lichtenberg, Georg Christoph, Physiker und Schriftsteller, *Ober-Ramstadt (bei Darmstadt) 1. 7. 1742, †Göttingen 24. 2. 1799; ebd. Prof. der Physik, betrieb intensive Forschungen zur Astronomie und experimentellen Physik, entdeckte z. B.

Georg Christoph Lichtenberg (zeitgenössischer Kupferstich)

Lichtenberg

Über 30 Jahre lang hat Georg Christoph Lichtenberg seine Gedanken und Einfälle in die »Sudelbücher« notiert, zum Beispiel:

»Wenn er seinen Verstand gebrauchen sollte, so war es ihm, als wenn jemand, der beständig seine rechte Hand gebraucht hat, etwas mit der linken tun soll.«

»Ich vergesse das meiste, was ich gelesen habe, so wie das, was ich gegessen habe. Ich weiß aber, beides trägt nichtsdestoweniger zur Erhaltung meines Geistes und meines Leibes bei.«

»Experimentalpolitik – die Französische Revolution.«

»Es ist eine ganz bekannte Tatsache, daß die Viertelstündchen größer sind als die Viertelstunden.«

»Am 10. Oktober 1793 schickte ich meiner lieben Frau aus dem Garten eine künstlich Blume aus abgefallenen bunten Herbstblättern. Es sollte mich in meinem jetzigen Zustande darstellen; ich ließ es aber nicht dabei sagen.«

Alfred Lichtenstein (Zeichnung von Max Oppenheimer)

die **L.-Figuren,** auf einer bestäubten Isolierstoffplatte sichtbar gemachte Spuren einer Büschelentladung. Das Prinzip der L.-Figuren wird in der Xerographie ausgenützt. – L. war zweimal in England (»Briefe aus England«, 1776–78; »Ausführl. Erklärung der Hogarth'schen Kupferstiche«, 1794–99, erweitert 1800–35). Sein Ruf als Schriftsteller beruht u.a. auf seinen ironisch-geistvollen »Sudelbüchern« (daraus »Aphorismen«, 5 Bde., 1. Gesamtausg. hg. 1902–08), in denen er sich als Repräsentant der Aufklärung erweist.

📖 SAUTERMEISTER, G.: *G. C. L. München 1993.*

Lichtenfels, 1) Landkreis im RegBez. Oberfranken, Bayern, 522 km², (1996) 70 900 Einwohner.

2) Krst. von 1) in Bayern, am Main, 21 500 Ew.; Staatl. Fachschule für Korbflechterei; Korbwaren-, Polstermöbel-, Leder-, Bekleidungsind., Herstellung von Spielwaren und Werkzeugen, Brauereien. – Von der Stadtbefestigung sind u.a. zwei Tortürme (14. und 14./16. Jh.) erhalten, spätgot. Pfarrkirche, Schloss »Kastenboden« (1556). In der Nähe liegen Kloster →Banz und die Wallfahrtskirche →Vierzehnheiligen. – Erhielt 1206 Marktrecht und 1248 Stadtrecht.

Lichtenstein, 1) Schloss auf einem steilen Felsen über dem Echaztal, südöstlich von Reutlingen, 1840/41 auf den Grundmauern der älteren Burg L. im neugotischen Stil erbaut, bekannt durch W. Hauffs gleichnamigen Roman (1826).

Lichtenstein 1): Das Schloss wurde 1840/41 an der Stelle einer 1802 abgetragenen mittelalterlichen Burg im neugotischen Stil auf einem Steilfelsen erbaut

2) Stadt im Landkreis Chemnitzer Land, Sachsen, am Rand des Erzgebirges, 14 400 Ew.; Puppen- und Spielzeugmuseum; Verarbeitung von Stahlblechen. – Schloss (17. Jh. mit unterird. Anlagen), Lutherkirche (1770–96). – Seit 1446 Stadt.

Lichtenstein, 1) Alfred, Schriftsteller, *Berlin 23. 8. 1889, ⚔ Vermandovillers (bei Reims) 25. 9. 1914; frühexpressionist. Lyriker (Gedichte mit grotesker Weltdarstellung) und Erzähler.

2) [ˈlɪktənstaɪn], Roy, amerikan. Maler und Grafiker, *New York 27. 10. 1923, †ebd. 29. 9. 1997; einer der Hauptvertreter der →Pop-Art in den USA.

Roy Lichtenstein: »M-Maybe. A Girl's Picture« (1965; Privatbesitz)

Lichterführung, international vorgeschriebene Kennzeichnung von Luft- und Wasserfahrzeugen durch **Positionslichter,** dient v.a. der Kollisionsverhütung. In Fahrt befindl. Schiffe führen von Sonnenunter- bis Sonnenaufgang und am Tage bei unsichtigem Wetter ein weißes Topplicht am vorderen und (höher angebracht) am hinteren Mast, ein rotes Seitenlicht backbord, ein grünes Seitenlicht steuerbord und das weiße Hecklicht. Für Spezialschiffe sowie für ankernde, fischende und manövrierunfähige Fahrzeuge ist eine besondere L. vorgeschrieben. – Flugzeuge führen außer den Positionslichtern an den Tragflächenenden (links rot, rechts grün) und am Heck (weiß) ein rotes Rundumblinklicht (bei größeren Flugzeugen an der Rumpfober- und -unterseite), z.T. zusätzlich weiße Blitzleuchten.

lichtes Maß (Lichtmaß), kürzeste Entfernung zw. zwei gegenüberliegenden Begrenzungen; z.B. lichte Weite eines Rohres (Innendurchmesser), lichte Höhe einer Unterführung (nutzbare Durchfahrthöhe).

Lichtfilter, opt. Bauelemente zur Änderung der Intensität (**Neutralfilter,** dämpfen alle Spektralbereiche gleichmäßig), der spektralen Zusammensetzung, meist unter Ausnutzung von Lichtabsorption **(Absorptionsfilter)** oder Interferenz **(Interferenzfilter),** oder des Polarisationszustandes des Lichts **(Polarisationsfilter).** Wenn der Strahlengang nicht gestört werden soll, kommen nur klar durchsichtige Körper mit ebenen Begrenzungsflächen in Betracht, also Farbgläser, Gelatine- oder Kunststofffolien sowie klare Flüssigkeiten in Küvetten. L. werden außer in der Fotografie (dort auch Farbfilter gen.) auch in Wiss. und Technik vielseitig angewandt: z.B. als Schutz vor unerwünschter Strahlung in Schweißerbrillen sowie

Lichtschutzfolien; zur Isolierung bestimmter Spektralbereiche (z.B. UV- oder Infrarotfilter); zur Erzielung von Farbwirkungen (Werbung, Bühnenbeleuchtung); beim Farbfernsehen als Aufnahmefilter; zur Anpassung von lichtelektr. Empfängern an bestimmte spektrale Wirkungsfunktionen (z.B. bei →Luxmetern).

Lichtgeschwindigkeit, die Geschwindigkeit, mit der sich Licht und allg. elektromagnet. Wellen ausbreiten. Die **Vakuum-L.** c_0 (die i. Allg. gemeint ist, wenn man von der L. spricht) beträgt $c_0 = 299\,792\,458$ m/s. Sie ist als universelle Konstante der Relativitätstheorie die obere Grenze der Geschwindigkeit, mit der sich Energie in irgendeiner Form, also auch ein Signal, ausbreiten kann. Materielle Körper können die L. nicht erreichen, sondern sich ihr nur asymptotisch nähern. Für die Phasengeschwindigkeit c, d.h. die Ausbreitungsgeschwindigkeit der Phase einer Lichtwelle (z.B. eines Wellenberges) in einem Medium der Brechzahl n, gilt $c = c_0/n$. Sie ist im Vakuum ($n = 1$) mit c_0 identisch, in Materie i. Allg. kleiner ($n > 1$), selten größer ($n < 1$) als c_0. Die Gruppengeschwindigkeit, mit der sich die Lichtenergie fortpflanzt, ist in Materie stets kleiner als c_0, nur im Vakuum gleich c_0.

Geschichte: Nach vergebl. Versuchen zur Bestimmung der L. durch G. Galilei errechnete erstmals O. Römer 1675/76 die L. aus Beobachtungen der Verfinsterungen eines Jupitermondes, nachdem er entdeckt hatte, dass die Intervalle zw. den Verfinsterungen anwuchsen, wenn sich die Erde auf ihrer Bahn vom Jupiter entfernte, und abnahmen, wenn sie sich ihm näherte.

Lichtgriffel, →Lichtstift.

Lichthof, 1) *Baukunst:* oben offener oder mit Dachverglasung versehener Innenhof in großflächigen Gebäuden zur Beleuchtung und Belüftung angrenzender Innenräume.

2) *Fotografie:* Unschärfen und Überstrahlungserscheinungen, die in fotograf. Schichten durch Streuung des einfallenden Lichts an den Silberhalogenidkörnern (**Diffusions-L.**) und durch Totalreflexion an der freien Rückseite des Schichtträgers (**Reflexions-L.**) entstehen. Abhilfe schaffen u.a. spezielle **L.-Schutzschichten**, die sich in den fotograf. Bädern entfärben. Bei Kleinbildfilmen ist auch der Schichtträger grau eingefärbt (Graubasis).

Lichtjahr, Einheitenzeichen **Lj,** in der Astronomie verwendete Längeneinheit, die Strecke, die das Licht im Vakuum in einem Jahr zurücklegt: $1\,\text{Lj} = 9{,}4605 \cdot 10^{12}\,\text{km} = 0{,}3066\,\text{pc}$ (Parsec).

Lichtkoagulation (Photokoagulation, Laserkoagulation), Anwendung von energiereichen Lichtstrahlen (Xenonlampe) oder Laserstrahlen in Form dosierter Lichtblitze, die im Augeninnern in einem Brennpunkt vereinigt werden und eine Zerstörung des erkrankten Gewebes bewirken; angewendet z.B. bei Tumoren im Augeninnern oder bei drohender Netzhautablösung.

Lichtkurve, graf. Darstellung des →Lichtwechsels.

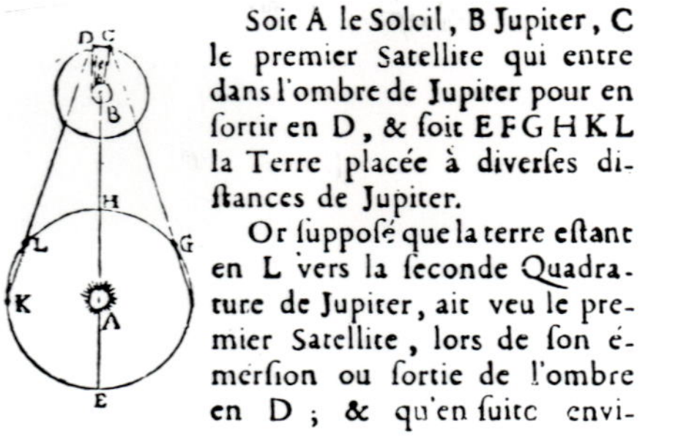
Soit A le Soleil, B Jupiter, C le premier Satellite qui entre dans l'ombre de Jupiter pour en sortir en D, & soit E F G H K L la Terre placée à diverses distances de Jupiter.
Or supposé que la terre estant en L vers la seconde Quadrature de Jupiter, ait veu le premier Satellite, lors de son émersion ou sortie de l'ombre en D; & qu'en suite envi-

Lichtgeschwindigkeit: Erste Mitteilung des Astronomen Ole Römers aus dem Jahr 1676 über seine Berechnung der Lichtgeschwindigkeit durch die Beobachtung der Verfinsterung eines der Jupitermonde im »Journal des Savants«

Lichtleiter, allg. jede Vorrichtung aus dielektr. Material, die geeignet ist, Licht von einer Stelle zu einer anderen zu leiten. Nach dem Zweck, dem die Lichtleitung dient, werden L. unterteilt in L. i.e.S., bei denen es nur auf die Leitung der Lichtenergie ankommt (z.B. für Beleuchtungszwecke), und Bildleiter für die rein opt. Bildübertragung (Glasfaseroptik) sowie in Lichtwellenleiter als Bestandteile opt. Übertragungssysteme, bei denen das Licht bzw. die Lichtwellen als Träger entsprechend codierter Informationen beliebiger Art dienen. Als Lichtwellenleiter spielen L. eine wichtige

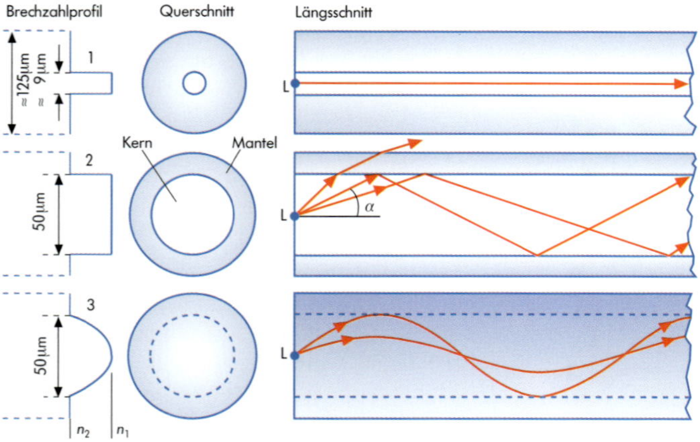

Lichtleiter: Brechzahlprofil, Querschnitt und Längsschnitt von Lichtwellenleitern (LWL) mit typischen Größen der Durchmesser (alle Angaben in Mikrometer, µm); 1 Einmoden-LWL, 2 Mehrmoden-LWL, 3 Gradienten-LWL; in den Längsschnitten ist, jeweils ausgehend von einer Lichtquelle L, die Lichtausbreitung angedeutet; n_1 Brechzahl des Mantels, n_2 Brechzahl der Kernmitte, α Winkel der Lichtstrahlen gegen die LWL-Achse

Lichtleiter: Lichtwellenleiter (Glasfasern) mit unterschiedlichen Durchmessern zur digitalen Übertragung von Telekommunikationssignalen; Glasfasern sind sowohl optisch als auch mechanisch sehr empfindlich

Rolle in der Telekommunikation und in der →optischen Datenverarbeitung.

Lichtwellenleiter (Abk. LWL) sind dünne, runde Fasern aus Quarzglas, mit Außendurchmessern bis etwa 125 µm (Glasfasern), oder Kunststoff (Plast-LWL) mit Durchmessern von etwa 1 mm; daneben gibt es auch LWL mit einem Kern aus Quarzglas und einem Mantel aus Kunststoff. Um die Führung von Lichtwellen zu gewährleisten, müssen LWL eine definierte Abhängigkeit der Brechzahl vom Radius der Faser aufweisen. Alle LWL-Typen bestehen deshalb aus einem zylindr. Kern (Durchmesser meist 10–100 µm) und einem Mantel niedrigerer Brechzahl. Bei **Stufenprofil-LWL** ist die Brechzahl innerhalb des Kerns konstant und fällt an der Grenze zum Mantel scharf auf dessen ebenfalls konstanten Wert ab. Bei **Gradientenprofil-LWL** verringert sich die Brechzahl von der Faserachse bis zu einem wiederum konstanten Wert des Mantels stetig.

Lichtnelke (von oben): Kuckuckslichtnelke (20–90 cm) und Brennende Liebe (Höhe 70–100 cm)

In der opt. Nachrichtentechnik mit LWL wird der im nahen Infrarot gelegene Wellenlängenbereich von 800 nm bis 1600 nm genutzt. Für den wirtsch. Einsatz der LWL sind möglichst kohärente Lichtquellen erforderlich, d. h. solche mit einer möglichst kleinen spektralen Breite. Diese Anforderungen werden v. a. von →Lasern erfüllt. Nach der Anzahl ausbreitungsfähiger Lichtwellen (→Moden) unterscheidet man **Einmoden-, Mehrmoden-** und **Gradienten-LWL.** Ein- und Mehrmoden-LWL besitzen stufenförmige Brechzahlprofile, Gradienten-LWL häufig ein parabelförmiges Brechzahlprofil. Diese drei LWL-Typen unterscheiden sich voneinander v. a. durch die Art der Lichtführung im Kern. Bei Stufenprofil-LWL erfolgt sie durch Totalreflexion an der Grenzfläche zum Mantel, bei Gradienten-LWL durch Brechung infolge der radialen Abnahme der Brechzahl. Eine weitere wichtige Kenngröße für LWL ist die Dämpfung, d. h. die Abnahme der nutzbaren Lichtleistung auf dem Weg durch den LWL. Sie beruht v. a. auf der Lichtstreuung an Inhomogenitäten der Faser (→Rayleigh-Streuung) und wird in Dezibel pro Kilometer (dB/km) angegeben. LWL sind sowohl optisch als auch mechanisch sehr empfindlich und werden deshalb mit einer Beschichtung als Schutzhülle versehen. Die beschichteten LWL werden einzeln in sog. Hohl-, Voll- oder Kompaktadern oder zu bis zu zwölf Stück in sog. Bündeladern geführt.

Lichtmaschine, *Kraftfahrzeugtechnik:* ein vom Motor angetriebener elektr. Generator zur elektr. Energieversorgung eines Kraftfahrzeugs. Die L. liefert den Strom zum Betrieb der elektr. Anlagen während der Fahrt, bei Motorleerlauf und zum Laden der Batterie. Wesentl. Merkmal der klass. Ausführung ist die axiale Belüftung durch einen einzigen, außenliegenden Lüfter. Der durch die heute vorwiegend verwendete **Klauenpol-L.,** eine zwölfpolige Drehstromsynchron-L., erzeugte dreiphasige Wechselstrom wird durch Dioden gleichgerichtet, da zur Speisung des Bordnetzes und zum Laden der Batterie Gleichstrom erforderlich ist. Die als L. verwendeten Drehstromgeneratoren sind selbsterregte 12- oder 16-polige Syn-

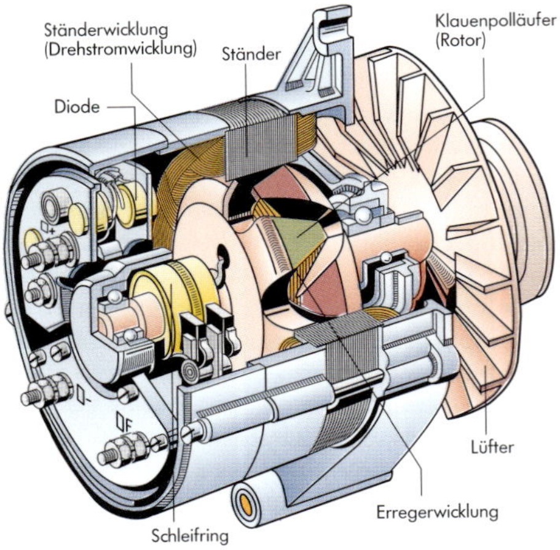

Lichtmaschine: Schema einer Klauenpollichtmaschine

chrongeneratoren. In den Nuten des Ständers ist die Ständerwicklung (Drehstromwicklung) und im Läufer (Rotor) die Erregerwicklung untergebracht. Die Erregerwicklung wird von Gleichstrom durchflossen, der über Schleifringe und Schleifkontakte auf den Rotor übertragen wird. Der L.-Antrieb erfolgt meist über den Keilriemen vom Verbrennungsmotor aus und ist daher starken Drehzahlschwankungen unterworfen. Infolge der Drehzahlabhängigkeit der Stromabgabe muss die Generatorspannung durch einen Spannungsregler über den gesamten Drehzahlbereich des Motors konstant gehalten werden.

Lichtmenge, Formelzeichen Q, eine photometr. Größe. Sie ist das Produkt aus dem von einer Lichtquelle ausgehenden (konstanten) Lichtstrom und der Zeit, während der er ausgestrahlt wird. SI-Einheit ist die Lumensekunde (lm · s).

Lichtmess (Mariä Lichtmess), von der Kerzenweihe und Lichterprozession der Tagesliturgie abgeleitete volkstüml. Bez. für das am 2. 2. in der kath. Kirche gefeierte Fest, das an die in Lk. 2, 22–38 berichtete Darstellung Jesu im Tempel erinnert. – Im bäuerl. Leben früher Beginn (oder Ende) des Arbeitsjahres und Zahltag; galt als wichtiger Lostag.

Lichtmühle, ein Vorläufer des →Radiometers.

Lichtnelke (Lychnis), staudige Nelkengewächsgattung; auf feuchten Wiesen die **Kuckucks-L.** (Lychnis floscuculi), bis 90 cm hoch, mit klebrigem Stängel und roten Blütenblättern; eine aus dem östl. Russland stammende Zierpflanze ist die **Brennende Liebe** (Lychnis chalcedonica), bis 45 cm hoch, mit rauhaarigen Blättern und kopfförmig vereinigten, meist scharlachroten Blüten.

Licht|orgel, Effektbeleuchtungsanlage, bei der (verschiedenfarbige) Lampen je nach Lautstärke und Frequenzanteilen der Musik gesteuert werden. Der Tonfrequenzbereich wird durch elektr. Filter in mehrere Frequenzbänder aufgeteilt, die versch. Lampen zugeordnet werden.

Lichtpause, durch Lichteinwirkung entstandene Vervielfältigung einer transparenten Kopiervorlage auf sensibilisiertem Papier. Unterscheidung in a) **Diazotypie** (z.B. Ozalid-L.), bei der auf Papier aufgetragene lichtempfindl. organ. Diazoverbindungen bei Einwirkung von UV-Strahlung zerfallen, während an den nicht bestrahlten Stellen bei der Entwicklung mittels Ammoniakdämpfen Azofarbstoffe gebildet werden; b) **Blaupause (Zyanotypie),** bei der das Papier mit einer Eisen(III)-Verbindung u.a. sensibilisiert wird und durch Lichteinwirkung eine blaue Komplexverbindung entsteht; c) **Eisen-Silber-Verfahren (Sepia-L.),** das ebenfalls auf der Lichtempfindlichkeit von Eisen(III)-Verbindungen beruht; d) **Anilindruck,** bei dem mit Phosphorsäure und Dichromat lichtempfindlich gemachtes Papier mit Anilindämpfen entwickelt wird.

Lichtquant, *Physik:* das →Photon.

Lichtquellen, Körper, die sichtbare Strahlung aussenden. **Selbstleuchtende L.** strahlen infolge hoher Temperatur (Fixsterne, Glühlampe), durch elektrisch angeregte Gase (Gasentladungslampen), durch Lumineszenz (Leuchtstoffe) oder durch erzwungene Emission (→Laser). **Nicht selbstleuchtende L.** reflektieren erhaltene Strahlung; sie erzeugen kein eigenes Licht (z.B. Mond).

Licht|raumprofil (Lichtraumbegrenzung), *Verkehrswesen:* die Umgrenzungslinie des Raums über Gleisen (Eisenbahn) oder der Fahrbahn (Straßenverkehr), der für eine gefahrlose Benutzung von den entsprechenden Fahrzeugen freizuhalten ist.

Lichtsatz, →Fotosatz.

Lichtsäule, *atmosphär. Optik:* ein →Halo.

Lichtschäden (Lichtdermatosen, aktinische Krankheiten), Schädigung von Haut und Schleimhaut durch Lichtstrahlen, die von Wellenlänge, Einwirkungsdauer der Strahlen und Empfindlichkeit der bestrahlten Körperoberfläche abhängt; häufigste Form ist der →Sonnenbrand, auf Schneeflächen oder Gletschern als **Gletscherbrand.**

Lichtscheu (Photophobie), z.T. schmerzhafte Überempfindlichkeit der Augen bei Lichteinfall; tritt z.B. als Folge entzündl. Augenkrankheiten, auch von grauem Star oder Avitaminosen auf.

Lichtschranke, Anlage mit einem Photodetektor (z.B. Photodiode, -transistor), der von einem Lichtstrahl aus dem sichtbaren oder unsichtbaren Spektralbereich getroffen wird und ein elektr. Signal liefert, sobald der Lichtweg durch einen Gegenstand unterbrochen wird. Anwendungen u.a. zur Geschwindigkeitsmessung (Sport, Verkehrsüberwachung), zur Maschinensteuerung und in der Sicherheitstechnik.

Lichtsignalanlage (Lichtzeichenanlage, Verkehrsampel), *Straßenverkehr:* durch grüne, gelbe und rote Lichter der Regelung des Verkehrs dienende techn. Einrichtung. Die Farbfolgen und ihre Bedeutung sind in der Straßenverkehrsordnung (StVO § 37) festgeschrieben. L. gehen allgemeinen Vorrangregeln und vorrangregelnden Verkehrszeichen vor. Öffentl. Verkehrsmittel erfahren durch L. oft eine gesonderte Lenkung mittels weißer Lichtzeichen, v.a. in der Form von Quer-, Längs- und Schrägbalken (§ 51 Straßenbahn-Bau- und Betriebsordnung). BILD S. 348

Lichtsinn, die Fähigkeit der Tiere und des Menschen, Lichtreize mithilfe spezieller Lichtsinneszellen bzw. -organe (→Auge) wahrzunehmen. Lichtsinneszellen können über die ganze Körperoberfläche verteilt oder in den Lichtsinnesorganen konzentriert sein. (→Farbensehen, →Sehen)

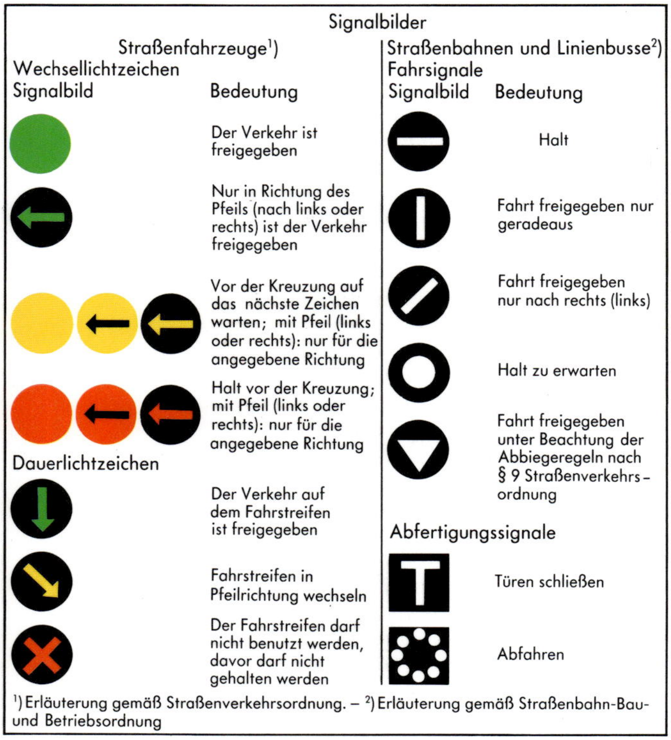

Lichtsignalanlage: Signalbilder und ihre Bedeutung für Straßenfahrzeuge sowie für Straßenbahnen und Linienbusse in Deutschland

Lichtstärke, 1) *Fototechnik:* größtes Öffnungsverhältnis eines Objektivs (kleinste Blendenzahl), wird auf der Frontlinseneinfassung zus. mit der Brennweite angegeben.

2) *Photometrie:* Formelzeichen *I*, der Quotient aus dem von einer Lichtquelle abgestrahlten Lichtstrom und dem durchstrahlten Raumwinkel (→Photometrie). Die L. ist im Internat. Einheitensystem die photometr. Grundgröße. SI-Einheit der L. ist die →Candela (cd).

Lichtsteuergeräte, in der Tonfilmtechnik verwendete Geräte, die dazu dienen, Mikrofonströme in entsprechende Lichtströme umzuwandeln und umgekehrt (→Lichttonverfahren). Man unterscheidet elektroopt. (→Kerr-Zelle, →Glimmlampe) und elektromechan. Lichtsteuergeräte.

Lichtstift (Lichtgriffel), Gerät zur graf. Eingabe von Informationen über den Bildschirm eines Datensichtgeräts. An der Spitze des L. befindet sich ein Photodetektor, der einen Impuls abgibt, wenn der periodisch die Bildschirmfläche zeilenweise abtastende Elektronenstrahl unter dem L. durchläuft. Durch Berühren der Bildschirmfläche mit der Spitze des L. können Punkte und Linien gezeichnet oder Bildelemente markiert werden.

Alfred Lichtwark

Lichtstrahl, hypothet. Linie für die Lichtausbreitung von einem leuchtenden Punkt aus; physikalisch als Normale zur Wellenfläche des Lichtbündels deutbar.

Lichtstrom, Formelzeichen Φ, die von einer Lichtquelle in alle Richtungen des Raumes ausgestrahlte Energie, gemessen in Lumen. Der L. ist der nach der spektralen Empfindlichkeit des menschl. Auges bewertete Strahlungsfluss (Strahlungsleistung) einer Lichtquelle.

Lichttechnik, auf den Grundlagen der physikal. und physiolog. Optik aufbauendes Teilgebiet der Elektrotechnik, das sich mit der Lichtmessung (Photometrie) und -bewertung, den Methoden der Lichterzeugung (Leuchttechnik) sowie der Berechnung, dem Entwurf und dem Bau von Beleuchtungsanlagen (Beleuchtungstechnik) befasst. Dabei werden auch physiolog. und psycholog. Wirkungen des Lichts auf den Menschen berücksichtigt; Grundlagen der Beleuchtungstechnik sind physiologisch-opt. Gesetzmäßigkeiten des Sehens, bes. die Erkenntnisse über die Kontrastempfindlichkeit des menschl. Auges und die Anpassungsmechanismen des Auges an örtl. und zeitl. Leuchtdichteänderungen im Gesichtsfeld (Adaptation). Hinzu kommen arbeitspsycholog. Erkenntnisse sowie die biolog. Bedeutung des Lichts als Energiequelle für viele Lebensprozesse.

Lichttonverfahren, *Tonfilmtechnik:* Verfahren zur Aufzeichnung und Wiedergabe des zu den Bildern gehörenden Tons. Die akust., vom Mikrofon aufgenommenen Schwingungen werden nach der Verstärkung mit →Lichtsteuergeräten in entsprechende Intensitätsschwankungen des Lichts umgewandelt. Zur Aufzeichnung wird auf den an einem Spalt vorbeilaufenden Film eine opt. Tonspur neben dem Bild aufbelichtet. Zur Wiedergabe fällt ein Lichtbündel auf die Tonspur, dessen Helligkeitsschwankungen durch eine hinter dem Film befindl. Photozelle in Spannungsschwankungen und damit in akust. Signale umgesetzt werden.

Lichtverschmutzung, die künstl. Aufhellung des Nachthimmels durch die Beleuchtung von Ortschaften; bei astronom. Beobachtungen störend. Observatorien werden deshalb weitab von menschl. Siedlungen errichtet. Die **Radioverschmutzung** ist die Störung radioastronom. Beobachtung durch Radio- und Funksignale.

Lichtwark, Alfred, Kunsthistoriker und Kunstpädagoge, *Reitbrook (heute zu Hamburg) 14. 11. 1852, †ebd. 13. 1. 1914; dort 1886–1914 Direktor der Kunsthalle, wegweisend in der Kunsterziehung.

Lichtwechsel, Veränderung der scheinbaren Helligkeit bei veränderl. Sternen, Planeten und Kometen. Der L. wird in Form einer **Lichtkurve** dargestellt, die die Helligkeit in Abhängigkeit von der Zeit ausdrückt.

Lichtwellenleiter, → Lichtleiter.

Lichtwer, Magnus Gottfried, Dichter, * Wurzen 30. 1. 1719, † Halberstadt 7. 7. 1783; bed. sind seine Fabeldichtungen »Vier Bücher Aesopischer Fabeln« (1748; erweitert 1758).

Lichtwert, Abk. **LW** (Belichtungswert, engl. Exposure value, Abk. EV), *Fotografie:* Zahlengröße, die gleichwertige Kombinationen von Blende und Belichtungszeit kennzeichnet. Die **L.-Kopplung** von Verschluss und Blende sorgt für die richtige Wahl von Belichtungszeit und Blende entsprechend dem gemessenen Lichtwert.

Lichtzeit (Aberrationszeit), die Zeit, die das Licht benötigt, um von einem Himmelskörper zur Erde zu gelangen. Die L. der Sonne in mittlerer Entfernung beträgt 8 min 18,72 s, die des Mondes 1,28 s.

Licinius, Valerius Licinianus, römischer Kaiser (308–324), * in Dakien um 250, † (hingerichtet) Thessalonike (Saloniki) 325; 308 durch Galerius zum Augustus erhoben, 311 Herrscher über die illyr. Präfektur. Zeitweise mit Konstantin d. Gr. verbündet, erließ er gemeinsam mit ihm 313 das sog. Toleranzedikt von Mailand (Anerkennung der christl. Religion).

Licinius, Name eines altröm. plebejischen Geschlechts, zu dem u. a. Crassus und Lucullus gehörten. – Bed. Vertreter der republikan. Zeit: **1)** Gajus **L. Macer,** Volkstribun (73 v. Chr.), † 66 v. Chr.; Gegner der → Optimaten; schrieb eine Gesch. Roms in Form von Annalen.

2) Gajus **L. Stolo,** Volkstribun (376–367); brachte mit Lucius Sextius Lateranus die **licinisch-sextischen Gesetze** ein, die den Plebejern den Zugang zum Konsulat eröffneten.

3) Lucius **L. Murena,** Konsul (62 v. Chr.); nach der Wahl zum Konsul wegen Wählerbestechung angeklagt, durch die Verteidigung Catos d. J. und Ciceros (Rede »Pro Murena«) freigesprochen.

Lick-Sternwarte, Sternwarte auf dem Mount Hamilton (Calif.), ben. nach ihrem Stifter James Lick (* 1796, † 1876). Hauptinstrumente sind ein Refraktor von 91 cm Öffnung und ein Parabolspiegel von 3 m Durchmesser.

Lid [ahd. (h)lit »Deckel«] (Augenlid), bei Wirbeltieren und beim Menschen meist beweglich ausgebildete Hautfalte, die das Auge vor mechan. Einwirkungen schützt und durch den L.-Schlag für eine ständige Feuchthaltung der Hornhaut durch die von der Tränendrüse produzierte Tränenflüssigkeit sorgt.

Lidar, Abk. für engl. **li**ght **d**etection **a**nd **r**anging, Übertragung des Radarprinzips auf den Frequenzbereich des Lichts (sichtbar, ultraviolett, infrarot). Als Sender werden leistungsstarke Impulslaser, zum Nachweis der aus der Atmosphäre zurückgestreuten Intensität lichtempfindl. Empfänger mit vorgeschalteten Spiegelteleskopen verwendet. Die im Vergleich zum Radar kleine Wellenlänge des Lichts erlaubt die Ortung kleinster Partikel (Aerosole) der Atmosphäre. Mit Lasern, deren Wellenlängen sich auf charakterist. Absorptionslinien von gasförmigen Schadstoffen, z. B. Schwefeldioxid oder Stickstoffoxide, abstimmen lassen, ist der Gehalt der Atmosphäre an derartigen Verunreinigungen durch Spektralanalyse mit hoher Nachweisempfindlichkeit messbar und die Ortung von Emissionsquellen möglich. Mit L.-Systemen können Fernmessungen von Luftverunreinigungen über Entfernungen von mehreren Kilometern durchgeführt werden.

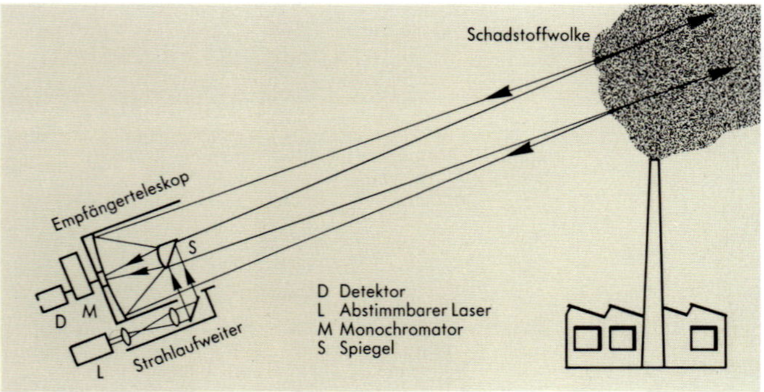

Lidar: schematische Darstellung der Luftanalyse auf Schadstoffe mit Lidar

Liddell Hart ['lɪdl 'hɑ:t], Sir (seit 1966) Basil Henry, brit. Militärschriftsteller, * Paris 31. 10. 1895, † Marlow (Cty. Buckinghamshire) 29. 1. 1970; schrieb kriegsgeschichtl. und militärtheoret. Bücher; Theoretiker der mechanisierten Kriegführung.

Li Di (Li Ti), chines. Maler, * Heyang (Prov. Henan) um 1100, † Hangzhou um 1197. Seine Blumen- und Tierbilder zeigen bei sparsamer Kompositionsweise lyr. Stimmungsgehalt.

Lidice ['lidjitsɛ], Ort östlich von Kladno, im Mittelböhm. Gebiet, Tschech. Rep., etwa 500 Ew. – Am 10. 6. 1942 von der SS nach dem Attentat auf R. Heydrich zur »Vergeltung« zerstört; die Männer (über 16 Jahre) wurden erschossen, Frauen und Kinder in KZ gebracht (die Kinder kamen später zur »Eindeutschung« in dt. Familien). Der Ort wurde 1946 wieder aufgebaut.

Liding|ö, Stadt im schwed. VerwBez. (Län) Stockholm, auf der Insel L., 38 100 Ew.; Akkumulatorenfabrik, chem. Ind.; Erdölhafen; Ausflugsverkehr. Skulpturensamml., v. a. mit Werken von C. Milles, in Millesgården.

Lidkrampf (Blepharospasmus), unwillkürl., krampfhafter Lidschluss, z. B. bei Augenentzündung oder Reizung durch Fremdkörper.

Max Liebermann (von oben): »Schweinemarkt in Haarlem« (1886; Mannheim, Kunsthalle); »Die Bleiche« (1882/83; Köln, Wallraf-Richartz-Museum)

Lido [italien. aus lat.] *der,* Küstenstreifen zw. Meer und Lagune, die →Nehrung; z.B. der **L. von Venedig.**

Lido di Iesolo, Badeort im NO der Lagune von Venedig, Italien, an einem 15 km langen Sandstrand; gehört zur Gem. Iesolo (22 200 Ew.).

Lidzbark Warmiński ['lidzbark var'mĩjski] (dt. Heilsberg), Stadt in der Wwschaft Olsztyn (Allenstein), Polen, an der Alle, 16 000 Ew.; Nahrungsmittel-, Wirkwarenind., Maschinenbau. – Schloss (Burg) der Bischöfe von Ermland (1350–1400, heute Museum), Vorburg mit Bischofpalast, spätgot. Pfarrkirche (14. Jh.). – Das 1241 vom Dt. Orden an der Stelle einer eroberten Pruzzenburg angelegte Heilsberg gehörte ab 1251 zum Bistum Ermland (1315–1795 meist Bischofssitz); erhielt 1308 Culm. Stadtrecht. 1466 geriet es unter poln. Hoheit, fiel 1772 an Preußen; kam 1945 zu Polen.

Max Liebermann (Selbstporträt, Ausschnitt aus einer Lithographie; 1912)

Lie, 1) Jonas, norweg. Schriftsteller, *Modum (Buskerud) 6. 11. 1833, †Sandvika (bei Oslo) 5. 7. 1908. Neben Seeromanen und Schilderungen aus dem Arbeitermilieu schrieb er realist. Ehe- und Familienromane; u.a. »Der Geisterseher« (R., 1870), »Eine Ehe« (R., 1887).

2) Sophus, norweg. Mathematiker, *Nordfjordeid (Sogn og Fjordane) 17. 12. 1842, †Kristiania (heute Oslo) 18. 2. 1899; schuf die Theorie kontinuierl. Transformationsgruppen **(Lie-Gruppen),** wichtige Beiträge zu Differenzialgeometrie und Algebra.

3) Trygve Halvdan, norweg. Politiker, *Kristiania (heute Oslo) 16. 7. 1896, †Geilo (Buskerud) 30. 12. 1968; Rechtsanwalt, Mitgl. der sozialdemokrat. Arbeiterpartei, 1935–46 und 1963–65 Minister versch. Ressorts, war 1946–52 erster Gen.-Sekr. der UNO.

Liebe, starke Zuneigung, intensive Gefühlsbeziehung, v.a. bezogen auf bestimmte Personen, insbesondere die seel. Bindung an den Geschlechtspartner oder die Familienangehörigen, auch die emotionale Zuwendung zu Mitmenschen allgemein oder eine Haltung zur Welt als Ganzes. Gefühlsmäßige Beziehungen zu anderen Lebewesen (bes. Tiere), Sachen (Geld, Bücher), Tätigkeiten (Musizieren, Kochen) oder Ideen (Wahrheit, Freiheit, Heimat, Natur) fallen ebenfalls unter den Begriff Liebe. Ihre besondere Eigenart gewinnt die als L. bezeichnete zwischenmenschl. Beziehung dadurch, dass ihr Wert, über eine Zweck-Mittel-Überlegung hinausgehend, in der Existenz des Anderen (E. Fromm) oder in der L. selbst erfahren werden kann. L. ist so weder dem Subjekt noch seinem Gegenüber allein zuzuordnen, sondern hat ihren Ort in einem zw. den Liebenden entstehenden Vorstellungs- und Erfahrungsraum, der seinerseits durch seine dialog. Anlage (M. Buber) die Existenz der Beteiligten bestimmt oder verändert.

Religion: in Form der sinnlichen oder einer allumfassenden L. wesentl. Merkmal der Gottheit; in polytheist. Religionen oft in speziellen Liebesgottheiten personifiziert (Aphrodite, Ischtar); im Buddhismus als Verbindung der allumfassenden Güte **(Metta)** und des allumfassenden Mitleids **(Karuna)** Weg der Aufhebung des Leidens; im Hinduismus als Gottes-L. **(Bhakti)** Weg zur Erlösung; in den monotheist. Religionen als **L. Gottes** Charakteristikum des Gottesbildes, der als Antwort des Menschen die **L. zu Gott** (Gottes-L.) und zum Nächsten (im N.T. einschl. der Feindes-L.) entspricht; im N.T. in 1. Joh. 4, 8; 16 (»Gott ist Liebe«) und Mt. 22, 37–40 (»das größte Gebot«) zusammengefasst; neben Glaube und Hoffnung die größte der drei »theolog. Tugenden« (1. Kor. 13); die Scholastik erklärt L. im Begriffspaar →Agape und →Eros; die Mystik sucht die unmittelbare Erfahrung der Gottes-L. in der myst. Vereinigung mit Gott.

Liebeneiner, Wolfgang, Schauspieler und Regisseur, *Liebau in Schlesien (heute Lubawka) 6. 10. 1905, †Wien 28. 11. 1987; ⚭ mit Hilde Krahl; Bühnenengagements u.a. in München, Berlin, Wien; 1942–45 Produktionsleiter der Ufa; seit 1937 Filmregisseur, u.a. »Der Mustergatte« (1937), »Bismarck« (1940), »Ich klage an« (1941), »Liebe 47« (1949); Theater- und Fernsehinszenierungen.

Liebenstein, Bad, →Bad Liebenstein.

Liebenwerda, Bad, →Bad Liebenwerda.

Liebenzell, Bad, →Bad Liebenzell.

Lieber, Francis (Franz), dt.-amerikan. Staatswissenschaftler, *Berlin 18. 3. 1798, †New York 2. 10. 1872; nahm 1822 am grch. Freiheitskampf teil, wanderte 1827 nach den USA aus. Gab die »Encyclopedia Americana« (13 Bde., 1829–33) heraus, der Brockhaus' Konversationslexikon zugrunde lag. Die Etablierung der polit. Wiss. als akadem. Disziplin in den USA geht auf ihn zurück.

Liebermann, 1) Max, Maler und Grafiker, *Berlin 20. 7. 1847, †ebd. 8. 2. 1935; studierte in Berlin und Weimar, bildete sich in Paris fort, lebte seit 1878 in München und seit 1884 in Berlin, wo er 1898 Präsident der →Sezession wurde, 1920–33 Präs. der Preuß. Akademie der Künste. L., der bedeutendste Vertreter des dt. Impressionismus, wurde von den Nationalsozialisten wegen seiner jüd. Abstammung verfemt. In seiner ersten Schaffensperiode entstanden dunkeltonige Bilder arbeitender Menschen, er wandte sich aber auch einer lichteren Farbigkeit zu. Nachdem er sich zeitweilig auf wenige Grautöne beschränkt hatte, gelangte er in den 90er-Jahren zu einem wieder farbigeren, impressionist. Stil, in dem er bewegte Straßenszenen, Porträts, Strand- und Dünenlandschaften u.a., später v.a. Bilder aus seinem Garten in Wannsee malte. – Radierungen, Lithographien, Illustrationen (Goethe, Kleist). – Ges. Schriften (1922).

📖 BUNGE, M.: *M. L. als Künstler der Farbe. Berlin 1990. – M. L. – der dt. Impressionist, Ausst.-Kat. Kunsthalle Bremen. München 1995.*

2) Rolf, schweizer. Komponist, *Zürich 14. 9. 1910, †Paris 2. 1. 1999; 1959–73 und 1985–88 Intendant der Staatsoper in Hamburg, 1973–80 Generalintendant der Pariser Opernhäuser; komponierte Opern (»Penelope«, 1954; »La forêt«, 1987), Orchesterwerke und Vokalmusik (»Freispruch für Medea«, 1990) in einem der Zwölftontechnik nahe stehenden Stil.

Liebes|apfel, die →Tomate.

Liebesmahl, die →Agape.

Liebespfeil, Kalkstab im Geschlechtsausführgang vieler Lungenschnecken; wird vor der Begattung in die Haut des Geschlechtspartners gestoßen.

Liebeszauber, mag. Handlungen, die die Liebe oder das sexuelle Verlangen eines anderen erzwingen sollen (auch mit Aphrodisiaka); bes. in der oriental. und grch.-röm. Antike üblich, im MA. v.a. in Form von Liebestränken.

Liebig, Justus von (seit 1845), Chemiker, *Darmstadt 12. 5. 1803, †München 18. 4. 1873; Prof. in Gießen und München; förderte die organ. Chemie durch Untersuchungen über Radikale (Benzoesäure, Harnsäure) und die Entdeckung neuer Stoffe (Chloroform, Chloral u.a.) und Verbindungsklassen (Aldehyde) sowie die Entwicklung einfacher Methoden zur organ. Elementaranalyse; Studien über den Stoffwechsel bei Pflanzen und Tieren; Begründer der Agrikulturchemie.

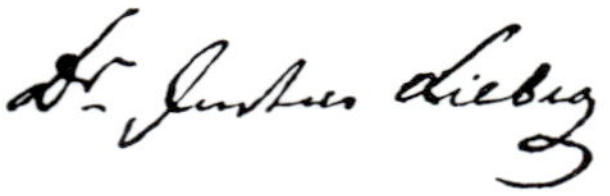

Liebknecht, 1) Karl, Politiker, *Leipzig 13. 8. 1871, †(ermordet) Berlin 15. 1. 1919, Sohn von 2); Rechtsanwalt, seit 1900 Mitgl. der SPD, 1912–17 (Jan. 1916 Austritt aus der SPD-Fraktion) MdR. Nach einer Kundgebung gegen den Krieg wurde er im Mai 1916 verhaftet und wegen Hochverrats zu Zuchthaus verurteilt (Okt. 1918 begnadigt). L. war einer der Gründer und mit Rosa Luxemburg Führer des Spartakusbundes, beteiligte sich an der Gründung der KPD (31. 12. 1918/1. 1. 1919); im Jan. 1919 führte er den linkssozialist. Aufstand gegen den Rat der Volksbeauftragten in Berlin. Zus. mit R. Luxemburg wurde er nach Festnahme von Freikorpsoffizieren erschossen.

📖 TROTNOW, H.: *K. L. Frankfurt am Main u. a. 1980.*

2) Wilhelm, Politiker, *Gießen 29. 3. 1826, †Charlottenburg (heute zu Berlin) 7. 8. 1900, Vater von 1); nahm an der Märzrevolution 1848 teil, lebte danach im schweizer. und brit. Exil (ab 1850 in enger Verbindung zu Marx und Engels); ab 1890 Chefredakteur des »Vorwärts« in Berlin. Mit A. Bebel war er der erste sozialdemokrat. Abg. im (Norddt.) Reichstag (1867–70); MdR ab 1874.

Liebstöckel [Volksdeutung von grch. libystikos »ligurisch«] *das* oder *der* (Levisticum officinale),

Karl Liebknecht (links) und **Wilhelm Liebknecht**

Francis Lieber

Justus Liebig

Liebstöckel
(Höhe bis zu 2 m)

Liechtenstein

Fläche: 160 km²
Einwohner: (1995) 30 600 Ew.
Hauptstadt: Vaduz
Amtssprache: Deutsch
Nationalfeiertag: 15. 8.
Währung: 1 Schweizer Franken (sfr) = 100 Rappen (Rp)/Centimes (c)
Zeitzone: MEZ

staudiger, sellerieartig riechender Doldenblütler aus S-Europa, bis 2 m hoch, mit gefiederten Blättern, die als Küchengewürz (Maggikraut) verwendet werden, und hellgelben Blüten.

Liechtenstein (amtlich Fürstentum L.), Staat in Mitteleuropa, in den nördl. Alpen rechts des Alpenrheins, zw. der Schweiz (im W Kt. St. Gallen, im S Graubünden) und Österreich (Vorarlberg).

Staat und Recht: Nach der Verf. von 1921 ist L. eine konstitutionelle Erbmonarchie. Staatsoberhaupt ist der Fürst; die Exekutive liegt bei der von ihm auf Vorschlag des Parlaments ernannten Reg. Die Legislative wird vom Landtag (25 Abg., für vier Jahre gewählt) ausgeübt. Einflussreichste Parteien: Fortschrittl. Bürgerpartei (FBP) und Vaterländ. Union (VU), Freie Liste (FL).

Staatswappen

FL

Internationales Kfz-Kennzeichen

Bevölkerung (in Tausend)

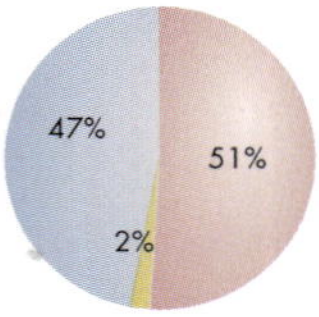

Erwerbstätige 1995

Landesnatur: L. umfasst den äußersten W des Rätikons (Nördl. Kalkalpen), das obere und mittlere Saminatal und den östl. Teil des unteren Alpenrheintals. Höchste Erhebung ist die Grauspitze (2 599 m ü. M.) auf der Grenze zu Graubünden. Das Klima ist mild mit relativ hohen mittleren Temperaturen.

Bevölkerung: Von den (1995) 11 800 Ausländern sind 41,4 % Schweizer, 19,4 % Österreicher, 9,7 % Deutsche und 7,8 % Italiener. 87 % der Ew. sind Katholiken. Es besteht neunjährige Schulpflicht.

Wirtschaft, Verkehr: Seit dem 2. Weltkrieg ist die Ind. Hauptwirtschaftszweig: Metallverarbeitung und Apparatebau, elektrotechn., opt., Kunststoff-, keram., Holz-, Textil-, chem. und pharmazeut. Industrie. In der Landwirtschaft ist die Viehzucht (Milchwirtschaft) dominierend; ferner Anbau von Obst, Wein, Gemüse u. a. Infolge niedriger Steuern ist L. Sitz vieler ausländ. Unternehmen und Banken; bed. Erlöse ergeben sich auch aus dem Briefmarkenverkauf. Das Pro-Kopf-Einkommen ist eines der höchsten der Erde. Das sehr gut ausgebaute Straßennetz hat eine Länge von 250 km. Die Eisenbahnlinie von Buchs nach Feldkirch wird von der österr. Bundesbahn betrieben.

Geschichte: Das Gebiet von L., das im Altertum von Rätern bewohnt war, kam 15 v. Chr. unter röm. Herrschaft; während der Völkerwanderung im 5. Jh. wurde es durch Alemannen besiedelt. 1342 wurde Vaduz, das Schloss wurde 1322 erstmals urkundlich erwähnt, eine eigene Grafschaft unter Graf Hartmann I. von Werdenberg. Das österr. Adelsgeschlecht L. erwarb neben Besitzungen in Österreich und Mähren unter Fürst Hans Adam von L. 1699 die Herrschaft Schellenberg und 1712 die Grafschaft Vaduz (1719 zum Reichsfürstentum L. erhoben). 1806 schloss es sich an den Rheinbund an; nach dessen Zerfall 1815–66 war es Mitgl. des Dt. Bundes. Der danach selbstständige Staat bildete 1852–1918 eine Zollunion mit Österreich und ging danach eine enge Bindung mit der Schweiz ein (u. a. 1923 Abschluss eines Zollvertrages). 1938 wurde Franz Joseph II. regierender Fürst. 1978 trat L. dem Europarat bei. Nach dem Tod Franz Josephs II. (1989) wurde sein Sohn Hans Adam II. Staatsoberhaupt. 1990 wurde L. Mitgl. der Vereinten Nationen. 1992 beschloss der Landtag die verfassungsmäßige Verankerung der Gleichstellung von Mann und Frau.

📖 WANGER, H.: *Die regierenden Fürsten v. L.* Neustadt a. d. Aisch 1995. – KELLENBERGER, R.: *Kultur u. Identität im kleinen Staat. Das Beispiel L.* Bonn 1996.

Lied, zum Singen bestimmter Text, meist aus mehreren gleich gebauten und gereimten Strophen. Das L. umfasst die verschiedensten Typen: Nach der Entstehung unterscheidet man Volks-L. und Kunst-L., nach seinem Inhalt geistlich-religiöses L. (Marien-, Kirchen-, Prozessions-L.) und weltl. L. (Liebes-, Natur-, histor.-polit. L.), nach seiner gesellschaftl. Zuordnung höf., Stände-, Studenten-, Vaganten-, Soldaten-, Kinder-L. oder nach der Art des Vortrags Chor-, Tanz-, Solo-, Klavierlied. Als Melodie zeigt das L. seine Sprachnähe in der gleichmäßigen Gliederung der musikal. Gestalt. L. bezeichnet auch balladeske und im ep. Sprechgesang vorgetragene Dichtung (z. B. das Helden-L.). Als mündlich überlieferter Gesang gehört das Volks-L. mit seinen vielen Sonderformen (Arbeits-L., Soldaten-L. usw.) allen Zeiten und Völkern an; das Kunst-L. entwickelte sich in Europa seit dem MA. im Anschluss an die lat. Strophendichtungen (Hymnus und Sequenz). Minnesang und Meistersang zeigen die reiche Entfaltung einstimmiger L.-Kunst über mehrere Jahrhunderte. Die Geschichte des dt. mehrstimmigen L. beginnt nach Anfängen bei Oswald von Wolkenstein mit dreistimmigen Sätzen, aufgezeichnet in den L.-Handschriften des 15. Jh.; sie wird fortgesetzt durch kunstvollere L.-Sätze, z. B. von H. Isaac, P. Hofhaimer, L. Senfl. Ende des 16. Jh. setzte sich ein von Oberstimmenmelodie und Dur-Moll-tonaler Harmonik geprägter Tonsatz durch und führte zur Entstehung des instrumentalbegleiteten Solo-L. (v. a. des Lauten-L.). Zudem wurden die literar. Traditionen der lat. humanist. Kunstlyrik des 15. und 16. Jh. in die L.-Dichtung aufgenommen, die v. a. im barocken Kunst-L. produktiv wurde (u. a. M. Opitz, P. Fleming). Für die sich unter dem Einfluss der →Monodie verändernde L.-Komposition wurde der Generalbasssatz verbindlich, u. a. bei H. Albrecht und A. Krieger. Eine Bereicherung erfuhr das barocke L. durch das geistl. L. (F. Spee von Langenfeld, J. Rist, P. Gerhardt u. a.). Musikalisch stand das L. seit dem 18. Jh. im Schatten der Opernarie; in der 2. Hälfte des 18. Jh. kam es zu Neuansätzen (J. A. P. Schulz, J. F. Reichhardt, C. F. Zelter). Nach Haydn, Mozart und Beethoven findet das Kunst-L. durch F. Schubert seine erste Vollendung. Ihm folgten R. Schumann, J. Brahms und H. Wolf; in das 20. Jh. hinein wirkten G. Mahler, R. Strauss (Orchester-L.), M. Reger und H. Pfitzner. In Anlehnung an das dt. L. schrieben in Frankreich G. Fauré, C. Debussy und M. Ravel, in der Schweiz O. Schoeck, in Finnland J. Sibelius und Y. Kilpinen Lieder. Neue Formen der L.-Gestaltung fanden im 20. Jh. u. a. A. Schönberg, H. Eisler, K. Weill, A. Webern, P. Hindemith, E. Krenek, P. Boulez und W. Rihm.

📖 KROSS, S.: *Geschichte des dt. L. Darmstadt 1989.*

Lied der Lieder, Buch des A. T., das →Hohelied.

Liedermacher, Bez. für Musiker, die Lieder häufig zeit- und sozialkrit. Inhalts selbst texten, komponieren und vortragen. Der Begriff wurde von W. Biermann in Anlehnung an B. Brecht geprägt, der sich »Stückeschreiber« nannte.

Lieder ohne Worte, kurze, liedartige Instrumentalstücke, bes. für Klavier. Die Bez. begegnet erstmals bei F. Mendelssohn Bartholdy (op. 19, 1830, sowie sieben weitere Hefte).

Liedertafel, Name des ersten, von C. F. Zelter in Berlin 1809 gegr. →Männergesangvereins; nach ihm wurden viele Gesangvereine genannt.

Liedform, musikal. Kompositionsform, die im Ggs. zur Sonate u. a. Satztypen durch einen mehr stat., meist symmetr. Aufbau gekennzeichnet ist. Man unterscheidet zwei- und dreiteilige L.; durch mehrfache Dreiteilung der Einzelteile kommt es zur zusammengesetzten Liedform.

Liedtke, Harry, Schauspieler, *Königsberg (Pr) 12. 10. 1882, †Bad Saarow-Pieskow 28. 4. 1945; ⚭ 1920–26 mit Käthe Dorsch; Star in Stumm- und Tonfilmen; Partner von Pola Negri und Henny Porten; spielte u. a. in »Carmen« (1918), »Das Weib des Pharao« (1922), »Quax der Bruchpilot« (1941).

Harry Liedtke

Lieferantenkredit, kurzfristiger Kredit (i. d. R. ein bis drei Monate), den Lieferanten ihren Kunden durch Gewährung eines Zahlungsziels einräumen, bis zu dem die Zahlungsverpflichtung gestundet wird.

Lieferbarkeitsbescheinigung, das →Affidavit.

Lieferbedingungen (Lieferungsbedingungen), bei Kauf- oder Werkverträgen zw. Käufer und Verkäufer getroffene Vereinbarungen über Modalitäten der Vertragsabwicklung, z. B. Abmachungen über Liefertermin und -fristen, Erfüllungsort, Serviceleistungen des Verkäufers, Verpackungs- und Transportkosten.

Lieferbindung, in der Entwicklungspolitik die Gewährung einer öffentl. Kapitalhilfe unter der Auflage, diese zum Kauf von Gütern aus dem Geberland zu verwenden.

Lieferfrist, Zeitraum, innerhalb dessen ein Lieferant (Frachtführer) seine Leistung erbringen muss; bei Güterbeförderungsverträgen die Frist, innerhalb derer die Beförderung ausgeführt sein muss; sie richtet sich nach Gesetz, Vertrag oder Ortsgebrauch (§ 428 HGB). Bei Nichteinhaltung der L. haftet unter bestimmten Bedingungen der Frachtführer.

Liechtenstein: Die Hauptstadt Vaduz wird von dem gleichnamigen Schloss aus dem 12. Jh. überragt, das seit seiner Wiederherstellung (1905–12) Residenz des Fürsten ist

Lieschgras: Wiesenlieschgras

Hans Lietzau

Liefer|ort, Ort der →Erfüllung.

Lieferschein, im Geschäftsverkehr ein Begleitpapier der Warenlieferung, oft verbunden mit einer Empfangsbestätigung. Im Lagergeschäft eine Anweisung des Einlagerers an den Lagerhalter auf Aushändigung der Ware.

Lieferungsgeschäft, Vertrag, durch den der Unternehmer sich verpflichtet, eine Sache aus einem von ihm zu beschaffenden Stoff herzustellen und zu liefern. Ist die Sache »vertretbar« (Serienanfertigung), gilt Kaufrecht **(Lieferungskauf).** Ist sie »nicht vertretbar« (Sonderanfertigung), gilt überwiegend Werkvertragsrecht und nur ergänzend Kaufrecht (→Werklieferungsvertrag).

Liège ['ljɛ:ʒ], amtl. frz. Name der belg. Stadt und Provinz →Lüttich.

Liegegeld, *Schiffsfrachtrecht:* vom Absender dem Frachtführer bei Überschreitung der Ladezeit zu zahlende Vergütung, womit die durch die verlängerte Wartezeit **(Überliegezeit)** entstehenden Kosten des Schiffers abgegolten werden (§567 HGB).

Liegendes, *Geologie:* die unterlagernde Gesteinsschicht, →Hangendes.

Liegenschaft, Grundstück.

Liegenschaftskataster, →Kataster.

Liegenschaftsteuer, in der Schweiz Bez. für die Grundsteuer.

Liegestütz, Turnübung, bei der der gestreckte Körper von den gestreckten Armen gestützt wird (vorlings oder rücklings).

Liegnitz, Stadt in Polen, →Legnica.

Liek [mnd.] *das, seemännisch:* Leine, die Segel einfasst und versteift; bei Flaggen die Seite, an der die Flaggenleine befestigt ist.

Lienhard, Friedrich, Schriftsteller, *Rothbach (Elsass) 4. 10. 1865, †Weimar 30. 4. 1929; 1920–28 Hg. der Ztschr. »Der Türmer«; Vorkämpfer der Heimatkunst; Dramen, Essays, Romane.

Lienz ['liɛnts], Bez.hauptstadt in Tirol, Österreich, im Lienzer Becken, an der Mündung der Isel in die Drau, 675 m ü. M., 11 900 Ew.; zentraler Ort Osttirols; Schul-, Handels- und Gewerbezentrum; Holz-, Baustoff- und Kühlgeräteind.; Fremdenverkehr **(Lienzer Dolomiten).** – Auf dem Hauptplatz steht die Liebburg (16. Jh.), oberhalb der Stadt die Pfarrkirche (15. Jh.), am Eingang ins Iseltal Schloss Bruck (13. Jh.; städt. Museum). – L. erhielt 1252 Stadtrecht.

Liepāja (dt. Libau), Stadt in Lettland, auf schmaler Nehrung zw. Ostsee und Libauischem See, 113 800 Ew.; kath. Bischofssitz; Zweigstelle der TU Riga, PH; Theater; kath. Bischofssitz; Eisenhüttenwerk, Landmaschinenbau, Nahrungsmittelind.; Seefahrtschule; Hochsee- und Fischereihafen; Seebad. – 1253 im Besitz des Dt. Ordens erwähnt; erhielt 1625 Stadtrecht; fiel 1795 mit dem Herzogtum Kurland an Russland (als eisfreier Hafen von großer Bedeutung); gehörte ab 1918 zu Lettland, 1919 Sitz der provisor. Regierung.

Lieschgras (Phleum), Gattung der Süßgräser; Futter- und Wiesengräser mit walzenförmigem Blütenstand; auf nährstoffreichen Wiesen das **Wiesen-L.** **(Timotheegras,** Phleum pratense).

Liestal, Hauptort des Kt. Basel-Landschaft und des Bez. L., Schweiz, im Ergolztal, 12 500 Ew.; Schulzentrum; Maschinenbau, Textil- und chem. Ind.; mittelalterl. Altstadt, Kantonsmuseum im Alten Zeughaus (17. Jh.), »Dichtermuseum« im Rathaus (16. Jh.). – 1241 zur Stadt erhoben.

Lietzau, Hans, Regisseur und Theaterleiter, *Berlin 2. 9. 1913, †Berlin 30. 11. 1991; Schüler von G. Gründgens; 1969–72 Generalintendant des Dt. Schauspielhauses Hamburg, 1972–80 der Staatl. Schauspielbühnen Berlin; danach Regisseur am Münchner Residenztheater.

Lievens, Jan, niederländ. Maler, *Leiden 24. 10. 1607, †Amsterdam 4. 6. 1674; arbeitete 1625–31 wohl in enger Werkstattgemeinschaft mit Rembrandt; seit 1644 in Amsterdam tätig, schuf Landschaftsbilder und bed. Porträts.

Lifar, Serge, frz. Tänzer und Choreograph russ. Herkunft, *Kiew 2. 4. 1905, †Lausanne 15. 12. 1986; war führender Solist der Ballets Russes von 1923 bis zu deren Auflösung 1929, 1929–45, 1947–58 Ballettdirektor an der Pariser Oper; beeinflusste das frz. Ballett im Sinn eines eleganten Neoklassizismus.

Lifo [Abk. von engl. **l**ast **i**n, **f**irst **o**ut »als Letztes herein, als Erstes hinaus«], **1)** *Datenverarbeitung:* Speicherprinzip eines Kellerspeichers (→Keller).

2) *Rechnungswesen:* Verfahren zur Bewertung gleichartiger Vermögensgegenstände des Vorratsvermögens. Es wird unterstellt, dass die zuletzt angeschafften Waren zuerst verbraucht oder veräußert werden. Da die Vorräte in der Bilanz mit den Anschaffungskosten der zuerst beschafften Waren bewertet werden, vermindert L. bei Preissteigerungen die Gefahr des Ausweises von Scheingewinnen und führt zur Bildung stiller Reserven. (→FIFO, →HIFO-Methode)

Lifting *das,* das →Facelifting.

Liga [span. »Bündnis« zu lat. »ligare«, verbinden] *die* (engl. League, frz. Ligue), **1)** *Geschichte:* im 15.–17. Jh. Bez. für Bündnis (später dafür: Allianz, Koalition); u. a. die **Heilige L.** zw. dem Papst, der Schweiz, Venedig und Aragonien zur Vertreibung der Franzosen aus N-Italien (1511), die 1609 (gegen die prot. »Union« von 1608) gegr. **kath. L.,** die unter Führung Maximilians I. von Bayern im Dreißigjährigen Krieg bis 1635 eine große Rolle spielte.

2) *Recht:* Bez. für nat. und internat. Zusammenschlüsse mit polit. oder weltanschaul. Zielsetzungen, z. B.: League of Nations (→Völkerbund), →Arabische Liga, →Liga für Menschenrechte.

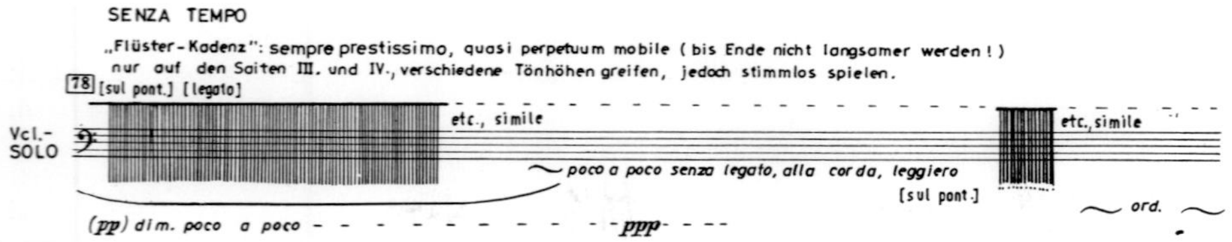

György Ligeti: Notation der »Flüster-Kadenz« aus dem Cellokonzert (1966)

3) *Sport:* in Mannschaftssportarten und Sportarten, in denen Mannschaften aus Einzelsportlern gebildet werden (z. B. im Geräteturnen), die Spiel- oder Wettkampfklasse, in der die qualifizierten Vereinsmannschaften eines bestimmten Gebietes zusammengefasst sind.

Liga für Menschenrechte, eine internat. Föderation, gegr. 1898 in Paris zur Revision des Dreyfus-Prozesses; heutiger Sitz: London, 1922 in eine internat. Organisation umgewandelt, setzt sich für Freiheit und Frieden ein.

Ligament [lat.] *das, Anatomie:* sehniges → Band.

Ligand [lat.] *der,* elektrisch neutrales Molekül oder Ion um das Zentralatom bei → Koordinationsverbindungen.

Ligandenfeldtheorie, Theorie der Quantenchemie zur Beschreibung der physikal. und chem. Eigenschaften der → Koordinationsverbindungen. Aus der Ladungsverteilung des Ligandensystems werden das elektrostat. Feld am Ort des Zentralatoms oder -ions sowie die Einflüsse auf dessen Elektronen (energet. Verschiebungen und Aufspaltungen von Zuständen) berechnet.

Ligasen, eine der sechs Hauptgruppen der → Enzyme. L. katalysieren die Verknüpfung zweier Moleküle unter Spaltung von Nucleosidtriphosphaten (meist ATP). Zu den L. gehören u. a. die für die Proteinsynthese wichtigen, die Aminosäuren aktivierenden Enzyme sowie die DNS-Ligase.

LIGA-Technik, Abk. für **Li**thographie, **G**alvanoformung und **A**bformung, komplexes Verfahren der → Mikrotechnik zur Herstellung hochpräziser dreidimensionaler Mikrostrukturen aus unterschiedl. Materialien in großen Stückzahlen mit den Hauptprozessschritten → Lithographie, Galvanoformung (→ Galvanotechnik) und Abformung. Mit LIGA-T. werden z. B. Einzelteile stark miniaturisierter Elektromotoren, Komponenten zur hochgenauen Positionierung von opt. Fasern oder kleinste Flüssigkeitssensoren hergestellt.

ligato [italien.], *Musik:* → legato.

Ligatur [lat.] *die,* **1)** *Drucktechnik:* Verschmelzung von zwei Schriftzeichen, z. B. œ; auch zwei oder mehrere auf einer Drucktype oder einer Matrize vereinigte Buchstaben.

2) *Musik:* Zusammenziehung von zwei Noten gleicher Tonhöhe zu einem Ton; in der Mensuralmusik die Bindung mehrerer Notenzeichen zu einem zusammenfassenden Zeichen.

Ligeti, György, österr. Komponist ungar. Herkunft, * Dicsöszentmárton (heute Târnăveni, Rumänien) 28. 5. 1923; emigrierte 1956; lebte 1959–69 meist in Wien; war 1973–89 Prof. für Komposition in Hamburg. Er entwickelte die »Klangflächenkomposition«, die allein auf Klangfarbe, Klangdichte u. Ä. ausgerichtet ist; einer der führenden Vertreter der Neuen Musik.

Werke: Apparitions (1958/59); Atmosphères (1961); Aventures und Novelles aventures (1962–65); Requiem (1965); Cellokonzert (1966); Kammerkonzert für 13 Instrumentalisten (1970); Doppelkonzert für Flöte, Oboe und Orchester (1972); Le grand macabre (Oper, 1978); Sonate für Viola solo (1994); Mysteries of the Macabres für Koloratursopran und Orchester (1994).

📖 FLOROS, C.: *G. L. Jenseits von Avantgarde u. Postmoderne. Wien 1996.*

György Ligeti

Lignin [lat.] *das,* makromolekularer Naturstoff, der durch Einlagerung in die Zellmembran die Verholzung **(Lignifizierung)** von Pflanzenzellen bewirkt. L. ist neben der Cellulose mit etwa 30% der wichtigste Holzbestandteil und muss bei der Celluloseherstellung entfernt werden.

Liga für Menschenrechte

Lignit [zu lat. lignum »Holz«] *der,* 1) englische Bez. für → Braunkohle; 2) veraltet für → Xylit.

Liguori, Alfonso Maria di, italien. kath. Theologe, * Marianella (heute zu Neapel) 27. 9. 1696, † Pagani (bei Neapel) 1. 8. 1787; gründete 1732 den Orden der → Redemptoristen; Moraltheologe; Hl. und Kirchenlehrer, Tag: 1. 8.

Werk: Theologia moralis (1748).

Ligurilen (italien. Liguria), Landschaft und Region in N-Italien, am Golf von Genua, besteht aus den Prov. Genua, Imperia, La Spezia und Savona, 5 420 km², (1995) 1,66 Mio. Ew. Hptst. ist Genua. Im Altertum das Land der **Ligurer,** die in Südfrankreich, in den Westalpen und Oberitalien wohnten und seit dem 5. Jh. v. Chr. durch die Kelten und in Italien durch die Etrusker auf das Gebiet der Seealpen und den westl. Apennin zurückgedrängt wurden. Nach 200 v. Chr. kamen die Ligurer allmählich unter röm. Herrschaft. Bei der Neugliederung Italiens durch Augustus wurde L. die neunte Region des Landes. 1797 richtete Napoleon die → Ligurische Republik ein.

Lilie (von links): Weiße Lilie, Feuerlilie und Türkenbund

Ligurische Alpen, Gebirgslandschaft im westl. Ligurien, Italien, östlich der Seealpen, reicht vom Colle di Tenda im W bis zum Col di Cadibona (436 m ü. M.), der Grenze zw. Alpen und Apennin, im O; im Monte Marguareis 2651 m ü. M.

Ligurischer Apennin, Gebirgslandschaft im nördl. Ligurien und südl. Piemont, Italien, im Monte Maggiorasca 1803 m ü. M.

Ligurische Republik, der 1797 unter dem Druck Napoléon Bonapartes von der Adelsrep. Genua angenommene Name. Die L. R. hing von Frankreich ab und kam 1805 an das Kaiserreich Napoleons I.

Ligurisches Meer, der nördl. Teil des Mittelmeers mit dem Golf von Genua, zw. der Riviera und der Insel Korsika; bis 2615 m tief.

Liguster [lat.] *der* (Rainweide, Ligustrum), Gattung der Ölbaumgewächse; Sträucher oder Bäume mit gegenständigen Blättern und weißen bis gelbl. Blüten, die je eine Beere entwickeln. In Europa heimisch ist der bis 5 m hohe **Gemeine L.** (Ligustrum vulgare) mit ledrigen Blättern und schwarzen, erbsengroßen, giftigen Beeren.

Liguster: Beerenfrüchte und Blütenstand des Gemeinen Liguster

Ligusterschwärmer (Sphinx ligustri), hauptsächlich in Eurasien verbreitete braunrotschwarze Schmetterlingsart der Schwärmer. Die grüne Raupe hat am Hinterleib ein schwarzgelbes Horn.

Likasi (bis 1966 Jadotville), Stadt in S-Shaba, Demokrat. Rep. Kongo, an der Benguelabahn, 194 500 Ew.; wichtiges Bergbauzentrum (Kupfer, Kobalt, Uranerz), Hüttenwerke u. a. Industrie. – L. entstand 1892 mit der Entdeckung der Kupfervorkommen.

Likör *der* (frz. Liqueur), süßer Frucht-, Kräuter- oder Emulsionsbranntwein.

Likörwein (Dessertwein), Wein mit hohem Zucker- (bis 30 %) und Alkoholgehalt (15–25 Vol.-%), meist durch Zusatz von Traubenmostkonzentrat und Alkohol (»Spriten«).

Liktoren [lat.], Amtsdiener höherer röm. Magistrate und Priester, denen sie die → Fasces vorausstrugen.

Likud [hebr. »Bund«] (Likud-Block), Bündnis von fünf konservativen Parteien in Israel, ging 1973 aus der **Gahal** (1965 geschlossenes Bündnis von Cherut, gegr. 1948, und Liberaler Partei, gegr. 1961) hervor. 1977–92 war der L. führend an der Regierung beteiligt; erneut seit 1996.

lila [von frz. »Flieder«], fliederfarben, ein aufgehelltes Violett.

Lili|e [lat. lilium] (Lilium), Gattung einkeimblättriger Pflanzen der Familie Liliengewächse, Zwiebelpflanzen mit großen trichterförmigen bis fast glockigen Blüten. Die europ.-asiat. Laubwaldpflanze **Türkenbund** (Lilium martagon) hat quirlig stehende Blätter, gelbe Zwiebeln und hellpurpurfarbene, dunkel gefleckte hängende Blüten; die europ. Bergwiesenpflanze **Feuer-L.** (Lilium bulbiferum) mit achselständigen Brutzwiebeln trägt Rispen aufrechter, feuerroter, braunfleckiger Blüten; beide Arten bis 1 m hoch, stehen unter Naturschutz. Gartenpflanzen sind die **Weiße L.** (**Madonnen-L.,** Lilium candidum) aus dem östl. Mittelmeerbereich, mit überhängenden Blüten, die **Tiger-L.** (Lilium lancifolium) aus China und Japan mit orangeroten, gefleckten Blüten u. a. – Im Altertum wurde die Weiße L. zur Herstellung von Salben, Ölen u. Ä. verwendet; bei den Griechen der Hera, bei den Römern der Juno geweiht. Im MA. Arznei- und Zierpflanze. Feuer-L. und Türkenbund in Dtl. seit dem 15. Jh. bekannt; Letzterer spielte in Volksmedizin und Alchimie eine Rolle. – In der *Heraldik* ist die L. eines der wichtigsten Wappenbilder; 1179–1789 und 1815–30 im Wappen der Könige von Frankreich; auch »gefüllt« (Wappen der Stadt Florenz).

Lili|encron, Detlev von, eigtl. Friedrich Adolf Axel Freiherr von, Schriftsteller, *Kiel 3. 6. 1844,

† Alt-Rahlstedt (heute zu Hamburg) 22. 7. 1909; bis 1875 preuß. Offizier. L. gehörte zu den Vorkämpfern des Naturalismus und beeinflusste stark die Lyrik der Jahrhundertwende. Er schrieb meisterhafte impressionist. Natur- und Liebeslyrik (»Adjutantenritte«, 1883; »Der Heidegänger«, 1890; »Bunte Beute«, 1903), Balladen, Novellen und realist. Kriegserzählungen, den Roman »Breide Hummelsbüttel« (1887), das »kunterbunte« Epos »Poggfred« (1896) und Dramen; Autobiographie: »Leben und Lüge« (1908).

📖 STOLTE, H.: *D. v. L. Leben u. Werk. Husem 1980.*

Lilienfeld, Bezirks-Hptst. in Niederösterreich, im Traisental, in den Nördl. Kalkalpen, 383 m ü. M., 3 300 Ew.; Museum (im got. Torturm); Fremdenverkehr. – Zisterzienserstift (1202 gegr.) mit frühgot. Kreuzgang und Kapitelsaal, Stiftskirche (13. Jh., mit barocker Ausstattung), bedeutende Bibliothek.

Lilienhähnchen (Lilioceris), Gattung der Blattkäfer mit zahlr. Arten (drei in Mitteleuropa): Käfer 6–8 mm lang, rot gefärbt, Larven und Käfer fressen an Blättern und Zwiebeln von Liliengewächsen.

Otto Lilienthal auf einem Foto von 1895 im Flug mit einem Hängegleiter

Lilienthal, Otto, Ingenieur, * Anklam 23. 5. 1848, † (Absturz) Berlin 10. 8. 1896; untersuchte die Aerodynamik des Vogelflugs und erkannte den Vorteil des gewölbten Flügels. Seit 1891 führte er von erhöhten Geländepunkten Gleitflüge über mehrere 100 m Länge mit selbst gebauten »Hängegleitern« durch, von denen er 18 versch. Typen (z. B. Hängegleiter) konstruierte. 1896 stürzte er bei einem Flugversuch mit einem Eindecker bei Stölln (Kr. Rathenow) ab und erlitt tödl. Verletzungen. Seine Versuche, an die die Brüder Wright anknüpften, vermittelten das erste gesicherte Wissen über das Fliegen. Sein Bruder Gustav L. (* 1849, † 1933) unterstützte ihn bei seinen Flugzeugkonstruktionen, befasste sich später mit Schlagflügelflugzeugen.

Lille: Das Pariser Tor wurde 1682–95 zu Ehren von Ludwig XIV. erbaut

📖 SCHWIPPS, W.: *Der Mensch fliegt. L.s Flugversuche in histor. Aufnahmen. Koblenz 1988.* – SEIFERT, K.-D. *u.* WASSERMANN, M.: *O. L. Leben u. Werk. Hamburg 1992.*

Liliput (engl. Lilliput), in J. Swifts satir. Roman »Gullivers sämtl. Reisen« (1726) fiktives Land, in dem Gulliver daumengroße Einwohner trifft.

Lille
Stadtwappen

Lilith [hebr. »die Nächtliche«], weibl. Dämon altoriental. Herkunft; im A. T. erwähnt in Jes. 34, 14; im jüd. Volksglauben Adams erste Frau; in der Kabbala Königin des Bösen und Mutter einer Vielzahl von Dämonen.

Lilje, Johannes (Hanns), evang. Theologe, * Hannover 20. 8. 1899, † ebd. 6. 1. 1977; 1934–45 Gen.-Sekr. des Luth. Weltkonvents, 1952–57 Präs. des Luth. Weltbundes; 1947–71 Landesbischof der Evang.-luth. Landeskirche Hannovers; gründete 1947 das »Sonntagsblatt« (heute »Dt. Allg. Sonntagsblatt«), 1952 die Evang. Akademie in Loccum.

Detlev von Liliencron

Lille [lil] (fläm. Rijssel, früher L'Isle), Hptst. Französisch-Flanderns, des Dép. und der Region Nord, unweit der Grenze zu Belgien, an der kanalisierten Deûle, 178 300 Ew.; Bischofssitz; staatl. und kath. Univ. u. a. Hochschulen; Palais des Beaux-Arts u. a., Museen, Oper, Theater; Mittelpunkt des Ballungsraums L.-Roubaix-Tourcoing, Ind.zentrum mit bed. Textilind., Maschinenbau, Lebensmittelind.; Internat. Handelsmesse, Internat. Textilausstellung; U-Bahn, Bahnknotenpunkt, Binnenhafen, Flughafen. – Kirchen Saint-Maurice (14./15. Jh.), Sainte-Catherine (16.–18. Jh.); Alte Börse (1682–95), Pariser Tor (1682–95). – Seit 1127 Stadt, gehörte früher zur Grafschaft Flandern; 1667 von Ludwig XIV. erobert, seit 1713 endgültig zu Frankreich; von Vauban stark befestigt.

Johannes Lilje

Lillehammer, Hptst. der Prov. Oppland, S-Norwegen, am Mjøsensee, 24 200 Ew.; Maschinenbau, Textil-, Nahrungsmittelind.; Freilichtmuseum alter Bauernkultur; Fremdenverkehrs- und Luftkurort. Austragungsort der XVII. Olymp. Winterspiele 1994.

Lima: Zweigeschossiger Innenhof (Patio) des Torre-Tagle-Palasts (um 1735)

Lillo ['lɪləʊ], George, engl. Dramatiker, *London 4. 2. 1693, †ebd. 3. 9. 1739; schuf das erste engl. bürgerl. Drama, »Der Kaufmann von London« (1731), das Vorbild für G. E. Lessings »Miss Sara Sampson« wurde.

Lilly, John, engl. Dramatiker, →Lyly.

Li Longmian (Li Lung-mien), eigtl. Li Gonglin, Li Kung-lin, chines. Maler, *Shucheng (Anhui) 1049, †1106; gilt als einer der bedeutendsten Maler der Song-Zeit; malte u.a. in feinen Umrisslinien Figuren aus der buddhist. Legende und chines. Dichtung.

Lilongwe, Hptst. von Malawi, auf einer Hochfläche westlich des Malawisees, 1067 m ü.M., 395 500 Ew.; landwirtsch. College der Univ. von Malawi; Nationalbibliothek; Handelszentrum eines Agrargebiets (Tabak, Erdnüsse); internat. Flughafen. – Die Stadt ist eine Neugründung von 1965.

Lima Stadtwappen

lim, Abk. für **Lim**es, *Mathematik:* der →Grenzwert.

Lima, Hptst. von Peru, in der Pazif. Küstenebene, rd. 6 km von der Pazifikküste entfernt, 5,76 Mio. Ew.; ist mit der vorgelagerten Hafenstadt Callao zu einem Ballungsraum zusammengewachsen, in dem mehr als ein Viertel aller Ew. Perus z.T. in ausgedehnten Elendsvierteln leben; kath. Erzbischofssitz, 13 Univ. (darunter die älteste Univ. Südamerikas, gegr. 1551, und die Päpstl. Univ.), Akademien, Fachhochschulen und Forschungsinstitute; Nationalbibliothek, Nationalmuseum; Textil-, Metall-, chem., Möbel-, Leder-, Nahrungsmittelind., Fahrzeugbau, Brauereien; internat. Flughafen. – Kathedrale (Ende des 16. Jh., nach Erdbeben neu gebaut), Klosterkomplex San Francisco mit drei Kirchen (1535 gegr.; UNESCO-Weltkulturerbe), Torre-Tagle-Palast (um 1735). – 1535 von Pizarro gegründet; Sitz der span. Vizekönige von Peru (bis 1821).

Limagne [li'maɲ], fruchtbare, von N nach S verlaufende Grabenzone im nordöstl. Zentralmassiv, vom Allier durchflossen.

Liman [russ. aus türkisch liman, eigtl. »Hafen«] *der,* Strandsee an den Küsten des Schwarzen und Kaspischen Meeres, u.a. aus ertrunkenen Flussmündungen entstanden.

Limassol (grch. Lemesos), Stadt an der S-Küste von Zypern, 135 400 Ew.; Museum im ehem. Kastell; Schuh-, Textil-, Möbel-, Nahrungsmittelind., Weinkellereien; Haupthafen der Insel; Fremdenverkehr. – L. ist Nachfolgesiedlung des antiken →Amathus.

Limba *das,* gelb- bis grünlich braunes Holz aus dem trop. Westafrika; Sperrholz und Ausstattungsholz für den Innenausbau.

limbisches System, ringförmig um den Hirnstamm gelegener Gehirnbezirk mit enger Verbindung zu Hirnstamm, Hirnrinde und Zwischenhirn (Hypothalamus); bei Säugetieren und beim Menschen werden im l. S. Beziehungen zw. Bewusstseinsvorgängen, Emotionen und Motivationen einerseits und der Tätigkeit der inneren Organe an-

Brüder von Limburg: »Das Zusammentreffen der drei Könige aus dem Morgenland«, Miniatur aus dem Stundenbuch des Herzogs von Berry (zwischen 1413 und 1416; Chantilly, Musée Condé)

dererseits hergestellt; außerdem hat es Bedeutung für Gedächtnisprozesse.

Limburg, Brüder von L., eigtl. Malouel, Paul, Hermann und Jan, niederländ. Buchmaler, *Nimwegen zw. 1375 und 1385, † (an der Pest?) Bourges 1416. Ihr Hauptwerk ist das Stundenbuch des Herzogs von Berry (»Les très riches heures du Duc de Berry«, zw. 1413 und 1416; Chantilly, Musée Condé), in dem sich niederländ. Schulung, italien. Einflüsse und unmittelbare Anschauung v.a. in den Monatsbildern zu den ersten realist. Landschaftsschilderungen der europ. Malerei vereinigen.

Limburg ['limbyrx], **1)** nordöstlichste Provinz Belgiens, 2422 km², (1995) 771600 Ew.; Hptst. ist Hasselt.

2) südöstlichste Provinz der Niederlande, von der Maas durchflossen, Hptst.: Maastricht. – Das Herzogtum L. wurde 1288 mit Brabant vereinigt, im Westfäl. Frieden (1648) zw. den Generalstaaten und Spanien geteilt. Auf dem Wiener Kongress (1814/15) übernahm man den Namen für eine Provinz des Königreichs der Vereinigten Niederlande, die 1839 zw. Belgien und den Niederlanden geteilt wurde; der niederländ. Teil war als Herzogtum L. bis 1866 Mitgl. des Dt. Bundes.

Limburg a. d. Lahn, Krst. des Landkreises Limburg-Weilburg, Hessen, 33500 Ew.; Zentrum des fruchtbaren, altbesiedelten Limburger Beckens zw. Taunus und Westerwald; Bischofssitz; Dt. Zentrum für Chormusik (mit Archiv); Priesterseminar, Diözesanmuseum; Maschinen- und Gerätebau, Metall verarbeitende, Elektro-, elektron., Nahrungsmittel-, Genussmittel-, Verpackungsind., Glashütte. – Über der Stadt liegt auf einem steil zur Lahn abfallenden Kalkhügel der 1235 im Wesentlichen vollendete spätroman. Dom St. Georg; zu einer Baugruppe mit ihm verbunden ist die von den Isenburgern erbaute Burg (13.–16. Jh.). Lahnbrücke (vollendet 1341), bischöfl. Residenz (im 18. Jh. umgebautes Kloster), Teile der Stadtbefestigung, Rathaus (15./18. Jh.), Adelshöfe und viele Fachwerkhäuser erinnern an das mittelalterl. Stadtbild. – 910 erstmals erwähnt (Gründung des Stifts St. Georg); kam um 1180 an die Grafen von Leiningen, um 1220 an die Herren von Isenburg-L. (seit 1232); vor 1220 Stadtrecht; 1344 Erneuerung städt. Privilegien. Zw. 1322 und 1407/20 Übergang der Lehns- und Landeshoheit an Kurtrier; fiel 1802/03 an Nassau, 1866 an Preußen.

📖 Metternich, W.: *Der Dom zu L. an der Lahn. Darmstadt 1994.*

Limburg-Weilburg, Landkreis im RegBez. Gießen, Hessen; 738 km², (1996) 172300 Ew.; Krst. ist Limburg a. d. Lahn.

Limbus [lat. »Rand«] *der, kath. Theologie:* der Vorraum der Hölle (»Vorhölle«); der Ort bzw. Zustand, in dem sich die vorchristl. Gerechten **(L. Patrum)** und die ungetauft verstorbenen Kinder **(L. Puerorum)** befinden, die weder im Himmel noch in der Hölle oder im Fegefeuer sind. Die Lehre vom L. kann nicht aus der Bibel begründet werden und wird heute von den meisten Theologen abgelehnt.

Limburg a. d. Lahn: Die mittelalterliche Burg und der spätromanische Dom Sankt Georg beherrschen das Stadtbild

Limburg a. d. Lahn Stadtwappen

Limerick *der,* engl. Versgedicht in fünf Zeilen (Schema aabba) mit komisch-grotesker, häufig ins Unsinnige umschlagender Endzeile; als Begründer und Meister gilt E. Lear. L. wurden auch in dt. Sprache verfasst.

Limerick

Die nach der irischen Stadt Limerick benannte Strophenform ist – bei aller Strenge der Versregeln – ein Tummelplatz für groteske Sprachspielereien. Ein Beispiel dafür bietet der folgende englische Vers.

»There was a young lady of Riga
Who smiled as she rode on a tiger;
They came back from the ride,
With the lady inside
And a smile on the face of the tiger«.

Limericks wurden auch in anderen Sprachen verfasst:

»Ein seltsamer Alter aus Aachen,
der baute sich selbst einen Nachen;
umschiffte die Welt,
kam heim ohne Geld,
beherrschte jedoch siebzehn Sprachen«.

Limerick (irisch Luimneach), **1)** Cty. der Rep. Irland, in der Prov. Munster, 2667 km², (1991) 109800 Einwohner.

2) grafschaftsfreie Stadt (County Borough) und Verw.sitz von 1), an beiden Ufern des Shannon, 56300 Ew.; kath. und anglikan. Bischofssitz; Univ.; wichtiger Hafen Westirlands; Nahrungs- und Genussmittel-, Textil-, Metall-, Elektroind.; internat. Flughafen Shannon Airport. – Frühgot. Kathedrale Saint Mary (1142–80), Kastell (13. Jh.). – L. war im 10. Jh. Hauptstadt eines wiking. Königreichs.

Limes [lat. »Grenzweg«, »Grenze«, »Grenzwall«], **1)** *Geschichte:* in der röm. Kaiserzeit die Reichsgrenzen, die seit dem späten 1. Jh. zusätzlich durch Befestigungen verstärkt wurden. Solche Grenzlinien fanden sich in allen Teilen des Imperiums (z. B. an der Nordgrenze Britanniens, in der Dobrudscha, in Arabien und Afrika). Bes. bekannt ist der **Obergermanisch-Rät. L.,** der (etwa 500 km lang) die Provinz Obergermanien und Rätien zw. Rhein und Donau gegen die german. Völker abschloss. Der L. wurde unter Domitian Ende des 1. Jh. begonnen, der Beobachtungsstationen (Holztürme) errichten ließ, die miteinander Sichtverbindung hatten. Unter Hadrian wurde eine Holzpalisade angelegt, im 3. Jh. dahinter Graben und Wall. Unter Caracalla wurde die Palisade des Rät. L. durch eine Steinmauer (Teufelsmauer) ersetzt. Zusätzlich war der L. durch mehr als 1000 Wachtürme und über 100 hinter der Grenze liegende Kastelle gesichert. Die Anlage verfiel Ende des 3. Jh. Ihre Reste sind streckenweise noch gut erkennbar.

Der **Obergerman. L.** (382 km lang) begann nördlich von Rheinbrohl bei Neuwied, zog südöstlich über Bad Ems zum Taunus, umschloss die Wetterau, überschritt die Kinzig bei Großkrotzenburg, benutzte den Main bis Wörth und ging südwärts zum Neckar; später wurde er 20–30 km östlich in die Linie Miltenberg–Lorch verschoben. Im rechten Winkel schloss hier der **Rät. L.** an, der westlich von Kelheim endet. Dagegen war der Niedergerman. L. ein Fluss-L. ohne große Tiefenstaffelung: Er bestand aus einer linksrhein. Kastellkette und einer Militärstraße.

📖 PLANK, D. *u.* BECK, W.: *Der L. in Südwestdeutschland. Stuttgart* [2]*1987. – Die röm. Reichsgrenze zwischen Mosel u. Nordseeküste, hg. v.* T. BECHERT *u.* W. WILLEMS. *Stuttgart 1995.*

2) *Mathematik:* der → Grenzwert.

Limette [frz.] *die* (Limone, Limonelle), Frucht der in feuchten Tropengebieten, v. a. auf den Westind. Inseln, kultivierten Zitruspflanze Citrus aurantiifolia. L. sind eiförmig, grüngelb und dünnschalig. Das saftreiche, saure Fruchtfleisch dient der Gewinnung von **L.-Saft (Limejuice);** aus den Schalen werden äther. Öle gewonnen.

Limfjord ['limfjo:r], buchten- und inselreicher Meeresarm in Dänemark, führt von der W- nach der O-Küste Jütlands, 180 km lang, im O flussähnlich, im W haff- und seenartig erweitert; Uferverbindung durch Brücken, Fähren und einen 581 m langen Tunnel.

Limikolen, → Watvögel.

Limit [engl., aus lat. limes »Grenze«] *das,* **1)** *allg.:* Grenze, die nicht über- oder unterschritten werden darf.

2) *Wirtschaft:* festgelegte Preis-, Wert- oder Mengengrenze; in der Börsensprache die Begrenzung der Kauf- oder Verkauforder bezüglich des angegebenen Höchst- und Mindestkurses.

limited ['lɪmɪtɪd, engl. »beschränkt«], Abk. **Ltd., Lim.** oder **Ld.,** *angloamerikan. Recht:* Zusatz bei Handelsfirmen, deutet die beschränkte Haftung der Gesellschaft an.

Limes

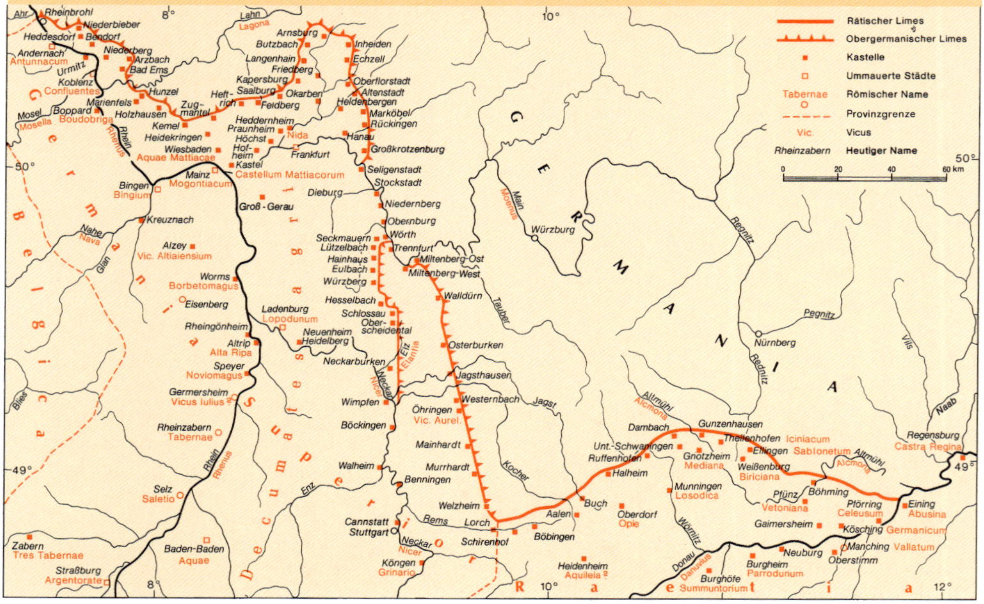

Limmat *die,* rechter Nebenfluss der Aare, Schweiz, 140 km lang, entspringt als **Linth** am Tödi in den Glarner Alpen, durchfließt Walensee und Zürichsee, den sie als L. verlässt, und mündet bei Brugg.

Limnologie [grch.] *die,* Wiss. von den Binnengewässern, bes. von den Seen; sie erforscht deren Entstehung sowie die physikal., chem. und biolog. Verhältnisse. Die **theoret. L.** befasst sich mit den physikal. und chem. Eigenschaften der Gewässer und ihrem Stoffhaushalt sowie mit den Gewässern als ökolog. Teilsysteme der Erdoberfläche; die **angewandte L.** untersucht die fisch- und wasserwirtsch. Nutzung der Gewässer, ihre Belastung mit Abwässern sowie die Abwasserreinigung und Wasseraufbereitung für wirtsch. Belange.

📖 SCHWOERBEL, J.: *Einführung in die L.* Stuttgart [7]1993.

Limnos, grch. Insel, → Lemnos.

Limoges [li'mɔ:ʒ], Stadt in Zentralfrankreich, Hptst. der Region Limousin und Verw.sitz des Dép. Haute-Vienne, 136 400 Ew.; Bischofssitz (seit dem 3. Jh.); Univ. (gegr. 1808, wieder eröffnet 1965), Nationalmuseum für Fayencen und Porzellan; Herstellung von Fayencen, Porzellan, Emailwaren, Papier, Wolle, Küchen- und Elektrogeräten, Maschinen; Verkehrsknotenpunkt. – Kathedrale Saint-Étienne (13., 16. und 19. Jh.), Kirchen Saint-Michel-des-Lions (14.–16. Jh.) und Saint-Pierre-du-Queyroix (13./14. Jh., Fassade 1534), Brücken (13. Jh.); im ehem. Bischofspalast (1766–73) Städtisches Museum (Emailarbeiten; → Limosiner Email); in der Altstadt zahlr. Fachwerkhäuser (v. a. 16./17. Jh.). – L., die galloröm. **Civitas Lemovicum,** war Hauptort der Vizegrafschaft Limousin.

Limoges: Das Nordportal der Kathedrale Saint Etienne wurde 1516–30 erbaut

Limoges Stadtwappen

Limón, Prov.hauptstadt in Costa Rica, 73 500 Ew.; Sperrholz-, Schwefelsäurefabrik, Erdölraffinerie; wichtigster Hafen des Landes an der Karibikküste.

Limonade [frz.] *die,* alkoholfreies Erfrischungsgetränk aus natürl. Essenzen (auch mit Fruchtsaft, -nektar oder -sirup), Zucker (unterschiedl. Art), Genusssäuren und kohlendioxidhaltigem oder anderem Tafelwasser.

Limone [italien.] *die,* → Limette.

Limonelle *die,* → Limette.

Limonen [zu Limone] *das,* zitronenartig riechender, ungesättigter Terpenkohlenwasserstoff, der u. a. in Kümmel-, Fichtennadel- und Terpentinöl vorkommt. Verwendung in der Waschmittel- und Parfümindustrie.

Limonit [grch.] *der,* das → Brauneisen.

Limosiner Email [- e'ma:j], in Limoges hergestellte Emailarbeiten (→ Emailkunst). Die schon im 12. und 13. Jh. durch ihre Grubenschmelzarbeiten bekannten Werkstätten wandten sich Ende des 15. Jh. dem **Maleremail** zu und gelangten zu hoher Blüte (Gefäße, Bildnisse, Altäre u. a.). Seit dem 16. Jh. auch Arbeiten in Grisaillemalerei.

Limousin [limu'zɛ̃] *das,* Region in Zentralfrankreich, umfasst das Gebiet der histor. Provinz L. mit der Hptst. Limoges sowie die Marche, ist gegliedert in die Dép. Corrèze, Creuse und Haute-Vienne, 16 942 km², (1995) 715 000 Ew.; erstreckt sich auf dem nordwestl. Teil des Zentralmassivs; bed. Grünlandwirtschaft (Schaf-, Rinder-, Schweinezucht). Die im L. wachsenden Steineichen liefern das Holz für die Barriquefässer.

Limosiner Email des französischen Malers Jean I. Pénicaud: »Verkündigung an Maria« (um 1530; London, Victoria and Albert Museum)

Limousine [limu-; frz. eigtl. »weiter (Schutz)mantel« (wie er urspr. besonders von Fuhrleuten im Limousin getragen wurde)] *die,* ein allseitig geschlossener Pkw mit festem Dach.

Lincoln 1): Die Kathedrale von Lincoln gehört zu den ältesten Baudenkmälern der englischen Gotik

Lincoln 1) Stadtwappen

Paul Lincke

Abraham Lincoln

Limpopo, Strom im südl. Afrika, 1600 km lang, entspringt als **Krokodilfluss** bei Johannesburg am Witwatersrand, am Unterlauf in Moçambique große Bewässerungsanlagen, mündet südwestlich von Xai-Xai in den Ind. Ozean; auf den letzten 100 km schiffbar.

Limpurger Berge, Teil der Keuperhöhen des Schwäbisch-Fränk. Schichtstufenlands in Bad.-Württ., östlich des Kocher, bis 495 m ü. M.

Linac, Abk. für engl. **lin**ear **ac**celerator, der →Linearbeschleuniger.

Linalool *das,* maiglöckchenartig riechender, ungesättigter Terpenalkohol, wird aus Rosenholzöl oder synthetisch aus Pinen gewonnen; dient als Riechstoff oder zur Herstellung von Vitamin E.

Linalyl|acetat, Essigsäureester des Linalools, in der Parfümerie Ersatz für Bergamott- und Lavendelöl.

Linares, 1) Stadt in Andalusien, Prov. Jaén, Spanien, am SO-Fuß der Sierra Morena, 54500 Ew.; Auto- und Maschinenbauind., Mittelpunkt eines Bergbaugebietes (silberhaltiger Bleiglanz, Blei- und Kupfererze).

2) Stadt in Mittelchile, im Großen Längstal, 67700 Ew.; kath. Bischofssitz; landwirtschaftl. Zentrum; in der Nähe Thermalquellen.

Lin Biao (Lin Piao), chines. Politiker und General, *Huanggang (Prov. Hubei) 5. 12. 1907, †13. 9. 1971; nahm 1934–35 am →Langen Marsch teil. Als Armeekommandeur 1947–49 hatte er maßgebl. Anteil am Sieg über die Kuomintang-Truppen. Im Koreakrieg (1950–53) befehligte er die chines. »Freiwilligenverbände«. 1955 wurde er Mitgl. des Politbüros der KPCh und Marschall sowie 1959 Verteidigungsmin. 1966 beteiligte sich L. B. führend an der Auslösung der Kulturrevolution. 1969 zum Stellv. und »Nachfolger« Mao Zedongs ernannt, wurde er jedoch nach Machtkämpfen 1971 politisch ausgeschaltet; angeblich bei einem Fluchtversuch umgekommen (Flugzeugabsturz in der Mongolei).

Lincke, Paul, Komponist, *Berlin 7. 11. 1866, †Clausthal-Zellerfeld 3. 9. 1946; schrieb Berliner Lieder, Schlager, Revuen und Operetten, u. a. »Frau Luna« (1899; darin »Das ist die Berliner Luft«); »Lysistrata« (1902; darin »Glühwürmchen«); »Casanova« (1914); »Ein Liebestraum« (1940).

Lincoln ['lɪŋkən], **1)** Verw.sitz der Cty. Lincolnshire, O-England, 77000 Ew.; anglikan. Bischofssitz; Verarbeitung landwirtsch. Produkte, Maschinen- und Motorenbau, elektrotechn. und chem. Industrie. – Kathedrale (11.–14. Jh.), zehneckiges Kapitelhaus (um 1225); Saint Mary's Guildhall (1180/90), von Wilhelm dem Eroberer erbaute Burg (1086), mittelalterl. Tore, aus der Römerzeit Reste der Stadtmauer und der sog. Newportbogen. – 47 n. Chr. röm. Legionslager, 870 bis 940 eine der dän. »Fünfburgen«, 940 engl. Besitz.

2) Hptst. von Nebraska, USA, 192000 Ew.; staatl. und methodist. Univ., Zentrum eines Agrargebietes mit Weizenanbau und Viehwirtschaft; Nahrungsmittelind., Landmaschinen-, Traktoren-, Waggonbau. – 1859 als Lancaster gegründet.

Lincoln ['lɪŋkən], Abraham, 16. Präs. der USA (1861–65), *bei Hodgenville (Ky.) 12. 2. 1809, †(ermordet) Washington (D. C.) 15. 4. 1865; aus armer Grenzerfamilie, wurde 1836 Anwalt; schloss sich

1856 der Republikan. Partei an, in der er als volkstüml. Redner rasch zu führender Stellung aufstieg. In der Sklavereifrage war L. eher gemäßigt. Seine Wahl zum Präs. im Nov. 1860 jedoch löste den →Sezessionskrieg aus. L. führte ihn ganz im Zeichen der nat. Einheit als Gewähr der Chancengleichheit für alle Bürger. Diesen polit. Grundsatz bekräftigte er in seiner berühmten Rede vom 19. 11. 1863 auf dem Schlachtfeld von →Gettysburg. Nach der Kapitulation der Südstaaten veröffentlichte er ein großzügiges Aufbau- und Aussöhnungsprogramm für die Südstaaten (»Reconstruction«). 1864 mit 212 gegen 21 Stimmen zum Präs. wieder gewählt, fiel er dem Mordanschlag des südstaatl. Fanatikers J. W. Booth zum Opfer. Den Amerikanern gilt L. als Verkörperung der polit. Tugenden ihrer Nation.

Lincoln Center for the Performing Arts ['lɪŋkən'sentə fɔː ðə pəː'fɔːmɪŋ ɑːts], Kulturzentrum in New York (Manhattan), USA, seit 1962 errichtet, mit Konzerthalle, Theatern und Bibliotheken sowie der neuen Metropolitan Opera.

Lincolnshire ['lɪŋkənʃɪə], Cty. Englands, 5918 km², (1995) 611800 Ew.; Hptst. ist Lincoln.

Lind, 1) Jakov, eigtl. J. Landwirt, österr. Schriftsteller, *Wien 10. 2. 1927; floh mit seiner Familie 1938, lebt seit 1954 in London; gestaltet in seinen Erzählungen (in dt. und engl. Sprache) Angst und Terror; später zum Grotesken neigend (»Eine Seele aus Holz«, Erzählungs-Samml., 1962; »Der Ofen«, 1973; »Reisen zu den Enu«, 1982).

2) Jenny, schwed. Sängerin (Sopran), *Stockholm 6. 10. 1820, †Malvern Hills (England) 2. 11. 1887; eine der gefeiertsten Koloratursängerinnen ihrer Zeit (»schwed. Nachtigall«).

Lindan *das,* →Hexachlorcyclohexan.

Lindau (Bodensee), 1) Landkr. im RegBez. Schwaben, Bayern, 323 km², (1996) 76100 Einwohner.

2) Krst. von 1) in Bayern, 24000 Ew.; Große Kreisstadt; die Altstadt liegt auf einer Insel im Bodensee und ist durch Brücke und Eisenbahndamm mit der Neustadt auf dem Festland verbunden; Städt. Kunstsamml.; starker Fremdenverkehr, Spielkasino; Textil- und Bekleidungsind., Maschinenbau, Bau von elektr. und elektron. Geräten. – Zu dem im 9. Jh. errichteten Nonnenkloster (seit 11. Jh. Damenstift) gehörte die nach einem Stadtbrand des 18. Jh. wieder aufgebaute Marienkirche. Weitere alte Bauten sind die Peterskirche (12. und 18. Jh.), das Rathaus (1422; umgebaut), Patrizierhäuser, die Stadtbefestigung (»Heidenmauer«) und Hafenanlagen (Mangturm, ehem. Leuchtturm, um 1200). – 822 Ersterwähnung des Klosters; erhielt vor 1216 Stadtrechte; um 1300–1803 Reichsstadt; fiel 1805 an Bayern. Weiteres BILD Bodensee

Lindbergh ['lɪndbə:g], Charles Augustus, amerikan. Flieger, *Detroit (Mich.) 4. 2. 1902, †auf Maui (Hawaii) 26. 8. 1974; überquerte am 20./21. 5. 1927 als Erster im Alleinflug den Atlant. Ozean auf der Strecke New York–Paris in 33,5 Stunden. Weltweites Aufsehen erregte 1932 die Entführung und Ermordung seines kleinen Sohnes. Als Fliegeroffizier sprach er sich 1941 gegen den Kriegseintritt der USA aus und trat als Brigadegeneral zurück.

Lindblad, Bertil, schwed. Astronom, *Örebro 16. 11. 1895, †Stockholm 25. 6. 1965; Direktor der Sternwarte bei Stockholm, arbeitete über Leuchtkraftbestimmung von Fixsternen sowie über Aufbau und Bewegungsverhältnisse von Sternsystemen.

Linde (Tilia), Gattung der Lindengewächse mit etwa 45 meist formenreichen Arten in der nördl. gemäßigten Zone; bis 40 m hohe, z. T. bis 1000 Jahre alt werdende, sommergrüne Bäume; Blüten gelblich oder weißlich, meist in hängenden, kleinen Trugdolden mit flügelartig vergrößertem unterem Vorblatt. Das Holz ist für Schnitz- und Drechslerarbeiten geeignet. In Mitteleuropa verbreitete Arten: **Sommer-L. (Großblättrige L.,** Tilia platyphyllos), mit bis 12 cm langen, unterseits weißlich behaarten Blättern; **Winter-L.** (Tilia cordata), mit kleineren, herzförmigen, unterseits rotbraun behaarten Blättern.

Geschichte: Bei den Germanen und Slawen spielte die L. in Volksbrauchtum und Sage eine wichtige Rolle. Zahlr. Gerichts-, Feme-, Blut- und Geister-L. waren in Mittel- und O-Europa noch bis in die jüngste Zeit bekannt. Feste, Versammlungen und Trauungen fanden seit der Zeit der Germanen bevorzugt unter Dorf-, Brunnen- und Burg-L. statt. – Seit dem 16./17. Jh. wird der **Lindenblütentee** als schweißtreibendes und fiebersenkendes Heilmittel bei Erkältungen verwendet.

Lindau (Bodensee) 2): Hafenansicht; in der Bildmitte ist der aus dem frühen 12. Jh. stammende Mangturm an der Hafenpromenade zu erkennen

Linde: Früchte (links) und Zweig mit Blüten einer Sommerlinde

Charles A. Lindbergh

Linde, 1) Carl Paul Gottfried von (seit 1897), Ingenieur und Unternehmer, *Berndorf (heute zu Thurnau, Kr. Kulmbach) 11. 6. 1842, †München 16. 11. 1934; war 1868–78 und 1892–1910 Prof. der Maschinenlehre an der TH München, entwickelte

Carl von Linde

1876 die Ammoniakkältemaschine und gründete 1879 die »Gesellschaft für Linde's Eismaschinen AG« (heute Linde AG). 1895 erfand L. ein Verfahren zur →Luftverflüssigung mithilfe des Joule-Thomson-Effekts **(L.-Verfahren),** 1902 eine Methode zur Herstellung reinen Sauerstoffs und 1903 einen Apparat zur Erzeugung reinen Stickstoffs. BILD Luftverflüssigung

2) Otto zur, Schriftsteller, *Essen 26. 4. 1873, †Berlin 16. 2. 1938; strebte eine Verbindung der Dichtung mit einer pantheistisch-idealist. Philosophie an; gründete 1904 zus. mit R. Pannwitz die Literaturztschr. »Charon«. Seine Lyrik weist expressionist. Züge auf.

Linde AG, Sitz: Wiesbaden, Unternehmen des Maschinen- und Anlagenbaus (u.a. Kälte- und Fördertechnik, techn. Gase); gegr. 1879 von Carl von Linde, seit 1965 jetziger Name.

Lindemann, Ferdinand von (seit 1918), Mathematiker, *Hannover 12. 4. 1852, †München 6. 3. 1939; Prof. in Freiburg im Breisgau, Königsberg und München, bewies die Transzendenz der Kreiszahl π und damit die Unmöglichkeit der →Quadratur des Kreises.

Lindenberg, Udo, Rockmusiker (Gesang, Schlagzeug), *Gronau (Westf.) 17. 5. 1946; wurde v.a. mit seinem »Panik-Orchester« bekannt; vertritt eine deutschsprachige Variante der →Rockmusik mit themat. Nebeneinander von Sozialkritik und Freude an Scherz und Satire. Drehte den Film »Panische Zeiten« (1979).

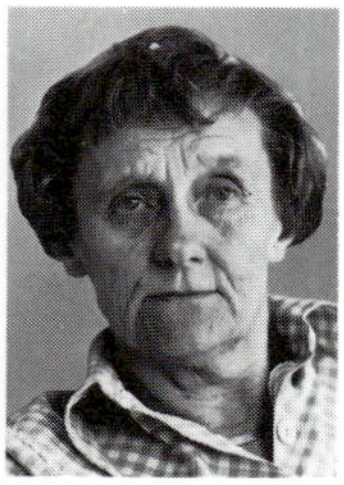

Astrid Lindgren

Lindenberg i. Allgäu, Stadt im Landkreis Lindau (Bodensee), Bayern, im Westallgäuer Alpenvorland, 800 m ü.M., 11 400 Ew.; Höhenluftkurort; Käse-, Hut-, Textilind., Herstellung von Segelflugzeugen und Flugzeugteilen.

Lindenmeierkultur, prähistor. Kultur in Nordamerika, →Folsomkultur.

Linderhof, Ortsteil der Gemeinde →Ettal.

Lindgren, Astrid, schwed. Kinderbuchautorin, *Vimmerby (Verw.Geb. Kalmar) 14. 11. 1907; hatte großen Erfolg mit »Pippi Langstrumpf« (1945) u.a. durch Wärme und Humor geprägten Kinderbüchern in Fortsetzungen, so über den »Meisterdetektiv Kalle Blomquist«. Bes. die späteren Werke sind auch als Appell für mehr Mitmenschlichkeit zu verstehen. 1978 Friedenspreis des Börsenvereins des Dt. Buchhandels.

📖 SCHÖNFELDT, S.: *A. L. Reinbek 30.–32. Tsd. 1994.*

Leopold Lindtberg

Lindholm Høje [-'hɔjə], Anhöhe bei Ålborg, Dänemark, mit einem großen, durch schiffsförmige Steinsetzungen gekennzeichneten Gräberfeld des 6.–11. Jahrhunderts.

Lindner, Richard, amerikan. Maler dt. Herkunft, *Hamburg 11. 11. 1901, †New York 16. 4. 1978; emigrierte über Paris 1941 in die USA; dort entwickelte er seine aus der Großstadtwelt abgeleitete Thematik mit symbolhaften Figuren in monumentalen Formen und kontrastreicher Farbigkeit.

Lindos, Stadt an der O-Küste der grch. Insel Rhodos, 700 Ew.; Fremdenverkehr. – Athenaheiligtum mit Hallenbauten des 4. und 3. Jh. v. Chr. auf der steil über dem Meer gelegenen Akropolis, Reste des Theaters und hellenist. Grabbauten; byzantin. Festung, von den Johannitern umgebaut; in der Unterstadt orientalisch geprägte Häuser. – Das antike L. war Mitgl. des Att. Seebunds.

Lindsay ['lɪndzɪ], Nicolas Vachel, amerikan. Lyriker, *Springfield (Ill.) 10. 11. 1879, †(Selbstmord) ebd. 5. 12. 1931; reiste durch die USA und trug seine von Spirituals und Bluestexten beeinflussten Gedichte z.T. mit musikal. Begleitung öffentlich vor; u.a. »General Booth« zu Heilsarmeemusik und »The Congo« zu synkop. Musik der Schwarzen geschrieben.

Lindtberg, Leopold, schweizer. Regisseur österr. Herkunft, *Wien 1. 6. 1902, †Sils im Engadin 18. 4. 1984; war seit 1933 am Schauspielhaus Zürich, auch Gastregisseur u.a. in Wien, Berlin, München. 1965–68 Direktor des Schauspielhauses in Zürich. – Filme: »Die mißbrauchten Liebesbriefe« (1940), »Die letzte Chance« (1944/45), »Die Vier im Jeep« (1951).

Lindwurm [ahd. lint »Schlange«], Ungeheuer der german. Dichtung und Sage (→Drache).

Richard Lindner: »Hello« (1966; Privatbesitz)

Lineal [mlat., zu lat. linea »Linie«] *das,* Werkzeug aus Metall, Holz oder Kunststoff zum Zeichnen oder Anreißen gerader Linien sowie zur Maßermittlung. **Kurven-L.** haben gekrümmte Kanten oder können in die gewünschte Form gebogen werden. – In der Metallbearbeitung ein flacher

Stahlstab **(Flach-L.)** zum Anreißen gerader Linien und zum Prüfen von Kanten und Flächen auf Geradheit oder Ebenheit (→Haarlineal).

Lineament [lat.] *das,* **1)** *bildende Kunst:* Gesamtheit von gezeichneten oder sich abzeichnenden Linien in ihrer besonderen Anordnung und ihrem eigentümlichen Verlauf.

2) *Geologie:* (Erdnaht, Geofraktur, Geosutur), bis in die Mantelzone der Erde reichende Bruchzone (Tiefenbruch) globalen Ausmaßes; in der Erdgeschichte immer wieder aktiv.

linear [lat.], **1)** *allg.:* geradlinig, linienförmig, eindimensional; stetig verlaufend.

2) *Elektrotechnik, Elektronik:* proportionale Zuordnung der Ausgangsgrößen eines Bauelements, einer Schaltung, eines elektr. oder elektron. Systems zu den Eingangsgrößen. Von linearer Verstärkung spricht man, wenn alle Ausgangsgrößen sich proportional zu den Eingangsgrößen verhalten.

3) *Mathematik:* vom ersten →Grad, erster Ordnung. Da eine Gerade sich durch die **lineare Gleichung** (Gleichung ersten Grades) $y = a \cdot x + b$ darstellen lässt, nennt man eine Funktion $f(x) = ax + b$ eine **lineare Funktion** der Variablen x und allg.

$$f(x) = a_1x_1 + a_2x_2 + \ldots + a_nx_n + b$$

eine lineare Funktion der Variablen $x_1, x_2, \ldots, x_n$.

Linearbeschleuniger, Kurzbez. **Linac,** Anlage zur Beschleunigung elektrisch geladener atomarer Teilchen (→Teilchenbeschleuniger) auf geradliniger Bahn. Für Energien bis zu einigen MeV werden elektrostat. Felder verwendet (→Bandgenerator, →Kaskadengenerator), für höhere Energien lässt man die Teilchen hochfrequente Wechselfelder durchlaufen, deren räuml. und zeitl. Verlauf so gestaltet ist, dass ihre beschleunigende Wirkung sich akkumuliert **(Hochfrequenz-L.).** Hierzu ordnet man z.B. hohlzylindr. Elektroden **(Driftröhren)** abwechselnd an je einen der beiden Pole eines leistungsstarken Hochfrequenzsenders an **(Wideröe-L.,** 1928). Die Rohrlängen und die Frequenz des Wechselfeldes müssen so aufeinander abgestimmt sein, dass die Teilchen immer während der Beschleunigungsphase die Bereiche zw. den Elektroden passieren und dabei jedes Mal Energie gewinnen. Dieser L. wird für Protonen und Schwerionen bis zu etwa 2 MeV verwendet. Eine andere Art von L. beschleunigen bes. Elektronen in einem elektr. Wanderwellenfeld **(Wanderwellenbeschleuniger),** das durch intensive Kurzwellenimpulse von Klystronsendern ausgebildet wird. Ein zum richtigen Zeitpunkt in den Beschleuniger eingeschossenes Elektron wird von den Wanderwellen während der gesamten Flugzeit beschleunigt, wenn ihre Phasengeschwindigkeit der Elektronengeschwindigkeit gleich ist. – Der rd. 3 km lange SLAC (Stanford Linear Accelerator) in den USA, der Elektronen auf 20 GeV beschleunigt, dient v.a. der Hochenergiephysik, der L. UNILAC bei Darmstadt, der schwere Ionen bis auf 20 MeV pro Nukleon beschleunigt, v.a. der →Schwerionenforschung.

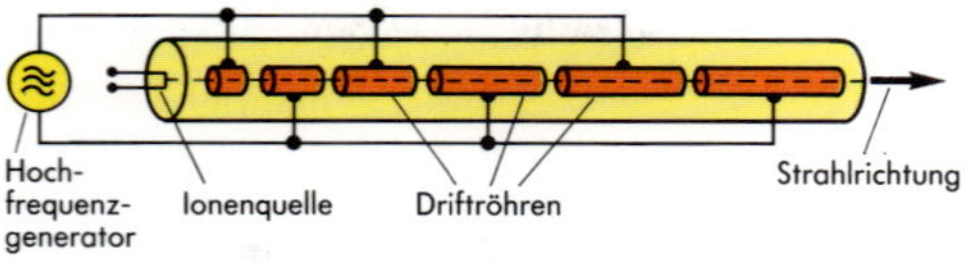

Linearbeschleuniger: Schemazeichnung des Wideröe-Linearbeschleunigers

lineare Abbildung, *Mathematik:* →Vektorraum.

lineare Algebra, die Theorie der →Vektorräume, in der die algebraischen Grundstrukturen wie Gruppe, Ring, Körper und Modul eine wesentl. Rolle spielen. (→Algebra)

lineare Exzentrizität, →Ellipse.

lineare Programmierung, die lineare →Optimierung.

linearer Raum, *Mathematik:* der →Vektorraum.

Linearkombination, für Vektoren $\boldsymbol{a}_1, \boldsymbol{a}_2, \ldots, \boldsymbol{a}_n$ eines reellen Vektorraumes $\boldsymbol{V}$ jede Summe $\lambda_1 \boldsymbol{a}_1 + \lambda_2 \boldsymbol{a}_2 + \ldots + \lambda_n \boldsymbol{a}_n$ – mit $\lambda_1, \lambda_2, \ldots \lambda_n$ als reellen Zahlen.

Linearmotor (Wanderfeldmotor), ein elektr. Antriebsmotor, bei dem sich der eine Motorteil unter dem Einfluss elektromagnet. Kräfte gegenüber dem anderen geradlinig bewegt. Den **Asynchron-L.,** den meistverwendeten L., kann man aus einem Drehstromasynchronmotor ableiten, wenn dessen Teile nach Aufschneiden in übereinander liegenden Ebenen abgerollt werden. Wird in die Wicklungen des Ständers ein Drehstrom eingespeist, so entsteht ein längs des Ständers fortschreitendes Magnetfeld (Wanderfeld), das im Sekundärteil elektr. Wechselspannungen induziert. Die damit verknüpften Wirbelströme und das magnet. Wanderfeld bilden Kräfte aus, die das berührungsfrei schwebende bewegl. Motorenteil in der zur Fortschreitrichtung des Wanderfelds entgegengesetzten Richtung bewegen. Der Läufer ist bei **einseitigen L. (Leitermotoren)** als Metallplatte oder -schiene ausgebildet. Bei **doppelseitigen L.** befindet sich der Sekundärteil in Form einer unmagnet., leitenden Platte zw. zwei Primärteilen, deren Drehstromwicklungen sich gegenüberliegen (Doppelständerausführung). Durch einen zweiten Ständer, der ein Wanderfeld in entgegengesetzter Richtung erzeugt, können hin- und hergehende Bewegungen erreicht werden. – Wegen der berührungslosen Kraftübertragung sind L. als Antriebsmittel bes. für Einschienen(schnell)bahnen (→Magnetschwebebahnen) geeignet.

Linga

Theo Lingen

Ling, Pe(h)r Henrik, schwed. Schriftsteller und Begründer des schwed. Turnens, *Södra Ljunga 15. 11. 1776, †Stockholm 3. 5. 1839; entwickelte die **L.-Gymnastik** mit dem Ziel einer harmon. Körperformung; als Schriftsteller wichtiger Vertreter der für die vorromant. schwed. Literatur bed. »gothischen Bewegung«.

Linga [Sanskrit »Zeichen«; »Phallus«] *das* (Lingam), im hinduist. Kult Kultstein in Form des männl. Gliedes; in ganz Indien als Symbol für die Gesamtheit der schöpfer. Potenzen →Shivas verehrt.

Lingen, Theo, eigtl. Theodor Schmitz, Schauspieler, *Hannover 10. 6. 1903, †Wien 10. 11. 1978; als Charakterdarsteller vorwiegend im kom. Fach tätig, spielte v. a. auf Berliner und Wiener Bühnen und in Filmen wie »Tanz auf dem Vulkan« (1938), »Opernball« (1939), »Johann« (1943), »Der Mustergatte« (1956), »Die fromme Helene« (1965).

Lingen (Ems), Stadt im Landkreis Emsland, Ndsachs., an Ems und Dortmund-Ems-Kanal, 52 400 Ew.; wirtsch. und kultureller Mittelpunkt des Emslandes; Erdölraffinerie, Kernkraftwerk, Dt. Schachtbau- und Tiefbohrgesellschaft, Elektrostahlwerk, Textil-, Nahrungsmittel- u. a. Ind.; Großviehmärkte; Binnenhafen. – Kirche St. Walburgis, ein Saalbau (1770) mit roman. W-Turm; Rathaus mit Treppengiebel (1663 barock umgestaltet). – 975 erstmals erwähnt, 1306 Stadtrecht; Hauptort der Grafschaft L. (1493/96 entstanden); fiel 1578/1633 an Nassau-Oranien und 1702 an Preußen. Der N-Teil mit L. kam 1815 zu Hannover, 1866 an Preußen.

Lingga|archipel, Inselgruppe im Südchines. Meer, Indonesien, vor der NO-Küste Sumatras, 2 180 km^2; Hauptinseln sind **Lingga, Singkep** (Abbau von Zinnerz, Bauxit) und **Penuba** mit dem Hauptort des L., Penuba. Agrarprodukte sind Sago, Kopra, Pfeffer.

Lingua franca *die,* Verkehrssprache im Mittelmeerraum, aus roman. (meist italien.), mit arab. Elementen vermischtem Wortschatz; danach allg. Bez. für Verkehrssprache eines größeren mehrsprachigen Raumes.

lingual [lat.], die Zunge betreffend.

Linguistik [lat. zu lingua »Zunge«] *die,* i. w. S. Bez. für den Gesamtbereich der →Sprachwissenschaft; i. e. S. Bez. für die moderne Sprachwissenschaft, die v. a. Theorien über die Struktur der (gesprochenen) Sprache erarbeitet und empirisch nachweisbare Ergebnisse anstrebt. Die **Mikro-L.** bezieht sich auf die Analyse der inneren Sprachstrukturen, während die **Makro-L.** den kulturellen Kontext einbezieht. Die **funktionelle L.** beschreibt die Funktionen linguist. Einheiten (vom Phonem bis zum Syntagma) in den jeweiligen Zusammenhängen. Die **Text-L.** zeigt die Wechselbeziehungen zw. unterschiedl. Textsorten und den jeweils angewendeten sprachl. Mitteln auf. Die Regelhaftigkeit von Sprache wird unter Verwendung statist. Methoden in der **statist. (quantitativen) L.** untersucht; sie ist eine Teildisziplin der **mathemat. L.,** die neben statist. auch formallog. Methoden mit dem Ziel der Konstruktion formaler Grammatiken einsetzt. Im Rahmen der **Computer-L.** werden die Möglichkeiten linguist. Datenverarbeitung mit dem Ziel maschineller Sprachanalyse u. a. für die elektron. Spracherkennung und automat. Sprachübersetzung erprobt. Die **Sozio-L.** hat die sozialen Bedingungen sprachl. Kommunikation zum Gegenstand. Die **Pragma-L.** untersucht Sprache in Abhängigkeit von konkreten Sprechsituationen. Sprache und soziokulturelle Momente unter anthropolog. Aspekt analysiert die **Ethno-L.** Methoden des Sprachvergleichs werden auch in der **kontrastiven L.** angewendet. Interdisziplinär orientierte Forschungsbereiche mit dem Ziel einer Analyse von Spracherwerb und Sprachgebrauch sind **Neuro-L.** und **Patho-L.;** ein fachübergreifendes Forschungsgebiet ist auch die →Psycholinguistik.

📖 Abraham, W.: *Terminologie zur neueren L.* Tübingen [2]*1988.* – Lyons, J.: *Einführung in die moderne L. A. d. Engl.* München [8]*1995.* – Bünting, K.-D.: *Einführung in die L.* Weinheim [15]*1996.*

linguistische Datenverarbeitung, die →Computerlinguistik.

Linhartová [-tɔvaː], Věra, tschech. Schriftstellerin, *Brünn 23. 3. 1938; Kunsthistorikerin; schreibt zeitkrit., auch an Kafka erinnernde existenzielle Prosa, u. a. »Mehrstimmige Zerstreuung« (1964), »Haus weit« (1968), »Kaskaden« (3 Prosastücke, 1989).

Lini|e [lat.] *die,* **1)** *Mathematik:* abstraktes geometr. eindimensionales Gebilde; gerade L. heißen →Geraden, gekrümmte L. sind →Kurven.

2) *Metrologie:* altes dt. Längenmaß von 2 bis 3 mm, Zeichen ‴; 1 L. = 2,18 mm (Preußen), 12 L. = 1 Zoll.

Linie

»Eine gerade Linie ist nicht immer die Kürzeste.«

Dieses Zitat ist nicht die dreiste Behauptung eines Grünschnabels, dem die einfachsten Sätze mathematischer Logik böhmische Dörfer sind. Es stammt vielmehr aus der unbestechlichen Feder des unabhängigsten und entschlossensten Vertreters der deutschen Aufklärung, Gotthold Ephraim Lessing, und zwar aus seiner Schrift »Erziehung des Menschengeschlechts«, verfasst 1780, im Vorjahr seines Todes. Was er damit meinte, ist etwas, was wohl jeder von uns irgendwann einmal in seinem Leben erfährt: Nicht immer führt der direkte Weg im Leben zum Ziel; oftmals ist es ein Umweg, auf dem wir das Angestrebte erreichen. In diesem Sinne wird das Zitat auch heute noch verwendet.

3) *Militärwesen:* im 18. Jh. bevorzugte Truppenaufstellung, bei der die Soldaten nebeneinander stehen; im 19. Jh. aktive Truppenteile im Unterschied zu Landwehr oder Reserve.

Lini|enbreite, die Breite des von einer Spektrallinie umfassten Wellenlängenintervalls. (→Spektrum)

Lini|enfahrt (Linienschifffahrt), fahrplanmäßige Schiffsverbindung im Überseeverkehr, die unabhängig ist vom Ladungsangebot; Ggs.: →Trampschifffahrt.

Lini|eninseln (engl. Line Islands), Inselkette (Korallenatolle) im zentralen Pazif. Ozean. Die meisten L. gehören zu →Kiribati.

Lini|enriss, im Schiffbau zeichner. Darstellung einer Schiffs- oder Bootsform in vier Projektionsebenen: **Längsriss** (Seitenansicht), **Wasser-L.** (Draufsicht), **Spantenriss** (Vor- oder Rückansicht). Der **Sentenriss** verwendet »schräge Wasserlinien« (Senten) in versch. quer geneigten Ebenen. Bei der fast ausnahmslos gegebenen Symmetrie beider Schiffsseiten genügt es, nur eine Schiffshälfte zu zeichnen.

Lini|enschiff, 1) Handelsschiff in der Linienfahrt.

2) *Militärwesen:* Bez. für die Hauptkampfschiffe der Kriegsmarinen vom 17. Jh. bis zum 1. Weltkrieg; abgeleitet von der damaligen Seegefechtstaktik, die darin bestand, die schweren Kriegsschiffe zur Schlacht hintereinander (in »Kiellinie«) auffahren zu lassen. Nach dem Ersten Weltkrieg wurde die Bez. L. durch →Schlachtschiff ersetzt.

Lini|enspektrum, →Spektrum.

Lini|ensystem, 1) *betriebl. Organisationslehre:* Bez. für zwei Arten des Leitungssystems. Im **Ein-L.** hat jeder Stelleninhaber nur einen Vorgesetzten, im von F. W. Taylor vorgeschlagenen **Mehr-L.** ist eine untergeordnete Stelle mehreren übergeordneten Stellen unterstellt. Das Ein-L. ermöglicht eine genaue Abgrenzung der Kompetenzen und eine übersichtl. Strukturierung der Leitung, reagiert aber schwerfällig auf Veränderungen, weil Weisungen auf unterer Ebene sämtliche Hierarchiestufen durchlaufen müssen. Das Mehr-L. ermöglicht schnelle Entscheidungen, führt jedoch zwangsläufig zu Reibungsverlusten bei Weisungskonflikten. Das Mehr-L. ist in der Matrixorganisation verwirklicht.

2) *Musik:* in der Notenschrift die fünf parallelen Querlinien, auf und zw. denen die Noten eingetragen werden **(Fünf-L.);** das heute gebräuchl. L. schuf →Guido von Arezzo.

Lini|entaufe, die →Äquatortaufe.

Liniment [lat.] *das,* Emulsion zur äußerl. Anwendung von Arzneistoffen; enthält oft hautreizende Stoffe und wird zur Einreibung bei neuralg. Beschwerden verwendet.

Linke, in der parlamentar. Sprache urspr. die liberale Partei im Unterschied zur konservativen Partei oder zur »Rechten« (→Rechte). Diese Ausdrücke sind aus dem Sprachgebrauch der frz. Kammern seit dem ersten Drittel des 19. Jh. übernommen worden; sie entsprachen der Sitzordnung der polit. Parteien (vom Präsidentenstuhl aus gesehen). Seit dem letzten Drittel des 19. Jh. wurde der Name L. bes. für die sozialist. Parteien und Gruppierungen verwendet. Später umfasste er alle, die politisch das Moment des Veränderns stärker betonten als das des Bewahrens. »Links« wurde auch oft gleichgesetzt mit liberal, fortschrittlich, tolerant. (→neue Linke)

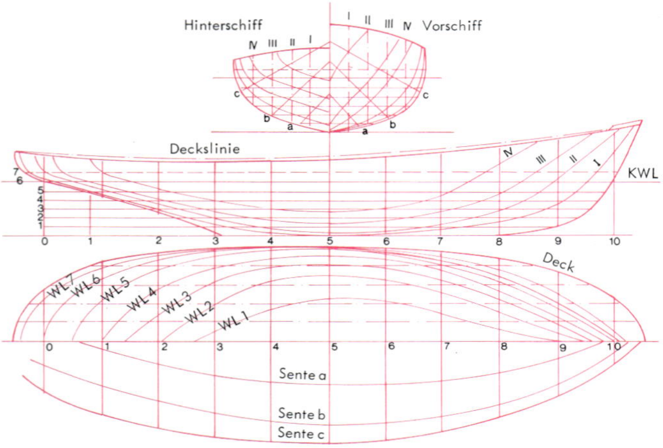

Linienriss (von oben): Spantenriss, Längsriss sowie Wasserlinien- und Sentenriss; KWL Konstruktionswasserlinie, WL Wasserlinienriss

linke Hand (Ehe zur linken Hand, morganatische Ehe), beim Hochadel die standesungleiche Ehe, deren vermögens- und erbrechtl. Wirkungen durch Ehevertrag ausdrücklich festgesetzt wurden. Die Lage der unebenbürtigen Frau und der aus der Ehe hervorgegangenen Kinder wurde hierbei gegenüber der einfachen Missheirat durch Einräumung eines Titels und Ranges sowie von vermögensrechtl. Vorteilen verbessert. 1919 in Dtl. abgeschafft.

Linkehandregel, →Handregeln.

Linklater ['lɪŋkleɪtə], Eric, schott. Schriftsteller, *Dounby (Orkneyinseln) 8. 3. 1899, †Aberdeen 7. 11. 1974; schrieb den Schelmenroman »Juan in Amerika« (1931), der während der Prohibition spielt; in dem Roman »Soldat Angelo« (1946) schildert er Kriegserlebnisse.

Linköping ['lintçøpiŋ], Hauptstadt des schwed. VerwBez. (Län) Östergötland, östlich des Vättersees, 126 300 Ew.; Bischofssitz (gegr. im 12. Jh., heute luther.); Univ., geotechn. Forschungsinstitut, Museen; SAAB-Werke (Automobil- und Flugzeugbau, Elektronik), Maschinenbau, Textil- und Nahrungsmittelindustrie. – Dom (12.–15. Jh.), Schloss (13. und 15. Jh.).

linksdrehende Stoffe, →optische Aktivität.

Links|extremismus, →Radikalismus.

Linkshändigkeit, anlage- und/oder erziehungsbedingte linkshändige Ausübung von zahlr. Tätigkeiten; führt zu stärkerer Entwicklung der rechten Hirnhälfte. Berufl. Behinderungen können die Folge sein, z. B. bei Maschinenbetätigung.

Linksverkehr, Straßenverkehr, bei dem links gefahren und rechts überholt wird; heute in 62 Staaten und Territorien, darunter in Großbritannien und vielen seiner ehemaligen Kolonien sowie in Irland, Moçambique und Japan.

Linlithgow [lɪnˈlɪθgəʊ], Stadt in Schottland, westlich von Edinburgh, West Lothian, 9 500 Ew.; Papier-, pharmazeut. Ind., Whiskybrennereien. – Ehem. Schloss der schott. Könige (1425 begonnen, Vierflügelanlage mit festungsartigem Charakter).

Lịnna, Väinö, finn. Schriftsteller, *Urjala (Prov. Häme) 20. 12. 1920, †Kangasala (bei Tampere) 21. 4. 1992. Sein Kriegsroman »Kreuze in Karelien« (1954) und die R.-Trilogie »Hier unter dem Polarstern« (1959–62) sind von hohem künstler. und dokumentar. Rang.

Carl von Linné: Stahlstich (um 1840) nach einem Gemälde von Alexander Roslin (1775)

Linnẹ, Carl von (seit 1762), früher C. Linnaeus, schwed. Naturforscher, *Råshult (Småland) 23. 5. 1707, †Uppsala 10. 1. 1778. Nach dem Studium (Medizin und Naturwiss.) und anschließenden Forschungs- und Studienreisen wurde er Arzt in Stockholm; 1739 Präs. der Stockholmer Akademie der Wiss., deren Gründung er angeregt hatte, 1741 Prof. der Anatomie und Medizin in Uppsala, 1742 Prof. der Botanik; er gestaltete den botan. Garten um und richtete ein naturhistor. Museum ein.

Seine erstmals 1735 erschienene Abhandlung »Systema naturae« ist die Grundlage der modernen biolog. Systematik. Er führte konsequent die binäre lat. Bez. (Nomenklatur) durch, die mit der Festlegung des Artbegriffs verbunden war (z. B. Hundsveilchen: Viola canina). Basis der linnéschen Klassifikation waren die Geschlechtsorgane (Staub- und Fruchtblätter) der Pflanzen (Einführung der Symbole ♂ und ♀ für männlich und weiblich), nach deren Verteilung, Zahl und Verwachsung er die z. T. bis heute übl. Diagnosen der systemat. Stellung in der Botanik entwickelte. L. dehnte sein System auch auf die zu seiner Zeit bekannten Tiere und Minerale aus. Von der 12. Aufl. seines »Natursystems« (1766) an stellte L. dann erstmals den Menschen unter der Bez. Homo sapiens in die Ordnung »Herrentiere« (neben den Schimpansen und den Orang-Utan). – *Weitere Werke:* Genera plantarum (1737); Philosophia botanica (1751); Species plantarum, 2 Bde. (1753).

📖 GOERKE, H.: *C. von L. 1707–1778. Arzt – Naturforscher – Systematiker. Stuttgart* ^{2}*1989.*

Linneịt [nach C. von Linné] *der* (Kobaltkies), weißes metallisch glänzendes kub. Mineral der chem. Zusammensetzung Co_3S_4, Entstehung hydrothermal oder pneumatolytisch.

Lịnnich, Stadt im Kr. Düren, NRW, 12 500 Ew.; Werkstätten für Glasmalerei, Verpackungstechnik. – Kath. Pfarrkirche St. Martin (15. Jh.); Hochaltar aus Antwerpen mit Flügelgemälden des **Meisters von Linnich.**

Linolẹnsäure (9,12,15-Octadecatriensäure), dreifach ungesättigte essenzielle Fettsäure, die als Glycerinester v. a. in Lein- und Hanföl vorkommt. L. u. a. Fettsäuren werden im menschl. und tier. Organismus zum Aufbau der Lipide benötigt.

Linọle|um [engl., zu lat. linum »Leinen« und oleum »Öl«] *das,* ein (Fußboden-)Belag, der aus Grundgewebe (Jute) und Deckmasse besteht, die aus Kork- oder Holzmehl, Farbstoffen (Pigmenten), Harzen und dem aus Leinöl gewonnenen Linoxyn hergestellt wird.

Linọlsäure (9,12-Octadecadiensäure), zweifach ungesättigte essenzielle Fettsäure, als Glycerinester in Leinöl, v. a. aber in Sonnenblumen- und Sojaöl. L. senkt den Cholesterinspiegel des Blutes und ist Bestandteil von Phosphatiden und Prostaglandinen.

Linọlschnitt, vom Holzschnitt abgeleitetes Hochdruckverfahren. Als Druckstock dient eine Linoleumplatte.

Linon [liˈnɔ̃, frz.] *der,* leinwandbindiges Baumwollgewebe aus mittel- bis feinfädigen Garnen, gebleicht und mit rechtsseitiger Glanzappretur, die der Ware ein leinenartiges Aussehen verleiht.

Linotype® [ˈlaɪnotaɪp, engl.] *die,* eine →Setzmaschine.

Lin Piao, chines. Politiker, →Lin Biao.

Linse, 1) *Anatomie:* lichtbrechender Körper des →Auges.

2) *Botanik:* (Lens culinaris) Schmetterlingsblütler; alte Kulturpflanze aus dem Orient; einjähriges, 30–50 cm hohes Kraut mit paarig gefiederten, meist in Ranken endenden Blättern mit kleinen, bläulich weißen Blüten. Die Hülsenfrüchte enthalten 1 bis 3 gelbe, rote oder schwarze, scheibenförmige Samen (Linsen). Sie ergeben gekocht ein eiweiß- und kohlenhydratreiches Gemüse.

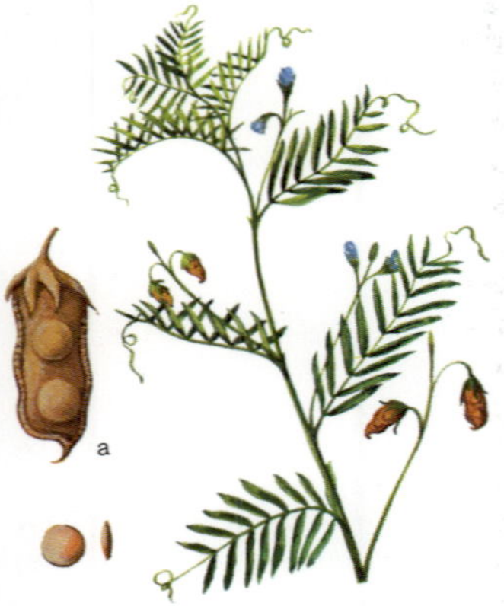

Linse 2): Lens culinaris (Höhe 30–50 cm); a Hülsenfrucht und Samen

3) *Physik:* opt. System mit abbildenden Eigenschaften, das von zwei lichtbrechenden Flächen begrenzt ist. Diese sind meist rotationssymmetrisch, mit gemeinsamer Symmetrieachse **(zentr. L.)**, die als **L.-Achse (opt. Achse)** bezeichnet wird. Eine L. besteht aus lichtdurchlässigem Material, das meist von zwei schwach gewölbten Kugelflächen **(sphär. L.)** begrenzt ist. Beim Durchgang von Licht durch L. wird infolge der →Brechung der Strahlen an den L.-Oberflächen der Öffnungswinkel des Strahlenbündels verändert und bei geeigneter L.-Anordnung eine opt. →Abbildung erzeugt. **Sammel-** oder **Konvex-L.**, in der Mitte dicker als am Rand, bewirken das Zusammenlaufen (die Konvergenz) der Strahlen, **Zerstreuungs-** oder **Konkav-L.**, in der Mitte dünner als am Rand, vergrößern das Auseinanderlaufen (die Divergenz) der Strahlenbündel. Je nach Art der Krümmung der L.-Flächen unterscheidet man bikonvexe, plankonvexe und konkavkonvexe Sammel-L. und bikonkave, plankonkave und konvexkonkave Zerstreuungslinsen. Alle parallel auf eine dünne L. auffallenden Strahlen vereinigen sich in einem Punkt, dem **Brennpunkt;** seine Entfernung von der L.-Mitte heißt **Brennweite.** Die von einem Gegenstand ausgehenden, durch eine L. tretenden Lichtstrahlen erzeugen ein Bild des Gegenstandes. Liegt bei einer Sammel-L. der Gegenstand außerhalb der Brennweite, so ist das Bild wirklich (reell), umgekehrt, vergrößert oder verkleinert. Ist der Gegenstand im Brennpunkt, so liegt sein Bild im Unendlichen, d.h., die auftreffenden Strahlen werden durch die L. zu Parallelstrahlen. Liegt der Gegenstand innerhalb der Brennweite, so entsteht ein scheinbares (virtuelles), aufrecht stehendes, vergrößertes Bild. Bei der Zerstreuungs-L. erhält man stets virtuelle Bilder. Für beide L.-Arten gilt im paraxialen Gebiet die Gleichung $1/g + 1/b = 1/f$, wobei g die Entfernung des Gegenstandes **(Gegenstandsweite)**, b die Entfernung des Bildes **(Bildweite)** von der L. und f die Brennweite ist. Bei dicken L. oder L.-Systemen werden Gegenstands-, Bild- und Brennweite nicht von der L.-Mitte, sondern vom ding- oder bildseitigen Hauptpunkt aus gemessen (→Kardinalelemente). – Eine Verringerung der bei der Abbildung durch sphär. L. entstehenden Abbildungsfehler kann durch Kombination mehrerer Sammel- und Zerstreuungs-L. oder in gewissen Fällen durch asphär. Begrenzungsflächen erreicht werden. **Asphär. L.** enthalten mindestens eine Fläche, die von der Kugelform abweicht und rotationssymmetrisch, zylindrisch oder torisch (→Torus) sein kann. **Zylinder-L.** werden z.B. für die anamorphot. Abbildung verwendet (→Anamorphot), **tor. L.** v.a. in der Augenoptik (→Brille).

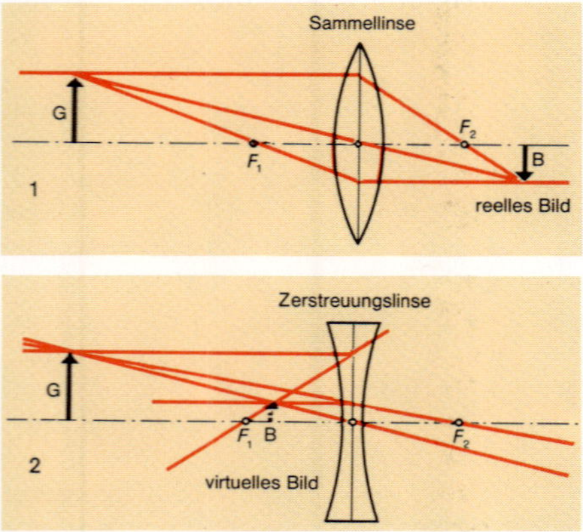

Linse 3): Strahlengang und Entstehung eines Bildes: 1 Konvexlinse, 2 Konkavlinse; G Gegenstand, B Bild, F_1, F_2 Brennpunkte

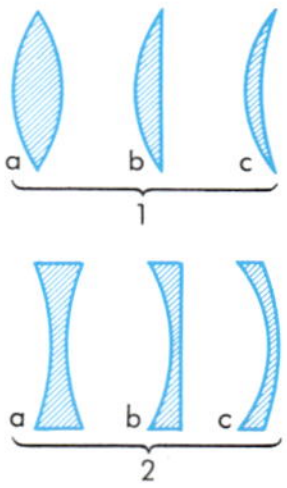

Linse 3): Linsenformen nach Art der Flächenkrümmung; 1 Sammellinsen (a bikonvex, b plankonvex, c konkavkonvex); 2 Zerstreuungslinsen (a bikonkav, b plankonkav, c konvexkonkav)

4) *Teilchenoptik:* die Elektronen-L. (→Elektronenoptik).

Linsenfernrohr, *Astronomie:* der →Refraktor.

Linters [engl.], Baumwollfasern, die für das Verspinnen zu kurz sind; Ausgangsmaterial für die Herstellung von Chemiefasern aus Cellulose.

Linth *die,* der Oberlauf der →Limmat.

Lintong, Stadt in der chines. Prov. Shaanxi nördlich des Wei He. – Östlich von L. befindet sich die gewaltige Grabanlage des Kaisers Qin Shi Huangdi, †210 v.Chr. (UNESCO-Weltkulturerbe); bei Ausgrabungen ab 1974 wurden eine Armee (über-)lebensgroßer Terrakottafiguren von Kriegern und Pferden sowie zwei Bronzequadrigen freigelegt; Museum am Ausgrabungsort. BILD S. 370, weiteres BILD China, Geschichte

Lin Yutang (Lin Yü-t'ang), chines. Gelehrter und Schriftsteller, *Lunqi (Prov. Fujian) 10. 10.

Linz 1): Die nordöstliche Seite des im 13. Jh. angelegten Hauptplatzes begrenzen Wohn- und Geschäftshäuser mit Barock- und Renaissancefassaden sowie der 1669–78 erbaute Alte Dom; in der Mitte des Platzes steht die 1723 geweihte Dreifaltigkeitssäule

1895, †Hongkong 26. 3. 1976; lebte 1936–66 in den USA und schrieb v. a. in engl. Sprache; verfasste neben Romanen und Arbeiten zur chines. Sprache bes. Analysen der chines. Kultur.

Linz 1) Stadtwappen

Linz, 1) Linz, Landeshauptstadt von Oberösterreich, beiderseits der Donau, 203 000 Ew.; kath. Bischofssitz; Univ., Kath.-Theolog. u. a. Hochschulen, Akademien, Bruckner-Konservatorium, Sitz zahlr. Landesbehörden; Landestheater und -museum; Spielkasino; bed. Ind.standort mit Hütten- und Stahlwerk, Maschinenbau, chem., pharmazeut., Elektro-, Textil-, Nahrungs- und Genussmittelind.; Donauhafen, Straßen- und Bahnknotenpunkt, Flughafen auf der Welser Heide. – Die Altstadt ist v. a. von Barockbauten geprägt, am Hauptplatz das Rathaus (1658/59), Dreifaltigkeitssäule (1723), ferner Stadtpfarrkirche (13. Jh., 1649–56 umgebaut), Alter Dom (1669–78), Landhaus (1564–71, 1800 erneuert), neugot. Neuer Dom (1862–1924). Im O und S der Stadt dehnen sich neue Wohn- und Ind.viertel aus. – L., aus dem röm. Kastell **Lentia** erwachsen, kam um 1210 an Österreich und wurde im 13. Jh. Stadt; 1945–55 in eine amerikan. und eine sowjet. Zone geteilt.

Lions International

2) Linz am Rhein, Stadt im Landkreis Neuwied, Rheinl.-Pf., 6 000 Ew.; Museum für mechan. Musikinstrumente; Basaltindustrie; Fremdenverkehr. – Kath. Pfarrkirche (spätroman. Emporenbasilika, 1214 geweiht, mit Wandgemälden aus der Entstehungszeit), zahlreiche Fachwerkhäuser des 15.–19. Jahrhunderts. – 873 erstmals erwähnt, erhielt vor 1320 Stadtrecht.

Linzgau, Hügellandschaft im südwestl. Oberschwaben, Bad.-Württ., nördlich des Bodensees; 764 als karoling. Grafschaft erwähnt.

Lioba, angelsächs. Missionarin, *Wessex um 710, †Schornsheim (Kr. Alzey-Worms) um 780; Benediktinerin, Verwandte und Mitarbeiterin des Bonifatius, erste Äbtissin des Klosters Tauberbischofsheim; Heilige, Tag: 28. 9.

Lion, Golfe du [gɔlf dy ˈljɔ̃, »Löwengolf«], Meeresbucht an der frz. Mittelmeerküste, vor den Küsten des Languedoc und der Provence im Bereich des Rhônegrabens.

Lions International [ˈlaɪənz intəˈnæʃnl], offiziell International Association of Lions Clubs, 1917 gegr. Kluborganisation; Sitz: Oak Brook (Ill.). Unter dem Motto »We serve« (»wir dienen«) sind die Mitgl. von L. I. karitativ tätig sowie um internat. Verständigung bemüht.

Liotard [ljɔˈtaːr], Jean-Étienne, schweizer. Maler und Kupferstecher frz. Herkunft, *Genf 22. 12. 1702, †ebd. 12. 6. 1789; führte nach seiner Ausbildung in Paris zunächst ein Wanderleben (Rom, Griechenland, Türkei, Wien); seit 1758 lebte er meist in Genf. Seine detailgenauen Pastellporträts besitzen genrehafte Züge.

Liouville [ljuˈvil], Joseph, frz. Mathematiker, *Saint-Omer (Dép. Pas-de-Calais) 24. 3. 1809, †Paris 8. 9. 1882; zählt zu den bedeutendsten Mathe-

Lintong: Teil der ab 1974 ausgegrabenen Grabwächterarmee (3. Jh. v. Chr.) des Kaisers Qin Shi Huangdi

Jean-Étienne Liotard: »Türkin mit Tamborin« (um 1740; Genf, Musée d'Art et d'Histoire)

matikern des 19. Jh.; entwickelte die Grundlagen der analyt. Zahlentheorie und verfasste über 400 Arbeiten, in denen er außerdem bed. Beiträge zur Algebra, Geometrie sowie zur Analysis und ihren Anwendungen in der Physik (u.a. ellipt. Funktionen, Differenzialgleichungen) lieferte.

Liparische Inseln (Äolische Inseln, italien. Isole Eolie, Isole Lipari), Gruppe vulkan. Inseln nördlich von Sizilien, Italien, zur Prov. Messina gehörig, mit Lipari, Salina, Vulcano, Alicudi, Filicudi, Stromboli, Panarea und elf kleineren Inseln; insgesamt 117 km^2 und 12800 Ew. Noch tätig sind die Vulkane Stromboli (926 m ü.M.) und Vulcano. Hauptinsel ist Lipari (37,3 km^2) mit der Stadt Lipari (10400 Ew.); Weinbau; Fremdenverkehr; Fischfang; Bimssteinabbau. – Die Akropolis von Lipari war von der Jungsteinzeit an ein wichtiges Handels- und Kulturzentrum (Export von Obsidian).

Liparit [nach den Lipar. Inseln] *der,* →Rhyolith.

Lipasen, zu den Esterasen (Gruppe der Hydrolasen) zählende Enzyme, die Fette hydrolytisch in Glycerin und Fettsäuren spalten. Die Bildung der L. erfolgt v.a. in Bauchspeicheldrüse, Darmwand und Leber.

Lipatti, Dinu, rumän. Pianist und Komponist, *Bukarest 19. 3. 1917, †Chêne-Bourg (Kt. Genf) 2. 12. 1950; emigrierte 1943 in die Schweiz; als Bach- und Chopin-Interpret bekannt; schrieb Orchesterwerke, Kammer- und Klaviermusik.

Lipchitz, Jacques, eigtl. Jakoff L., frz.-amerikan. Bildhauer litauischer Herkunft, *Druskininkai 22. 8. 1891, †Capri 26. 5. 1973; seit 1909 in Paris, emigrierte 1941 in die USA; arbeitete zunächst in kubist. Formensprache, entwickelte einen vom plast. Volumen bestimmten allegor. Stil.

Li Peng, chines. Politiker, *Chengdu (nach anderen Angaben Schanghai) 1928; 1982 Mitgl. des ZK und 1985 des Politbüros der KPCh; seit 1987 Mitgl. des ständigen Ausschusses des Politbüros und 1987–98 MinPräs., seit 1998 Vors. des Nat. Volkskongresses. Zus. mit Deng Xiaoping war er maßgeblich verantwortlich für die blutige Niederschlagung der Demokratiebewegung im Juni 1989. Als Vertreter des herrschenden orthodox-kommunist. Flügels der KPCh hält er entschlossen am alleinigen Führungsanspruch seiner Partei fest und setzt gegenüber oppositionellen Kräften alle Machtmittel des Staates ein.

Dinu Lipatti

Li Peng

Lipezk, Hptst. des Gebiets L. in Russland, am Woronesch, 450000 Ew.; Hochschule; Eisenhüttenwerk, Maschinen-, Traktorenbau, chem. Ind.; Kurort (Mineralquellen, Heilschlamm). – Gegr. im 13. Jh., seit 1779 Stadt.

Lipica [-tsa] (italien. Lipizza), Ort in der Rep. Slowenien, bei Triest; bis 1918 war hier das k.u.k. österr. Hofgestüt ansässig, 1918–45 italien., bis 1991 jugoslaw. Staatsgestüt. Die **Lipizzaner** (Warmblutpferde, meist Schimmel) für die Span. Reit-

Jacques Lipchitz: »Harlekin mit Akkordeon«, Holz (1918; Mannheim, Kunsthalle)

schule in Wien kommen heute vorwiegend aus dem österr. Staatsgestüt Piber bei Köflach.

Lipide [grch.], Sammelbez. für →Fette und fettähnl. Stoffe (→Lipoide), die von pflanzl. und tier. Organismen gebildet werden. L. sind durch ihre gemeinsamen Löslichkeitseigenschaften gekennzeichnet: Sie sind unlöslich in Wasser, aber löslich in vielen organ. Lösungsmitteln wie Benzol, Äther oder Chloroform. – Nach neuerer (dem internat. Gebrauch entsprechender) Einteilung unterscheidet man **einfache L.,** die aus einheitl. Substanzen bestehen oder aus wenigen Komponenten aufgebaut sind (z.B. höhermolekulare Kohlenwasserstoffe, Alkohole, Carbonsäuren, Ester), und **komplexe L.,** die aus mehreren Komponenten zusammengesetzt sind (z.B. Lipoproteine, Glykolipide, Phosphatide).

Lipizzaner, →Lipica.

Fritz A. Lipmann

Lipmann, Fritz Albert, amerikan. Mediziner und Biochemiker dt. Herkunft, *Königsberg (Pr) 12. 6. 1899, †Poughkeepsie (N. Y.) 24. 7. 1986; erforschte bes. die Energetik des Stoffwechsels und der B-Vitamine; entdeckte das Coenzym A; erhielt 1953 mit H. Krebs den Nobelpreis für Physiologie oder Medizin.

Lipoide [von grch. lípos »Fett«], im Tier- und Pflanzenkörper vorkommende fettähnl. Substanzen, deren Ähnlichkeit mit den Fetten v.a. in der Löslichkeit und im physiolog. Verhalten besteht. L. sind für die Organismen lebenswichtige Stoffe. Viele spielen als oberflächenaktive Substanzen eine wichtige Rolle in den Zellmembranen.

Lipoidspeicherkrankheit (Lipidspeicherkrankheit, Lipoidose, Lipidose), auf angeborenen Enzymdefekten beruhende erbl. Fettstoffwechselstörung mit Ablagerung bestimmter, nicht weiter abbaufähiger Fettstoffe (Lipide) in zahlr. Geweben und Organsystemen, bes. im Zentralnervensystem.

Lipica: Lipizzaner

Lipolyse [grch.] *die,* Bez. für die Spaltung von Nahrungsfetten im Darm, die Mobilisierung von Depotfetten durch Lipasen und die Steuerung dieser Vorgänge durch das →lipotrope Hormon.

Lipom [grch.] *das* (Fettgeschwulst), langsam wachsende gutartige Neubildung aus Fettgewebe, meist im Unterhautzellgewebe vorkommend.

Liposome, winzig kleine Fettkügelchen mit einem Wasserkern, der als Transportmittel für spezielle Wirkstoffe dient. Durch chem. Prozesse in der Haut werden die L. aufgelöst und die Inhaltsstoffe freigesetzt. Die **Nanoparts** wirken nach dem gleichen Prinzip, bestehen jedoch vollkommen aus Fettstoffen.

lipotropes Hormon, Abk. **LPH** (Lipotropin), Peptidhormon des Hypophysenvorderlappens, das aus Fettgewebe Fettsäure freisetzt und sie der Fettverbrennung zuführt.

Lippe (lat. Labium), **1)** paarige, bewegl., weiche Verdickung oder paarige Hautfalte am Mundrand bes. bei Säugetieren (einschl. des Menschen). Die L. des Menschen sind drüsenreich (innen Mundhöhlenschleimhaut mit Speicheldrüsen, außen Talg- und Schweißdrüsen). Sie werden von versch. Muskeln durchzogen und sind stark durchblutet (Lippenrot).

2) Teil der Blütenkrone bei Lippenblütlern.

Lippfische: Meerjunker (Länge 20 cm)

Lippe, 1) *die,* rechter Nebenfluss des Rheins in NRW, 228 km lang, entspringt am W-Fuß des Eggegebirges, mündet bei Wesel; wird von Hamm bis Wesel vom →Lippe-Seitenkanal begleitet.

2) Kreis im RegBez. Detmold, NRW, 1246 km^2, (1996) 362100 Ew.; Krst. ist Detmold.

3) ehem. westfäl. Adelsgeschlecht und Territorium (Hptst.: Detmold). – Die Edelherren zur L., nach ihrem Sitz im späteren Lippstadt, wurden 1123 erstmals erwähnt. 1529 wurden sie Reichsgrafen. Nach 1614 entstanden die Linien **Detmold, Brake** (1709 erloschen) und **Alverdissen** (seit 1643 **Schaumburg-L.,** in Bückeburg). Die Erhebung der Detmolder Linie in den Fürstenstand (1720) wurde erst 1789 wirksam. 1806 trat das Fürstentum L. dem napoleon. Rheinbund bei. Es wurde 1815 nicht mediatisiert; 1815 wurde es Mitgl. des Dt. Bundes. 1905 kam die Linie **L.-Biesterfeld** zur Regierung. Das Fürstentum, seit 1918 Freistaat, wurde 1947 dem Land Nordrhein-Westfalen eingegliedert.

Lippenblütler (Lippenblütengewächse, Lamiaceae, Labiatae), weltweit verbreitete Pflanzenfamilie mit lippenförmigen Blüten, meist zwei Paar ungleich langen Staubblättern und einem oberständigen Fruchtknoten, aus dem sich vier Nussfrüchte entwickeln (»Klausen«); Stängel vierkantig, Blätter kreuzgegenständig; reich an äther. Ölen. Zu den L. zählen viele Gewürz-, Parfüm- und Heilpflanzen, z.B. Bohnenkraut, Majoran, Thymian, Lavendel, Pfefferminze, Günsel, Melisse und Salbei.

Lippenlaute, *Phonetik:* → Laut.

Lippenpflöcke, Scheiben oder Klötzchen aus Holz, Knochen oder Stein, welche in die Lippen eingesetzt werden; waren bei vielen Völkern v.a. Südamerikas und Afrikas verbreitet.

Lippenspalte, → Spaltbildungen.

Lippenstift, Fettstift zur opt. Hervorhebung und zur Pflege der Lippen. Hauptbestandteile sind halbfeste Fette (z.B. Kakaobutter), Bienenwachs (zur Verbesserung der Haftfestigkeit), Fettsäurealkanolamide und Cetylalkohol (zur Erweichung der Haut). Zur Färbung dienen Pigmente (z.B. Eisenoxid, Titandioxid für Pastelltöne, Glimmer/Titandioxid für Glanzwirkung) und Farblacke (z.B. aus Karmin); außerdem sind Antioxidantien (z.B. Tokopherol) und Duftstoffe enthalten.

Lipper Bergland, Teil des westl. Weserberglandes, zw. Werre im W, Weser im N und O, Brakeler Hochfläche im S und Egge im SW; im Köterberg 497 m ü.M.

Lipper Wald (Lippischer Wald), der südöstl. Teil des Teutoburger Waldes.

Lippe-Seitenkanal, Binnenwasserstraße am Nordrand des Ruhrreviers, begleitet das linke Ufer der Lippe zw. Hamm und Wesel. Der östl. Teil (**Datteln-Hamm-Kanal,** 1915 fertig gestellt, zwei Schleusen) ist 47,1 km lang, der westl. (**Wesel-Datteln-Kanal,** 1929 vollendet, sechs Schleusen) ist 60,2 km lang.

Lippfische (Labridae), Familie der Barschartigen Fische. Die größten Arten gehören mit 3 m Länge der trop. Gattung Cheilinus an. Zahlreiche L. leben im Mittelmeer, z.B. **Meerjunker** (Coris julis). In der Nordsee lebt der **Klippenbarsch** (Ctenolabrus rupestris). Der **Putzer-L.** (Fissilabrus dimidiatus) sammelt von anderen Fischen, auch großen Raubfischen, Hautparasiten ab.

Lippi, 1) Filippino, italien. Maler, * Prato um 1457, † Florenz 18. 4. 1504, Sohn von 2); Schüler seines Vaters, seit 1472 Botticellis, dessen Stil er zu einer ornamentalen, sensiblen Ausdruckssprache weiterbildete.

Werke: Ergänzung der Freskenfolge des Masaccio in der Brancacci-Kapelle von Santa Maria del Carmine (um 1481–83, Florenz); Vision des hl. Bernhard (ebd., Badia); Madonna mit Heiligen (ebd., Santo Spirito); Fresken der Caraffa-Kapelle in Santa Maria sopra Minerva in Rom (1489–93) und in der Strozzi-Kapelle in Santa Maria Novella in Florenz (vollendet 1502).

Filippino Lippi: Selbstbildnis (undatiert; Florenz, Uffizien)

Fra Filippo Lippi: »Madonna mit dem Kind und zwei Engeln« (um 1465; Florenz, Uffizien)

2) Fra Filippo, italien. Maler, * Florenz um 1406, † Spoleto 9. 10. 1469, Vater von 1); 1421–61 Karmelitermönch. Ausgehend von der neuartigen, Raum und Körperlichkeit erschließenden Malweise Masaccios, kehrte er unter dem Einfluss Fra Angelicos zum traditionellen Gestaltungsmittel der Linie zurück. Seine anmutigen Madonnentafeln wirkten stilbildend auf die Florentiner Malerei des Quattrocento. Seine reifen Werke zeigen innige religiöse Empfindung und poet. Wirklichkeitsbeobachtung; sie weisen in ihrer Tongestaltung auf L. da Vinci voraus. – *Werke:* Anbetung des Kindes (um 1459, Berlin, Gemäldegalerie); Fresken aus dem Leben des hl. Stephanus und Johannes' des Täufers (1452–66, Prato, Dom).

📖 Fossi, G.: *F. L. Aus dem Italien. Königstein im Taunus 1990.*

Alexander Lippisch

Lippisch, Alexander Martin, Flugzeugkonstrukteur, * München 2. 11. 1894, † Cedar Rapids (Ia.) 11. 2. 1976; konstruierte als techn. Direktor

Lippstadt: Schloss Overhagen, eine auf zwei Inseln gelegene Wasseranlage, wurde im 17./18. Jh. erbaut

(seit 1925) der Rhön-Rositten-Gesellschaft (seit 1933 Dt. Forschungsanstalt für Segelflug) Segelflugzeuge und Nurflügelflugzeuge (Grundlage u.a. für Raketenjäger Me 163); 1943–45 Direktor am Luftfahrtforschungsinst. in Wien. Ab 1946 beschäftigte sich L. in den USA u.a. mit flügellosen Senkrechtstartern (→Hubstrahler) und baute das →Airfoil-Fluggerät.

Gabriel Lippmann

Lippmann, 1) Gabriel, frz. Physiker, *Hollerich (Luxemburg) 16. 8. 1845, †auf einer Seereise 13. 7. 1921; seit 1883 Prof. an der Sorbonne in Paris; 1908 Nobelpreis für Physik für seine Versuche zur Fotografie in natürl. Farben unter Benutzung von Lichtinterferenzen **(L.-Verfahren).**

2) ['lɪpmæn], Walter, amerikan. Publizist, *New York 23. 9. 1889, †ebd. 14. 12. 1974; 1923–31 Chefredakteur der »New York World«, danach u.a. polit. Kolumnist bei der »New York Herald Tribune«. – *Werk:* Die Gesellschaft freier Menschen (1937).

Lipps, Theodor, Philosoph, *Wallhalben (Kr. Südwestpfalz) 28. 7. 1851, †München 17. 10. 1914; Prof. in Bonn, Breslau und München; für L. ist die Psychologie die Grundwiss. der Logik, Ethik und Ästhetik (→Psychologismus); wandte sich später der Phänomenologie E. Husserls zu. – *Werke:* Grundzüge der Logik (1893); Vom Fühlen, Wollen und Denken (1902); Leitfaden der Psychologie (1903); Ästhetik, 2 Bde. (1903–06).

Lippspringe, Bad, →Bad Lippspringe.

Johann Heinrich Lips

Lippstadt, Stadt im Kr. Soest, NRW, an der Lippe, 66 700 Ew.; Studienzentrum der Fernuniv.-Gesamthochschule – in Hagen, Verwaltungsakademie; Herstellung von Kfz-Beleuchtung, Metallverarbeitung und Feinstrumpfwerke. Der Ortsteil Bad Waldliesborn ist Heilbad. – Große Marienkirche (1. Hälfte des 13. Jh., spätgot. Hallenchor, 1478–1506); im Stadtteil Cappel Wasserschloss Overhagen (17./18. Jh.). – Um 1185 von Bernhard II. zur Lippe gegr., erhielt 1196 Stadtrecht.

Lips, 1) Eva, geb. Wiegandt, Ethnologin, *Leipzig 6. 2. 1906, †ebd. 24. 6. 1988; ⚭ mit 3); ab 1957 Prof. in Leipzig; v.a. Arbeiten über die Indianer Nordamerikas.

2) Johann Heinrich, schweizer. Kupferstecher und Maler, *Kloten (bei Zürich) 29. 4. 1758, †Zürich 5. 5. 1817; von ihm stammen 1500 Stiche, u.a. 370 Blätter für die Illustration von Lavaters »Physiognom. Fragmente« (1775–78); ferner Porträts von Goethe, C. M. Wieland und anderen bed. Zeitgenossen.

3) Julius, Ethnologe, *Saarbrücken 8. 9. 1895, †Leipzig 21. 1. 1950; ⚭ mit 1); ab 1929 Direktor des Rautenstrauch-Joest-Museums in Köln, 1933–48 an Univ. in den USA, ab 1948 Rektor der Univ. Leipzig; Arbeiten zu Wirtschaft und Recht der Naturvölker (bes. der Indianer Nordamerikas).

Lipsanothek [grch.] *die,* Bez. für einen Reliquienkasten aus frühchristl. Zeit. Bekannt wurde v.a. die mit reichen Elfenbeinschnitzereien geschmückte L. in Brescia (4. Jh.; Museo Civico Cristiano).

Lipschitz, Rudolf Otto, Mathematiker, *Königsberg (Pr) 14. 5. 1832, †Bonn 7. 10. 1903; arbeitete zur Funktionentheorie, Reihenlehre, Theorie der Differenzialgleichungen, Algebra und Hydrodynamik.

Lipscomb ['lɪpskəm], William Nunn, amerikan. Physikochemiker, *Cleveland (Oh.) 9. 12. 1919; seit 1959 Prof. an der Harvard University; arbeitete auf dem Gebiet der Röntgenstrukturanalyse und der Kristallzüchtung. Für die Erforschung des stereochem. Aufbaus der Borane erhielt er 1976 den Nobelpreis für Chemie.

Lipsius, Justus (eigtl. Joest Lips), niederländ. klass. Philologe, *Overijse (bei Brüssel) 18. 10. 1547, †Löwen 23. 3. 1606; lehrte in Jena, Leiden und Löwen; neben Ausgaben der Werke von Tacitus, Valerius Maximus und Seneca Schriften zu Staatslehre (Beiträge zur Grundlegung des Absolutismus) und Heerwesen.

Liptobiolithe [grch.], brennbare, durch bes. hohen Harz- und Bitumengehalt gekennzeichnete, biogene Sedimente, z.T. gesteinsbildend, z.B. Bernstein, Schwelkohlen.

Liptovský Mikuláš ['liptɔvski: 'mikula:ʃ] (dt. Liptau-Sankt-Nikolaus), Stadt in der Mittelslowakei, an der Waag, 30 500 Ew.; Karstmuseum; Leder- und Textilindustrie; Herstellung von Käse.

Lipuš [-ʃ], Florjan, slowen. Schriftsteller, *Lobnig (Gem. Eisenkappel-Vellach, Kärnten) 4. 5. 1937; beschäftigt sich v.a. mit der Situation der slowen. Minderheit in Kärnten. »Der Zögling Tjaž« (R., 1972) handelt vom Scheitern des Antihelden, der sich gegen die geforderte Anpassung zu wehren sucht.

liquid [lat. liquidus »flüssig«] (liquide), flüssig, verfügbar (Bargeld); Ggs.: illiquid.

Liquidation [lat.] *die,* **1)** *allg.:* Kostenrechnung von Angehörigen freier Berufe (Ärzte u.a.).

2) *Börse:* Abwicklung von Termingeschäften.

3) *Recht:* Abwicklung der laufenden Geschäfte, abschließende Befriedigung der Gläubiger und Verwertung sowie Verteilung des Vermögens einer Personen- oder Kapitalges., eines Vereins oder einer Genossenschaft bei Auflösung oder Verlust der Rechtsfähigkeit (Abwicklungsfirma, Firmenzusatz: i.L. = in Liquidation). Keine L. findet statt, wenn das Konkursverfahren eröffnet worden ist.

Liquidität [lat.] *die,* 1) die Eigenschaft eines Wirtschaftsgutes, sich in bares Geld umwandeln zu lassen **(absolute L.).** 2) die Zahlungsbereitschaft eines Unternehmens zu einem bestimmten Stichtag, d.h. die Fähigkeit zur rechtzeitigen Erfüllung von Zahlungsverpflichtungen. Man unterscheidet **liquide (flüssige) Mittel erster Ordnung (Bar-L.):** Vermögensteile, die unmittelbar zur Zahlung verwendet werden können, wie Kassenbestand, täglich fällige Bankguthaben, Schecks, diskontierbare Wechsel; **liquide Mittel zweiter Ordnung (einzugsbedingte L.):** Vermögensteile, die nicht direkt zur Zahlung verwendet werden können, die aber bereits einen Anspruch auf kurzfristige Umwandlung in Barmittel darstellen, wie Forderungen aus Lieferungen und Leistungen, nicht diskontierbare Wechsel, sonstige kurzfristige Forderungen und fällige Teile langfristiger Forderungen; **liquide Mittel dritter Ordnung (umsatzbedingte L.):** Vermögensteile, die erst umgesetzt werden müssen, wie fertige Erzeugnisse und Waren; **illiquide Mittel:** Wirtschaftsgüter, die nur bei Aufgabe des Unternehmens bzw. durch Verpfändung verflüssigt werden können. Um die Zahlungsbereitschaft eines Unternehmens zu beurteilen, stellt man den liquiden Mitteln die Verbindlichkeiten gegenüber. Das Verhältnis wird in Kennzahlen für den **L.-Grad** (Deckungsgrad) ermittelt. Das L.-Optimum kann nur in Verbindung mit dem Rentabilitätsoptimum bestimmt werden und muss im Zusammenhang mit Fragen der Finanzierung betrachtet werden. Eine übermäßige Versorgung mit flüssigen Mitteln **(Überliquidität)** wirkt sich negativ auf die Rentabilität aus; Unterversorgung **(Unterliquidität)** ist nicht identisch mit Zahlungsunfähigkeit **(Illiquidität),** da fällige Auszahlungsverpflichtungen noch beglichen werden.

Liquiditätspapiere, Wertpapiere (Schatzwechsel, unverzinsl. Schatzanweisungen), die der Dt. Bundesbank vom Bund auf deren Verlangen zur Verfügung gestellt werden. Über die L. nimmt die Bundesbank Einfluss auf die Zinsentwicklung des Marktes (→Offenmarktpolitik).

Liquiditätsreserve, die finanziellen Mittel (liquiden Mittel) eines Wirtschaftssubjekts (z.B. Haushalte, Unternehmen) zur Aufrechterhaltung der Zahlungsbereitschaft (Liquidität). Die Dt. Bundesbank rechnet zu den **freien L.:** die Überschussguthaben (Zentralbankguthaben der Banken abzüglich Mindestreserve-Soll), inländ. Geldmarktpapiere bei den Banken sowie unausgenutzte Rediskont-Kontingente.

Liquiditätstheorie, eine der →Zinstheorien.

liquidmagmatisch, *Geologie:* Zustand eines Magmas zu Beginn seiner Erstarrung; Bildungsbereich wichtiger Erzlagerstätten.

Liquor [lat.] *der,* **1)** *Anatomie:* seröse Flüssigkeit bestimmter Körperhohlräume, z.B. **L. cerebrospinalis,** die →Gehirn-Rückenmark-Flüssigkeit.

2) *Pharmazie:* Bez. für Arzneimittellösung.

Liquordiagnostik, Untersuchung der durch Punktion gewonnenen Gehirn-Rückenmark-Flüssigkeit auf Blutbeimengung, Eiter, Gerinnsel, Verfärbung, Trübung u.a.; dient z.B. zur Erkennung von Hirn- und Rückenmarktumoren oder entzündl. Erkrankungen des Zentralnervensystems.

Lira [von lat. libra »Pfund«] *die,* Abk. **L., Lit,** italien. Währungseinheit (seit 1859); 1 L. = 100 Centesimi (Cent). →Währung, ÜBERSICHT.

William N. Lipscomb

Lisboa [liʒ-], portugies. Name von →Lissabon.

Liscow ['lisko:], Christian Ludwig, Satiriker, *Wittenburg (Kr. Ludwigslust) 29. (26.?) 4. 1701, †Gut Berg bei Eilenburg 30. 10. 1760; Gegner der Gottsched-Schule; bekannt v.a. durch geistreiche Satiren (»Die Vortrefflichkeit und Notwendigkeit der elenden Skribenten gründlich erwiesen«, 1734).

Liselotte von der Pfalz, →Elisabeth.

Lisene [aus frz.] *die, Baukunst:* flacher, senkrechter Mauerstreifen zur Gliederung der Wand, im Ggs. zum →Pilaster ohne Basis und Kapitell.

Justus Lipsius
(zeitgenössischer Kupferstich)

Lisieux [li'zjø], Stadt in der Normandie, Frankreich, im Dép. Calvados, 24500 Ew.; Holz-, Textilind., Maschinenbau, Herstellung von Auto- und Fahrradteilen, Molkereien und Cidreherstellung. – Bed. Wallfahrtsort (hl. Theresia) mit got. Kathedrale.

Liski (1965–91 Georgiu Desch), Stadt im Gebiet Woronesch, Russland, 55000 Ew., am Don (Hafen); Nahrungsmittelind.; Eisenbahnknoten.

LISP [Akronym aus engl. **list processing** language], höhere Programmiersprache zur Behandlung nichtnumerischer Probleme, die in den 1950er-Jahren von J. McCarthy entwickelt wurde. Ihr wichtigstes Merkmal ist die Verarbeitung von Symbolen, die aneinander gefügt und zu komplexeren Gebilden (Listen, Zeichenketten) zusam-

Lissabon: Die im Rechteckschema angelegte Unterstadt erstreckt sich von der Praça do Comércio (links mit dem Reiterstandbild König Josephs I. vor dem 1873 erbauten Triumphbogen) bis zur Praça Dom Pedro IV (rechts mit dem 1842–46 im klassizistischen Stil erbauten Nationaltheater und der 23 m hohen Säule mit dem Standbild des Königs)

mengefasst werden können. Einsatzgebiete v. a. im Bereich der →künstlichen Intelligenz.

Lispector [lispek'tor], Clarice, brasilian. Schriftstellerin russ. Herkunft, *Tschetschelnik (Ukraine) 10. 12. 1925, †Rio de Janeiro 9. 12. 1977; vom Existenzialismus beeinflusste Erzählungen (»Die Nachahmung der Rose«, 1952) sowie Romane, u. a. »Der Apfel im Dunkeln« (1961), »Eine Lehre oder Das Buch der Lust« (1969) und »Lebendiges Wasser« (1973) mit psychologisierender Tendenz.

Lispeln (Sigmatismus), fehlerhafte Aussprache der Zischlaute, v. a. des S und seiner phonet. Verwandten, die im Zusammenhang mit Anomalien und funktionellen Störungen im Kiefer-Gesichtsbereich stehen kann.

Liss, Johann (Jan Lys), Maler, *Oldenburg (Holstein) um 1597, †Venedig 1629/30; bildete sich im Kreis der Haarlemer Maler (u. a. F. Hals) und in Flandern (J. Jordaens), beeinflusst von den italien. Caravaggisten in Rom und Venedig, wo er seit etwa 1621 lebte. L. malte in reichen und leuchtenden Farben mit virtuoser Lichtführung ländl. Szenen, mytholog. und religiöse Bilder.

Lissabon
Stadtwappen

Lissa, 1) italien. Name der dalmatin. Insel →Vis. – In L. besiegte am 20. 7. 1866 der österr. Admiral Wilhelm von Tegetthoff die italien. Flotte.

2) Stadt in Polen, →Leszno.

Lissabon (portugies. Lisboa), Hauptstadt Portugals und des Distrikts L., größte Stadt und wichtigster Hafen des Landes, 681 100 Ew., an der W-Küste der Iber. Halbinsel, am Ausgang einer Bucht, die der Tejo kurz vor seiner Mündung in den Atlantik bildet; kultureller und wirtsch. Mittelpunkt des Landes. L. ist Reg.sitz und beherbergt die obersten Staats-, Gerichts- u. a. Behörden; Sitz eines Erzbischofs; sechs Univ. (die älteste gegr. 1290; TU, gegr. 1931; kath. Univ., gegr. 1968; Neue Univ., gegr. 1973; zwei private Univ., gegr. 1986), Akademie der Wiss., histor. Akademie, Veterinärhochschule, Kunstakademie, Konservatorium, Militärakademie, Dt. Archäolog. Inst., Nationalarchiv, Kunstmuseen von Weltrang (u. a. Museu Nacional de Arte Antiga), Nationalbibliothek, Nationaltheater, Oper, botan. und zoolog. Garten; inter-

Lissabon: Der im Emanuelstil erbaute Torre de Belém (1515–21) im Stadtteil Belém

nat. Messen. Die Ind. umfasst Schiff- und Waggonbau, Stahlwerk, Erdölraffinerie, Elektrotechnik, Herstellung von Textilien, Chemikalien, Bier, Zucker, Keramik, Eisenwaren und Pharmazeutika, Tabakverarbeitung. Der Hafen war lange Zeit der größte der Iber. Halbinsel und verfügt über Trockendocks für 300 000-Tonnen-Tanker; heute auch Containerterminal; internat. Flughafen (L.-Portela); U-Bahn (seit 1960). 1998 findet in L. die Weltausstellung statt.

Stadtbild: Unterhalb des Kastells São Jorge (maur. Ursprungs, 1938–40 restauriert) liegt die

Altstadt **(Alfama)** mit der romanisch-got. Kathedrale Sé Patriarcal (1147 begonnen, nach 1344 und 1755 erneuert), der 1590 ff. erbauten Spätrenaissancekirche São Vicente de Fora und dem Pantheon (um 1680 ff.). Im Zentrum der Stadt die Kirche São Roque (1566 ff.) mit Johanneskapelle (1748). Die nach dem Erdbeben von 1755 im Rechteckschema angelegte Unterstadt **(Cidade Baixa)** mit der Praça do Comércio im S und der Praça Dom Pedro IV (gen. Rossio) mit Nationaltheater (1842–46) ist das Geschäfts- und Bankenzentrum; im anschließenden Viertel Chiado vernichtete ein Großbrand 1988 wertvolle Bausubstanz. Ein Wahrzeichen L.s ist der von G. Eiffel erbaute turmartige Aufzug (Elevador), der die Unterstadt mit dem Zentrum verbindet. Im W der Stadt liegen die Basílica da Estrela (1779–90), die Wallfahrtskapelle Santo Amaro (1549 ff.), das Parlamentsgebäude (urspr. Kloster São Bento, 1598) sowie der Ajudapalast (1802 ff.). Im Stadtteil →Belém befinden sich das ehem. Hieronymitenkloster (um 1502–72) sowie der Torre de Belém (1515–21; beide UNESCO-Weltkulturerbe) und das »Denkmal der Entdeckungen«. Im NW von L. liegt das ehem. königl. Sommerschloss Queluz (1747 ff.). Weiteres Bild Belém

Geschichte: Die Stadt ist phönik. Ursprungs (**Alis Ubbo,** archäologisch bisher nicht nachweisbar), seit 205 v. Chr. röm. (Municipium **Felicitas Julia,** Hauptort der Provinz Lusitania). Im 5. Jh. stand L. unter alan., 585–713 unter westgot. Herrschaft. 715 wurde es von den Arabern, 1147 durch Alfons I. von Portugal erobert und war seit 1260 Residenz; im 15. Jh. einer der wichtigsten Handelsplätze und (neben Sevilla) eine der reichsten Städte Europas. Um 1600, unter span. Herrschaft, setzte der Niedergang der Stadt ein. Ein Erdbeben zerstörte 1755 einen Großteil der Stadt.

📖 Leslie, J. *u.* Osang, R.: *L. Köln 1994.* – Beck, J.: *L. u. Umgebung. Erlangen 1996.*

Lissajous-Figuren [lisaˈʒu-, nach dem frz. Physiker Jules Lissajous, *1822, †1880], Figuren zur visuellen Darstellung von Schwingungsvorgängen. Sie entstehen, wenn sich zwei in zueinander senkrechten Richtungen verlaufende period. Bewegungen mit den Amplituden A_1 und A_2, den Frequenzen ω_1 und ω_2 und der Phasendifferenz $\varphi_1 - \varphi_2$ überlagern. Geschlossene Figuren ergeben sich nur, wenn das Verhältnis der Frequenzen rational ist.

Lissitzky [-ki] (Lissizkij), El (Eliezer), eigtl. Lazar Markowitsch, russ. Maler, Grafiker und Architekt, *Potschinok (Gebiet Smolensk) 23. 11. 1890, †Moskau 30. 12. 1941; studierte in Darmstadt (1909–14) und Moskau Architektur, 1919 wurde er Prof. an der Kunstschule in Witebsk. L. gilt als einer der Initiatoren der v. a. von W. Tatlin begründeten Bewegung des →Konstruktivismus. 1922/23 war er in Amsterdam, Berlin und Hannover tätig und stellte Kontakte zur De-Stijl-Gruppe und zum Bauhaus her. Neben seinen Bildkompositionen (»Proun«-Bilder), die auf der Kombination von geometr. Körpern und Flächen beruhen, schuf er Entwürfe für Plakate, avantgardist. Architekturprojekte (Lenin-Tribüne, 1924; »Wolkenbügel«-Hochhäuser, 1924/25); für die russ. Avantgarde wegweisende fotografische Arbeiten.

Johann Liss: »Tod der Kleopatra« (um 1622-24; München, Alte Pinakothek)

El Lissitzky: »Tatlin bei der Arbeit« (um 1920; Privatbesitz)

📖 *El L., Maler, Architekt, Typograf, Fotograf. Erinnerungen, Briefe, Schriften, hg. v.* S. LISSITZKY-KÜPPERS. *⁴1991.*

List, Gem. an der Nordspitze der Insel Sylt, Kr. Nordfriesland, Schlesw.-Holst., 2900 Ew., nördlichstes dt. Seebad; Fährverkehr zur dän. Insel Röm.

List, Friedrich, Volkswirtschaftler und Politiker, *Reutlingen 6. 8. 1789, †(Selbstmord) Kufstein 30. 11. 1846; ab 1817 Prof. in Tübingen. Als Gründer des Dt. Handels- und Gewerbevereins und Verfechter der zollpolit. Einigung Dtl.s geriet er in Ggs. zur württemberg. Regierung, verlor seine Professur (1819) und wurde wegen seines radikalliberalen Auftretens als Abg. der württemberg. Kammer 1822 zu Festungshaft verurteilt und nur gegen das Versprechen, in die USA auszuwandern, freigelassen. 1832 kehrte er als amerikan. Konsul nach Dtl. zurück, wurde zum Vorkämpfer des dt. Eisenbahnbaus und zum Propagandisten des Dt. Zollvereins; befürwortete Schutzzölle als Übergangsmaßnahme für die industrielle Entwicklung Dtl.s. Mit seiner »Theorie der produktiven Kräfte«, die er der klass. »Theorie der Werte« entgegensetzte, wurde er zum Vorläufer der histor. Schule der Nationalökonomie. Die Gedanken L.s führt die 1925 gegr. **List-Gesellschaft** (bis 1934 Friedrich-List-Gesellschaft) weiter. – *Werk:* Das natürl. System der polit. Ökonomie (1841).

Friedrich List
(Lithographie, 1845)

📖 SCHAFMEISTER, K.: *Entstehung u. Entwicklung des Systems der Polit. Ökonomie bei F. L. St. Katharinen 1995.*

Liste, 1) *allg.:* schriftl. Aufstellung, Verzeichnis.

2) *Datenverarbeitung:* 1) Bez. für eine dynamisch, d.h. beliebig in Struktur und Umfang änderbare Zusammenfassung von Datentypen (z.B. Zahlen, Zeichenketten und wiederum L.) in listenverarbeitenden Programmiersprachen (z.B. →LISP, →LOGO); 2) Computerprogramm oder zusammengehörende Menge von Daten, die von einem Drucker ausgegeben werden; i.e.S. in tabellar. Form ausgedruckte Daten (deren Anordnung als Listenbild bezeichnet wird); 3) in einem Speicher (meist Arbeitsspeicher) enthaltenes Verzeichnis der Zuordnung von Kennbegriffen zu einer →Adresse.

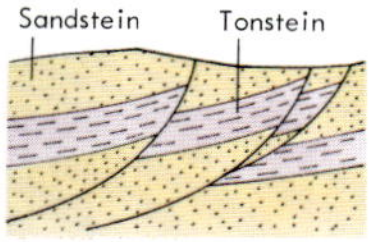

listrische Fläche:
Durch listrische Flächen zerlegte Schichtenfolge

Listenwahl, Wahlverfahren, bei dem in jedem Wahlbezirk mehrere Abg. zugleich in der Reihenfolge einer feststehenden Liste gewählt werden; in einzelnen Ländern der Bundesrep. Dtl. sind bei Gemeindewahlen Änderungen der Liste durch →Kumulation und →Panaschieren möglich.

Lister ['lɪstə], Joseph Baron (seit 1897), brit. Chirurg, *Upton (Cty. Essex) 5. 4. 1827, †Walmer (Cty. Kent) 10. 2. 1912; führte die Antisepsis in die Wundbehandlung ein.

Franz von Liszt

Listeriose [nach J. Lister] *die,* durch das Bakterium Listeria monocytogenes hervorgerufene Infektionskrankheit (Zoonose) von Tier und Mensch mit versch. Erscheinungsformen, v.a. mit Befall des Zentralnervensystems. Beim Erwachsenen verläuft sie meist mit den Symptomen einer leichten Grippe. Bes. gefährlich ist die L. für Schwangere, da der Erreger den Mutterkuchen durchdringen und zu Totgeburt oder schwerer Erkrankung des Neugeborenen **(Neugeborenen-L.)** führen kann. Die Behandlung erfolgt mit Antibiotika.

l'istesso tempo [italien.], musikal. Vortragsbezeichnung: im gleichen Zeitmaß weiterspielen.

listrische Fläche (Schaufelfläche), *Geologie:* schräg aufsteigende, nach oben steiler werdende tekton. Bewegungsfläche.

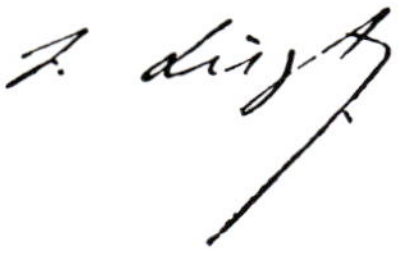

Franz Liszt:
Porträtfotografie von Nadar (1886), darunter Autogramm

Liszt [list], **1)** Franz von (seit 1859), ungar. Komponist und Pianist, *Raiding (Burgenland) 22. 10. 1811, †Bayreuth 31. 7. 1886; Vetter von 2); lebte seit 1835 mit der Gräfin Marie d'Agoult in Genf und in Oberitalien (von ihren drei Kindern wurde am bekanntesten Cosima, die in erster Ehe mit H. von Bülow, in zweiter mit R. Wagner verheiratet war). Ausgedehnte Konzertreisen führten ihn durch ganz Europa. 1842 wurde L. Hofkapellmeister in Weimar; hierhin folgte ihm die Fürstin Caroline von Sayn-Wittgenstein, die er in Kiew kennen gelernt hatte. 1861 ging er nach Rom, wo er 1865 die niederen Weihen empfing (Abbé); wechselte dann seinen Wohnsitz zw. Rom, Weimar und Budapest. L. wurde der Schöpfer der sinfon. Dichtung und einer neuartigen virtuosen Klaviermusik. Er setzte sich bes. für die Aufführung zeitgenöss. Werke ein (R. Schumann, H. Berlioz, R. Wagner). – *Werke:* Klavierwerke: Années de pélérinage (zw. 1835 und 1877); Consolations (1849); 19 Ungar. Rhapsodien (erschienen ab 1851); Sonate h-Moll (1853); Präludium und Fuge über den Namen B-A-C-H (1855);

Konzertetüden; zwei Klavierkonzerte; sinfon. Dichtungen (Tasso; Les Préludes; Orpheus; Mazeppa; Die Ideale); Sinfonien; geistl. Musik (Oratorium »Die Legende von der hl. Elisabeth«; Oratorium »Christus«; Graner Festmesse; Requiem; Kantaten; Orgelmusik); Lieder, Männerchöre.

📖 Dömling, W.: *F. L. u. seine Zeit. Laaber 1985.* – Engel, A.: *F. L. Gernsbach 1989.* – Rueger, C.: *F. L. Des Lebens Widerspruch. Eine Biographie. München 1997.*

2) Franz von, Rechtslehrer und Kriminalpolitiker, * Wien 2. 3. 1851, † Seeheim (heute Seeheim-Jugenheim/Bergstraße) 21. 6. 1919, Vetter von 1); u.a. Prof. in Berlin (1899–1916); Mitbegründer der dt. soziolog. Strafrechtsschule; setzte sich für die empir. Erforschung der Ursachen und Erscheinungsformen des Verbrechens ein und forderte statt Vergeltungsstrafe eine auf Erziehung und Sicherung abgestellte Strafe. – *Werke:* Lb. des dt. Strafrechts (1881); Das Völkerrecht, systematisch dargestellt (1898).

Lit, Abk. für die italien. →Lira.

Li Taibai (Li Bo, Li Taibo, Li T'ai-po), chines. Dichter, * Westturkestan 701, † bei Nanking 762; möglicherweise türk. Herkunft; führte ein unstetes Wanderleben und lebte zeitweilig am Kaiserhof. Seine Gedichte zeichnen sich durch Unmittelbarkeit des Empfindens aus; gedanklich zeigen sie daoist. Einflüsse.

Litanei [mhd. letanie zu grch. litaneía »das Bitten«] *die,* Wechselgebet; im christl. Gottesdienst die Anrufung Gottes und der Heiligen **(Allerheiligen-L.)** in Wechselrede bzw. -gesang zw. Vorbeter und Gemeinde; in den orth. Kirchen die **Ektenie.**

Litani (arabisch Nahr el-Litani, im Altertum Leontes), wichtigster Fluss Libanons, 145 km lang, entspringt westlich von Baalbek, durchfließt die Beka, mündet nördlich von Tyr (Sur) ins Mittelmeer; zur Bewässerung und Energiegewinnung (Staudämme) genutzt.

Litas *der,* die litauische Währungseinheit, (1924–40 und seit 1991); 1 L. = 100 Centas (ct). →Währung, Übersicht.

Litauen (Lietuva, amtlich litauisch Lietuvos Respublika), Staat in NO-Europa, grenzt im W an die Ostsee, im N an Lettland, im O und SO an Weißrussland, im S an Polen und im SW an Russland (Gebiet Kaliningrad).

Staat und Recht: Nach der Verf. vom 25. 10. 1992 (durch Referendum gebilligt) ist L. eine souveräne, demokrat. Rep. mit Präsidialsystem. Als Staatsoberhaupt fungiert der direkt gewählte Präs. Die Legislative liegt beim Einkammerparlament, dem Sejm (141 Abg.), die Exekutive bei der Reg. unter Vorsitz des MinPräs. Einflussreichste Parteien: Vaterlandsunion (1993 aus der Unabhängigkeitsbewegung Sajudis [gegr. 1988] hervorgegangen), die Litauische Demokrat. Partei der Arbeit (LDAP; Nachfolgeorganisation der KP), Christlich-Demokrat. Partei, Sozialdemokrat. Partei, Partei der poln. Minderheit.

Landesnatur: L. liegt im NW der eiszeitlich geformten Osteurop. Ebene. Die Oberfläche wird durch Grund- und Endmoränen bestimmt. Im W erheben sich die Schamait. Höhen bis 234 m ü. M., der SO wird vom seenreichen Balt. Landrücken (in L. bis 287 m ü. M.) eingenommen und von den litauischen Hauptströmen Memel und Neris in tiefen, windungsreichen Tälern durchschnitten. Im zentralen Teil liegt die z. T. versumpfte, moorige Mittellitauische Tiefebene (35/40 m bis 80/90 m ü. M.). Der knapp 100 km lange und 15–20 km breite Küstenstreifen geht im S in die z. T. sumpfige Niederung an der unteren Memel über. Vor der südl. Küste liegt der litauische Anteil am Kur. Haff und an der Kur. Nehrung. – Das Klima ist durch maritimen Einfluss im W-Teil gemäßigt. Im mittleren und östl. Teil nimmt die Kontinentalität zu, die Winter werden kälter, die Sommer wärmer. Die langjährige Niederschlagsmenge erreicht im Jahresdurchschnitt an der Küste etwa 700 mm, in den östl. Regionen 550 mm. – Etwa 30 % der Fläche sind bewaldet (v. a. Kiefern, Fichten, Birken und Erlen). Die größten zusammenhängenden Waldgebiete liegen im SO; 17 % des Territoriums sind versumpfte Wiesen, etwa 3 % Moore (v. a. Flachmoore).

Li Taibai
(Holzschnitt aus dem 17. Jh.)

Bevölkerung: 1995 waren von den Bewohnern 81,3 % Litauer, 8,4 % Russen, 7,0 % Polen, 1,5 % Weißrussen und 1,0 % Ukrainer. Der einst große Bev.anteil der Juden nahm von (1939) 7,5 % auf (1995) 0,1 % ab. Etwa 800 000 Litauer leben im Ausland (v. a. in den USA). L. ist die am stärksten besiedelte balt. Republik. Von der Bev. wohnen 72 % in Städten; am dichtesten sind die zentralen und südl. Gebiete, am schwächsten der SO besiedelt. Drei Viertel der Gläubigen gehören der römisch-

Li Taibai

Der chinesische Dichter Li Taibai nahm durch sein geistvolles, bohemienhaftes und dem Wein zugetanes Auftreten für sich ein. Mit seinen Gedichten von genialer Einfachheit und zugleich persönlicher, fantasievoller Unmittelbarkeit erlangte er höchste Popularität. Das folgende Gedicht trägt den Titel »Gefragt, wer er sei«:

Ich nenne mich Blauer
Lotus. Ich bin ein
freier Gelehrter, ein Engel,
vom Himmel verbannt.
Ich habe dreißig Jahre schon
meinen Ruhm in den Schenken
des Landes vergraben.
Was soll das Fragen,
Herr Kommandant?
Ihr steht vor Buddhas Wieder-
kunft, vor einem Gott, der
auferstand!

Litauen

Fläche: 65 300 km²
Einwohner: (1995) 3,70 Mio.
Hauptstadt: Vilnius (Wilna)
Verwaltungsgliederung: 10 Bezirke
Amtssprache: Litauisch
Nationalfeiertage: 16. 2. und 11. 3.
Währung: 1 Litas (LTL) = 100 Centas (ct)
Zeitzone: MEZ

Staatswappen

LT

Internationales Kfz-Kennzeichen

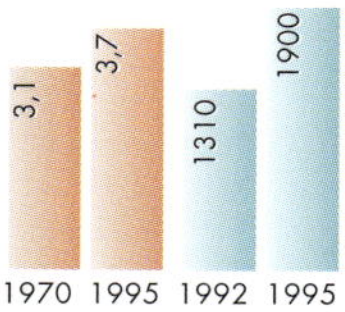

Bevölkerung (in Mio.)

Bruttosozialprodukt je Ew. (in US-$)

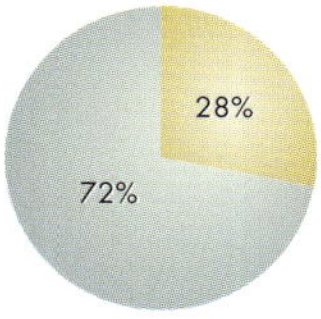

Bevölkerungsverteilung 1995

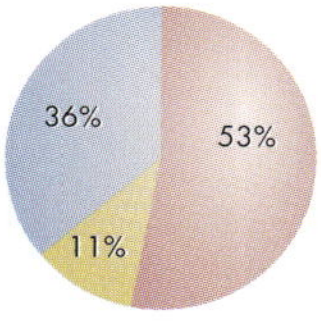

Bruttoinlandsprodukt 1995

kath. Kirche an. Die Schulpflicht beträgt neun Jahre. Neben der Litauischen Akademie der Wiss. gibt es zwei Univ. und zwei Techn. Univ. in Vilnius bzw. Kaunas sowie fünf ihnen gleichgestellte Hochschulen.

Wirtschaft, Verkehr: Bis in die 50er-Jahre war die Landwirtschaft wirtschaftsbestimmend, danach entwickelte sich in großem Umfang die Industrie. Sie ist heute zus. mit dem Bauwesen am Bruttoinlandsprodukt mit 36%, die Landwirtschaft mit 11% beteiligt. Der Übergang von der sozialist. Plan- zur freien Marktwirtschaft vollzieht sich schleppend, wichtige Wirtschaftsbereiche sind noch in staatl. Hand. L. ist wirtsch. noch eng mit Russland verflochten und auf die Zufuhr von russ. Erdöl, -gas, Metallprodukten und Maschinen angewiesen. Innerhalb der Landwirtschaft steht die Mastschweine-, Milchrinder- und Geflügelhaltung im Vordergrund. Hauptanbauprodukte sind Getreide, Futterpflanzen, Kartoffeln, Zuckerrüben, Flachs und Gemüse. Neben Binnen- und Küstenfischerei wird v.a. Hochseefischerei betrieben. L. ist arm an Rohstoffen. In größerem Umfang sind Torf- (wichtiger Brennstoff für die Privathaushalte), Baustoff- und Bernsteinvorkommen vorhanden. Die einst bestimmende Nahrungsmittel- (bes. Milch-, Fleisch-, Fischverarbeitung) und Textilind. wurde nach 1950 von Zweigen des Maschinenbaus und der Elektrotechnik/Elektronik (Bau von Werkzeugmaschinen, Elektromotoren und -geräten) sowie des Schiffbaus verdrängt. Bedeutung haben darüber hinaus die chem., Holz- und Papierind. sowie die Bernsteinverarbeitung. Wichtigste Ind.standorte sind Vilnius, Kaunas, Klaipėda, Šiauliai, Panevėžys, Alytus und Jurbarkas; in Mažeikiai wird russ. Erdöl verarbeitet, in Ignalina befindet sich ein Kernkraftwerk. Die wichtigsten Handelspartner sind Russland, die Ukraine, Weißrussland, Dtl., Lettland und Polen. Der Fremdenverkehr beginnt sich langsam zu entwickeln. – Das Verkehrsnetz ist relativ dicht ausgebaut und umfasst ein 2010 km langes Eisenbahnnetz und ein 42209 km langes Straßennetz. Das Binnenwasserstraßennetz ist 788 km lang (Schifffahrt auf Memel, Neris und den 61 Trakaiseen westlich von Vilnius). Internat. Flughäfen gibt es in Vilnius und Šiauliai, regionale in Kaunas Panevėžys, Druskininkai und Palanga. Einziger Hochseehafen ist Klaipėda, seit 1986 mit Mukran auf Rügen durch eine Eisenbahnfähre verbunden. Auf der Kur. Nehrung liegt das Ostseebad Neringa.

Geschichte: Etwa zu Beginn des 9. Jh. nahmen die von Slawen aus ihrem ursprüngl. Siedlungsraum an der oberen Oka und Wolga verdrängten balt. Litauer (1008 erstmals erwähnt) das Gebiet des heutigen L. in Besitz. Fürst Mindaugas (Mindowe) einigte um 1240 das in zahlr. Kleinfürstentümer zersplitterte L., das nach seiner Ermordung 1263 aber wieder zerfiel. Als eigentl. Reichsgründer gilt Großfürst Gedimin (1316–41), der ein litauisches Großreich (Hptst. seit 1323 Wilna) durch Ausdehnung nach O schuf; er unterstellte u.a. Minsk und Witebsk seiner Oberhoheit. Unter Gedimins Sohn Algirdas (1345–77) dehnte sich L. bis zur Oka und zum Dnjepr aus. Großfürst Jogaila (poln. Jagiełło, 1377–1434) schloss zum Schutz gegen den Dt. Orden eine Union mit Polen, ließ sich taufen und erhielt nach Heirat mit der poln. Thronerbin Hedwig 1386 die poln. Königskrone als Władysław II. (Begründer der Dynastie der Jagiellonen); die Großfürstenwürde überließ er 1401 seinem Vetter Witold (Vytautas; †1430). In der Schlacht von Tannenberg (1410) besiegte das vereinigte polnisch-litauische Heer den Dt. Orden. Im Unionsvertrag von Brest (1446) sicherte König Kasimir L. die Selbstständigkeit und Souveränität zu; es verlor jedoch immer mehr Gebiete an Russland (Smolensk, Tschernigow, Brjansk, Gomel). Während des →Livländischen Krieges stimmten 1569 auf einem polnisch-litauischen Reichstag in Lublin die litauischen Vertreter unter poln. Druck der völligen Vereinigung beider Länder zu (Union von Lublin). Kämpfe rivalisierender Adelsfamilien schwächten das Doppelreich stark und führten eine bürgerkriegsähnl. Situation herbei, die Österreich, Russland und Preußen nutzten, um Polen

1772, 1773 und 1795 zu teilen. Mit der 3. Teilung kam der Hauptteil des litauischen Siedlungsgebietes an Russland. Die brutale Russifizierungspolitik führte sowohl zu einer starken Auswanderungsbewegung in die USA und nach Kanada als auch zu einer litauischen Nationalbewegung, die insbesondere vom Kleinadel und der Intelligenz getragen wurde und auch in Gegensatz zum Polentum geriet. Nach der Revolution von 1905 musste die russ. Reg. den Litauern Zugeständnisse machen; sie erhielten einen eigenen Landtag, litauische Abg. zogen in die Duma ein. 1915 besetzten dt. Truppen L.; der mit dt. Zustimmung 1917 gebildete Landesrat (Taryba) proklamierte am 11. 12. 1917, erneut am 16. 2. 1918 den unabhängigen Staat L. Die Reg. Sowjetrusslands erkannte die Rep. L. erst 1920 an, nachdem ein Versuch, das Land anzugliedern, gescheitert war; 1920 annektierte Polen das Wilnagebiet. L. bemächtigte sich 1923 des Memellandes. 1926 beendete ein militär. Staatsstreich die demokrat. Entwicklung; unter Staatspräs. A. Smetona (1926–40) errichtete die Nationalpartei (Tantininkai) eine autoritäre Herrschaft (MinPräs. 1926–29 A. Voldemaras, 1929–38 J. Tubelis). Am 22. 3. 1939 musste L. nach einem dt. Ultimatum das Memelland aufgeben. Der Dt.-Sowjet. Grenz- und Freundschaftsvertrag vom Sept. 1939 teilte L. der sowjet. Interessensphäre zu; im Juni 1940 wurde ganz L. besetzt und nach Ausrufung der Litauischen SSR (21. 7. 1940) am 3. 8. 1940 der Sowjetunion angegliedert; die litauische Intelligenz wurde verschleppt oder liquidiert. 1941–44 stand L. unter dt. Besetzung (Judenverfolgung), 1944 wurde es erneut von der Roten Armee erobert. – Im Zuge der nat. Bestrebungen zur Wiederherstellung der Unabhängigkeit wurde 1988 die Bewegung Sajudis gegr.; im Dez. 1989 spaltete sich die KP von der KPdSU ab (1990 Umbenennung in Litauische Demokrat. Arbeiterpartei [LDAP] und Neuorientierung auf sozialdemokrat. Prinzipien). Nach Einführung eines Mehrparteiensystems (Dez. 1989) brachten die ersten freien Parlamentswahlen im Febr. 1990 eine Zweidrittelmehrheit für Sajudis. Am 11. 3. 1990 erklärte L. als erste sowjet. Unionsrep. seine staatl. Unabhängigkeit (Umbenennung in Rep. L. auf der Grundlage ihrer Vorkriegsverfassung). Parlamentspräs. (Staatsoberhaupt) wurde der Vors. der Sajudis V. Landsbergis, Ministerpräsidentin K. Prunskiene. Die Weigerung des Parlaments, den Unabhängigkeitsbeschluss zurückzunehmen, zog wachsende Spannungen mit Moskau nach sich (Wirtschaftsblockade gegen L. bis Juli 1990, blutige Zusammenstöße sowjet. Truppen mit der Bev. der Hauptstadt im Jan. 1991). Gemeinsam mit den ebenfalls um ihre staatl. Eigenständigkeit ringenden Rep. Estland und Lettland belebte L. im Mai 1990 den

Litauen (von oben): Dünenlandschaft an der Kurischen Nehrung und Wasserburg Trakei am Gavlessee westlich von Vilnius (Wilna)

→Baltischen Rat wieder und begann, ein eigenes Wirtschaftssystem aufzubauen. Bev.proteste gegen die enormen Preiserhöhungen führten im Jan. 1991 zum Rücktritt der Reg.; neuer MinPräs.

Litauen

Kazimiera Prunskiene

Vitautas Landsbergis

wurde G. Vagnorius (bis 1992). In einem Referendum (Febr. 1991) sprachen sich mehr als 90% der Einwohner L. für eine »demokrat. und unabhängige Rep.« aus (entsprechende Verfassungsänderung im gleichen Monat). Nach dem Scheitern des gegen Unionspräs. Gorbatschow gerichteten Staatsstreiches im Aug. 1991 setzte L. seine volle staatl. Unabhängigkeit durch (am 6. 9. 1991 auch durch den Staatsrat der UdSSR anerkannt). Im Sept. 1991 wurde L. Mitgl. der UN. Im Sept. 1992 schlossen L. und Russland eine Übereinkunft über den Abzug der russ. Truppen bis Ende Aug. 1993. Die durch den Wechsel von der Plan- zur Marktwirtschaft auftretenden Umstellungsprobleme führten 1992 zu großer Unzufriedenheit. Bei den Parlamentswahlen im Herbst errang die postkommunist. LDAP die absolute Mehrheit. A. Brazauskas (LDAP) löste Landsbergis als Parlamentspräs. ab und kündigte eine gemäßigte Fortsetzung des marktwirtsch. Reformkurses an. Im Febr. 1993 wurde Brazauskas zum Staatspräs. gewählt. Bei den Parlamentswahlen vom 20.10./10.11.1996 kam es zum erneuten Reg.wechsel, es siegte die konservative Vaterlandsunion (damaliger Vors. V. Landsbergis, der erneut Parlamentspräs. wurde). Die 1996–99 von G. Vagnorius, danach von R. Paksas geführte Reg. setzte den Kurs der Westintegration fort (v. a. Streben nach einem raschen Beitritt zur NATO und zur Europ. Union). Im Jan. 1998 wurde Valdas Adamkus Staatspräsident.

📖 RAUCH, G. VON: *Geschichte der balt. Staaten. München ³1990. – Die balt. Nationen. Estland, Lettland, L., hg. v.* B. MEISSNER. *Köln ²1991.* – LUDWIG, K.: *Das Baltikum. Estland, Lettland, L. München ³1992. – Balt. Länder, hg. v.* G. VON PISTOHLKOHRS. *Berlin 1994.* – STOPINSKI, S.: *Das Baltikum im Patt der Mächte. Zur Entstehung Estlands, Lettlands u. L.s im Gefolge des Ersten Weltkriegs. Berlin 1997.*

Litauer, die zur balt. Völker- und Sprachengruppe der Indogermanen gehörenden Bewohner Litauens mit den Untergruppen der Schemaiten und Aukschtaiten; etwa 3,1 Mio. Menschen; etwa 800 000 L. leben im Ausland, v. a. in den USA.

litauische Literatur. Die litauische Volksdichtung kennt viele Märchen und Volkslieder (→Dainos). Im 18. Jh. begann mit K. Donelaitis (*1714, †1780) eine weltl. Kunstpoesie. Im 19. Jh. ragen S. Daukantas (*1793, †1864) und A. Baranauskas (*1835, †1902) hervor. Bes. wichtig für die nat.-romant. Bewegung war Maironis (*1862, †1932). Den Realismus vertraten V. Kudirka (*1858, †1899), Žemaitė (*1845, †1921) u. a. In symbolist. und impressionist. Richtung schrieben u. a. W. S. Vydūnas (*1868, †1953), J. Baltrušaitis (*1873, †1944), M. Gustaitis (*1870, †1927). Romane verfassten Putinas (*1893, †1967), V. Krėvė-Mickevičius (*1882, †1954) u. a. Während der Unabhängigkeitsperiode 1918–40 nahm die l. L. einen großen Aufschwung. Nach dem 2. Weltkrieg gingen viele litauische Schriftsteller in die Emigration (K. Bradunas, H. Radauskas, J. Aistis, B. Brazdžionis u. a.). Für Litauen war nach 1956 eine breite Entwicklung aller literar. Gattungen und Themen und damit eine Hinwendung zur Moderne kennzeichnend, u. a. durch die Lyriker E. Mieželaitis, J. Vaičiunaitė, J. M. Marcinkevičius, der auch Erzähler und Dramatiker ist, und die Erzähler J. Avyžius, V. Bubnis, M. Sluckis, V. Zilinskaitė. So konnte nach der staatl. Unabhängigkeit 1991 der Anschluss an die internat. Strömungen der Literatur erfolgen, auch durch Vertreter der jüngeren Generation wie die Lyriker D. Kajokas und J. Erlickas, die Prosaautoren V. Juknaitė, R. Gavelis, L. Gustaskas, J. Ivanauskaitė. Auch die l. L. in der Emigration (u. a. A. Škėme, A. Landsbergis, K. Ostrauskas, A. Mackus), deren Werke nun wieder im Land selbst gedruckt werden, wächst so wieder mit der Literatur in Litauen zusammen.

📖 SCHOLZ, F.: *Die Literaturen des Baltikums. Ihre Entstehung u. Entwicklung. Opladen 1990.*

litauische Sprache. Das Litauische bildet mit dem Lettischen und (heute ausgestorbenen) Altpreußischen den balt. Zweig der indogerman. Sprachen. Wegen seiner hohen Altertümlichkeit (Lautsystem, freier Wortakzent, Nominalsystem mit sieben Kasus, Suffixe, Diminutive) ist es für die Indogermanistik von großer Bedeutung. Zwei Dialektgruppen: das Niederlitauische oder **Schemaitische** im NW und das Hochlitauische oder **Aukschtaitische**, auf dem die Schriftsprache fußt.

Litchi, →Litschi.

Liten, allg. Zinsleute, im altgerman. Recht die **Halbfreien,** die meist rechts- und vermögensfähig, aber dienst- und zinspflichtig sowie an die Scholle gebunden und ohne polit. Rechte waren. Mundartlich auch als Laten, Leten, Lassen, Lassiten bezeichnet. Ihre Stellung hatte in Preußen bis 1850 Bedeutung.

Liter [aus frz. litre, grch. litra], Einheitenzeichen **l**, Volumeneinheit, meist bei Flüssigkeiten verwendete Bez. für Kubikdezimeter: $1\,l = 1\,dm^3 = 1/1000\,m^3$.

Literat [lat.] *der,* im 18. Jh. zunächst der Sprach- und Literaturkenner, dann der Berufsschriftsteller.

Literatenmalerei, nichtakadem. Richtung der ostasiat. Malerei. Als Kunstform der chin. klassisch gebildeten Elite verkörperte die L. seit dem 10. Jh. das Amateurideal des konfuzianisch gebildeten Gelehrten-Beamten, des buddhist. Mönches und des daoistisch geprägten, weltabgewandten Außenseiters. Sie betrieben die Kunst nicht als Broterwerb, sondern erstrebten die Beherrschung der vier großen Künste Poesie, Kalligraphie, Malerei und Musik zur »Kultivierung ihrer Persönlichkeit«.

Literatur [lat.] *die,* in einem grundlegenden Sinn jeder auf der Basis eines (Schrift-)Zeichensystems festgehaltene und damit lesbare Text, im Ggs. zur → Oral Poetry. L. wird i.w.S. für alle Schriftwerke, i.e.S. für belletrist. Texte (Dichtung) bzw. kultur- und geistesgeschichtl. Texte, in einem speziellen Sinn für fachbezogene Texte (Fach-L.) verwendet. Je nach kulturellem Verständnis und fachbezogenem Interesse können »hohe« und »triviale«, Sach- und belletrist., fiktionale (Dichtung) und nichtfiktionale, Unterhaltungs-, Gebrauchs- und Tendenz- bzw. Zweck-L. unterschieden werden. Unter dem Begriff Weltliteratur werden v.a. diejenigen Werke verschiedener nat. L. verstanden, die über den Rahmen der jeweiligen Kultur hinaus Bedeutung erlangt haben. Für die wiss., öffentl. und auch die schul. Beschäftigung mit literar. Texten erscheint L. 1) unter dem Aspekt der Produktion (Autor), 2) unter dem Aspekt der Vermittlung (literar. Markt, Gattungen, »Institution Kunst«), 3) unter dem Aspekt der Rezeption (literar. Wirkung und Wertung durch Publikum und Kritiker).

📖 Arntzen, H.: *Der Literaturbegriff. Geschichte, Komplementärbegriffe, Intention. Eine Einführung. Münster 1984.*

Literaturgeschichte, die Darstellung geschichtl. Entwicklungen 1) entweder der National- oder der Weltliteraturen, 2) einzelner Epochen (z.B. Romantik) oder 3) einzelner Gatt. (z.B.

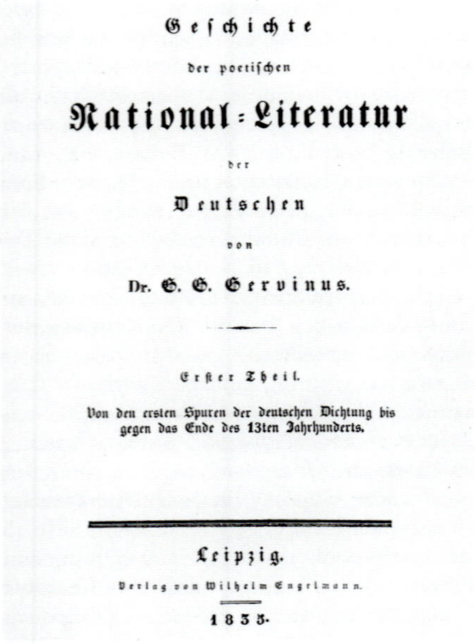

Geschichte

der poetischen

National-Literatur

der

Deutschen

von

Dr. G. G. Gervinus.

Erster Theil.

Von den ersten Spuren der deutschen Dichtung bis gegen das Ende des 13ten Jahrhunderts.

Leipzig.

Verlag von Wilhelm Engelmann.

1835.

Literaturgeschichte: Titelblatt des 1835 erschienenen ersten Teils der »Geschichte der poetischen National-Literatur der Deutschen« von Georg Gottfried Gervinus

Literatenmalerei: Ausschnitt aus einer Handrolle des chinesischen Malers und Dichters Wu Zhen (1342; Washington, D. C., Freer Gallery of Art)

Roman). Aufgabe der L. war zu allen Zeiten die Registrierung der überlieferten Literatur in der Abfolge ihres Erscheinens. Dabei trug die L. schon früh durch eine wertende Selektion zur Bildung eines Kanons klassisch-vorbildl. Werke bei. Von Bedeutung für die Entstehung von L. war das historiograph. Interesse des ausgehenden 17. Jh. sowie die Erkenntnissuche von Aufklärung und Vorromantik, die zu enzyklopäd. und interpretierenden Darstellungen führte. Umfassende Überblicke entstanden in der Romantik mit A. W. Schlegels »Gesch. der alten und neuen Literatur« (1812/13). Es erschienen Geschichten der »Nationalliteratur« (A. Koberstein, 1827; G. G. Gervinus, 1835–40), in denen Literatur in die polit. Gesch. eingeordnet wurde. Mitte des 19. Jh. nahm die Zahl der L. beträchtlich zu. Das grundlegende Nachschlagewerk zur dt. Literatur schuf K. Goedeke mit seinem »Grundriß zur Gesch. der dt. Dichtung« (1857–81). Die nach 1871 in der dt. Germanistik vorherrschend einsetzenden Einflüsse nat.-konservativer Bestrebungen blieben z.T. bis in die Zeit nach dem 2. Weltkrieg erhalten. Eine Neuorientierung für die L. ergab sich Mitte der 60er-Jahre unter dem Einfluss neomarxist. Theorien, der Rezeption des frz. Strukturalismus, der Linguistik, der Sozialgeschichtsschreibung und, in neuerer Zeit v.a. auch im Rahmen der Rezeptionsästhetik (H. R. Jauss), der Mentalitätsgeschichte.

📖 Söring, J.: *L. u. Theorie. Ein kategorialer Grundriß. Stuttgart u.a. 1976. – Über Literaturgeschichtsschreibung: die historisierende Methode des 19. Jh. in Programm u. Kritik, hg. v.* E. Marsch. *Neuausg. Darmstadt 1986.* – Žmegač, V. *u.a.: Kleine Geschichte der dt. Lit. Frankfurt am Main* ^{3}*1989.* – Jauss, H. R.: *L. als Provokation. Frankfurt am Main* ^{10}*1992.* – Fritsch-Rössler, W.: *Biblio-*

graphie der dt. L.n., auf mehrere Bde. ber. Frankfurt am Main u. a. 1994 ff.

Literaturkritik, Beschäftigung mit literar. Werken, Gattungen, Stilen und Epochen, bei der Interpretation, Vergleich, Reflexion und Wertung im Vordergrund stehen. Während sich die L. im dt.

Literaturkritik: Titelblatt des ersten Teils der »Briefe, die neueste Litteratur betreffend« von Gotthold Ephraim Lessing (1759/60)

Sprachgebrauch v. a. mit der jeweils zeitgenöss. Literatur und aktuellen literar. Tendenzen auseinander setzt, reichen im Englischen »literary criticism« und im Französischen »critique littéraire« auch in den Bereich der →Literaturwissenschaft hinüber. – L. gab es schon in der grch. Antike und in Rom; ihre Maßstäbe waren die Regeln der antiken Rhetorik und Poetik. Im lat. MA. kam die religiös motivierte, in der mittelhochdt. Literatur die ästhet., stilistisch wertende L. auf. Während des Humanismus war die L. durch politisch-religiöse Polemik geprägt; eine krit. Auseinandersetzung mit literar. Traditionen setzte erst mit M. Opitz im 17. Jh. wieder ein; L. auf breiter Basis gab es jedoch erst in der Aufklärung (J. C. Gottsched, F. Nicolai, G. E. Lessing). Die Weimarer Klassik suchte für ihre Kritik nach objektiven Gattungsgesetzen, die Romantik hingegen knüpfte an die alle äußeren Regeln missachtende L. des Sturm und Drang wieder an (F. und A. W. Schlegel, L. Tieck, Novalis). Eine erste Politisierung der L. wagte das Junge Dtl. (H. Heine u. a.). Bis ins 19. Jh. wurden L.n. noch weitgehend von Schriftstellern verfasst; erst im 20. Jh. tritt neben den Schriftsteller auch der berufsmäßige Literaturkritiker (z. B. H. Ihering, H. Karasek, A. Kerr, K. Kraus, A. Polgar, M. Reich-Ranicki, P. Rilla).

📖 WELLEK, R.: *Grundbegriffe der L. A. d. Amerikan. Stuttgart u. a. ²1971.* – *Geschichte der dt. L. (1730–1980), hg. v.* P. U. HOHENDAHL. *Stuttgart 1985.* – TADIÉ, J.-Y.: *La critique littéraire au XXᵉ siècle. Paris 1987.* – *Die dt. L. im europ. Exil (1933–1940), hg. v.* M. GRUNEWALD. *Bern u. a. 1993.*

Literaturpreis, in bestimmten Intervallen von staatl. Institutionen, Verbänden, Akademien, Stiftungen oder Einzelpersönlichkeiten vergebener Preis für literar. Werke, der heute meist mit einem Geldbetrag oder einem Stipendium verbunden ist; nach dem Kreis der Empfänger unterscheidet man zw. internat. und nat. Literaturpreisen. – *Internat. L.:* →Nobelpreis (für Literatur), →Friedenspreis des Deutschen Buchhandels und der Große Österreichische Staatspreis (für Literatur); *nat. L.:* in Frankreich Prix Goncourt; in Spanien →Premio Miguel de Cervantes; in Italien Premio Strega; im deutschsprachigen Raum: →Georg-Büchner-Preis, →Kleist-Preis, Hörspielpreis der Kriegsblinden, Deutscher Jugendliteraturpreis (Dtl.), →Ingeborg-Bachmann-Preis (Österreich).

Literatursoziologie, Wissenschaft, die die sozialen und ökonom. Voraussetzungen der Produktion, Verbreitung, Aufnahme und Weiterverarbeitung der Literatur untersucht; Gegenstandsbeschreibung, Theoriebildung und Untersuchungsverfahren sind indes bis heute strittig. – P. Merker proklamierte 1921 die »sozialliterar. Methode«, die sich analog zur Entwicklung der Soziologie in den 20er- und 30er-Jahren durchsetzte. Die materialist. Literaturbetrachtung führte diesen Ansatz weiter aus (G. Lukács). In der Bundesrep. Dtl. knüpfte man nach 1945 an die L. der 30er-Jahre an (A. Hauser) und setzte sich mit empir. Untersuchungen über Lesekulturen und dem Verhältnis von Kunst und Massenmedien in der angelsächs. Soziologie auseinander (H. N. Fügen, * 1925). In der gegenwärtigen L. finden sich systemtheoret. neben marxist., psychoanalyt. neben semiotisch-strukturalist. Ansätzen, die sich in einzelnen Modellen auch wechselseitig beeinflussen (M. Foucault, R. Barthes, P. Bourdieu, J. Kristeva) und z. T. ältere Forschungsansätze aufgreifen. Ferner werden von der L. der Leser, seine Bildungsgeschichte, seine Erwartung an Literatur, seine Lesemotivation sowie generell die Rezeption von Literatur im Zusammenhang mit den gesellschaftl. Mechanismen der Sozialisation untersucht.

📖 FÜGEN, H. N.: *Die Hauptrichtungen der L. u. ihre Methoden. Bonn ⁶1974.* – ZIMA, P. V.: *Textsoziologie. Eine krit. Einführung. Stuttgart 1980.* – SILBERMANN, A.: *Einführung in die L. München 1981.* – LUKÁCS, G.: *Schriften zur L. Frankfurt am Main u. a. Neuausg. 1985.*

Literaturtheorie, i. w. S. die Darstellung und Analyse aller für die Entstehung von Literatur (z. B. eines bestimmten Verfassers, einer Epoche o. Ä.) notwendigen Prozesse; i. e. S. (orientiert am russ. Terminus »teorija literatury«) das System aller nichthistor., v. a. in ihrer gesellschaftl. Relevanz bedeutsamen Disziplinen der Literaturwiss.; auch (als Übers. des engl. Terminus »literary theory«) die Gesamtheit einer von der →Literaturgeschichte und der →Literaturkritik zu unterscheidenden allg. →Literaturwissenschaft.

Literaturwissenschaft, 1) umfassende Bez. für jede Art von wiss. Auseinandersetzung mit Literatur, auch als Oberbegriff für an den Nationalsprachen orientierte Philologien (Germanistik, Anglistik, Romanistik usw.) gebraucht; 2) allg. programmat. Begriff einer Wissenschaftsdisziplin, deren Gegenstand der gesamte Prozess der Texterstellung, textl. Ausformung, Verbreitung, Rezeption, Wirkung und Bewertung von Literatur ist, v.a. auch in ihrem Bezug zu Wirklichkeit und Gesellschaft sowie zu deren Wert-, Normierungs- und Tradierungssystemen (Geschichte, Religion, Philosophie usw.). Die L. greift dabei einerseits traditionell v.a. der Ästhetik zugeordnete Elemente auf, andererseits sucht sie z.T. die bis in die Antike zurückreichende Poetik auszuweiten. Aufgabe der allg. L. ist es ferner, Strukturen, formale, motiv. oder themat. Kategorien aller Literaturen zu erfassen sowie Methoden und Ergebnisse der Poetik, Stilistik, Lit.typologie, -soziologie, -psychologie und -philosophie zu verbinden.

Geschichte: Der Begriff L. begegnet erstmals 1842 in der Einleitung von T. Mundts »Geschichte der Literatur der Gegenwart«. Die positivist. L. orientierte sich methodisch an den Naturwiss. und betrieb unter dem Einfluss des Historismus noch vornehmlich Literaturgeschichtsschreibung. Erst als Reaktion auf eine bisweilen beziehungslose Faktenanhäufung der positivist. L. und das Postulat einer wertungsfreien Darstellung im Historismus wurden theoret. Ansätze zu einer allg. L. deutlich; so forderte E. Elstner in seinen »Prinzipien der L.« (1897) erstmals, diese konsequent von der Philologie zu trennen. Es entstand die geistesgeschichtl. Richtung (W. Dilthey), die an die Stelle des kausalgenet. Erklärens das »Verstehen« schriftlich fixierter Äußerungen (Hermeneutik) setzte. In diesen geistesgeschichtl. Darstellungen erhielten größere geistige Zusammenhänge und Strömungen den Vorrang vor dem Einzelwerk. Als Reaktion auf diese die Literatur außerliterar. Aspekten unterordnende Richtung entwickelten sich formalästhet. Untersuchungen des literar. Werks: die Stilanalyse, Formanalyse, werkimmanente Interpretation (E. Staiger). Der von russ. Anregungen geprägte Formalismus wandte sich, auf linguist. Methoden basierend, der Formensprache literar. Texte zu; der ihm ähnl. amerikan. New Criticism untersuchte vornehmlich die poet. Sprache (u.a. T. S. Eliot) und machte sich dabei die Erkenntnisse von Anthropologie, Psychologie und Soziologie zunutze (K. Burke, R. Wellek, A. Warren); außerdem haben der anthropolog. Strukturalismus (C. Lévi-Strauss) und die strukturalist. Linguistik (N. Chomsky) die auf das literar. Werk zentrierte Betrachtung beeinflusst. Um noch größere Exaktheit bei der wiss. Erfassung von Literatur zu erreichen, wurden auch Ansätze der neueren Linguistik berücksichtigt, die sich der Methoden der Informatik und Statistik bedient (M. Bense, W. Fucks, K. Baumgärtner). – In Abgrenzung zu einer »bürgerlich«-idealist. L. entwickelte sich im 19. Jh. eine materialist. Literaturwissenschaft. Bes. in den sozialistisch orientierten Ländern dienten die von G. Lukács ausformulierte »Widerspiegelungstheorie« und die Verpflichtung der Literatur auf einen »sozialist. Realismus« als Leitvorstellung. Hiergegen entwickelten sich bereits früh (Expressionismusdebatte) unorthodoxe, später neomarxist. ästhetische Theorien (S. Tretjakow, B. Brecht, E. Bloch), innerhalb derer die »krit. Theorie« (T. W. Adorno, W. Benjamin) einen wichtigen Einfluss ausübte. Eine weitere Richtung ist gekennzeichnet durch die Fortschreibung des auf S. Freud gegr. Literaturverständnisses, z.T. in Verbindung mit marxist. Positionen (H. Marcuse) oder mit linguistisch-strukturalist. Ansätzen (J. Lacan, J. Derrida). So präsentiert sich die heutige L. daher als eine methodisch wie inhaltlich heterogene Disziplin.

📖 *Methoden der dt. L. Eine Dokumentation, hg. v.* V. ŽMEGAČ. *Neuausg. Frankfurt am Main 1974.* – KAYSER, W.: *Das sprachl. Kunstwerk. Eine Einführung in die L. Tübingen u.a.* [20]*1992.* – SCHULTE-SASSE, J. *u.* WERNER, R.: *Einführung in die L. München* [8]*1994.* – *L. Ein Grundkurs, hg. v.* H. BRACKERT *u.* J. STÜCKRATH. *Reinbek 1995.* – *Grundzüge der L., hg. v.* H. L. ARNOLD *u.* H. DETERING. *München 1996.* – *Methoden u. Modelle der L. Eine Einführung, bearb. v.* R. BAASNER *u.* M. ZENS. *Berlin 1996.* – *Literaturwiss. Lexikon. Grundbegriffe der Germanistik, hg. v.* H. BRUNNER *u. a. Berlin 1997.* – *Reallexikon der dt. L., hg. v.* K. WEIMAR, *auf 3 Bde. ber. Berlin 1997 ff.*

Litfaßsäule

Ernst Litfaß war ein origineller Berliner Buchdrucker, der 1848 die neue Pressefreiheit gleich dazu ausnutzte, eine freche, bald wieder verbotene Zeitung namens »Berliner Krakehler« herauszugeben. Nach einigen mageren Jahren kam ihm die Idee, den Anschlägen und Plakaten, die überall an Häusern, Mauern und Zäunen schnell wieder abgerissen wurden, gegen Gebühr einen legitimen Platz zu verschaffen. 1854 schloss er mit der Berliner Polizeidirektion einen Vertrag, der ihm das exklusive Recht einräumte, seine Säulen überall in der Stadt aufzustellen. Ab 1. Juli 1855 wurden erstmals an hundert Litfaßsäulen Bekanntmachungen aller Art angeklebt. Litfaß war ein gemachter Mann.

Literleistung (Hubraumleistung), die auf den Hubraum aller Zylinder bezogene Leistung eines Verbrennungsmotors, Angabe in kW/l.

Litfaßsäule [nach dem Drucker E. Litfaß, * 1816, † 1874], erstmalig 1855 in Berlin aufgestellte Säule, deren Fläche zum Anschlagen von Plakaten verpachtet wird. INFO S. 385

lith..., litho... [grch. líthos »Stein«], stein...

Litham *der,* Schleier der Tuaregmänner, der um Kopf und untere Gesichtshälfte geschlungen wird.

Lithergole, → Raketentreibstoffe.

Lithiasis [grch.] *die,* Steinbildung, v. a. in Gallenblase **(Chole-L.)** und Niere **(Nephrolithiasis).**

Lithium [grch.] *das,* chem. Symbol **Li,** metall. Element aus der 1. Hauptgruppe des Periodensystems. Ordnungszahl 3, relative Atommasse 6,941, Schmelzpunkt 181 °C, Siedepunkt 1342 °C. – L. ist das leichteste feste chemische Element (Dichte 0,534 g/cm^3). Das silberweiße weiche Alkalimetall läuft an der Luft unter Bildung von Oxid und Nitrid an. Bei Entzündung färben flüchtige L.-Verbindungen die Flamme karmesinrot (Nachweis). L. kommt in kleinen Gehalten in fast allen Magmatiten sowie in einigen Mineralwässern vor. Lithiumhaltige Minerale sind **Lepidolith (L.-Glimmer), Spodumen** und **Amblygonit.** Zur Gewinnung des L. werden die Minerale aufgeschlossen und (über mehrere Stufen) in **L.-Chlorid** überführt, aus dem mittels Schmelzflusselektrolyse metall. L. gewonnen wird. L. wird als Legierungsbestandteil, für lithiumorgan. Verbindungen und in Batterien (L.-Zellen) verwendet; in der Kerntechnik dienen die Isotope ^{6}Li (7,5 % der natürl. Konzentration) zur Herstellung von Tritium und ^{7}Li zum Nachweis therm. Neutronen sowie als Abschirmungs- und Reaktorkühlmittel.

Verbindungen: Der Feststoff **L.-Hydrid,** LiH, wird zur Erzeugung von Wasserstoff und als Raketentreibstoff verwendet, ebenso wie **L.-Perchlorat,** $LiClO_4$. **L.-Deuterid,** LiD, ist Ausgangssubstanz bei der Kernfusion und als ^{6}LiD Hauptbestandteil von Wasserstoffbomben. **L.-Fluorid,** LiF, dient als Prismenmaterial.

Lithographie 1): Paul Gavarni, »Un enfant terrible«, Kreidelithographie mit etwas Tusche (undatiert)

Lithobiontik *die,* Erforschung der geolog., geochem. und mineralog. Prozesse, an denen Mikroorganismen aktiv beteiligt sind. Anwendungsbereiche sind z. B. die mikrobielle → Laugung oder die Untersuchung der Beteiligung von Mikroorganismen bei der Entstehung und Diagenese von Gesteinen und Lagerstätten.

Lithofazi|es, den petrograph. Aufbau kennzeichnende Merkmale eines Gesteins.

Lithogenese, *Geologie:* Bildung von Sedimentgesteinen.

Lithographie (Lithografie) [grch.] *die,* **1)** *Druckgrafik:* (Steindruck) das älteste Flachdruckverfahren (→ Druckverfahren); als Druckform dient eine feinporige Kalksteinplatte (Solnhofener Kalkschiefer). Die Zeichnung wird mit Fettkreide oder -tusche auf den Stein gezeichnet. Durch Behandlung mit einer sauren Gummiarabikumlösung wird die zeichnungsfreie Oberfläche des Steins Fett abstoßend (während Wasser vom Stein aufgesogen wird). Beim Befeuchten und anschließenden Einfärben mit fetter Druckfarbe nimmt nur die Zeichnung Farbe an. Bei Steindruckmaschinen wird die Druckform mit Wischwalzen befeuchtet und dann mit Lederwalzen eingefärbt. Für jede Farbe ist ein eigener Durchlauf durch die Presse nötig. Nachdem im 19. Jh. mit leichteren Metallplatten, v. a. mit gekörnten Zinkplatten (Zinkdruck), experimentiert wurde, ist die L. heute weitgehend auf fotograf. Grundlage umgestellt.

Geschichtliches: Nach Versuchen mit geätzten und gravierten Platten gelang A. → Senefelder endgültig 1798 die Erfindung des »rein chem.« Flachdrucks. Zunächst nur für nichtkünstler. Zwecke (Text- und Notendruck, Reproduktionen) gedacht, veranlasste der Musikverleger A. André aus Offenbach a. M. die Verwendung der L. für die Vervielfältigung bildner. Darstellungen und leitete damit die Entwicklung der Künstler-L. ein. In Dtl. arbeiteten K. F. Schinkel, G. Schadow und dann bes. A. von Menzel in der neuen Technik, in England zeichnete B. West 1801 die erste künstler. L. Zu den Höhepunkten der frühen L. gehören die 13 Blätter vom Stierkampf in Bordeaux von F. de Goya y Lucientes (1825). Karikaturisten wie P. Gavarni, Grandville und H. Daumier schufen v. a.

Zeitschriftenillustrationen. Als primär künstler. Medium wurde die L. von J. Whistler, O. Redon, É. Manet und E. Degas genutzt. Gegen Ende des 19. Jh. entwickelte H. de Toulouse-Lautrec die künstler. Möglichkeiten der Farb-L. bes. in der Anwendung auf das Plakat. In seiner Nachfolge arbeiteten die Künstler des Jugendstils. Auch die Expressionisten (bes. E. Munch, E. L. Kirchner, E. Nolde) nutzten die L., ebenso G. Grosz, O. Dix, K. Kollwitz. Eine neue Blütezeit erfuhr sie in Frankreich durch P. Picasso und M. Chagall. Zeitgenöss. Künstler wie R. Lichtenstein und R. Rauschenberg setzten experimentierfreudig neue Akzente.

📖 *Von Senefelder zu Daumier. Die Anfänge der lithograph. Kunst, bearb. v.* M. Henker *u. a. München u. a. 1988.* – Zeidler, J.: *L. u. Steindruck in Gewerbe u. Kunst, Technik u. Geschichte. Ravensburg 1994.*

2) *Halbleitertechnik:* Bez. für Verfahren zur Übertragung der Strukturen eines Entwurfs für ein integriertes Bauelement (→integrierte Schaltung) auf Halbleiterscheiben (→Chip) unter Anwendung versch. Bestrahlungsmethoden, entweder direkt oder mittels Masken, wobei auch die Verfahren zur Herstellung der Masken zur L. gerechnet werden (Maskentechnik). Ausgangspunkt aller L.-Verfahren ist der in Datenform auf einem Speichermedium vorliegende Entwurf eines Bauelements. Dieser Entwurf muss als geometr. Muster auf ein Trägermaterial übertragen werden, wo-

Lithographie 1): Ernst Ludwig Kirchner, »Weißes Haus in Hamburg«; Kreidelithographie, Druck von drei Platten (1910)

Lithographie 1) (von links): Karl Friedrich Schinkel, »Gotische Kirche mit Friedhof« (1810); Adolf von Menzel, »Aus der Armee Friedrichs des Großen« (1857)

bei der Strahl einer Belichtungsmaschine durch die Daten gesteuert wird. Bei den indirekten L.-Verfahren wird so die erforderl. Zahl von Muttermasken hergestellt. Bei den direkten Verfahren wird das Muster unmittelbar auf die Halbleiterscheibe, den Wafer, mit der erforderl. Zahl von Durchgängen aufgebracht, um die sich aus dem Entwurf ergebende Komplexität des Bauelements zu erhalten. Auf dem zu belichtenden Material wird zuvor ein Photolack aufgebracht, der durch die Bestrahlung an den belichteten Stellen chemisch verändert wird. Dadurch wird eine selektive Entfernung der bestrahlten (Positiv-Verfahren) oder der unbestrahlten Gebiete (Negativ-Verfahren) möglich. Die verbleibende Schicht hat die Funktion, das unter ihr befindl. Material vor den Einflüssen der nachfolgenden Prozessschritte zu schützen. Während es bei der Maskenherstellung nur auf die Erzeugung strahlungsdurchlässiger und absorbierender Gebiete ankommt, werden den Halbleiterscheiben durch chem. Prozesse (Dotierung, Aufdampfen, Epitaxie u.a.) die eigentl. Funktionselemente wie Leiterbahnen, Isolierungen, Dioden oder Transistoren eingeprägt.

Bei den indirekten L.-Verfahren wird das Halbleitermaterial unter Zwischenschalten der Masken belichtet. Das derzeit gängigste Verfahren, die Photolithographie, erlaubt es, Strukturen bis zu einer minimalen Abmessung von 0,8 µm zu übertragen. Für spezielle Anwendungen werden auch kürzerwellige und energiereichere Strahlen, wie Röntgen-, Elektronen- und Ionenstrahlen, verwendet, die eine höhere Auflösung und damit größere Integrationsdichte der Bauelemente erlauben.

Litholyse [grch.] *die,* Auflösen von Steinen in den Gallen- und ableitenden Harnwegen durch Einnahme von Arzneimitteln oder durch direkte Umspülung der Steine mit chem. Lösungsmitteln; v.a. bei Cystin- und Harnsäuresteinen möglich.

Lithometeore, trockene Schwebstoffe in der Atmosphäre wie Staub, Ascheteilchen, Pollen oder Sand.

Lithophanie [grch.] *die,* Platte aus dünnem, unglasiertem Porzellan, in die eine bildl. Darstellung reliefartig eingepresst ist, sodass bei durchfallendem Licht hellere und dunklere Partien entstehen. Sind die reliefartigen Vertiefungen mit Glasur gefüllt, wird das Porzellanbild als **Lithoponie** bezeichnet.

lithophile Elemente, die Elemente, die die Gesteinskruste der Erde hauptsächlich aufbauen; zu ihnen gehören Aluminium, Silicium, die Lanthanoide, die Alkali- und Erdalkalimetalle; sie haben große Affinität zum Sauerstoff.

Lithopone [zu grch. pónos »Mühe«, »Arbeit«] *die,* lichtechtes, gut deckendes Weißpigment, bestehend aus einem Gemisch von Zinksulfid und Bariumsulfat. Verwendung als Anstrichfarbe und Füllstoff für Gummi oder Kunststoffe; wird zunehmend durch Titandioxidpigment ersetzt.

Lithosphäre [grch.], der oberste Bereich der festen Erde, oberhalb der Asthenosphäre, umfasst die Erdkruste und den obersten Erdmantel, reicht bis in 100–300 km Tiefe und besteht aus einer größeren Zahl von Platten, die nach der → Plattentektonik auf der Asthenosphäre bewegt werden.

Lithotelmon [grch.] *das,* Vertiefung im anstehenden Felsgestein im Hochgebirge und an Meeresküsten, die durch Regen, perennierende Fließgewässer oder marinen Spritz- und Hochwassereinfluss mit Wasser gefüllt ist und damit eine extreme Kleinlebensstätte mit entsprechender Kleinlebensgemeinschaft darstellt.

Lithotripsie [grch.] *die* (Steinzertrümmerung), unterschiedl. Verfahren zur Entfernung von Steinen (v.a. Nieren- und Blasensteine) durch Zerkleinerung, die dann auf natürl. Wege abgehen können. Zu den ältesten operativen Eingriffen gehört die L. von Blasensteinen mittels einer speziellen Zange **(Lithotriptor),** die durch die Harnröhre eingeführt wird; sie wird heute noch zur Entfernung kleiner Steine mittels eines **Lithotriptoskops** mit Optik und Spüleinrichtung (auch unter Ultraschallbeobachtung) durchgeführt. Daneben ist die L. durch endoskop. Sonden unter Berührung mittels Ultraschalls oder elektrohydraul. Stoßwellen üblich. Bei Nieren- und Harnsteinen sowie bei Gallenblasen- und Gallengangsteinen wird die berührungsfreie **extrakorporale Stoßwellen-L.** eingesetzt; dabei erfolgt die L. mit elektromechan. Stoßwellen (etwa 500–2500 je Behandlung).

Li Ti, chines. Maler, → Li Di.

Litoměřice ['litɔmjɛrʒitsɛ] (dt. Leitmeritz), Stadt im Nordböhm. Gebiet, Tschech. Rep., an der Elbe, 26300 Ew.; kath. Bischofssitz, kath. Priesterseminar; Nahrungsmittelind.; Elbhafen. – Dom St. Stephan (1664–81), urspr. got. Rathaus (1539 im Renaissancestil erneuert), Allerheiligen-Stadtkirche (1235, barock umgebaut), zahlr. Häuser im Renaissancestil. – L. entstand aus einer slaw. Burganlage (9. Jh.); seit 1227 Stadt.

litoral [lat.], den Bereich von Küste, Ufer, Strand betreffend, zu diesem gehörend.

Litotes [grch. »Schlichtheit«] *die,* verneinende Umschreibung eines Sachverhalts, meist in Form des verneinten Gegenteils, z.B. »nicht unbekannt« für »(sehr) berühmt«. (→ Redefiguren)

Litschi [chines.] *die* (Litschibaum, Litchi), Gattung der Seifenbaumgewächse mit der vielgestaltigen, in S-China beheimateten Art **Litchi chinensis,** ein in den Tropen beliebter, bis 9 m hoher Obstbaum; die Früchte **(L.-Pflaumen, Lychees)**

Litschi: Litschipflaume

sind pflaumengroß, mit harter, warziger Fruchtwand und einem großen Samen mit saftigem Samenmantel.

Litt, Theodor, Pädagoge und Philosoph, *Düsseldorf 27. 12. 1880, †Bonn 16. 7. 1962; verfasste Beiträge zur Wiss.theorie, bes. zu den Methodenproblemen der Geisteswiss. In Kulturphilosophie wie Pädagogik stellt er neben die Erkenntnis(vermittlung) das Erleben. – *Werke:* Individuum und Gemeinschaft (1919); Führen oder Wachsenlassen (1927), Mensch und Welt (1948); Hegel (1953); Freiheit und Lebensordnung (1962).

Theodor Litt

Little Bighorn River ['lɪtl 'bɪghɔ:n 'rɪvə], rechter Nebenfluss des Bighorn River im südl. Montana, USA, rd. 145 km lang. – Am L. B. R. geriet am 25. 6. 1876 eine von General G. A. Custer geführte Abteilung der US-Kavallerie in einen Hinterhalt der von Crazy Horse und Sitting Bull geführten Indianer (v. a. Sioux) und wurde völlig vernichtet. Das Schlachtfeld ist heute Nationalfriedhof und Nationaldenkmal.

Little-Krankheit ['lɪtl-; nach dem brit. Arzt W. J. Little, *1810, †1894], Sammelbez. für versch. (bes. angeborene doppelseitige) Formen der zerebralen Kinderlähmung aufgrund embryonaler Entwicklungsstörungen bzw. frühkindl. Schädigung der motor. Nervenbahnen des Gehirns; die betroffenen Kinder leiden v. a. unter Gehstörungen.

Little Richard ['lɪtl 'rɪtʃəd], eigtl. Richard Penniman, amerikan. Rockmusiker (Gesang, Klavier), *Macon (Ga.) 25. 12. 1935; war Mitte der 50er-Jahre neben Elvis Presley einer der internat. bekanntesten Stars des Rock 'n' Roll; Comeback 1986.

Little Richard

Little Rock ['lɪtl 'rɔk], Hptst. des Bundesstaates Arkansas, USA, am Arkansas River, 175 800 Ew.; jurist. und medizin. Fakultät der Staatsuniv.; Möbel-, chem. u. a. Ind.; im SW bed. Bauxitgruben mit Tonerdewerk und Aluminiumhütte.

Littmann, Enno, *Oldenburg (Oldenburg) 16. 9. 1875, †Tübingen 4. 5. 1958, dt. Orientalist. – Prof. in Straßburg, Göttingen, Bonn, ab 1921 in Tübingen. Nahm an archäolog. Expeditionen nach Syrien und Äthiopien teil; neben sprach- und literaturwiss. Arbeiten legte er die erste vollständige Übersetzung der »Erzählungen aus den 1001 Nächten« (6 Bde., 1921–28; Neudr. 1968) vor.

Enno Littmann

Littoria, ehem. Name des italien. Ortes →Latina.

Littorinameer [nach dem Leitfossil »Littorina littorea«], ältestes Stadium der nacheiszeitl. Entwicklung der Ostsee.

Littré [li'tre:], Maximilien Paul Émile, frz. Philosoph, Sprachwissenschaftler, Lexikograph, *Paris 1. 2. 1801, †ebd. 2. 6. 1881; Anhänger A. Comtes und des Positivismus; erarbeitete u. a. 1863–77 ein vierbändiges Wörterbuch der frz. Sprache.

Liturgie [grch. leitourgía »Dienst am Volke«] *die,* **1)** in altgrch. Staaten die unentgeltl. Leistung für das Gemeinwesen, erst freiwillig, später eine Steuer.

2) im christl. Sprachgebrauch Bez. für Form und Inhalt der gottesdienstl. Feier; theologisch die Grundfunktion der Kirche, in der ihr ganzes Tun seinen Ausgangspunkt und sein Zentrum hat; in der *kath. Kirche* (seit dem 16. Jh.) und in den *orth. Kirchen* (»göttl. L.«) Bez. für den Gottesdienst selbst, in den *evang. Kirchen* für die äußeren Formen seines Vollzugs (Gottesdienstordnung). Kath. und orth. Theologie sehen in der L. den Vollzug des Priesteramtes Jesu Christi in Wort und Zeichen zur Heiligung des Menschen und Verherrlichung Gottes, die evang. Theologie die Versammlung der Gemeinde um Gottes Wort und Sakrament. Zentrale Stellungen nehmen dabei in der kath. Kirche die Feier der Eucharistie, in den evang. Kirchen die Verkündigung des Wortes Gottes und in den orth. Kirchen die Vorstellungen der feierl. Repräsentanz des triumphierenden Christus und der Vereinigung der ird. mit der himml. Kirche (Symphonia) im Vollzug der L. ein.

Liturgik *die,* die wiss. Beschäftigung mit Gesch., Theologie und Formen des Gottesdienstes; in der evang. Theologie Teil der prakt. Theologie; innerhalb der kath. Theologie eigene Disziplin (Liturgiewissenschaft).

Liturgie

Bücher für die Liturgie

Ein Psalter versammelt die Texte der Psalmen und die entsprechenden Gesangsstücke zur Rezitation im Stundengebet. Das Evangelistar oder Perikopenbuch enthält die Abschnitte (Perikopen) aus den Evangelien, die während der Messe verlesen werden. Im Missale, dem am Altar liegenden Messbuch, sind die für die Messfeier notwendigen Gebete und Anweisungen niedergelegt, die für einen gültigen Vollzug des römischen Ritus vorgeschrieben sind; es verdrängte im hohen Mittelalter das Sakramentar.

liturgische Bewegungen, die Anfang des 20. Jh. innerhalb versch. Kirchen einsetzenden, v. a. von akadem. Kreisen getragenen Bemühungen um liturg. Erneuerung, deren Ziel es war, dem Gottesdienst seine Stellung als Zentrum des Gemeindelebens zurückzugewinnen. In der *kath. Kirche* gingen entscheidende Impulse von den Benediktinerabteien Solesmes (Frankreich) und Beuron, seit 1913/14 von Maria Laach aus, die v. a. von der kath. Jugendbewegung (R. Guardini) aufgenommen wurden. Papst Pius XII. griff das Anliegen der l. B. 1947 in der Enzyklika »Mystici Corporis« auf; ihren Höhepunkt fanden die zahlr. Reformbestrebungen in der Liturgiekonstitution des 2. Vatikan. Konzils (1963). In den *evang. Kirchen Dtl.s* gaben der →Berneuchener Kreis und die liturg. Konferenzen einzelner Landeskirchen (später verbun-

liturgische Gewänder (von links): Talar mit Beffchen der evangelischen Kirche und grüne Kasel der katholischen Kirche für die allgemeine Kirchenjahrzeit sowie griechisch-orthodoxer Mantel

den in der »Luth. Liturg. Konferenz Dtl.s«) wesentl. Impulse, in der anglikan. Kirche die Oxford-Bewegung. In den *orth. Kirchen* gibt es keine l. B. im eigentl. Sinn, da der Gottesdienst (die »göttl. Liturgie«) traditionell die zentrale Stellung im Leben der Gemeinden einnimmt.

liturgische Bücher, in den christl. Kirchen die offiziellen Zusammenstellungen der Texte, Noten und Anweisungen für den Gottesdienst; in der *kath. Kirche* →Missale, →Brevier, →Pontifikale und →Rituale; in den *evang. Kirchen* die →Agende; in der *anglikan. Kirche* das →Common Prayer Book; in den *orth. Kirchen* v.a. das Euchologion mit den Formularen der Basilius- und Chrisostomosliturgie.

liturgische Farben, in den christl. Kirchen die je nach Fest bzw. Zeit des Kirchenjahres wechselnden Farben der liturg. Gewänder und Tücher (Paramente); für die *kath. Kirche* verbindlich 1570 im Missale festgelegt und 1970 im erneuerten Messbuch mit geringfügigen Änderungen übernommen: **Weiß** (Oster- und Weihnachtszeit, Herren- und Marienfeste, Feste der Heiligen, die keine Märtyrer waren); **Rot** (Palmsonntag, Karfreitag, Pfingsten, Apostel- und Märtyrerfeste); **Grün** (die Sonntage außerhalb der Weihnachts- und Osterzeit); **Violett** (Advents- und Fastenzeit); **Violett** oder **Schwarz** (Totenmessen). Die *anglikan.* und *luth. Kirchen* lehnen sich in Fortführung der mittelalterl. Tradition stark an den kath. Farbenkanon an, die reform. Kirchen gaben aus ihrem Selbstverständnis heraus die liturg. Tradition fast völlig auf. Die *orth. Kirchen* kennen keinen verbindl. Farbenkanon; die Symbolik der frühen Kirche fortführend, gilt **Weiß** als Farbe der Auferstehung, **Rot** als Farbe des Blutes Christi, zus. mit **Blau** auch als Farbe der Märtyrer und **Schwarz** bis **Dunkelbraun** als Farbe des asket. Mönchtums.

liturgische Formeln, Anreden, Antworten, Ausrufe und Kurzgebete in den christl. Liturgien, z.B. Halleluja, Amen, Dominus vobiscum (der Herr sei mit euch), Kyrie eleison.

Anatole Litvak

liturgische Geräte (liturgische Gefäße), die im Gottesdienst der christl. Kirchen gebrauchten Geräte und Gefäße; in der kath. Kirche z.B. →Ziborium, →Custodia, →Kelch, →Monstranz, →Patene, Ölgefäße und Taufgerät; in den evang. Kirchen das Abendmahlsgerät (Patene, Kelch und Kanne); in den orth. Kirchen Diskos (Patene), Kelch, Heilige Lanze (Gerät zum Zerteilen des Abendmahlsbrotes) und das Taufgerät.

liturgische Gewänder (Paramente), die ausschließlich im Gottesdienst der christl. Kirchen von den Geistlichen und liturg. Funktionsträgern getragene Kleidung; in der kath. Kirche z.B. Kasel, →Stola, →Zingulum, →Mitra; in den evang. Kirchen v.a. der Talar mit Beffchen oder Halskrause; in den orth. Kirchen Sticharion (Untergewand), Epitrachelion (Stola), Phelonion (Kasel) und für die Bischöfe Omophorion (→Pallium), Sakkos (Obergewand) und Mitra.

liturgisches Jahr, in der kath. Kirche gebräuchl. Bez. für das Kirchenjahr.

liturgische Sprache (Kirchensprache), die in der christl. Liturgie gebrauchte Sprache; repräsentiert oft als kunstvoll stilisierte, absichtsvoll mit archaischem Wortgut versehene **Kultsprache** den älteren Bestand einer bestimmten Sprache; in der kath. Kirche wurde bis zum 2. Vatikan. Konzil die lat. Sprache verwendet. Die evang. und orth. Kirchen halten die Liturgie grundsätzlich in der Landessprache; in den orth. Kirchen O- und SO-Europas in ihrer Frühform (→Kirchenslawisch); l. S. im Sinne einer Kultsprache sind auch Altägyptisch, Altgeorgisch, Altsyrisch und Koptisch.

Lituus [lat.] *der,* **1)** im antiken Rom der Krummstab der Auguren, mit dem diese den heiligen Bezirk für die Vogelschau abgrenzten.

2) militär. Signalinstrument der Römer mit langer Röhre und umgebogenem Schallstück.

Litvak, Anatole, Filmregisseur, *Kiew 10. 5. 1902, †Neuilly-sur-Seine 15. 12. 1974; emigrierte 1922 nach Dtl., ging 1937 nach Hollywood und hatte seine großen Erfolge im engl. und frz. Film: u.a. »Mayerling« (1936), »Die Schlangengrube« (1948), »Entscheidung vor Morgengrauen« (1951).

Litwinow, Maxim Maximowitsch, eigtl. Max Wallach, sowjet. Politiker und Diplomat, * Białystok 17. 7. 1876, † Moskau 31. 12. 1951; setzte sich als Volkskommissar des Äußeren (1930–39) für eine Politik der kollektiven Sicherheit gegenüber dem nat.-soz. Dtl. und dem faschist. Italien ein. 1934–38 war er Vertreter der UdSSR beim Völkerbund, 1934–41 Mitgl. des ZK der KPdSU und 1941–43 Botschafter in Washington.

Litze [lat. licium], **1)** *Technik:* 1) biegsamer elektr. Leiter aus dünnen miteinander verseilten oder verflochtenen Einzeldrähten; 2) aus verdrillten Stahldrähten bestehender Strang eines Drahtseils.

2) *Textilkunde:* bandartiges, schmales Geflecht aus schräg über- und unterkreuzenden Fäden.

3) *Weberei:* (Helfe) Hubelement aus Stahldraht mit Öse (Auge, Maillon) zur Führung der Kettfäden in der Schaft- und Jacquardweberei **(Schaft- und Harnischlitzen).**

Liudger (Ludger), erster Bischof von Münster, * Friesland um 742, † Billerbeck 26. 3. 809; von Karl d. Gr. mit der Mission der Friesen und Sachsen beauftragt; gründete Kloster Werden (heute zu Essen); Heiliger, Tag: 26. 3.

Liudolfinger (Ludolfinger, Ottonen), altsächs. Adelsgeschlecht, erlangte mit Graf Liudolf († 866) eine führende Stellung im O Sachsens, mit dessen Sohn Otto († 912) die sächs. Herzogswürde, mit Ottos Sohn Heinrich (I.) die Königswürde im dt. Regnum, mit dessen Sohn Otto I., d. Gr., die Kaiserwürde. Der letzte L. war Heinrich II. († 1024).

Lituus 2): Instrument aus Bronze, gefunden im Rhein bei Düsseldorf (Bad Homburg v. d. Höhe, Saalburgmuseum)

Liu Shaoqi [-tʃi] (Liu Shao-ch'i), chines. Politiker, * im Kr. Ningxiang (Prov. Hunan) 1898, † Kaifeng (Prov. Henan) 12. 11. 1969; nach Gründung der VR China 1949–54 stellv. Vors. der Volksregierung und 1954–59 Vors. des Ständigen Ausschusses des Nat. Volkskongresses. 1956 wurde er stellv. Vors. der KPCh und 1959 Vors. der Volksrep. China (Staatsoberhaupt). L. S. galt als designierter Nachfolger Mao Zedongs, zu dem er jedoch wegen seiner pragmatischeren Politik bald in scharfen Ggs. geriet. Während der Kulturrevolution wurde er 1966 weitgehend entmachtet und 1968 aller Ämter enthoben sowie aus der Partei ausgeschlossen; er starb in der Haft.

Liutizen (Lutizen), Bund westslaw. Stämme (Kessiner, Circipaner, Tollenser, Redarier) im östl. Mecklenburg, in Vorpommern und im Havelgebiet; Haupt- und Tempelort war Rethra. Die L. leisteten erbitterten Widerstand gegen dt. und poln. Oberherrschaft (Slawenaufstand 983); Anfang des 12. Jh. wurden sie unterworfen (Christianisierung und dt. Besiedlung).

Liutprand (Liudprand), König (712–744) der Langobarden, deren Macht unter ihm den Höhepunkt erreichte.

Liutprand von Cremona, langobard. Geschichtsschreiber und Diplomat, * Pavia (?) um 920, † um 972; stand im Dienst Ottos I., d. Gr., seit 961 Bischof von Cremona. Seine Werke (Antapodosis; Historia Ottonis; Relatio de legatione Constantinopolitana) sind wichtige Quellen für die Geschichte Italiens im 10. Jahrhundert.

live [laɪf, engl.], *Hörfunk, Fernsehen:* unmittelbar, direkt. Bei der **Livesendung (Direktsendung, Originalübertragung)** wird unmittelbar aus dem Studio oder vom Ort des Geschehens aus über den Sender öffentlich übertragen.

Live-Elektronik ['laɪf-, engl.], i. w. S. jede Art der akust. Realisation von Musik, bei der den verwendeten elektron. Übertragungs-, Steuer- und Effektgeräten ein substanzieller Anteil am Klangergebnis zukommt (z. B. auch in Live-Rockkonzerten); i. e. S. ab Mitte der 1960er-Jahre Bez. für einen Bereich der → elektronischen Musik, bei der die Klangproduktion aus dem Studio unmittelbar in den Konzertsaal verlagert wird und Werke entstehen, die auf eine enge kompositor. Verknüpfung von konkretem Klangmaterial (Stimme, Instrumente) und elektron. Klangmaterial wie Sinustönen, Kurzwellenempfänger u. a. abzielen (z. B. K. Stockhausen, »Mixtur«, 1964; »Mantra«, 1965). Ein wesentl. Ziel der L.-E. war von Anbeginn an die Einbeziehung des Raumes als eines (neuen) musikal. Parameters, u. a. mithilfe speziell entwickelter Lautsprechersysteme (Kugelraum, Rotationstisch). Ab den 70er-Jahren haben die Realisationsmöglichkeiten auch komplexerer musikal. Strukturen durch → Synthesizer und Computer die L.-E. nachhaltig beeinflusst (z. B. P. Boulez, »... explosante-fixe ...«, 1972–74; »Répons«, 1981).

📖 Batel, G. *u.* Salbert, D.: *Synthesizermusik u. L.-E. Wolfenbüttel u. a. 1985.*

Liven, südlichster Zweig der Ostseefinnen, fast vollständig in Letten und Esten aufgegangen.

Liverpool ['lɪvəpu:l], Stadt in der Metrop. County Merseyside, in W-England, an der Mündung der Mersey in die Irische See, 463 000 Ew.; Sitz eines anglikan. Bischofs (die Kathedrale, 1978 geweiht, ist die größte Kirche Englands) und eines kath. Erzbischofs. Univ. mit Schule für Tropenmedizin, Musikhochschule (L. Institute for Per-

Maxim Litwinow

Liu Shaoqi

Liverpool Stadtwappen

forming Arts), Polytechnikum, mehrere bed. Museen (u.a. Walker Art Gallery, Tate Gallery of North, Beatles-Museum) sowie Theater, Bibliotheken, botan. und zoolog. Garten. Dominierende Ind.zweige sind Feinmechanik, Elektrotechnik mit Elektronik, Maschinen- und Fahrzeugbau, Herstellung von Chemikalien und Pharmazeutika; Bekleidung, Möbel, Gummiwaren, Papier u.a.; Druckereien. Bed. Seehafen; neue Hafenanlagen entstanden in der mit L. zusammengewachsenen Stadt **Bootle**; internat. Flughafen. – Im Stadtbild überwiegen Geschäftshäuser des 19. und 20. Jh.; St. George's Hall im klassizist. Stil (1838–54), die Börse (1864) u.a. – L. erhielt 1207 Stadtrecht; durch Handel mit Amerika und Westindien im 18. Jh. Aufstieg zur bed. Hafenstadt.

Livia Drusilla auf einer römischen Kamee (um 25 v. Chr.; Den Haag, Koninklijk Kabinet van Munten)

Liverpool ['lɪvəpu:l], Robert Banks Jenkinson, Earl of (seit 1808), Baron of Hawkesbury, brit. Politiker, * London 7. 6. 1770, † ebd. 4. 12. 1828; 1801–04 Außenmin., 1804–06 und 1807–09 Innenmin., 1809–12 Kriegs- und Kolonialmin., 1812–27 Premiermin.; verhinderte eine Wahlreform und die Emanzipation der Katholiken.

Livia Drusilla, röm. Kaiserin, * 58 v. Chr., † 29 n. Chr.; seit 38 v. Chr. die zweite Gemahlin des Kaisers Augustus, übte auf ihren Gatten großen Einfluss aus und sicherte ihrem Sohn aus erster Ehe, Tiberius, die Nachfolge. Die ihr feindlich gesonnene Überlieferung (Tacitus) bezichtigt sie des Mordes an Angehörigen der kaiserl. Familie.

Livinental, die Valle → Leventina.

Livingston ['lɪvɪŋstən], Stadt in Schottland, östlich von Edinburgh, VerwSitz von West Lothian, 37 900 Ew.; 1962 als New Town zur Entlastung von Glasgow gegr.; u.a. elektron. Industrie.

Livingstone ['lɪvɪŋstən] (auch Maramba), Prov.hauptstadt in Sambia, nördlich der Victoriafälle des Sambesi, 84 100 Ew.; Pkw-Montagewerk, Holz-, Tabak-, Textil- u.a. Ind.; Verkehrsknotenpunkt mit Eisenbahnwerkstätten.

Livingstone ['lɪvɪŋstən], David, brit. Afrikaforscher, * Blantyre (bei Glasgow) 19. 3. 1813, † Chitambo (Sambia) 1. 5. 1873; urspr. Missionar, unternahm seit 1849 mehrere Reisen ins Innere Afrikas; durchquerte 1854–56 als erster Forscher den Kontinent von W nach O (von Luanda nach Quelimane); erforschte den Lauf des Sambesi, wo er 1855 die Victoriafälle fand, und entdeckte den Ngami-, Chilwa-, Njassa-, Mweru- und Bangweolosee. 1871 traf er in Udjidji mit H. M. Stanley zusammen, der den als verschollen geltenden L. suchte. Er starb auf der Suche nach den Quellen des Nils.

📖 WOTTE, H.: *D. L. Das Leben eines Afrikaforschers. Leipzig* [4]*1988.*

Livingstonefälle ['lɪvɪŋstən-] (Ingafälle), Wasserfälle im Unterlauf des Kongo, zw. Kinshasa und Matadi, Demokrat. Rep. Kongo.

Livingstonegebirge ['lɪvɪŋstən-], Bergland in Tansania, im NO des Malawisees, bis 2 200 m ü. M.

Living Theatre ['lɪvɪŋ 'θɪətə, engl. »lebendes Theater«], 1951 von Julian Beck (* 1925, † 1985) und Judith Malina (* 1926), Schülern von E. Piscator, in New York gegr. avantgardist. Theaterkollektiv. Spielte ab 1952 im Cherry Lane Theatre, 1957–63 im eigenen Theater, in dem es zunehmend eigene Stücke aufführte. 1964–68 »Exil« in Europa (Straßentheater). 1970 ff. in Brasilien, Brooklyn und Pittsburgh mit dem Ziel »direkter Theateraktion« vor der arbeitenden Bev., seit 1975 wieder in Europa (Italien, Frankreich). Das L. T. verband versch. Formelemente (Happening, Montage, Ritual), um Konventionen aufzulösen und die Trennung zw. Schauspieler und Publikum, Kunst und Alltag aufzuheben.

Livistona *die,* Fächerpalmengattung, beheimatet von O-Afrika bis nach dem trop. Asien und Australien; z.T. als Zimmerpflanzen kultiviert.

Livius, Titus, röm. Geschichtsschreiber, * Patavium (heute Padua) 59 (?) v. Chr., † ebd. 17 n. Chr.; schrieb eine durch kunstvolle Darstellung ausgezeichnete röm. Gesch. (»Ab urbe condita«) in 142 Büchern von der Gründung der Stadt Rom (753 v. Chr.) bis zum Tode des Drusus (9 v. Chr.). Erhalten sind nur die Bücher 1–10 und 21–45. Durch sein Werk, von dem vieles heute von der krit. Forschung verworfen wird, hat er im Altertum, dann von der Renaissance bis zum Beginn des 19. Jh. das Bild der röm. Gesch. wesentlich mitbestimmt.

📖 BURCK, E.: *Das Geschichtswerk des T. L. Heidelberg 1992.*

Livius Andronicus, Lucius, der älteste bekannte lat. Dichter, * um 280 v. Chr., † nach 207 v. Chr.; kam wahrscheinlich aus Tarent nach Rom; übersetzte die »Odyssee« ins Lateinische und bearbeitete griechische Tragödien und Komödien in lat. Versen.

Livland, histor. Landschaft im Baltikum, benannt nach den Liven, die an der W-Küste des Rigaer Meerbusens und im Mündungsgebiet der Düna siedelten. Zunächst Bez. für das gesamte Gebiet zw. Ostsee, Peipussee und Litauen, zu Beginn des 13. Jh. unterworfen und christianisiert durch den Schwertbrüderorden. 1207 wurde Bischof Albert I. von Riga mit L. als Reichslehen belehnt. Bis ins 16. Jh. gehörten neben dem balt. Ordensgebiet auch das Erzbistum Riga und die Bistümer Dorpat, Ösel-Wik und Kurland zu L. (Livländ. Bund). 1522 fand die Reformation Eingang. Im →Livländischen Krieg zerfiel die territoriale Einheit. 1561 fiel Estland an Schweden, Kurland wurde ein Herzogtum unter poln. Lehnshoheit; seitdem hieß nur noch das dazwischen liegende Gebiet L. Dieses wurde 1561 polnisch, kam 1629/60 an Schweden (mit Ausnahme Lettgallens), 1721 (Frieden von Nystadt) an Russland. Seitdem war das **Gouvernement L.** eine der drei russ. →Ostseeprovinzen. Nach dem 1. Weltkrieg wurde L. zw. Lettland und Estland nach der Sprachgrenze geteilt.

📖 *Dtl. – L. – Rußland. Ihre Beziehungen vom 15. bis zum 17. Jh., hg. v.* N. ANGERMANN. *Lüneburg 1988.*

Livländischer Krieg, 1558–82/83 Krieg Russlands um Livland, den Zar Iwan IV. zunächst gegen den Dt. Orden führte. Nach anfängl. militär. Erfolgen Russlands (1558 Eroberung Narwas und Dorpats, 1560 Sieg über die Ordensritter bei Ermes) weitete sich der Krieg durch das Eingreifen Polens und Schwedens aus, denen sich 1561 die Gebiete des zerfallenen Ordensstaates unterworfen hatten. Nach Verdrängung des russ. Heeres musste das Zarenreich im Friedensschluss mit Polen (1582) auf Livland und in den Friedensabkommen mit Schweden (1583 und 1595) auf Estland verzichten.

David Livingstone: zeitgenössischer Holzstich

Livorno, 1) Provinz in der Toskana, Italien, 1213 km², (1995) 337100 Einwohner.

2) Hptst. von 1), wichtiger Hafen an der W-Küste Italiens, südlich der Arnomündung,

Titus Livius: Beginn des Geschichtswerkes »Ab urbe condita« in einer italienischen Handschrift des 15. Jh. (Rom, Vatikanische Sammlungen)

165000 Ew.; Marineakademie; Museen; Börse; Erdölraffinerie, chem., Zement-, Metall verarbeitende, Textilind., Werften, Stahlwerk. – L. kam 1421 von Genua an Florenz; wurde seit 1530 zu einem der Haupthäfen des westl. Mittelmeerraumes.

Livre [livr, von lat. libra »Waage«, »Gewogenes«, »Pfund«] *der* oder *das,* **1)** frühere frz. Rechnungsmünze (= 20 Sous). Der L. tournois wurde 1796 durch den Franc abgelöst.

2) alte frz. Gewichtseinheit unterschiedlicher Größe; 1 L. = 489,5 g im Handel, als Apothekergewicht 367,13 g; ab 1812 einheitl. 500 g.

Liwadija, Schwarzmeerkurort an der Südküste der Krim, Ukraine, 3 km südwestlich von Jalta; bis 1917 Sommersitz des Zaren (ehem. Zarenpalast von 1865, 1945 Tagungsort der Jalta-Konferenz).

Li Xiannian [-çi-] (Li Hsien-nien), chines. Politiker, *Kr. Huangan (Prov. Hubei) 1909, †Peking 21. 6. 1992; nahm als Politkommissar am →Langen Marsch (1934–35) teil. 1954–80 war er stellv. Min.-Präs., ab 1957 Finanzmin., 1956–87 Mitgl. des Politbüros der KPCh und 1983–88 Staatspräsident.

Lizard, The [ðəˈlɪzəd], Halbinsel in Cornwall, SW-England, endet im Kap **Lizard Point,** dem südlichsten Punkt der Insel Großbritannien.

Lizenz [lat.] *die,* **1)** *allg.:* Erlaubnis, Genehmigung, Befugnis.

2) *Recht:* die vom Inhaber eines Patents, Gebrauchsmusters, Sortenschutzes oder vom Urheber (im Urheberrechts-Ges. Nutzungsrecht gen.) einem anderen erteilte Erlaubnis, sein Recht, meist gegen eine **L.-Gebühr,** ausschließlich oder neben anderen (einfache L.) zu nutzen.

3) *Sport:* die durch einen Verband erteilte Erlaubnis, eine Sportart beruflich ausüben zu dürfen

Livorno 2) Stadtwappen

Ljubljana: Teilansicht der Altstadt mit der auf dem 77 m hohen Schlossberg gelegenen Burg aus dem 12. Jahrhundert

und als Angestellter eines Vereins (einer Firma) feste Bezüge zu erhalten. Abgeleitet sind die Begriffe **L.-Spieler** im Fußball und **L.-Fahrer** im Motorsport.

Lizenz|ausgabe, Buchausgabe aufgrund einer Ermächtigung durch den die Rechte an einem Buch besitzenden Verleger an andere Verleger.

Lizenziat [lat. »der mit Erlaubnis Versehene«] *das,* Abk. **Lic.** oder **Liz.,** akadem. Grad. Im MA. ein Univ.grad mit Lehrbefugnis; wird heute in Dtl. nur noch von wenigen Hochschulen und Fakultäten (v.a. im Bereich kath. Theologie: **Lic. theol.**) vergeben; in der Schweiz und Österreich – abgesehen von techn. Hochschulen – der allg., berufsbildende Studienabschluss.

Lj, Einheitenzeichen für →**Licht**j**ahr.**

Ljapunow, Alexander Michailowitsch, russ. Mathematiker, *Jaroslawl 6. 6. 1857, †Odessa 3. 11. 1918; Prof. in Charkow und Sankt Petersburg; Untersuchungen zur Wahrscheinlichkeitsrechnung, zu Differenzialgleichungen und Potenzialtheorie, schuf die Grundlage der Stabilitätstheorie für mechan. Systeme mit endlich vielen Freiheitsgraden.

Ljubimow, Juri Petrowitsch, israel. Schauspieler und Regisseur russischer Herkunft, *Jaroslawl 30. 9. 1917; seit 1964 Chefregisseur am Moskauer Theater an der Taganka, das er als krit. Avantgardetheater in die antiillusionist. Tradition von W. E. Mejerchold und B. Brecht stellte. Lebte und arbeitete ab 1983 im westl. Ausland (1984 ausgebürgert); seit 1988 israel. Staatsbürger. 1989 erneut Leiter des Taganka-Theaters.

Ljubljana
Stadtwappen

Ljubljana (dt. Laibach), Hauptstadt der Rep. Slowenien, in Krain, oberhalb der Mündung der Ljubljanica in die Save, 268 000 Ew.; Kultur- und Wirtschaftszentrum, kath. Erzbischofssitz; Univ. (gegr. 1595), Slowen. Akademie der Wiss. und Künste, Inst. für Kernforschung, Nationalmuseum, -archiv, -bibliothek, -galerie, Museen, Theater, Konservatorium; Maschinenbau, chem.-pharmazeut., elektrotechn., Textil- u.a. Ind., Messestadt; Flughafen, Eisenbahnknoten. – Die Altstadt ist kreisförmig um den 77 m hohen Schlossberg mit mittelalterl. Burg (12. Jh.) angelegt, zahlr. barocke Sakral- und Profanbauten, Bauten des Wiener Historismus und des Jugendstils. – Illyr. Siedlung **Emona,** später röm. Militärlager; um 34 v. Chr. röm. Kolonie; 1144 erstmals als Laibach erwähnt, fiel die Stadt 1276 an Habsburg und wurde Hauptort von Krain; 1320 Stadtrecht; 1461 Bischofssitz; 1809–13 Hptst. der Illyr. Provinzen; nach 1848 Mittelpunkt der slowen. Nationalbewegung; 1918–91 kam die Stadt zu Jugoslawien.

Ljunga ['juŋa] *der,* Fluss in Mittelschweden, 350 km lang, entspringt in Jämtland, bildet viele Seen und Wasserfälle, mündet südlich von Sundsvall in den Bottn. Meerbusen.

Ljungström ['jʊŋ-], Fredrik, schwed. Maschineningenieur, *Stockholm 16. 6. 1875, †ebd. 18. 2. 1964; entwickelte eine Turbinenlokomotive (1916) und das erste vollautomat. Kraftwagengetriebe (1927).

Ljusna ['ju:sna] (Ljusneälv), Fluss in Mittelschweden, 430 km lang, entspringt in Härjedalen, bildet Stromschnellen, mündet südlich von Söderhamm in den Bottn. Meerbusen.

Lk., Abk. für **Lu**kasevangelium (N. T.).

Lkw (LKW), Abk. für **L**ast**k**raft**w**agen.

Llanelli [la:'nelɪ], Industriestadt in S-Wales, England, 24 100 Ew.; Metall verarbeitende und Weißblechind., Zinnwerke.

Llano Estacado ['la:nəʊ estə'kadəʊ; span. »abgesteckte Ebene«, nach den Pfählen, mit denen man die Pfade und Wasserstellen bezeichnet] (Staked Plain), 1000–1500 m hohes, wüstenhaftes Plateau in den Great Plains der Bundesstaaten Texas und New Mexico, USA; extensive Viehhaltung; Erdöl- und Erdgasförderung.

Llanos ['ʎanɔs, span. »Ebene«], baumarme bis baumlose Ebenen in den wechselfeuchten Tropen Lateinamerikas, v.a. aber für die **L. del Orinoco** des Orinocotieflandes.

Lleida ['ʎɛiðə] (span. Lérida), **1)** Prov. in Katalonien, Spanien, 12 173 km², (1991) 353 500 Einwohner.

2) Hauptstadt von 1), am Segre, 111 800 Ew.; Bischofssitz (seit 1149), Priesterseminar; Textil-, Glasindustrie; Mittelpunkt eines Bewässerungsfeldbaugebietes. – Alte Kathedrale (13. Jh., über einer ehem. Moschee erbaut), klassizist. Neue Kathedrale, auf einem Hügel im W ehem. Burg der Tempelritter. – L. wurde von den Römern **Ilerda** gen. und befestigt, Blütezeit unter den Arabern (711–1149); wurde nach der Reconquista Sitz des katalan. Cortes; hatte 1300–1713 eine bed. Universität.

Llewellyn ['lu:elın], Richard, eigtl. R. Dafydd Livian L. Lloyd, walis. Schriftsteller und Filmproduzent, *Saint David's (Pembrokeshire) 8. 12. 1906, †Dublin 28. 11. 1983; schrieb populäre Unterhaltungsromane aus der Bergarbeiterwelt von Wales (»So grün war mein Tal«, 1939); Drehbuchautor.

David Lloyd George (um 1920)

Lloyd [lɔıd], **1)** Frank, amerikan. Filmregisseur schott. Herkunft, *Glasgow 2. 2. 1888, †Los Angeles (Calif.) 10. 8. 1960; ab 1913 in den USA; neben kommerziellen auch bed. Filme wie »The divine lady« (1929) und »Meuterei auf der Bounty« (1935).

2) Harold, amerikan. Schauspieler, *Burchard (Nebr.) 20. 4. 1893, †Beverly Hills (Calif.) 8. 3. 1971; Komiker, v. a. des amerikan. Stummfilms: u. a. »Großmutters Liebling« (1922), »Ausgerechnet Wolkenkratzer« (1923), »Der kleine Bruder« (1927).

Lloyd George [lɔıd 'dʒɔ:dʒ], David, Earl L. G. of Dwyfor (seit 1945), brit. Staatsmann, *Manchester 17. 1. 1863, †Llanystumdwy (Wales) 26. 3. 1945; seit 1890 liberaler Abg. im Unterhaus, 1905–08 Handelsmin. und 1908–15 Schatzkanzler; führte eine obligator. Sozialversicherung ein und beschränkte das Vetorecht des Oberhauses (1911). Im 1. Weltkrieg war er neben Lord Kitchener Organisator der Kriegführung, wurde 1915 Munitions-, 1916 Kriegsminister. Als Premiermin. (1916–22) nahm er auf der Pariser Friedenskonferenz (1919) eine vermittelnde Stellung zw. W. Wilson und G. Clemenceau ein. Er wandte sich bes. gegen die territoriale Zerstückelung des Dt. Reichs. In der ir. Frage gelang ihm mit dem Vertrag von 1920, der den Ir. Freistaat begründete, aber Nordirland bei Großbritannien beließ, ein Erfolg. Seit 1929 blieb L. G. ohne polit. Einfluss.

Lloyd's [lɔıdz], Abk. für Corporation of Lloyd's, Vereinigung von privaten Einzelversicherern in Großbritannien; ben. nach Edward Lloyd (*um 1688, †1713), dessen Londoner Kaffeehaus Ende des 17. Jh. Zentrum der Schiffsinteressenten und Seeversicherer wurde. L. ist kein Versicherungsunternehmen, sondern ein Versicherungsmarkt, bei dem sich die offiziell zugelassenen Mitgl., die **»Names«**, unter der Führung von **»Underwriters«** in jährlich neu gebildeten Syndikaten für die Deckung bestimmter Schäden zusammenschließen. Names und Underwriters haften mit ihrem gesamten privaten Vermögen unbeschränkt. Eine außerordentlich hohe Schadenhäufung 1988–92 führte beinahe zum Zusammenbruch von L. Zur Sanierung wurden das Londoner Versicherungsgebäude sowie der Verlag von L. verkauft und die Rückversicherungsgesellschaft »Equitas« gegründet. – Die Weltinstitution L. unterhält Vertreter in allen Welthäfen. L. gibt seit 1760 das »Lloyd's Register of Shipping« (Verzeichnis aller Schiffe, Reedereien, Werften usw.) heraus.

Lloyds Bank Ltd. ['lɔıdz 'bæŋk-], London, internat. tätige brit. Großbank, gegr. 1765 als »Taylor & Lloyd«, seit 1889 jetziger Name.

Lloyd Webber [lɔıd 'webə], Sir (seit 1992) Andrew, brit. Komponist, *London 22. 3. 1948; wurde v. a. durch die Rockopern »Jesus Christ Superstar« (1971) und »Evita« (1978) sowie die Musicals »Cats« (1981), »Starlight Express« (1984), »Das Phantom der Oper« (1986), »Aspects of Love« (1989) und »Sunset Boulevard« (1993) bekannt.

lm, Einheitenzeichen für →Lumen.

LM, Abk. für engl. **L**unar **M**odule, die Mondlandeeinheit beim →Apollo-Programm.

ln, Abk. für natürl. →Logarithmus.

Lob [lɔb, engl.] *der,* **1)** *Badminton, Tennis:* hoher, weit geschlagener Ball, mit dem der Gegner überspielt werden soll.

2) *Volleyball:* angetäuschter Schmetterball, der hoch über oder am gegner. Block vorbeigeschlagen wird.

Andrew Lloyd Webber: Szene aus der Hamburger Inszenierung des Musicals »Cats« (1986 ff.)

Lobärpneumonie, auf einen oder mehrere Lungenlappen begrenzte Form der →Lungenentzündung.

Harold Lloyd

Andrew Lloyd Webber

Locarno: Die 1616 geweihte Wallfahrtskirche Madonna del Sasso liegt nordwestlich über Locarno am Nordende des Lago Maggiore mit den Tessiner Alpen im Hintergrund

Locarno Stadtwappen

Löbau Stadtwappen

Paul Löbe

Lobatschewski, Nikolai Iwanowitsch, russ. Mathematiker, *Nischni Nowgorod 2. 11. 1793, †ebd. 24. 2. 1856; Prof. in Kasan; arbeitete unabhängig von C. F. Gauß und F. Bolyai über die nichteuklidische Geometrie.

Lobau *die,* Auenlandschaft (21,6 km²) am linken Donauufer im 22. Wiener Bez. (Naturschutzgebiet); Versteppung nach Donauregulierung (1875); durch Siedlungen und Ind.anlagen stark verändert.

Löbau (sorb. Lubij), Stadt im Landkreis Löbau-Zittau, Sachsen, in der Oberlausitz, 16600 Ew.; Spezialfahrzeugbau, Textil-, Schuhind., Klavierherstellung. – Romanisch-gotische Nikolaikirche (13.–14. Jh.), spätgot. Johanniskirche (15. Jh.), Barockrathaus (1711). – Das um 1200 entstandene, regelmäßig angelegte L. wurde 1268 als Stadt bezeugt; gehörte seit 1346 zum Sechsstädtebund (→Oberlausitz); bis 1994 Kreisstadt.

Löbau-Zittau, Landkreis im RegBez. Dresden, Sachsen, 699 km², (1996) 162700 Einwohner; Krst. ist Zittau.

Lobby [engl.] *die,* **1)** die Wandelhalle im Parlament, wo die Abg. mit Außenstehenden verhandeln können.

2) Gesamtheit der Lobbyisten, d. h. der Vertreter von Interessengruppen (→Pressuregroups), die versuchen, die Volksvertreter in ihrem Sinn zu beeinflussen **(Lobbyismus).**

Löbe, Paul, Politiker (SPD), *Liegnitz (heute Legnica) 14. 12. 1875, †Bonn 3. 8. 1967; Schriftsetzer, 1899–1919 Chefredakteur der Breslauer »Volkswacht«, 1920–33 MdR, war 1920–24 und 1925–32 Reichstagspräs.; 1933 und 1944 in nat.-soz. Haft. 1945 beteiligte er sich maßgeblich am Wiederaufbau der SPD. 1949–53 war L. MdB und 1954–67 Präs. des Kuratoriums »Unteilbares Deutschland«.

Lobektomie [grch.] *die,* operative Entfernung eines Lungenlappens, z. B. bei Lungenkrebs.

Lobelie *die* (Lobelia), Gatt. der Glockenblumengewächse; Kräuter und Halbsträucher in den gemäßigten und wärmeren Zonen. Eine Zierpflanze ist die **Blaue L. (Männertreu,** Lobelia erinus), eine dichtwüchsige, bis 25 cm hohe Sommerblume aus S-Afrika mit blauen oder weißen Blüten.

Lobenstein, Moorbad, Stadt im Saale-Orla-Kreis, Thür., auf einem Bergrücken des Frankenwaldes, 505 m ü. M., 7100 Ew.; Kur- und Erholungsort; Feingusswerk, elektron. u. a. Industrie. – Oberhalb des maler. altfränk. Marktes die Ruine der mittelalterl. Burg; barockes Schloss (1718); 1250 erstmals erwähnt; bis 1994 Kreisstadt.

Lobito [luˈβitu, portugies.], Hafenstadt in Angola, 60000 Ew.; Ausgangspunkt der Benguelabahn; Werften, Zementfabrik, Salzgewinnung; Fischverarbeitung; Flugplatz. – Gegr. 1843 an der **L.-Bucht.**

Lobkowitz (Lobkowicz), böhmisches Adelsgeschlecht, nannte sich nach der Burg L. bei Prag, 1624 in den Reichsfürstenstand erhoben; bed. u. a. der böhm. Erzkanzler und Humanist Bohuslaw L. von Hassenstein (*1462, †1510).

Lobositz, Stadt in der Tschech Rep., →Lovosice.

Local Government [ˈləʊkl ˈgʌvənmənt], im angloamerikan. Bereich die Kommunalverwaltung im Rahmen staatl. Aufsicht, die durch Gebietskörperschaften ausgeübt wird. Hauptorgan ist meist ein Rat **(Council, Board)** aus gewählten Mitgliedern.

Locarno, Bezirkshauptort im Kt. Tessin, Schweiz, am Nordende des Lago Maggiore, 209 m ü. M., 14800 Ew.; heilklimat. Kurort; Sonnenobservatorium; bed. sommerl. Fremdenverkehr; Internat. Filmfestspiele (seit 1946); Textil-, Elektronikind., Herstellung von Aufzügen. – Bed. Kirchen, u. a. die Wallfahrtskirche Madonna del Sasso (1616 geweiht), Schloss (15. Jh.; heute stadtgeschichtl. Museum). – 789 erstmals erwähnt; 1186 Reichsfreiheit; kam 1342 an die Mailänder Visconti; 1513–1798 eidgenöss. Landvogtei; seit 1803 gehört L. zum Kanton Tessin.

Locarnoverträge (Locarnopakt), die auf der Konferenz von Locarno (5.–16. 10. 1925) ausgehandelten Verträge über ein Sicherheitssystem in W-Europa. In dem am 1. 12. 1925 in London unterzeichneten Hauptvertrag (West-, Rheinpakt) verpflichteten sich das Dt. Reich (Außenmin. G. Stresemann), Frankreich und Belgien unter Garantie Großbritanniens und Italiens, die im Vertrag von Versailles festgelegten dt. Westgrenzen und die entmilitarisierte Rheinlandzone zu achten. Am 7. 3. 1936 erklärte Hitler den Pakt für hinfällig und ließ Truppen ins Rheinland einrücken.

Loccum, Ortsteil von Rehburg-L., Landkr. Nienburg/Weser, Ndsachs.; ehem. Zisterzienserabtei (1163 gegr.), seit 1593 evang. Kloster (Beibehaltung der klösterl. Verfassung) und Predigerseminar; 1924 Eingliederung in die Evang.-Luth. Landeskirche Hannovers, deren Landesbischof zugleich Abt von L. ist; seit 1952 angeschlossen eine Evang. Akademie mit Pastoralkolleg.

Loch [schottisch-gälisch lɑ:x, irisch-gälisch lɔx, engl. lɔx, lɔk] *der* (anglisiert in Irland auch Lough), See, Meeresbucht; z.B. Loch Ness.

Loch, 1) *Festkörperphysik:* → Defektelektron.

2) *relativist. Quantenmechanik:* → Löchertheorie.

Lochamer Liederbuch (Lochheimer Liederbuch), Minneliederhandschrift, entstanden zw. 1450 und 1460, benannt nach dem Nürnberger Patrizier Wölflin von Lochamer; Hauptquelle des älteren dt. Volkslieds und mehrstimmigen Gesangs.

Löcherleitung, → Defektelektron, → Halbleiter.

Löchertheorie, *Quantenmechanik:* eine von P. Dirac entwickelte Theorie (→ diracsche Wellengleichung), in der die Positronen als unbesetzte Zustände (»Löcher«) in dem sonst mit Elektronen vollständig besetzten Kontinuum negativer Energiezustände (»Dirac-See«) aufgefasst werden. Die Anhebung eines Elektrons negativer Energie in einen Zustand positiver Energie entspricht der Erzeugung eines Elektron-Positron-Paares (→ Paarbildung), das Zurückfallen des Elektrons in das Loch im Dirac-See der Paarvernichtung. Die L. hat auch für andere Teilchen mit von null versch. Ruhemasse und halbzahligem Spin Gültigkeit.

Lochfraß, örtlich begrenzte → Korrosion.

Lochien [von grch. locheia »Geburt«], der Wochenfluss (→ Wochenbett).

Lochkamera, die → Camera obscura.

Lochkarte, *Datenverarbeitung:* ältester maschinell lesbarer Datenträger, der durch Stanzen von Löchern in eine Karte entsteht. Die häufigste L.-Ausführung enthält 80 Spalten mit je 12 Lochpositionen zur Aufnahme von bis zu 80 Zeichen; Ziffern (0–9) werden durch eine einzelne Lochung, Buchstaben und Sonderzeichen durch eine Lochkombination codiert. Zu den für die L.-Verarbeitung erforderl. und technisch getrennt arbeitenden **L.-Maschinen** (nach dem Erfinder H. Hollerith auch Hollerithmaschinen gen.) gehören **L.-Sortierer, L.-Mischer** (um zwei bereits nach einem bestimmten Merkmal sortierte L.-Stapel zusammenzuführen), **L.-Doppler,** die **Tabelliermaschine** sowie die zur Datenerfassung und Fehlererkennung notwendigen **Locher** und **L.-Prüfer (Prüflocher).** Als peripheres Eingabegerät dienen ein elektrisch oder optoelektronisch arbeitender **L.-Leser,** als Ausgabegerät (und zum Stanzen von L.) **L.-Stanzer.** – Die L.-Technik gehörte zu den Vorstufen der elektron. Datenverarbeitung. BILD S. 398

Loccum: Das seit 1593 evangelische Kloster wurde 1163 als Zisterzienserabtei gegründet und beherbergt heute eine Evangelische Akademie und ein Predigerseminar

Lochner, Stephan, Maler, *Meersburg (?) um 1400–1410, † Köln 1451; Hauptmeister der → Kölner Malerschule, 1442–51 in Köln nachweisbar. In seinen Werken verband er Idealität und weltabgewandte Anmut des → schönen Stils mit dem Realismus der niederländ. Malerei. L. behielt den Goldgrund bei und verzichtete weitgehend auf die Darstellung von Landschaft und Innenräumen. Ausgangspunkt für alle Zuschreibungen sind der urspr. für die Ratskapelle in Köln bestimmte und 1809 im Dom aufgestellte »Dreikönigsaltar« (auch »Dombild«, um 1442), das einzige (durch A. Dürer) beglaubigte Werk, und die »Darbringung im Tempel« (1447; Darmstadt, Hess. Landesmuseum). BILD S. 399

📖 *S. L. – Meister zu Köln, hg. v.* P. KELLER, *Ausst.-Kat. Wallraf-Richartz-Museum Köln. Heidelberg 1993.*

Lobelie: Blaue Lobelie, auch Männertreu genannt

Locarnoverträge: An der Konferenz von Locarno nahmen im Oktober 1925 (von links) die Außenminister des Deutschen Reiches, Gustav Stresemann, Großbritanniens, Sir Joseph Austen Chamberlain, und Frankreichs, Aristide Briand, und der italienische Vertreter beim Völkerbund, Vittorio Scialòja, teil

Loch Ness [lɔk'nes], See in Schottland, →Ness.

Lochsteine, Mauersteine mit senkrecht zur Lagerfläche verlaufenden Hohlräumen; sie bieten bessere Wärmedämmung als Vollsteine.

Lochstickerei (Englische Stickerei, Schnurlochstickerei), Weißstickerei, bei der mit einem Schnurlochstecher dem Muster entsprechend Löcher vorgebohrt und mit Überwendlichstichen ausgenäht und befestigt werden. Die L. wird heute fast ausschließlich maschinell hergestellt.

Lochstreifen, Datenträger, in den die Daten in Form von Lochkombinationen eingestanzt sind; dienten (v.a. in den 60er-Jahren) zur Ein- und Ausgabe bei Rechenanlagen und Buchungsmaschinen, zur Datenübertragung mit Fernschreibern und zur Steuerung automat. Maschinen, z.B. Werkzeugmaschinen. Die Lochanordnung war meist die gleiche wie bei der Fernschreibmaschine, aber mit 5–8 Lochspuren und mit einem systematisch aufgebauten Code.

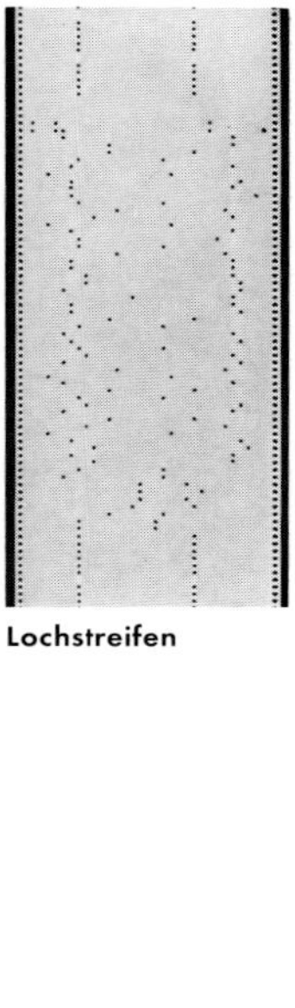

Lochstreifen

Locke [lɔk], John, engl. Philosoph, *Wrington (Cty. Somerset) 29. 8. 1632, †Oates (Cty. Essex) 28. 10. 1704; studierte Naturwiss. und Medizin; finanziell unabhängig, bekleidete er versch. Staatsämter und wirkte als Arzt; u.a. polit. Berater und Sekretär des engl. Staatsmanns Earl of Shaftesbury (*1621, †1683); Anhänger der »Glorreichen Revolution«. – L. wurde zum Begründer des engl. Empirismus. Er widerlegte die Lehre von den angeborenen Ideen (Descartes) und leitete alle Bewusstseinsinhalte aus der bloßen Erfahrung ab; als Erfahrungsquellen galten ihm nur Sinneswahrnehmung und Selbstbeobachtung. In seiner Staatslehre vertrat L. das Recht auf Unverletzlichkeit von Person und Eigentum, das der Staat zu schützen habe, und gegen T. Hobbes den Grundsatz der Volkssouveränität. L. hatte großen Einfluss auf die Erkenntnistheorie und das polit. Programm des Liberalismus. – *Werke:* Ein Brief über Toleranz (1689); Versuch über den menschl. Verstand (1690, 4 Bücher); Über die Regierung (1690); Gedanken über Erziehung (1693); Die Vernünftigkeit des bibl. Christentums (1695).

📖 Euchner, W.: *J. L. zur Einführung. Hamburg 1996. – J. L., Essay über den menschl. Verstand, hg. v.* U. Thiel. *Berlin 1997.*

John Locke: Kupferstich (1734) nach einem Gemälde des englischen Malers Godfrey Kneller (1704)

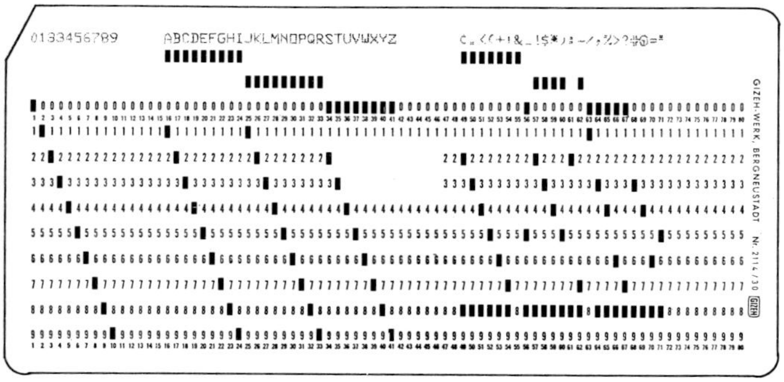

Lochkarte mit dem Lochkartencode für Ziffern, Buchstaben und Sonderzeichen; die abgeschrägte Ecke dient der Sichtprüfung auf falsch eingelegte Karten

Lockergestein, unverfestigte Sedimentgesteine, bautechnisch in bindiges (z.B. Ton) und nichtbindiges L. (z.B. Sand, Kies) unterschieden.

Lockhart ['lɔkhɑ:t, 'lɔkət], James, schott. Dirigent, Organist und Pianist, *Edinburgh 16. 10. 1930; war u.a. 1962–68 Dirigent an der Covent Garden Opera in London, 1973–80 Generalmusikdirektor am Staatstheater Kassel und 1981–91 des Staatsorchesters Rhein. Philharmonie in Koblenz, anschließend Direktor der Opernabteilung am Royal College of Music in London.

Lockheed Martin Corp. ['lɔkhi:d 'mɑ:tɪn kɔ:pə'reɪʃn], Burbank (Calif.), größtes amerikan. Unternehmen der Luft- und Raumfahrtind. und weltgrößtes Rüstungsunternehmen, entstanden 1995 durch Fusion von Lockheed Aircraft Corp. (gegr. 1932) und Martin Marietta Corp. Hergestellt werden, u.a. über die Tochter Loral, v.a. Militärflugzeuge (z.B. F-104 Starfighter), Raketen sowie Elektronik.

Lockspitzel, dt. für →Agent provocateur.

Lockstoffe (engl. Attractants), sehr unterschiedliche chem. Verbindungen, die bes. Insekten zu ihren Futterpflanzen, Wirtstieren oder zum Geschlechtspartner leiten; werden auch bei der Schädlingsbekämpfung angewandt.

Lockyer ['lɔkjə], Sir (seit 1897) Joseph Norman, brit. Astrophysiker, *Rugby 17. 5. 1836, †Salcombe Regis (Cty. Devon) 16. 8. 1920; 1885–1913 Direktor des Sonnenobservatoriums in South Kensington, gründete dann das Hill Observatorium in Sidmouth, entdeckte das Helium, entwickelte Verfahren zur spektroskop. Beobachtung der Sonnenprotuberanzen und erste theoret. Ansätze über den Aufbau, die Entstehung und die Entwicklung der Fixsterne.

loco [lat.], **1)** *allg.:* am Ort, hier; vorrätig.

2) *Musik:* Bez. für die Aufhebung des vorausgegangenen Zeichens →all'ottava.

Locus [lat. »Ort«] *der,* in der antiken und mittelalterl. Philosophie Bez. für den aristotel. Begriff »topos« (grch. »Ort«): allgemeiner Satz, log. Regel, Strukturmuster mögl. Argumente, Motive. – *Loci communes:* in der älteren Rhetorik Gesichtspunkte zur Auffindung und Gliederung des Stoffes.

Lod, Stadt in Israel, im SO von Tel Aviv; 45 500 Ew.; Flugzeugbau, Zigaretten- und Kartonagenfabrik, Elektrogerätebau; internat. Flughafen Ben Gurion. – Das antike **Lydda** wurde schon 1479 v. Chr. genannt.

Loden [ahd. lodo »grobes Wollzeug«], Streichgarngewebe in Leinwand- oder Köperbindung aus Wolle, bei minderen Qualitäten **(Tirtey-L.)** gemischt mit Reißwolle oder Baumwolle; stark gewalkt und meist strichgeraut; Wasser abstoßend imprägniert, meist grün, braun, grau oder meliert. **Tuch-L.** oder **Bozener L.** hat kurzen Flor, während **Strich-** oder **Hirten-L.** auf der rechten Seite langen, eng anliegenden Flor besitzt. **Kamelhaar-L.** aus reinen Kamelhaargarnen oder Wollkammgarn in der Kette und Kamelhaargarn im Schuss ist leicht und weich.

Lodge [lɔdʒ], **1)** Henry Cabot, amerikan. Politiker und Historiker, *Boston (Mass.) 12. 5. 1850, †Cambridge (Mass.) 9. 11. 1924; Mitgl. der Republikan. Partei, 1893–1924 Senator, entschiedener Gegner Präsident W. Wilsons, verhinderte als Vors. des Auswärtigen Ausschusses des Senats (seit 1919) den Eintritt der USA in den Völkerbund. Er hatte maßgebl. Anteil am Abschluss des Friedensvertrags mit Deutschland (1921).

2) Henry Cabot, amerikan. Politiker, *Nahant (Mass.) 5. 7. 1902, †Beverly (Mass.) 27. 2. 1985, Enkel von 1); Mitgl. der Republikan. Partei, 1937–44 und 1947–52 Senator, war 1952–60 Chefdelegierter der USA bei den UN, 1963–64 und 1965–67 Botschafter in Süd-Vietnam sowie 1968–69 in der Bundesrep. Dtl. 1969 leitete L. die amerikan. Delegation bei der Pariser Vietnamkonferenz.

Lodi, 1) Provinz in der Lombardei, Italien, 782 km², (1995) 189 200 Einwohner.

2) Hauptstadt von 1), an der Adda, 42 300 Ew.; Majolikaherstellung, Textil-, Nahrungsmittelind. (jährl. Milchproduktemesse); nahebei Erdgasförderung mit chem. Industrie. – Dom (12. Jh.), Arkadenhäuser (14.–18. Jh.).

Lodz [lɔtʃ] (poln. Łódź), Hptst. der Wwschaft L., in Zentralpolen, mit 851 700 Ew. die zweitgrößte Stadt des Landes; Univ. (gegr. 1945), TH, medizin. Akademie, Hochschulen für Musik, für bildende Künste, für Film, Theater und Fernsehen, Theater, Museen; poln. Zentrum der Textilind., daneben Maschinenbau, chem., Leder-, Möbel-, Papierind., Druckereien. – 1332 erstmals erwähnt, erhielt L. 1423 Magdeburger Stadtrecht; 1914–18 dt. besetzt, gehörte 1939–45, in **Litzmannstadt** umbenannt, zum »Reichsgau Wartheland«; im Getto der Stadt kamen etwa 200 000 Juden um. BILD S. 400

Loèche [lɔ'ɛːʃ], Stadt in der Schweiz, →Leuk.

Stephan Lochner (von oben): »Muttergottes in der Rosenlaube« (um 1448; Köln, Wallraf-Richartz-Museum) und »Anbetung des Christkindes« (1445; München, Alte Pinakothek)

Lodz
Stadtwappen

Lodz: Das klassizistische Webereigebäude (1835–37) fungiert heute als Museum der Textilindustrie

Loerke ['lœ-], Oskar, Schriftsteller, *Jungen (an der Weichsel) 13. 3. 1884, †Berlin 24. 2. 1941; wirkte mit seinen formstrengen, von intensiver Bildlichkeit, Musikalität und myth. Zügen geprägten Gedichten wegbereitend für die Naturlyrik: »Gedichte« (1916, auch u. d. T. »Pansmusik«, 1929), »Der Silberdistelwald« (1934), »Der Wald der Welt« (1936); Romane: »Der Turmbau« (1910), »Der Oger« (1921); Essays.

Erich Loest

Loest ['løst], Erich, Pseud. Hans Walldorf, Schriftsteller, *Mittweida 24. 2. 1926; war aus polit. Gründen 1957–64 in Haft; seit 1981 in der Bundesrep. Dtl.; schreibt Romane, u. a. »Es geht seinen Gang oder Mühen in unserer Ebene« (Romane 1978), »Die Mäuse des Dr. Ley« (Romane 1984), »Zwiebelmuster« (Romane 1985), »Froschkonzert« (Romane 1987), »Fallhöhe« (Romane 1989), »Katerfrühstück« (1992); außerdem eine Autobiographie (1990); Drehbücher.

Carl Loewe (Ausschnitt eines zeitgenössischen Kupferstichs)

Loetscher ['lœ-], Hugo, schweizer. Schriftsteller, *Zürich 22. 12. 1929; wurde mit dem allegorisch-satir. Roman »Abwässer« (1963) bekannt. In anderen Romanen (»Die Kranzflechterin«, 1964; »Der Immune«, 1975; »Die Papiere des Immunen«, 1986), Fabeln (»Die Fliege und die Suppe und 33 andere Tiere in 33 anderen Situationen«, 1989), Skizzen, Reportagen und Essays äußert er sich zu aktuellen Themen und berichtet von seinen Reisen.

Loewe ['lø:-], **1)** Carl, Komponist, *Löbejün (Saalkreis) 30. 11. 1796, †Kiel 20. 4. 1869; Hauptmeister der neueren musikal. Ballade als bes. Ausprägung des Sololiedes im 19. Jh.: »Edward«, »Erlkönig«, »Der Zauberlehrling«, »Fridericus Rex«, »Heinrich der Vogler«, »Prinz Eugen«, »Der Nöck«, »Archibald Douglas« u. a.; andere Gesänge (z. B. »Die Uhr«); Oratorien, Kantaten, Opern, Kammermusik und Klaviersonaten.

Frederick Loewe

2) Frederick (Fritz), amerikan. Komponist österr. Herkunft, *Wien 10. 6. 1904, †Palm Springs (Calif.) 14. 2. 1988; ging 1924 in die USA. Schrieb Musicals, u. a. den Welterfolg »My Fair Lady« (1956, nach G. B. Shaws »Pygmalion«).

Loewi ['lø:-], Otto, amerikan. Physiologe und Pharmakologe dt. Herkunft, Frankfurt am Main 3. 6. 1873, †New York 25. 12. 1961; entdeckte 1921, dass die Übermittlung von Nervenimpulsen zu Erfolgsorganen auf chem. Weg erfolgt. Hierfür erhielt L. 1936 mit Sir H. Dale den Nobelpreis für Physiologie oder Medizin.

Loewy ['lø:], Raymond Fernand, amerikan. Industriedesigner frz. Herkunft, *Paris 5. 11. 1893, †Monaco 14. 7. 1986; emigrierte 1919 in die USA; einer der Protagonisten des amerikan. Industriedesigns; entwarf u. a. die Coca-Cola-Flasche und das Markenzeichen von Shell.

Lofer, Marktgem. im Bez. Zell am See, Salzburg, Österreich, an der Saalach, 639 m ü. M., 2 000 Ew.; Luftkurort, Wintersportplatz; südlich die **Loferer Steinberge** (Großes Ochsenhorn 2 511 m ü. M.).

Löffel, 1) *allg.:* Schöpfgerät mit schalenförmiger Vertiefung (Laffe) und einem Stiel, urspr. nicht als Ess-L. verwendet. In Ägypten gab es bereits um 5 000 v. Chr. L. aus Holz und Stein, später auch kleine Elfenbein-L. (für Salben). In der europ. Jungsteinzeit sind Schöpf-L. aus Knochen oder Stein belegt. Die Bronzezeit kannte einfach geformte Ton-L., während die ersten Metall-L. nicht vor Ende der La-Tène-Zeit aufkamen. Aus dem frühen MA. sind Holz-L. belegt, Silber-L. kamen am Hof und als liturg. Gerät (zum Darreichen der Hostie) vor. Nach der Mitte des 17. Jh. kam in Europa der Flachstiel-L. auf, der, Gabel und Messer ergänzend, Teil des sich bei Hof und im Bürgertum durchsetzenden Essbestecks wurde.

2) *Jägersprache:* Ohr der Hasen und Kaninchen.

Löffel|ente, Art der → Enten.

Oskar Loerke: Federzeichnung des deutschen Malers Joachim Carl Friedrich (1930)

Löffelkraut (Cochlearia), Kreuzblütlergattung der nördl. gemäßigten Zonen; das bis 30 cm hohe, saftig-zarte, weiß blühende **Echte L.** (Cochlearia officinalis) mit löffelförmigen Blättern wächst an feuchten Stellen, bes. auch auf Salzwiesen;

enthält u.a. äther. Öl und viel Vitamin C; alte Heilpflanze.

Löffelstöre (Polyodontidae), Familie der Störe mit schaufelförmigem Fortsatz der Schnauze. Der chines. **Schwertstör** (Psephurus gladius) aus dem Jangtsekiang kann über 3,5 m lang werden; der fast völlig ausgerottete **Amerikan. L.** (Polyodon spathula) aus dem Mississippi erreicht 1,80 m.

Löffelstöre: Amerikanischer Löffelstör (Länge 1,80 m)

Löffler (Platalea), Unterfamilie großer, hochbeiniger, vorwiegend weißer, in Kolonien brütender Ibisse in und an Gewässern großer Teile der Alten und Neuen Welt; mit löffelartig verbreitertem Schnabel; in Europa der **Gewöhnl. L.** (**Löffelreiher,** Platalea leucorodia), 85 cm lang, weiß mit gelbl. Brust und schwarzem Schnabel.

Löffler: Gewöhnlicher Löffler (Größe 85 cm)

Löffler, Friedrich August Johannes, Hygieniker, *Frankfurt (Oder) 24. 6. 1852, †Berlin 9. 4. 1915; entdeckte die Erreger versch. Tierseuchen (z.B. Rotz, Rotlauf), entwickelte ein Schutzserum gegen Maul- und Klauenseuche. 1894 gelang L. erstmals die Züchtung des Diphtherieerregers.

Lofotinseln (norweg. Lofoten), Inselkette vor der Küste N-Norwegens, Verw.gebiet Nordland, vom Festland durch den Vestfjord getrennt, rd. 1350 km², 25 000 Ew.; durch Fjorde und Buchten stark gegliedert, bis 1161 m ü.M. Hauptinseln sind **Austvågøy** (526 km², von der Vesterålinsel Hinnøy durch einen engen Sund getrennt; im Zentrum nur 2,5 km breit, da Austnes- und Sløverfjord weit ins Inselinnere greifen), **Gimsøy** (46 km²), **Vestvågøy** (411 km²), die durch eine Brücke verbundenen Inseln **Flakstadøy** (110 km²) und **Moskenesøy** (186 km²), **Værøy** (16 km²) und im S **Røst** (3,6 km²). Die L. haben Fischind. und etwas Schafzucht; die **Lofotfischerei** (Mitte Jan. bis April) geht auf Kabeljaufang.

log, Abk. für →Logarithmus.

Log [engl., eigtl. »Holzklotz«] *das* (Logge), Instrument zum Messen (»loggen«) der Geschwindigkeit (Fahrt) eines Schiffes. Das **Hand-L.** besteht aus einem im Wasser schwimmenden beschwerten Holzstück, dem L.-Scheit, und einer Leine, deren Auslaufen vom Heck des Schiffes mithilfe von an ihr angebrachter Knoten in einer festen Zeitspanne mit der Stoppuhr (früher L.-Glas, eine Sanduhr) gemessen wird (daher die seemännische Bez. Knoten bei Geschwindigkeitsangaben). Das **Patent-L.** besteht aus einem nachgeschleppten Schraubenkörper oder Flügelrad, dessen Umdrehungen durch ein Zählwerk als zurückgelegte Strecke direkt angezeigt werden. **Druck-L. (Staudruck-L.)** nutzen den Unterschied zw. den Drücken in einem in Strömungsrichtung und in einem senkrecht dazu gehaltenen Rohr (Differenz zw. Gesamtdruck und stat. Druck). **EM-L.** beruhen auf der elektromagnet. Induktion. In ihnen wird ein niederfrequentes Magnetfeld erzeugt, das seinerseits zur Erzeugung einer der Fahrt proportionalen elektr. Spannung nutzbar ist, die entsteht, wenn sich das EM-L. durch das Wasser bewegt. **Doppler-L.** senden von der Schiffsunterseite Ultraschallwellen ins Wasser und messen die infolge des Doppler-Effekts auftretende Frequenzdifferenz zw. ausgesandten und reflektierten Wellen; diese ist der Geschwindigkeit proportional. Bild S. 402

Logan, Mount ['maʊnt 'ləʊgən], höchster Berg Kanadas, in den Saint Elias Mountains an der Grenze zu Alaska, 5951 m ü.M.; vergletschert.

Logarithmenpapier, mathemat. Zeichenpapier mit einem aufgedruckten Netz zweier sich rechtwinklig schneidender Geradenscharen; den Abständen der Geraden liegt eine logarithm. Teilung zugrunde.

Löffelkraut: Echtes Löffelkraut

Lofotinseln: Landschaft auf der Hauptinsel Vestvågøy

Logarịthmus [zu grch. lógos »Wort«, »Verhältnis« und arithmós »Zahl«] *der,* Abk. **log.** Sind a ($a \neq 1$) und x positive reelle Zahlen, so heißt die reelle Zahl y der L. des **Numerus** x zur **Basis (Grundzahl)** a, wenn gilt $a^y = x$, und man schreibt $y = \log_a x$; z.B. ist $\log_2 16 = 4$, denn $2^4 = 16$ und $\log_{10} 100 = 2$, denn $10^2 = 100$. Für das Rechnen mit L. gilt:

$$\log_a (x_1 \cdot x_2) = \log_a x_1 + \log_a x_2$$
$$\log_a (x_1/x_2) = \log_a x_1 - \log_a x_2$$
$$\log_a x^n = n \cdot \log_a x$$

Insbesondere ist $\log_a 1 = 0$ und $\log_a a = 1$. Von bes. Bedeutung sind: die L. zur Basis 10 **(gewöhnl., briggssche, dekad.** oder **Zehner-L.)** für das prakt. Rechnen, die L. zur Basis →e **(natürl. L.)** und in der Informatik die L. zur Basis 2 **(Binär- oder Zweier-L.).** Man schreibt statt $\log_{10} x$ meist $\lg x$, statt $\log_e x$ i. Allg. $\ln x$ (L. naturalis) und statt $\log_2 x$ entweder $\mathrm{lb}\, x$ (Binär-L.) oder $\mathrm{ld}\, x$ (L. dualis).

Die Bedeutung des L. als Rechenhilfe lag darin, dass die Multiplikation und Division von Zahlen auf die Addition und Subtraktion ihrer L. zurück geführt werden konnte (prakt. Anwendung →Rechenschieber). Zum Übergang vom Numerus zum L. und umgekehrt benutzte man früher **Logarithmentafeln,** in denen die Zehner-L. für positive reelle Zahlen z tabelliert sind. Die Zahlen nach dem Komma in $\lg z$, z.B. $\lg 2 = 0{,}30103$, bezeichnet man als **Mantisse** von $\lg z$, die der Tafel entnommen werden kann, die leicht zu ermittelnde Zahl vor dem Komma als **Kennziffer** von $\lg z$. Multiplikation von z mit 10 bedeutet Vermehrung der Kennziffer von $\lg z$ um 1, z.B. $\lg 20 = 1{,}30103$. – Die erste Logarithmentafel stammt aus dem Jahr 1620.

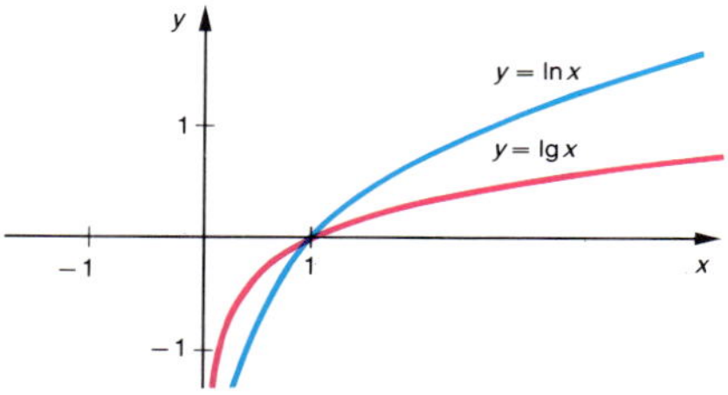

Logarithmus: Kurven von Logarithmusfunktionen, rot für den dekadischen, blau für den natürlichen Logarithmus

Logarịthmusfunktion, Umkehrfunktion der →Exponentialfunktion $g(x) = a^x$ für $a > 0$, $a \neq 1$, dargestellt durch $f(x) = \log_a x$. Definitions- und Wertebereich der L. sind die Menge der reellen Zahlen. Für die L. gilt die Funktionalgleichung $f(x_1 \cdot x_2) = f(x_1) + f(x_2)$.

Logasthenie [grch.] *die,* Sprachstörung, bei der Wörter verdreht oder vergessen werden.

Logatọm *das, Nachrichtentechnik:* einsilbiges, aus Sprachlauten gebildetes Kunstwort zur Überprüfung der Güte der Silben-, Wort- oder Satzverständlichkeit von Übertragungssystemen.

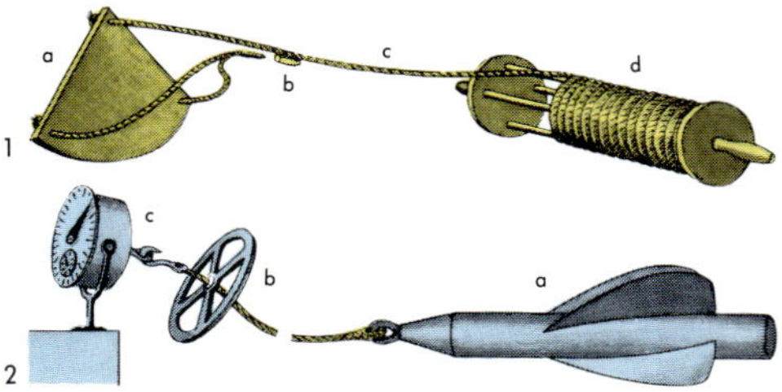

Log: 1 Handlog, a Logscheit (unten mit Blei beschwert), b durch Ruck an der Leine lösbare Verbindung, um das Logscheit leichter einholen zu können, c Logleine, d Handrolle; 2 Patentlog, a Schraube, b Schwungrad, c Zählwerk

Lọgau, Friedrich Freiherr von, Dichter, *Dürr Brockut (heute Brochocin, bei Ziębice, Wwschaft Wałbrzych) Juni 1604, †Liegnitz (heute Legnica) 24. 7. 1655; mit prägnanten satir. Sinngedichten, in denen er Kritik am moral. und religiösen Verfall und der sozialen Ungerechtigkeit seiner Zeit übte, einer der bedeutendsten Epigrammatiker des Barock.

Lọgbuch, gesetzlich vorgeschriebenes Schiffstagebuch (§ 520 HGB), das in Verantwortung des Kapitäns laufend zu führen ist; das L. ist eine Urkunde, in der alle für die Reise wesentlichen Daten und Ereignisse festzuhalten sind.

Loge ['lo:ʒə, aus frz.] *die,* **1)** im Theater kleiner, zur Bühne hin offener Raum mit Türen und wenigen Sitzplätzen.

2) Vereinigung von Freimaurern sowie Bez. für ihren Versammlungsort (→Freimaurerei).

Lọgger [niederländ.-engl.] *der* (Lugger), urspr. kleines, zwei- oder dreimastiges Küstensegelschiff; heute motorgetriebenes in der Schleppnetzfischerei eingesetztes Fischereifahrzeug.

Loggia ['lɔdʒa, italien. aus frz. loge] *die, Baukunst:* offene, meist gewölbte, von Säulen oder Pfeilern getragene Bogenhalle in oder vor einem Gebäude. Die L. ist der Laube verwandt, kann aber auch als eigenständiges Bauwerk (L. dei Lanzi, Florenz; 1376–81) bestehen. Die L. ist ein häufiger Bestandteil des italien. Palastbaues der Renaissance.

Lọgik [grch.] *die,* Lehre von den formalen Beziehungen zw. Denkinhalten, deren Beachtung im tatsächl. Denkvorgang für dessen (»logische«) Richtigkeit entscheidend ist. Die **traditionelle L.** befasste sich als Lehre vom Begriff mit den allg. Eigenschaften und der Klassifizierung von Begriffen und der Definitionslehre; als Lehre vom Urteil mit der Struktur von Aussagesätzen und ihrer Klassifikation; als Lehre vom Schluss mit den Folgebeziehungen zw. den Sätzen, die rein aufgrund von deren Struktur und unabhängig von ihrem Inhalt gelten. Die zentrale Thematik der **formalen L.** ist die **Schlusslehre (Syllogistik).** Die Hauptbereiche der neueren formalen L. sind die **Aussagenlogik** (Bildung von Sätzen mittels Junktoren, den Verknüpfungszeichen) und die **Prädikatenlogik** (mit freien Variablen und zusätzlichen Symbolen, den Quantoren); der weitgehenden Symbolisierung wegen wird die formale L. auch als **symbol. L.** bezeichnet.

Im Bereich der formalen L. unterscheidet man die philosoph. und die mathemat. Logik. Die **mathemat. L.** behandelt die für die Mathematik wichtigen Bereiche wie Relationen (Relationen-L.) und Klassen (Klassen-L.). Die wichtigsten Teilgebiete der **philosoph. L.** sind die deont. L., die Modal-L. und die Temporal-L. Alle diese L. erweitern die Aussagen-L. (und oft auch die Prädikaten-L.) um zusätzl. log. Partikel wie »notwendig« und »möglich« (Modal-L.), »verboten« und »erlaubt« (deont. L.), »früher« und »später« (Temporal-L.). Weiterentwicklungen der L. sind die Systeme der mehrwertigen L., die neben »wahr« und »falsch« weitere Wahrheitswerte zulassen.

Geschichte: Die traditionelle L. wurde durch Aristoteles begründet, der insbesondere die →Syllogistik schuf. Die →mathematische L. basiert auf Ideen von G. W. Leibniz und B. Bolzano; erste wesentl. Ansätze für die Mathematisierung der L. stammen von G. Boole und G. Frege. Der eigentl. Ausbau der mathemat. L. erfolgte im 20. Jh., beginnend mit Arbeiten von B. Russell, D. Hilbert u. a. – Die L. hat in den letzten Jahrzehnten v. a. im Zusammenhang mit der Informatik neues Interesse gefunden, bes. im Rahmen der künstl. Intelligenz und ihrer Bemühungen, Wissen maschinell darzustellen und zu verarbeiten.

📖 *Nichtklass. L., hg. v.* L. KREISER *u. a. Berlin* [2]*1990.* – SALMON, W. C.: *L. Aus dem Engl. Stuttgart 1990, Nachdr. ebd. 1993.* – QUINE, W. VAN O.: *Grundzüge der L. A. d. Engl. Frankfurt am Main* [8]*1993.*

Logis [lo'ʒiː, frz.] *das,* **1)** Wohnung, Unterkunft. **2)** [auch 'loːgis], *Schifffahrt:* Mannschaftsraum.

logischer Empirismus (logischer Positivismus), i. w. S. die vom Wiener Kreis vertretene erkenntnistheoret. Position (→Neopositivismus); i. e. S. die von R. Carnap u. a. nach K. R. Poppers Kritik am Neopositivismus modifizierte positivist. Wissenschaftstheorie.

logische Schaltungen (Logikschaltungen), Digitalschaltungen zur Verknüpfung von Digitalsignalen nach den Regeln der booleschen Algebra. Eine l. S., die nur Verknüpfungsglieder enthält (Gatter), wird als Schaltnetz bezeichnet; wenn sie darüber hinaus noch Speicherglieder enthält, wird sie als →Schaltwerk bezeichnet. (→Schaltalgebra)

Logismus [grch.] *der,* i. e. S. philosophische Bez. für einen Vernunftschluss; i. w. S. die Auffassung, dass die Welt logisch aufgebaut sei.

Logistik [aus frz.] *die,* **1)** *Betriebswirtschaftslehre:* Bez. für alle inner- und zwischenbetriebl. Transport- und Verkehrs-, Lager- und Warte- sowie Umschlags- und Kommissioniervorgänge. Logist. Systeme sind Flusssysteme, die die Produktionsstätten und die konsumtiven Verbrauchsorte eines Wirtschaftssystems miteinander verknüpfen und einen störungsfreien Informations-, Material-, Energie- und Produktfluss gewährleisten. Die Verbesserung der L. führt zur Einsparung von Ressourcen und zur Kostenoptimierung. Die Bedeutung der L. nimmt wegen der wachsenden Komplexität der Güterstromnetze (stärkere räuml. und zeitl. Differenzierung, Variantenvielfalt der Güter) zu.

📖 IHDE, G. B.: *Transport, Verkehr, L. München* [2]*1991.* – PFOHL, H.-C.: *Logistiksysteme. Betriebswirtschaftl. Grundlagen. Berlin u. a.* [5]*1996.*

2) *Militärwesen:* Planung, Bereitstellung und Einsatz der für die Versorgung der Streitkräfte notwendigen Mittel und Dienstleistungen.

Loggia dei Lanzi in Florenz (1376–81)

Logizismus [grch.] *der,* Auffassung, nach der sich die gesamte Mathematik (Begriffe, Sätze) vollständig auf die Logik zurückführen lässt; bes. von G. Frege, B. Russell und R. Carnap und z. T. W. v. O. Quine vertreten.

Logo [engl., gekürzt aus logotype] *der* oder *das* (Firmensignet), graf. Symbol für ein Unternehmen, meist verbunden mit einer besonderen »Firmenfarbe« und Schrifttype. Das L. ist eine Maßnahme der Corporate Identity (Unternehmensidentität) und soll dazu beitragen, dass das Unternehmen nicht nur über Produkte und deren Verpackungen, sondern auch über die Öffentlichkeitsarbeit identifiziert werden kann.

LOGO, Programmiersprache v. a. für Unterrichtszwecke (zur Einführung in den Umgang mit Computern), die z. T. Konzepte von →LISP enthält. L. ist eine interaktive Sprache (der Benutzer kann schnell eingreifen) mit einem benutzerfreundl. Grafikprogramm, bei der sich außerdem größere Programme aus einfacheren Bausteinen zusammenfügen lassen (Modularität).

Daniel Casper von Lohenstein: Titelblatt zu seinem 1689/90 herausgegebenen Roman »Großmüthiger Feldherr Arminius oder Hermann ...«

logo... [grch. lógos], wort..., rede..., vernunft...

Logographen [grch.], **1)** urspr., heute umstrittene Bez. für frühgrch. ion. Historiker und Geographen (7.–5. Jh. v. Chr.), die ihre Werke in Prosa abfassten; danach auch Bez. für Prosaschriftsteller.

2) att. Rhetoren, die Gerichtsreden für prozessierende Bürger verfassten, die diese dann vor Gericht vortrugen.

Logogriph [grch.] *der,* Buchstaben- oder Worträtsel, bei dem durch Wegnehmen, Hinzufügen oder Ändern eines Buchstabens ein neues Wort entsteht.

Lohblüte
(junge Fruchtkörper)

Logopädie [grch.] *die,* Lehre von den Sprach- und Sprechstörungen sowie deren Behandlung durch den Logopäden (in Kliniken, Rehabilitationszentren oder in freiberufl. Praxen), wobei, oft in Zusammenarbeit mit dem Facharzt, v. a. verhaltenstherapeut. und tiefenpsycholog. Methoden sowie Sprecherziehung angewendet werden.

Logos [grch.] *der,* seit Heraklit ein Grundbegriff der grch. und hellenist. Philosophie; verwendet im Sinne eines durch die Vernunft bestimmten Denkens und Sprechens in Abhebung zu »Mythos«, »Meinung« (doxa) und »Wahrnehmung«, insofern gilt, dass diese hinreichender Vernunftgründe ermangeln. Für Homer ist L. »Erzählung«. Die Bedeutungen des grch. Wortes reichen von »Rede«, »Wort«, »Zählung« und »Abrechnung über Gelder« bis zu »Wertschätzung«, »Rücksicht«, »Überlegung«, »Bedingung«, »Grund«, »Sinn«. Grundbedeutung ist »Bestimmung« durch Sprache und Denken. Für Heraklit wie die Stoiker ist der L. die das Weltall durchwaltende göttl. Vernunft, das immanente Prinzip kosm. Werdens und die alles Weltgeschehen durchwirkende Gesetzmäßigkeit und Norm. Bei Sokrates und Platon ist der L. an das Sein gebunden, L. ist das Vermögen, das die Wahrheit zutage fördert, wie auch diese selbst und die Form ihrer Äußerung. Für Aristoteles entspringt aus dem L. die Tugend und damit die Glückseligkeit des Menschen. In der jüdisch-alexandrin. Religionsphilosophie (Philon von Alexandria) ist L. das Schöpferwort, durch das Gott die Welt erschaffen hat (1. Mose 1), als Schöpfungsmittler (»Weisheit Gottes«) das sie ordnende und gestaltende göttl. Prinzip; in der christl. Theologie (auf Joh. 1, 1–14 zurückgehend) das präexistente »Wort« Gottes, das in Jesus Christus »Fleisch« (Mensch) geworden ist, um den Menschen das Heil zu vermitteln.

📖 Kelber, W.: *Die Logoslehre. Von Heraklit bis Origines. Stuttgart Neuausg. 1976.*

Logotherapie [grch.], psychotherapeut. Methode (nach V. E. Frankl) zur Behandlung von seel. Störungen, die auf geistige Probleme (Sinnfindung) zurückgeführt werden.

Logroño [loˈɣroɲo], Hptst. der Region und Prov. La Rioja, Spanien, am oberen Ebro, 121 900 Ew.; Textil-, Metall-, Nahrungsmittel- und Konservenind., Großkellereien. – Ebrobrücke (1083).

Lohblüte (Fuligo septica), auf feuchtem Laub und Gerberlohe vorkommender gelber Schleimpilz.

Löhe, Johann Konrad Wilhelm, evang. Theologe, *Fürth 21. 2. 1808, †Neuendettelsau 2. 1. 1872; gründete 1849 die »Ges. für innere Mission im Sinne der Luth. Kirche«, 1854 das Diakonissenmutterhaus.

Lohengrin, Sagenheld aus dem Gralskreis, Sohn des Parzival, kommt auf Geheiß des Königs Artus der bedrängten Herzogin Elsa von Brabant in einem von einem Schwan gezogenen Schiff zu Hilfe; doch muss er sie nach glückl. Ehe wieder verlassen, als sie die verbotene Frage nach seiner Herkunft stellt. Wolfram von Eschenbach fügte die Sage in seinen »Parzival« (um 1210) ein. Die Erneuerung des Stoffes im 19. Jh. geht auf R. Wagner (romant. Oper »L.«, 1848) zurück.

Lohenstein, Daniel Casper von (seit 1670), eigtl. Daniel Casper, Dichter, *Nimptsch (heute Niemcza, bei Dzierżoniów, Wwschaft Wałbrzych) 25. 1. 1635, †Breslau 28. 4. 1683; schrieb Trauerspiele (»Ibrahim Bassa«, 1650; »Agrippina«, 1665;

»Sophonisbe«, 1680) und den Barockroman »Großmüthiger Feldherr Arminius oder Hermann ...« (hg. 1689/90).

Lohn, i.e.S. das Arbeitseinkommen gewerbl. Arbeitnehmer (Arbeiter); i.w.S. Bez. für Einkommen aus unselbstständiger Arbeit (Arbeits-L.), also auch für Bezüge von Angestellten und Beamten (→Gehalt). Die weitere Definition von L. wird insbesondere im Zusammenhang mit dem Begriff der →Lohnquote gebraucht. In einem noch weiteren Sinn wird unter L. jedes Einkommen verstanden, das aus der Beanspruchung eines Menschen durch eine Tätigkeit herrührt. Dieses Verständnis schließt also auch den Unternehmer-L. mit ein und folgt aus der Sicht, dass L. das Entgelt für den Einsatz des Produktionsfaktors Arbeit ist. Da L. gegenüber den Begriffen Entgelt, Entlohnung, Vergütung, Verdienst nicht scharf abgegrenzt ist, werden diese häufig synonym verwendet.

Nach der Art der L.-Zahlung wird zw. **Geld-L.** und **Natural-L.** unterschieden. Letzterer kommt nur noch neben dem Geld-L. und nur für bestimmte Arbeitsverhältnisse vor, so in der Land- und Forstwirtschaft, im Bergbau in Form des Deputats. Nach der wirtsch. Bedeutung für die Lebenshaltung unterscheidet man **Nominal-L.,** der sich im zahlenmäßigen Geldbetrag ausdrückt, und **Real-L.,** der sich durch seine Kaufkraft bestimmt, d.h. durch die Gütermenge, die man damit kaufen kann. Der Real-L. ist also gleich dem Nominal-L., dividiert durch den Preisindex für die Lebenshaltung. Als L.-Systeme existieren: **Zeit-L.** (Stunden-, Tages-, Wochen-, Monats-, Jahres-L.) und **Stück-L.** Zeit-L. wird nach der aufgewendeten Arbeitszeit als Maßstab für die jeweilige Leistung bezahlt, bes. bei Qualitäts- oder Reparaturarbeit, bei gefährl. Arbeit sowie überall dort, wo die Leistungsbasis schlecht errechenbar oder der Leistungsgrad des Arbeiters gesichert ist (z.B. Fließfertigung). Beim Stück-L. **(Leistungs-L., Akkord-L.)** wird zw. Stückgeldakkord (der L. richtet sich nach der Anzahl der geschaffenen Mengeneinheiten) und Stückzeitakkord (der L. hängt von der Größe der Leistung in einer Zeiteinheit ab) unterschieden. Basis des Akkord-L. bilden Vorgabezeiten, die meist nach arbeitswissenschaftl. Grundsätzen unter Berücksichtigung betriebl. Bedingungen, bes. durch →Arbeitsstudien, Zeit- und Leistungsstudien z.B. durch REFA-Verfahren ermittelt werden. Der **Prämien-L.** ergänzt den Zeit- und Akkord-L. durch eine Prämie für besondere Leistungen (Zeit-, Materialersparnis, Qualität u.a.). Der **Garantie-L.** ist der vereinbarte Mindest-L., bes. im Hotel- und Gaststättengewerbe.

In den →Tarifverträgen werden die Arbeitnehmer entsprechend ihrer Tätigkeit in **L.-Gruppen** eingestuft, wobei jede Gruppe in ein prozentuales Verhältnis zum **Eck-L.** gesetzt wird. L.-Zuschläge werden für Mehrarbeit, Sonn- und Feiertagsarbeit, Nachtarbeit, Überstunden u.a. gewährt.

📖 LÜCKE, W.: *Arbeitsleistung u. Arbeitsentlohnung. Wiesbaden ²1992.* – GMÜR, U. *u.* SCHERRER, C.: *Lohn- u. Gehaltssysteme. Goldbach ³1993.* – *Determinanten der Lohnbildung, hg. v.* K. GERLACH *u.* R. SCHETTKAT. *Berlin 1995.* – SCHETTGEN, P.: *Arbeit, Leistung, L. Analyse u. Bewertungsmethoden aus sozioökonom. Perspektive. Stuttgart 1996.*

Löhne, Stadt im Kr. Herford, NRW, im Ravensberger Land, 41600 Ew.; Textil-, Möbel-, Kunststoffind.; Kurkliniken von Bad Oeynhausen.

Lohner, Helmut, österr. Schauspieler, *Wien 24.4.1933; Engagements u.a. in Wien, Zürich, Berlin und bei den Salzburger Festspielen (Titelrolle im »Jedermann« von H. von Hofmannsthal); auch Film- und Fernsehrollen (u.a. »Flucht ohne Ende«, 1985, »Zucker«, 1989); seit 1997 Intendant des Theaters in der Josefstadt, Wien.

Helmut Lohner

Lohn|ersatzleistung, Leistungen der Sozialversicherung, die Lohn- oder Gehaltsausfall ausgleichen sollen, z.B. Arbeitslosengeld und Arbeitslosenhilfe, Kurzarbeiter-, Schlechtwetter-, Winterausfall-, Konkursausfall- und Eingliederungsgeld; i.w.S. auch alle anderen vom Lohn abgeleiteten Sozialleistungen, auf die der Versicherte im Prinzip unbefristet Anspruch hat, z.B. die Altersrente.

Lohnfortzahlung (Entgeltfortzahlung), Verpflichtung des Arbeitgebers zur Entgeltfortzahlung an Feiertagen und bei unverschuldeter Arbeitsunfähigkeit des Arbeitnehmers (auch des Heimarbeitnehmers) infolge Krankheit, gesetzlich geregelt im Entgeltfortzahlungs-Ges. vom 26. 5. 1994. Seit der Änderung des Ges. vom 19. 12. 1998 umfasst die Pflicht zur L. im Krankheitsfall wieder 100% des vorherigen Arbeitsentgelts, begrenzt auf sechs Wochen. Dauert die Krankheit über diesen Zeitraum an, muss Krankengeld in Anspruch genommen werden, das auf 70% des Bruttoentgelts beschränkt ist und zeitlich begrenzt von den Krankenkassen geleistet wird (→Krankenversicherung). Bei wiederholten Erkrankungen infolge derselben Krankheit haben Arbeitnehmer einen erneuten L.-Anspruch nach sechs Monaten Arbeitsfähigkeit und nach Ablauf von 12 Monaten seit der ersten Erkrankung. Bei Berufskrankheiten und Arbeitsunfällen wird das volle Arbeitsentgelt gezahlt.

Lohngleichheit, der sich aus Art. 3 GG ergebende Grundsatz, wonach bei gleicher Arbeit Mann und Frau der gleiche Lohn-(Gehalts-)Anspruch zusteht; in §612 Abs. 3 BGB festgeschrieben. Aufgrund dessen dürfen in Tarifverträgen keine Lohnabschläge für Frauen vorgesehen werden. (→Frauenarbeit)

lohn|intensive Betriebe, Betriebe, deren Kosten für Löhne und Gehälter gegenüber den Material- und Kapitalkosten bes. hoch sind, weil die Arbeitsvorgänge arbeitsintensiv sind oder hoch qualifizierte und hoch bezahlte Arbeitskräfte erfordern.

Lohnkosten (Arbeitskosten, Personalkosten), Aufwendungen oder Kosten, die durch den Einsatz menschl. Arbeitskraft in Unternehmen entstehen. Die L. lassen sich aufspalten in »Entgelt für geleistete Arbeit« oder Direktentgelt bzw. direkte L. (Arbeitsgrundkosten; Bruttolöhne und -gehälter, vermindert um die in den Lohnnebenkosten nachgewiesenen Bestandteile) und **Lohnnebenkosten** (indirekte Personalkosten, Arbeitsnebenkosten, Personalnebenkosten). Letztere entstehen aufgrund von Gesetzen, Tarifverträgen oder Betriebsvereinbarungen und umfassen Sonderzahlungen (z. B. vermögenswirksame Leistungen, Urlaubsgeld und Gratifikationen, Jubiläumsgelder), Vergütung für arbeitsfreie Tage (z. B. Lohn- und Gehaltsfortzahlung bei Krankheit, Entlohnung für Urlaub, Feiertage und sonstige Ausfallzeiten), Vorsorgeaufwendungen (z. B. Sozialversicherungsbeiträge, Aufwendungen für betriebl. Altersversorgung) und sonstige Lohnnebenkosten (z. B. Abfindungen, Beihilfen im Krankheitsfall, Fahrtkosten- und Verpflegungszuschüsse, Ausbildungsvergütungen).

Lohnkosten in der Industrie 1995 (in DM*))

Land	Lohnkosten je Stunde		
	insgesamt	direkte Löhne	Lohnnebenkosten
Westdeutschland	45,52	25,08	20,44
Ostdeutschland	29,85	16,97	12,88
Schweiz	42,69	28,03	14,66
Belgien	38,32	20,01	18,31
Österreich	36,84	18,51	18,33
Niederlande	35,54	19,80	15,74
Japan	35,48	20,92	14,56
Frankreich	29,04	15,06	13,98
USA	25,18	17,76	7,42
Kanada	23,42	16,91	6,51
Spanien	22,33	12,17	10,16
Großbritannien	20,96	14,96	6,00
Portugal	9,28	5,20	4,08

*) umgerechnet nach dem jahresdurchschnittlichen amtlichen Devisenkurs

Lohnkosten und Wechselkurse (Veränderungen in %)

Land	Arbeitskosten			
	auf DM-Basis		in nationaler Währung	
	1970/80	1980/94	1970/80	1980/94
Deutschland*)	163	94	163	94
USA	17	56	136	75
Japan	178	243	251	74
Großbritannien	146	60	408	173
Frankreich	172	69	317	149
Italien	122	83	507	286
Schweiz	177	104	116	87
Niederlande	190	57	220	61
Belgien	228	51	287	93
Österreich	195	118	196	115

*) ohne neue Bundesländer

Im Zusammenhang mit der (internat.) Wettbewerbsfähigkeit und zur Erklärung von Arbeitslosigkeit spielen die L. eine große Rolle. Im internat. Vergleich zählt Dtl. bezüglich der L. je Stunde in der verarbeitenden Industrie zu den Hochlohnländern. Allerdings sind im internat. Vergleich der L. neben dem Einfluss der Wechselkurse und auch der unterschiedl. Ausbau sozialer Sicherungssysteme in den einzelnen Ländern sowie deren unterschiedl. Finanzierungssysteme zu berücksichtigen, weil z. B. in einigen Ländern ein Teil der Sozialbeiträge vom Staat getragen wird. Weiter ist neben der Kosten- die Leistungskomponente einzubeziehen, indem die L.-Belastung auf die Wertschöpfung bezogen wird, wie in den **Lohnstückkosten,** den L. je Produktionswerteinheit. Werden die Lohnstückkosten für Dtl. gleich 100 gesetzt, bedeutet ein Wert über 100, dass in dem jeweiligen Land höhere L. erforderlich sind, um eine gleiche Leistung wie in Dtl. zu erzielen. Sinken die L. relativ zum Ausland oder sinkt der Wechselkurs, verbessert sich die preisl. Wettbewerbsfähigkeit.

Lohnnebenkosten, → Lohnkosten.

Lohnpfändung (Gehaltspfändung), Art der Zwangsvollstreckung, bei der ein Gläubiger aufgrund eines Vollstreckungstitels die Lohn- oder Gehaltsforderung des Arbeitnehmers gegen den Arbeitgeber pfänden kann (§§ 850 ff. ZPO). Das Arbeitseinkommen ist aus sozialen Gründen, v. a. um den Schuldner nicht den öffentl. Sozialkassen zu überantworten, jedoch nur begrenzt pfändbar. Der pfändungsfreie Betrag richtet sich nach der Anzahl der Unterhaltsberechtigten und der Höhe des Einkommens. Gemäß § 850 c ZPO sind seit 1. 7. 1992 unpfändbar: das Nettoeinkommen bis 1209 DM monatlich, Zuschlag für die erste unterhaltsberechtigte Person 468 DM monatlich, für die zweite bis fünfte Person je 351 DM monatlich. Ist das Arbeitseinkommen höher als der unpfändbare Mindestbetrag, bleibt für den Schuldner auch ein Teil des Mehrverdienstes unpfändbar. Voll pfändbar ist der Betrag des Arbeitseinkommens, der 3796 DM monatlich übersteigt. Unpfändbare Bezüge sind des Weiteren das Urlaubsgeld, die Hälfte der Überstundenentgelte, Treuegeld, Erziehungsgeld u. a. (→ Pfändungsschutz). – In *Österreich* ist die L. gesetzlich nach ähnl. Grundsätzen geregelt. Nach *schweizer.* Recht ist die L. i. d. R. nur erlaubt, wenn sie nicht in das Existenzminimum (»Notbedarf«) des Schuldners eingreift.

Lohnpolitik, zielorientiertes Handeln betriebl. (Geschäftsleitung, Betriebsrat), verbandl. (Tarifparteien) und staatl. Stellen, um Höhe, Entwicklung und Struktur der Löhne (und Gehälter) sowie die Einkommensverteilung zu beeinflussen. Die staatl. Eingriffsmöglichkeit ist allerdings durch die Tarifautonomie begrenzt. Grundlage für die L. ist der Tarifvertrag, in dem sich die Vertragspartner auf die Einhaltung bestimmter Mindestlöhne (Tariflöhne) verpflichten. Den Lohnforderungen der Arbeitnehmer wird durch gemeinschaftl. Vorgehen und die Möglichkeit des Lohnkampfs (v.a. Streik) Nachdruck verliehen. Als Gegenmittel greifen die Arbeitgeber zur Aussperrung. Die L. der Tarifparteien wird durch die betriebl. L. (Verhandlungen zw. Betriebsrat und Geschäftsleitung über das betriebl. Lohnsystem) ergänzt. Die L. des Staates orientiert sich an den Zielen der Gesamtwirtschafts- und Sozialpolitik. Die schärfste Form staatl. L. ist der Lohnstopp (Festsetzung rechtsverbindl. Höchstgrenzen für die Entlohnung aus Arbeitsverhältnissen für einen bestimmten Zeitraum). Ein volkswirtschaftlich wichtiges Konzept ist die **produktivitätsorientierte L.,** nach der die Löhne nur entsprechend der Arbeitsproduktivitätssteigerung erhöht werden sollen. Die Lohnstückkosten bleiben so konstant. Der Sachverständigenrat zur Begutachtung der gesamtwirtschaftl. Entwicklung hat diesen Vorschlag zur **kostenniveauneutralen L.** weiterentwickelt, die weitere Kostenelemente (z.B. Rohstoff-, Energie-, Kapitalkosten, Steuern) berücksichtigt; die Löhne sollen nur so steigen, dass die Stückkosten konstant bleiben. Eine wichtige Forderung der L. ist die Angleichung der Löhne in Ost-Dtl. an das westdt. Niveau, die einerseits aus sozialpolit. und regionalpolit. Gründen (Verhinderung der Arbeitskräfteabwanderung) gefordert, andererseits aber wegen der geringeren Arbeitsproduktivität in Ost-Dtl. abgelehnt wird. (→Phillips-Kurve)

Lohn-Preis-Spirale (Preis-Lohn-Spirale), sinnbildliche Bez. für das Anziehen der Löhne als Folge von Preissteigerungen und der Preise als Folge von Lohnerhöhungen. Die Spirale kann von der Güternachfrage (»Nachfragesog«), dem Güterangebot (»Angebotsdruck«), aber auch von Lohnsteigerungen (»Kostendruck«) ausgelöst werden.

Lohnquote, Anteil der Bruttoeinkommen aus unselbstständiger Arbeit (Löhne und Gehälter) am Volkseinkommen. (→Einkommensverteilung)

Lohnsteuer, besondere Art der →Einkommensteuer auf die Einkünfte aus nichtselbstständiger Arbeit, die durch den Arbeitgeber vom Arbeitsentgelt einbehalten und abgeführt wird (→Quellensteuer; Rechtsgrundlage und Verfahren: §§38–42f EStG, L.-Durchführungs-VO 1990 vom 10. 10. 1989, L.-Richtlinien 1993 vom 7. 10. 1992). Steuerschuldner ist jedoch der Arbeitnehmer. In bestimmten Fällen kann die L. aber pauschaliert und als Verpflichtung des Arbeitgebers abgeführt werden (z.B. bei Fahrtkostenerstattung, Direktversicherung). Die nicht pauschalierte L. ist Vorauszahlung zur Einkommensteuer. Zur Einkommensteuer werden Arbeitnehmer veranlagt, wenn ihr jährl. Einkommen 27000 DM, bei Zusammenveranlagung 54000 DM übersteigt oder auf Antrag, wenn die tatsächl. L.-Pflicht geringer ist als der einbehaltene Betrag. Dieser Antrag ersetzt seit 1992 den bis dahin zulässigen individuellen L.-Jahresausgleich. Nicht der L. unterliegen u.a. Reise- und Umzugskostenvergütungen, Aufmerksamkeiten, Heirats- und Geburtsbeihilfen, öffentliche Aufwandsentschädigungen, Trinkgelder unter 2400 DM pro Jahr.

Die L.-Belastung ist abhängig von der Höhe des Arbeitsentgelts, dem Familienstand, der Kinderzahl u.a. individuellen Umständen. Die Höhe der zu entrichtenden L. ergibt sich aus den amtl. (allg. und besonderen) L.-Tabellen nach Maßgabe der Eintragung auf der **L.-Karte,** die der Arbeitnehmer von der Gemeinde erhält und dem Arbeitgeber auszuhändigen hat. Die Steuerklasse I gilt für Ledige, Geschiedene, dauernd getrennt Lebende sowie Verwitwete, die nicht in Steuerklasse II fallen; II für die unter I genannten, wenn ihnen ein →Haushaltsfreibetrag zusteht; III für Verheiratete, wenn der Ehegatte keinen Arbeitslohn bezieht oder in Steuerklasse V ist, und für Verwitwete, wenn der Ehegatte im selben oder im vorangegangenen Jahr verstorben ist und beide nicht dauernd getrennt gelebt haben; IV für Arbeitnehmer, die verheiratet sind, wenn beide Arbeitslohn beziehen, sofern nicht die Kombination der Steuerklassen III und V gewählt wird; V auf Antrag für verheiratete Arbeitnehmer, wobei der Ehepartner dann in die (günstigere) Steuerklasse III fällt; VI für das Arbeitsentgelt aus weiteren Dienstverhältnissen.

In die L.-Tabellen sind die Steuerfreiheit des →Existenzminimums, der →Arbeitnehmerpauschbetrag, der Sonderausgabenpauschbetrag (108/216 DM), die Vorsorgepauschale, der Kinderfreibetrag (ab 1996: 6264 DM) und der Haushaltsfreibetrag eingearbeitet. Ausgaben, die die in die L.-Tabellen eingearbeiteten Pauschbeträge übersteigen, können, soweit die Pauschbeträge keine Höchstbeträge darstellen, vom Finanzamt als Freibeträge auf der L.-Karte vermerkt oder auf Antrag berücksichtigt werden.

Mit einem Aufkommen von (1995) 282,7 Mrd. DM bestreitet die L. den weitaus größten Teil des Einkommensteueraufkommens und ist die aufkommenstärkste Steuer überhaupt.

Auch in *Österreich* stellt die L. eine besondere, im Quellenabzugsverfahren einbehaltene Form der Einkommensteuer dar. L.-Klassen gibt es nicht. 1994 wurde die L.-Karte abgeschafft. Seit 1993 werden das 13. und 14. Monatsgehalt mit einem festen Steuersatz von 6% besteuert. Die *Schweiz* kennt keinen steuerl. Quellenabzug bei Lohneinkünften.

Lohr am Main: Das mehrtürmige Schloss aus dem 15./16. Jh. beherbergt heute das Spessartmuseum

Lohntheori|en, Theorien über die Bestimmungsgründe für die Lohnhöhe und ihre Veränderung. Nach der **Existenzminimumtheorie** ist der Lohn der natürl. Preis des Faktors Arbeit, d.h. er deckt gerade die langfristigen Reproduktionskosten. Im Sinne dieser, v.a. von D. Ricardo entwickelten Theorie, sprach z.B. F. Lassalle vom →ehernen Lohngesetz. Mit der Mehrwerttheorie von K. Marx beginnen die Klassen- oder Quasimonopoltheorien des Lohns (Ausbeutungstheorien), die der Existenz von v.a. zwei Klassen (Arbeiterklasse und Kapitalisten) eine zentrale Bedeutung für die Lohnhöhe beimessen (E. Preiser). Mit diesen Theorien verwandt sind die Machttheorien des Lohns (Vertreter z.B. L. Brentano), wonach die Lohnhöhe kein ökonom. Preisproblem sei, sondern durch die Marktmachtverhältnisse der betreffenden gesellschaftl. Institutionen (Gewerkschaften, Arbeitgeberverbände) bestimmt werde. Die von der klass. Nationalökonomie (v.a. J. S. Mill, N. W. Senior) entwickelte **Lohnfondstheorie** geht von der Existenz eines Lohnfonds aus, d.h. einer für die Lohnzahlung verfügbaren, starr begrenzten Kapitalmenge, aus der sich die gesamtwirtsch. durchschnittl. Lohnrate aus der Division dieses Fonds durch die Anzahl der insgesamt beschäftigten Arbeiter ergibt. Von J. H. von Thünen und John Bates Clark (*1847, †1938) stammt die Grenzproduktivitätstheorie des Lohns, die eine allgemeine Verteilungstheorie, d.h. eine Erklärung aller statischen Einkommensarten (Lohn, Zins, Grundrente) darstellt. Neuere Erklärungsansätze bietet die Theorie des Verhandelns **(Bargaining-Theorie),** nach der sich der jeweilige Lohnsatz als Ergebnis von Tarifverhandlungen ergibt, wobei die Verhandlungsstrategien der Tarifpartner und der Organisationsgrad der Arbeitnehmer eine Rolle spielen.

Eduard Lohse

Moderne L. berücksichtigen folgende Faktoren in Kombination: 1) die immer kapitalintensiveren Produktionsbedingungen, 2) den Wirtschaftskreislauf im Allg., die Konjunkturbewegungen und das wirtsch. Wachstum, 3) die versch. Marktformen auf den Absatz- und Beschaffungsmärkten, 4) die Sozialstruktur, d.h. die Eigentumsverhältnisse sowie die relative Machtposition der Arbeitgeber- und Arbeitnehmerverbände und 5) die Relation von Lohnhöhe und Preisniveau. (→Lohn)

Lohr a. Main, Stadt im Landkreis Main-Spessart, Bayern, 16200 Ew.; staatl. Forstschule; Herstellung hydraul. und elektron. Anlagen, Glaswaren und Glasmaschinen, Gerätebau, Metallbau. – Gotische Stadtpfarrkirche (13. Jh./15. Jh.), Rathaus (1599–1601), mehrtürmiges Schloss (15./16. Jh., Spessartmuseum). – Erhielt 1331 Stadtrecht.

Lohse, 1) Eduard, evang. Theologe, *Hamburg 19.2.1924; 1971–88 Landesbischof der Evang.-Luth. Landeskirche Hannovers; 1979–85 Vors. des Rates der EKD; seit 1977 Abt des Klosters Loccum.

2) Richard Paul, schweizer. Maler und Grafiker, *Zürich 13. 9. 1902, †ebd. 16. 9. 1988; entwickelte aus spätkubist. Anfängen seine konstruktive Malerei (Horizontal-Vertikal-Gliederung von Farbflächen in modularer und serieller Anordnung); gehörte neben M. Bill, C. Graeser und Verena Loewensberg zu den »Zürcher Konkreten«.

Richard Paul Lohse: Fünfzehn systematische Farbreihen mit Quadrat rechts oben (1950/67; Zürich, Kunsthaus)

Loibl (slowen. Ljubelj), Karawankenpass (→Alpenstraßen, ÜBERSICHT).

Loipe [norweg.] *die, Skilanglauf:* vorgespurte, markierte Spur.

Loir [lwa:r] *der,* linker Nebenfluss der Sarthe in W-Frankreich, 311 km, entspringt in der Perche, mündet nördlich von Angers.

Loire [lwa:r], **1)** *die,* größter Fluss Frankreichs, 1020 km lang, entspringt am Westabhang der Cevennen und mündet bei Saint-Nazaire in den Atlant. Ozean; durch Kanäle mit der Seine, der Saône und mit Brest verbunden; unregelmäßige Wasserführung. Das Loiretal ist eines der wichtigsten frz. Fremdenverkehrsgebiete. (→Loire-Schlösser)

2) Dép. im frz. Zentralmassiv, 4781 km^2, (1995) 746000 Ew.; Hptst. ist Saint-Étienne.

Loire-Atlantique [lwa:r atlã'tik], Dép. in W-Frankreich, 6815 km^2, (1995) 1,09 Mio. Ew.; Hptst. ist Nantes.

Loire-Schlösser ['lwa:r-], die im mittleren Abschnitt der Loire, zw. Gien und Angers, und ihren Seitentälern seit dem MA., bes. im 16. Jh., entstandenen Burgen und Schlösser; bevorzugter Aufenthalt frz. Könige u.a. Adliger. Auf die auf den Hügeln liegenden befestigten Burganlagen des 12.–14. Jh. (Sully, Loches, Chinon, Langeais, Angers) folgten z.T. prunkvolle Renaissanceschlösser: →Chambord, →Blois, Amboise (begonnen 1492), Chenonceaux (1515–22), Azay-le-Rideau (1518–27). Die Lustschlösser des 17. und 18. Jh. waren meist von Parkanlagen umgeben.

📖 HANSMANN, W.: *Das Tal der Loire.* *Köln* [15]*1996.*

Loiret [lwa'rɛ], Dép. in Mittelfrankreich, 6775 km^2, (1995) 616000 Ew.; Hptst. ist Orléans.

Loir-et-Cher [lwa:re'ʃɛ:r], Dép. in Mittelfrankreich, 6343 km^2, (1995) 312000 Ew.; Hptst. ist Blois.

Loisach *die,* linker Nebenfluss der Isar, 120 km lang, entspringt bei Lermoos in Tirol und mündet unterhalb Wolfratshausen.

Loiseleuria (Alpenazalee, Alpenheide, Felsenröschen), Gattung der Heidekrautgewächse mit der einzigen Art **L. procumbens;** Hochgebirgspflanze mit rosa Blüten in Doldentrauben.

Loisy [lwa'zi], Alfred, frz. Religionshistoriker und -philosoph, *Ambrières (Dép. Marne) 18. 2. 1857, †Ceffonds (ebd.) 1. 6. 1940; Prof. in Paris; führender Vertreter der wiss. Bibelkritik innerhalb der kath. Kirche; 1893 kirchlich amtsenthoben; 1908 exkommuniziert; gilt als »Vater des →Modernismus«, Wegbereiter der neueren kath. Theologie.

Lojang, chines. Stadt, →Luoyang.

Lo-Johansson ['lu:'ju:hansɔn], Ivar, schwed. Erzähler, *Ösmo (Södermanland) 23. 2. 1901, †Stockholm 11. 4. 1990; schilderte v.a. die bedrückende soziale Lage der rechtlosen Landarbeiter; Prosazyklus (u.a. mit »Der Mann ohne Namen«, 1951, und »Von Hof zu Hof«, 1953), »Tröskeln« (R., 1982).

Loire-Schlösser: Schloss Azay-le-Rideau wurde 1518–27 über den Resten eines gotischen Vorgängerbaus errichtet

lokal [lat.], örtlich, auf einen Bereich beschränkt.

Lokal|anästhesie, örtliche Betäubung (→Anästhesie).

lokale Gruppe, Gruppe von über 30 durch die Gravitation assoziierten Sternsystemen. Ihre Mitgl. liegen in einem Raumbereich von rd. 5 Mio. Lichtjahren, wobei die meisten sich um 2 weit auseinander liegende Zentren, den Andromedanebel und das Milchstraßensystem, gruppieren. Zur l. G. gehören ebenfalls die magellanschen Wolken sowie zahlr. Zwerggalaxien. Daneben enthält die l. G. eine Anzahl intergalakt. Kugelsternhaufen.

lokales Netz, →LAN.

Loire-Schlösser

Das Renaissanceschloss Chenonceaux wurde 1515–22 für den obersten Steuereinnehmer der Normandie, Thomas Bohier, als Lustschloss auf den Pfeilern einer ehemaligen Mühle im Fluss Cher gebaut. Nach Bohiers Tod 1524 ging es in königlichen Besitz über.

Als Heinrich II. 1547 mit 28 Jahren den französischen Thron bestieg, schenkte er das Schloss seiner für ihre Schönheit berühmten (48-jährigen) Mätresse Diana von Poitiers. Diese ließ durch Philibert Delorme eine Brücke über den Cher beginnen und das östliche Gartenparterre anlegen. Nach dem Tode Heinrichs (1559) wurde Diana von dessen Witwe Katharina von Medici gezwungen, Chenonceaux zu verlassen.

Katharina ließ die Brücke aufstocken und das westliche Gartenparterre anlegen. Berühmt sind die Feste, die sie auf Chenonceaux veranstaltete. Ihre Schwiegertochter Louise von Lothringen, die Frau Heinrichs III., erbte das Schloss, das sie nach der Ermordung des Königs (1589) für den Rest ihres Lebens zu einem Trauerhaus machte. Seit 1733 ist das Schloss in Privatbesitz. Im Zweiten Weltkrieg diente zwischen 1940 und 1942 die Galerie über den Fluss als Fluchtweg: Der Eingang zum Schloss lag in der von den Deutschen besetzten Zone; die Galerie führte hinüber in das unbesetzte Gebiet jenseits des Cher.

Lokomotive (von links): Die Diesellokomotive aus der Baureihe 240 DE 1024 wird seit 1990 eingesetzt; die Baureihe 152 wurde Ende 1996 für den Güterverkehr in Dienst gestellt

Lokalfarbe, *Malerei:* die einem Gegenstand eigene Farbe, die nicht durch Modellierung, Schattierung oder tonige Angleichung verändert ist.

Lokalsatz, Nebensatz (Adverbialsatz) in der Funktion einer adverbialen Bestimmung des Ortes (ÜBERSICHT Syntax).

Lokalstück, volkstüml., meist humorvolles Theaterstück, das Ereignisse, Typen, Sitten und Dialekt in einer bestimmten Stadt (z. B. Wien, Berlin) oder Region spiegelt.

Lokaltermin (Ortstermin), gerichtl. Termin, der außerhalb des Gerichtsgebäudes stattfindet, bes. zur Augenscheinseinnahme (§ 219 ZPO).

Loki, im altnord. Mythos sehr widersprüchl. Gestalt; wirkt als Kulturbringer (u. a. hilft er beim Bau des Göttersitzes Asgard und erfindet das Fischernetz) und als Dämon, er ist schuld am Tod →Baldrs und kämpft beim Weltuntergang (→Ragnarök) gegen die Götter.

Lokomobil [zu lat. locus »Ort«, »Stelle« und mobilis »beweglich«] *das,* ab etwa 1810 in England als fahrbare Antriebe verwendete Dampfmaschinenanlagen, bei denen im Unterschied zur Lokomotive, die Kolbendampfmaschinen auf dem Dampfkessel angeordnet waren. L. werden heute nicht mehr gebaut.

Lokomotive: Schnittzeichnung der 1997 eingeführten elektrischen Universallokomotive aus der Baureihe 101

Lokomotive [von engl. locomotive (engine) »sich von der Stelle bewegende (Maschine)«] *die,* Kurzbez. **Lok,** fahrbare Kraftmaschine als Triebfahrzeug schienengebundener Bahnen; je nach Antriebsart unterscheidet man Dampf-, Brennkraft-, elektr. und Druckluft-L. Zur Kennzeichnung der konstruktiven Merkmale einer L. benutzen die im →UIC zusammengeschlossenen Länder seit 1968 ein siebenstelliges Ziffernsystem. Die erste Ziffer bezeichnet die Fahrzeugart: 0 Dampflok (früher 0 oder eine andere Zahl), 1 elektr. Lok (früher E), 2 Diesellok (früher V), 4 elektr. Triebwagen (früher ET), 6 Dieseltriebwagen (früher VT). Die 2. und 3. Ziffer geben die Baureihe an. Allen L. gemeinsam ist der Fahrzeugkasten mit dem Lauf- und Triebwerk. Er enthält die Maschinen- und Antriebsanlagen (bei Dampf-L. den Kessel), die elektr. Ausrüstung, die Steuerungs-, Brems-, Überwachungseinrichtungen, die Heiz- und Vorwärmeranlagen sowie die Führerräume. An dem Fahrzeugrahmen sind die Zug- und Stoßeinrichtungen befestigt. Das Laufwerk umfasst Lauf- und Treibradsätze; Letztere können mit Radsätzen gleichen Durchmessers gekuppelt werden (früher Kuppelradsatz). Zahl und Reihenfolge der Treib- und Laufachsen werden bes. gekennzeichnet (Laufachsen durch arab. Ziffern [1 oder 2], gekuppelte Treibachsen durch A, B oder C, nicht gekuppelte durch einen Index Null, z. B. C_0 = drei einzeln angetriebene Treibachsen). Moderne L. haben nur noch Drehgestelle mit Einzelachsantrieb.

Die **Dampf-L.** erzeugt Dampf durch Verbrennung von Holz, Torf, Kohle oder Öl in einem →Dampferzeuger. Ihr Triebwerk ist im Wesentlichen eine →Dampfmaschine, deren Kraft über Treib- und Kuppelstangen auf die angetriebenen Achsen übertragen wird. **Schlepptender-L.** führen im →Tender größere Kohlen- oder Schweröl- und Wasservorräte für längere Streckenfahrten mit; **Tender-L.** haben den Brennstoff in Kästen an der Führerhausrückwand und das Wasser in Behältern beiderseits des Kessels und innerhalb des Rahmens. Die Dampf-L. hat mit der Entwicklung wirtschaftlicherer Antriebsarten (elektr. L. und Brennkraft-L.) ihre Bedeutung verloren.

Der Strom für **elektr. L.** fließt aus einer Oberleitung über Stromabnehmer, Hauptschalter und Transformator der L. durch die Schienen zum Kraftwerk (Unterwerk) zurück. Über die mit Gleich- und Wechselstrom betriebenen Bahnen →elektrische Bahnen. Zur Steuerung von Zugkraft und Geschwindigkeit wird in der L. die konstante Fahrleitungsspannung in veränderl. Spannung für die Fahrmotoren umgeformt. In Einphasen-Wechselstrom-L. dient ein Transformator zur Herabsetzung der Fahrdrahtspannung (15 kV, 16⅔ Hz in Dtl. oder in anderen Ländern auch 25 kV, 50 Hz) auf die Motorspannung (0–600 V). Das mechan. Schaltwerk wird heute durch leistungslos, zugkraftunterbrechungsfrei und verschleißlos schaltende →Thyristoren ersetzt. Die heutigen elektr. L. haben Drehgestelle und Einzelachsantrieb oder einen Motor pro Drehgestell. – Um im grenzüberschreitenden Verkehr bei versch. Stromsystemen Verzögerungen durch L.-Wechsel zu vermeiden, werden **Mehrspannungs-** oder **Mehrfrequenz-L.** eingesetzt. Der Einsatz solcher Zwei- oder Viersystem-L. erfordert die Anwendung von Siliciumgleichrichtern oder Thyristoren und Wechselstrommotoren.

Mit den Baureihen 127 (»EuroSprinter«; seit 1993) und 101 (seit 1997) setzt die Dt. Bahn eine neue Generation leistungsstärkerer **elektr. Universal-L.** ein, die bei einer Gesamtmasse von jeweils rd. 87 t eine Dauerleistung von 6,4 MW und 220 km/h Höchstgeschwindigkeit im Fahrbetrieb erzielen. Beide L. verwenden eine Drehstrom-Antriebstechnik mit Drehstrom-Asynchronmotoren und Pulswechselrichtern zur Umwandlung des Bahnstroms. Durch Rückspeisung der Bremsenergie in das Netz kann der Gesamtenergieverbrauch verringert werden. Ende 1996 wurde eine aus der Baureihe 127 abgeleitete Hochleistungs-L. für den Güterverkehr in Dienst gestellt (Baureihe 152), die bei einer Höchstgeschwindigkeit von 140 km/h eine Dauerleistung von 6,4 MW erbringt.

Die **Brennkraft-L.** wird durch Dieselmotoren, Vergasermotoren oder auch durch Gasturbinen angetrieben. Von diesen hat die **Diesel-L.** die größte Verbreitung gefunden. Dieselmotoren für L. können unter Last nicht anfahren. Deshalb erfolgt die Kraftübertragung vom Motor auf die Treibradsätze über ein Zahnrad-Stufengetriebe **(dieselmechan. Antrieb),** ein hydrodynam. Getriebe **(dieselhydraul. Antrieb)** oder über einen vom Dieselmotor angetriebenen Generator, der Strom für die elektr. Fahrmotoren erzeugt **(dieselelektr. Antrieb).**

Seit 1990 setzt die Dt. Bahn als Baureihe 240 die Diesel-L. DE1024 auch fahrplanmäßig ein. Der dieselelektr. Antrieb leistet 2650 kW bei einer Höchstgeschwindigkeit von 160 km/h. Die sechs Radsätze werden jeweils einzeln durch einen Drehstrom-Asynchronmotor angetrieben. Als bes. leistungsstarke Diesel-L. verkehrt sie v. a. auf nicht elektrifizierten Strecken, die sonst in Doppeltraktion befahren werden.

Geschichte: Die erste Dampf-L. wurde 1804 in Großbritannien erbaut. Die 1813 gebaute »Puffing Billy« war die erste brauchbare L. Die Urform aller späteren L. schufen G. und R. Stephenson mit der 1829 für den Wettbewerb der Liverpool-Manchester-Bahn gelieferten »Rocket« (Sieger mit 46,5 km/h); 1835 lieferte die Firma Stephenson auch die L. »Adler« für die erste dt. Eisenbahn von Nürnberg nach Fürth. Als erste brauchbare dt. L. wurde von der Maschinenbaugesellschaft Übigau bei Dresden 1838 die »Saxonia« für die Leipzig-Dresdener Eisenbahn gebaut. 1876 wurde in Frankreich die erste Verbund-L. gebaut; 1916–21 entwickelte F. Ljungström die erste brauchbare Turbinen-L. Um etwa 1930 wurden die Versuche mit Kohlenstaub-L. aufgenommen, 1934 bauten die Firmen Henschel & Sohn GmbH und Lokomotiv- und Maschinenfabrik Borsig die ersten Stromlinien-L. für hohe Geschwindigkeiten. – Die erste elektr. L. wurde 1879 von W. von Siemens auf der Berliner Gewerbeausstellung vorgeführt. Mit einem Dreiphasen-Drehstrom-Triebwagen wurde 1903 auf der Strecke Berlin–Zossen eine Geschwindigkeit von 210 km/h erreicht. Etwa 1928 wurde der Einzelachsantrieb mit schnell laufenden Motoren eingeführt. – Die ersten Versuche, den Dieselmotor für L. zu verwenden, gehen auf R. Diesel selbst zurück, der 1908 eine Diesel-L. entwarf. Die erste größere dieselhydraul. L. wurde 1935 für die Dt. Reichsbahn gebaut. Die Höchstgeschwindigkeit der Diesel-L. liegen i. Allg. zw. 120 und 160 km/h.

📖 *Dt. Eisenbahnfahrzeuge von 1838 bis heute, hg. v.* R. R. Rossberg. *Düsseldorf 1988. – Lexikon der L. Geschichte u. Technik, hg. v.* H. Rose. *Berlin 1992. – Die berühmtesten dt. L.n aller Zeiten, bearb. v.* H. Schleich *u.* H. Steingass. *Brilon ²1996.*

Lokris, Name zweier von den Lokrern bewohnter Landschaften im alten Griechenland: 1) das **hypoknemidische, epiknemidische** oder **opuntische L.** an der NO-Küste gegenüber Euböa; 2) das **ozolische L.** am N-Ufer des Golfs von Korinth.

Lolch [von lat. lolium »Trespe«] (Weidelgras, Raigras, Raygras, Lolium), Gattung der Süßgräser in Eurasien und N-Afrika; Ährengräser, Ährchen vielblütig und mit nur einer Hüllspelze. Unkräuter, Futter- und Rasengräser, u. a.: **Engl. Raigras (Dt. Weidelgras, Ausdauernder L.,** Lolium

Lolch: Taumellolch (Höhe bis 90 cm)

Pietro Lombardo erbaute die Kirche Santa Maria dei Miracoli in Venedig (1481–89)

perenne), 20–60 cm hoch, dunkelgrün, horstbildend; häufig auf Weiden, Futtergras. **Taumel-L.** (Lolium temulentum), bis 90 cm hoch, Früchte giftig.

Lolland ['lɔlan], dän. Ostseeinsel südlich von Seeland, 1243 km², rd. 80 000 Ew.; bed. Zuckerrübenanbau; Fremdenverkehr; Eisenbahnfähre (Vogelfluglinie) nach Puttgarden (Fehmarn).

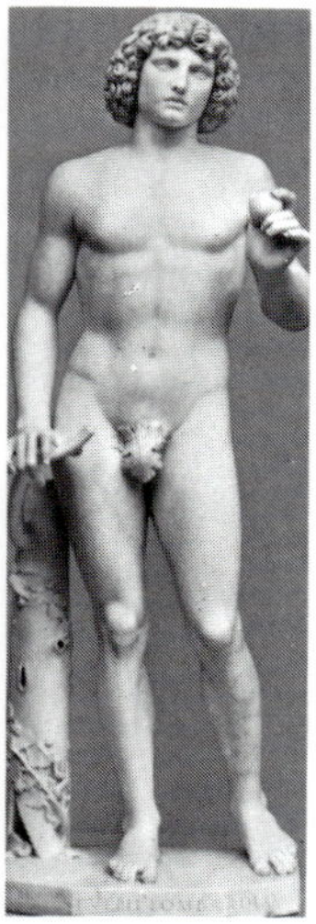

Tullio Lombardo: Adam aus Marmor (um 1492; New York, Metropolitan Museum of Art)

Lollạrden [niederländ.-engl.], die Anhänger J. →Wycliffes, die als Wanderprediger dessen Lehre in vergröberter Form verbreiteten.

Lollobrigida [lollo'bri:dʒida], Gina, italien. Filmschauspielerin, *Subiaco 4. 7. 1927; auch Fotografin; Star des italien. (»Gina Nazionale«) und internat. Films; spielte u.a. in »Fanfan der Husar« (1951), »Die Schönen der Nacht« (1952), »Liebe, Brot und Fantasie« (1953), »Der Glöckner von Notre-Dame« (1956), »Hotel Paradiso« (1965), »Die Zwillingsschwestern« (1985).

Lọlo (in China amtl. Yi), in mehrere Gruppen gegliedertes Volk mit tibetobirman. Sprache in S-China (etwa 5,5 Mio.) und im nördl. Hinterindien (etwa 7 000).

Lọmbard [nach den Lombarden] *der,* Beleihung (→Lombardgeschäft).

Lombard [lɔ̃'ba:r], Alain, frz. Dirigent, *Paris 4. 10. 1940; war 1974–80 künstler. Leiter der Opéra du Rhin in Straßburg, 1981–83 Musikdirektor der Pariser Oper, seit 1988 Leiter des Orchestre National de Bordeaux-Aquitaine.

Lombardei [nach den Langobarden] *die* (italien. Lombardia), dicht besiedelte Landschaft und Region in Norditalien mit den Provinzen Bergamo, Brescia, Como, Cremona, Lecco, Lodi, Mailand, Mantua, Pavia, Sondrio und Varese, 23 872 km², (1995) 8,912 Mio. Ew.; Hptst. ist Mailand. Die L. reicht von den Hochalpen im N über das norditalien. Seengebiet und die niedrigeren Bergamasker und Brescianer Alpen bis an den Po im Süden. Dank intensiver Landwirtschaft, Nutzung der Wasserkraft, die Ind. nach sich zog, eine der wirtschaftsstärksten Regionen Italiens.

Geschichte: Nach dem Zerfall des weström. Reiches wurde die L. Kernland des Langobardenreiches. 774 kam das Gebiet unter fränk. Herrschaft, 951 nahm Otto I. in Pavia den langobard. Königstitel an. Im 11./12. Jh. gewannen die Städte Selbstständigkeit, im Kampf gegen die Staufer schlossen sie sich unter der Führung Mailands zu Städtebünden zusammen. Seit 1535 gehörte die L. als Reichslehen zu Spanien; 1714 kam sie an Österreich, seit 1797 war sie unter frz. Herrschaft. Durch den Wiener Kongress kam die L. mit Venetien als **Lombardisch-Venezian. Königreich** an Österreich, das 1859 die L. an das Königreich Sardinien abtreten musste.

📖 DEWIEL, L. L.: *L. u. Oberitalienische Seen. Köln ⁵1996.*

Lombạrden [italien.], urspr. privilegierte christl. Kaufleute aus lombard. Städten, die, ähnlich den Juden, Geld gegen Zins leihen durften (daher z.B. Lombardgeschäft), seit dem 13. Jh. allg. italien. Kaufleute.

Lọmbardgeschäft [nach den Lombarden], Kreditgeschäft der Banken. Der **Lombardkredit** ist ein kurzfristiges, auf einen festen Betrag lautendes Darlehen, das durch Verpfändung marktgängiger, d.h. leicht realisierbarer, bewegl. Sachen oder Rechte bes. gesichert ist. Es wird zw. Waren-, Wertpapier- (bes. Effekten-) und Wechsellombard unterschieden. Die Dt. Bundesbank kann den Kreditinstituten Lombardkredite zur Refinanzierung für längstens drei Monate gewähren. Die Verzinsung erfolgt zum **Lombardsatz,** der über dem Diskontsatz liegt. Über die Veränderung des Lombardsatzes beeinflusst die Zentralnotenbank indirekt das allg. Zinsniveau.

Lombạrdo (Lombardi), italien. Baumeister- und Bildhauerfamilie des 15. und 16. Jh. aus der Gegend des Luganer Sees, tätig in Venedig: Pietro L. (*um 1435, †1515) schuf Grabmäler in Venedig und Padua und baute die Kirche Santa Maria dei Miracoli (1481–89) in Venedig mit seinen Söhnen Antonio L. (*um 1458, †um 1516) und Tullio L. (*um 1455, †1532). Tullios Hauptwerk ist das Grabmal des Dogen Andrea Vendramin in Santi Giovanni e Paolo (1494).

Lọmbok, eine der Kleinen Sundainseln, Indonesien, 4 692 km², etwa 2 Mio. Ew., durch die **L.-**

Straße von Bali getrennt; Bewässerungsreisbau, Mais, Tabakanbau, Viehzucht.

Lombroso, Cesare, italien. Mediziner und Anthropologe, *Verona 18. 11. 1836, †Turin 19. 10. 1909; Begründer der Kriminologie. Stellte die These auf, dass die Ursache von Verbrechen in erblichen physiopsych. Anomalien des Täters zu suchen sei.

Lome (frz. Lomé), Hauptstadt der Rep. Togo, an der Bucht von Benin am Golf von Guinea, 500 000 Ew.; Kultur- und Handelszentrum; kath. Erzbischofssitz, Univ. (seit 1970), Goethe-Inst.; Großkraftwerk, Erdölraffinerie, Stahlwerk. Internat. Flughafen und Ausgangspunkt von drei Bahnlinien; Tiefwasserhafen mit Freihandelszone für die Binnenstaaten Mali, Burkina Faso und Niger. – 1897–1914 Sitz der dt. Kolonialverwaltung in Togo.

Lome: Unabhängigkeitsdenkmal im Stadtzentrum

Lomé-Abkommen (Konventionen von Lomé), Abkommen über entwicklungspolit. Zusammenarbeit zw. der EG und Entwicklungsländern Afrikas, der Karibik und des Pazifiks **(AKP-Staaten)** mit einer Laufzeit von jeweils fünf Jahren. – Nach dem 1. L.-A. **(Lomé I)** vom 25. 2. 1975 (mit 46 AKP-Staaten) wurden als Nachfolgeabkommen **Lomé II** (vom 31. 10. 1979, mit 58 AKP-Staaten), **Lomé III** (vom 8. 12. 1984, mit 65 AKP-Staaten) und **Lomé IV** (vom 15. 12. 1989, mit 69 AKP-Staaten; auf zehn Jahre verlängerte Laufzeit; Mittelausstattung der ersten Fünfjahresperiode 10,8 Mrd. ECU, der zweiten 13,3 Mrd. ECU) geschlossen. Wichtige Inhalte der L.-A. sind 1) der freie Zugang (keine Zölle oder sonstige Handelshemmnisse; Präferenzsystem) für rd. 99 % der Erzeugnisse der AKP-Staaten auf die Märkte der EU, ausgenommen Produkte, die Gegenstand der EG-Agrarmarktordnungen sind (handelspolit. Zusammenarbeit), 2) Ausgleichszahlungen zur Stabilisierung der Exporterlöse für Agrarerzeugnisse (STABEX-System), 3) teilweiser Ausgleich für Exporterlösausfälle bei bestimmten mineral. Rohstoffen, 4) Ind.kooperation und Förderung von Direktinvestitionen, Unterstützung bei Industrialisierungsvorhaben (v. a. in Klein- und Mittelbetrieben und für angepasste Technologie), 5) landwirtsch. Kooperationshilfe und Förderung der ländl. Entwicklung, 6) Strukturanpassungshilfe auf den Gebieten Haushaltskonsolidierung, Gesundheits- und Bildungswesen, Umweltschutz, Ernährungssicherung, Bev.entwicklung, Demokratisierung, Wettbewerbsfähigkeit, Armutsbekämpfung. Die L.-A. gelten als beispielhaft für wirtsch.-techn. Zusammenarbeit von Ind.- und Entwicklungsländern, obwohl bisher keine echte Verbesserung der wirtsch. Lage vieler AKP-Staaten erreicht wurde.

Lommatzsch, Stadt im Landkreis Meißen, Sachsen, am Saum des Mittelsächs. Hügellandes in der fruchtbaren **Lommatzscher Pflege** (Ebene mit 10–20 m mächtiger Lössdecke), 6500 Ew.; Glas-, Konservenindustrie. – Pfarrkirche (1504 bis 1514), Rathaus (1550–55).

Lommatzsch, Erhard, Romanist, *Dresden 2. 2. 1886, †Frankfurt am Main 20. 1. 1975; war Prof. in Berlin, Greifswald und Frankfurt am Main; Arbeiten zur mittelalterlichen roman. Literatur- und Sprachgeschichte, Hg. des »Altfrz. Wörterbuchs« (1925–1989; 11 Bde.), nach dem Nachlass von A. Tobler.

Lomnitz, Marie Louise, Blindenschriftexpertin, *Moskau 14. 12. 1863, †Leipzig 17. 5. 1946; schuf die systematische Punktschrift-Typographie auf der Grundlage von L. Braille.

Lome
Stadtwappen

Lomond, Loch [lɔk ˈləʊmənd], größter der schott. Seen in SW-Schottland, 85 km², bis 190 m tief; Fremdenverkehr.

Lomonossow (bis 1948 Oranienbaum), Hafenstadt an der S-Küste des Finn. Meerbusens, Russland, 45 000 Ew.; Seefahrtschule; ehem. Kaiserschloss (1710–25, reich ausgestattet).

Lomonossow, Michail Wassiljewitsch, russ. Gelehrter und Dichter, *Denissowka (heute Lomonossowo, Gebiet Archangelsk) 19. 11. 1711, †Sankt Petersburg 15. 4. 1765; Prof. ebd. und in Moskau. L. bemühte sich um die Ausbildung einer wiss. Chemie, war Anhänger der atomist. Theorie und kann als Vorläufer Lavoisiers gelten. Als Dichter pflegte er bes. den rhetor. Stil und das Genre der heroischen Ode. Bed. für die Ausbildung der russ. Literatursprache waren seine philolog. Arbeiten (»Russ. Grammatik«, 1755), in denen er die Bedeutung des kirchenslaw. Anteils für die neuruss. Sprache erkannte sowie Schriften zur russ. Verslehre. BILD S. 414

Gina Lollobrigida

Lomonossow-Universität [nach M. W. Lomonossow], Name der Univität in Moskau; größte russ. Universität, gegr. 1755.

Łomża ['u̯ɔmʒa], Hauptstadt der Wwschaft Ł., Polen, am Narew, 62300 Ew.; kath. Bischofssitz; Nahrungsmittel-, Textil-, Holzindustrie; Museum (Bernsteinsammlung).

Michail Lomonossow: Ausschnitt eines zeitgenössischen Gemäldes (Moskau, Lomonossow-Universität)

London 1) Stadtwappen

London ['lʌndən], **1)** Hauptstadt des Vereinigten Königreichs von Großbritannien und Nordirland, im S Englands, mit 7,007 Mio. Einwohnern und 1580 km² eine der größten Städte der Erde. Seit der 1965 erfolgten Neugliederung und Erweiterung durch Eingemeindungen besteht L. aus der nur 2,7 km² großen **City of L.,** dem alten Stadtkern, und 32 **L. Boroughs,** den Stadtbezirken. Das heutige Stadtgebiet wurde gebildet aus der 1888–1965 bestehenden County L., die die City of L. und 28 Metropolitan Boroughs umfasste, aus fast dem gesamten Gebiet der 1965 aufgelösten County Middlesex sowie aus Teilen der angrenzenden Counties Surrey, Kent, Essex und Hertfordshire. L. liegt im Londoner Becken auf beiden Ufern der Themse, 75 km oberhalb ihrer Mündung.

L. ist königl. Residenz, Sitz der Regierung, des Parlaments sowie der zentralen Gerichtshöfe und Behörden, des anglikan. Erzbischofs von Canterbury, des anglikan. Bischofs von L. und eines kath. Erzbischofs. In L. befinden sich Synagogen und jüd. Kulturzentren, ein islam. und ein buddhist. Kulturzentrum. Älteste Univ. ist die University of L. (1836 gegr.); die City University und die Brunel University gingen 1966 aus Colleges of advanced technology hervor. Univ.status haben die L. Business School, die elf Kunsthochschulen (u.a. Royal College of Art) und die zehn Hochschulen für Musik und Theater; ferner gibt es acht TH (Polytechnics), die private Polnische Univ. (gegr. 1949) und die Schiller International University (gegr. 1964). L. ist Sitz wiss. und künstler. Gesellschaften, wie British Academy, Royal Society, Royal Geographical Society. Nationalbibliothek ist die British Library. Zu den vielen Museen gehören Brit. Museum, Commonwealth Institute, Imperial War Museum, National Maritime Museum, National Portrait Gallery, Natural History Museum, Science Museum, Tate Gallery, Victoria and Albert Museum, Institute of Contemporary Arts, L. Museum, Wachsfigurenkabinett der Madame Tussaud, Wallace Collection, das 1988 eröffnete Filmmuseum und das 1989 eröffnete Design Museum (für Industriedesign des 20. Jh.). Neben den beiden Opernhäusern (königl. Covent Garden Opera, English National Opera), dem National Theatre, dem Old Vic Theatre und dem 1997 nach zehnjähriger Bauzeit wieder eröffneten Globe Theatre (1599–1644) gibt es viele weitere Theater. Der botan. Garten (Kew Gardens) und der zoolog. Garten (im Regent's Park) sind bed. Forschungsstätten.

Wirtschaft und *Verkehr:* L. ist Finanz-, Handels-, Verw.- und polit. Zentrum Großbritanniens sowie eine bed. Industriestadt. Der Dienstleistungsbereich ist der wichtigste Wirtschaftssektor. L. ist eine bed. Finanzmonopole (524 ausländ. Banken, Börse) und Sitz vieler Versicherungen. Räuml. Mittelpunkt des Banken-, Versicherungs- und Börsenwesens ist die City of L., die Square Mile (mit 2,7 km² Fläche). In der westlich benachbarten City of Westminster, dem »Westend«, konzentrieren sich neben den Reg.funktionen mit dem Parlament v.a. Zentralverwaltungen nat. und internat. Konzerne sowie Büros der Werbe-, Film- und Fernsehbranche. L. ist außerdem eine wichtige Kongressstadt. – Einige Ind.zweige haben ihre traditionellen Standorte beibehalten, z.B. die Diamantenschleifereien (Hatton Gardens), während die feinmechan., die Druck- und Elektroind. in neue Ind.zonen am Stadtrand abwanderten. Zwischen den Weltkriegen entstand flussabwärts Zement-, Papier- und Autoindustrie. Im Zusammenhang mit der Verbesserung der Verkehrserschließung siedelte sich v.a. im N, z.B. Royal Park und um Wembley vorwiegend moderne Industrie an: Spezialmaschinenbau, Fahrzeug-, Flugzeug- und Instrumentenbau, elektrotechn. und elektron. sowie chem. und pharmazeut. Industrie. Ein petrochem. Ind.komplex entstand nach dem 2. Weltkrieg an der Themsemündung. – Der innerstädt. Verkehr wird durch U-Bahn (1890 Bau der ersten

London

Welches berühmte Londoner Museum verdankt den Grundstock seiner Sammlung der Französischen Revolution?

*Das Wachsfigurenkabinett von Madame Tussaud. Schon zur Zeit der Französischen Revolution 1789 war sie für ihre Wachsarbeiten weithin bekannt. Nach dem Sturm auf die Bastille holte man sie, um die befreiten Gefangenen zu porträtieren. Marie Tussaud (*1761, †1850) modellierte in der Folgezeit die Köpfe Hunderter von Menschen, die unter der Guillotine starben. Darunter waren berühmte Revolutionäre, Adlige und die gekrönten »Häupter«. 1804 übersiedelte sie nach London und begründete mit ihrer Sammlung ihr berühmtes Wachsfigurenkabinett.*

London, Verwaltung (1991)*)

Verwaltungseinheit	Fläche in km²	Ew. in 1000
City of London	2,7	4,1
London Boroughs		
Barking and Dagenham	34,2	143,7
Barnet	89,5	293,6
Bexley	60,6	215,6
Brent	44,2	243,0
Bromley	151,8	290,6
Camden	21,7	170,4
Croydon	86,6	313,5
Ealing	55,5	275,3
Enfield	81,2	257,4
Greenwich	47,4	207,7
Hackney	19,5	181,2
Hammersmith and Fulham	16,2	148,5
Haringey	30,3	202,2
Harrow	50,8	200,1
Havering	117,8	229,5
Hillingdon	110,3	231,6
Hounslow	58,5	204,4
Islington	14,9	164,7
Kensington and Chelsea	12,0	138,4
Kingston upon Thames	37,5	133,0
Lambeth	27,3	244,8
Lewisham	34,7	231,0
Merton	37,9	168,5
Newham	36,4	212,2
Redbridge	56,5	226,2
Richmond upon Thames	55,3	160,7
Southwark	28,8	218,5
Sutton	43,4	168,9
Tower Hamlets	20,2	161,1
Waltham Forest	39,7	212,0
Wandsworth	34,9	252,4
Westminster (City of W.)	21,6	174,7
London (Greater London)	1579,9	6679,7

*) Volkszählung

Linie, 1995 Streckenlänge 392 km, davon 167 im Untergrund, mit 245 Stationen), Omnibusse und Taxis bewältigt. Dem Eisenbahnverkehr stehen acht große Fernbahnhöfe zur Verfügung, die durch eine Buslinie miteinander verbunden sind. Der Londoner Hafen hat in den letzten Jahrzehnten stark an Bedeutung verloren. Die aus dem 19. Jh. stammenden großen Dockanlagen östlich der Tower Bridge wurden zw. 1967 und 1981 geschlossen und bilden das größte Sanierungsgebiet der Stadt. Die jüngere Entwicklung des Hafens erfolgte themseabwärts über die Stadtgrenze hinaus (Bau des Containerhafens von Tilbury und den Erdölhäfen Shellhaven, Thames Haven, Canvey Island und Coryton). Im Weltluftverkehr nimmt L. eine Spitzenstellung ein; internat. Flughäfen sind Heathrow, Gatwick, Stansted und der 1987 in den Docklands eröffnete City Airport.

Stadtbild: Vom röm. Londinium sind bisher nur Teile ausgegraben worden (u.a. Reste einer Basilika, des Forums, des Amphitheaters, eines Mitrasheiligtums). Unter Wilhelm dem Eroberer entstanden 1077–97 der →Tower sowie 1097–99 Westminster Hall. Frühgot. Kirchen sind: Saint Bartholomew-the-Great (1123), Saint Etheldreda (12. und 13. Jh.), Temple Church (12. und 13. Jh.) und v.a. die Southwark Cathedral (1209 ff.). Ein vollständiger Neubau der frühgot. →Westminster Abbey begann 1245. Der mittelalterl. Ausbau des Stadtbezirks Westminster zum Repräsentationsort der engl. Monarchie wurde 1394–1401 mit dem Neubau der →Westminster Hall fortgesetzt. Nördlich der Abtei entstand 1480–1523 die Pfarrkirche Saint Margaret. 1411–40 wurde die spätgot. Guildhall (Rathaus) erbaut (heute restauriert und rekonstruiert). Im Bereich von Westminster entstand im 16. Jh. Saint James's Palace in klaren Frührenaissanceformen. Von dem gleichzeitig begonnenen Whitehall Palace blieb nur das 1619 bis 1622 von I. Jones errichtete Banqueting House erhalten.

Mit der Ausweitung des Stadtgebiets nach W wurden entlang dem »Strand« die ersten Squares (Plätze, häufig mit Bäumen) angelegt. Der große Stadtbrand von 1666 hatte (bis 1700) eine weit gehende baul. Erneuerung der Altstadt zur Folge, wobei auch 51 Pfarrkirchen durch C. Wren errichtet wurden. Sein Hauptwerk ist die Saint Paul's Cathedral (1675–1709) mit 110 m hoher Tambourkuppel in palladian. Stil. Wren baute auch Saint James, Marlborough House sowie Hospitäler (u.a. Chelsea Hospital, 1682–89) und gestaltete Kensington Palace (1639–1702) und Hampton Court um. Wrens Schüler J. Gibbs schuf Saint Martin-in-the-Fields (1722–66). Nachdem im späten 17. Jh. Soho mit seinem rechtwinkligen Straßennetz und dem Soho Square angelegt worden war, wurden im 18. Jh. auch die angrenzenden Ländereien in eine geregelte Stadtplanung einbezogen. Ein weiteres städt. Viertel entwickelte sich in Westminster. Ab 1773 entstanden in der nordwestl. Stadterweiterung der Portland Square von R. und J. Adam, während J. Nash (seit 1812) mit Park Crescent und Cumberland Terrace am Regent's Park sowie

London

Warum sinkt London ab?

Zur Eiszeit war die britische Insel von Schottland bis zum Oberlauf der Themse von einer dicken Eisschicht bedeckt, die das Land quasi nach unten drückte. Nach Ende dieser Belagerung richtet sich nun das Land langsam wieder auf und kippt dabei um eine Achse, die von Devon nach Yorkshire verläuft. Nördlich und westlich dieser Linie hebt sich die Insel, südlich und östlich davon senkt sie sich. Das hat zur Folge, dass sich die Gezeiten themseaufwärts nun bis mehr als dreißig Kilometer nördlich von London bemerkbar machen. Zur Römerzeit gingen die Gezeiten nur bis zur Höhe der heutigen Londoner City. Die Steig- und Sinkgeschwindigkeit beträgt im Durchschnitt ungefähr 12 cm in hundert Jahren.

London 1)

1

2

3

4

1 Die Tower Bridge mit ihren zwei 66 m hohen neugotischen Türmen wurde 1886–94 erbaut | **2** Am Piccadilly Circus im Zentrum der Stadt sind die Fassaden der umstehenden Häuser zu reinen Reklameflächen geworden | **3** Die Saint Paul's Cathedral entstand 1675–1709 als Kombination von Querhausbasilika und zentralem Kuppelbau | **4** Der Trafalgar Square wurde 1828 angelegt und erinnert an den Sieg Lord Nelsons über die Napoleonische Flotte 1805 bei Trafalgar; die Nelsonsäule stammt aus dem Jahr 1840

Carlton House Terrace am Saint James's Park eine Verflechtung klass. Stadtbaukunst mit den im engl. Landschaftsstil gestalteten öffentl. Parks erreichte.

Im Stil des Greek Revival wurden die Kirche Saint Pancras (1818–20), das Brit. Museum und am Trafalgar Square (1828) mit der Nelsonsäule (Nelson Column, 1840) die National Gallery ausgeführt. Die Richtung des Gothic Revival (Neugotik) erhielt ihre erste Manifestation im Neubau des Parlamentsgebäudes (1840–52, mit Big Ben; BILD) von C. Barry. Als Eisenskelettbau für die 1. Weltausstellung in L. entstand der Kristallpalast (1851, nicht erhalten). In South Kensington entstand südlich des 1863 von G. G. Scott errichteten Albert Memorial und der Albert Hall von 1867 ein größerer Gebäudekomplex mit dem Natural History Museum (1873–81), dem Imperial College (1887–93) und dem Victoria and Albert Museum (1899–1909). Weitere Bauten des 19. Jh.: Covent Garden Opera (1858), Law Courts (1868–82), Tower Bridge (1886–94), New Scotland Yard (1891), Westminster Cathedral (1895–1903 in neubyzant. Stil), Whitechapel Art Gallery (1897, Jugendstil). Die Expansion der Großstadt im späten 19. Jh. führte zur Eingliederung umliegender Gebietsteile in die County L. Anfang des 20. Jh. wurde der Piccadilly Circus gestaltet und die County Hall erbaut (1912 ff.). 1913 erhielt der Buckinghampalast (Umbau ab 1824; seit 1837 königl. Residenz) durch A. Webb eine neubarocke O-Fassade; auf dem Vorplatz (seit 1911) das Victoria Memorial. Weiter im W liegen →Hyde Park und Kensington Gardens. – Nach 1945 erhielt die 1940–45 weitgehend zerstörte City durch den Bau von Büro- und Verwaltungsgebäuden ein neues Gepräge. Als Kulturzentrum wurde 1982 das →Barbican Centre eröffnet. Im alten Hafengebiet östlich der Tower Bridge entsteht seit 1981 ein neuer Stadtteil. – Zum UNESCO-Weltkulturerbe wurden Tower, Westminster Abbey, Westminster Hall und Saint Margaret erklärt.

Geschichte: An der Stelle einer kelt. Siedlung entstand im 1. Jh. n. Chr. das röm. **Londinium;** um 60/61 zerstört durch die Briten unter Führung der Königin Boudicca; entwickelte sich nach Wiederaufbau und Errichtung einer Stadtmauer zum Verwaltungs- und Handelszentrum der röm. Provinz Britannia superior; seit Diokletian (284–305) Hptst. einer der vier spätrömischen brit. Provinzen; wurde unter den Angelsachsen im 7. Jh. Hptst. der Könige von Essex und Bischofssitz (604). Im 9. Jh. mehrmals von Dänen eingenommen, von Alfred d. Gr. zurückerobert und befestigt. 1066 ließ sich der normann. Herzog Wilhelm der Eroberer als erster König in Westminster Abbey krönen und bestätigte die alten Rechte der Stadt. Unter Heinrich I. (1100–35) löste L. endgültig Winchester als Hptst. Englands ab; seit Ende des 12. Jh. freie Stadt mit Selbstverwaltung (1192 Amtsantritt des ersten Bürgermeisters [Mayor]). Sitz des engl. Königs (bis Heinrich VIII.) und später des Parlaments wurde das benachbarte Westminster, das erst allmählich mit L. zusammenwuchs. Der bereits im MA. begonnene wirtsch. Aufschwung (u. a. seit 1157 Niederlassung der Hanse; →Stalhof) verstärkte sich im 16. Jh. (Gründung von Handelskompanien). 1664/65 forderte die Pest in L. ca. 75 000 Tote, 1666 vernichtete ein Großfeuer etwa vier Fünftel der City. Die Stadtbev. wuchs rasch (1666: 0,5 Mio., 1821: 1,2 Mio., 1901: 6,6 Mio. Ew.). Als Zentrum des brit. Empires wurde L. Mittelpunkt des Welthandels. Im 2. Weltkrieg wurden große Teile der Stadt (35 % der City) durch dt. Luftangriffe zerstört.

London

Die Jahre 1665 und 1666 brachten große Veränderungen für London. 1665 fielen 100 000 Londoner der Pest zum Opfer. Im Jahr darauf vergaß John Faynor, Bäcker und Hoflieferant König Karls II., abends seine Backöfen zu löschen, und verursachte einen Brand, dem 13 000 Häuser und 87 Kirchen zum Opfer fielen. Noch wochenlang schwelte es in der Stadt. Das Feuer zerstörte vor allem die großen Slums der Innenstadt und machte so den Weg frei für neue städtebauliche Planungen.

📖 Nowel, I.: *L. Biographie einer Weltstadt. Architektur u. Kunst, Geschichte u. Literatur. Köln 1995.*

2) Stadt in S-Ontario, Kanada, 303 200 Ew.; Univ.; Eisen-, Stahl- u. a. Industrien.

London ['lʌndən], Jack, eigtl. John Griffith L., amerikan. Schriftsteller, *San Francisco 12. 1. 1876, †(Selbstmord) Glen Ellen (Calif.) 22. 11. 1916; führte ein abenteuerl. Leben als Fabrikarbeiter, Matrose und Goldsucher in Alaska. L.s Werk und Weltanschauung pendeln zwischen extremem

London 1): Im Vordergrund die aus dem 13. Jh. stammende gotische Krönungs- und Grabeskirche der englischen Könige, Westminster Abbey, mit der Doppelturmfassade aus dem 18. Jh.; der direkt an der Themse gelegene neugotische Gebäudekomplex des Parlaments wurde im 19. Jh. erbaut; auf der gegenüberliegenden Themseseite, durch die Westminster Bridge verbunden, kann man die County Hall aus dem frühen 20. Jh. erkennen, dahinter liegt der Bahnhof Waterloo Station

Jack London

Individualismus (beeinflusst von C. Darwin und F. Nietzsche), sozialist. Idealen und zivilisationsfeindl. Ansichten; schrieb naturalist. romant. Romane, Goldgräber- und Südseegeschichten sowie hervorragende Tiergeschichten: »Der Sohn des Wolfs« (R., 1900), »Der Ruf der Wildnis« (R., 1903), »Der Seewolf« (R., 1904), »Lockruf des Goldes« (R., 1910), »König Alkohol« (R., 1913).

📖 STONE, I.: *Zur See u. im Sattel. J. L. – ein Leben wie ein Roman. A. d. Amerikan. Berlin 1990.*

London Boroughs ['lʌndən 'bʌrəz], die Stadtbezirke von →London 1).

Londonderry ['lʌndənderɪ], 1613–1984 amtl. Name von →Derry, Nordirland.

Londoner Konferenzen, Protokolle und Verträge, Bez. für verschiedene in London abgehaltene Konferenzen und dort unterzeichnete Protokolle und Verträge.

1) Londoner Protokoll (3. 2. 1830), nach Beendigung des russ.-türk. Krieges 1828/29 erkennen Großbritannien, Russland und Frankreich ein unabhängiges Griechenland als Erbmonarchie unter ihrem Schutz an.

2) Londoner Konferenz, Frankreich, Großbritannien, Preußen, Österreich und Russland erkennen die Unabhängigkeit Belgiens in den Protokollen vom 20. 12. 1830 und vom 20. 1. 1831 an, bestätigt in den Verträgen vom 26. 6. 1831, vom 14. 10. 1831 und vom 19. 4. 1839.

3) Londoner Protokolle, Protokolle über die schleswig-holstein. Frage. In dem 1. L. P. vom 2. 8. 1850 und dem 2. L. P. vom 8. 5. 1852 garantierten die Großmächte die Integrität des dän. Gesamtstaats und regelten die Thronerbfolge in Dänemark. (→Schleswig-Holstein, Geschichte)

4) Londoner Vertrag (11. 5. 1867), Festlegung der Unabhängigkeit und Neutralität Luxemburgs. (→Luxemburg, Geschichte).

5) Londoner Konferenz (1871), →Pontuskonferenz.

6) Londoner Vertrag (26. 4. 1915), die Dreibundmächte Russland, Großbritannien und Frankreich sicherten Italien im Fall seines Kriegseintritts an der Seite der Entente Gebietserweiterungen auf Kosten Österreich-Ungarns zu (Trient und Südtirol, Triest und Dalmatien).

7) Londoner Konferenzen (März/April 1921), die Reparationskonferenzen endeten mit dem Londoner Ultimatum (→Reparationen) von Großbritannien, Frankreich, Italien, Belgien und Japan an Dtl., das eine dt. Reparationsschuld von 132 Mrd. Goldmark festsetzte.

8) Londoner Konferenz (16. 7. bis 16. 8. 1924), beschloss den →Dawesplan.

9) Londoner Flottenkonferenz (21. 1. bis 22. 4. 1930), Großbritannien, Japan, Frankreich, Italien und die USA beschränkten ihren Flottenneubau.

10) Londoner Viermächtekonferenz (26. 6. bis 8. 8. 1945), die vier Siegermächte einigten sich über das Vorgehen gegen die Hauptkriegsverbrecher und errichteten das Internat. Militärtribunal (→Nürnberger Prozesse).

11) Londoner Sechsmächtekonferenz (23. 2. bis 5. 3. 1948 und 20. 4. bis 1. 6. 1948), Belgien, Frankreich, Großbritannien, Luxemburg, die Niederlande und die USA einigten sich auf eine gemeinsame staatl. Ordnung für die westl. Besatzungszonen Deutschlands.

12) Londoner Neunmächtekonferenz (28. 9. bis 3. 10. 1954), Belgien, die Bundesrep. Dtl., Frankreich, Großbritannien, Italien, Kanada, Luxemburg, die Niederlande und die USA ermöglichten die Inkraftsetzung des Deutschlandvertrags und den Beitritt der Bundesrep. Dtl. zur NATO. In der Londoner Akte verzichtete die Bundesrep. Dtl. auf Herstellung von ABC-Waffen auf ihrem Territorium und auf Anwendung von Gewaltmitteln zur Erreichung der dt. Wiedervereinigung. Großbritannien, Kanada und die USA sicherten die Stationierung von Streitkräften in Europa zu.

13) Londoner Konferenzen (1956), →Sueskonferenzen.

Londoner Schulden|abkommen, Vertrag vom 27. 2. 1953 über die Anerkennung, Reduzierung und Tilgung der dt. Auslandsschulden seit dem 1. Weltkrieg zw. der Bundesrep. Dtl. und den USA, Großbritannien und Frankreich in Vertretung der rd. 60 Gläubigerstaaten. Die Vorkriegsschulden im Gegenwert von 13,5 Mrd. DM wurden um 6,2 Mrd. DM reduziert, die Nachkriegsverbindlichkeiten im Gegenwert von 16 Mrd. DM wurden auf 7 Mrd. DM gekürzt. Die Verpflichtungen aus dem L. S. waren im Wesentlichen bis 1980 erfüllt. Seit 1990 hat das L. S. neue Aktualität gewonnen, da die 1953 – bedingt durch die Teilung Dtl.s – zurückgestellten Ansprüche aus bestimmten dt. Auslandsanleihen erneut relevant werden.

London-Kräfte [nach Fritz London, *1900, †1954] (Dispersionskräfte), →zwischenmolekulare Kräfte.

londonsche Theorie, von den Physikern Fritz London (*1900, †1954) und Heinz London (*1907, †1970) 1935 aufgestellte phänomenolog. Theorie der elektromagnet. Eigenschaften von Supraleitern 1. Art, mit der erstmals viele experimentelle Beobachtungen erklärt werden konnten.

Londrina, Stadt im Staat Paraná, Brasilien, 302 000 Ew.; Erzbischofssitz; Univ., Kaffee-Inst.; Zentrum eines bed. Kaffeeanbaugebietes; Verarbeitung von Kaffee, Baumwolle, Früchten, Fleisch; Flughafen.

Lonetal, Tal eines Nebenflüsschens der Brenz (Schwäb. Alb), an dessen Hängen viele Höhlen

(Vogelherdhöhle) mit altsteinzeitl. Kulturschichten liegen; zahlr. Funde.

Long, Richard, brit. Künstler, *Bristol 2. 6. 1945; Vertreter der Land-Art. Seine Arbeiten umfassen Orts- und Wegmarkierungen in der Natur, Steinkreise und -kreuze, Gehspuren sowie die fotograf. Dokumentation seiner Wanderungen.

Pietro Longhi: »Maskierte Besucher in einer Menagerie« (um 1755; London, National Gallery)

Longa [lat. »lange (Note)«] *die, Musik:* zweitlängster Notenwert der Mensuralnotation.

Longanbaum [chin., eigtl. »Drachenbaum«] (Drachenauge, Longane, Nephelium longana), Seifenbaumgewächs in Mittel- und Südchina; bis 10 m hoher Baum mit bis 2,5 cm großen essbaren, süßen, aromat. Früchten (Longanfrüchte); als Obstbaum kultiviert.

Long Beach ['lɔŋ 'bi:tʃ], Stadt in Kalifornien, USA, gehört zur Metropolitan Area von Los Angeles, 396 000 Ew.; Zweig der California State University; Seebad und Hafen; Schiff-, Auto- und Flugzeugbau, Erdölraffinerie.

Longe ['lɔ̃ʒə, frz. »Leine«] *die, Pferdesport:* 7–9 m lange Leine, an der man Pferde zur Dressur im Kreis herum führt.

Longfellow ['lɔŋfeləʊ], Henry Wadsworth, amerikan. Dichter, *Portland (Me.) 27. 2. 1807, †Cambridge (Mass.) 24. 3. 1882; 1836–54 Prof. an der Harvard University. Seine stimmungsvollen Gedichte und Balladen sind von engl. (Tennyson) und dt. Dichtern (Uhland) beeinflusst. L. schrieb das idyllische Epos »Evangeline« (1847) sowie das Indianerepos »Das Lied von Hiawatha« (1855). Er bereiste häufig Europa und vermittelte auch durch Übersetzungen (u. a. Dante) europ. Kultur in den USA.

Longford ['lɔŋfəd] (irisch An Longfort), County in der Rep. Irland (Prov. Leinster), 1044 km², (1991) 30 300 Ew.; Hptst. ist Longford.

Longhena [lɔŋ'gɛ:na], Baldassare, italien. Baumeister, *Venedig 1598, †ebd. 18. 2. 1682; Hauptvertreter des venezian. Hochbarock. Er steigerte die klass. Formen zu barocker Prachtentfaltung. In Venedig entstanden u. a. die Zentralkuppelkirche Santa Maria della Salute (1631 ff.), Chiesa degli Scalzi (1670 ff.) sowie die Paläste Rezzonico (1660 ff.) und Pesaro (1676 ff.)

Longhi ['lɔŋgi], Pietro, eigtl. P. Falca, italien. Maler, *Venedig 1702, †ebd. 8. 5. 1785; Schüler von G. M. Crespi in Bologna, malte schlichte Genrebilder, die ironisch oder liebenswürdig-moralisierend das Leben der Venezianer schildern.

Long Island ['lɔŋ 'aɪlənd], größte Insel an der Ostküste der USA, im Bundesstaat New York, 4463 km², durch den **Long-Island-Sound** vom Festland getrennt. Auf L. I. liegen Teile der Stadt New York (Brooklyn, Queens) und an der S-Küste einige Seebäder.

longitudinal [lat.], in der Längsrichtung verlaufend, längs gerichtet (Ggs.: transversal); v. a. für die Ausbreitungsrichtung von →Wellen (Longitudinalwellen) verwendet; in der Geographie auf den Längengrad bezogen.

Henry W. Longfellow

Longo, Luigi, italien. Politiker, *Fubine (Prov. Alessandria) 15. 3. 1900, †Rom 16. 10. 1980; 1921 Mitbegründer der italien. KP; 1936–38 Gen.-inspekteur der internat. Brigaden im Span. Bürgerkrieg. Ab 1943 führend in der italien. Widerstandsbewegung; 1964–72 war L. Gen.-Sekr., ab 1972 Präs. der Kommunist. Partei Italiens.

Longos (L. von Lesbos, lat. Longus), grch. Schriftsteller wohl des ausgehenden 2. Jh. n. Chr.; Verfasser eines Schäferromans über die Liebe zw. →Daphnis und Chloe.

Luigi Longo

Longwy [lɔ̃'vi], Stadt im frz. Dép. Meurthe-et-Moselle, an der Chiers, 17 300 Ew.; wichtiger Bergbau- und Industrieort (Eisenerzabbau, Hochöfen, chem., Metall-, Elektro-, keram. Ind.). – L. gehörte zum Herzogtum Bar und kam 1679 an Frankreich. BILD S. 420

Longyearbyen ['lɔŋje:rby:ən], Hauptort von →Spitzbergen.

Lon Nol, kambodschan. General und Politiker, *Kompong-Leau (Prov. Prey Veng) 13. 11. 1913, †Saint Jude de Dullerton (Calif.) 17. 11. 1985; 1966–67 und 1969–72 MinPräs., stürzte 1970 Staatschef Prinz Norodom Sihanouk und rief die Rep. aus. Sein Staatsstreich verwickelte Kambodscha in den Vietnamkrieg. 1972–75 war er Staatspräs.; musste angesichts des Sieges der »Roten Khmer« 1975 ins Exil (USA) gehen.

Lon Nol

Longwy: Blick über die in der Nähe der belgischen Grenze gelegene lothringische Industriestadt

Lönnrot ['lœnru:t], Elias, finn. Volkskundler und Schriftsteller, *Sammatti (Prov. Uusimaa) 9. 4. 1802, †ebd. 19. 3. 1884; schuf aus mündlich überlieferten altfinn. Volksliedern das Epos →Kalevala und gab die Lieder- und Balladensammlung »Kanteletar« (1840) heraus; bed. auch sein finnisch-schwed. Wörterbuch (2 Bde., 1866–80).

Lọns, Hermann, Schriftsteller, *Culm 29. 8. 1866, ⚔ bei Reims 26. 9. 1914; Vertreter der Heimatkunst. Aus der Bindung an die norddt. Landschaft und ihre Bewohner entstanden Heide- und Liebeslyrik (»Der kleine Rosengarten«, 1911) sowie Tiergeschichten (»Mümmelmann«, 1909) mit meisterhaften Naturschilderungen; auch Autor von Soldatengesängen und des als Bauernchronik des Dreißigjährigen Krieges angelegten Romans »Der Wehrwolf« (1910). – Die nat.-soz. Kulturpolitik stilisierte L. zum Wegbereiter ihrer eigenen Ideologie.

Carlos López (zeitgenössische Lithographie)

Lons-le-Saunier [lɔ̃ləso'nje], Hptst. des frz. Dép. Jura, 20100 Ew.; Herstellung von Brillen, Spielzeug, Schokolade und Textilien; Kurbetrieb.

Lọnza *die,* rechter Nebenfluss der Rhone, in den Walliser Alpen, Schweiz, →Lötschental.

Look [lʊk, engl.] *der,* Aussehen, Modestil.

Looping ['lu:pɪŋ; engl., zu loop »Schleife«] *der* oder *das, Kunstflug:* Überschlag nach oben oder unten aus dem Normal- oder Rückenflug.

Loos, Adolf, österr. Architekt und Designer, *Brünn 10. 12. 1870, †Kalksburg (heute zu Wien) 23. 8. 1933. Seine auf Sachlichkeit fußende und auf jedes Ornament verzichtende Architektur ist von kub. Elementen bestimmt, die Flächen werden unter Verwendung kostbarer Materialien gestaltet. L. übte großen Einfluss auf die moderne europ. Architektur aus; schrieb u.a. »Ornament und Verbrechen« (1908).

Jesús López Cobos

Lop Buri, thailänd. Stadt 120 km nördl. von Bangkok, 38200 Ew. Verw.sitz der Prov. L. B.; Zentrum eines Agrargebiets; Eisen- und Stahlwerk. – Ruinen von turmartigen Khmertempeln des 12.–14. Jh. (z. B. das Kloster Wat Phra Ratana Si Mahathat, 13./14. Jh.); ehem. Königspalast (17. Jh.).

Lọpe de Vega [-ðe 'βeɣa], span. Dramatiker, →Vega Carpio.

López ['lopes], **1)** Carlos Antonio, paraguay. Politiker, *Asunción 4. 11. 1790, †ebd. 10. 9. 1862; Vater von 2); 1844–62 Staatspräs.; hob die wirtschaftl. Isolation Paraguays auf, schuf ein Heer nach preuß. Muster.

2) Francisco Solano, paraguay. Politiker, *Asunción 24. 7. 1827, ⚔ am Río Aquidabán 1. 3. 1870, Sohn von 1); wurde 1862 Staatspräs.; verfolgte seit 1865 eine krieger. Machtpolitik gegen Brasilien, Uruguay und Argentinien, um das Territorium seines Landes zu vergrößern; 1870 unterlag Paraguay.

López Cọbos ['lopeθ-], Jesús, span. Dirigent, *Toro (Prov. Zamora) 25. 2. 1940; war 1980–90 Generalmusikdirektor der Dt. Oper Berlin und 1984–89 Chefdirigent des span. Orquesta Nacional; seit 1986 Chefdirigent des Cincinnati Symphony Orchestra, seit 1990 auch Leiter des Kammerorchesters Lausanne.

Adolf Loos baute in Wien (von oben) das »Haus am Michaeler Platz« (1909–11) und das »Haus Steiner« (1910)

López de Ayala ['lopeð ðe a'jala], Pe[d]ro, span. Schriftsteller und Chronist, *Vitoria 1332, †Calahorra (Prov. La Rioja) 1407; verfasste bed. Chroniken über die Zeit der vier kastil. Könige, unter denen er hohe Staatsstellungen innehatte (»Crónicas de los reyes de Castilla«, 2 Bde., hg. 1779/80). Sein Hauptwerk ist die Gesellschaftssatire »Rimado de palacio« (um 1385, hg. 1829).

López de Gómara ['lopeð ðe 'gɔmara], Francisco, span. Geschichtsschreiber, *Gómara (bei Soria) 2. 2. 1511, †ebd. um 1570; Kaplan und Sekretär von H. Cortéz. L. de G., der Amerika nie betrat, schrieb eine am Stil Ciceros und Sallusts orientierte »Historia general de las Indias y conquista de México« (1552), die, bewusst von Details abstrahierend, die Eroberung Amerikas in spannender Form als göttl. Auftrag erzählt und die Konquistadoren zu antiken Helden stilisiert.

López y Portaña ['lopeθ i pɔr'taɲa], Vicente, span. Maler, *Valencia 19. 9. 1772, †Madrid 22. 6. 1850; wurde 1802 Kammermaler Karls IV., 1815 als Nachfolger von F. de Goya y Lucientes Hofmaler Ferdinands VII., beeinflusst von A. R. Mengs. L. malte neben allegor. Fresken und Altarbildern v. a. Porträts.

Lop Nur (Lop-nor, Lob-nur), Salztonebene im östl. Tarimbecken, autonome Region Sinkiang, China. Der frühere Salzsee, in den der Tarim mündete, wanderte infolge der Laufveränderungen des Flusses im 4. Jh. nach S, dann wieder nordwärts. In den 1950er-Jahren noch über 2000 km², ist er seit den 1960er-Jahren völlig ausgetrocknet.

Lorain [lɔː'reɪn], Hafenstadt in Ohio, USA, am Eriesee, 72200 Ew.; Umschlagplatz für Kohle, Eisenerze und Kalk; Schiff-, Kraftfahrzeugbau, Textil- u. a. Industrie.

LORAN-Verfahren, Abk. für engl. **lo**ng **ra**nge **n**avigation, ein Funkortungsverfahren für große Entfernungen. (→Funknavigation)

Lorbeer [aus lat. laurus und »Beere«] *der* (Laurus), Gattung der L.-Gewächse mit zwei Arten; der **Echte L.** (Laurus nobilis), ein 5–12 m hoher Baum (seltener: Strauch) mit ledrigen, immergrünen Blättern, besitzt hellgelbe Blüten in Büscheln und blauschwarze steinfruchtartige Beeren; er ist eine Charakterpflanze des Mittelmeergebietes. Getrocknete Blätter und Beeren dienen als Küchengewürz. Die Beeren enthalten das grünl. **L.-Öl,** das zu Einreibungen verwendet wird. – Seit dem Altertum ist L. das Symbol des Sieges und des Ruhms; er wurde auch bei Wahrsagungen und Entsühnungsriten sowie als Schutz gegen Zauber, Feuer und Blitz verwendet.

Lorca [-ka], Stadt in der Region Murcia, Spanien, am Río Guadalentín, am SW-Fuß der Sierra de la Tercia, 66800 Ew.; Textil-, chem., Baustoffind., Gerbereien. – Im Berghang Höhlenwohnungen; Stiftskirche San Patricio (1533–1722), maur. Kastell sowie alte Paläste.

Lorbeer: Echter Lorbeer in Blüte

Lorca [-ka], Federico García, span. Schriftsteller, →García Lorca.

Lorch, **1)** Stadt im Ostalbkreis, Bad.-Württ., im Remstal, 11000 Ew.; Metallind., Karosseriebau. Die spätgot. Stadtkirche steht auf dem Grund eines röm. Kastells am Schnittpunkt des obergerman. und rät. Limes. Bei L. liegt die ehem. Benediktinerabtei L. mit roman. Basilika, gegr. 1102, mit Gräbern der Hohenstaufen (12./13. Jh.).

2) Stadt im Rheingau-Taunus-Kreis, Hessen, im Rheindurchbruchstal an der Mündung der Wisper, 4600 Ew.; Weinbau, Kunststoffverarbeitung. – Martinskirche (13.–15. Jh.), Hilchenhaus (1546–48), Burgruine Nollich.

Lorcheln: Herbstlorchel

Lorcheln (Helvellaceae), Familie der Schlauchpilze; Fruchtkörper meist gestielt mit braunem kugeligem, gefurchtem Hut, z. B. die giftige **Frühjahrs-L.** (Gyromitra esculenta) oder die essbare, aber zähe **Herbst-L.** (Helvella crispa).

Lörcher, Alfred, Bildhauer, *Stuttgart 30. 7. 1875, †ebd. 26. 3. 1962; schuf v. a. einfache stilisierte

Lorca: Höhlenwohnungen

Sophia Loren

Hendrik Antoon Lorentz

Aktfiguren, später auch vielfigurige Plastiken und Reliefs; 1936 Ausstellungsverbot, 1938 seines Amtes als Prof. an der Stuttgarter Akademie enthoben.

Lord [lɔ:d, altengl. hlaford »Brotherr«] *der,* in Großbritannien Titel des hohen Adels; er kommt allen Peers zu und wird (außer für den Archbishop und Duke) auch in Anrede und Umgangssprache gebraucht (so stets für den Baron). Der Titel wird auch von den anglikan. Bischöfen geführt, soweit sie kraft ihres Amtes Peers sind. L. ist darüber hinaus Anrede (»my L.«) der Richter der höheren Gerichtshöfe und wird ferner vielfach in Verbindung mit Amtstiteln gebraucht, z.B. **First L. of the Treasury,** »Erster L. des Schatzamtes«, Nebentitel des Premierministers; **L. Chancellor,** »L.-Kanzler«, der Justizminister; **L. Chief Justice,** »L.-Oberrichter«, der Vors. des High Court of Justice; **L. Justice,** ein Richter des Berufungsgerichts; **L. Mayor,** Titel der Oberbürgermeister von London und zwölf anderer Städte.

Lord Howe Island ['lɔ:d 'haʊ 'aɪlənd], **1)** größte Insel einer Inselgruppe in der Tasmansee, zu New South Wales, Australien, gehörig, 17 km², 320 Ew.; vulkan. Ursprungs, im Mount Gower 866 m ü. M.; Pflanzen- und Tierwelt stehen unter Naturschutz (UNESCO-Welterbe).

2) (Ontong Java), Atoll im südwestl. Pazifik, das zum Staat Salomoninseln gehört.

Lordose [grch.] *die,* Krümmung der Wirbelsäule nach vorn, die normalerweise in leichter Form an der Hals- und Lendenwirbelsäule vorhanden ist; eine krankhaft verstärkte Krümmung der Lendenwirbelsäule führt zum **Hohlkreuz.**

Lord Protector ['lɔ:d prə'tektə], in England der Titel des Reichsregenten, so 1547–53 von Edward, Herzog von Somerset, dem Regenten für den unmündigen Eduard VI., 1653–58 von Oliver Cromwell und 1658/59 von Richard Cromwell.

Lore [von engl. lorry], offener, meist kippbarer Schienenwagen zum Transport von Schüttgütern.

Lorelei

Und das hat mit ihrem Singen die Lorelei getan

Das Zitat, mit dem man scherzhaft oder ironisch auf die männliche Verführbarkeit anspielt, ist der Schluss des zweiten Gedichts im Abschnitt »Die Heimkehr« aus Heinrich Heines »Buch der Lieder«. Das Gedicht beginnt mit den bekannten Versen »Ich weiß nicht, was soll es bedeuten, Dass ich so traurig bin; Ein Märchen aus alten Zeiten, Das kommt mir nicht aus dem Sinn.« Die Verse, die sich auf das Märchen von der Lorelei beziehen, sind durch Friedrich Silchers Vertonung (1838) volkstümlich geworden. Clemens Brentano hatte in seiner Ballade »Lore Lay« (1799) die rheinische Sagengestalt erfunden, die vom Rheinfelsen aus die Schiffer ins Verderben lockt.

Lorelei (Loreley), Name des bei Sankt Goarshausen, Rheinl.-Pf., aus dem Rhein 132 m hoch aufsteigenden Schieferfelsens. Die Fantasiegestalt der L., eines zauberhaft schönen Mädchens, das den Männern zum Verderben wird, geht auf C. Brentanos Ballade »Die Lore Lay« in seinem Roman »Godwi« (1801) zurück; um ihrem Fluch zu entgehen, stürzt sich L. von einem Felsen in den Rhein; volkstümlich durch H. Heines Gedicht (1824, vertont von F. Silcher).

Loren, Sophia, eigtl. Sofia Scicolone, italien. Filmschauspielerin, *Rom 20. 9. 1934; ⚭ mit dem italien. Filmproduzenten Carlo Ponti; entwickelte sich bes. in der Zusammenarbeit mit V. de Sica zur Charakterdarstellerin in dramat. und kom. Rollen, u.a. »Die Frau am Fluss« (1955), »Hochzeit auf italienisch« (1965), »Sonnenblumen« (1969), »Mit dem Mut der Verzweiflung« (1987).

Lorengar, Pilar, eigtl. P. Lorenza García, span. Sängerin (lyr. Sopran), *Saragossa 16. 1. 1928, †Berlin 2. 6. 1996; v.a. Mozart-, Verdi- und Puccini-Interpretin.

Lorentz, Hendrik Antoon, niederländ. Physiker, *Arnheim 18. 7. 1853, †Haarlem 4. 2. 1928; Prof. in Leiden, erklärte 1875 auf der Grundlage der maxwellsche Theorie die Brechung und Reflexion des Lichtes und mithilfe seiner Elektronentheorie (1895) auch den Zeeman-Effekt sowie die Drehung der Polarisationsebene des Lichtes im magnet. Feld; führte 1892 die L.-Kontraktion, 1895 die L.-Kraft und 1899 die L.-Transformation in die Elektrodynamik ein. 1902 erhielt er zus. mit P. Zeeman den Nobelpreis für Physik.

Lorentz-Kontraktion [nach H. A. Lorentz], die relativist. →Längenkontraktion.

Lorentz-Kraft [nach H. A. Lorentz], die Kraft $\boldsymbol{F}$, die auf eine elektr. Ladung Q wirkt, die sich mit der Geschwindigkeit $\boldsymbol{v}$ in einem elektromagnet. Feld der magnet. Flussdichte $\boldsymbol{B}$ und der elektr. Feldstärke $\boldsymbol{E}$ bewegt: $\boldsymbol{F} = Q \cdot (\boldsymbol{E} + \boldsymbol{v} \times \boldsymbol{B})$. Oft wird als L.-K. nur der vom Magnetfeld verursachte Anteil der Kraft $\boldsymbol{F}$ bezeichnet. Dieser steht senkrecht auf Bewegungs- und Feldrichtung und bewirkt die magnet. Ablenkung der Ladung; für den Betrag gilt: $F = Q \cdot v \cdot B \cdot \sin\varphi$, wobei φ der Winkel ist, den die Richtung der Geschwindigkeit mit der des Magnetfeldes bildet.

Lorentz-Transformation [nach H. A. Lorentz], *Relativitätstheorie:* eine Transformation der Koordinaten und der Zeit beim Übergang von einem Inertialsystem zu einem anderen (insbesondere einem gegenüber dem Ausgangssystem translatorisch gleichförmig bewegten), unter Beachtung der Konstanz der Vakuumlichtgeschwindigkeit c:

$$x' = x,\ y' = y,\ z' = (z - vt)/\sqrt{1 - v^2/c^2},$$
$$t' = (t - vz/c^2)/\sqrt{1 - v^2/c^2}.$$

Die L.-T. ist wesentl. Bestandteil der speziellen →Relativitätstheorie; aus ihr folgen u. a. die Längenkontraktion und die Zeitdilatation.

Lorenz, **1)** Konrad, österr. Verhaltensforscher, *Wien 7. 11. 1903, †ebd. 27. 2. 1989; erforschte v. a. die stammesgeschichtl. Entwicklung des den Tieren angeborenen Verhaltens (u. a. Untersuchungen an Graugänsen). Er erkannte die Bedeutung des Zusammenwirkens angeborener und erworbener (andressierter) Anteile im Verhalten höherer Tiere (Instinkt-Dressur-Verschränkung) und entdeckte das Phänomen der etholog. Prägung. L. erhielt 1973 (mit N. Tinbergen und K. von Frisch) den Nobelpreis für Physiologie oder Medizin.

Werke: Das sog. Böse. Zur Naturgesch. der Aggression (1963); Über tier. und menschl. Verhalten, 2 Bde. (1965); Die Rückseite des Spiegels. Versuch einer Naturgesch. menschl. Erkennens (1973); Vergleichende Verhaltensforschung (1978); Der Abbau des Menschlichen (1983).

📖 Bischof, N.: *»Gescheiter als alle die Laffen«. Ein Psychogramm von K. L. München u. a. 1993.*

2) Max, eigtl. M. Sülzenfuß, Sänger (Heldentenor), *Düsseldorf 17. 5. 1901, †Salzburg 11. 1. 1975; sang häufig bei den Bayreuther Festspielen; galt als führender Wagner-Interpret seiner Zeit.

Lorenzen, Paul, Philosoph und Mathematiker, *Kiel 24. 3. 1915, †Göttingen 1. 10. 1994; Prof. in Kiel und Erlangen, Mitbegründer der »Erlanger Schule« der konstruktiven Wiss.-Theorie; entwarf unter Bezugnahme auf die Mathematik eine konstruktive operationale Logik als Begründungslehre der Wissenschaft.

Werke: Formale Logik (1958); Log. Propädeutik oder Vorschule des vernünftigen Redens (1967; mit W. Kamlah); Lb. der konstruktiven Wissenschaftstheorie (1987).

Lorelei: Durchbruchstal des Rheins mit dem (rechts) fast senkrecht 132 m hoch aufsteigenden Schieferfelsen Lorelei bei Sankt Goarshausen

Lorenzetti, zwei italien. Maler in Siena: **1)** Ambrogio, *Siena um 1285, †vermutlich ebd. 1348, Bruder von 2); schuf Werke von differenzierter, kräftiger Farbgebung und modellierender Umrisszeichnung; entwickelte Giottos Raumbühne in perspektiv. Innenräumen und weiten Landschaften, die er mit lebendigen Naturbeobachtungen füllte, konsequent weiter (Fresken der »Allegorien der guten und der schlechten Regierung« im Palazzo Pubblico in Siena, 1338/39).

2) Pietro, *Siena um 1280, †vermutlich ebd. 1348, Bruder von 1). Ausgehend von Duccio und Giotto sowie G. Pisano und Tino di Camaino ließ er seine zunehmend fest gefügten Figuren in einer gemessenen, pathetisch-feierl. Gebärdensprache agieren, die das szen. Geschehen dramatisch

Ambrogio Lorenzetti: »Ansicht einer Stadt« (1335–40; Siena, Pinacoteca); rechts daneben **Pietro Lorenzetti:** Madonna mit Kind, Ausschnitt eines Freskos in der Unterkirche von San Francesco in Assisi (um 1300)

andeuteten (Freskenfolge der Passion Christi in der Unterkirche von San Francesco, Assisi, 1326–29).

Lorenz-Kurve, nach dem amerikan. Statistiker Max O. Lorenz benannte graf. Darstellung der personellen Einkommensverteilung. Sie zeigt, wieviel Prozent der Einkommensbezieher wieviel Prozent des Gesamteinkommens erhalten. Verdient jeder gleich viel, ergibt sich eine Gerade. Je größer die Fläche zw. dieser »Kurve der Gleichverteilung« und einer empirisch ermittelten L.-K. ist, umso ungleicher ist die Einkommensverteilung.

Loris 1) (Größe 25–30 cm)

Lorenzo (L. Monaco), eigtl. Piero di Giovanni, italien. Maler, *wahrscheinlich Siena um 1370, †Florenz um 1425 (laut Vasari 24. 5. 1423); seit 1391 Kamaldulensermönch; bedeutendster Maler des →Schönen Stils in Florenz.

Lorenzo di Credi, italien. Maler, →Credi, Lorenzo di.

Loreto, bed. Marienwallfahrtsort in der Prov. Ancona, Italien, Bischofsitz, 10 600 Ew.; entstand um das hier verehrte »Hl. Haus« (Santa Casa), das angebl. Wohnhaus der Hl. Familie von Nazareth, das nach einer Legende 1294 von Engeln nach L. gebracht worden sein soll; 1468 Beginn des Baus der Basilika über dem »Hl. Haus«.

Lori *der,* **1)** [aus malaiisch] Papagei, →Loris 1).

2) [aus niederländ.] Halbaffe, →Loris 2).

Lorient [lɔ'rjã], Hafenstadt im frz. Dép. Morbihan, in der Bretagne, 62 600 Ew.; Fischverarbeitung, Schiffbau, Textil-, Möbel-, chem., Autoind., Maschinenbau; bed. Fischereihafen. – L. wurde 1666 für die frz. Ostind. Kompanie gegründet; im 2. Weltkrieg stark zerstört.

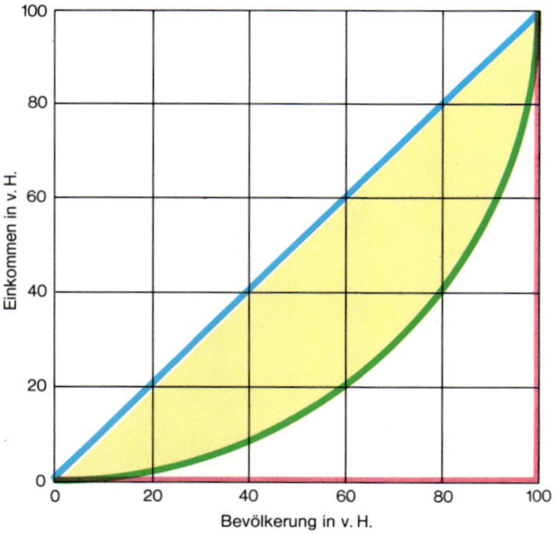

Lorenz-Kurve: Das gelbe Feld zwischen der grünen Lorenz-Kurve und der blauen Linie gleichverteilter Einkommen stellt das Maß für die Ungleichheit der Einkommen dar; die rote Linie markiert extreme Ungleichheit

Loriot [lori'o:, frz. »Pirol«], eigtlich Bernhard Victor (Vicco) Christoph Carl von Bülow, Cartoonist, Schriftsteller, Film- und Fernsehautor, *Brandenburg an der Havel 12. 11. 1923; Hauptthema seines Werkes sind die grotesken Auswüchse spießbürgerl. Verhaltens und menschl. Unzulänglichkeiten. Neben zahlr. Beiträgen für das Fernsehen entstanden die Spielfilme »Ödipussi« (1988) und »Papa ante portas« (1991). L. inszenierte auch Opern, u. a. »Martha« und »Der Freischütz«.

Loriot: Karikatur (um 1968)

Loris, 1) (Pinselzüngler, Trichoglossinae), artenreiche Gruppe farbenprächtiger mittelgroßer Papageien des indoaustral. Gebietes. Mit der ausgefaserten Zunge (»Pinselzunge«) lecken die Vögel Nektar und Fruchtsäfte auf.

2) (Lorisidae), Familie nachtaktiver Halbaffen; Baumbewohner mit rötlich grauem bis gelblich braunem, kurzwolligem Fell und kurzem oder fehlendem Schwanz. In S-Asien der bis 40 cm lange **Plumplori** (Nycticebus coucang); im afrikan. Regenwald der **Potto** (Perodicticus potto).

Lorokonto [italien. loro »ihr«, »deren«], Konto, das eine Bank für eine andere Bank als ihren Kunden **(Lorobank)** führt; Ggs.: Nostrokonto.

Lörrach, 1) Landkr. im RegBez. Freiburg, Bad.-Württ., 807 km², (1996) 212 100 Einwohner.

2) Krst. von 1) in Bad.-Württ., Große Kreisstadt, im Markgräflerland, an der Grenze zur Schweiz, 44 600 Ew.; Berufsakademie; Verw.- und Wirtschaftsakademie, Textil-, Schokoladen-, pharmazeut. Industrie, Stahl- und Maschinenbau.

Lorrain [lɔ'rɛ̃], Claude, eigtl. C. Gellée, gen. Le L., frz. Maler, Zeichner und Radierer, *Champagne bei Épinal 1600, †Rom 23. 11. 1682; lebte seit 1627 in Rom. Seine große Leistung besteht darin, dass er, ausgehend von der großräumig komponierten Landschaft Domenichinos und der Carracci, eine völlig neue und selbstständige Auffassung von Landschaft als psych. Ausdrucksträger entwickelte. Damit wurde er v.a. für die Maler der Romantik und des frühen Impressionismus, bes. aber für die engl. Landschaftsmaler (v.a. W. Turner), zum Vorbild. Ebenso bed. sind seine Handzeichnungen und Radierungen. BILDER französische Kunst, Landschaftsmalerei

📖 *Claude. The poetic landscape,* bearb. v. H. WINE. *Ausst.-Kat. National Gallery, London 1994.*

Lorraine [lɔ'rɛn], frz. Name von →Lothringen.

Lọrre, Peter, eigentl. László Loewenstein, österr.-amerikan. Filmschauspieler, *Ružomberok 26. 6. 1904, †Los Angeles (Calif.) 23. 3. 1964; ab 1929 Theaterengagement in Berlin, Zusammenarbeit mit B. Brecht. L. erlangte Filmruhm 1931 in F. Langs »M – eine Stadt sucht einen Mörder«; 1933 Emigration nach Hollywood.

Weitere Filme: Die Spur des Falken/Der Malteserfalke (1941); Casablanca (1942), Arsen u. Spitzenhäubchen (1944), Der Verlorene (1951; auch Regie); Der Rabe ... (1963).

Peter Lorre

Lorris [lɔ'ris], Guillaume de, altfrz. Dichter, Verfasser des 1. Teils des →Roman de la rose.

Lọrsch, Stadt im Landkr. Bergstraße, Hessen, im Hess. Ried, 11 500 Ew.; Tabak-, Obst-, Spargelanbau; Maschinenbau, Möbelherstellung. – Museum (im alten Rathaus, 1715), Fachwerkhäuser. Das Benediktinerkloster (764 gegr., seit 772 Reichsabtei), war eines der bedeutendsten des MA.; nach Brand 1621 sind nur die Torhalle (wohl um 774 vollendet), einst Audienzstätte ostkaroling. Könige, ein Teil der Vorkirche (um 1150) und ein weiter Bogen der Ringmauer erhalten (UNESCO-Weltkulturerbe).

Lorsch: Die erhaltene Torhalle des 1621 abgebrannten Benediktinerklosters aus dem 8. Jh.; das restaurierte Steildach stammt aus dem 14. Jahrhundert

Loris 2): Plumplori (Körperlänge bis zu 40 cm)

Lọrtzing, Albert, Komponist, *Berlin 23. 10. 1801, †ebd. 21. 1. 1851; Meister der dt. Spieloper des 19. Jh.; komponierte volkstümliche, humorvolle Opern nach eigenen Libretti: »Zar und Zimmermann« (1837); »Der Wildschütz« (1842); »Undine« (1845); »Der Waffenschmied« (1846).

📖 SCHIRMAG, H.: *A. L. Berlin 1995.*

Albert Lortzing

Los, 1) *allg.:* Geschick, Schicksal, auch die Schicksalsbefragung durch ein Orakel: Werfen oder Ziehen von Steinchen, Stäbchen usw., Würfeln; Buch-L. (Buchorakel): zufälliges Aufschlagen einer Textstelle (bes. in der Bibel) und Deutung des Textes; für die Wettervorhersage →Lostage.

2) *Glücksspiel:* Anteilschein in der Lotterie.

3) *Wirtschaft:* im Produktionsbereich die Menge einer Sorte oder Serie, die jeweils in die Fertigung gegeben wird, ohne dass eine Unterbrechung des Fertigungsprogramms oder eine Umstellung der Anlagen erforderlich wird (Fertigungs-L.); bei Auktionen die Mindestwarenmenge, für die ein Zuschlag gegeben werden kann.

Los Alamos [lɔs'æləməʊs], Stadt in New Mexico, USA, 2225 m ü.M., 11 000 Ew.; Kernforschungszentrum. – In dem seit 1943 in Besitz der amerikan. Bundesreg. befindl. Gebiet wurde die am 16. 7. 1945 in New Mexico zur Explosion gebrachte Atombombe entwickelt.

Los Angeles [lɔs 'endʒələs, engl. lɔs 'ændʒɪlɪs], Stadt in Kalifornien, USA, in der Küstenebene zw. den San Gabriel Mountains und dem Pazifik, 3,449 Mio. Ew., städt. Agglomeration L. A.-Riverside-Orange County 15,30 Mio. Ew.; Sitz eines kath. Erzbischofs, eines anglikan. und eines methodist. Bischofs; mehrere Univ., Colleges; Kunsthochschule; Observatorium und Planetarium; Bibliotheken, Kunst-, histor., naturkundliches Museum. Größte Ind.stadt westl. des Mississippi, Zentrum der Filmind. der USA (→Hollywood), weltgrößter Standort der Flugzeug- und Raumfahrtindustrie, Kraftwagenmontage, Petrochemie, Maschinenbau, Elektrotechnik/Elektronik, Finanz- und Handelszentrum der USA. Endpunkt von drei transkontinentalen Eisenbahnlinien und mehrerer Autobahnen. Große Schifffahrtsunternehmen verbinden die Stadt mit Übersee. Drei Großflughäfen; kreuzungsfreies innerstädt. Autobahnnetz (Freeways); U-Bahn im Bau. – Älteste Kirche ist die Old Mission Church (1814–22). Zu den architektonisch bedeutendsten Gebäuden zählen Community

Los Angeles: Das innerstädtische Autobahnnetz (Freeways) ist kreuzungsfrei

Church (1961), Civic Center (1960 und 1968), Music Center (1964), United California Bank Building (1973/74), Crystal Cathedral (1980), Museum of Contemporary Art (MOCA; 1981–86) und das Getty Center (1997). – 1781 als span. Missionssiedlung gegründet.

Los Angeles Stadtwappen

📖 Keil, R.: *Weltstadt – Stadt der Welt. Internationalisierung u. lokale Politik in L. A. Münster 1993.*

Los Ángeles [lɔs 'anxɛlɛs], Stadt in Mittelchile, 126 000 Ew.; Marktzentrum, Zuckerraffinerie, Weinkellerei.

Los Ángeles [lɔs 'anxeles], Victoria de, span. Sängerin (Sopran), *Barcelona 1. 11. 1923; Interpretin v.a. italien. und frz. Opernpartien; Lied- und Zarzuelasängerin.

Los Casares [lɔs ka'sares], Höhle mit altsteinzeitl. Felsbildern in der span. Provinz Guadalajara.

Löschen, Entladen eines Schiffes.

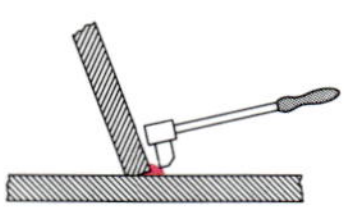

1

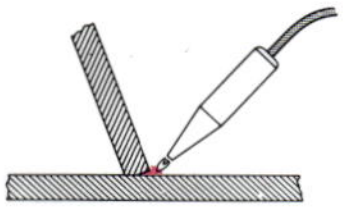

2

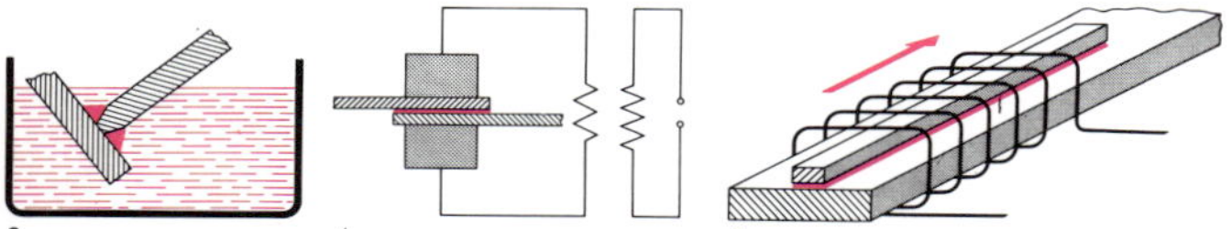

3 4 5

Löten: 1 Weichlöten, 2 Hartlöten mit der Gasflamme, 3 Tauchlöten, 4 Widerstandslöten mit Kupferelektroden, 5 Induktionslöten

Lọschmidt-Konstante, die 1865 von dem österr. Physiker Joseph Loschmidt (*1821, †1895) aus der kinet. Gastheorie bestimmte Anzahl der Moleküle je m³ eines idealen Gases $n_0 = N_A/V_m \approx 2{,}687 \cdot 10^{25}/\mathrm{m}^3$ (V_m molares Volumen des idealen Gases unter Normalbedingungen); früher gebräuchl. Bez. für die → Avogadro-Konstante N_A.

Löschmittel (Löschpulver), → Feuerlöschmittel.

Löschpapier, das → Fließpapier.

Löschung, *Registerrecht:* die Beurkundung, dass ein in ein öffentl. Register eingetragenes Recht aufgehoben wird. Im Grundbuchrecht sind für die L. eines Rechts neben der Erklärung des Berechtigten die verfahrensrechtl. L.-Bewilligung und ein entsprechender Antrag erforderlich.

Loseblatt|ausgabe, Veröffentlichung in zusammengefassten Einzelblättern, die durch Fortsetzungs- und Berichtigungsblätter auf dem Laufenden gehalten wird.

Losey ['lu:zi], Joseph Walton, amerikan. Filmregisseur, *La Crosse (Wis.) 14. 1. 1909, †London 22. 6. 1984; drehte subtile psycholog., z.T. sozialkritisch engagierte Filme, u.a. »Accident« (1966), »Die romant. Engländerin« (1975), »Don Giovanni« (1979).

Loshan [-ʃ-], Stadt in China, → Leshan.

Lọsheim, Gemeinde im Landkr. Merzig-Wadern, Saarland, 15 200 Ew.; Holz verarbeitende, Verpackungsmittelind.; Naherholungsgebiet.

Lošinj ['lɔʃi:nj] (dt. Lussin, italien. Lussini), Adriainsel im Kvarner, Kroatien, 75 km², 6 700 Ew.; Hauptort ist Mali L.; Reb-, Ölbaum-, Zitruskulturen, Fischfang; Fremdenverkehr.

Löslichkeitsprodukt, das Produkt der Konzentrationen der Ionen (genauer der Ionenaktivitäten) eines Elektrolyten in einer gesättigten Lösung bei konst. Temperatur. Das L. gibt die (theoret.) Grenze für das Ausfällen aus einer Lösung. (→ Massenwirkungsgesetz)

Löss [wohl zu alemann. lösch »lose«, »locker«], zerreibbares, mehlartiges, ungeschichtetes Sediment von ockergelber bis gelbgrauer Farbe, bestehend aus feinsten Körnchen (0,01–0,005 mm Durchmesser) von Quarz (60–70 %), 10–20 % Feldspat und Glimmer, die durch Kalk umkrustet und verkittet werden. Der Kalkgehalt (10–30 %) bedingt die hohe innere Standfestigkeit des L. und die Stabilität auch hoher Steilwände. Aufgrund guter Wasserspeicherfähigkeit ist L. meist ein fruchtbarer Boden.

Lößnitz, 1) *die,* fruchtbare Tallandschaft am rechten Elbeufer unterhalb Dresdens; Wein- und Obstbau.

2) Stadt im Landkr. Aue-Schwarzenberg, Sachsen, im westl. Erzgebirge; 10 900 Ew.; Metall-, Textil-, Schuh-, Papierverarbeitungsindustrie. – 1284 erstmals als Stadt genannt.

Lossprechung, → Absolution.

Lọst [nach den dt. Chemikern **Lo**mmel und **St**einkopf] *der,* → Dichlordiäthylsulfid.

Los|tage (Lurtage), Tage, die nach altem Volksglauben als bedeutsam für die Wettervorhersage, als günstig oder ungünstig für den Beginn oder die Verrichtung bestimmter Arbeiten gelten, z. B. Lichtmess (2. Febr.), Siebenschläfer (27. Juni), die → Zwölfnächte.

Lostgeneration [lɔst dʒenəˈreɪʃn, engl. »verlorene Generation«], von Gertrude Stein geprägte Bez. für eine Gruppe amerikan. Schriftsteller im Paris der 1920er-Jahre, die das Erlebnis des 1. Weltkrieges zur persönl. Desillusionierung und Entfremdung von tradierten Wertvorstellungen geführt hatte. Zur Gruppe der L. werden gerechnet: E. E. Cummings, M. Cowley, J. Dos Passos, F. S. Fitzgerald und E. Hemingway. In den Werken der L. spiegelt sich die Auflösung des bürgerl. Weltbildes und der Verlust des Fortschrittsglaubens.

Losung [zu lösen], *Weidmannssprache:* Kot von Wild und Hund.

Losung, 1) *allg.:* Wahlspruch, Leitwort.

2) *Militärwesen:* (Parole) früher verwendetes Erkennungswort für Angehörige der eigenen Truppe; heute: Kennwort.

Lösung, homogenes Stoffsystem, in dem ein oder mehrere Stoffe in einem anderen, dem **L.-Mittel** (Solvens), molekular verteilt sind. Das Mengenverhältnis zw. dem L.-Mittel und dem gelösten Stoff ist dabei veränderlich; es wird durch die → Konzentration der L. angegeben. Von diesen **echten L.** sind die **kolloiden L.** zu unterscheiden; Übergangsstufen bilden die Assoziationskolloide. L. können in allen Aggregatzuständen vorkommen. Unter L. i. e. S. werden L. von Feststoffen in Flüssigkeiten verstanden. Die in Gramm angegebene **Löslichkeit** ist diejenige Stoffmenge, die sich in einer bestimmten Menge eines L.-Mittels bei einer definierten Temperatur lösen lässt. Eine **gesättigte L.** enthält bei einer bestimmten Temperatur die höchstmögl. Menge eines gelösten Stoffes. Ist mehr Substanz gelöst, als der Löslichkeit bei dieser Temperatur entspricht, ist die L. **übersättigt** (bei Zusatz von Kristallisationskeimen oder beim Rühren setzt sich der überschüssige Anteil ab). Kann das L.-Mittel noch mehr von der zu lösenden Substanz aufnehmen, spricht man von einer **ungesättigten L.** Die beim Lösen frei werdende oder verbrauchte Energie nennt man **L.-Enthalpie** (L.-Wärme). Durch die Zugabe der gelösten Substanz wird der Dampfdruck des L.-Mittels verringert. Dies bedingt einen erniedrigten Gefrierpunkt, einen erhöhten Siedepunkt sowie eine höhere Dichte.

Lösungsmittel, anorgan. und organ. Flüssigkeiten, in denen sich andere Stoffe bis zu kleinsten Teilchen (Moleküle, Ionen) verteilen lassen, sodass eine Lösung entsteht. Polare Stoffe lösen sich gut in polaren L. (Salze in Wasser). Unpolare Stoffe lösen sich gut in unpolaren L. (organ. Stoffe in Benzol oder Äther). Die Löslichkeit ist umso besser, je ähnlicher die Wechselwirkungskräfte zw. den Teilchen des L. und denen des gelösten Stoffes sind. Für die Anwendung von L. sind neben dem Lösevermögen auch sicherheitstechnische (z. B. Flammpunkt) und toxikolog. (→ MAK-Wert) Daten von Bedeutung. L. können als Nerven-, Lungen-, Blut-, Nieren-, Lebergifte wirken.

Victoria de Los Ángeles

Lot, Neffe Abrahams (1. Mose 11, 27), gilt als Stammvater der Ammoniter und Moabiter; entgeht als einziger »Gerechter« mit seinen Töchtern dem Strafgericht Gottes über seinen Wohnort Sodom, während seine Frau, die trotz des Verbots zurückblickte, in eine Salzsäule verwandelt wurde (1. Mose 19, 26).

Lot, 1) *Bautechnik:* (Senklot, Senkblei, Senkel), an einem Faden mit der Spitze nach unten aufgehängte kegelförmige Metallmasse zur Ermittlung der senkrechten Stellung von Bauwerksteilen u. a.

2) *Fertigungstechnik:* Lötmetall, → Löten.

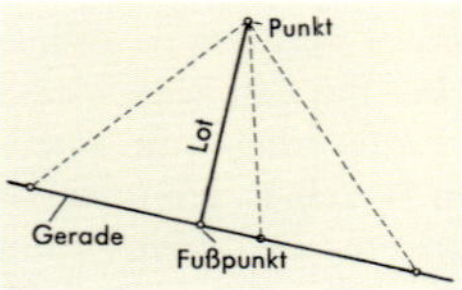

Lot 3)

3) *Geometrie:* die kürzeste aller geraden Verbindungsstrecken eines Punktes mit einer Geraden oder einer Ebene; sie steht auf der Geraden bzw. der Ebene senkrecht. Ihr Schnittpunkt mit der gegebenen Figur heißt **Fußpunkt.**

4) *Metrologie:* früher kleine, regional verschiedene Masseneinheit zu $^1/_{32}$ Pfund; im 19. Jh. zu $^1/_{30}$ Zollpfund (≈16,7 g).

5) *Schifffahrt:* Gerät zum Messen der Wassertiefe vom Schiff aus. Das → Echolot hat das herkömml. **Hand-L.** (Bleistück von 3 bis 5 kg an einer mit Markierungen versehenen Leine) verdrängt.

Lot [lɔt], **1)** *der,* rechter Nebenfluss der Garonne in S-Frankreich, 491 km lang, entspringt in den Cevennen, mündet bei Aiguillon.

2) Dép. in SO-Frankreich, 5217 km², (1995) 157000 Ew.; Hptst. ist Cahors.

LOT

LỌT, Kw. für Polskie Linie **Lot**nicze, staatliche poln. Luftverkehrsgesellschaft (ÜBERSICHT Luftverkehrsgesellschaften).

Löten, *Fertigungstechnik:* Fügeverfahren zum Verbinden verschiedener metall. Werkstoffe mithilfe eines geschmolzenen Zusatzmetalls **(Lot),** dessen Schmelztemperatur unterhalb derjenigen der Grundwerkstoffe liegt; die Grundwerkstoffe

Wilhelm Loth: »On the beach« (1970/71; Berlin, Neue Nationalgalerie)

werden benetzt, ohne geschmolzen zu werden. Teilweise wird unter Zusatz von pasten- oder pulverförmigen Flussmitteln (z.B. Lötfett) gearbeitet, die die Werkstückoberfläche reinigen, die Benetzbarkeit und den Lötfluss verbessern und die Bildung von Oberflächenfilmen verhindern sollen. **Lötwasser,** eine wässrige Lösung von Zinkchlorid und Salmiak, wird zur Entfernung von Oxidschichten verwendet. Beim **Weich-L.** schmilzt das Lot (Weichlot; Legierungen aus Blei, Zinn und Antimon) bei Arbeitstemperaturen unterhalb 450 °C, beim **Hart-L.** (Hartlot; unlegiertes Kupfer, Messing-, Silberlot) über 450 °C. Nach Art der Lötstelle unterscheidet man **Verbindungs-L.** oder **Auftrag-L.** Zum Weich-L. werden i.d.R. elektrisch beheizte Lötkolben benutzt, benzin- oder gasbetriebene Lötlampen dienen zum Weich- und Hart-L. Beim elektr. **Widerstands-L.** werden Lot, Flussmittel und Werkstück zw. Elektroden aus Kupfer oder Wolfram erhitzt und miteinander verbunden; beim **Induktions-L.** erfolgt das Löten dagegen unter Einwirkung des elektr. Feldes eines hochfrequenten Wechselstroms. Besondere Bedeutung für die Gerätetechnik hat das **Ofen-L.** unter Schutzgas. Hartlötverbindungen können auch in Vakuumkammeröfen hergestellt werden **(Vakuum-L.).** Das **Tauch-L.** ist ein Verfahren der industriellen Massenfertigung, bei dem die Bauteile kurz in ein Zinnbad eingetaucht werden. Hierzu gehört auch das **Schwall-L.** für die Kontaktierung von steckbaren elektr. und elektron. Bauelementen mit Leiterplatten; das Eintauchen der Platinen erfolgt dort, wo das zurückströmende Zinn an der Oberfläche des Zinnbads eine Welle (»Schwall«) erzeugt. Ebenfalls vorwiegend in der Elektronik angewendet werden das **Lichtstrahl-L. (Infrarot-L.),** bei dem die von der Strahlungsquelle (z.B. Halogenquarzlampe) ausgehende Infrarotstrahlung mithilfe eines Fokussiersystems in die Lötstelle eingekoppelt wird, das **Elektronenstrahl-L.**, bei dem die Lötstelle unter Vakuum durch einen Elektronenstrahl erwärmt wird, und das **Laserstrahl-L.**, bei dem die zur Erwärmung der Lötstelle erforderl. Energie durch Absorption des Laserstrahls erreicht wird.

Lot-et-Garonne [lɔtega'rɔn], Dép. in SW-Frankreich, 5361 km², (1995) 309000 Ew.; Hptst. ist Agen.

Loth, Wilhelm, Bildhauer, *Darmstadt 24. 9. 1920, †ebd. 17. 2. 1993; seit 1960 Prof. an der Akademie Karlsruhe; gestaltete figürl. Plastiken aus blockhaften Rundformen, torsohaft oder mit gestängeartigen Gliedmaßen; auch farbige Kunststoffreliefs, zeichner. und druckgraf. Werke.

Lothar, Herrscher:

Röm. Kaiser: **1) L. I.,** röm. Kaiser (840–55), *795, †Kloster Prüm 29. 9. 855, Vater von 3); ältester Sohn Ludwigs des Frommen, wurde 817 zum Mitkaiser und Nachfolger im Kaisertum bestimmt. Nach dem Tod seines Vaters (840) suchte er die Oberhoheit über seine Brüder Ludwig (den Deutschen) und Karl (den Kahlen) zu behaupten, wurde aber 841 bei Fontenoy von ihnen geschlagen. Im Vertrag von Verdun (843) erhielt er mit der Kaiserwürde Italien und das Gebiet zw. Rhein, Schelde und Rhone.

Hl. Röm. Reich: **2) L. III.,** (L. von Supplinburg, L. von Sachsen), als Kaiser (seit 1133) eigtl. Lothar II., König (1125 bis 1137), Herzog von Sachsen (seit 1106), Graf von Supplingenburg (bei Braunschweig), *1075, †Breitenwang (bei Reutte, Tirol) 4. 12. 1137; besiegte 1115 als Führer des sächs. Aufstandes Kaiser Heinrich V. am Welfesholz (bei Hettstedt); wurde 1125 zum König gewählt, aber von den Staufern bekämpft: der 1127 zum Gegenkönig erhobene Konrad (III.) unterwarf sich erst 1135; sein Schwiegersohn und Erbe war der Welfe Heinrich X., der Stolze, von Bayern. L. sicherte v.a. die Reichshoheit in Böhmen und Burgund und förderte die dt. Ostsiedlung; er nutzte konsequent die Reichskirche als Herrschaftsinstrument.

📖 SPEER, L.: *Kaiser L. III. u. Erzbischof Adalbert I. von Mainz. Köln u. a. 1983.*

Fränkisches Reich: **3) L. II.,** fränk. König (855–69), *835, †Piacenza 8. 8. 869, zweiter Sohn von 1); erhielt das nördl. Drittel des väterl. Reichs, nach ihm Lotharingien (Lothringen) genannt.

4) L., König von Westfranken, dem späteren Frankreich (954–86), *941, †Laon 2. 3. 986; Sohn Ludwigs IV., stand bis zum Tod seines Onkels, Kaiser Ottos I. (973), unter dessen Einfluss. Er beherrschte nur karoling. Restgebiete und versuchte vergeblich, sie durch Angriffe auf Lothringen zu erweitern (978, 984/85).

Lothar, **1)** Ernst, eigtl. E. Lothar Müller, österr. Schriftsteller, Theaterleiter, * Brünn 25. 10. 1890, † Wien 30. 10. 1974; Theaterkritiker, Essayist; Gesellschafts- und Zeitromane (»Der Engel mit der Posaune«, 1944; »Verwandlung durch Liebe«, 1951, u. a.); Regisseur bei den Salzburger Festspielen.

2) Susanne, Schauspielerin, * Hamburg 1960; Tochter der Schauspieler Hans L. (* 1929, † 1967) und Ingrid Andree (* 1931); gehört seit 1986 dem Ensemble des Dt. Schauspielhauses Hamburg an; auch Film- und Fernsehrollen.

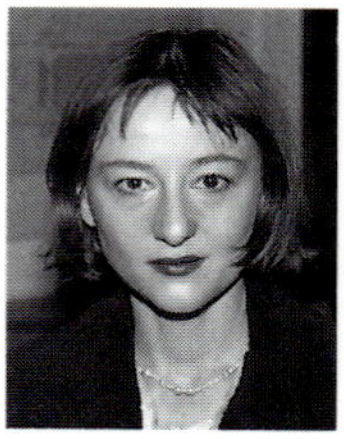

Susanne Lothar

Lothian ['ləʊðjən], histor. Gebiet in Schottland, um Edinburgh; umfasst die Local Authorities City of Edinburgh, West L., East L. und Midlothian.

Lothringen (frz. Lorraine), Region in NO-Frankreich, umfasst die Dép. Meurthe-et-Moselle, Meuse, Moselle und Vosges, 23 547 km², (1995) 2,292 Mio. Ew. Hauptstadt ist Metz. L. reicht von der Champagne im W bis zu den Vogesen im O, von den Ardennen im N bis zu den Monts Faucilles im Süden. L. wird von mehreren nach W flach, nach O steiler abfallenden Landstufen (Côtes) durchzogen. Die mittlere Stufe ist reich an Erzlagern (Minette), weitere Bodenschätze sind Steinkohle und Steinsalz; Eisen- und Stahlerzeugung wurden zum wichtigsten Industriezweig. Daneben gibt es Glas-, Keramik-, chem., Textil-, Lebensmittel- u. a. Ind.; Viehzucht, Ackerbau.

Geschichte: Der Name L. **(Lotharingien)** bezeichnete urspr. das Gebiet zw. Schelde, Rhein, Maas und Saône, das Lothar II. bei der Teilung des karoling. Mittelreichs 855 als Königreich erhielt. Es kam durch den Vertrag von Meerssen (870) teilweise, durch den Vertrag von Ribemont (880) ganz an das Ostfränk. Reich, endgültig erst 925. Als dt. Herzogtum wurde es 965 in **Ober-L.** und **Nieder-L.** geteilt. Nieder-L. umfasste etwa die heutigen Niederlande, Belgien (außer Flandern), Luxemburg und den größten Teil der späteren Rheinprov.; es wurde sehr bald in die Herzogtümer Limburg und Löwen (später Brabant) aufgespalten. Herzog von L. (später Haus L.) nannten sich seitdem nur noch die Herzöge von Ober-L., der jetzigen Landschaft L. mit Metz und Nancy. 1431 erlosch das Haus L. im Mannesstamm, das Herzogtum kam durch Heirat der Erbtochter an René I. von Anjou. Die Reichsstädte Metz, Toul und Verdun standen seit 1552 unter frz. Herrschaft. 1670–97 besetzte Ludwig XIV. ganz L. Franz Stephan, der spätere Kaiser Franz I., Stammvater des Hauses Habsburg-L., musste 1735 das Land im Austausch gegen die Toskana König Stanislaus Leszczyński von Polen überlassen; nach dessen Tod fiel es 1766 an Frankreich. Im Frankfurter Frieden (1871) kam ein Teil L. mit Metz zum Dt. Reich (→ Elsass-Lothringen). Der Versailler Vertrag (1919) verfügte die Rückgabe an Frankreich; während des 2. Weltkriegs war das Dép. Moselle (1940–45) als L. mit dem Saarland und der Pfalz zusammengeschlossen. BILD Longwy

Lothringen Wappen

📖 GRÜNEWALD, I.: *Die Elsaß-Lothringer im Reich 1918–1933. Frankfurt am Main u. a. 1984. – L., Geschichte eines Grenzlandes, bearb. v.* M. PARISSE. *A. d. Frz. Saarbrücken 1984. – Lotharingia. Eine europ. Kernlandschaft um das Jahr 1000, hg. v.* H.-W. HERRMANN *u.* R. SCHNEIDER. *Saarbrücken 1995.*

Loti [lɔ'ti], Pierre, eigtl. Julien Viaud, frz. Schriftsteller, * Rochefort 14. 1. 1850, † Hendaye (Dép. Pyrénées-Atlantiques) 10. 6. 1923; bereiste als Marineoffizier bes. den Nahen und Fernen Osten, die den Hintergrund vieler seiner Romane (u. a. »Der Roman eines Spahi«, 1881), Novellen und Reisebeschreibungen bilden. Bed. sind auch seine Schilderungen des Lebens an der breton. und bask. Küste (u. a. »Islandfischer«, R., 1886); autobiographisch geprägt ist der »Roman eines Kindes« (1890).

Lotion [lat.-frz., auch engl. 'ləʊʃn] *die,* flüssiges Kosmetikum zum Reinigen, Erfrischen oder Pflegen der Haut.

Lotophagen [grch. »Lotosesser«], *grch. Mythos:* ein Volk, das sich von Lotos nährte, dessen Wohlgeschmack zum Vergessen führt; → Odysseus musste diejenigen Gefährten, die davon gekostet hatten, zur Weiterfahrt zwingen.

Lotosblume [lat.-grch.] (Lotusblume, Lotos, Nelumbo), Gattung der Seerosengewächse mit zwei Arten im östl. N-Amerika und in den warmen Gebieten Asiens bis Australiens; Wasserpflanzen mit aus dem Wasser ragenden großen, schildförmigen Blättern und lang gestielten, bis 35 cm großen Blüten. Die **Indische L.** (Nelumbo nucifera) blüht rosafarben bis weiß, ihre bis haselnussgroßen Früchte sind essbar. – In der altägypt. Religion ist die L. Sinnbild der Regeneration, im Hinduismus des Wassers, der Vegetation, der Fruchtbarkeit und des Überflusses, im Buddhismus des reinen Geistes und der Erleuchtung.

Lotosblume: Indische Lotosblume (Größe der Blüte bis zu 35 cm)

Lotospflaume, eine → Dattelpflaume.

Lötrohr, rechtwinkliges Metallrohr mit Mundstück; wird in die Flamme z. B. eines Bunsenbrenners gehalten. Beim Blasen entsteht eine Stichflamme mit bes. feiner Spitze; Verwendung früher bei Goldschmiedearbeiten, noch heute für die Lötrohranalyse.

Lötrohr|analyse, eine Vorprobe in der qualitativen chem. Analyse und in der Mineralogie. Die Substanz wird auf einem Holzkohleblock durch eine oxidierend oder reduzierend wirkende Flamme mit einem Lötrohr erhitzt. Flüchtige Metalle setzen sich als Metalloxide oder -carbonate um die Erhitzungsstelle ab.

Lötschental: Der 3 178 m hohe Pass Lötschenlücke bildet den Abschluss des von der Lonza durchflossenen Tals

Lötschental, das Tal des rechten Rhonezuflusses Lonza im Kt. Wallis, Schweiz; Hauptort ist Kippel; Fremdenverkehr. Der **Lötschenpass** (2690 m ü. M., keine Straße) zw. dem Kandertal (Gasertal) und dem L. wird von der 1907–13 erbauten **Lötschbergbahn** von Spiez nach Brig im Rhonetal im 14,6 km langen **Lötschbergtunnel** (Autoverladung) unterfahren. Den Abschluss des L. bildet der Pass **Lötschenlücke** (3178 m) am Aletschhorn.

Lotsenfisch
(Länge bis zu 70 cm)

Lotse [von engl. loadsman »Geleitsmann«] *der,* Berater des Kapitäns oder Schiffsführers in schwierigen Fahrwassern oder Häfen. L. sind meist geprüfte Nautiker mit eingehenden Ortskenntnissen. Man unterscheidet See-, Fluss-, Kanal- und Hafen-Lotsen. Oft besteht aus Sicherheitsgründen L.-Pflicht, d. h., ein L. muss an Bord genommen werden, dem Kapitän obliegt aber weiter die Führung des Schiffes. – *Recht:* Die Rechtsverhältnisse der See-L. sind im Gesetz über das Seelotsenwesen i. d. F. v. 13. 9. 1984 geregelt. Für Binnen-L. auf Bundeswasserstraßen gelten das Binnenschifffahrtsaufgaben-Ges. i. d. F. v. 4. 8. 1986 und die Binnenschifffahrtsstraßen-Ordnung vom 1. 5. 1985.

Lotsenfisch (Leitfisch, Pilotenfisch, Naucrates ductor), bis 70 cm lange Stachelmakrele; L. folgen oft großen Fischen (z. B. Haien) und Schiffen (wegen der Nahrungsabfälle).

Lotter, 1) Hieronymus, Kaufherr und Baukundiger, *Nürnberg um 1497/98, †Geyer 22. 7. 1580; war als Bürgermeister von Leipzig (ab 1555) verantwortlich für die Errichtung öffentl. Bauten, die unter seiner Mitwirkung entstanden: u. a. Alte Waage (1555) und Umbau des Alten Rathauses in Leipzig (ab 1556), Neubau von Schloss Augustusburg bei Chemnitz (1568–72).

2) Melchior d. Ä., Buchdrucker und Verleger, *Aue vor 1470, †Leipzig 1. 2. 1549; druckte 1517 Luthers Thesen, gründete 1519 in Wittenberg eine Filialfirma, die bis 1524 für Luther und Melanchthon tätig war.

Lotterie [niederländ. lot »Los«] *die,* Auslosung, die von einem Unternehmer für eine Mehrheit von Spielteilnehmern veranstaltet wird und bei der durch Ziehen von Losen oder Nummern nach einem bestimmten **Ziehungsplan** oder **Spielplan** der Zufall über Verlust des Spieleinsatzes oder Gewinn entscheidet. Der Einsatz ist regelmäßig eine Geldsumme; der Gewinn besteht aus Geld **(Geld-L.)** oder aus bewegl. oder unbewegl. Sachen **(Waren-L., Tombola).**

Bei der **Klassen-L. (holländ. L.)** sind Zahl und Preis der Lose, die oft in Halb-, Viertel-, Achtellose geteilt sind, wie auch Zahl und Höhe der Gewinne von vornherein bestimmt, ebenso die nach Zahl und Zeit getrennt stattfindenden Ziehungen (Klassen), für die der Spieler durch Erwerb eines Klassenloses spielen kann. Bei der **Zahlen-L. (Zahlenlotto, genues. L.)** wählt der Spieler aus der Zahlenreihe 1–90 Nummern aus, und zwar eine (Auszug), zwei (Ambe), drei (Terne), vier (Quaterne) oder fünf (Quinterne) und wettet unter Einsatz einer innerhalb bestimmter Grenzen beliebig hohen Summe darauf, dass die gewählten Zahlen sich unter den fünf Zahlen befinden, die bei der nächsten Ziehung gezogen werden.

Das **Berliner Zahlenlotto (Lotto),** das 1952 eingeführt wurde (seit 1956 auch in der Bundesrep. Dtl.), stellte sich von der ursprüngl. Wettform »5 aus 90« auf »6 aus 49« um und benutzt eine Zusatzzahl sowie seit 1991 eine Superzahl. Die Gewinne (50 % aller Einsätze) werden entsprechend der sieben bis drei richtigen Voraussagen in sieben Gewinnklassen ausgezahlt. Der Höchstgewinn betrug seit 1981 3 Mio. DM, seit 1986 ist er unbegrenzt. Werden in einer Gewinnklasse keine Gewinne er-

Lotterie

Sie wurde 1476 in Genua erfunden. Dort wurden im jährlichen Turnus fünf neue Ratsmitglieder aus 90 Kandidaten ausgelost. Dieses Verfahren war allgemeiner Anlass für einen regen Wettbetrieb, bei dem u. a. auch die Banken kräftig verdienten.
Der Ratsherr Benedetto Gentile kam auf die Idee, die Namen durch Zahlen zu ersetzen, und ließ staatliche Ziehungen nach dem schon bewährten System 5 aus 90 durchführen, wodurch die Republik Genua ihre Einkünfte erheblich steigern konnte.
Das heute übliche System 6 aus 49 wurde 1952 in Berlin genehmigt und ab 1956 in der ganzen Bundesrepublik eingeführt.

mittelt, wird die Gewinnsumme der nächstfolgenden Veranstaltung zugeschlagen (Jackpot). Lotto wird samstags und in den Ziehungen A und B mittwochs ausgespielt (Mittwochslotto). Verbunden mit dem Lotto ist bei einem zusätzl. Einsatz das »Spiel 77«, bei dem zwei und mehr Ziffern der Registriernummer des Lottoscheins ausgelost werden. Gesellschafter der Lottogesellschaften sind die Bundesländer, z.T. auch Landessportbünde und Landesfußballverbände (»Dt. Lottoblock«). Die Gewinne der Lottogesellschaften fließen den Länderhaushalten, z.T. auch gemeinnützigen Zwecken (v.a. der Sportförderung) zu.

Seit 1956 werden über das Fernsehen eigene **Fernseh-L.** ausgestrahlt. Die »Glücksspirale« bietet für Gewinnlose Geld- sowie Sachgewinne und monatl. Rentenzahlungen. Der Ertrag kommt je zur Hälfte der freien Wohlfahrtspflege und der Sportförderung zugute.

Unter **Zinsen-L.** versteht man am Kapitalmarkt die **L.-Anleihen.** Bei der **Losanleihe** (unverzinsl. L.-Anleihe) erhält eine bestimmte Anzahl der nach Serien und Nummern ausgelosten Teilschuldverschreibungen statt der Zinsen gleichzeitig mit der Kapitalrückgabe versch. hohe Gewinne ausgezahlt. Bei den **Prämienanleihen** (verzinsl. L.-Anleihen) bleibt die Verzinsung unter der landesüblichen; sie wird meist bei der im Rahmen des Tilgungsplans erfolgenden Kapitalrückgabe ausgezahlt, außerdem werden auf eine nach einem Gewinnplan festgelegte Anzahl von ausgelosten Teilschuldverschreibungen Gewinnzuschläge (Prämien) gewährt.

Lotteriesteuer, → Rennwett- und Lotteriesteuer.

Lotterievertrag, ein Vertrag zw. Lotterieunternehmer und Spieler über ein Glücksspiel, bei dem der Gewinner spielplanmäßig durch Zufall ermittelt wird (z.B. Zahlenlotto, Pferderennwetten u.Ä.). Besteht der Gewinn nicht in Geld, sondern in Gegenständen (Tombola), spricht man von einer Ausspielung (entsprechend: Ausspielvertrag). Der L. ist nur dann verbindlich, wenn die Lotterie staatlich genehmigt ist (§ 763 BGB), ansonsten kann der Gläubiger seine Forderung (z.B. Gewinn) nicht einklagen, wohl aber eine empfangene Leistung behalten (§ 762 Abs. 1 BGB). In *Österreich* gilt Ähnliches auf der Grundlage der §§ 1270 ff. ABGB und des Glücksspiel-Ges. 1962, in der *Schweiz* aufgrund Art. 515 OR.

Lotto, Lorenzo, italien. Maler, * Venedig um 1480, † Loreto nach dem 1. 9. 1556; künstlerisch bedeutendste und erfolgreichste Tätigkeit 1513–26 in Bergamo, während er in Venedig (1526–32, 1540–42, 1546–49), im Schatten Tizians stehend, nur wenige Aufträge fand. Beeinflusst u.a. von Raffael und Correggio, fand er zu einem Stil von ausdrucksvoller Dramatik und freier maler. Gestaltung mit hellem, leuchtendem Kolorit und lebhafter Lichtführung; einer der fantasievollsten Künstler der italien. Hochrenaissance.

Lorenzo Lotto: Andrea Odoni (1527; Hampton Court, Palace)

Lotto [italien.] *das,* **1)** Zahlenlotterie, → Lotterie.
2) Gesellschaftsspiel mit Karten, auf denen in drei Reihen je fünf Zahlen stehen. Jede vom Spielleiter ausgerufene Zahl (1–90) wird, wenn auf dem Brett eines Spielers vorhanden, mit dem betreffenden Blättchen bedeckt. Ähnlich ist Bilderlotto.

Lotze, Rudolph Hermann, Philosoph und Mediziner, * Bautzen 21. 5. 1817, † Berlin 1. 7. 1881. Von der Medizin und Psychologie her kommend (»Medizin. Psychologie oder Physiologie der Seele«, 1852) suchte L. – ähnlich wie G. T. Fechner – eine Synthese aus Naturwiss. und Metaphysik. Naturmechanismen seien Sinn- und Zweckzusammenhänge übergeordnet, sie dienten lediglich als Mittel der Gottheit zur Verwirklichung des Weltzwecks (»System der Philosophie«, 1874–79).

Lough [lɔx, lɔk], irisch für See, Meeresbucht; → Loch.

Loughborough [ˈlʌfbərə], Stadt in der Cty. Leicestershire, Mittelengland, 47 600 Ew.; TU; Maschinenbau, elektrotechn., Strumpfwarenind., Eisen-, Glockengießereien.

Louis [lwi], frz. Könige, → Ludwig.

Louis [ˈluːɪs], **1)** Joe, eigtl. J. L. Barrow, amerikan. Berufsboxer, * Lafayette (Ala.) 13. 5. 1914, † Las Vegas (Nev.) 12. 4. 1981; einer der erfolgreichsten Berufsboxer (drei Niederlagen in 71 Kämpfen); Weltmeister im Schwergewicht 1937–49.

2) Morris, eigtl. M. L. Bernstein, amerikan. Maler, *Baltimore (Md.) 28. 11. 1912, †Washington (D. C.) 7. 9. 1962; Mitbegründer der Farbfeldmalerei; abweichend vom freien Umgang mit der Farbe ging er um 1956/60 dazu über, Farbstreifen in diagonaler und symmetr. Anordnung, dann in vertikaler Richtung aneinander zu reihen.

Louisdor [lui'dɔ:r] *der,* frz. Hauptgoldmünze seit 1640 nach dem Vorbild der span. →Pistole; bis 1793 mit wechselndem Goldgehalt geprägt; vielfach nachgeahmt (Augustdor, Friedrichsdor).

Louis Ferdinand [lu:i -], **1)** eigtl. Friedrich Ludwig Christian, Prinz von Preußen, preuß. General, *Schloss Friedrichsfelde (heute zu Berlin) 18. 11. 1772, ⚔ bei Saalfeld (Saale) 10. 10. 1806; Neffe Friedrichs d. Gr., zeichnete sich in den Frz. Revolutionskriegen 1792 aus; vielseitig interessiert (u. a. eigene Kompositionen); fiel vor der Schlacht von Jena und Auerstedt als Führer der preuß. Vorhut im Gefecht bei Saalfeld.

Louis Ferdinand 1): anonyme Lithographie nach einem Gemälde des deutschen Malers Carl von Steuben (um 1815)

2) Prinz von Preußen, *Potsdam 9. 11. 1907, †Wümmehof (bei Bremen) 25. 9. 1994; Enkel Kaiser Wilhelms II., (seit 1951) Chef des Hauses Hohenzollern, ⚭ (seit 1938) mit Kira Kirillowna, Großfürstin von Russland (*1909, †1967).

Louisiade-Archipel [lʊ'i:zɪæd-], Inselgruppe von Papua-Neuguinea, vor der O-Spitze Neuguineas, 2200 km², etwa 16500 Ew. (meist Papua); etwa 80 Inseln; Goldgewinnung; Hauptort ist Bwagoia.

Louisiana [lʊɪzɪ'ænə], Abk. **La.,** Staat im S der USA, am Golf von Mexiko, 123677 km², (1994) 4,32 Mio. Ew., davon etwa 30% Schwarze u. a. Minderheiten; Hptst. ist Baton Rouge (mit Staatsuniv.). L. umfasst das Mississippidelta und einen 200–300 km breiten Streifen der Golfküstenebene. 50% der Fläche sind Waldland. Das Klima ist subtropisch feuchtwarm mit heißen, schwülen Sommern. Angebaut werden Baumwolle, Zuckerrohr, Reis, Gemüse, Tabak; wichtig sind die Rinderzucht (v. a. Milchwirtschaft), Fischerei und Holzgewinnung. Erdöl, Erdgas, Schwefel sind Grundlage der wachsenden chem. und petrochem. Ind.; ferner Papier-, Aluminium- u. a. Industrie. New Orleans ist der größte Hafen der Golfküste. Das Eisenbahnnetz umfasst 5386 km, das Highwaynetz 84000 km. L. verfügt über 386 Flughäfen.

Geschichte: Das bereits von Spaniern unter H. de Soto (1539–42) entdeckte Stromgebiet des Mississippi wurde in der 2. Hälfte des 17. Jh. von Franzosen erforscht und beansprucht (1682 von R. Cavalier de La Salle für Frankreich in Besitz genommen und nach Ludwig XIV. »Louisiane« gen.); ab 1731 Kronkolonie. 1762/63 musste Frankreich das Gebiet östlich des Mississippi an Großbritannien, westlich des Mississippi an Spanien abtreten. Großbritannien verlor seinen Anteil 1783 an die USA; den span. Anteil erwarb Frankreich 1800 zurück, verkaufte ihn aber 1803 ebenfalls an die USA (L. Purchase). Der Südteil wurde 1804 als Territorium organisiert und 1812 als 18. Staat in die Union aufgenommen. Im Sezessionskrieg Mitgl. der Konföderierten Staaten von Amerika.

Louisianamoos [lui-], *Botanik:* →Tillandsie.

Louis Philippe [lwi fi'lip], →Ludwig (Herrscher, Frankreich).

Louis-quatorze [lwika'tɔrz, frz. »Ludwig XIV.«] *das,* der klassisch gemäßigte Barockstil der frz. Kunst (in Frankreich Classicisme gen.) unter Ludwig XIV. (1643–1715), der für einen großen Teil Europas vorbildlich wurde (bes. Schlossbauten, Innenraumgestaltung, Parkanlagen).

Louis-quinze [lwi'kɛ̃:z, frz. »Ludwig XV.«] *das,* Stilrichtung der frz. Kunst unter Ludwig XV. (1723–74); verfeinerter, eleganter Rokokostil.

Louis-seize [lwi'sɛ:z, frz. »Ludwig XVI.«] *das,* klassizist. Stilrichtung der frz. Kunst seit den 1760er-Jahren bis zur Revolution von 1789; in Dtl. auch →Zopfstil.

Louisville ['lu:ɪsvɪl], größte Stadt in Kentucky, USA, am Ohio, 269000 Ew.; Univ. (1798 gegr.) u. a. Hochschulen; kath. Erzbischofssitz; Kunstmuseum; bed. Ind.zentrum: Herstellung von Bourbonwhiskey, Fleischkonserven, Zigaretten, Chemikalien, Aluminiumerzeugnissen, Kraftfahrzeugen; Druckereien. – L. wurde 1779 gegr. und nach Ludwig XVI. benannt.

Lourdes [lurd], Stadt im frz. Dép. Hautes-Pyrénées, am Austritt des Gave de Pau aus den Pyrenäen, 17400 Ew.; kath. Wallfahrtsort mit einer Quelle, deren Wasser Wunderheilungen zugeschrieben werden (→Bernadette); wird jährlich von mehr als zwei Mio. Pilgern besucht; bei L. mehrere Tropfsteinhöhlen.

Lourenço Marques [lo'rẽsu 'markɪʃ], früherer Name der Stadt →Maputo.

Loussier [lu'sje], Jacques, frz. Pianist und Komponist, *Angers 26. 10. 1934; gründete 1959 mit C. Garros (Schlagzeug) und P. Michelot (Bass) das

Trio »Play Bach«, das Kompositionen von J. S. Bach in der Spielweise des Jazz vortrug. Das Trio, das bis Mitte der 1970er-Jahre bestand, hat sich neu formiert mit J. Loussier (Piano), A. Arpino (Schlagzeug) und V. Charbonnier (Bass).

Louth [laʊð] (irisch Lú), County im O der ir. Prov. Leinster, 823 km², (1991) 90 700 Ew.; Hptst. ist Dundalk.

Louvain [lu'vɛ̃], frz. Name der belg. Stadt →Löwen.

Louvière, La [lalu'vjɛ:r], Stadt in der Prov. Hennegau, Belgien, zw. Mons und Charleroi, 76 900 Ew.; Stahl- und Walzwerke, Metall- und Betonwarenherstellung, Sanitärkeramik- und Natursteinwerke; früher Steinkohlenbergbau.

Louvois [lu'vwa], François Michel Le Tellier [lətɛl'je], Marquis de, *Paris 18. 1. 1641, †Versailles 16. 7. 1691; seit 1668 Kriegsmin. Ludwigs XIV. Durch seine Heeresreform machte er Frankreich zur stärksten Militärmacht Europas; verantwortlich für die →Reunion und die Verwüstung der Pfalz 1689.

Louvre [lu:vr] *der,* urspr. das Schloss der frz. Könige in Paris, seit 1793 Museum; eine der bedeutendsten Kunstsammlungen der Erde. Der älteste Bau war die um 1200 errichtete Königsburg. Von der unter Franz I. begonnenen neuen Residenz (Alter L.) baute P. Lescot seit 1546 den südl. Teil der westl. Hofseite (mit den Skulpturen von J. Goujon), J. Lemercier seit 1624 unter Ludwig XIII. den nördl. Teil mit dem Pavillon de l'Horloge. Erst unter Ludwig XIV. wurde der quadrat. Hof von L. Le Vau geschlossen und 1667–74 die östl. Außenfassade nach Plänen von C. Perrault erbaut. Mit dem im W gelegenen Palais der →Tuilerien wurde der L. durch eine Galerie verbunden, in deren östl. Teil sich die unter Leitung von C. Lebrun seit 1661 geschaffene Galerie d'Apollon befindet. Die Verlegung der Residenz nach Versailles (1682) unterbrach die Bautätigkeit am L. Durch die von Napoleon I. begonnenen und unter Napoleon III. vollendeten Erweiterungsbauten im W (Neuer L.) wurde der Seineflügel z.T. verbreitert und der Alte L. auch im N mit den Tuilerien verbunden, die beim Aufstand der Kommune 1871 niedergebrannt wurden. 1981-98 Ausbau zum »Grand Louvre« mit Verdopplung der Ausstellungsfläche (auf 60 000 m²); dabei wurde u.a. 1989 ein neuer zentraler Eingang in Form einer Glas-Stahl-Pyramide eröffnet (Entwurf Ieoh Ming Pei).

Louÿs [lwi], Pierre, eigtl. Pierre-Félix Louis, frz. Schriftsteller, *Gent 10. 12. 1870, †Paris 4. 6. 1925; schrieb Gedichte sowie Romane in poet. Prosa, die meist antikes Lebensgefühl nachempfinden: »Lieder der Bilitis« (1894), »Aphrodite« (R., 1895). Der R. »Das Weib und der Hampelmann« (1898) diente als Vorlage für den Buñuel-Film »Dieses obskure Objekt der Begierde« (1977).

Lovćen ['lɔ:vtɕjɛn] *der,* Bergmassiv in Montenegro, über der Bucht von Kotor; höchster Gipfel Štirovnik (1749 m ü.M.); auf dem zweithöchsten Grabkapelle für Peter II. (Njegoš).

Lourdes: Blick über den Wallfahrtsort am Gave de Pau auf die Pyrenäen

Lövenich, seit 1975 Stadtteil von Köln.

Loveparade ['lʌvpəreɪd, engl.] *die,* ein bunter (schriller) Korso, der seit 1989, der Zeit des Aufbruchs in die Technoszene, in jedem Sommer als Ausdruck des Lebensgefühls junger Menschen friedlich durch die Straßen Berlins zieht. 1997 trafen sich unter dem Motto »We are one family« 750 000 Besucher aus aller Welt zw. Tiergarten und Brandenburger Tor.

Love-Wellen ['lʌv-, nach dem brit. Physiker A. E. H. Love, *1863, †1940], besondere Form der

Louvre: Die 1989 eröffnete Pyramide aus Glas und Stahl ist der Haupteingang des 1981 - 98 ausgebauten Museums zum »Grand Louvre«

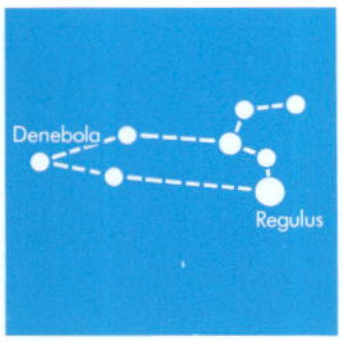

Löwe 1) (Sternbild)

Robert T. S. Lowell

Erdbebenwellen: Oberflächenwellen, bei denen die Bodenteilchen parallel zur Oberfläche und senkrecht zur Ausbreitungsrichtung schwingen.

Loviisa [-vi:sa] (schwed. Lovisa), Hafenstadt in Finnland, an einer Bucht des Finn. Meerbusens, 8800 Ew.; Schiffswerft; Kernkraftwerk (zwei Blöcke, zus. 930 MW).

Lovosice [ˈlɔvɔsitsɛ] (dt. Lobositz), Stadt im Nordböhm. Gebiet, Tschech. Rep., an der Elbe, 13000 Ew.; Düngemittel-, Chemiefaser-, Nahrungs- und Genussmittelind.; Elbhafen. – Erhielt 1660 Stadtrecht. – Bei L. besiegte Friedrich II., d. Gr., am 1. 10. 1756 die Österreicher.

Low [ləʊ], Sir (seit 1962) David Alexander Cecil, brit. Karikaturist, *Dunedin (Neuseeland) 7. 4. 1891, †London 19. 9. 1963; Erfinder der Figur des »Colonel Blimp« als Mitarbeiter für den »Evening Standard«, zahlr. weitere polit. Karikaturen.

Löw, der Hohe Rabbi, eigtl. Juda ben Bezalel, gen. Maharal von Prag, jüd. Theologe und Kabbalist, *Posen (?) vor 1525, †Prag 22. 8. 1609; 1553–73 Landesrabbiner von Mähren, seit 1597 Rabbiner in Prag; als Wundertäter Mittelpunkt zahlr. Legenden; schuf nach der Sage einen →Golem.

Löwe 2): Männchen (links) und Weibchen des Indischen Löwen

Low Church [ˈləʊ ˈtʃə:tʃ], eine der drei Hauptrichtungen in der →Kirche von England und der Anglikan. Kirchengemeinschaft.

Löwe, Hartmut, evang. Theologe, *Steinbach-Hallenberg (Kr. Schmalkalden-Meiningen) 13. 11. 1935; Präs. im Kirchenamt der EKD; seit 1993 Bevollmächtigter des Rates der EKD in Bonn.

Löwe [von lat. leo], **1)** *Astronomie:* (Großer L., lat. Leo Maior) zum Tierkreis gehörendes Sternbild des N-Himmels mit dem hellsten Stern Regulus **(Alpha Leonis).** Nördlich des L. grenzt das Sternbild des **Kleinen L.** (lat. **Leo Minor**) an.

2) *Zoologie:* (Panthera leo) urspr. in ganz Afrika (mit Ausnahme der zentralen Sahara und der großen Regenwaldgebiete) und vom Balkan über weite Teile Vorder- und S-Asiens verbreitete, überwiegend nachtaktive Großkatze; seit rd. 200 v. Chr. in SO-Europa, seit etwa 1865 im südl. S-Afrika **(Kap-L.)** und seit 1920 nördl. der Sahara **(Berber-L.)** ausgerottet; in Asien heute auf das ind. Gir-Reservat beschränkt **(Ind. L.);** Körperlänge etwa 1,4 m (Weibchen) bis 1,9 m (Männchen); Schwanz etwa 0,7–1 m lang, Schulterhöhe bis über 1 m. Das Fell ist kurzhaarig, graugelb bis tief ockerbraun, männl. Tiere haben meist eine Schulter- und Nackenmähne. L. leben meist in Rudeln in Savannen und Baumsteppen. Sie jagen größeres Wild (z.B. Antilopen, Zebras, Gnus). – Kreuzungen zw. L. und Tiger werden als **Liger** bzw. **Tigon** bezeichnet. – Der L., »König der Tiere«, gilt seit dem Altertum als Sinnbild herrscherl. oder göttl. Macht, z.B. in Ägypten als Sphinx, in Mesopotamien als hl. Tier der Ischtar; als Symbol der Tapferkeit und der Macht ist er in zahlr. Wappen des Abendlandes eingegangen.

Löwe

sich in die Höhle des Löwen wagen

Die Wendung geht auf die Fabel »Der Löwe und der Fuchs« des altgriechischen Fabeldichters Äsop zurück. Dort durchschaut ein Fuchs die List eines alten Löwen, der sich krank stellt und die Tiere bittet, ihn in seiner Höhle zu besuchen. Der Fuchs erklärt dem Löwen, dass er gerne in die Höhle kommen würde, wenn nicht viele Spuren hinein-, aber keine hinausführten.

Man gebraucht die Redewendung, wenn man jemanden, den man fürchtet oder von dem man nichts Gutes erwartet, mutig aufsucht.

Lowell [ˈləʊəl], **1)** Amy, amerikan. Lyrikerin, *Brookline (Mass.) 9. 2. 1874, †ebd. 12. 5. 1925; gehört mit ihren in freien Versen gestalteten Gedichten zu den Londoner Imagisten (→Imagismus), deren Hauptvertreterin sie in Amerika war.

2) James Russel, amerikan. Schriftsteller, *Cambridge (Mass.) 22. 2. 1819, †ebd. 12. 8. 1891; Prof. für Literatur und moderne Sprachen an der Harvard University; 1877–80 Gesandter in Spanien, 1880–85 in Großbritannien. Neben Longfellow einer der einflussreichsten Literaten der USA. Er begann mit aggressiver, zeitkrit. Dichtung oft satir. Prägung, in der er sich u.a. für die Sklavenbefreiung einsetzte, z.B. in den »Biglow papers« (Verssatiren im Yankeedialekt, 1848–67); später viktorianisch-konservativ orientiert.

3) Robert Traill Spence, Jr., amerikan. Lyriker, *Boston (Mass.) 1. 3. 1917, †New York 12. 9. 1977; gilt als einer der bedeutendsten modernen amerikan. Dichter (u.a. »Für die Toten der Union«, 1964); strenges, formbewusstes, symbolreiches Frühwerk, später eine Bekenntnislyrik in prosanaher Sprache und einer historisch-moral. Perspektive; Übersetzungen (aus dem Französischen und Griechischen).

Löwen (niederländ. Leuven, frz. Louvain), Hptst. der Prov. Flämisch-Brabant, Belgien, an der Dyle, 87200 Ew.; kath. Univ. (1425 gegr.; seit 1970 nur noch Sitz der niederländischsprachigen Abteilung); Museen, u.a. Brauereimuseum; chem., Stahlbau-, Schuh-, Nahrungsmittel-, Spitzen-,

Tuchind., Bierbrauereien. – Spätgotisches Rathaus (1448–63) am Grote Markt, Peterskirche (15. Jh.), Jakobskirche (15./16. Jh.), Gertrudskirche (15. Jh.), barocke Michaeliskirche (17. Jh.); rekonstruierte Tuchhalle (14. Jh.). – Im 9. Jh. erstmals erwähnt; im MA. Zentrum der Tuchmacherei.

Löwen: Spätgotisches Rathaus am Grote Markt (1448–63)

Löwen|äffchen, Gattung der → Krallenaffen.

Löwenmaul [nach der Blütenform] (Löwenmäulchen, Antirrhinum), Gattung der Rachenblütler; Kräuter oder Halbsträucher mit zweilippigen, ungespornten Blüten; die bekannteste Art ist das in vielen Sorten kultivierte **Garten-L.** (Antirrhinum majus).

Löwenschwanz, *Botanik:* → Herzgespann.

Löwenstein-Wertheim, südd. Fürstengeschlecht, begründet durch Kurfürst Friedrich I. von der Pfalz, dessen Sohn Ludwig (* 1463, † 1524) 1476 die Grafschaft Löwenstein (bei Heilbronn) erhielt. Seit 1611 bestehen zwei Linien, von denen sich seit 1803 die prot. Linie L.-W.-Freudenberg, die kath. Linie L.-W.-Rosenberg nannte; beide Linien wurden 1806 mediatisiert.

Löwenthal, 1) Leo, Soziologe, * Frankfurt am Main 3. 11. 1900, † Berkeley (Calif.) 21. 1. 1993; seit 1956 Prof. in Berkeley; Arbeiten zur sozialpsycholog. Analyse der Propagandaorganisation, u. a. »Agitation und Ohnmacht« (mit N. Gutermann, 1949) und zur Literatursoziologie, u. a. »Literatur und Massenkultur« (1984).

2) Richard, Pseud. Paul Sering, Politikwissenschaftler, * Berlin 15. 4. 1908, † ebd. 9. 8. 1991; emigrierte 1935 nach Großbritannien. 1961–74 war er Prof. in Berlin; arbeitete u. a. in der Grundwertekommission der SPD und verfasste zahlreiche Beiträge zu Problemen der Weltpolitik und der modernen Demokratie.

Löwentinsee (poln. Jezioro Niegocin), einer der Masur. Seen in Ostpreußen, Polen, 26 km², bis 40 m tief.

Löwenzahn, Bez. für zwei Korbblütlergattungen: 1) **Kuhblume** (Taraxacum), gelb blühende, Milchsaft führende Rosettenpflanzen mit gezähnten Blättern und Blütenkörbchen aus Zungenblüten auf rundem, hohlem, blattlosem Schaft. In Mitteleuropa v. a. der **Gemeine L.** (Taraxacum officinale). 2) **L.** (Leontodon), Rosettenpflanzen mit meist schwach bis buchtig gezähnten Blättern. Einheimisch u. a.: **Herbst-L.** (Leontodon autumnalis) mit goldgelben Zungenblüten und unterseits rötlich gestreiften Randblüten; auf Weiden und Kulturrasen. **Hundslattich** (**Nickender L.,** Leontodon taraxacoides) mit schwarz gerandeten Blütenhüllblättern; auf feuchten Wiesen und Dünen.

Lowestoft [ˈləʊstɔft], Nordseebad in der Cty. Suffolk, O-England, 55 200 Ew.; Hafen, Fischerei, Schiffbau, elektrotechn. Industrie.

Löwith, Karl, Philosoph, * München 9. 1. 1897, † Heidelberg 24. 5. 1973; Philosophiehistoriker, suchte die christlich-theolog. Gebundenheit des abendländ. Denkens kritisch aufzuzeigen; ging von der These aus, dass dem Menschen jede spekulativ-metaphys. Erkenntnis versagt sei.

Werke: Von Hegel zu Nietzsche (1941); Weltgeschichte und Heilsgeschehen (engl. 1949); Gott, Mensch und Welt in der Metaphysik von Descartes bis zu Nietzsche (1967).

Lowlands [ˈləʊləndz] (Scottish L.), das zentralschott. Tiefland zw. den Grampian Mountains (Highlands) und den Southern Uplands, 50–80 km breit.

Loxodrome [grch. »schief laufende Linie«] *die* (Kursgleiche, Isoazimutallinie), Kurve auf einer Rotationsfläche, die alle Meridiane unter gleichem Winkel schneidet. Die L. der Kugeloberfläche sind für die Navigation wichtig; sie erscheinen auf der Mercatorkarte als gerade Linien.

loyal [loaˈjaːl, frz.], 1) gesetzestreu, regierungstreu; 2) ehrlich, redlich, vertragstreu. Ggs.: illoyal.

Loyalisten [loaja-] (Tories), im amerikan. Unabhängigkeitskrieg (1775–83) die »loyal« zur brit. Krone stehenden Kolonisten; nach Kriegsende wanderten viele nach Kanada aus.

Loyaltyinseln [ˈlɔɪəltɪ-] (frz. Îles Loyauté), Gruppe von Koralleninseln im südwestl. Pazifik, die zum frz. Überseeterritorium → Neukaledonien gehören, 1981 km², (1989) 17 900 Ew. (meist Melanesier). Hauptinseln sind Lifou (1150 km²), Maré (650 km²) und Uvéa (152 km²).

Loyang, Stadt in China, → Luoyang.

Loyola, → Ignatius von Loyola.

Löwenmaul: Gartenlöwenmaul (Höhe 20–100 cm)

Karl Löwith

Richard Löwenthal

Lozère [lɔ'zɛ:r], Dép. in S-Frankreich, 5167 km², (1995) 72000 Ew.; Hptst. ist Mende.

LP, Abk. für **L**angspiel**p**latte, →Schallplatte.

LPG, Abk. für →**l**andwirtschaftliche **P**roduktions**g**enossenschaft.

LPH, Abk. für →**lip**otropes **H**ormon.

Lr, chem. Symbol für →Lawrencium.

LRS, Abk. für **L**ese-**R**echtschreib-**S**chwäche (→Legasthenie).

L. S. (l. s.), **1)** Abk. für lat. **l**oco **s**igilli, am Ort, d. h. anstatt des Siegels.

2) Abk. für lat. **l**ectori **s**alutem, Begrüßungsformel für den Leser in alten Handschriften.

3) Abk. für lat. **l**egi **s**criptum, ich habe (vorstehendes) Schreiben gelesen.

L-Schale, im Atommodell die zur Hauptquantenzahl $n = 2$ gehörige Hauptschale der Atome, die max. acht Elektronen aufnehmen kann.

LSD, Abk. für **L**ysergs**ä**ure**d**iäthylamid, ein synthetisch hergestellter Abkömmling der Lysergsäure, die als natürl. Bestandteil der Mutterkornalkaloide vorkommt. LSD ist eine weiße, kristalline Substanz, die schon in kleinsten Dosen (0,5–2 µg je kg Körpergewicht) lang andauernde (6–12 Std.) halluzinogene Wirkungen hervorruft. Die Reaktionen auf LSD sind individuell sehr unterschiedlich und können in angenehmen Eindrücken, Hoch-, aber auch Missstimmung oder angstvollen Rauschzuständen (Horrortrips) bestehen. LSD ist ein verbreitetes Rauschgift; ständiger Gebrauch kann zu psych. Abhängigkeit führen; körperl. Dauerschäden sind nicht auszuschließen.

LSP, Abk. für **L**eit**s**ätze für die **P**reisermittlung aufgrund der Selbstkosten (→öffentliche Auftragsvergabe).

Ltd., Abk. für →**l**imi**t**e**d**.

LTH, Abk. für →**l**uteo**t**ropes **H**ormon.

Luanda
Stadtwappen

Lu, chem. Symbol für →Lutetium.

Lü, zu den Tai gehörendes Volk von Nassreisbauern und Viehzüchtern im S der chines. Prov. Yunnan, in Birma, Laos, Thailand und Vietnam; etwa 350000 Menschen.

Lualaba *der,* der Oberlauf des →Kongo.

Luanda (früher Loanda, São Paulo de Loanda), Hauptstadt und wichtigster Hafen von Angola, 1,54 Mio. Ew.; kath. Erzbischofssitz; Univ. (gegr. 1963), Forschungsinstitute, Museen; Ind.- und Handelszentrum, internat. Messe; u. a. Textil-, Nahrungsmittelind., Walzwerk, Erdölraffinerie. Ausgangspunkt der L.-Bahn ins Hinterland; internat. Flughafen. – Das Stadtbild entstand nach brasilian. Vorbild; u. a. Kirche und Kathedrale aus dem 17. Jh. – L. wurde 1575 als portugies. Fort gegründet.

Lübeck 1)
Stadtwappen

Luang Prabang, Stadt im N von Laos, an der Mündung des Nam Khan in den Mekong, 46000 Ew.; Textilind.; kulturelles Zentrum des Landes; ehem. Residenz des Königs; Sitz des Oberhauptes der laot. Buddhisten; buddhist. Wallfahrtsort mit vielen Tempeln.

Luangwa [lu'aŋgva] *der,* linker Nebenfluss des Sambesi in NO-Sambia, 800 km, mündet an der Grenze nach Moçambique bei Zumbo. Am Mittellauf der **L. Valley National Park** (15500 km²), eines der wildreichsten Tierreservate der Erde.

Luanshya [lu:'ɑ:nʃja], Bergbauort im Copperbelt von Sambia, 147700 Ew.; Erzaufbereitung, Schweißelektrodenfabrik.

Luba (Baluba), Bantuvolk im S der Demokrat. Rep. Kongo, zw. Lualaba und dem Tanganjikasee, rd. 5,8 Mio Menschen; Hackbauern, Jäger, Händler; traditionsreiche Schnitzkunst.

Lubań ['lubajn] (dt. Lauban), Stadt in der Wwschaft Jelenia Góra (Hirschberg), Polen, am Queis, 23000 Ew.; Baumwollindustrie. – Rathaus (1539–43), Teile der mittelalterl. Stadtbefestigung.

Lübbecke, Stadt im Kr. Minden-Lübbecke, NRW, am N-Rand des Wiehengebirges, 25400 Ew.; Textil-, Zigarren-, Möbel-, Maschinen-, Papierind.; Hafen am Mittellandkanal. – Evang. Pfarrkirche St. Andreas (Ende 12. Jh.), Fachwerkhäuser (18. und 19. Jh.).

Lübbenau/Spreewald (sorb. Lubnjow), Stadt im Landkreis Oberspreewald-Lausitz, Brandenburg, in der Niederlausitz, an der Spree, 18400 Ew.; Spreewaldmuseum, in Lübbenau-Lehde Freilichtmuseum, in der Nähe Braunkohlenbergbau. – Klassizist. Schloss (1817–20) mit Orangerie (Museum) und Landschaftspark, barocke Pfarrkirche St. Nikolai (1741–43). – Entstand bei einer 1301 bezeugten Burg.

Lübben (Spreewald) (sorb. Lubin), Krst. des Landkreises Dahme-Spreewald, Brandenburg, in der Niederlausitz, an der Mündung der Berste in die Spree, 15100 Ew.; Metallwaren-, Textil-, Pappenind., Gemüseverarbeitung. – In der spätgot. Nikolaikirche (erneuert im 17./18. Jh.) das Grab Paul Gerhardts. Im 2. Weltkrieg stark zerstört; Schloss (1682), Rathaus, Ständehaus (1717) sind erhalten. – Erstmals 1150 erwähnt, um 1220 Stadtrecht.

Lubbers ['lybərs], Rudolphus (Ruud) Frans Marie, niederländ. Politiker, *Rotterdam 7. 5. 1939; Unternehmer, Mitgl. des Christlich Demokrat. Appells; war 1973–77 Wirtschaftsmin. und 1982–94 MinPräs. Er kandidierte erfolglos für das Amt des Präs. der Europ. Kommission (1994) und des Gen.-Sekr. der NATO (1995).

Lubbock ['lʌbək], Stadt im NW von Texas, USA, 193200 Ew.; TU, Baumwollpressen, Ölmühlen, Schlachthäuser, Molkereien; elektron. Industrie.

Lübeck, 1) (Hansestadt L.), kreisfreie Stadt in Schlesw.-Holst., an der unteren Trave und Lübecker Bucht, reicht mit dem Stadtteil Travemünde bis an die Ostsee, 217000 Ew.; Medizin. Hochschule, Musikhochschule, FH, Norddt. Orgelschule, Wirtschaftsakademie, Museen, Theater. Ostseehafen, Verbindung durch den Elbe-Lübeck-Kanal mit der Nordsee, Schifffahrtslinien nach den Ostseeländern. Die Wirtschaftsstruktur wurde bis Ende des 19. Jh. traditionell durch Handel und Hafen dominiert. Heute bestimmen Werften, Holz verarbeitende, chem., keram., Arzneimittelind., Maschinenbau, Verpackungsind., Fischverarbeitungs-, Bekleidungs- und Süßwarenind. (Lübecker Marzipan) das Bild; Großkraftwerk an der Untertrave; eine bed. Rolle spielt der Fremdenverkehr. – Trotz schwerer Zerstörungen (1942) bietet L. immer noch das Bild der mittelalterl. Handelsgroßstadt. Die Altstadt, eine Hauptstätte der dt. Backsteingotik, wurde als Weltkulturerbe von der UNESCO anerkannt. Erhalten oder wieder aufgebaut sind: das got. Rathaus (13.–15. Jh.) mit Renaissancelaube (1570/71), die hochgot. Marienkirche (um 1250 bis 1351), der 1173 als roman. Basilika begonnene, im 13. Jh. vollendete, später gotisch umgebaute Dom mit Hallenchor (1266–1341), Petrikirche (14.–16. Jh.), die Katharinenkirche (13./14. Jh.), St. Ägidien (13.–15. Jh.), St. Jakobi (13./14. Jh.), das Hospital zum Hl. Geist (13. Jh.), das St.-Anna-Kloster (1502–15), das →Holstentor (1478 vollendet), das Burgtor (1444). Bed. Bürgerhäuser sind u. a. das »Behnhaus« (1779–83, Museum mit Städt. Galerie) und das »Buddenbrookhaus« (Fassade 1758), seit 1993 Gedenkstätte für T. und H. Mann. – Die 6 km traveabwärts gelegene Vorgängersiedlung **Alt-L.** entstand im 11. Jh. als Zentrum des wend. (slaw.) Wagrien bei einer aus dem 10. Jh. stammenden slaw. Ringburg (slaw. **Liubice**); im 11. und 12. Jh. Ausgangspunkt der Christianisierung der Slawen. Die 1143 gegr. dt. Kaufmannssiedlung wurde nach Zerstörungen 1158/59 neu gegründet. Das der Stadt verliehene Soester Recht wurde umgestaltet und als Lüb. Recht an über 100 Städte verliehen. 1226 erhob Kaiser Friedrich II. L. zur freien Reichsstadt; Bündnisse zwischen L. und norddt. Fürsten, See- und Handelsstädten führten zur Gründung der dt. Hanse, deren Führung L. übernahm (seit 1358 Hansetage in L.). 1529/31 wurde die Reformation eingeführt. Die von Bürgermeister J. Wullenweber eingeleitete »Grafenfehde« (1534–36) gegen Dänemark brachte den Verlust des polit. Einflusses im Ostseeraum. L. blieb nach 1806 (bis 1937) als »Freie und Hansestadt« selbstständig (außer seiner Zugehörigkeit zu Frankreich 1810–13) und wurde 1815 Mitgl. des Dt. Bundes, 1871 des Dt. Reiches; 1937 kam L. zur preuß. Prov. Schleswig-Holstein. Weiteres BILD Holstentor

📖 *Lübeckische Geschichte, hg. v.* A. GRASSMANN. *Lübeck* [2]*1989.*

Lübeck 1): Blick über die Stadt an der Trave und der Lübecker Bucht; links von der zentral gelegenen zweitürmigen Katharinenkirche ist die Jakobikirche (beide 13./14. Jh.), rechts die Petrikirche (14.–16. Jh.) zu erkennen sowie am unteren Bildrand das Holstentor

2) das 948 in Oldenburg (Holstein) gegr. Bistum wurde 1160 als Suffragan des Erzbistums Bremen-Hamburg nach L. verlegt. Residenz war seit der Mitte des 13. Jh. Eutin; seit 1555 regierten prot. Administratoren (Fürstbischöfe). 1823 fiel das 1803 säkularisierte Hochstift als weltl. Erbfürstentum an Oldenburg, 1937 an Preußen.

Lübecker Bucht, südwestl. Teil der Mecklenburger Bucht der Ostsee, greift zw. der Halbinsel Wagrien und der mecklenburg. Küste 30 km tief in das Landesinnere ein.

Lüben, Stadt in Polen, →Lubin.

Lubiąż ['lubjɔ̃ʃ] (dt. Leubus), Gemeinde in der Wwschaft Wrocław (Breslau), Polen; ältestes schles. Zisterzienserkloster, gegr. um 1175, in riesigen Abmessungen aus- und umgebaut 1695–1740, im 2. Weltkrieg stark zerstört, Renovierung seit 1962.

Lubij, sorb. Name für →Löbau 2).

Lubin, 1) sorb. Name für →Lübben (Spreewald).

2) (dt. Lüben), Stadt in der Wwschaft Legnica (Liegnitz), Polen, 83400 Ew.; Kupfererzbergbau, Kupferhütten; Bau von Saiteninstrumenten. – 1319 zur Stadt erhoben.

Lübisches Recht [nach der Stadt Lübeck], nach dem Magdeburger das wichtigste mittelalterliche dt. Stadtrecht, das im ganzen Ostseeraum bis nach Reval und Narwa Geltung hatte. Die letzte amtl. Fassung von 1586 galt partiell bis 1899.

Ernst Lubitsch

Lubitsch, Ernst, Filmregisseur, *Berlin 29. 1. 1892 †Los Angeles 30. 11. 1947; Bühnenausbildung bei M. Reinhardt; ab 1922 in Hollywood, drehte

Heinrich Lübke

Filmlustspiele und -operetten, z. B. »Madame Dubarry« (1919), »Die lustige Witwe« (1934), »Ninotschka« (1939).

Lübke, Heinrich, Politiker, *Enkhausen (heute zu Sundern) 14. 10. 1894, †Bonn 6. 4. 1972; 1931–33 Mitgl. des preuß. Landtags (Zentrum), danach wiederholt in Haft. Nach dem Ende des 2. Weltkrieges trat er 1945 der CDU bei. 1953–59 war er Bundesmin. für Ernährung, Landwirtschaft und Forsten. Als Bundespräs. (1959–69) förderte er innenpolitisch bes. den Gedanken einer großen Koalition, außenpolitisch die Entwicklungshilfe.

Lucca 2): Kirche San Michele in Foro (12.–14. Jh.)

Lublin, Hptst. der Wwschaft L., Polen, zw. Weichsel und Bug, 351 600 Ew.; kath. Bischofssitz; Univ. und kath. Univ., TH, medizin. und landwirtsch. Hochschule; Lkw- und Landmaschinenbau, Eisengießerei, chem., Nahrungsmittel-, Textilind. – Schloss (14. Jh., im 19. Jh. neu errichtet), frühbarocker Dom, zahlr. Klöster und Adelspaläste aus dem 16.–18. Jh. – L., im 12. Jh. eine poln. Burg mit Handwerker- und Kaufmannssiedlung, erhielt 1317 Magdeburger Stadtrecht und war ab 1413 Versammlungsort des poln. und litauischen Adels; als Hptst. einer Wwschaft (seit 1474) im 15./16. Jh. ein wirtsch.-kulturelles Zentrum. Durch die **Union von L.** (1569) wurden Polen und Litauen zu einem Staat vereinigt. 1915–18 Sitz des österr. Generalgouverneurs. In →Majdanek befand sich 1943/44 ein nat.-soz. Konzentrations- und Vernichtungslager. 1944 wurde L. von der Roten Armee eingenommen und war bis Jan. 1945 Sitz des Poln. Komitees der Nat. Befreiung **(Lubliner Komitee),** aus dem die Poln. Provisor. Reg. hervorging.

Lublin
Stadtwappen

Lubmin, Gemeinde im Landkreis Ostvorpommern, Meckl.-Vorp., 1 600 Ew.; Seebad; das Kernkraftwerk wurde 1990 stillgelegt.

Lubnjow, sorb. Name für →Lübbenau/Spreewald.

Lubumbashi [-'baʃi] (bis 1966 Elisabethville), Hptst. der Prov. Shaba, Demokrat. Rep. Kongo, 739 100 Ew.; kath. Erzbischofssitz; Univ. (gegr. 1955), Forschungsinstitute; in landwirtschaftlich genutzter Umgebung Mittelpunkt des kongoles. Kupfergürtels; Hüttenwerke u. a. Ind.; internat. Flughafen. – L. wurde 1910 gegründet.

Lübz, Stadt im Kr. Parchim, Meckl.-Vorp., an der Elde, 7 200 Ew.; Mineralfaserwerk, Zuckerfabrik, Brauerei. – Spätgot. Stadtkirche (um 1570). – L. entstand neben der 1308 erbauten Eldenburg; es war bis 1994 Kreisstadt.

Lucanus, lat. Dichter, →Lukan.

Lucas ['lu:kəs], Robert Emerson jr., amerikan. Volkswirtschaftler, *Yakima (Wash.) 15. 9. 1937; Prof. in Pittsburgh und Chicago, erhielt 1995 den Nobelpreis für Wirtschaftswissenschaften für die Entwicklung und Anwendung der Theorie rationaler Erwartungen sowie der damit zusammenhängenden grundlegenden Veränderungen in der makroökonom. Theorie und der theoret. Wirtschaftspolitik.

Lucas van Leyden ['ly:kas fan 'lɛjdə], niederländ. Maler und Grafiker, *Leiden 1489 oder 1494, †ebd. 1533. Schon die frühesten datierten Stiche (1508) zeichnen sich durch reiche Beobachtung, hohe Eigenart und Charakteristik der Erzählweise sowie Feinheit der techn. Durchführung aus; beeinflusst von A. Dürer, J. Gossaert sowie im Spätwerk von M. Raimondi und Jan Scorel. Er hinterließ ein bedeutendes graf. Werk, das Kupferstiche wie »David vor Saul« (um 1508/09) und »Ecco homo« (1510) umfasst. Der erzähler. Realismus seiner Bilder machte ihn zum Wegbereiter profaner Bildgattungen wie Genre und Landschaft und zu einem Meister des Porträts. BILD Kupferstich

📖 EILEDT KOK, J. P.: *1450–1700: L. van L. Rotterdam 1996.*

Lucca, 1) Provinz in der Toskana, Italien, 1773 km², (1995) 375 600 Einwohner.

2) Hptst. von 1), in der Schwemmlandebene des Serchio, 85 700 Ew.; Erzbischofssitz; bed. Handelsstadt mit Seiden-, Papier-, Tabak-, Textilind.; lebhafter Fremdenverkehr. – Dom (11. Jh., Fassade von 1204) und viele andere Kirchen, meist im Stil der Basilika, mit wertvollen Kunstwerken, v. a. San Michele in Foro mit roman. Blendarkaden, Zwerggalerie und Marmorinkrustation. – Ligur. Gründung, seit 177 v. Chr. röm. Kolonie, vom 6.–12. Jh. Hptst. von Tuszien, erhielt als kaisertreue Stadt Privilegien und war bis 1799 Rep., bis 1815 unter frz. Herrschaft, dann selbstständiges Herzogtum, kam 1847 zum Großherzogtum Toskana.

Lucebert [ly:sə-], eigtl. Lubertus Jacobus Swaanswijk, niederländ. Schriftsteller und Maler, *Amsterdam 15. 9. 1924, †Bergen 10. 5. 1991; Mitgl. der Künstlerbewegung →Cobra, Hauptvertreter der »Vijftigers«, einer in den 1950er-Jahren die niederländ. Lyrik erneuernden Dichtergruppe; sein Werk zeigt große wortschöpfer. und darsteller. Kraft. L. schuf linear betonte, an Kinderzeichnungen erinnernde Gemälde, Gouachen, Aquarelle, Zeichnungen und Radierungen.

Luch [luːx, sorb.] *die,* auch *das,* Bruch, Sumpfwiese.

Luchow [ludʒɔʊ], früherer Name der chines. Stadt → Hefei.

Lüchow-Dannenberg [-ço], Landkr. im Reg.-Bez. Lüneburg, Ndsachs., 1220 km^2, (1996) 51800 Ew., Krst. ist Lüchow (Wendland); in Gorleben Zwischenlager für radioaktive Abfälle.

Lüchow (Wendland) [-ço], Krst. des Landkreises L.-Dannenberg, Ndsachs., an der Jeetzel, 9800 Ew.; Landwirtschaftsschule; Kugellagerfabrik, Kartoffelstärkefabrik. – Evang. Stadtkirche St. Johannes (16. Jh.). – 1158 erstmals erwähnt, 1293 als Stadt bezeugt.

Luchs (lat. Lynx), Sternbild des nördl. Himmels.

Luchse [ahd. luhs, eigtl. »Funkler« (nach den Augen)] (Lynx), Gattung hochbeiniger Katzen, v.a. in den Wäldern und Halbwüsten Eurasiens und N-Amerikas; vorwiegend dämmerungsaktive, häufig dunkel gefleckte Raubtiere mit langen Pinselohren und Stummelschwanz. L. besitzen ein ausgezeichnetes Seh- und Hörvermögen. Sie ernähren sich von Säugetieren (von Maus- bis Hirschgröße) sowie Vögeln, Reptilien, Amphibien. Man unterscheidet zwei Arten: In den nördl. Waldgebieten Europas, Asiens und Amerikas lebt der **Nord-L. (Gewöhnlicher L.,** Lynx lynx) mit dunkel geflecktem Fell, Körperlänge bis 1,10 m; er war in Dtl. ausgerottet, ist jedoch seit den 1970er-Jahren im Bayer. Wald wieder ausgewildert. Unterarten sind z.B. der in Spanien beheimatete **Pardel-L.** (der z.T. als eigene Art aufgefasst wird) und der **Polar-L. (Kanadische L.)** mit Verbreitung im nördl. Nordamerika. Im mittleren und südl. Nordmerika lebt der etwas kleinere **Rot-L.** (Lynx rufus) mit weißer Schwanzspitze.

Luchterhand Verlag, Hermann, 1924 in Berlin gegr. Verlag, Sitz: Neuwied; veröffentlicht u.a. jurist., betriebswirtsch. und sozialpädagog. Titel. Ende 1987 wurde der literar. Verlagsteil (u.a. »Sammlung Luchterhand«, Sitz: Darmstadt) an den Arche Verlag verkauft und als »Luchterhand Literaturverlag« (Sitz: München) fortgeführt. Der L. V. (zu Wolters Kluwer gehörend) umfasst die Verlage Kurt Gross, Kommentator, Metzner, J. Schweitzer, Stoytscheff und Werner.

Lucianus, grch. Schriftsteller, → Lukian.

Luciferasen [lat.], strukturell unterschiedl. Enzyme aus versch. Organismen, die Lichtemission infolge Biolumineszens-Reaktion durch Oxidation von **Luciferinen** – d.h. Stoffwechselprodukten von Bakterien, Meerestieren, Insekten u.a. – induzieren können.

Lucilius, Gaius, röm. Dichter, *Suessa Aurunca (Kampanien) wohl um 180 v.Chr., †Neapel 103/02 v.Chr.; machte die röm. Satire zur Ausdrucksform unmittelbarer Selbstäußerung des Dichters und zum Spiegel des Lebens in der Sicht des Dichters; schrieb auch Epigramme.

Lucius III., Papst (1181–85), eigtl. Ubaldo Allucingoli, *Lucca, †Verona 25. 11. 1185; gewann 1184 Kaiser Friedrich I. Barbarossa für den Kreuzzug und das gemeinsame Vorgehen gegen → Katharer und → Waldenser.

Łuck [u̯utsk], poln. Name für die Stadt → Luzk.

Luckau Stadt im Kr. Dahme-Spreewald, Brandenburg, in der Niederlausitz, 5700 Ew.; Nahrungsmittelind. – L. entstand neben einer Burg des 12. Jh., mittelalterl. Stadtbefestigung; spätgot. Nikolaikirche (14./15. Jh.), Rathaus (16. Jh.), Bürgerhäuser (17./18. Jh.). – L. war bis 1993 Kreisstadt.

Luchse: Nordluchs (Körperlänge bis zu 1,10 m)

Luckenwalde, Krst. des Kr. Teltow-Fläming, Brandenburg, an der Nuthe, 23800 Ew.; u.a. Metall und Holz verarbeitende Industrie. – Spätgot. Pfarrkirche (16. Jh.) mit frei stehendem Glockenturm; entstand bei einer 1226 erstmals genannten Burg und erhielt 1430 städt. Rechte.

Luckner, Felix Graf von, Seeoffizier, *Dresden 9. 6. 1881, †Malmö 13. 4. 1966; durchbrach im 1. Weltkrieg als Kommandant des Hilfskreuzers »Seeadler« (1916–17) die brit. Blockade und kaperte zahlreiche alliierte Schiffe; Verf. abenteuerl. Erlebnisberichte (u.a. »Seeteufel«, 1921).

Felix Graf von Luckner

Lucknow [ˈlʌknaʊ] (früher Lakhnau), Hptst. des Bundesstaates Uttar Pradesh, Indien, am Gangesnebenfluss Gomali, 1,62 Mio. Ew.; Univ.; mehrere Forschungsinst., botan. Garten; Eisenbahnwerkstätten, Zentrum der Baumwollverarbeitung, Papierind., Instrumentenbau; Kunstgewerbe.

Lucretia, im röm. Mythos die Frau des Konsuls Lucius Tarquinius Collatinus. Vom Sohn des röm. Königs Tarquinius Superbus entehrt, tötete sie sich

Erich Ludendorff

Lüdenscheid
Stadtwappen

Marie Elisabeth Lüders

selbst und soll dadurch den Sturz des röm. Königtums (509 v. Chr.) veranlasst haben. – Der Stoff wurde häufig in der Dichtung und der bildenden Kunst dargestellt.

Lucullus (Lukull), Lucius Licinius, röm. Politiker und Feldherr, *um 117, †um 57 v. Chr.; 74 Konsul, Heerführer im 3. Mithridat. Krieg (74–67), nach einer Meuterei des röm. Heeres 67 abberufen. Bekannt war seine Freude am Genuss **(lukullisches Mahl).** Mit seinem Namen ist die Einführung der Süßkirsche in Europa verbunden.

Lüda, chines. Stadt, →Dalian.

Ludendorff, Erich, preuß. General, *Kruszewnia (bei Posen) 9. 4. 1865, †Tutzing 20. 12. 1937; 1908–12 im Großen Generalstab, seit 22. 8. 1914 Generalstabschef Hindenburgs, hatte seit dem Sieg bei Tannenberg (23.–31. 8. 1914) als fakt. Leiter der dt. Kriegführung im O einen legendären Ruf. Ab 1916 war er als 1. Generalquartiermeister mitverantwortlich für die militär. Kriegführung, gewann seitdem weit reichenden Einfluss in polit. und wirtsch. Fragen (Sturz von Bethmann Hollweg). Am 29. 9. 1918 verlangte L. von der Reichsreg. ein Waffenstillstandsangebot. Am 26. 10. 1918 wurde er von Kaiser Wilhelm II. angesichts der sich abzeichnenden Niederlage an der Westfront entlassen. Nach 1919 betätigte er sich politisch auf dem völk. Flügel der dt. Rechten. Im Nov. 1923 beteiligte sich L. am Hitler-Putsch. 1924–28 war er MdR, 1925 nat.-soz. Kandidat bei der Reichspräsidentenwahl. 1926 gründete er mit seiner 2. Frau Mathilde L. (*1877, †1966) den »Tannenberg-Bund« (1933 aufgelöst).

📖 Venohr, W.: *L. Legende u. Wirklichkeit. Berlin u. a. 1993.*

Lüdenscheid, Krst. des Märkischen Kreises, RegBez. Arnsberg, NRW, im westl. Sauerland, 81 900 Ew.; Abteilung der Märk. FH Iserlohn mit Kunststoffinst. und Inst. für Umformtechnik; Metall-, elektrotechn., Aluminium-, Kunststoffind., Maschinen- und Werkzeugbau. – Schloss Neuenhof (17. Jh.). – L. erhielt 1268 Stadtrecht.

Luder, *Weidmannssprache:* Bez. für Aas. – **L.-Platz,** Ort, an dem Aas zum »Anludern« (Anlocken) von Raubwild ausgelegt wird.

Lüderitz, Adolf, Großkaufmann, *Bremen 16. 7. 1834, †(verschollen in der Oranjemündung) 24. 10. 1886; kaufte 1883 den Hafen von Angra Pequena (seit 1886 **Lüderitzbucht,** seit 1920 **Lüderitz**) mit seinem Küstengebiet, das 1884 Grundlage des Schutzgebiets Dt.-Südwestafrika wurde.

Lüders, Marie Elisabeth, Politikerin, *Berlin 25. 6. 1878, †ebd. 23. 3. 1966; seit 1901 in der dt. Frauenbewegung tätig; 1919–20 Mitgl. der Weimarer Nationalversammlung, 1920–32 MdR (DDP), setzte sich u. a. für eine Reform des Familien- und Strafrechts ein; in der Bundesrep. Dtl. 1953–61 MdB (FDP).

Ludhiana, Stadt im Bundesstaat Punjab, Indien, am Sutlej, 1,01 Mio. Ew.; landwirtsch. Univ., bed. Textilind., außerdem Metallverarbeitung und Maschinenbau.

Lüdinghausen, Stadt im Kr. Coesfeld, NRW, im Münsterland, 22 000 Ew.; Studienzentrum der Fernuniv. Hagen; Eisengießerei, Großbrennerei, Holzverarbeitung und Nahrungsmittelindustrie. – Spätgot. Pfarrkirche (1507–58), eine Rundpfeilerhalle mit Sterngewölbe, Wasserburg Vischering (16. Jh. mit Münsterland-Museum).

Ludmilla, erste christl. Herzogin von Böhmen, *um 860, †(ermordet) Tetín (bei Beroun) 15./16. 9. 921; Großmutter Wenzels I., auf den sie großen Einfluss ausübte; von ihren heidn. Gegnern ermordet; Landespatronin Böhmens; Heilige, Tag: 16. 9.

Ludolfinger, altsächs. Adelsgeschlecht, →Liudolfinger.

ludolphsche Zahl [nach dem niederländ. Mathematiker Ludolph van Ceulen, *1540, †1610], die Kreiszahl →Pi.

Ludovisischer Thron, im Park der früheren Villa Ludovisi in Rom 1887 gefundenes grch., reliefgeschmücktes Marmorwerk (um 470–460 v. Chr., jetzt im Thermenmuseum, Rom). Auf der Hauptansichtsseite ist eine von zwei Mädchen emporgehobene, aus dem Meer auftauchende Göttin dargestellt (Geburt der Aphrodite). Der L. T. gilt als Teil eines Altars.

Ludowinger, nach ihrem Leitnamen Ludwig benanntes thüring. Herrschergeschlecht, seit etwa 1040 belegt. Graf Ludwig der Springer (*um 1046, †1123), ließ die Wartburg (um 1067), die Stammburg Schauenburg (bei Gotha), das Benediktinerkloster Reinhardsbrunn (1085; Grablege) und ab 1090 die Neuenburg bei Freyburg (Unstrut) errichten. Sein Sohn Ludwig I. (†1140) wurde 1130/31 von König Lothar III. zum Landgrafen von Thüringen erhoben und übernahm (als Nebenlande) die von seinem Bruder Heinrich Raspe I. (†1130) durch Heirat 1122 erworbene Grafschaft Hessen. Seine Nachfolger erreichten die Sicherung und den Ausbau der bedeutenden Landesherrschaft im mitteldt. Raum (u. a. 1180 Übertragung der Pfalzgrafschaft Sachsen durch Kaiser Friedrich I. Barbarossa). Die Wartburg wurde zum Zentrum einer bedeutenden höf. Kultur (Höhepunkt unter Hermann I., 1190–1217). Durch seine Tochter Sophie von Brabant (*1224, †1275) wurde Ludwig IV. auch Stammvater des hess. Hauses Brabant. Mit Heinrich Raspe IV. (*um 1204, †1247), Gegenkönig seit 1246, starben die L. im Mannesstamm aus.

📖 Schwarz, H.: *Die L. Aufstieg u. Fall des ersten thüring. Landgrafengeschlechts, hg. v. der Wartburg-Stiftung Eisenach, 1993.*

Ludwig (frz. Louis), Herrscher:

Röm. Kaiser: **1) L. I., der Fromme** (814–40), *Chasseneuil (bei Poitiers) 778, †Ingelheim 20. 6. 840; 3. Sohn Karls d. Gr., Vater von 24), Großvater von 2); wurde 813 zum Mitkaiser ernannt, regelte 817 zunächst die Nachfolge unter seinen Söhnen Lothar, Pippin und Ludwig im Sinne der Einheit des Reichs, änderte dies jedoch 829 zugunsten seines Sohnes aus 2. Ehe, Karl (der Kahle). Die älteren Söhne empörten sich, L. unterlag infolge des Abfalls seines Heeres 833 auf dem »Lügenfeld« bei Colmar; er wurde nach Soissons ins Kloster gebracht, von seinen beiden jüngeren Söhnen, die sich nun gegen Lothar wandten, aber bald wieder in die Herrschaft eingesetzt. Die Auseinandersetzungen über die Teilung des Reichs dauerten über seinen Tod hinaus an.

📖 Boshof, E.: *L. der Fromme. Darmstadt 1996.*

2) L. II., König von Italien (844–75), Kaiser (850/55–75), *um 822, †bei Brescia 12. 8. 875, ältester Sohn Lothars I., Enkel von 1); 850 zum Mitkaiser seines Vaters gesalbt, kämpfte erfolgreich gegen die Sarazenen.

Hl. Röm. Reich: **3) L. IV., der Bayer,** Röm. König (1314–47), Kaiser (1328–47), *wohl Ende 1281/Anfang 1282, †Puch (heute zu Fürstenfeldbruck) 11. 10. 1347, Vater von 8); Wittelsbacher, seit 1302 Herzog von Oberbayern. 1314 gegen den Habsburger Friedrich den Schönen zum König gewählt; besiegte ihn bei Mühldorf am Inn 1322, nahm ihn gefangen, ließ ihn aber 1325 frei und erkannte ihn als Mitkönig an. 1324 von Papst Johannes XXII. in Avignon gebannt, zog L. 1327 nach Italien, wurde am 31. 5. in Mailand zum König der Lombardei und am 17. 1. 1328 von Vertretern des röm. Volkes zum Kaiser gekrönt; die Kurfürsten wiesen im Kurverein von Rhense 1338 jede Einmischung des Papsttums in die Königswahl zurück. 1346 wurde der Luxemburger Karl (IV.) von Mähren als päpstl. Gegenkönig aufgestellt (erst nach L.s Tod anerkannt). Für sein Haus erwarb L. 1323 Kurbrandenburg, 1342 Tirol, 1346 die Grafschaft Holland, Seeland und Hennegau; 1340 erbte er Niederbayern.

📖 Thomas, H.: *L. der Bayer. Kaiser u. Ketzer. Graz u. a. 1993.* – Benker, G.: *L. der Bayer. Ein Wittelsbacher auf dem Kaiserthron, 1282–1347. Neuausg. München 1997.*

Baden: **4) L. Wilhelm I.,** »Türkenlouis«, Markgraf von Baden-Baden (1677–1707), *Paris 8. 4. 1655, †Rastatt 4. 1. 1707; zeichnete sich als Reichsfeldmarschall im Großen Türkenkrieg (1683–99) und (seit 1693) gegen die Franzosen aus. Er ließ Stadt und Schloss Rastatt erbauen.

Bayern: **5) L. I.,** König (1825–48), *Straßburg 25. 8. 1786, †Nizza 29. 2. 1868; Sohn von Maximilian I., Großvater von 6); baute München zur Kunststadt aus (u. a. Pinakotheken), wohin er 1826 auch die Landesuniv. verlegte; begeisterte sich für den grch. Freiheitskampf (sein 2. Sohn Otto wurde 1832 grch. König); seine zunächst liberale Politik zeigte nach 1830 reaktionäre Züge. Die Opposition, verstärkt durch die Affäre um L. Montez, zwang ihn, am 20. 3. 1848 zugunsten seines Sohnes Maximilian II. Joseph abzudanken.

📖 Hüttl, L.: *L. I. König u. Bauherr. München u. a. 1986.* – Gollwitzer, H.: *L. I. von Bayern. München [2]1987.*

Ludwig II., König von Bayern: Fotografie (1876)

6) L. II., König (1864–86), *Nymphenburg (heute München) 25. 8. 1845, †(ertrunken) im Starnberger See 13. 6. 1886, Enkel von 5); nahm 1866 auf österr. Seite am Dt. Krieg teil, vollzog aber 1870/71 den Eintritt Bayerns in das Dt. Reich und ergriff nach außen die Initiative zur Kaiserproklamation (18. 1. 1871). Die von Bismarck zugesagte finanzielle Unterstützung erlaubte die Fortsetzung kostspieliger Schlossbauten (Herrenchiemsee, Neuschwanstein, Linderhof); Mäzen R. Wagners; verfiel 1886 in geistige Umnachtung (am 10. 6. 1886 übernahm sein Onkel Luitpold die Regentschaft), wurde nach Schloss Berg am Starnberger See gebracht und fand mit dem Psychiater J. B. A. von Gudden den Tod im See.

📖 *L. II. Die Tragik des »Märchenkönigs«, Beiträge v.* M. Gregor-Dellin *u. a. Regensburg 1986.* – Hüttl, L.: *L. II. König von Bayern. Eine Biographie. Tb.-Ausg. München u. a. 1990.*

Bayern-Landshut: **7) L. IX., der Reiche,** Herzog von Bayern-Landshut (1450–79), *Burghausen 21. 2. 1417, †Landshut 18. 1. 1479; besiegte Albrecht III. Achilles von Brandenburg 1462 bei Giengen, gründete 1472 die Univ. Ingolstadt.

Ludwig Wilhelm I., Markgraf von Baden-Baden (Ausschnitt aus einem zeitgenössischen Kupferstich)

Brandenburg: **8) L. der Ältere,** Markgraf (1323–51), als Herzog von Bayern **L. V.** (1347–61), *um 1315, †Zorneding (bei München) 18. 9. 1361, Sohn von 3); nach dem Aussterben der Askanier 1323 zum Markgrafen von Brandenburg gewählt; überließ 1351 die Kurmark seinen Brüdern, die sie 1373 an Kaiser Karl IV. verkauften.

Frankreich: **9) L. VI., der Dicke,** König (1108–37), *1081, †Paris 1. 8. 1137, Vater von 10); verband sich, beraten von Abt Suger von Saint-Denis, mit der Kirche, unterwarf die Barone der Krondomäne, begünstigte die nordfrz. Städte, womit er den Aufstieg des frz. Königtums einleitete.

10) L. VII., König (1137–80), *1120, †Paris 18. 9. 1180, Sohn von 9); nahm am 2. Kreuzzug 1147–49 teil. Durch seine Trennung von Eleonore von Aquitanien verlor er deren reiche west- und südwestfrz. Erbschaft an ihren 2. Mann, Heinrich II. von England, was Ursache des jahrhundertelangen frz.-engl. Konflikts war.

11) L. VIII., König (1223–26), *Paris 5. 9. 1187, †Montpensier (Dép. Puy-de-Dôme) 8. 11. 1226, Sohn Philipps II. August, Vater von 12); führte den entscheidenden Schlag gegen die Albigenser, wodurch er die Herrschaft der frz. Könige im S begründete.

12) L. IX., der Heilige (frz. Saint Louis), König (1226–70), *Poissy (Dép. Yvelines) 25. 4. 1214, †vor Tunis 25. 8. 1270, Sohn von 11); förderte Rechtswesen (u. a. durch Verbot von Gottesurteil und Fehde, Einsetzung des Parlaments von Paris als oberstes Gericht) und Zentralverwaltung; nahm an den Kreuzzügen teil (1248–54, 1270), geriet 1250/51 in ägypt. Gefangenschaft. 1297 heilig gesprochen; Tag: 25. 8.

13) L. XI., König (1461–83), *Bourges 3. 7. 1423, †Schloss Plessis-lès-Tours (bei Tours) 30. 8. 1483; Sohn Karls VII., forderte durch seine strikte persönl. Herrschaft den Widerstand der Lehnsfürsten heraus; Hauptgegner war Karl der Kühne von Burgund, von dessen Erbe L. sich im Frieden von Arras (1482) gegen Maximilian I. das Artois und die Franche-Comté sicherte. 1480 vereinte er Anjou und Maine, 1481 die Provence mit der Krone.

Ludwig XIV.

Aus den Memoiren:

»Gott, der den Menschen Könige gab, wollte, dass man sie als seine Stellvertreter achte, und nahm für sich allein das Recht in Anspruch, ihr Verhalten zu prüfen.
Wer als Untertan geboren ist, soll nach seinem Willen ausnahmslos gehorchen [...] Die Menschen sind in vieler Hinsicht verschieden; sie werden nur dadurch zu einer Einheit, dass sie sich in ihren Aufgaben ergänzen. Achtung und Gehorsam, die unsere Untertanen uns entgegenbringen, sind kein freiwilliges Geschenk, das sie uns machen, sondern das Entgelt für die Gewährung von Gerechtigkeit und Schutz, die sie von uns erwarten. Wie sie uns ehren sollen, sollen wir über sie wachen und uns vor sie stellen.«

Ludwig XIV.: Von dem zeitgenössischen Künstler Antoine Benoit modellierte lebensgroße Wachsbüste mit Originalperücke und Originalkleidung (1706; Versailles, Schloss), darunter Autogramm

14) L. XII., König (1498–1515), *Blois 27. 6. 1462, †Paris 1. 1. 1515. Seine Politik war ganz auf Italien gerichtet; er eroberte 1499 Mailand, dann Neapel, das er aber 1505 wieder verlor; die »Heilige Liga«, die Papst Julius II. mit Aragonien und Venedig gegen ihn schloss, nahm ihm im Krieg von 1512/13 auch Mailand. Frankreich erlebte während seiner Reg. eine Zeit der inneren Ruhe.

15) L. XIII., König (1610–43), *Fontainebleau 27. 9. 1601, †Saint-Germain-en-Laye 14. 5. 1643, Sohn Heinrichs IV., Vater von 16); stand bis 1614 unter der Vormundschaft seiner Mutter Maria von Medici. Seine Reg. wurde bestimmt von →Richelieu, den er 1624 zum leitenden Min. ernannte. Damit setzte sich der Absolutismus in Frankreich durch.

16) L. XIV., König (der »Sonnenkönig«, 1643 bis 1715), *Saint-Germain-en-Laye 5. 9. 1638, †Versailles 1. 9. 1715, Sohn von 15), Urgroßvater von 17); stand bis 1661 unter Vormundschaft seiner Mutter Anna von Österreich und übernahm erst nach dem Tod von Kardinal Mazarin (1661) selbst die Leitung des Staates und vollendete den Absolutismus gemäß dem Leitspruch »L'État c'est moi«. Er konzentrierte die Verw., entmachtete die Parlamente und zog den Adel an den Hof, um ihn zu kontrollieren. Der →Merkantilismus seines Min. Colbert steigerte zunächst die Staatseinkünfte, die die Eroberungskriege (Devolutionskrieg 1667/68, Holländ. Krieg 1672–79, Pfälz. Erbfolgekrieg 1688–97, Span. Erbfolgekrieg 1701–14) und die beispiellos aufwendige Hofhaltung L.s ermöglichten. Die kath. Kirche bezog L. in seine Machtpolitik ein (→Gallikanismus), die prot. Opposition schaltete er durch die Aufhebung des Edikts von Nantes (→Hugenotten) aus. Unter seiner Reg. erreichte Frankreich zwar die polit. und kulturelle Vorherrschaft in Europa, doch endete sie mit dem Staatsbankrott, der auch von seinen Nachfolgern nicht bewältigt wurde und eine der Ursachen der Frz. Revolution war. L. war verheiratet mit Maria Theresia, Tochter König Philipps IV. von Spanien. Nach ihrem Tod 1683 ging er eine geheime Verbindung mit Madame de →Maintenon ein.

📖 Erlanger, P.: *L. XIV. A. d. Frz. Frankfurt am Main ^{3}1987.* – Bernier, O.: *L. XIV. Eine Biographie. A. d. Amerikan. Tb.-Ausg. München 1993.*

17) L. XV., König (1715–74), *Versailles 15. 2. 1710, †ebd. 10. 5. 1774, Urenkel von 16), Großvater von 18) und 20); stand bis 1723 unter der Regentschaft des Herzogs Philipp von Orléans und überließ 1726–43 Kardinal Fleury die Reg., die zwar noch auf den Prinzipien des Absolutismus beruhte, aber durch Günstlings- und Mätressenwirtschaft (Marquise de Pompadour, Gräfin Dubarry) gekennzeichnet war. Die Verluste der Kolonien im →Siebenjährigen Krieg beschleunigten den Machtverfall des Staates. Das geistige Leben in der Epoche L. war bestimmt von der →Aufklärung.

📖 Bernier, O.: *L. XV. A. d. Frz. Zürich 1986.*

18) L. XVI., König (1774–92), *Versailles 23. 8. 1754, †(hingerichtet) Paris 21. 1. 1793, Enkel von 17), Vater von 19), Bruder von 20); ⚭ mit der österr. Kaisertochter Marie Antoinette. Seine Reg. wurde mit Hoffnung begrüßt, da er ehrl. Reformwillen zeigte. Die Finanzkrise der Monarchie konnte er jedoch mit den Mitteln der absolutist. Staatsführung nicht lösen. Die Berufung der Generalstände gab den Anstoß für die Frz. Revolution (→Frankreich, Geschichte).

📖 Cronin, V.: *L. XVI. u. Marie-Antoinette. Eine Biographie. A. d. Engl. Hildesheim 1993.*

19) L. (XVII.), *Versailles 27. 3. 1785, †Paris 8. 6. 1795, Sohn von 18); wurde durch den Tod seines älteren Bruders 1789 Thronfolger (Dauphin). Die Revolutionäre übergaben ihn 1793 einem Schuster, dessen »Erziehungsmethoden« den frühen Tod des Prinzen herbeiführten. Mehrere Abenteurer behaupteten, L. zu sein, v. a. der brandenburg. Uhrmacher K. W. Naundorf (†1845).

20) L. XVIII., König (1814/15–24), *Versailles 17. 11. 1755, †Paris 16. 9. 1824 als Prinz Graf von Provence, Enkel von 17), Bruder von 18); er floh 1791 ins Ausland, war das Haupt der Emigranten in Koblenz, nahm 1795 den Königstitel an, wurde von Napoleon I. verfolgt, lebte seit 1807 in England. Nach der Abdankung Napoleons I. gelangte er 1814 auf den Thron und erließ eine halbliberale Verf.; seit 1820 überließ er jedoch den entscheidenden Einfluss seinem Bruder, dem späteren Karl X., und der reaktionären royalist. Rechten.

21) L. Philipp (frz. Louis Philippe), der »Bürgerkönig« (1830–48), aus dem Hause Orléans, *Paris 6. 10. 1773, †Claremont (bei Windsor) 26. 8. 1850; schloss sich der Revolution von 1789 an, ging aber 1793 zu den Österreichern über, lebte bis 1817 im Exil. Als die Revolution von 1830 Karl X. zur Abdankung zwang, bestieg er den Thron. 1848 wurde er gestürzt und floh nach Großbritannien.

Ludwig XV., König von Frankreich (Ausschnitt eines zeitgenössischen Pastells)

Hessen-Darmstadt: **22) L. X.,** Landgraf (1790 bis 1806), als Großherzog (1806–30) **L. I.,** *Prenzlau 14. 6. 1753, †Darmstadt 6. 4. 1830; 1803 für linksrhein. Verluste entschädigt; 1806–13 Mitgl. des Rheinbundes; trat 1815 Westfalen an Preußen ab und erhielt dafür Rheinhessen; gab 1820 seinem Land eine Verf. und schloss 1828 den Zollvertrag mit Preußen ab.

Holland: **23) L.,** urspr. Louis Bonaparte, König (1806–10), *Ajaccio 2. 9. 1778, †Livorno 25. 7. 1846; Bruder Napoleons I., Vater Napoleons III., wurde 1802 mit Napoleons Stieftochter Hortense de Beauharnais verheiratet. Nach schweren polit. Zerwürfnissen mit seinem Bruder dankte er ab.

Ostfränk. Reich: **24) L. (II.), der Deutsche,** König (843–76), *um 805, †Frankfurt am Main 28. 8. 876, 3. Sohn von 1); erhielt 817 als Unterkönigtum Bayern; beteiligte sich an der Absetzung seines Vaters; verbündete sich 841/842 mit Karl dem Kahlen gegen Lothar I.; bahnte mit den Verträgen von Verdun (843) und Meerssen (870) die eigenständige Entwicklung des Ostfränk. Reiches an.

Ludwig XVI., König von Frankreich (Porträt des zeitgenössischen Malers Joseph Ducreux; Paris, Musée Carnavalet)

25) L. (IV.), das Kind, König (900–11), *Öttingen (heute Altötting) 893, †24. 9. 911; Sohn Kaiser Arnulfs von Kärnten, nach dessen Tod als letzter ostfränk. Karolinger zum König gewählt; seine Unmündigkeit begünstigte die Entstehung neuer Stammesherzogtümer.

Thüringen: **26) L. IV., der Heilige,** Landgraf (1217–27), Pfalzgraf von Sachsen, *28. 10. 1200, †Otranto 11. 9. 1227; seit 1221 ⚭ mit der (späteren) hl. Elisabeth, Freund Kaiser Friedrichs II.; starb beim Antritt des 5. Kreuzzuges.

Ungarn: **27) L. I., der Große** (ungar. Nagy Lajos), König (1342–82), aus dem Hause Anjou-Neapel, *Visegrád 5. 3. 1326, †Tyrnau (heute Trnava) 11. 9. 1382; festigte die ungar. Oberhoheit über die nördl. Balkanländer und Dalmatien; erhielt 1370 auch die poln. Königskrone. Seine Töchter Maria (Ungarn) und →Hedwig bewahrten sein Erbe.

Ludwig, 1) Christa, österr. Sängerin (Mezzosopran), *Berlin 16. 3. 1928; wurde v. a. als Mozart- und Strauss-Interpretin bekannt; auch bed. Konzert- und Liedsängerin.

Christa Ludwig

2) Emil, urspr. E. Cohn, schweizer. Schriftsteller dt. Herkunft, *Breslau 25. 1. 1881, †Moscia (heute zu Ascona) 17. 9. 1948; verband in seinen (nicht immer der histor. Wahrheit verpflichteten) Biographien (u.a. »Goethe«, 3 Bde., 1920; »Roosevelt«, 1938; »Stalin«, 1945) dramat. Spannung mit psycholog. Analyse.

3) Otto, Dichter, *Eisfeld (Kr. Hildburghausen) 12. 2. 1813, †Dresden 25. 2. 1865. Von Bedeutung sind seine realist. Erzählungen (»Zwischen Himmel und Erde«, 1856) mit ihrer meisterhaften psycholog. Gestaltung; »Heiterethei und ihr Widerspiel« (1857) wirkte auf die Heimatkunst. L. prägte den Begriff des poet. Realismus. Er bemühte sich auch theoretisch um die Erfassung der dramat. Form; seine Position ist von der Bewunderung Shakespeares und Polemiken gegen Schiller und C. F. Hebbel bestimmt.

Ludwigsburg 2)
Stadtwappen

4) Peter, Industrieller und Kunstsammler, *Koblenz 9. 7. 1925, †Aachen 22. 7. 1996; mit seiner Frau Irene, geb. Monheim, bed. Sammlertätigkeit bes. von antiker, mittelalterl. und präkolumb., v.a. aber von Gegenwartskunst. Seine an das Wallraf-Richartz-Museum in Köln überführte Kollektion von 284 Kunstwerken des 20 Jh. (u.a. wichtige Werke der amerikan. Pop-Art) wurde 1986 zus. mit den Beständen des Museums in einem Neubau **(Museum Ludwig)** untergebracht. Einen anderen Schwerpunkt seiner Sammlung, 144 illuminierte Handschriften des 7.–16. Jh., verkaufte L. 1983 an das J. Paul Getty Museum in Malibu (Calif.). Weitere Leihgaben und Stiftungskomplexe u.a. in Wien, Aachen, Koblenz, Budapest, Basel, Paris, Berlin und Moskau.

📖 Bude, H.: *P. L. – im Glanz der Bilder. Die Biographie des Sammlers. Neuausg. Bergisch Gladbach 1996.*

Ludwigsburg 2): Das Schloss, ein um einen Rechteckhof gruppierter Gebäudekomplex, wurde 1704–33 nach Versailler Vorbild mit weitläufiger Parkanlage erbaut

5) Volker, eigtl. Eckart Hachfeld, Intendant und Dramatiker, *Ludwigshafen 13. 6. 1937; international bekannter Autor des Kinder- und Jugendtheaters, sein größter Erfolg wurde die Revue »Linie 1« (1986; auch verfilmt); leitet seit 1966 das »Grips-Theater« (bis 1971 unter dem Namen »Theater für Kinder im Reichskabinett«); textet auch für Kabarett und Funk.

Otto Ludwig:
Radierung (1844)

Ludwigsburg, 1) Landkreis im RegBez. Stuttgart, Bad.-Württ., 687 km^2, (1996) 485 800 Einwohner.

2) Kreisstadt von 1), Große Kreisstadt, am Neckar, 86 800 Ew.; PH, Fachhochschulen für Finanzen und öffentliche Verwaltung, Sportakademie; Schlossmuseum, -theater; Metall verarbeitende Ind., Maschinenbau, Textil-, elektrotechn. u.a. Ind., Porzellanmanufaktur; Heilbad Hoheneck. – Das Schloss (1704–33) ist nach Mannheim die zweitgrößte dt. Barockanlage; in den Schlossgärten finden die »Ludwigsburger Schlossfestspiele« und von April bis Okt. die Gartenschau »Blühendes Barock« statt; Schloss Favorite (1715–23), Schloss Monrepos (1760–64). – Nach 1709 planmäßig angelegt; 1718 Stadtrecht.

Ludwigsburger Porzellan, das Porzellan der 1758 vom württemberg. Herzog Karl Eugen gegründeten Manufaktur in Ludwigsburg, die bis 1824 bestand und außer vorzüglich bemaltem Geschirr genrehafte Kleinplastik herstellte. Der bekannteste Modelleur war J. C. W. Beyer. 1948 wurde die Tradition von der Porzellan-Manufaktur Ludwigsburg wieder aufgenommen.

Ludwigsfelde, Stadt im Kr. Teltow-Fläming, Brandenburg, 20 400 Ew.; Lkw-Bau. – Um 1750 entstanden, ist L. seit 1965 Stadt.

Ludwigshafen, 1) Landkreis im RegBez. Rheinhessen-Pfalz, Rheinl.-Pf., 305 km^2, (1996) 144 100 Einwohner.

2) Ludwigshafen am Rhein, kreisfreie Stadt und Verw.sitz von 1), am linken Rheinufer gegenüber von Mannheim, 167 000 Ew.; größter linksrhein. Binnenhafen; Fachhochschulen; Kulturzentrum mit Theater und Konzerthaus; Landeszentrale für private Rundfunkveranstalter; Wilhelm-Hack-Museum (1978, Kachelmosaik der Südwand von J. Miró); bed. chem. Industrie (Sitz der BASF AG), Maschinenbau. – Bed. Bauten, u.a. Friedenskirche (1932), F.-Ebert-Halle (1962 bis 1965), BASF-Hochhaus (1955–57), Rathaus-Center (1979). Im Stadtteil Oggersheim die frühklassizist. Wallfahrtskirche Maria Himmelfahrt (Loretokapelle 1729–33). – Entstand nach 1606; Aufschwung im 19. Jh. als bayer. Konkurrenzgründung zum bad. Mannheim, erhielt 1843 nach König Ludwig I. von Bayern seinen Namen, seit 1859 Stadt. Nach 1945 Wiederaufbau der im 2. Weltkrieg stark zerstörten Stadt.

Ludwigskanal, Vorläufer des Main-Donau-Kanals, 1836–45 unter König Ludwig I. von Bayern erbaut, in Betrieb von 1847 bis 1945. (→Rhein-Main-Donau-Großschifffahrtsweg)

Ludwigslied, ahd. (rheinfränk.) episches Preislied auf den Sieg des jungen westfränk. Königs Ludwig III. über die Normannen bei Saucourt (881). Das L. wurde anonym und zusammen mit der altfrz. »Eulaliasequenz« in einer flandr. Handschrift des 9. Jh. überliefert.

Ludwigslust, 1) Landkreis in Meckl.-Vorp., (1996) 2517 km² und 128100 Einwohner.

2) Kreisstadt von 1), am Ludwigsluster Kanal, 12700 Ew.; Nahrungs- und Genussmittelind., Maschinenbau. – Entstand durch Ausbau eines herzogl. Jagdhauses (1724) zur Residenz von Mecklenburg-Schwerin (Schloss, 1772–76; Barockpark im 19. Jh. zum Landschaftspark erweitert); seit 1764 planmäßige Anlage der Stadt. BILD S. 446

Lueger, Karl, österr. Politiker, *Wien 24. 10. 1844, †ebd. 10. 3. 1910; Führer der Christlichsozialen Partei; 1897–1910 Bürgermeister von Wien, machte sich um den Ausbau Wiens zur modernen Großstadt verdient; Gegner der dualist. Verfassung der österr.-ungar. Monarchie.

Lues [lat. »Seuche«] *die,* →Syphilis.

Luffaschwamm, →Schwammkürbis.

Lufft, Hans, Buchdrucker, *Amberg (?) 1495, †Wittenberg 1. (2.?) 9. 1584; druckte u.a. 1534 die erste Ausgabe der Bibel in der Übersetzung Luthers und war 1539–59 am Druck der ersten Wittenberger Gesamtausgabe der Werke Luthers beteiligt; Illustrationen u.a. von L. Cranach.

Luft, das die Erdatmosphäre bildende Gasgemisch aus rd. 78 Vol.-% Stickstoff, 21 Vol.-% Sauerstoff, 0,9 Vol.-% Argon und Spuren von weiteren Edelgasen, 0,03 Vol.-% Kohlendioxid, wechselnden Mengen Wasserdampf, Staub, Stickstoff- und Schwefelverbindungen, Abgasen und Schwebstoffen, ferner pflanzl. und tier. Mikroorganismen. Unterhalb von −192 °C verflüssigt sich die L. bei Atmosphärendruck (→Luftverflüssigung).

Volker Ludwig: Szene aus der Revue »Linie 1« (1986; Berlin-West, Grips-Theater)

Luft, Friedrich John, Theater- und Filmkritiker, *Berlin 24. 8. 1911, †ebd. 24. 12. 1990; wurde ab 1946 bekannt als die »Stimme der Kritik« im Sender RIAS Berlin; 1945–55 Feuilletonredakteur der »Neuen Zeitung«, dann Chefkritiker der »Welt«; schrieb amüsant-zeitkrit. Essays, Biographien, theaterkrit. Werke und Filmdrehbücher.

Friedrich Luft

Luft|aufklärung, von Luft- oder Raumfahrzeugen aus betriebene militär. Aufklärung zur Gewinnung von Erkenntnissen über die Fähigkeiten, Absichten, Vorkehrungen und Handlungen eines mögl. oder wirkl. Gegners.

Luftbetankung (Flugbetankung), die Betankung eines Flugzeugs während des Fluges durch ein spezielles Tankflugzeug; dient heute v.a. mili-

Ludwigshafen am Rhein 2): Das Rathaus mit Rathaus-Center wurde 1979 fertiggestellt

Ludwigslust 2): Das spätbarocke Schloss (1772–76) war ursprünglich von einer Parkanlage umgeben, die im 19. Jh. zum Landschaftspark umgestaltet wurde

tär. Flugzeugen zur Reichweitenvergrößerung oder als Nachbetankung nach einem Start unter erschwerten Bedingungen.

Luftbild, urspr. ein von einem Luftfahrzeug aufgenommenes fotograf. Bild eines Teils der Erdoberfläche, heute allgemeiner eine bildl. Darstellung der Erdoberfläche, die mit Aufnahme- und Auswertegeräten der Luft- und Raumfahrt gewonnen werden kann. Die Begriffsausweitung entstand durch die Einführung neuer Sensoren und Aufnahmegeräte (Zeilenabtastgeräte, Strahlungsthermometer, Radargeräte) und neuer Auswertungs- und Bildgewinnungsverfahren (Bildauswertung und Bildaufzeichnung mit elektron. Datenverarbeitungsanlagen, digitale Bildverarbeitung), die zunehmend das fotograf. Bild und die fotograf. Kamera ergänzen. Findet die primäre Bildaufzeichnung in einem Satelliten statt, so spricht man von einem **Satellitenbild.** – Nach Richtung der Aufnahmeachse werden unterschieden: **Schrägbilder** (meist mit Handkameras aufgenommen) und **Senkrechtbilder** (kartenähnl. Darstellung, mit fest installierten Kameras und häufig als streifenartige L.-Reihen mit rd. 60% Überdeckung, aufgenommen mit Reihenmesskammern). – Durchforschung und Deutung des Bildinhaltes heißt **L.-Interpretation,** messende Auswertung (v.a. für Kartierungszwecke) **L.-Messung (Aerophotogrammmetrie).** Die Verwendung von Aufnahmematerialien mit hohem Auflösungsvermögen und speziellen Eigenschaften (→Falschfarbenfotografie) sowie die digitale Bildverarbeitung haben die Möglichkeiten der L.- bzw. Satellitenbildauswertung wesentlich erweitert und erlauben heute die bildmäßige Darstellung z.B. von Flächennutzungsklassen, Vegetationsarten, Temperaturverteilungen oder Gewässerverschmutzungen. – Kartograph. Darstellungen lassen sich aus Einzelbildern, Bildpaaren oder Bildreihen ableiten, die mit Messkammern senkrecht aufgenommen sind und einige bekannte Punkte enthalten. Solche Bilder können zeichnerisch, optisch, mechanisch oder rechnerisch ausgewertet werden (→Photogrammmetrie). – Das L. dient auch der militär. Luftaufklärung und der archäolog. Forschung, die mithilfe von L. Grundrisse ehem. Siedlungen, Befestigungen, den Verlauf von Wegen u.a. erkennt **(L.-Archäologie).** – L. sind zu einer wichtigen Informationsquelle in der allg. Erdfernerkundung geworden und haben Bedeutung in den Bereichen Raumordnung, Landesplanung, Vegetationskunde, Ökologie, Umweltüberwachung, geolog. Forschung, Rohstoffexploration, Ozeanographie und Klimatologie.

Luftbild: Luftbildarchäologie; Luftaufnahme vom Grundriss eines römischen Bauerngehöfts im Kreis Euskirchen; Stellen mit Mauerresten unter der Erde, die das Wasser nicht absorbieren, zeigen eine Gelbfärbung, der Pflanzenwuchs ist niedriger; Gräber unter der Oberfläche mit mehr Feuchtigkeit zeigen ihren Verlauf durch Grünfärbung auf gelbem Feld

📖 Albertz, J.: *Grundlagen der Interpretation von Luft- u. Satellitenbildern. Darmstadt 1991.* – Löffler, E.: *Geographie u. Fernerkundung. Stuttgart [2]1994.* – Hildebrandt, G.: *Fernerkundung u. Luftbildmessung. Heidelberg 1996.*

Luftbrücke (engl. airlift), die regelmäßige Luftversorgung von auf anderem Wege nicht erreichbaren Gebieten durch einen Pendelverkehr mit Luftfahrzeugen; eingesetzt u.a. anlässlich der →Berliner Blockade (gesamte Transportleistung 1,44 Mio. t) sowie 1993 zur Versorgung der Bev. in Bosnien und Herzegowina.

Luftdruck, der von der Atmosphäre infolge der Schwerkraft ausgeübte Druck; wird mit dem →Barometer gemessen und in Hektopascal (hPa) angegeben (1 hPa = 100 Pa; früher auch in Millibar [mbar], Torr oder mm Hg, d.h. mm Quecksilbersäule); →Druck. Der L. beträgt auf Meereshöhe im Mittel bei 15 °C Durchschnittstemperatur 1013,25 hPa und nimmt mit der Höhe je 5,54 km um die Hälfte ab; er weist tägl. und jährl. Schwankungen auf. Ein Gebiet geringen L. heißt barometr. **Tief,** ein Gebiet hohen L. barometr. **Hoch.** Die L.-Abnahme mit der Höhe wird zur barometr. Höhenmessung benutzt.

Luftdruckwaffen, Schusswaffen (Luftgewehre und -pistolen) mit komprimierter Luft oder komprimiertem Kohlendioxid als Treibladung. Die Geschosse erhalten ihre Anfangsgeschwindigkeit durch den Druck der beim Abdrücken sich plötzlich entspannenden Gase. Im Schießsport betragen das Höchstgewicht für **Luftgewehre** 5 kg bzw. für **Luftpistolen** 1,5 kg, das Kaliber 4,5 mm und die Wettkampfdistanz 10 m. Olymp. Disziplinen sind der Stehendwettkampf mit dem Luftgewehr, das Schießen auf eine laufende punktierte Scheibe sowie das Luftpistolenschießen (alle Disziplinen für Frauen und Männer).

Luft|elektrizität, alle natürl. elektrischen Erscheinungen in der Erdatmosphäre. Unter dem Einfluss von radioaktiver, kosm. und von der Sonne ausgehender UV-Strahlung entstehen Ladungsträger, die ein elektr. Feld aufbauen. Die Erde hat eine negative Ladung, das Feld schwankt tages- und jahreszeitlich sowie wetterabhängig. Die Potenzialdifferenz zw. Erdoberfläche und leitenden Schichten der unteren Ionosphäre führt zu Büschelentladungen. Die globale Gewittertätigkeit bewirkt vermutlich die ständige negative Aufladung der Erde.

Luft|embolie, → Embolie.

Lüfter, → Ventilator.

Luftfahrerschein, behördl. Erlaubnisschein zur Führung eines Luftfahrzeugs. Er kann nach der in der VO über Luftfahrtpersonal i. d. F. v. 13. 2. 1984 festgelegten Prüfordnung nach einer vorgeschriebenen Pilotenausbildung erworben werden. – *L.-Arten:* L. für Privat- oder Berufsflugzeugführer 2. und 1. Klasse, Verkehrsflugzeugführer, Privat-, Berufs-, Verkehrshubschrauberführer, Motorsegler- bzw. Segelflugzeugführer sowie L. für Freiballon- bzw. Luftschiffführer.

Luftfahrt, die Benutzung des Luftraums durch Luftfahrzeuge und alle damit zusammenhängenden Tätigkeiten, Einrichtungen und Techniken. Hauptbereiche sind die **Zivil-L.** und **Militär-L.;** Teilbereiche der Zivil-L. sind die **Verkehrs-L.** (→ Luftverkehr) und die **allgemeine L.** (gewerbl. und nichtgewerbl. Aktivitäten außerhalb des planmäßigen Luftverkehrs).

Geschichte: Der Wunsch des Menschen zu fliegen spiegelt sich in vielen Mythologien und Sagen wider (z. B. Ikarus). Leonardo da Vinci schuf um 1500 die ersten ernst zu nehmenden Pläne, um mit von Muskelkraft bewegten Flügeln zu fliegen. Der italien. Jesuitenpater F. de Lana erkannte um 1670 die Möglichkeit, den aerostat. Auftrieb zu nutzen. Einen unbemannten Heißluftballon soll der in Brasilien geborene Jesuitenpater Laurenço de Gusmão 1709 dem König von Portugal im Saal vorgeführt haben. Weitere Geschichte ÜBERSICHT S. 448

Luftfahrt

In Kitty Hawk, North Carolina, über den Dünen der Atlantikküste erhebt sich erstmals ein motorgetriebenes Gerät, das schwerer ist als Luft. Die Helden dieses 17. Dezember 1903 sind die Brüder Orville und Wilbur Wright. Ihr Flugzeug, die Flyer, führt mit seinen 12–16 PS gleich vier Flüge hintereinander durch, der längste geht über 284 Meter. Danach ging es rapide aufwärts, und 1908 flog Henri Farman mit seinem Doppeldecker zuerst einen Kilometer im Kreisflug und dann die 27 Kilometer von Bouy nach Reims. Grund genug für die Franzosen, Ende des Jahres auch gleich die erste internationale Luftfahrtausstellung im Grand Palais in Paris zu veranstalten.
Am 25. Juli 1909 startete dann Louis Blériot um 4.41 Uhr bei Baraques (Calais) mit seiner Blériot XI zur legendären Kanalüberquerung und landete um 5.13 Uhr in der Umgebung von Dover. Dieser Flug versetzte die Welt restlos in Begeisterung und brachte der noch jungen Fliegerei weiteren Schub.

📖 BERGIUS, C. C.: *Die Straße der Piloten in Wort u. Bild. Die abenteuerl. Geschichte der Luft- u. Raumfahrt. Neuausg. Herrsching 1988.* – BERTRAM, H.: *Götterwind. Pioniere der L. Neuausg. Frankfurt am Main u. a. 1992.* – *Pionierjahre der L.,* bearb. v. B. MACKWORTH-PRAED. *A. d. Engl. Stuttgart 1993.* – *Meilensteine der L. von den Gebrüdern Wright bis zur Stealth-Technologie,* bearb. v. M. SPICK. *A. d. Engl. Neuausg. Zürich 1996.*

Luftfahrt-Bundes|amt, → Luftrecht.

Luftfahrtmedizin, die → Flugmedizin.

Luftfahrtpersonal, i. e. S. alle Personen, die für ihre Tätigkeit innerhalb des Luftverkehrs eine besondere Erlaubnis benötigen, z. B. alle Flugzeugführer (→ Luftfahrerschein). I. w. S. Personen, die bei Luftverkehrsgesellschaften, Luftfahrtindustrie,

Luftdruck

Der Luftdruck in einer bestimmten Höhe ist gleich dem Gewicht der Luftsäule über dieser Höhe: Das hat Pascal 1648 durch Versuche herausbekommen. Je höher man steigt, desto kleiner wird die darüber liegende Luftsäule und damit auch der Druck. In Meereshöhe entspricht er etwa dem Druck, welchen ein Körper von 1 kg Masse auf eine Fläche von 1 cm² ausübt. Gemessen wird der Luftdruck mit dem Barometer, und zwar in Hektopascal (hPa). In dieser Einheit beträgt der durchschnittliche Luftdruck auf Meereshöhe 1013 hPa. In der Lufthülle bildet sich das Druckfeld in waagerechten Zonenstreifen aus, beispielsweise die polare Hochdruckzone oder die äquatorialen Tiefdruckzonen in den unteren Schichten. Es gibt aber auch eine zeitliche Variation: Weil die Kontinente im Winter kälter und im Sommer wärmer sind als die Ozeane, kehren sich mit dem Jahreszeitenwechsel die Gegensätze zwischen Land- und Wassermassen um. Die Zonenstreifen haben planetare und geographische Ursachen.

Geschichte der Luftfahrt (Auswahl)

1783	Erster Aufstieg eines Heißluftballons (Montgolfiere)
1785	Erste Überquerung des Ärmelkanals von England nach Frankreich durch J.-P. Blanchard und J. Jeffries in einem Wasserstoffballon
1804	L. J. Gay-Lussac erreicht im Ballon 7000 m Höhe
1890–96	Gleitflüge O. Lilienthals
1900	Erster Aufstieg eines Zeppelin-Luftschiffs (LZ 1) von Manzell am Bodensee
1901	Umstrittener erster Motorflug von G. Whitehead (Weisskopf) in den USA
1903	Erste Motorflüge der Brüder Wright
1909	Ärmelkanalüberquerung von L. Blériot
1915	Erstes Ganzmetallflugzeug von H. Junkers
1917	Streckenrekord von LZ 59 über 6757 km von Bulgarien bis Khartum in Afrika und zurück
1919	Erste Nordatlantiküberquerung durch J. W. Alcock und A. Whitten-Brown
1924	Erste Ost-West-Überquerung des Nordatlantiks durch LZ 126 unter H. Eckener
1927	Nordatlantiküberquerung von New York nach Paris durch C. A. Lindbergh im Alleinflug
1928	Erste Ost-West-Überquerung des Nordatlantiks im Flugzeug durch H. Köhl, G. von Hünefeld, J. Fitzmaurice
1929	Weltfahrt des LZ 127 »Graf Zeppelin« unter H. Eckener
1929	Erstes Raketenflugzeug RAK 1 von J. Hatry, vorgeführt von F. von Opel
1932	A. Piccard erreicht in seinem Stratosphärenballon 16940 m Höhe
1932	Beginn des regelmäßigen Liniendienstes über den Südatlantik durch LZ 127
1935	Beginn des Luftverkehrs mit Flugzeugen über den Pazifischen Ozean
1936	Erster leistungsfähiger Hubschrauber Fw 61
1936	Beginn des regelmäßigen Flugdienstes über den Nordatlantik (Frankfurt–Lakehurst, New York) durch LZ 127 und LZ 129
1937	Brandkatastrophe des LZ 129 »Hindenburg« in Lakehurst, 36 Tote; Ende der Verkehrsluftschifffahrt
1938	Im Segelflugzeug wird die Stratosphäre erreicht (11 400 m Höhe)
1939	Beginn des Luftverkehrs mit Flugzeugen über den Nordatlantik
1939	Erstflug des Raketenflugzeugs Heinkel He 176
1939	Erstes Flugzeug mit Strahltriebwerk Heinkel He 178
1947	Raketenflugzeug Bell X-1 überschreitet Schallgeschwindigkeit
1949	Umrundung der Erde (37523 km) ohne Zwischenlandung mit Flugbetankung
1952	Luftverkehr beginnt mit Strahlflugzeugen (»Comet«)
1957	Planmäßiger Luftverkehr über den Nordpol
1957	Erster Senkrechtstarter
1967	Raketenflugzeug X-15 erreicht 7274 km/h
1970	Einführung der Großraumflugzeuge
1976	Eröffnung des Überschall-Luftverkehrs (»Concorde«)
1978	Erste Überquerung des Nordatlantiks von USA bis Paris in einem Heliumballon
1981	Ärmelkanal wird von einem Solarkraftflugzeug überquert (S. Ptacek)
1981	Erste Überquerung des nordamerikanischen Kontinents von der West- zur Ostküste der USA (4047 km) mit einem Heliumballon
1981	Erste Überquerung des Pazifischen Ozeans von Japan bis Kalifornien mit einem Heliumballon in $3^1/_2$ Tagen
1986	Umrundung der Erde (48152 km) in 9 Tagen durch D. Rutan und J. Yeager in dem Leichtflugzeug »Voyager« nonstop und ohne Flugbetankung
1987	Der Airbus A 320 wird als erstes Flugzeug mit der Fly-by-Wire-Technik ausgestattet
1997	Wiederaufnahme des Zeppelin-Luftschiffbaus mit dem Prototyp LZ N07

Flughafengesellschaften und Behörden (z.B. Luftfahrt-Bundesamt) beschäftigt sind.

Luftfahrtversicherung, Sammelbegriff für Versicherungen, die Gefahren decken, welche im Zusammenhang mit dem Betrieb, der Benutzung, dem Bau und der Wiederherstellung von Luftfahrzeugen auftreten. Man unterscheidet die **Luftfahrt-Kaskoversicherung** und die **Luftfahrt-Haftpflichtversicherung,** die sich in die Halter- und die Passagier-Haftpflichtversicherung, die Haftpflichtversicherung für Flughäfen, die Reiseveranstalter-Haftpflichtversicherung und die Luftfahrt-Unfallversicherung gliedert. Die meisten Luftversicherer haben sich zu Versicherungspools zusammengeschlossen (→Luftpool).

Luftfahrzeug, Bez. für alle Fluggeräte, die sich in der Atmosphäre halten und bewegen können. **L. leichter als Luft** (Ballone, Luftschiffe) werden durch aerostat. Auftrieb (Dichteunterschied) getragen, **L. schwerer als Luft** (Flugzeuge, Drachen, unbemannte Flugkörper, Fallschirme) durch aerodynam. Auftriebserzeugung.

Luftfeuchtigkeit (Luftfeuchte), der Wasserdampfgehalt der Luft; er ist temperaturabhängig und schwankt zeitlich und räumlich zw. 0 und 4 Volumenprozent; wird angegeben als **absolute L.** (Gramm Wasserdampf je Kubikmeter Luft), als **spezif. L.** (Gramm Wasserdampf je Kilogramm Luft) sowie als **relative L.** (Verhältnis von absoluter zu der für die herrschende Temperatur bei Sättigung möglichen maximalen L., in Prozent).

Luftfilter, Filter zur Abscheidung von Staub u.a. Verunreinigungen aus der Luft. Man unterscheidet →Gewebefilter, für deren Wirkung neben dem Aufbau des Filtermediums v.a. Faserart und -feinheit bestimmend sind, und →Elektrofilter. In der *Lüftungs-* und *Klimatechnik* werden u.a. **Trockenfilter** verwendet, die aus einzelnen Platten (Zellen) aus Glas- oder Kunststoffgespinst in Metallrahmen bestehen. **Ölbenetzte Metallfilter** sind aus einzelnen mit Spezialöl benetzten Zellen oder Platten, die eine Füllung mit möglichst großer Oberfläche besitzen, zusammengesetzt. Elektrofilter sind bes. zum Abscheiden feiner Staubteilchen aus Rauch, Ölnebeln und Flugasche geeignet. Je nach dem Abscheidegrad werden **Grob-, Fein-** oder **Feinstfilter** unterschieden. Hochwertige **Schwebstofffilter** werden zur Abscheidung radioaktiver Schwebstoffe, von Bakterien und Viren verwendet. **Aktivkohlefilter** ermöglichen die Absorption von Gasen, Geruchsstoffen und Dämpfen. – Bei *Verbrennungsmotoren* halten L. den in der Ansaugluft enthaltenden Staub vom Motor fern und verringern dadurch den Verschleiß, außerdem dämpfen sie die Ansauggeräusche. Bei kleinen Motoren (Pkw) sind sie meist als **Papier-L.** ausgeführt. Bei großen Motoren ist dem Papier-L. oft ein →Zyklon vorgeschaltet, der die Dauer des Papiereinsatzes verlängert.

Luftgewehr, →Luftdruckwaffen.

Lufthoheit, das Recht jedes souveränen Staates, die Benutzung des Luftraums über seinem Staatsgebiet bindend zu regeln. Nach oben (nach herrschender Meinung bei 80–100 km ü. M.) schließt sich an den Luftraum der keiner Gebietshoheit unterliegende Weltraum an. Völkerrechtlich trennt die Luftgrenze die jeweiligen L. voneinander.

Luftkissenfahrzeug, ein Fahrzeug, das in geringem Abstand über einer Boden- oder Wasserfläche durch ein Luftkissen (Gebiet erhöhten Drucks) in der Schwebe gehalten wird. Mittels motorisch angetriebener Hubgebläse wird Luft durch einen schmalen Ringspalt zw. Fahrzeugunterseite und Bodenfläche ausgeblasen, wodurch das Luftkissen sowohl erzeugt als auch gegen den Außendruck abgedichtet wird. Der für die Fortbewegung des L. benötigte Vortrieb wird überwiegend durch zusätzl. Luftschrauben erzeugt; die Steuerung erfolgt durch angeblasene Ruder oder schwenkbare Luftschrauben. Vorteile der L. sind ihre amphib. Eigenschaften, die Verwendbarkeit über sonst für den Fahrzeugbetrieb ungeeigneten Bodenflächen (Sumpf, Eis, Marsch, Wattenmeer, Sand) und die gegenüber (Fähr-)Schiffen höhere Reisegeschwindigkeit. Seit den 1970er-Jahren werden L. **(Hovercraft)** z. B. als Seefähren zw. Boulogne-sur-Mer bzw. Calais und Dover eingesetzt.

Luftkorridor, von den Flugsicherungsbehörden festgelegter und kontrollierter Luftverkehrsweg zur Sicherung des Flugverkehrs.

Luftkrieg, militär. Einsatz der →Luftwaffe. Der L. besteht aus Luftaufklärung, -angriff, -verteidigung und -transport. Der **strateg. L.** richtet sich gegen feindl. Flugplätze und Stellungen sowie die Teilstreitkräfte Heer und Marine und gegen die Wirtschaft und die Bevölkerung des Feindlandes. Der **takt. L.** richtet sich in Angriff und Verteidigung gegen die feindl. Luftwaffe in der Luft; das eigene Heer wird durch unmittelbares Eingreifen in die Bodenkämpfe unterstützt.

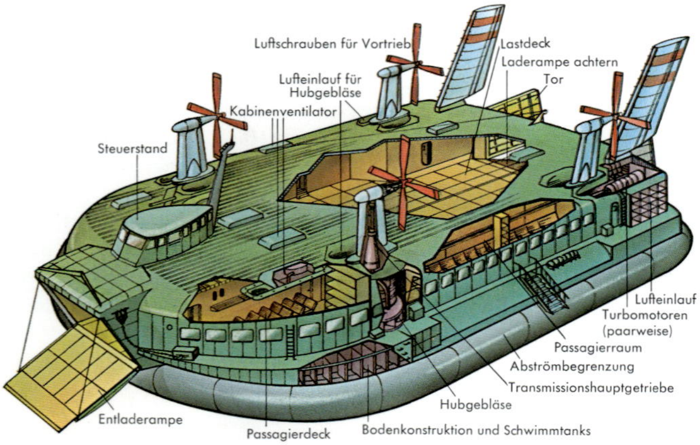

Luftkissenfahrzeug: Schema eines Luftkissenfahrzeugs der British Hovercraft Corporation

Geschichte: Im 1. Weltkrieg wurden Luftschiffe und Flugzeuge zunächst für Aufklärungsflüge, dann auch im Luft- und Erdkampf eingesetzt. Im 2. Weltkrieg hatte der L. bereits kriegsentscheidende Wirkung: Durch die dt. Niederlage in der »Luftschlacht um England« war eine dt. Invasion in England unmöglich; die Bombenangriffe auf dt. Großstädte (z. B. Nürnberg) schädigten die dt. Industrie nachhaltig; die Vorstöße der Alliierten wurden planmäßig durch Luftangriffe vorbereitet. Ohne kriegsentscheidende Bedeutung blieben

Luftkrieg: Einmarsch amerikanischer Panzerverbände 1945 in das durch Bombenangriffe stark zerstörte Nürnberg

Terrorangriffe auf die Zivilbevölkerung (z.B. Dresden, Hiroshima, Vietnam). Mit der Entwicklung elektron. Abwehrsysteme und weit reichender Raketen änderte sich die Rolle des L. grundlegend.

Luftkühlung, Kühlverfahren bei Verbrennungskraftmaschinen mit Luft als Kühlmittel zur Wärmeabfuhr aus den Zylindern und dem Zylinderkopf, die zur Oberflächenvergrößerung mit Kühlrippen ausgestattet sind.

Luftkur|ort, landschaftlich bevorzugter Kurort mit ärztlich anerkannten heilklimatischen Eigenschaften.

Luftlandetruppen, Streitkräfte, die ihren Einsatzort durch Fallschirmabsprung erreichen oder durch Flugzeuge oder Hubschrauber am Einsatzort gelandet werden und hierfür bes. ausgebildet, gegliedert und ausgerüstet sind.

Luftlini|e, die kürzeste Entfernung zw. zwei Punkten der Erdoberfläche.

Lüftlmalerei aus dem ausgehenden 18. Jh. am Haus »Am Gries« in Mittenwald

Lüftlmalerei (Lüftelmalerei), Fassadenmalerei des bayer. und Tiroler Alpengebiets (v.a. Oberammergau, Mittenwald; Außerfern); Blütezeit der L. war das 18. Jahrhundert.

Luftmasse, großvolumige Luftmenge (horizontale Ausdehnung mindestens 500 km, vertikale Größe mindestens 1000 m), die längere Zeit über einem Gebiet verweilt und typ. Werte (Temperatur, Feuchte, Beimengungskonzentrationen) aufweist.

Luftmine, Flugzeugbombe mit geringer Splitter-, aber sehr großer Sprengwirkung.

Luftpiraterie, die widerrechtl. Inbesitznahme von zivilen Luftfahrzeugen **(Flugzeugentführung, Hijacking)** während des Fluges oder in unmittelbarem Zusammenhang mit diesem. L. erfolgt meist aus polit. Motiven; zu ihrer Bekämpfung werden auf internat. Ebene v.a. die drei Abkommen von Tokio (1963), Den Haag (1970) und Montreal (1971) angewandt, die u.a. dafür sorgen sollen, dass jeder Luftpirat, unabhängig vom Begehungsort, zur Verantwortung gezogen wird; Staaten, die den Luftpiraten Asyl gewähren, müssen sie gleichwohl wegen der L. verurteilen. In Dtl. wird L. mit Freiheitsstrafe nicht unter fünf Jahren bestraft (§ 316c StGB, nach dieser Vorschrift wird ebenfalls **Seepiraterie** geahndet). Unter den Tatbestand fallen auch der Schusswaffengebrauch und das Vorhaben, eine Explosion oder einen Brand herbeizuführen, um ein Luftfahrzeug oder seine Ladung zu zerstören. Daneben kommen als Straftatbestände Freiheitsberaubung und Geiselnahme in Betracht. Das *österr.* StGB enthält in den §§ 102 (erpresser. Entführung) und 185 f. (L., Luftverkehrsgefährdung), das *schweizer.* StGB in Art. 183 (Entführung), Art. 185 (Geiselnahme) und Art. 237 (Störung öffentl. Verkehrs) ähnl. Straftatbestände.

Luftpool, Deutscher [-pu:l], Abk. **DLP,** Rückversicherungsgemeinschaft der dt. Luftfahrtversicherungen für Luft- und Raumfahrtrisiken in Form einer Gesellschaft des bürgerl. Rechts, gegr. 1920, aufgelöst 1945; Neugründung 1950, Sitz: München.

Luftpost (engl. airmail, frz. poste aérienne), Postbeförderung auf dem Luftweg. L. wird mit einem entsprechenden Vermerk »Mit L.« (engl. »by airmail«, frz. »par avion«; im internat. Verkehr: »prioritaire«) versehen. Briefe, Postkarten und Postanweisungen werden zuschlagfrei mit Nachtpostflügen befördert (nur Inland und europ. Ausland). Zuschlagpflichtig sind Briefsendungen jeder Art, Päckchen, Pakete, Zeitungen. In Dtl. wurden erstmals 1912 Postsendungen durch Luftschiffe und Flugzeuge versandt.

Luftpumpe, 1) *Astronomie:* (lat. Antlia) ein Sternbild am Südhimmel.

2) *Technik:* 1) Verdichter zum Aufpumpen von Fahrzeugreifen, Bällen u.a., meist ein einfach wirkender Kolbenverdichter ohne Ventile, für Hand- oder Fußbetätigung; 2) eine →Vakuumpumpe, bes. zur Entlüftung von Kondensatoren für Dampfturbinen und -maschinen sowie von Saugleitungen für Flüssigkeitspumpen. Als »nasse L.« zur gemeinsamen Förderung von Luft, Kondensat und ggf. auch Einspritzwasser dienen Kolbenpumpen.

Luftrecht (Luftfahrtrecht), die Vorschriften des nat. und internat. Rechts über den Luftverkehr.

Verwaltungsrecht: Nach dem Luftverkehrs-Ges. vom 1. 8. 1922 i.d.F.v. 14. 1. 1981 dürfen dt. Luftfahrzeuge nur verkehren, wenn sie zum Luftverkehr zugelassen sind. Die Verkehrszulassung setzt eine Zulassung des Musters des Luftfahrzeugs (Musterzulassungsschein), den Nachweis der Verkehrssicherheit, die Versicherung des Fahrzeughalters und das Vorhandensein von techn. Einrichtungen zur Minderung des Betriebslärms voraus. Das Zulassungsverfahren schließt mit der Erteilung eines Lufttauglichkeitszeugnisses und in den vorgesehenen Fällen mit der Eintragung in die Luftfahrzeugrolle (Verzeichnis der ausschließlich in dt. Eigentum stehenden Luftfahrzeuge) durch das Luftfahrt-Bundesamt. Außerdem wird dem Luftfahrzeug ein Kennzeichen zugeteilt. Weitere Vorschriften des Gesetzes betreffen die Erlaubnispflicht für Luftfahrer, die Errichtung von Flugplätzen und die Tätigkeit als Luftfahrtunternehmen; es enthält Beschränkungen für ausländ. Luftfahrtunternehmen, unterwirft öffentl. Luftfahrtveranstaltungen behördl. Genehmigung und verankert die Haftung für Schäden im Luftverkehr im Sinne einer verschuldensunabhängigen Gefährdungshaftung. Ergänzende Regelungen enthalten die Luftverkehrs-Zulassungsordnung i.d.F.v. 13.3.1979, die Luftverkehrsordnung i.d.F.v. 14.11.1969 und die Luftfahrtpersonal-VO i.d.F.v. 13.2.1984. Als Bundesbehörde für Aufgaben der Zivilluftfahrt besteht das Luftfahrt-Bundesamt. – Ähnliche Ges. gibt es in *Österreich* (Luftfahrt-Ges. 1957, Luftverkehrs-Ges. 1936, jeweils mit späteren Änderungen) und in der *Schweiz* (Luftfahrt-Ges. vom 21.12.1948).

Völkerrecht: Der internat. Luftverkehr wird im Abkommen über die Internat. Zivilluftfahrt (Chicago 7.12.1944) geregelt. Oberste internat. Behörde ist danach die **Internat. Zivilluftfahrt-Organisation** (engl. Abk. **ICAO**) in Montreal (Kanada) als UN-Sonderorganisation. Das Abkommen legt Bedingungen fest, unter denen die Benutzung des Luftraums durch ausländ. Luftfahrzeuge ohne Einzelgenehmigung zulässig ist. Eine allg. Luftverkehrsfreiheit wird nicht gewährt. Für den Linienluftverkehr werden generelle Genehmigungen erteilt.

Zivilrecht: Der Luftbeförderungsvertrag ist i.d.R. Werkvertrag. Wird eine Person, die nicht Fluggast ist, beim Betrieb eines Luftfahrzeugs durch Unfall oder ein Fluggast im Luftfahrzeug oder beim Ein- oder Aussteigen getötet, verletzt oder an seinem Eigentum beschädigt, so ist der Halter des Luftfahrzeugs oder der Luftfrachtführer nach nat. Recht ohne Nachweis eines Verschuldens zum Schadenersatz verpflichtet, jedoch nur bis zu bestimmten Beträgen (§§33ff., 44ff. Luftverkehrs-Ges.): Für Fluggäste beträgt die Haftungshöchstsumme 320000 DM pro Person bei Tod oder Verletzung sowie 67,50 DM pro kg Gepäck; die Höchstsumme des Schadenersatzes für jede Person, die nicht Fluggast ist, beträgt 500000 DM. Bei internat. Luftbeförderung gilt das Warschauer Abkommen von 1929, das die Haftung auf Beträge ähnl. Größenordnung beschränkt.

📖 SCHWENK, W.: *Handbuch des Luftverkehrsrechts. Köln u.a.* [2]*1995.*

Luftreinhaltung, Bereich des Umweltschutzes, der sich mit gesetzl. Maßnahmen und techn. Entwicklungen zur Verringerung der Schadstoffimmission befasst. Dazu enthält das →Bundesimmissionsschutzgesetz eine Reihe von Durchführungs-VO (z.B. über →Feuerung) sowie allg. Verwaltungsvorschriften, wie die Techn. Anleitung zur Reinhaltung der Luft (TA Luft) i.d.F.v. 27.2.1986. Sie enthält u.a. Immissions- und Emissionsgrenzwerte für staub- und gasförmige Einzelstoffe sowie techn. Vorschriften für Anlagen. Die regelmäßige Überwachung der Luftverschmutzung durch physikalisch-chem. Messungen und Beobachtung von Bioindikatoren ermöglicht die Erstellung von →Immissionskatastern. Zu den techn. Maßnahmen zur L. gehören neben den Verfahren zur Abtrennung von Stäuben aus Gasströmen (Entstaubung) sowie von gas- oder dampfförmigen Nebenbestandteilen aus techn. Gasen (Gasreinigung, Rauchgasentschwefelung) alle Methoden, bei denen Abgase durch direkte oder katalyt. Oxidation beseitigt werden (z.B. Abfackeln von Raffinerieabgasen, katalyt. Oxidation von Geruchsstoffen, Einsatz von Katalysatoren), ferner die Einschränkung des Lösungsmittelverbrauchs in Lacken sowie der Ersatz von Fluorchlorkohlenwasserstoffen (FCKW) durch andere Stoffe. Besondere Vorschriften gelten bei →Smog.

Luftröhre (Trachea), beim Menschen und den Luft atmenden Wirbeltieren das Verbindungsrohr zw. Kehlkopf und Lunge; beim Menschen etwa 12 cm lang. Die L. besteht aus nach hinten offenen, durch Bindegewebe untereinander verbundenen Knorpelspangen. Sie wird vom Flimmerepithel ausgekleidet und teilt sich vor Eintritt in die Lunge in zwei Hauptbronchien.

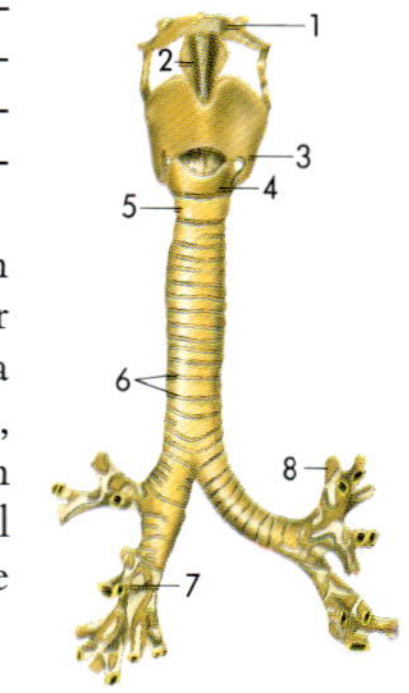

Luftröhre: 1 Zungenbein, 2 Kehldeckel, 3 Schildknorpel des Kehlkopfs, 4 Bogen des Ringknorpels, 5 erster Luftröhrenknorpel, 6 Bänder zwischen den Luftröhrenknorpeln, 7 rechter Hauptbronchus, 8 linker Hauptbronchus

Luftröhrenschnitt, die →Tracheotomie.

Luftrolle, *Turnen:* freier Überschlag rück- oder vorwärts um die Breitenachse, der Körper kann gebeugt, gebückt, gestreckt sein.

Luftsack, 1) *Kraftfahrzeugtechnik:* →Airbag.

2) *Technik:* in wassergefüllten Rohrleitungssystemen gebildeter Luftraum, in dem im Wasser gelöste Luft austritt.

Luftschiff, Luftfahrzeug, bei dem ein Traggas (Wasserstoff oder Helium), das leichter als Luft ist, den Auftrieb erzeugt. Die für die Vorwärtsfahrt erforderl. Vortriebskraft erzeugen →Luftschrauben. Sie werden von Flugmotoren angetrieben, die in am L.-Körper angebrachten Motorgondeln untergebracht sind. Zur Steuerung dienen aerodynamisch wirkende Ruder des am Heck befindl. Höhen- und Seitenleitwerks. Für Besatzung und Fluggäste ist unterhalb des L.-Vorderteils eine großräumige Gondel vorhanden. Man unterschei-

Luftschiff »LZ 127« (»Graf Zeppelin«) über der Luftschiffwerft in Friedrichshafen 1936; in der Halle ist ein Teil des im Bau befindlichen »LZ 129« (»Hindenburg«) zu sehen

det drei L.-Arten: **Unstarre L. (Prall-L.)** erhalten ihre Form durch den Überdruck des Traggases auf den aus gummierten Geweben bestehenden Tragkörper. Außer den Gondeln, Motoren und Steuerflächen sind keine festen Bauteile vorhanden. **Halbstarre L.** besitzen zusätzlich einen Kielträger, an dem Motoren- und Fahrgastgondeln angebracht sind. Die bekanntesten L. sind die **Starr-L.;** zur äußeren Formgebung haben sie ein starres Innengerüst aus Leichtmetall, das mit einem beschichteten Textilgewebe überzogen ist. Das Traggas ist in besonderen Gaszellen enthalten.

Geschichte: Das erste wirklich brauchbare L. (Starr-L.) stammt von F. Graf von Zeppelin, das am 2. 7. 1900 startete (»LZ1«). 1908 wurde die »Luftschiffbau Zeppelin GmbH«, Friedrichshafen, gegr., 1910 ein planmäßiger Passagier-Luftverkehr eröffnet. 1910–11 baute J. Schütte mit Unterstützung des Großindustriellen K. Lanz das »SL1«, 1913/14 das »SL2«, das bereits alle wichtigen Merkmale aufwies, die von künftigen L. übernommen wurden (stromlinienförmiger Schiffskörper, innen liegender Laufgang, seitl. am Rumpf angeordnete Maschinengondeln, einfache Leitwerke und Gasschächte). Die ersten brauchbaren unstarren L. stammen von Santos-Dumont, der am 19. 10. 1901 damit den Eiffelturm umrundete, und von A. von Parseval (1906). 1924 fand die erste Nonstop-Atlantiküberquerung von Ost nach West durch »LZ126« statt. »LZ127« (»Graf Zeppelin«) nahm 1929 nach einem Rundflug um die Erde den Liniendienst über Süd- und Nordatlantik auf, »LZ129« (»Hindenburg«) folgte 1936. Dieses größte je im Einsatz befindl. L. fiel am 6. 5. 1937 bei Lakehurst (N. J.) einer Brandkatastrophe zum Opfer. Daraufhin wurde der L.-Bau in Dtl. eingestellt, weil kein Helium als unbrennbares Traggas zu erhalten war. Auch die USA und Großbritannien gaben nach dem Verlust des engl. L. »R101« durch Brand (1931) den L.-Bau auf. Bis Anfang der 1970er-Jahre setzte die US-Marine L. zur Überwachung und Begleitung von Schiffskonvois ein. Derzeit werden unstarre Klein-L. mit Helium als Traggas vereinzelt noch zu Reklamezwecken verwendet.

1997 ist die Flugerprobung und Musterzulassung einer neuen Zeppelin-Generation (»Zeppelin NT«; erstes Modell »LZN07«) geplant; die Serienproduktion soll ab 1998 erfolgen. Diese L. vereinen die Vorteile von Starr- und Prall-L. durch eine stark vereinfachte Tragstruktur in Form eines dreieckigen räuml. Fachwerks, bei dem Querträger aus kohlefaserverstärktem Kunststoff verwendet werden. Durch den Einsatz von schwenkbaren Antriebseinheiten lässt sich damit ein L. im Schwebeflug erstmals in der vertikalen und horizontalen Ebene drehen. Die neuen L. können u. a. zur Verkehrsüberwachung, im Umweltschutz (Messung von Schadstoffen) und in der Flugtouristik Verwendung finden.

📖 *Die L.e, bearb. v.* D. Botting *u. a. A. d. Engl. Eltville 1993. – Unternehmen Zeppelin. Geschichte eines Konzerns, hg. v.* H. G. Knäusel. *Bonn 1994. – Die Geschichte der dt. Zeppeline, hg. v.* Peter Meyer. *Bonn [2]1996. – Leichter als Luft – Ballone u. L.e, bearb. v.* D. Haaland *u. a. Bonn 1997.*

Luftschraube (Propeller), Bauteil eines Luftfahrzeugantriebs, das die Wellenleistung eines Kolben- oder Turbotriebwerks zur Erzeugung einer Vortriebskraft nutzt. Eine L. besteht meist aus zwei bis sechs tragflügelartigen Flächen (Blättern), die in einer zur Flugrichtung etwa senkrechten Ebene umlaufen und den Luftstrom beschleunigen. Die daraus resultierende Impulskraft dient zur Überwindung der Widerstandskraft des Luftfahrzeugs. I. d. R. arbeitet die L. in einem unbegrenzten Luftstrom **(offene** oder **frei fahrende L.),** seltener in einem durch einen ringförmigen Gehäusemantel umgrenzten Luftstrom **(Mantel-L.).** Die **L.-Blätter** sind entweder starr mit der Nabe verbunden **(Starr-L.)** oder in dieser wäh-

Luftschiff

Wer umrundete erstmals mit einem Luftschiff den Eiffelturm?

*Es war Albert Santos-Dumont (*1873, †1932), ein in Paris lebender brasilianischer Luftfahrtpionier. Als er am 19. Oktober 1901 den Eiffelturm umkurvte, benutzte er ein Prall-Luftschiff. Santos-Dumont war ein verwegener Luftcowboy. So soll er bei Besuchen in seinem Pariser Club das Luftschiff draußen wie ein Pferd angebunden haben. Für die Umrundung des Eiffelturms erhielt er eine Prämie von 125 000 Francs.*

rend des Betriebs verstellbar angeordnet **(Verstell-L.).** L. sind an der Rumpfspitze oder vor den Tragflügeln angeordnet (Vortriebskraft wirkt als Zugkraft; **Zugpropeller**), seltener an der Flügelhinterkante oder am Rumpfheck (Vortriebskraft wirkt als Druckkraft; **Druckpropeller, Heckluftschraube**).

Luftschutz, →Zivilschutz.

Luftspiegelung, atmosphär. Erscheinung, bei der ein entfernter Gegenstand mehrfach, z.T. auch auf dem Kopf stehend, gesehen wird. Ursache ist eine Totalreflexion von Lichststrahlen an der Grenzfläche zw. Luftschichten unterschiedl. Temperatur und damit unterschiedlicher opt. Dichte. L. nach unten (Kimmung) entstehen, wenn die untersten Luftschichten wärmer sind als die darüber liegenden; sie werden bei starker Sonnenstrahlung am häufigsten über Asphaltstraßen (täuschen Wasserflächen vor, in denen sich der blaue Himmel spiegelt) oder über weiten, wenig bewachsenen Ebenen (z.B. Wüstenflächen) beobachtet, u.a. die **Fata Morgana.** L. nach oben treten auf, wenn die bodennahen Luftschichten kälter sind als die darüber liegenden, v.a. in Polargebieten über Schneeflächen oder über kalten Meeresgebieten.

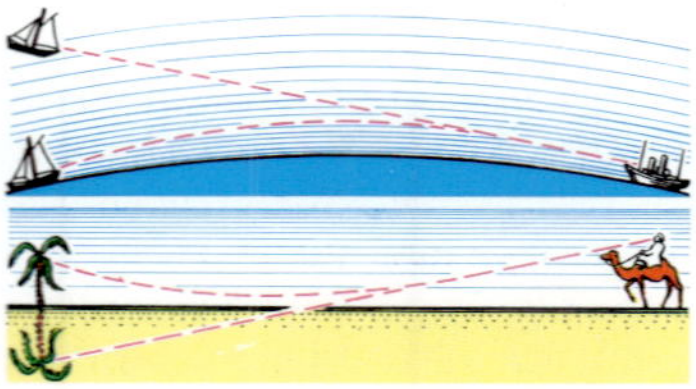

Luftspiegelung nach oben über dem Meer und nach unten über der Wüste

Luftsport, →Flugsport.

Luftstraße, korridorartige, mit Funknavigationseinrichtungen ausgerüstete Flugbetriebsstrecke innerhalb eines Flugsicherungskontrollbezirks. Auf der L. werden den einzelnen Flugzeugen bestimmte Höhen zugewiesen (→Flugsicherung).

Luftströmungen, durch Druckunterschiede in der Atmosphäre hervorgerufene Bewegungen der Luft. L. sind vom hohen zum tiefen Druck gerichtet, wobei sie durch die →Coriolis-Kraft in Richtung der Isobaren abgelenkt werden (z.B. in 50° Breite bei einer Geschwindigkeit von 1 m/s um etwa 6°/km).

Luft- und Raumfahrt|industrie, Abk. **LRI,** Zweig der Investitionsgüterind., in dem Flugzeuge, Raketen, Satelliten u.a. Flugkörper sowie Triebwerke, Ausrüstungen und Werkstoffe für zivile und militär. Zwecke entwickelt und hergestellt werden. Die Entwicklung des Zivilluftverkehrs und die Forschungs- und Fertigungsprogramme für militär. Zwecke in Verbindung mit starkem weltweitem Konkurrenzdruck führten zu einer hohen Forschungsintensität. – Eine weltweit führende Position in der LRI nehmen die USA ein, in Europa spielen v.a. Großbritannien, Frankreich und Dtl. eine Rolle. Die wichtigsten Projekte mit dt. Beteiligung sind die Verkehrsflugzeuge vom Typ Airbus (und dessen militär. Version, das Future Transport Aircraft, FTA), die Kampfflugzeuge Eurofighter, MRCA Tornado und Alpha Jet, die Hubschrauber BO 105, BK 117 und Tiger, ferner das europ. Raketensystem Ariane, Forschungs- und Nachrichtensatelliten sowie Raumstationssysteme. 1995 erzielten die dt. Unternehmen der LRI mit 63000 Beschäftigten einen Umsatz von 15,4 Mrd. DM; Interessenvertretung ist der Bundesverband der Dt. Luftfahrt-, Raumfahrt- und Ausrüstungsind. e.V., Sitz: Bonn.

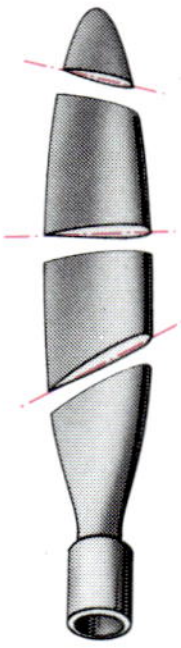

Luftschraube: Profile und Verwindung eines Luftschraubenblatts

Lüftung (Belüftung), die Erneuerung der Luft in geschlossenen Räumen. Bei der **freien** oder **natürl. L.** entsteht die erforderl. Luftströmung durch den Temperaturunterschied zw. Raum- und Außenluft oder durch Windeinwirkung (Fugen-L., Fenster-L., Schacht-L., Dachaufsatz-L.). Bei der **künstl. L. (Ventilator-L., Zwangs-L.)** erfolgt der Luftwechsel durch Ventilatoren. Zu unterscheiden sind reine Zuluftanlagen **(Druck-L.),** reine Abluftanlagen (Absauganlagen, **Saug-L.**) oder kombinierte Anlagen **(Verbundlüftung).**

Luft|unruhe (Seeing), durch kleinräumige Turbulenz verursachte, nicht direkt wahrnehmbare unregelmäßige Bewegung der Luft, bes. bei labiler Schichtung und Sonneneinstrahlung, die zu wechselnder Dichte und damit zu geringen Änderungen der Brechzahl opt. Strahlen führt. Dadurch wird für den Betrachter eine scheinbare Bewegung des beobachteten Objekts bewirkt. Da die Brechung wellenlängenabhängig ist (→Dispersion), können Objekte farbig erscheinen. L. führt zum Flackern der Sterne und zur Schlierenbildung über heißen Flächen (Flimmern der Luft).

Luftverflüssigung, die Überführung von Luft aus dem gasförmigen in den flüssigen Aggregatzustand mithilfe der Kältetechnik. Die L. erfolgt unter Anwendung der thermodynam. Gesetze (→Gasverflüssigung), d.h. durch Abkühlung oder Druckerhöhung (oder eine Kombination beider Prozesse). Zur Verflüssigung muss die Luft (bei 1 bar Druck) auf unter −192 °C abgekühlt werden. Technisch ist ein mehrmaliges Durchlaufen des Zyklus Verdichten – Abkühlen (von außen) – Entspannen (Abkühlen von innen) erforderlich. Der wesentl. Schritt, die Entspannung, kann adiabatisch erfolgen (durch Leistungsabgabe über eine Expansionsmaschine) oder als Drosselprozess, d.h. unter Anwendung des →Joule-Thomson-Effekts. Die verschiedenen Verfahren der L. unterscheiden

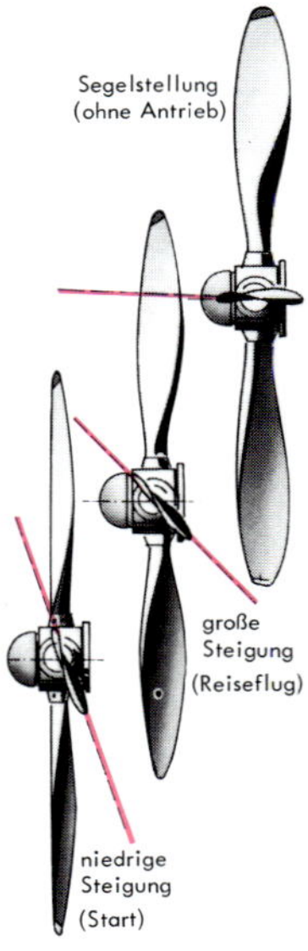

Luftschraube: Stellungen einer Verstellluftschraube; die roten Linien verdeutlichen die Position des zur Papierebene senkrecht stehenden Luftschraubenblatts

sich v.a. durch den Prozess der Entspannung. Diese erfolgt beim ältesten, für die Entwicklung der Kältetechnik und Tieftemperaturphysik wichtigsten **Linde-Verfahren** (C. von Linde, 1895) über eine Drosselspule, beim **Claude-Verfahren** (G. Claude, 1902) adiabatisch über eine Expansionsmaschine, beim **Claude-Heylandt-Verfahren** durch eine Kombination beider Entspannungsprozesse. Ein wichtiges Element ist bei allen Verfahren die Gegenstromkühlung (→Wärmeaustauscher) der verdichteten Luft durch den entspannten und dadurch gekühlten, jedoch noch nicht verflüssigten Teil der Luft.

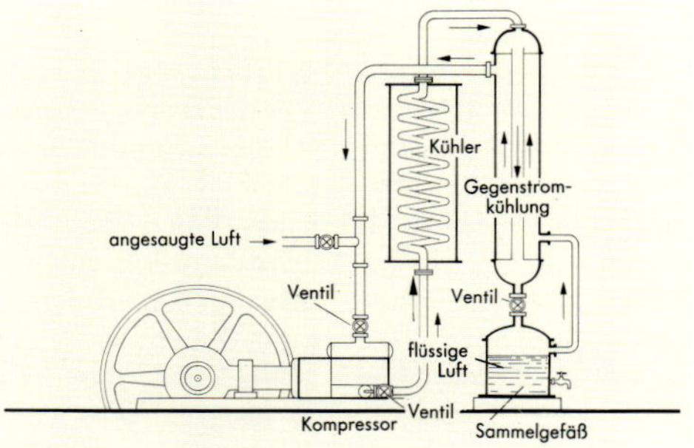

Luftverflüssigung: schematische Darstellung des Linde-Verfahrens; das Ventil am unteren Ende der Gegenstromkühlung dient als Drosselspule

Luftverkehr (Flugverkehr), Beförderung von Personen, Gepäck, Fracht und Post mit staatlich zugelassenen Luftfahrzeugen, bes. Flugzeugen. Der **zivile L.** wird als öffentlicher oder nichtöffentlicher, gewerblicher oder nichtgewerblicher, planmäßiger oder nichtplanmäßiger L. betrieben. Träger des gewerblichen öffentlichen Verkehrs sind L.-Gesellschaften, die planmäßige **(Linien-L.)** wie auch nichtplanmäßige Dienste **(Anforderungs-, Bedarfs-** und **Charterverkehr)** anbieten. Gewerblich sind auch zu einem großen Teil der **Geschäftsreiseverkehr** und die **Arbeitsluftfahrt.** Der zivile Bereich außerhalb des Linien-L. wird als **allgemeine Luftfahrt** zusammengefasst. Die internat. Zivilluftfahrt-Organisation der UNO ist die ICAO. (→Luftfahrt, →Luftrecht)

Besondere Merkmale des L. sind Schnelligkeit und hoher Passagierkomfort, aber auch hohe Transportkosten. Da ein großer Teil der Kosten von der Verkehrsleistung unabhängig ist, hängen Rentabilität und Preisgestaltung stark vom Auslastungsgrad und der Streckenlänge ab. Mindereinnahmen im **Kurzstrecken-L.** (Entfernungen zw. 300 und 1500 km) müssen durch Mehreinnahmen im **Mittelstrecken-L.** (zw. 1500 und 3000 km) und **Langstrecken-L.** (über 3000 km) oder staatl. Unterstützung ausgeglichen werden. Die im Charterverkehr höhere Auslastung (80–90%) erlaubt günstigere Preise. Die zunehmende Konkurrenz durch Bedarfsgesellschaften veranlasste 1978 die Liniengesellschaften des internat. Luftverkehrsverbandes →IATA zur Aufgabe des Systems der vereinbarten einheitl. Beförderungstarife, um durch Niedrigtarife auf bestimmten Strecken der Konkurrenz schneller begegnen zu können. Der starke Wettbewerb brachte viele Gesellschaften in wirtsch. Schwierigkeiten, die v.a. zu höherer Produktivität (wirtschaftlichere Flugzeuge, Personaleinschränkung) zwangen. Die Strukturveränderungen des L. haben die Entstehung großer Flugzeug-Leasinggesellschaften gefördert, die etwa ein Fünftel der Weltluftverkehrsflotte besitzen. Ende der 1970er-Jahre wurde in den USA die Kontrolle der Streckenrechte und Flugpreise aufgehoben und eine Liberalisierung des L. eingeleitet; eine solche gilt seit April 1997 auch für die EU.

🕮 POMPL, W.: *L. Eine ökonom. Einführung. Berlin u.a.* ²*1991.* – HENGI, B. I.: *Fluggesellschaften weltweit. Allershausen* ²*1994.*

Luftverkehrsgesellschaften (Fluggesellschaften), siehe ÜBERSICHT.

Luftverschmutzung, Anreicherung der Luft mit festen, flüssigen oder gasförmigen Fremdstoffen, die die natürl. Zusammensetzung der Luft verändern. Die Quellen der L. sind neben natürl. Vorgängen (biolog. Abbauprozesse, Vulkanausbrüche, Staubstürme, Waldbrände u.a.) die durch den Menschen verursachten Verunreinigungen v.a. durch Verbrennungsvorgänge in Heizungen und Kraftwerken, Kfz-Abgase und Kernwaffenversuche), bes. in Ballungs- und Ind.gebieten. Als Luftschadstoffe spielen gasförmige anorgan. Verbrennungsprodukte wie Schwefeloxide (SO_x), bes. Schwefeldioxid (SO_2), Kohlenmonoxid (CO), Stickoxide (NO_x), Ammoniak (NH_3), flüchtige organ. Stoffe wie Kohlenwasserstoffe (u.a. Halogenkohlenwasserstoffe, z.B. Fluorchlorkohlenwasserstoffe [FCKW] und Dioxine), Aldehyde und Ketone sowie partikelförmige Stoffgemische wie Ruß, Flugasche, Kohle- und Zementstaub die Hauptrolle. Andere in nennenswerten Mengen freigesetzte Schadstoffe sind Fluorverbindungen, Chlor, Schwermetalle (Blei, Cadmium, Zink) und Ozon. Ausbreitung und Verdünnung der Emissionen in der Atmosphäre werden von meteorolog. Bedingungen wie Windstärke und -richtung, Luftfeuchtigkeit, Thermik und Luftschichtung (→Smog), von der Vertikalentfernung der Emissionsquelle zum Erdboden (Schornsteinhöhe), von der Geländeform sowie (bei Stäuben und Aerosolen) von der Teilchengröße bestimmt.

Als Folge der L. können Belastungen und Schäden bei Mensch, Tier, Pflanze und unbelebter Umwelt auftreten. Neben akuten physiolog. Auswirkungen der L. (Geruchsbelästigung, Reizung

Luftverkehrsgesellschaften (Auswahl; Stand 1995)

Gesellschaft, Sitz	Flugzeuge 1994	beförderte Passagiere in Mio.	Passagierkilometer in Mrd.	Frachttonnenkilometer in Mio.	Personal
Aeroflot - Russian International Airlines, Moskau	118	3,7	13,0	1661	13362
Air Canada, Montreal	109	12,5	26,3	3402	20051
Air China, Peking	53	6,4	13,2	1923	10802
Air France, Paris	166	14,4	49,5	9684	37323
Alitalia, Linee Aeree Italiane SpA, Rom	150	20,8	31,7	4356	17982
All Nippon Airways, Tokio	121	37,8	42,8	4477	14234
American Airlines Inc., Dallas (Tex.)	647	79,5	165,2	17978	83463
Austrian Airlines, Wien	32	2,6	-	446	4300
British Airways, London	231	31,7	93,8	11845	51718
Canadian Airlines International Ltd., Calgary	80	7,9	23,4	2872	13628
Cathay Pacific Airways Ltd., Hongkong	51	10,3	35,3	6212	14744
China Eastern, Schanghai	51	6,2	-	957	9654
China Southern, Kanton	60	9,7	11,0	1042	11169
Continental Airlines Inc., Houston (Tex.)	334	35,0	57,1	5582	29175
Delta Air Lines Inc., Atlanta (Ga.)	544	86,9	136,9	14387	66302
Deutsche Lufthansa AG, Köln	264	32,5	61,6	12138	33240
El Al Israel Airlines Ltd., Tel Aviv-Jaffa	22	2,1	11,2	2091	3406
Finnair O/Y, Helsinki	57	4,4	8,3	971	7414
Garuda Indonesia, Jakarta	89	6,3	17,5	2288	14364
Iberia, Lineas Aéreas de España, Madrid	115	14,2	23,8	2850	23617
Indian Airlines, Neu-Delhi	58	7,8	-	-	21650
Japan Airlines Co., Ltd., Tokio	119	28,8	69,7	10180	20393
KLM, Amstelveen	111	12,2	44,4	7939	25307
Korean Air Lines, Seoul	110	21,4	33,7	7399	17140
Malaysia Airlines, Kuala Lumpur	111	15,4	23,4	3140	19616
Northwest Airlines Inc., Saint Paul (Minn.)	361	49,3	100,6	12407	45517
Olympic Airways, Athen	58	6,0	7,9	-	9140
Pakistan International Airlines, Karatschi	-	5,3	10,3	1400	20919
Philippine Airlines, Manila	-	7,1	14,3	1798	13869
Qantas Airways, Sydney	91	14,9	51,8	6570	21600
SAA - South African Airways, Johannesburg	49	4,9	13,0	1416	10431
SABENA, Brüssel	34	5,0	8,6	1211	10660
SAS - Scandinavian Airlines System, Stockholm	149	18,7	18,5	2173	17648
Saudia, Djidda	110	11,5	18,5	2583	24112
Singapore Airlines, Singapur	62	10,7	48,4	8350	13410
Swissair, Zürich	61	8,5	19,7	3497	17733
Thai Airways International, Bangkok	70	12,7	27,0	3788	21906
TWA - Trans World Airlines, New York	188	21,5	40,0	4278	22487
United Airlines, Chicago (Ill.)	543	78,6	179,4	19452	81160
US Air, Washington (D.C.)	422	57,7	60,5	5890	-
Varig, Rio de Janeiro	81	9,5	20,8	3240	19541

der Atemwege, enzymhemmende Wirkungen, Störungen des Hormonsystems und kanzerogene Wirkung) spielt bei Lebewesen auch die Aufnahme von Schadstoffen über die Nahrungskette eine wichtige Rolle. Flora und niedere Fauna können durch zahlr. Immissionen direkt oder durch wässrige Lösungsprodukte bereits bei sehr geringen Konzentrationen erheblich geschädigt werden. Der als →saurer Regen bezeichnete Niederschlag beeinträchtigt das Grundwasser und den Boden; er gilt als Mitverursacher des →Waldsterbens. Materialien der unbelebten Umwelt werden v.a. durch die wässrigen Reaktionsprodukte des Schwefeldioxids (Schwefelsäure, schweflige Säure) angegriffen und schließlich zerstört (Erosion an Bauwerken, Korrosion von Metallen). Bei der Bewertung solcher L. auf die Umwelt wird zw. lokalen, regionalen, überregionalen und globalen Problemen unterschieden. Zu Letzteren gehört der Anstieg des Kohlendioxidgehalts der Atmosphäre und die damit verbundene Erwärmung (→Treibhauseffekt) sowie die Abnahme der Ozonschicht (→Ozonloch) durch FCKW u.a. Stoffe, die zu einem Anstieg der UV-Strahlung auf der Erde führt. Diese Probleme erfordern eine internat. Zu-

Luftverschmutzung: Emissionen ausgewählter Schadstoffe (in 1000 t)

	Schwefeldioxid (SO_2)			Stickstoffdioxid (NO_2)		
	1985	1990	1995	1985	1990	1995
Deutschland	7754	5633	1107	3476	3013	612
Dänemark	339	180	61	294	269	61
Frankreich	1470	1298	401	1615	1584	294
Großbritannien und Nordirland	3735	3760	998	2420	2731	456
Niederlande	261	201	58	573	570	116
Schweden	267	130	35	426	398	78

sammenarbeit, etwa zum Klimaschutz. Für Dtl. lässt sich seit Anfang der 1990er-Jahre bei fast allen Luftschadstoffen ein deutl. Rückgang feststellen, wobei diese Entwicklung in den alten und neuen Bundesländern unterschiedlich ausfiel. In den neuen Ländern hat die industrielle L., z. B. durch Schwefeldioxid und Staub, wegen Stilllegungen oder Modernisierungen von Industrieanlagen stark abgenommen und die verkehrsbedingte L., z. B. durch Stickoxide, zugenommen. In den alten Ländern hat sich die Kohlendioxidemission aufgrund eines gestiegenen Energiebedarfs erhöht. – In der Technik wurden zahlr. Methoden und Verfahren entwickelt, die der Analyse von L. dienen (z. B. → Abgasuntersuchung, → Lidar) und durch die die Emissionen von Luftschadstoffen verhindert oder verringert werden (→ Luftreinhaltung).

Luftverschmutzung: Aufnahmen einer um 1700 entstandenen Steinskulptur am Wasserschloss von Herten bei Recklinghausen aus den Jahren 1908 (links) und 1969 nach der Einwirkung von Luftschadstoffen

📖 KOLAR, J.: *Stickstoffoxide u. Luftreinhaltung. Berlin 1990.* – FABIAN, P.: *Atmosphäre u. Umwelt. Berlin u. a. ^{4}1992.* – *Was Sie schon immer über Luftreinhaltung wissen wollten, hg. v.* V. MÖCKER *u. a. Neuausg. Stuttgart 1992.* – MENIG, H.: *Emissionsminderung u. Recycling. Landsberg a. Lech ^{3}1996.*

Luftwaffe (Luftstreitkräfte), Bez. für diejenige Teilstreitkraft, die den Kampf in der Luft führt und über hierzu erforderl. fliegende und bodengestützte militär. Verbände verfügt. Zur **takt. L.** gehören Jagd-, Jagdbomber-, Aufklärungs-, Flugkörper- und Flugabwehrraketengeschwader; ferner Versorgungs- und Fernmelderegimenter. Die **strateg. L.** bilden die Truppenteile, die v. a. mit schweren und mittleren Bombern, weit reichenden Aufklärern und Langstreckenraketen ausgestattet sind. Ihre Waffensysteme sind meist Träger von Atomwaffen (→ ABC-Waffen). Zur L. rechnen auch die Lufttransportverbände. Eine besondere Rolle spielen die zum Heer gehörenden Heeresflieger und die meist in die Kriegsmarine eingegliederten Marineflieger. (→ Bundeswehr)

Lugano
Stadtwappen

Luftwaffenhelfer, Oberschüler (ab 15. Lebensjahr), die seit Febr. 1943 zum Einsatz i. d. R. bei der Flakartillerie (daher auch »Flakhelfer«) im Raum ihrer Wohnorte eingezogen wurden.

Luftwaffenschulen, militär. Ausbildungsstätten der Teilstreitkraft → Luftwaffe; in der Bundeswehr zurzeit: Offiziersschule der Luftwaffe (Fürstenfeldbruck), Truppendienstl. Fachschule der Luftwaffe (Iserlohn), Techn. Schule der Luftwaffe 1, 2 und 3 (Kaufbeuren, Klosterlechfeld und Fassberg), Sanitätsschule der Luftwaffe (Giebelstadt), Logist. Fachschule der Luftwaffe (Erding), Unteroffiziersschule der Luftwaffe (Appen und Pinneberg), Dt. Luftwaffenausbildungskommando USA (Fort Bliss; El Paso, Texas), Fachschule der Luftwaffe für Wirtschaft (Iserlohn), Fachschule der Luftwaffe für Elektrotechnik (Kaufbeuren), Fachschule der Luftwaffe für Maschinentechnik (Fassberg), Fachschule der Luftwaffe für Datenverarbeitung (Klosterlechfeld).

Luftwiderstand, → Strömungswiderstand.

Luftwirbel (atmosphärische Wirbel), wirbel- und spiralförmige Luftbewegungen, die als Wind- und Wasserhosen, als Tromben und Tornados, in Großformen als Wirbelstürme in trop., als Tief- und Hochdruckgebiete in gemäßigten Breiten auftreten.

Luftwurzeln, an oberird. Sprossen entstehende Wurzeln, z. B. Haft- und Stützwurzeln, auch Bez. für → Atemwurzeln.

Luftzerlegung, Verfahren zur Auftrennung von → Luft in ihre Bestandteile (bes. Stickstoff, Sauerstoff, daneben auch Edelgase). Die L. kann nach einer → Luftverflüssigung in Niederdruckanlagen durch fraktionierte Tieftemperaturdestillation **(Tieftemperatur-L.)** oder mithilfe von → Molekularsieben **(adsorptive L.)** erfolgen.

Luganer See (italien. Lago di Lugano, Ceresio), reich gegliederter See am Südrand der Alpen, zum größeren Teil im schweizer. Kanton Tessin, zum kleineren in den italien. Provinzen Como und Varese, 271 m ü. M., 48,7 km² groß, 35 km lang, 1–3 km breit und bis 288 m tief. Hauptorte am See sind Lugano und Porlezza.

Lugano, Hauptort des Bezirks L., im Kt. Tessin, Schweiz, 272 m ü. M., am N-Ufer des Luganer Sees, 29 900 Ew.; bed. Fremdenverkehrsort dank Klima und Lage, Standseilbahnen auf die ufernahen Aussichtsberge Monte Brè (925 m ü. M.) und Monte San Salvatore (912 m ü. M.), hervorragende Museen; Textil-, Hightech-Ind.; Finanzzentrum; Verkehrsknotenpunkt an der Gotthardbahn und -straße; Flugplatz westlich von L. in Agno. – Das Stadtbild ist italienisch geprägt; Kathedrale San Lorenzo (Renaissancefassade), spätgot. ehem. Klosterkirche Santa Maria degli Angioli (1490 bis 1515). – Als **Lauis** erstmals im 6. Jh. erwähnt, gehörte seit dem 14. Jh. zum Herzogtum Mailand; 1512 von den Schweizern besetzt und bis 1798 Sitz eines eidgenöss. Vogts, seither zum Kt. Tessin gehörig.

Lugansk (ukrain. Luhansk, 1935–58 und 1970–90 Woroschilowgrad), Hauptstadt des Gebiets L., Ukraine, im Donezbecken, 505 000 Ew.; mehrere Hochschulen, Kunstmuseum, Philharmonie; Schwermaschinen-, Diesellokomotivbau, Rohrwalzwerk, chem., Leichtind.; Verkehrsknotenpunkt. Bei L. in Schtschastje Großkraftwerk (2300 MW).

Lugau/Erzgeb., Stadt im Landkreis Stollberg, Sachsen, 8600 Ew., am N-Rand des Erzgebirges; Stahlveredlung, Maschinenbau. – Seit 1924 Stadt.

Lüge, bewusst falsche Aussage. Für L. gibt es unterschiedl. Beweggründe (etwa Angst, Geltungsbedürfnis, Berechnung, Höflichkeit oder Rücksichtnahme). In patholog. Form äußert sich die Neigung zur L. im Krankheitsbild der **Pseudologia phantastica** (Neigung, fantast., jedoch z.T. glaubwürdig erscheinende Geschichten zu erzählen).

Lügendetektor, Gerät, das Aufzeichnungen über den Verlauf der Herzströme, der Atemfrequenz, des Blutdrucks und der Hautfeuchtigkeit einer befragten Person macht. Der L. soll die Erregung anzeigen, die auftreten kann, wenn jemand versucht, das Wissen um einen Sachverhalt (z.B. eine Straftat) zu verbergen. In Dtl., Österreich und der Schweiz ist die Verwendung eines L. bei gerichtl. Ermittlungsverfahren nicht erlaubt.

Lugo 2): Die über 2,5 km lange römische Ringmauer stammt in Teilen aus dem 3. Jh. und wurde im 14. Jh. erneuert; im Hintergrund sind die Türme der Kathedrale zu erkennen

Lügendichtung, Dichtung, bei der im Unterschied zu anderen fantast., märchenhaften oder symbolisch-allegor. Dichtungen (Märchen, Legende, Fabel usw.) die Fiktion als Lüge, als spieler. Affront gegen einen von Dichtung ohnedies nicht

Lugano: Stadtansicht mit dem Turm der Kathedrale San Lorenzo und dem 925 m hohen Aussichtsberg Monte Brè

einlösbaren Wahrheitsanspruch erkannt wird. Dabei ist L. stets an histor. Wirklichkeitsbegriffe und Wahrhaftigkeitsansprüche gebunden, die durch ihre radikale Umkehrung ins Unglaubhafte zugleich kritisiert oder karikiert werden können. Sie begegnet schon in der Antike (Lukian), ist vertreten in der oriental. Literatur (Märchen aus der Sammlung »Tausendundeine Nacht«), in Dtl. u.a. in K. F. H. von Münchhausens »Wunderbaren Reisen ...« (1781–83, u.a. 1786 hg. v. G. A. Bürger).

Lugo, 1) Provinz in Galicien, Spanien, 9856 km², (1991) 384 400 Einwohner.

2) Hauptstadt von 1), im Zentrum von Galicien, am Miño, 81 500 Ew.; Bischofssitz; Nahrungsmittel- und chem. Ind., Holzverarbeitung; Thermalbad (Schwefelquellen). – Gut erhaltene röm. Ringmauer mit Türmen und Toren (z.T. 3. Jh., erneuert im 14. Jh.), Kathedrale (12.–18. Jh.). – Entwickelte sich aus der kelt. Kultstätte **Lug.**

Luhansk, ukrain. Stadt, → Lugansk.

Niklas Luhmann

Luhmann, Niklas, Rechts- und Sozialwissenschaftler, *Lüneburg 8. 12. 1927, †Oehrlinghausen 6. 11. 1998; ab 1968 Prof. in Bielefeld; Vertreter der → strukturell-funktionalen Theorie, die er zu einer sozialwiss. → Systemtheorie fortentwickelte. Diese versucht, die gesamte Wirklichkeit im Rahmen einer universalen theoret. Konstruktion zu erfassen, wobei die Gesamtwelt in einer Vielfalt von sozial integrierten (log.) Systemen erscheint.

Werke: Soziolog. Aufklärung, 4 Bde. (1970–87); Rechtssoziologie, 2 Bde. (1972); Macht (1975); Funktion der Religion (1977); Gesellschaftsstruktur und Semantik: Studien zur Wissenschaftssoziologie der modernen Gesellschaft, 3 Bde. (1980–89); Soziale Systeme. Grundriß einer allg. Theorie (1984); Die Kunst der Gesellschaft (1995).

Luini, Bernardino, italien. Maler, *in der Lombardei (Mailand?) zw. 1480 und 1490, †Mailand

Bernardino Luini: »Badende Mädchen«, Ausschnitt aus einem in der Villa Pelucca bei Monza abgenommenen Fresko (1520–23; Mailand, Pinacoteca di Brera)

1532; bed. Vertreter der Hochrenaissance; von Leonardo da Vinci beeinflusst. In seinen Bildern verbindet sich die Schönheit ausgewogener Komposition mit gefühlvollem Ausdruck (abgenommene Fresken aus Mailänder Kirchen und der Villa Pelucca bei Monza; Tafelbild »Madonna im Rosenhag«, Mailand, Brera).

Luise, Königin von Preußen (Ausschnitt aus einem Gemälde von Johann Friedrich August Tischbein)

Luise, Herrscherinnen:

Preußen: **1) L.,** Königin, Prinzessin von Mecklenburg-Strelitz, *Hannover 10. 3. 1776, †Schloss Hohenzieritz (bei Neustrelitz) 19. 7. 1810; ⚭ seit 1793 mit dem späteren König Friedrich Wilhelm III. von Preußen, Mutter von Friedrich Wilhelm IV. und Wilhelm I.; floh nach der Niederlage 1806 mit ihren Kindern nach Königsberg und Memel; im Juli 1807 in Tilsit versuchte sie vergeblich, von Napoleon I. mildere Friedensbedingungen für Preußen zu erreichen; durch ihr Engagement und ihr anmutiges Wesen sehr volkstümlich und bereits zu Lebzeiten idealisiert.

📖 FLOCKEN, J. VON: *Königin L. Biographie. Berlin ³1995.* – GERSDORFF, D. VON: *Königin L. u. Friedrich Wilhelm III. Berlin 1996.*

Schweden: **2) L. Ulrike,** Königin, *Berlin 24. 7. 1720, †Svartsjö (bei Stockholm) 16. 7. 1782; Schwester Friedrichs d. Gr.; ⚭ seit 1744 mit dem späteren schwed. König Adolf Friedrich. Sie stiftete 1753 die schwed. Akademie der schönen Literatur und Geschichte.

Luitpold, Prinzregent von Bayern

Luisenburg [nach Königin Luise von Preußen], Bergsporn und Blockmeer (Granit) im Fichtelgebirge, südlich von Wunsiedel, bis 869 m ü. M.; Freilichtbühne (Festspiele).

Luitpold, Prinzregent von Bayern (1886–1912), *Würzburg 12. 3. 1821, †München 12. 12. 1912; 3. Sohn König Ludwigs I., Regent für seine geisteskranken Neffen Ludwig II. und Otto.

György Lukács

Luján [lu'xan], Stadt in Argentinien, 50 km westlich von Buenos Aires, 39 000 Ew.; einer der wichtigsten Wallfahrtsorte Südamerikas (seit 1630), mit neugot. Basilika; Museen; Herstellung von Devotionalien, Heimweberei, Spinnerei.

Lukács ['luka:tʃ], György (Georg), ungar. Literarhistoriker und Philosoph, *Budapest 13. 4. 1885, †ebd. 4. 6. 1971; während der ungar. Räterepublik 1919 stellv. Volkskommissar für Unterrichtswesen, 1945–58 Prof. in Budapest. L. fand zuerst starke Beachtung mit seiner (noch dem philosoph. Idealismus verpflichteten) »Theorie des Romans« (1916); sein Werk »Geschichte und Klassenbewußtsein. Studien über marxist. Dialektik« (1923) trug entscheidend zur Linksorientierung der europ. Intellektuellen in den 1920er-Jahren bei. In Moskau (1929–45) erarbeitete er, enthalten in zahlreichen literaturhistor. Werken, die Grundlagen einer marxist. Ästhetik als Theorie der literar. Widerspiegelung gesellschaftl. Verhältnisse. In »Die Zerstörung der Vernunft« (1954) kritisierte er die dt. bürgerl. Philosophie seit Hegel als geistige Voraussetzungen von Irrationalismus, Faschismus und Imperialismus. 1956 nahm L. Stellung für die Entstalinisierung und war Mitgl. der Revolutionsregierung von I. Nagy. Seitdem war er verfemt und seines Lehramtes enthoben.

Werke: Der junge Hegel (1948); Der russ. Realismus in der Weltliteratur (1949); Dt. Realisten des 19. Jh. (1951); Ästhetik (2 Tle., 1963); Zur Ontologie des gesellschaftl. Seins (3 Tle., 1971–73); Demokratisierung heute und morgen (hg. 1985).

📖 *G. L. Kultur – Politik – Ontologie, hg. v.* U. BERMBACH *u.* G. TRAUTMANN. *Opladen 1987.* – DANNEMANN, R.: *G. L. zur Einführung. Hamburg 1997.*

Lukan (lat. Lucanus), Marcus Annaeus, lat. Dichter, *Córdoba (Spanien) 3. 11. 39 n. Chr., †Rom 30. 4. 65 n. Chr., Neffe Senecas; wurde von Nero zum Selbstmord gezwungen. Sein Epos »Pharsalia« oder »Bellum civile« behandelt in stark emotionaler Darstellung den Bürgerkrieg zw. Cäsar und Pompeius mit vielen Exkursen; sein Einfluss reichte bis in das 18. Jahrhundert.

Lukas, Evangelist, nach Kol. 4,14 Arzt; begleitete Paulus nach der Apg. auf seiner 2. und 3. Missionsreise und weilte während seiner Gefangenschaft bei ihm in Rom (2. Tim. 4,11); galt seit dem 2. Jh. (Irenäus von Lyon) als Verfasser des →Lukasevangeliums und der →Apostelgeschichte; nach späteren Legenden einer der 70 Jünger Jesu (Lk. 10,1), Begleiter des Kleopas auf dem Emmausweg (Lk. 24, 13. 18), Maler zahlreicher Christus- und Marienbilder; Märtyrer; Heiliger, Tag: 18. 10.

Lukasbund (Lukasbrüder), →Nazarener.

Lukaschenka, Alyaksandr (russ. Aleksandr Lukaschenko), weißruss. Politiker, *Kopys (Gebiet Mogilew) 30. 8. 1954; zunächst Komsomol-Funktionär, dann polit. Kommissar bei der sowjet. Armee, nach der Unabhängigkeitserklärung Weißrusslands im Aug. 1991 Gegner des polit. Reformkurses unter Parlamentspräs. S. Schuschkewitsch,

Lukas: »Der heilige Lukas als Maler«, Gemälde von El Greco (um 1608; Toledo, Kathedrale)

im Jan. 1994 an dessen Sturz führend beteiligt, wurde im Juli 1994 zum Präs. gewählt. Autokratisch in seinem Führungsstil und seiner Haltung gegenüber der Opposition, forciert L. einen Kurs der Wiederannäherung an Russland.

Lukas|evangelium, das dritte Evangelium im N.T., abgefasst zw. 80 und 90 n.Chr., wahrscheinlich außerhalb Palästinas; als Verfasser gilt →Lukas; Adressaten sind griechischsprachige →Heidenchristen; theologisch wird die bei den ersten Christen urspr. Erwartung einer nahen →Parusie im L. durch die Heilsgeschichte abgelöst, die mit der Geschichte Israels beginnt und sich über die Zeit Jesu Christi (als der »Mitte der Zeit«) in der Missionsarbeit der Kirche fortsetzt (→Apostelgeschichte); inhaltlich findet sich im L. ein umfangreiches textl. Sondergut (z.B. die Kindheitsgeschichten Jesu).

📖 SCHWEIZER, E.: *Das Evangelium nach L. Neuausg. Göttingen ^{3}1993.*

Lukasgilden, seit dem Spät-MA. Zusammenschlüsse von Malern, die den Evangelisten Lukas als Schutzpatron verehren.

Łukasiewicz [u̯uka'ɕɛvitʃ], Jan, poln. Philosoph und Logiker, *Lemberg 21. 1. 1878, †Dublin 13. 2. 1956; grundlegende Beiträge zur modernen formalen (bes. mehrwertigen) Logik.

Luke [mnd., zu altsächs. lukan »schließen«], *Schifffahrt:* durch meist feste Deckel verschließbare kleinere Öffnung **(Niedergangs-L.)** oder mit losen Deckeln wasserdicht verschließbare große Öffnung im Deck zum Einbringen der Ladung **(Ladeluke).**

Lukian (grch. Lukianos, lat. Lucianus), grch. Schriftsteller, *Samosata (heute Samsat, am Euphrat) 120, †nach 180; stellte in seinen zahlr. Schriften mit den Mitteln der Satire, Parodie und Ironie religiösen Wahn, Eitelkeit von Philosophen und Literaten seiner Zeit dar; Dialoge, Erzählungen, Briefe.

Lukmani|er *der* (italien. Passo del Lucomagno), Alpenpass in der Gotthardgruppe, an der Grenze der Kt. Graubünden und Tessin, Schweiz, 1917 m ü.M.; die Straße über den L. führt von Disentis im Vorderrheintal nach Biasca im Tessintal.

Lukrez, eigtl. Titus Lucretius Carus, lat. Dichter, *wohl 97 v.Chr., †(Selbstmord) 55 v.Chr.; schrieb eines der bed. Lehrgedichte des Altertums, ein hexametr. Epos in sechs Büchern: »Über die Natur« (»De rerum natura«): Das Erkennen naturgesetzl. Zusammenhänge könne die Menschheit von Götterfurcht und Aberglauben befreien helfen. – L. hat stark auf die Renaissance und bes. auf die frz. Materialisten des 17. Jh. (P. Gassendi) gewirkt.

lukullisch [nach dem röm. Politiker L. L. Lucullus], üppig, schwelgerisch.

Luleå ['ly:lɔo:], Hauptstadt des VerwBez. (Län) Norrbotten, Schweden, 68 900 Ew., an der Mündung des Luleälv in den Bottn. Meerbusen; luther. Bischofssitz; TH; Norrbottenmuseum (mit Freilichtmuseum), Elektrostahlwerk; Hafen mit Erzhafen Svartö. – Von L. nach Narvik führt die Lappland-Bahn.

Luleälv [ly:lə'ɛlf] *der,* Fluss in N-Schweden, entsteht aus den Quellflüssen **Stora L.** und **Lilla L.,** 450 km lang, bildet gewaltige Wasserfälle, z.T. in Kraftwerken genutzt.

Lukas

Der Evangelist Lukas, Mitarbeiter des Apostels Paulus und von Beruf Arzt, galt schon in der alten Kirche als Verfasser des Lukasevangeliums und der Apostelgeschichte. Ohne historischen Anhalt ist die Überlieferung, er sei einer der 12 Jünger Jesu oder der ungenannte Emmausjünger gewesen. In der bildenden Kunst wird Lukas v.a. im Zusammenhang mit den Evangelisten dargestellt. Seine Attribute sind Arztgeräte und Malutensilien. Nach einer (um 530 nachweisbaren) Legende galt Lukas als Maler. Seit dem Spätmittelalter verehrten ihn daher die in »Lukasgilden« zusammengeschlossenen Maler als Schutzpatron.

Die so genannten Lukasbilder sind Christus- oder Marienbilder, die der Legende nach Lukas gemalt haben soll. Das berühmteste ist die Christusdarstellung im Oratorium Sancta Sanctorum in Rom, die allerdings aus dem 6. oder 7. Jahrhundert stammt. Auch bestimmte Marienbildtypen der Ikonen der orthodoxen Kirche, die allgemein als treue Abbilder von geschichtlichen (oder jenseitigen) Urbildern gelten und deren Gestaltung daher bis heute verbindlich festgelegt ist, werden auf Lukasbilder zurückgeführt.

Lullus, angelsächs. Missionar, *Wessex (England) um 710, †vermutlich Hersfeld (heute Bad Hersfeld) 16. 10. 786; engster Mitarbeiter des Bonifatius in Dtl.; 754 dessen Nachfolger als Bischof von Mainz, 782 erster Erzbischof von Mainz; Heiliger, Tag: 16. 10.

Jean-Baptiste Lully: Ausschnitt aus einem zeitgenössischen Kupferstich

Lullus, Raimundus (katalan. Ramón Llull), katalan. Philosoph, Enzyklopädist und Dichter, *Palma de Mallorca zw. 1232 und 1235, †Bougie (heute Bejaïa) oder Tunis 1315/16; Franziskaner, wirkte als Missionar bei den Muslimen in N-Afrika und Vorderasien; lehrte mit Unterbrechungen zw. 1283 und 1313 in Paris und Montpellier. Als Philosoph wandte er sich gegen die rationalist. Philosophie des →Averroismus. In der »Ars magna et ultima« (vor 1277) suchte er aus einer freien Kombination der obersten sachl. und method. Begriffe die Möglichkeiten verschiedener Wahrheiten abzuleiten. L.s Kombinatorik enthält erste Ansätze eines Logikkalküls; auf ihr baute G. Bruno mit seiner Gedächtniskunst auf. Der katalan. Sprache verhalf L. durch seinen philosoph. Roman »Blanquerna« (1282–87) sowie durch zahlr. erzählende Schriften und Gedichte zum Rang einer Literatursprache.

🕮 PLATZECK, E. W.: *R. L. Sein Leben, seine Werke, die Grundlagen seines Denkens, 2 Bde. Düsseldorf 1962–64.*

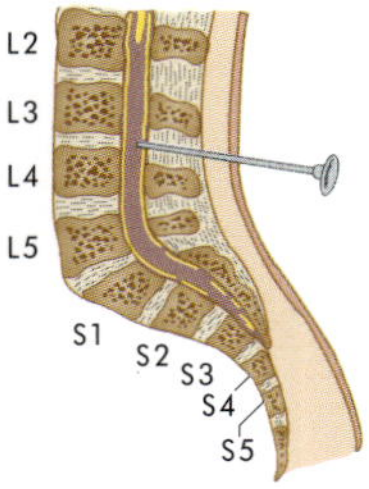

Lumbalpunktion (L Lendenwirbel, S Steißbeinwirbel)

Jean-Baptiste Lully

Ein tragischer »Berufsunfall«

Jean-Baptiste Lully war einer der ersten Musiker, die beim Dirigieren einen Taktstock verwendeten. Bei einer Probe regte er sich dermaßen über die Orchestermusiker auf, dass er wutentbrannt den Taktstock auf den Boden rammte und dabei seinen Fuß durchstieß. Der Fuß entzündete sich daraufhin, und an dieser Entzündung ist Lully gestorben.

Lully [ly'li], Jean-Baptiste, eigtl. Giovanni Battista Lulli, frz. Komponist italien. Herkunft, *Florenz 28. 11. 1632, †Paris 22. 3. 1687; kam 1646 nach Paris; stand seit 1653 im Dienst Ludwigs XIV., der ihn zum Königl. Komponisten der Instrumentalmusik ernannte. 1661 wurde er Oberintendant der königl. Kammermusik. In Zusammenarbeit mit seinen Librettisten I. de Benserade (Ballet de Cour), Molière (Comédie-Ballet) und P. Quinault (Tragédie lyrique) schuf er die frz. Oper; entwickelte den Typus der frz. Ouvertüre und die (aus Teilen seiner Opern zusammengestellte) Orchestersuite, die bed. Einfluss auf die dt. Musik bis zu Bach, Händel und Telemann hatte.

Lulua (Bena Lulua), von den Luba abstammende Volksgruppe im SW der Demokrat. Rep. Kongo. – Die Schnitzkunst der L. (eigenwillige, grazile Skulpturen und Masken) gehört zum künstler. Einflussbereich des Kubareiches.

Luluabourg [lulwa'bu:r], bis 1968 Name der Stadt →Kananga.

Lumbago [lat. »Lendenlähmung«] *die,* **1)** *Medizin:* →Hexenschuss.

2) *Tiermedizin:* (Kreuzverschlag, Nierenverschlag, Feiertagskrankheit), durch starke Beanspruchung nach mehrtägiger Ruhe und kohlenhydratreicher Fütterung ausgelöste Muskelerkrankung des Pferdes. Kennzeichen: Lähmungserscheinungen der Hinterhand, geschwollene und verhärtete Muskulatur und Rotfärbung des Harns durch Muskelfarbstoff.

lumbal [lat.], die Lende betreffend, zur Lendenregion bzw. -wirbelsäule gehörend.

Lumbalpunktion [lat.] (Spinalpunktion, Lendenstich), Anstechen (Punktion) des Rückenmarkkanals zw. dem 3. und 4. oder 4. und 5. Lendenwirbel mit einer langen Hohlnadel (L.-Kanüle) zur Entnahme von Hirn-Rückenmark-Flüssigkeit (Liquor) für Untersuchungen oder zum Einbringen von Arzneimitteln (z. B. zur Anästhesie). (→Liquordiagnostik)

Lumbeckverfahren [nach E. Lumbeck, *1886, †1979] (Lumbecken), *Buchbinderei:* fadenlose Klebebindung von Büchern und Broschüren, bei der Einzelblätter oder einmal gefalzte Bogenteile mithilfe von Kunstharzklebstoffen zu Buchblöcken verbunden werden.

Lumberjack ['lʌmbədʒæk, engl.] *der,* lose fallende Jacke mit Taillenbund und Ärmelbündchen, urspr. die Arbeitsbekleidung der L. genannten amerikan. Holzfäller; dann Uniformjacke der US-Armee; verwandte Form heute das Blouson.

Lumen [lat. »Licht«] *das,* **1)** *Anatomie:* lichte Weite von Hohlorganen, Kanälen, z. B. von Blutgefäßen.

2) *Photometrie:* Einheitenzeichen **lm,** SI-Einheit des Lichtstroms, 1 lm = 1 cd · sr (→Photometrie).

Lumet ['lu:mɪt], Sidney, amerikan. Filmregisseur, *Philadelphia (Pa.) 25. 6. 1924; drehte zahlr. internat. bekannte Filme, u. a. »Die zwölf Geschworenen« (1957), »Mord im Orientexpress« (1974), »Network« (1976), »Family Business« (1989).

Auguste (links) und **Louis Jean Lumière**

Lumière [ly'mjɛ:r], Auguste Marie Louis Nicolas, frz. Chemiker und Fototechniker, *Besançon 19. 10. 1862, †Lyon 10. 4. 1954; schuf mit seinem Bruder Louis Jean (*1864, †1948) zahlr. Neuerungen auf dem Gebiet der Fotografie und gründete mit ihm in Lyon eine Fabrik für fotograf. Platten, Papiere und Chemikalien. Die Gebrüder L. erfanden u. a. den ersten brauchbaren Kinematographen (1894) und die Autochromplatte (1907). Außer um die techn. Umsetzbarkeit von Filmen machten sie sich auch als Filmproduzenten und Filmgestalter verdient.

Lumineszẹnz [→Lumen] *die,* Sammelbez. für die Lichtemission eines Stoffes oder Körpers, die nicht durch hohe Temperatur verursacht wird (»kaltes Leuchten«). L. lässt sich hervorrufen durch Bestrahlung mit sichtbarem oder ultraviolettem Licht **(Photo-L.)**, Röntgen- oder Gammastrahlen **(Röntgen-L.)**, mit Elektronen **(Kathodo-L.)**, radioaktiver Strahlung **(Radio-L.)** oder durch chem. **(Chemi-L.)**, elektr. **(Elektro-L.)** oder mechan. Vorgänge (**Tribo-L.**, beim Zerbrechen von Kristallen). Die **Bio-L.** versch. Pflanzen und Tiere ist eine Chemi-L. Tritt die L. praktisch nur während der Erregung auf, so spricht man von →Fluoreszenz, sonst von →Phosphoreszenz.

Lumineszẹnzdiode (Leuchtdiode, LED), Halbleiterdiode, die im Bereich des pn-Übergangs spontane Lumineszenzstrahlung emittiert, wenn ein Strom in Durchlassrichtung fließt (→Halbleiter). Die angelegte Spannung bewirkt eine erhöhte Zahl wandernder Elektronen vom n-Gebiet und Löcher vom p-Gebiet in den Bereich des pn-Übergangs, wo sie rekombinieren. Da die Elektronen dabei vom Leitungsband in das energetisch niedriger liegende Valenzband wechseln, wird ein bestimmter Betrag an Energie freigesetzt, der als sichtbares oder infrarotes Licht abgestrahlt wird. Die Wellenlänge des emittierten Lichts hängt von der Größe der durch die Grundsubstanz und die Dotierung festgelegten Energiebandlücke ab. L. sind meist sog. III-V-Verbindungen, da sie aus Elementen der 3. und 5. Gruppe des Periodensystems bestehen. Typ. Vertreter sind u. a. Galliumarsenid (GaAs), Galliumphosphid (GaP), Galliumnitrid (GaN), die vielfach mit Fremdatomen (z. B. Silicium, Stickstoff) dotiert werden, um die Effektivität der Energieumwandlung zu erhöhen. Die Leuchtdichte ist über einen weiten Bereich zum Durchlassstrom proportional. L. werden eingesetzt als Anzeigeelement (z. B. in Uhren, Taschenrechnern, elektron. Messgeräten), als Sender für optoelektron. Nachrichtensysteme mit Lichtleitern (→Optoelektronik) und in →Optokopplern.

Otto Lummer

Luminophọre [grch.], Stoffe, die →Lumineszenz zeigen, insbesondere die →Leuchtstoffe.

Lụmmen [skandinav.] (Uria), Gattung oberseits schwarzer, unterseits weißer Alken mit zwei etwa 40 cm großen Arten, v. a. auf einsamen Felseninseln der Nordmeere (auch auf Helgoland), darunter die **Trottellumme** (Uria aalge).

Lummen: Trottellummen auf einer Felsinsel

Lụmmer, Otto, Physiker, *Gera 17. 7. 1860, †Breslau 5. 7. 1925; Hauptarbeiten auf dem Gebiet der Optik und Strahlungslehre, entdeckte die von W. von Haidinger wahrgenommenen Interferen-

Lummen

Die Trottellumme leistet Einmaliges im Tiefseetauchen. Die bisher größte gemessene Tiefe, die dieser zu den Alken gehörende Schwimmvogel erreichte, lag bei 87 m.
Die Trottellumme kann auf der Jagd nach Fischen deshalb so tief tauchen, weil sie einen sehr hohen Anteil an Hämoglobin im Blut hat, also an jenem Blutfarbstoff, der Sauerstoff durch den Körper transportiert. Ein Mensch, der ohne Schutz in diese Tiefen tauchen würde, könnte nicht überleben: Der hohe Druck (zehnmal höher als an der Oberfläche) würde Stickstoffbläschen aus den Lungen in den Blutkreislauf pressen.

zen in planparallelen Glasplatten wieder, erfand mit Eugen Brodhun (*1860, †1938) den **L.-Brodhun-Würfel** zum photometr. Vergleich zweier Lichtquellen (→Photometrie). L. führte Messungen der Hohlraumstrahlung durch und konstruierte den ersten brauchbaren →schwarzen Körper.

Patrice Lumumba

Anatoli Lunatscharski

Lummer-Gehrcke-Platte [nach O. Lummer und dem Physiker Ernst Johann Gehrcke, *1878, †1960], Interferenz-Spektralapparat hoher Auflösung (bis zu 10^{-6} der Wellenlänge), der nach dem Prinzip der Vielstrahlinterferenz arbeitet; besteht aus einer planparallelen Glas- oder Quarzplatte, in die das Licht durch ein Prisma so eingekoppelt wird, dass die Strahlung im Platteninneren nahezu unter dem Grenzwinkel der Totalreflexion auf die Plattenoberflächen trifft und mehrfach hin- und herreflektiert wird, wobei jeweils ein Bruchteil des Lichts streifend aus der Platte austritt. Die parallel austretenden Teilwellen, die einen konstanten Gangunterschied besitzen, interferieren miteinander und ergeben im Unendlichen parallele Interferenzstreifen (Interferenzen gleicher Neigung), die durch eine Sammellinse in die Brennebene der Linse verlegt werden.

Lumpenproletariat, bei K. Marx jene unterhalb des Proletariats vorhandenen deklassierten, bes. asozialen Personen der Großstädte, von denen kein Klassenbewusstsein zu erwarten sei.

Lumpfisch, ein →Seehase.

Lumumba, Patrice, kongoles. Politiker, *Onalua (Prov. Kasai) 2. 7. 1925, †Elizabethville (heute Lubumbashi) 17. 1. 1961; setzte sich für einen kongoles. Einheitsstaat sowie für eine Außenpolitik des »positiven Neutralismus« ein. Im Juni 1960 wurde er der erste MinPräs. der kongoles. Zentralregierung, im Sept. 1960 jedoch von Staatspräs. J. Kasavubu abgesetzt und verhaftet; unter ungeklärten Umständen ermordet.

Luna [lat. »Mond«], röm. Mondgöttin.

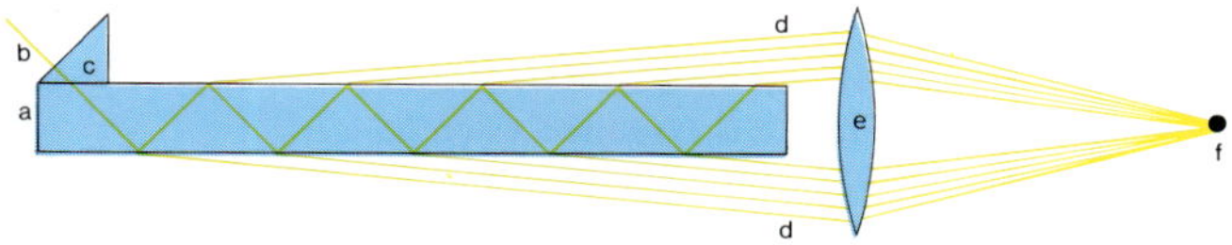

Lummer-Gehrcke-Platte: a planparallele Glas- oder Quarzplatte, b Licht, c Prisma, d Teilwellen, e Sammellinse, f Brennebene

Luna, Name unbemannter sowjet. Mondsonden, Nachfolger der drei →Lunik genannten Sonden. Zw. 1963 und 1976 wurden insgesamt 21 Sonden gestartet (L. 4–24). Mit L. 9 glückte die erste weiche Mondlandung (1969); L. 16, 20 und 24 kehrten zur Erde zurück; L. 17 und 21 transportierten je ein Fahrzeug (→Lunochod) zum Mond.

lunar, auf den Mond bezogen, zum Mond gehörig.

Lunar Orbiter ['lu:nə 'ɔ:bɪtə; engl. »Mondumkreiser«], Bez. für unbemannte amerikan. Mondsatelliten (L. O. 1–5, 1966/67), die zur Erkundung von Landeplätzen für das Apollo-Programm sowie die wiss. Erforschung des mondnahen Raums entwickelt wurden.

Lunation [lat.] *die,* die Zeit, in der die Mondphasen einen vollen Zyklus durchlaufen; ihr Durchschnitt ist der synod. →Monat.

Lunatismus *der,* Schlafwandeln bei Vollmond.

Lund: Der 1080–1145 erbaute Dom in der Mitte der Altstadt ist Schwedens bedeutendstes romanisches Bauwerk

Lunatscharski, Anatoli Wassiljewitsch, russ. Schriftsteller und Politiker, *Poltawa 23. 11. 1875, †Menton (Dép. Alpes-Maritimes) 26. 12. 1933; Freund M. Gorkis, R. Rollands, B. Brechts und Mitarbeiter Lenins, war 1917–29 Volkskommissar für das Bildungswesen in der Sowjetunion. Als marxist. Revolutionär und vielseitiger, produktiver Kunstkritiker hat L. die sowjet. Kulturpolitik und Kunst der 1920er-Jahre entscheidend mitgeprägt.

Lunch [lʌntʃ, engl.] *der,* kleine Mittagsmahlzeit (in Großbritannien, Amerika).

Lund, Stadt im VerwBez. Malmöhus, Schweden, im Moränengebiet Schonens, 92 000 Ew.; luther. Bischofssitz; Univ. (1668 gegr.), Museen; Handschuhfabrik, Herstellung von Verpackungsmaterial, Druckereien. – Der Dom ist Schwedens bedeutendstes roman. Bauwerk (1080–1145). – L., im 11. Jh. gegr., war 1104–1536 Metropolitansitz, gehörte bis 1658 zu Dänemark.

Lunda (Balunda), Bantuvolk im S der Demokrat. Rep. Kongo, NO-Angola und NW-Sambia; über 1,5 Mio. Menschen; Waldlandbauern und Jäger, ehemals Staatsvolk des **Lundareichs** (16.–19. Jh.); der künstler. Stil der L. ist stark vom Erbe der Luba geprägt.

Lundenburg, Stadt in der Tschech. Republik, →Břeclav.

Lundgren ['lʊndgre:n], Egron Sellif, schwed. Maler, *Stockholm 18. 12. 1815, †ebd. 16. 12. 1875;

lebte 1839–69 im Ausland und war 1858–59 Kriegsberichterstatter in Indien; trat v.a. als Aquarellist mit nahezu impressionistisch erfassten Genreszenen und Porträts hervor.

Lüneburg, ehem. Fürstentum; entstand 1269 durch die 1. Erbteilung des Herzogtums Braunschweig-L.; nach dem **Lüneburger Erbfolgekrieg** (1369–88) im Besitz der braunschweig. Linie der Welfen (Residenz 1371 nach Celle verlegt); 1705 aufgelöst und mit dem Kurfürstentum Hannover vereinigt.

Lüneburg, 1) RegBez. in Ndsachs., 15 504 km², (1996) 1,608 Mio. Ew., umfasst die Landkreise Celle, Cuxhaven, Harburg, Lüchow-Dannenberg, L., Osterholz, Rotenburg (Wümme), Soltau-Fallingbostel, Stade, Uelzen und Verden.

2) Landkreis im RegBez. L., Ndsachs., 1 322 km², (1996) 156 600 Einwohner.

3) Hauptstadt von 1) und Kreisstadt von 2), 64 500 Ew.; am N-Rand der Lüneburger Heide, an der schiffbaren Ilmenau (zur Elbe); Univ. (gegr. 1989), FH Nordostndsachs., Sitz der Ostdt. Akademie, Museum für das Fürstentum L., Dt. Salzmuseum, Ostpreuß. Landesmuseum; Textil- und Bekleidungs-, Elektroind., Maschinenbau, Kunststoff verarbeitende, chem., Nahrungsmittelind.; Soleförderung für den Kurbetrieb; Hafen am Elbeseitenkanal. – L. ist die einzige unzerstörte Stadt der norddt. Backsteingothik. Sie besteht aus vier Siedlungskernen: »Marktviertel« mit der Michaeliskirche (1376–1434); »Sandviertel« mit der Johanniskirche (13.–14. Jh., 108 m hoher Turm); »Salzviertel« (Lambertikirche 1860 abgebrochen); »Wasserviertel« mit der spätgot. Nikolaikirche. Der älteste Teil des Rathauses (14.–18. Jh.) ist die Gerichtslaube (1328–31). Herzogl. Stadtschloss (1695–98); Heiliggeisthospital (14.–19. Jh.); barockes Kaufhaus (1741–45); Alter Kran (14. Jh.); rein gotisch erhaltener Platz »Am Sande« mit zahlr. Giebelhäusern des 15./16. Jh. In der Nähe **Kloster Lüne** (1772 gegr. Benediktinerinnenabtei, heute Damenstift). – Entstand aus einer Billungerburg (um 950); Stadtrecht vermutlich von Heinrich dem Löwen (1247 bestätigt); 1267/69–1371 Residenz des Fürstentums L.; 1371–1637 reichsstadtähnl. Rechte; im 14.–16. Jh. durch bed. Salzgewinnung und -handel führendes Mitgl. der Hanse; Salzproduktion 956–1980.

📖 Hennigs, U.: *Die Lüneburger Salzmonopole. Entwicklung u. Niedergang. Rheinfelden 1987.*

Lüneburger Heide, Geestlandschaft im Norddt. Tiefland, zw. den Urstromtälern von Elbe im N und Aller im S. Die rd. 7 400 km² große, sich in NW–SO-Richtung erstreckende Grundmoränenplatte mit Sanderflächen und Hochmooren wird von mehreren Endmoränenzügen überragt. Die natürl. Bedeckung v.a. mit Eichen-Birken-Wäldern auf trockenen ärmeren Böden ist infolge des Holzbedarfs bes. der Lüneburger Saline sowie bäuerlich-weidewirtsch. Nutzung weitgehend beseitigt. Die bis ins 18. Jh. als Heidschnuckenweide offen gehaltenen Heidegebiete wurden mit Kiefern aufgeforstet oder in Ackerland umgewandelt; Restgebiete werden als Landschaftsschutzflächen bewahrt. Die Wirtschaft ist v.a. von der Landwirtschaft bestimmt, z.T. auch von Forstbetrieben und Ind. (z.B. Zuckerfabrik in Uelzen). Bodenschätze sind Kiese, Sande und Torf, in der Südheide Kieselgur (bei Unterlüß) und Erdöl; 956–1980 wurde Salz gewonnen (Lüneburg). Bed. Fremdenverkehr. 1920 wurde der Naturschutzpark L. H. (200 km², im Umkreis des Wilseder Bergs, 169 m ü.M.) gegr., 1963 der Naturpark Südheide (500 km²). Die verbliebenen Heideflächen sind selbst im Naturschutzpark L. H. auf heute rd. 5 000 ha geschrumpft. Neuartige Bedrohungen sind der Erholungsverkehr, die militär. Nutzung und die Grundwasserabsenkung durch die Wasserwerke. Bild Heide

📖 Brosius, D. *u. a.: Die L. H. Hannover 1984.*

Lüneburg 3)
Stadtwappen

Lüneburg 3): »Am Sande« gelegene Häuserzeile mit gotischen Giebeln aus dem 15. und 16. Jahrhundert

Lüneburger Ratssilber, der größte erhaltene Silberschatz einer dt. Stadt (heute in Berlin-Charlottenburg, Kunstgewerbemuseum), meist Tafelgerät; entstand in den Jahren 1443–1620.

Lünen, Stadt im Kr. Unna, NRW, an der Lippe und am Datteln-Hamm-Kanal (Häfen), 91 700 Ew.; Maschinen- und Stahlbau, Kupferhütte, elektrotechn., Schuh-, Glasindustrie. – Pfarrkirche St. Georg und Katharina (14. und 16. Jh.); Schlossanlage Schwansbell (19. Jh., heute Museum).

Lünette [frz. »Möndchen«] *die,* **1)** *Baukunst:* halbkreisförmiges, gerahmtes Bogenfeld, bes. über Türen und Fenstern, oft mit einem Relief geschmückt; bes. in Renaissance und Barock.

2) *Festungsbau:* Grundrissform von Feldschanzen mit kurzen Flanken.

Lunéville [lyne'vil], Stadt im frz. Dép. Meurthe-et-Moselle, 21500 Ew.; Fayencemanufaktur, Textil-, Spielzeug-, Elektronik-, Konservenindustrie. – Schloss der letzten Herzöge von Lothringen (18. Jh.; heute Museum). – Der **Frieden von L.** (9. 2. 1801), der die →Französischen Revolutionskriege abschloss, bestätigte den Frieden von →Campoformio. Die Entschädigung der dt. Fürsten für Verluste linksrhein. Gebiete wurde durch den →Reichsdeputationshauptschluss geregelt.

Lungau, Tallandschaft der oberen Mur, Österreich, von Hohen und Niederen Tauern sowie Gurktaler Alpen umschlossen, entspricht dem salzburg. Bezirk Tamsweg.

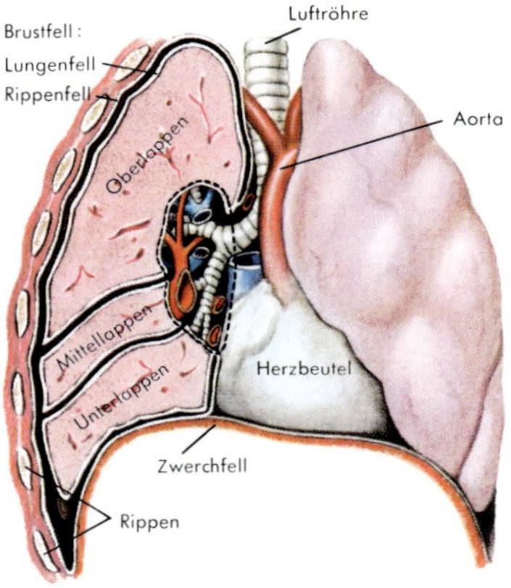

Lunge: Schnittzeichnung des von vorn betrachteten rechten Flügels der menschlichen Lunge; die gestrichelte Linie begrenzt die Lungenwurzel

Lunge (Pulmo), paariges Atmungsorgan der Lurche, Reptilien, Vögel und Säugetiere. Die L. des Menschen nimmt den Brustraum beiderseits des Herzens ein und wird in ihrer Gestalt durch das Zwerchfell und den Brustkorb bestimmt. Vom L.-Fell, der inneren Auskleidung des →Brustfells, überzogen, besteht die rechte L. aus drei (Ober-, Mittel-, Unterlappen), die linke L. aus zwei **L.-Lappen** (Ober-, Unterlappen), die durch tiefe Spalten voneinander getrennt sind. Jeder L.-Lappen wird in **L.-Segmente** unterteilt. Durch die L.-Pforte **(L.-Hilus)** treten Bronchien, Blut- und Lymphgefäße sowie Nerven in Form eines von Bindegewebe umhüllten Strangs **(L.-Wurzel)** in die L. ein. Zu jedem L.-Lappen gehört eine große Bronchie mit begleitender L.-Arterie. Die Hauptbronchien teilen sich beim Eintritt in die L. in mehrere kleine Äste (Bronchien), diese wiederum in noch kleinere (Bronchioli) auf. Die kleinsten Kapillaren gliedern sich dann in die **L.-Bläschen** (Alveolen) auf (rd. 300–450 Mio.), deren Gesamtoberfläche etwa 100 m^2 beträgt. Nur in diesen von einem dichten Blutkapillarnetz eingeschlossenen L.-Bläschen tritt Sauerstoff durch die Kapillarwand ins Blut, während Kohlendioxid vom Blut in die L.-Bläschen abgegeben wird.

📖 Brechschmid, S. *u.* Nusser, S.: *Atmungsapparat u. Gaswechsel. München 1991.*

Lungen|abszess, eitrige Einschmelzung von Lungengewebe, meist als Komplikation einer (bakteriellen) Lungenentzündung.

Lungen|egelkrankheit (Paragonimiasis), bes. in Ostasien verbreitete Lungenerkrankung des Menschen und versch. Säugetiere. Erreger sind die zu den Saugwürmern gehörenden **Lungenegel (Paragonimus).** Der Lungenbefall führt u.a. zu chron. Husten mit rostbraunem, bluthaltigem Auswurf.

Lungen|entzündung (Pneumonie), meist durch Viren oder Bakterien (Pneumo-, Strepto-, Staphylokokken u.a.) verursachte Infektionskrankheit der Lunge. Die klass. (morpholog.) Einteilung unterscheidet die in der Ausbreitung der anatom. Gliederung der Lunge (Segmente, Lappen) folgende **Lappenpneumonie** (Lobärpneumonie) und die hiervon unabhängige, von den Bronchien übergreifende **Bronchopneumonie.** Als atyp. L. bezeichnet man alle durch nichtbakterielle Erreger verursachten L., zu denen Viren (z.B. Influenzaviren), Chlamydien, Mykoplasmen, Rickettsien, Pilze und Parasiten (v.a. Würmer) rechnen. Pneumokokkeninfektionen als häufigste bakterielle L. treten meist ausgedehnt in einem oder mehreren Lungenlappen auf, **Viruspneumonien** als häufigste atyp. L. v.a. im Zwischengewebe. Am häufigsten ist die durch unterschiedl. Erreger verursachte Bronchopneumonie, meist nach Virusbefall der Atemwege oder aufgrund anderer Vorschädigungen. Die Symptome der Lappenpneumonie sind Schüttelfrost, plötzl. hohes Fieber, Brustschmerzen, Auswurf, Atemnot und Steigerung der Herzfrequenz; entsprechend dem Schweregrad kommt es zu Sauerstoffmangelzuständen (Zyanose). In schweren Fällen kann es v.a. im frühen und höheren Lebensalter zum Tod durch Kreislaufversagen kommen. Bronchopneumonien sind durch langsam steigendes Fieber und eitrig-schleimigen Auswurf gekennzeichnet, Viruspneumonien durch hartnäckigen, trockenen Husten, Kopf- und Gliederschmerzen bei jedoch meist gutartigem Verlauf. Die *Behandlung* besteht in Allgemeinmaßnahmen wie körperl. Schonung, Luftbefeuchtung, reichl. Flüssigkeitszufuhr, Anwendung schleimlösender Mittel, herz- und kreislaufanregender Medikamente; die Chemotherapie wird meist mit Breitbandantibiotika eingeleitet.

📖 MORGENROTH, K. *u.* OPFERKUCH, W.: *Abwehrsysteme der Lunge u. L., Zeichnungen v.* G. PUCHER. *Berlin u. a. 1991.*

Lungenfell, → Brustfell.

Lungenfische (Lurchfische, Doppelatmer, Dipnoi, Dipneusti), seit dem Unterdevon bekannte Ordnung der Knochenfische; Atmung durch Kiemen und Lungen; ausschließlich Süßwasserbewohner; u. a. der **Djelleh** (Neoceratodus forsteri), bis 2 m lang, in Australien und der **Schuppenmolch** (Lepidosiren paradoxa), etwa 1,2 m lang, in Südamerika.

Lungenflechte (Grubenflechte, Lobaria pulmonaria), unregelmäßig gelappte Laubflechte (10–45 cm Durchmesser); trocken hellbraun, feucht grünlich, an alten Bäumen und Felsen; früher gegen Lungenkrankheiten verwendet.

Lungenfunktionsprüfung (Spirometrie), Bestimmung der Leistungsfähigkeit der Lunge bei der Atemmechanik und beim Gasaustausch. Hierzu zählt v. a. die Bestimmung der Vitalkapazität (→ Atmung).

Lungengangrän (Lungenbrand), durch Besiedlung mit Fäulnisbakterien hervorgerufener Zerfall von Lungengewebe (feuchte Gangrän) als lebensbedrohl. Komplikation entzündl. Prozesse (z. B. Lungenabszess). Neben den Entzündungssymptomen ist der graubräunl., auch blutige, unangenehm riechende Auswurf kennzeichnend.

Lungen|infarkt, durch Verstopfung einer Lungenarterie (Lungenembolie) hervorgerufenes Absterben eines Lungengewebsabschnitts. Es treten meist plötzl. Atemschmerzen, Atemnot und Herzjagen auf; Lungenembolien der großen Gefäße führen häufig zum Tod.

Lungenkraut (Pulmonaria), Gattung im Frühjahr blühender Borretschgewächse mit roten, später blauen Blüten und weichhaarigen Blättern, in Laubwäldern vorkommend. Häufigste Art ist das ausdauernde **Echte L.** (Pulmonaria officinalis).

Lungenkrebs, bösartige Geschwulst (→ Krebs) der Lunge, die meist von der Schleimhaut der Bronchien **(Bronchialkrebs)** ausgeht. Häufigste Form ist das Plattenepithelkarzinom, dicht gefolgt von dem kleinzelligen Karzinom (bes. bösartig); seltener sind das Adenokarzinom (mit dem Alveolarzellenkarzinom) und das großzellige Karzinom sowie Mischformen.

Als Hauptursache (nach Schätzungen 90 %) des L. gilt das Rauchen, das aufgrund der Einwirkung von Teerprodukten u. a. Krebs erregenden Substanzen zur chron. Entzündung der Bronchien mit Zerstörung des Flimmerepithels und Ersatz durch Plattenepithel führt, wobei langfristige Entzündungsreize eine krebsige Entartung hervorrufen. Auch Krebs erregende Arbeitsstoffe wie Asbest, Arsen, Steinkohlenteer und ionisierende Strahlen (eingeatmetes Radon) kommen als Ursache in Betracht. Die Symptome bestehen zunächst in chron. Husten (»Raucherhusten«) mit verstärktem Auswurf (auch blutig). Bei Einengung zentraler Atemwege entwickelt sich eine stärkere Atemnot. Fieber, Nachtschweiß und Brustschmerzen können Anzeichen einer begleitenden Lungenentzündung oder der Tumorerkrankung selbst sein. Weitere Beschwerden entstehen durch Metastasenbildung, die v. a. Leber, Skelett, Gehirn und Nebennieren betrifft. Die *Behandlung* besteht bei örtlich begrenztem L. in der Entfernung eines Lungenlappens oder der gesamten rechten oder linken Lunge; v. a. bei kleinzelligem Bronchialkrebs ist eine Lebensverlängerung durch Kombination von zytostat. und Strahlentherapie möglich.

📖 DELBRÜCK, H.: *L. Rat u. Hilfe für Betroffene u. Angehörige. Stuttgart u. a. 1993.*

Lungenflechte: Die grünliche, unregelmäßig gelappte Lungenflechte gedeiht noch bei sehr geringen Lichtintensitäten

Lungen|ödem, abnorme Ansammlung seröser Flüssigkeit im Lungengewebe, wodurch die entsprechenden Teile ihre Funktionsfähigkeit für die Atmung verlieren. Ursachen sind Blutstauung im Lungenblutkreislauf, Linksherzinsuffizienz, toxisch-infektiöse und allerg. Lungenerkrankungen. Symptome sind rasselnde Atemgeräusche, schaumiger Auswurf und hochgradige Atemnot.

Lungenschlag, plötzl. Tod durch Lungenembolie.

Lungenschnecken (Pulmonata), Überordnung größtenteils landbewohnender, zwittriger Schnecken, deren erweiterte Mantelhöhle mit ihrem blutgefäßreichen Netz als Lunge dient.

Lungenwürmer, schmarotzende Fadenwürmer, bes. bei Rind, Schaf, Ziege, Reh, Hirsch, auch bei Schwein, Wildschwein, Hase, Kaninchen, Fuchs. Werden L. auf feuchtem Gelände (Weide) mit der Nahrung aufgenommen, verursachen sie, bes. bei Wiederkäuern, die **Lungenwurmseuche (Lungenwurmkrankheit);** gekennzeichnet u. a. durch Schädigungen in den Atmungsorganen.

Lunik [russ., zu lat. luna »Mond«], Bez. für drei sowjet. Mondsonden (L. 1–3, 1959), Vorläufer der

Lungenkraut: Echtes Lungenkraut (Höhe 15–30 cm)

→Luna genannten Sonden. L. 3 lieferte die ersten Aufnahmen von der Mondrückseite.

Lunisolarjahr, gebundenes Mondjahr (→Kalender).

Markus Lüpertz: »Zwischenraumgespenster: Eurysthenes III« (1987; Köln, Galerie Michael Werner)

Lunker, *Gießereitechnik:* beim Gießen von Metallen infolge Volumenabnahme im erstarrenden Gussstück entstehende Hohlräume, die die Festigkeitseigenschaften stark mindern.

Lunochod [-x-; russ. »Mondgänger«] *das,* Bez. für sowjet. Mondfahrzeuge, die von der Erde aus gesteuert wurden. L. 1 wurde 1970 von Luna 17 abgesetzt, L. 2 1973 von Luna 21 (→Luna).

Joseph Luns

Luns [lyns], Joseph, niederländ. Politiker, *Rotterdam 28. 8. 1911; Jurist, förderte als Außenmin. (1956–71) die europ. Integration; 1971–84 Gen.-Sekr. der NATO.

Lunte [nd. »Fetzen«], **1)** *Waffentechnik:* aus Flachs oder Hanffasern gedrehte, mit Bleiacetat getränkte, langsam glimmende Schnur, einst Zündmittel bei Feuerwaffen.

2) *Zoologie:* Schwanz von Fuchs, Marder, Wolf und Wildkatze.

Lunula [lat. »kleiner Mond«] *die,* **1)** *Anatomie:* halbmondförmiger weißer Fleck am hinteren Nagelbett.

2) *Vorgeschichte:* halbmondförmiger Halskragen aus Goldblech, bes. der frühen Bronzezeit Irlands.

Lupine: Vielblättrige Lupine (Höhe bis zu 1,25 m)

Luo (Lwo), Nilotenstamm in W-Kenia, z. T. auch im N Tansanias. Weitere L.-Gruppen finden sich in Uganda, im NO der Demokrat. Rep. Kongo und im S-Sudan; Savannenpflanzer und Viehzüchter; etwa 3,7 Millionen.

Luoyang (Lojang, Loyang), chines. Stadt in der Prov. Henan, am Lo He, 759 800 Ew.; Fachhochschule; Ind.zentrum, u. a. Bau von Traktoren, Schwermaschinen, Zementindustrie. – Als eine der ältesten chines. Metropolen war L. Hptst. der Östl. Zhou (771–249 v. Chr.), der Östl. Han (125–220 n. Chr.), der Wei (220–265), der Jin (265–420), der Nördl. Wei (386–534); zweite (östl.) Hptst. unter den Sui (581/89–618) und Tang (618–907).

Lupe [von frz. loupe] (Vergrößerungsglas), *Optik:* Sammellinse kurzer Brennweite zur vergrößernden Beobachtung kleiner Gegenstände. Das Objekt befindet sich in der vorderen Brennebene der Linse, sodass ein virtuelles vergrößertes, aufrechtes Bild im Unendlichen entsteht, das mit völlig entspanntem (für die Ferne akkomodiertem) Auge betrachtet werden kann. Die Vergrößerung ist annähernd gleich dem Verhältnis der deutl. Sehweite (für das normale Auge 250 mm) zur Linsenbrennweite; eine Linse mit der Brennweite 50 mm vergrößert also 250 : 50 = 5fach. Die maximale mit einer L. erreichbare Vergrößerung beträgt ca. 20–30. Für spezielle Zwecke gibt es viele versch. L.-Formen, u. a. das **Leseglas** (etwa zweifache Vergrößerung) und die **Leucht-L.** mit eingebauter Beleuchtungseinrichtung.

Lüpertz, Markus, Maler, *Reichenberg (heute Liberec) 24. 4. 1941; schuf neben gegenständl. Darstellungen mit Symbolgehalt sowie kunstgeschichtl. und polit. Bezügen auch abstrakte Kompositionen und Plastiken.

Lupin, früherer Name der chines. Stadt →Manzhouli.

Lupine *die* (Lupinus), Gattung der Schmetterlingsblütler, v. a. in Nordamerika, einige Arten im Mittelmeergebiet; vorwiegend Kräuter oder Halbsträucher mit meist gefingerten Blättern, mehrfarbigen Blüten in Trauben und oft ledrigen, dicken Hülsen. L. sind bes. für die Landwirtschaft wichtig, u. a. als Grünfutter und zur Gründüngung (Stickstofflieferant durch Knöllchenbakterien); auch Zierpflanzen. Wichtige Arten sind u. a.: **Gelbe L.** (Lupinus luteus), bis 70 cm hoch, mit gelben wohlriechenden Blüten; **Schmalblättrige L.** (**Blaue L.,** Lupinus angustifolius), mit blauen Blütentrauben; **Vielblättrige L.** (**Stauden-L.,** Lupinus polyphyllus), bis 1,5 m hoch, Zierpflanze in versch. Farben; **Weiße L.** (Lupinus albus), mit weißen Blüten. – Heute fast ausschließlich als Futterpflanzen angebaut werden bitterstofffreie oder -arme Zuchtformen, die **Süßlupinen.**

Luppe, 1) roher, schlackehaltiger Eisen- bzw. Stahlklumpen; 2) hohlzylinderförmiges Zwischenprodukt bei der Verformung von Walzstahlblöcken zu nahtlosen Rohren.

Lupu, Radu, rumän. Pianist, *Galatz 30. 11. 1945; Interpret der Klaviermusik v. a. von W. A. Mozart, F. Schubert und L. van Beethoven.

Lupulin [lat.] *das,* →Hopfen.

Lupus [lat. »Wolf«] *der,* **1)** *Astronomie:* (Wolf), Sternbild des südl. Himmels.

2) *Medizin:* Kurzbez. für unterschiedl. Hauterkrankungen. **L. vulgaris,** Form der Hauttuber-

Jean Lurçat: »Die große Drohung«, Ausschnitt aus dem ersten Teil der zehnteiligen Wandteppichfolge »Der Gesang der Welt« (1957; Angers, Musée des Tapisseries)

kulose (→Tuberkulose). **L. erythematodes,** der →Erythematodes.

Lurçat [lyr'sa], **1)** André, frz. Architekt, *Bruyères (Dép. Vosges) 27. 4. 1894, †Sceaux 10. 7. 1970, Bruder von 2); zählt neben A. Perret zu den Hauptvertretern des internat. Stils in Frankreich; hielt sich 1934–37 in Moskau auf.

2) Jean, frz. Maler und Kunsthandwerker, *Bruyères (Dép. Vosges) 1. 7. 1892, †Saint-Paul-de-Vence (Dép. Alpes-Maritimes) 6. 1. 1966, Bruder von 1); malte karge Landschaften. Seine lyrisch-fantasievollen Entwürfe für die Gobelinmanufaktur in Aubusson trugen zur künstler. Erneuerung des Bildteppichs bei; außerdem zahlreiche Buchillustrationen.

Lurche [zu nd. lork »Kröte«] (Amphibien, Amphibia), Klasse wechselwarmer, knapp 1 cm bis (maximal) 1,5 m langer, fast weltweit verbreiteter Wirbeltiere mit über 3 000 rezenten Arten in den Ordnungen →Blindwühlen, →Schwanzlurche und →Froschlurche. Körper lang gestreckt bis plump; Haut nackt, drüsenreich, nicht selten bunt gefärbt; meist vier Gliedmaßen; Schwanz lang bis vollkommen rückgebildet; Herz ohne Trennwand; bei erwachsenen Tieren ist ein Lungenkreislauf ausgebildet. Die L. leben überwiegend in feuchten Biotopen, wobei die Ei- und Larvenentwicklung sowie die Begattung sich fast stets im Wasser vollziehen. Manche Arten treiben Brutpflege, einige sind lebend gebärend. Die Larven haben innere oder äußere Kiemen.

🕮 *Urania-Tierreich: Fische, L., Kriechtiere, Beiträge. v.* K. Deckert *u. a. Leipzig u. a. 1991. – L. u. Kriechtiere Europas, Beiträge v.* W.-E. Engelmann *u. a. Radebeul* [2]*1992.*

Lurchfische, die →Lungenfische.

Lure [altnord.] *die,* Blasinstrument aus Bronze, das im nord. Kreis der jüngeren Bronzezeit (13.–7. Jh. v. Chr.; Funde in Norwegen, Dänemark und S-Schweden) belegt ist; diente wahrscheinlich kult. Zwecken. Die L. besteht aus einem gewundenen Rohr (bis 2 m Länge) mit Mundstück und verzierter Scheibe an der Schallöffnung. L. wurden meist paarweise mit gleicher Stimmung gefunden.

Luren (Loren), Volk im mittleren Zagrosgebirge, W-Iran und z. T. in Irak; etwa 2 Mio. Menschen; Muslime, früher Nomaden, heute z. T. sesshaft.

Salvador E. Luria

Luria, Salvador Edward, amerikan. Mikrobiologe italien. Herkunft, *Turin 13. 8. 1912, †Lexington (Mass.) 6. 2. 1991; arbeitete v. a. über Bakteriophagen. Für seine Erkenntnisse über den Vermehrungsmechanismus der Viren und deren genet. Struktur erhielt er 1969 mit M. Delbrück und A. D. Hershey den Nobelpreis für Physiologie oder Medizin.

Lusaka Stadtwappen

Lusaka, Hauptstadt von Sambia, 1280 m ü. M., im südl. Zentrum des Landes, 982 400 Ew.; Sitz eines kath. Erzbischofs und eines anglikan. Bischofs; Univ., Nationalarchiv und -bibliothek, Theater; Handelszentrum eines fruchtbaren Farmgebietes; vielseitige Ind. (Kfz-Montage, chem., Textil-, Tabakind.); internat. Flughafen. – 1905 beim Bau der Eisenbahn in den Copperbelt gegr.; wurde 1935 Hptst. von Nordrhodesien (heute Sambia).

Lusen *der,* Berg im Nationalpark Bayerischer Wald, nahe der Grenze zur Tschech. Rep., 1370 m ü. M.

Luserke, Martin, Pädagoge und Schriftsteller, *Berlin 3. 5. 1888, †Meldorf 1. 6. 1968; 1910–24 Leiter der Freien Schulgemeinde Wickersdorf, grün-

Lure von der dänischen Insel Fünen (um 800–400 v. Chr.; Kopenhagen, Nationalmuseet)

dete 1924 die »Schule am Meer« auf Juist (1934 aufgelöst); pflegte v.a. Sport, Musik und das Laienspiel; schrieb See- und Spukgeschichten, Romane.

Lusitania, röm. Provinz im W der Iber. Halbinsel, etwa dem heutigen Portugal entsprechend, mit der Hptst. Olisippo (Lissabon).

Lusitania-Zwischenfall, Versenkung des brit. Passagierschiffs »Lusitania«, das auch Munition an Bord hatte, durch ein dt. U-Boot am 7. 5. 1915 vor der ir. Küste, wobei 1198 Menschen umkamen (darunter mehr als 120 Amerikaner). V.a. die amerikan. Protestnoten bewirkten eine vorübergehende Einschränkung des dt. U-Boot-Kriegs.

Lusizen (slaw. Lužici), im MA. westslaw. Stamm in der Niederlausitz.

Hans Luther

Lust, auf Befriedigung eines stark empfundenen Bedürfnisses oder Mangels (bes. sinnl. und triebhafter Art) zielender Antrieb wie auch die mit der Befriedigung verbundene positive Gefühlsqualität (heftiges, zeitlich begrenztes Glücksgefühl, Freude, Genuss). – In der *Psychologie* und *Philosophie* sieht der →Hedonismus im Streben nach L. den tiefsten Beweggrund für jegliches (auch sittl.) Handeln. Der Gedanke der psych. Motivation nach dem **L.-Prinzip** spielte in der Psychoanalyse S. Freuds eine Rolle, später auch in den psychoanalytisch orientierten Richtungen des Neomarxismus (v.a. H. Marcuse).

Lüst, Reimar, Physiker, *Barmen (heute zu Wuppertal) 25. 3. 1923; 1971–84 Präs. der Max-Planck-Ges., 1984–90 Generaldirektor der Europ. Weltraumorganisation (ESA); Arbeitsgebiete Weltraumforschung, Astro- und Plasmaphysik.

Lustenau, Marktgemeinde im Bezirk Dornbirn, Vorarlberg, Österreich, im Rheintal, 18500 Ew.; Stickereimuseum, Wasserbaumuseum (Rheinregulierung); ein Zentrum der Textilind. (Stickerei, Weberei u.a.), Eisenverarbeitung, Möbel-, Kartonagenherstellung; Obstbaumkulturen.

Lüster [frz.], **1)** *allg.:* veraltend für Kronleuchter.

2) *Kunst:* irisierend glänzender, auch farbig schimmernder Überzug auf Fayence, Porzellan oder Glas. L. entstehen, wenn man in äther. Ölen gelöste Metallresinate (→Harzseifen) auf einfarbige (glasierte) oder mit Unterglasurmalerei (→Glasur) versehene Keramik aufträgt und einbrennt bzw. Glas heiß behandelt. Dabei bilden sich sehr dünne Schichten von Metalloxiden.

3) *Textiltechnik:* dichtes, glänzendes Gewebe, meist in Leinwandbindung, mit Baumwollkette und Glanzwolle (L.-Garn) im Schuss; z.B. für Jacken und Schürzen.

lustige Figur, →komische Person.

Lustmord, vorsätzliche Tötung eines Menschen zur Befriedigung des Geschlechtstriebes; nach §211 StGB mit lebenslanger Freiheitsstrafe bedroht.

Lustrum [lat.] *das,* in der altröm. Religion ein Reinigungsopfer, bei dem das der Gottheit bestimmte Tier um die zu entsühnenden Personen oder Grundstücke geführt wurde; ein alle fünf Jahre wiederkehrendes Sühneopfer; daher auch Bez. für einen Zeitraum von fünf Jahren.

Lustspiel, dt. Übersetzung des Wortes »Comedia«, erstmals 1536 im Titel eines anonymen Stückes, dann erst wieder im 17. Jh. gebraucht (A. Gryphius), seit dem 18. Jh. allg. (J. C. Gottsched) und zumeist mit Komödie synonym gebraucht.

Lut, Dasht-e [daʃt-], Wüstenbecken im SO-Teil der innerpers. Binnenwüsten, rd. 300 m ü.M., gehört zu den heißesten, lebensfeindlichsten Kernwüsten der Erde; mit Salztonebenen und einer Sandfläche im O von 9000 km².

luteinisierendes Hormon, Abk. **LH** (Gelbkörperreifungshormon, Lutropin, interstitialzellenstimulierendes Hormon, Abk. ICSH), ein Glykoprotein; es löst bei der Frau den Eisprung aus und ist u.a. für Funktion und Lebensdauer des Gelbkörpers verantwortlich; beim Mann steuert es Produktion und Ausschüttung der Androgene des Hodens (insbesondere des Testosterons).

luteotropes Hormon, Abk. **LTH** (Prolactin), Hormon des Vorderlappens der Hirnanhangdrüse; hat beim Menschen Einfluss auf die Reifung des Milch bildenden Systems (ÜBERSICHT Hormone).

Lutetium [nach Lutetia, dem lat. Namen von Paris], chem. Symbol **Lu,** Metall aus der Gruppe der →Lanthanoide, bis 1949 in Dtl. **Cassiopeium, Cp,** genannt. Ordnungszahl 71, relative Atommasse 174,97, Dichte 9,84 g/cm³, Schmelzpunkt 1652 °C, Siedepunkt 3327 °C. – L. kommt als Begleitsubstanz in mehreren Mineralen, u.a. im Gadolinit und Xenotim vor; es findet außer im Cermischmetall keine techn. Anwendung.

Luther, 1) Hans, Politiker, *Berlin 10. 3. 1879, †Düsseldorf 11. 5. 1962; parteilos, der DNVP nahe stehend, war 1923–25 Reichsfinanzmin. 1923–24 hatte er Anteil an der Stabilisierung der Währung. Von Jan. 1925 bis Mai 1926 Reichskanzler, schloss er zus. mit Außenmin. G. Stresemann die →Locarnoverträge ab. 1930–33 war L. Reichsbankpräs., 1933–37 Botschafter in Washington (D.C.).

2) Martin, Reformator, *Eisleben 10. 11. 1483, †ebd. 18. 2. 1546; Sohn des Bergmanns und späteren Hüttenmeisters Hans L. und seiner Frau Margarethe, geb. Lindemann; Schulbesuch in Mansfeld, Magdeburg und Eisenach; seit 1501 Studium an der Univ. Erfurt; 1505 Magister Artium und auf Wunsch seines Vaters Einschreibung an der jurist. Fakultät; nach zwei Monaten Abbruch des Jurastudiums und Eintritt ins Erfurter Augustiner-Eremitenkloster (17. 7. 1505). Äußerer Anlass war das Erlebnis eines schweren Gewitters, bei dem L. das Gelübde ablegte: »Hilf du, hl. Anna, ich will ein

Mönch werden.« 1507 Priesterweihe und Beginn des Theologiestudiums; 1510–11 in Ordensangelegenheiten nach Rom entsandt; 1512 Versetzung in den Wittenberger Ordenskonvent, Promotion zum Doktor der Theologie und Prof. für Bibelauslegung; wahrscheinlich 1515/16 (→Turmerlebnis) Durchbruch seines theolog. Denkens zu den Positionen der späteren →Reformation.

Am 31. 10. 1517 veröffentlichte L. in Wittenberg (»Thesenanschlag«) 95 Thesen über den Ablass, um zu einer Disputation aufzufordern. Die unerwartete Öffentlichkeitswirkung und Zustimmung, die sie fanden, waren Ausdruck des schon lange in Dtl. angestauten Protestes gegen den Ablasshandel und eine verweltlichte, der christl. Botschaft entfremdete Kirche und bedeuteten faktisch den Beginn der Reformation. Anzeigen in Rom führten zu einem Ketzerprozess gegen L. und zur Vernehmung durch Kardinal →Cajetanus (12.–14. 10. 1518); die →Leipziger Disputation (1519) mit J. Eck leitete L.s Bruch mit dem Papsttum ein, den er mit der Verbrennung der gegen ihn gerichteten Bannandrohungsbulle am 10. 12. 1520 vollzog. Vor dem Reichstag in Worms (17./18. 4. 1521) verteidigte er seine Positionen, die er v. a. in den sog. reformator. Hauptschriften (»An den christl. Adel dt. Nation«, »Von der babylon. Gefangenschaft der Kirche«, »Von der Freiheit eines Christenmenschen«, alle 1520) niedergelegt hatte. Den verlangten Widerruf lehnte er ab, worauf die Reichsacht über ihn verhängt wurde. Auf Veranlassung Kurfürst Friedrichs III., des Weisen, von Sachsen wurde L. auf dem Rückweg von Worms »überfallen« und zu seinem Schutz auf die Wartburg gebracht. Hier lebte er zehn Monate als »Junker Jörg«. Auf der Wartburg entstand u. a. seine Übersetzung des N. T. 1522 kehrte L. nach Wittenberg zurück, um die radikalen Kirchenreformen →Karlstadts (z. B. Entfernung der Bilder aus den Kirchen) rückgängig zu machen; theologisch setzte er sich mit ihm in den zw. dem 9. und 16. 3. 1522 in Wittenberg gehaltenen Invocavitpredigten auseinander. Von den theolog. Auffassungen der →Täufer, den sozialrevolutionären Forderungen der Bauern (→Bauernkrieg) und den Vorstellungen eines auf Vernunft und allg. menschliche Moral begründeten Christentums der Humanisten (→Erasmus) grenzte sich L. 1525 in den Schriften »Wider die himml. Propheten«, »Wider die räuber. und mörder. Rotten der Bauern« und »De servo arbitrio« (»davon, dass der freie Wille nichts sei«) ab. Am 13. 6. 1525 heiratete L. die Nonne Katharina von →Bora. Seit 1526 widmete er sich v. a. in Zusammenarbeit mit →Melanchthon dem Ausbau und der inneren Festigung des neu entstehenden (Landes-)Kirchen- und Schulwesens (Durchführung der ersten Kirchen- und Schulvisitationen), daneben war er vielfältig

Martin Luther: Gemälde aus der Werkstatt von Lucas Cranach d. Ä. (um 1525/26; Münster, Westfälisches Landesmuseum)

theologisch und schriftstellerisch tätig (großer und kleiner →Katechismus, 1529; Abschluss der Bibelübersetzung, 1534; zahlr. geistl. Lieder). 1530 unterstützte er Melanchthon von Coburg aus in den Verhandlungen um die Anerkennung des prot. Bekenntnisses auf dem Augsburger Reichstag (→Augsburgische Konfession), auf dem er als Geächteter nicht teilnehmen konnte. 1536 verfasste er für das seit 1532 von Kaiser Karl V. geforderte Konzil (1537 nach Mantua einberufen und gescheitert) die →Schmalkaldischen Artikel. Bis 1545 Vorlesungstätigkeit in Wittenberg; dort am 22. 2. 1546 in der Schlosskirche beigesetzt.

Luther

Für die sich in der 2. Hälfte des 16. Jahrhunderts ausbildende lutherische Orthodoxie wurde der Reformator zum unangreifbaren »Kirchenvater«. Der Leipziger Theologieprofessor Nikolaus Selnecker, Mitverfasser der Konkordienformel von 1577 und Kirchenlieddichter (»Lass mich dein sein und bleiben«), schreibt in seiner »Historica oratio« (deutsch 1576):

»Was Luther einmal gelehrt, bei dem bleiben wir unverkehrt. Wir beurteilen Luthers Schriften nicht nach denen anderer Leute, sondern wir verstehen die Schriften anderer Leute nach denen Luthers, und was mit Luther nicht übereinstimmt, das verwerfen wir, es habs geschrieben, wer da wolle.«

L.s Theologie ist →Kreuzestheologie, Zentrum seines theolog. Denkens die →Rechtfertigung des Sünders allein aus Glauben. Die Rechtfertigung ist ausschließlich und unmittelbar im Tod Jesu Christi am Kreuz begründetes Gnadengeschenk Gottes

»Wo Glaube ist, da ist auch Lachen.«
Martin **Luther**

und kann weder durch (verdienstl.) Werke noch durch kirchl. Vermittlung (Ablass) erlangt werden. Sie befreit den Menschen zum Dienst am Nächsten; ohne sie bleibt er in seinem ganzen Denken, Fühlen und Handeln Gefangener (»Knecht«) der Sünde. Christl. Existenz ist Nachfolge des Gekreuzigten, wobei L. keine Unterscheidung zw. den geistl. und weltl. Ständen macht. Alle Christen sind in die Nachfolge und zur Priesterschaft (→Priestertum aller Gläubigen) berufen. Ihr Beruf ist der konkrete Ort, an den sie Gott gestellt hat, ihm und ihren Mitmenschen zu dienen. In der staatl. Gewalt sieht L. die von Gott gewollte äußere Ordnung der Welt (→Zweireichelehre). Die Bibel ist oberste Autorität für den Christen und wird von L. als »Wort Gottes« dem kirchl. Lehramt übergeordnet. Von den sieben mittelalterl. Sakramenten behält er nur Taufe und Abendmahl bei. In der Abendmahlslehre lehnt er die →Transsubstantiation ab, hält aber – im Gegensatz zu Zwingli – an der wirkl. Gegenwart von Leib und Blut Jesu Christi (Realpräsenz) fest. Den Opfercharakter der Messe lehnt er ab und betont den Aspekt der Versammlung der christl. Gemeinde um Gottes Wort und Sakrament.

L.s Wirken beeinflusste wesentlich die Entwicklung der dt. Sprache. Er stellte die dt. Sprache gleichberechtigt neben die drei bis dahin als heilig erachteten Sprachen: Hebräisch, Griechisch und Latein. Von einem Übersetzer forderte er den Aufbau eines reichen Wortschatzes, der sich auch an der gesprochenen Sprache orientieren sollte (»Sendbrief vom Dolmetschen«, 1530). Er hat selbst die dt. Hochsprache meisterhaft gehandhabt und entscheidend zu ihrer Durchsetzung beigetragen (1522 dt. Übers. des N.T., 1523/24 von Teilen des A.T., 1534 »Biblia, das ist, die gantze Hl. Schrifft, Deudsch. D. Mart. Luth.«). L. schloss sich an bereits ausgebildete überregionale Sprachformen an, an die Sprache der sächs. (Meißen), später auch der habsburg. Kanzlei und an die Traditionen der mitteldt., mystisch-erbaul. Prosaliteratur. In Lautstand, Orthographie, Flexion (volle Endungen), Wortschatz und Syntax wurde außerdem gemeinsam mit den Druckern seiner Werke ein Mittelweg zw. den bestehenden Schreibdialekten angestrebt. Für die Wirkungsgeschichte seiner Sprache **(L.-Deutsch)** war bedeutsam, dass kein Werk vorher eine so umfassende Verbreitung über das gesamte dt. Sprachgebiet und in allen Ständen gefunden hatte. Der Reichtum von L.s literarisch-sprachl. Schaffen zeigt sich auch in den »Tischreden oder Colloquia Doct. Mart. Luthers …« (1566) und bes. in seinen geistl. Liedern (u.a. »Ein feste Burg ist unser Gott«). Dass L. der Kunstmusik breiten Raum im Gottesdienst einräumte, prägte die Entwicklung der prot. Kirchenmusik.

Martin Luther: Titelblatt der 1534 in Wittenberg erschienenen ersten vollständigen Ausgabe seiner Bibelübersetzung mit Holzschnitten aus der Werkstatt Lucas Cranachs d. Ä.

Martin Luther: Titelblatt der 1520 in Wittenberg erschienenen Schrift »Von der Freyheyt eyniß Christenmenschen«

📖 SCHWARZ, R.: *L.* Göttingen *1986.* – ARNDT, E. *u.* BRANDT, G.: *L. u. die dt. Sprache. »Wie redet der Deudsche man jnn solchem fall?«. Leip-*

zig ^{2}*1987.* – ASENDORF, U.: *Die Theologie M. L.s nach seinen Predigten. Göttingen 1988.* – *L.-Lexikon, hg. v.* K. ALAND. *Göttingen* ^{4}*1989.* – BRECHT, M.: *L. als Schriftsteller. Zeugnisse seines dichterischen Gestaltens. Stuttgart 1990.* – FRIEDENTHAL, R.: *L. Sein Leben u. seine Zeit. Tb.-Ausg. München u. a.* ^{8}*1996.* – *L. in seiner Zeit. Persönlichkeit u. Wirken des Reformators, hg. v.* M. GRESCHAT *u.* G. LOTTES. *Stuttgart u. a. 1997.*

Lutheraner, die Anhänger Luthers. (→Luthertum, →lutherische Kirchen)

Luther-Gesellschaft, 1918 in Wittenberg gegr. Gesellschaft zur Förderung der Erforschung von Leben und Werk Luthers; Sitz: Hamburg (seit 1954); Zeitschrift »Luther-Jb.« (1914–41; 1957 ff.).

lutherische Kirchen, die aus der Reformation M. Luthers hervorgegangenen Kirchen, deren gemeinsame Bekenntnisgrundlage neben der Bibel und den ökumen. →Glaubensbekenntnissen v. a. die →Augsburgische Konfession und die →Konkordienformel bilden; v. a. in Dtl., Skandinavien und Nordamerika verbreitet. Die l. K. sind in Dtl. (mit Ausnahme der →Altlutheraner) →Landeskirche, in Dänemark, Island, Norwegen und Schweden Staats- und in den übrigen Staaten Freikirchen. In Dtl. haben sich die l. K. mit wenigen Ausnahmen zur →Vereinigten Evangelisch-Lutherischen Kirche Deutschlands zusammengeschlossen.

Lutherischer Weltbund, Abk. **LWB,** 1947 in Lund gegr., aus dem **Luth. Weltkonvent** hervorgegangene internat. Vereinigung luth. Kirchen; Sitz: Genf; oberstes Organ ist die alle sechs Jahre tagende Vollversammlung, die auch den Präs. wählt. Gegenwärtig gehören dem L. W. 105 luth. Kirchen mit insgesamt rd. 55 Mio. Mitgl. an. Seine Aufgaben sieht der L. W. in der Förderung der Verkündung des Evangeliums und der ökumen. Zusammenarbeit der Kirchen sowie in der Bekämpfung von Unrecht und Not in der Welt. In jüngster Zeit setzt er sich bes. für die weltweite Anerkennung der Menschenrechte und die Schaffung einer neuen, gerechteren Weltwirtschaftsordnung ein.

Lutherrock, seit dem 19. Jh. von luth. Geistlichen getragener, schwarzer, einreihiger, hochgeknöpfter Gehrock.

Luthertum, Bez. für die von der Theologie M. Luthers inspirierte Glaubens- und Lebenshaltung luth. Christen **(Lutheraner),** wie auch für die Gesamtheit der luth. Kirchen. Kennzeichnend für das L. ist die Bindung an die Bibel als der höchsten Autorität, das Verständnis von Glauben als Rechtfertigung des Sünders, Nachfolge des Gekreuzigten und Befreiung zum vor Gott verantworteten freien Handeln in der Welt, die Auffassung vom Priestertum aller Gläubigen und die Anerkennung der staatl. Gewalt als der von Gott gewollten äußeren Ordnung der Welt. Die theolog. und organisa-

Lüttich 2): Das 1508–40 erbaute Palais der Fürstbischöfe fungiert heute als Justizpalast

tor. Grundlegung des L. erfolgte durch die luth. Bekenntnisschriften und Kirchenordnungen der Reformation, seine konfessionelle Verfestigung v. a. durch die Theologen der luth. Orthodoxie (M. →Flacius).

Luthuli [lu:ˈθu:li:], Albert, südafrikan. Politiker, * in Rhodesien (heute Simbabwe) 1898, † Groutville 21. 7. 1967; seit 1952 Präs. des →African National Congress, vertrat den gewaltlosen Widerstand gegen die Apartheidpolitik. 1956 verhaftet, ab 1959 zu Zwangsaufenthalt in Groutville verurteilt. 1960 erhielt er den Friedensnobelpreis.

Albert Luthuli

Lutizen, die →Liutizen.

Luton [lu:tn], Stadt in der Cty. Bedfordshire, England, nördlich von London, 164 000 Ew.; Fahrzeug-, Flugzeug-, Maschinenbau, feinmechan. Ind., Brauereien; internat. Flughafen.

Lutosławski [lutɔˈsu̯afski], Witold, poln. Komponist, * Warschau 25. 1. 1913, † ebd. 7. 2. 1994; seine Werke vor 1956 zeigen den Einfluss I. Strawinskys und B. Bartóks, die späteren den der westeurop. Avantgarde; trat seit 1963 auch als Dirigent hervor; er komponierte u. a. vier Sinfonien, ein Violoncellokonzert und Kammermusik.

Witold Lutosławski

Lütschine *die,* linker Nebenfluss der Aare, gebildet aus den Quellflüssen **Schwarze L.** (von Grindelwald) und **Weiße L.** (aus dem Lauterbrunner Tal); mündet in den Brienzer See.

Lutschou, früherer Name der chines. Stadt →Hefei.

Lutte, *Bergbau:* Rohrleitung zur →Grubenbewetterung.

Lüttich (frz. Liège, fläm. Luik), **1)** Provinz in O-Belgien, in Wallonien, 3 862 km^2, (1995) 1,015 Mio. Einwohner.

2) Hauptstadt von 1), an der Mündung der Ourthe in die Maas; 192 400 Ew.; kultureller Mittelpunkt Walloniens mit Univ. (gegr. 1817), Han-

Lüttich 2)
Stadtwappen

Luxemburg

Fläche: 2 586 km²
Einwohner: (1995) 406 000
Hauptstadt: Luxemburg
Verwaltungsgliederung: 12 Kantone
Amtssprachen: Französisch, Luxemburgisch, Deutsch
Nationalfeiertag: 23. 6.
Währung: 1 Luxemburgischer Franc (lfr) = 100 Centimes (c)
Zeitzone: MEZ

Staatswappen

L

Internationales Kfz-Kennzeichen

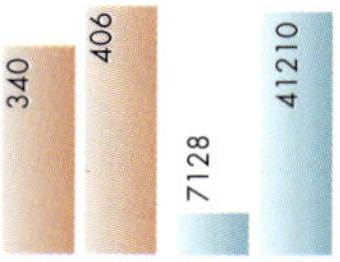

Bevölkerung (in Tausend)
Bruttosozialprodukt je Ew. (in US-$)

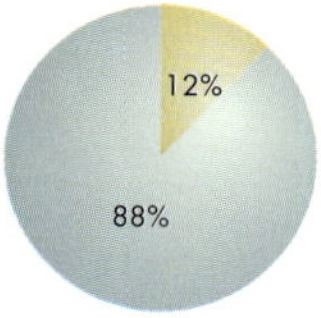

Bevölkerungsverteilung 1993

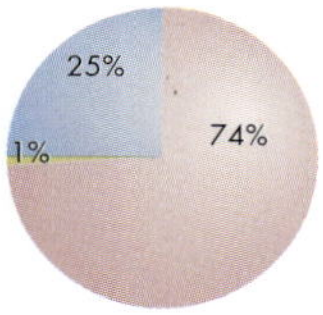

Bruttoinlandsprodukt 1994

dels- und Industriefachhochschule, Konservatorium, Kongresspalast, Theater, Oper, Museen; Stahl- und Walzwerke, Kupfer- und Zinkschmelzen, Glashütten, Leichtmetallind., Apparatebau, Kunststoffproduktion und -verarbeitung, Großbrauerei, Nahrungsmittel-, Zement-, Elektronikind., Druckereien, Verlage. Bed. Binnenschifffahrt auf Maas und Albertkanal; internat. Messen. – Der ältere Teil der Stadt mit den got. Kirchen Saint-Jacques und Saint-Paul, dem Palais der Fürstbischöfe (1508-40) und dem Stadthaus (18. Jh.) liegt links der Maas. – 717/718 wurde L. Bischofssitz. Gegen die Herrschaft der Bischöfe (seit 980 Fürstbischöfe) richteten sich bis ins 17. Jh. mehrere Aufstände der Bürgerschaft. 1468 Zerstörung der Stadt durch Karl den Kühnen. Das Bistum L. fiel 1801 an Frankreich, kam 1815 an die Vereinigten Niederlande und 1830/31 an Belgien. Die Ende des 19. Jh. stark befestigte Stadt spielte bes. im 1. Weltkrieg eine große Rolle bei der Verteidigung der belg. Armee an der Maas.

Lutynia [lu'tinja], Stadt in Polen, →Leuthen.

Lutz [nach dem österr. Eiskunstläufer A. Lutz], *Eiskunstlauf, Rollkunstlauf:* Sprung von rückwärts-auswärts mit ganzer Drehung entgegengesetzt zur Bewegung auf das andere Bein.

Lützen, Stadt im Landkreis Weißenfels, Sa.-Anh., südwestlich von Leipzig, 4 000 Ew.; Gustav-Adolf-Gedenkstätte. – In der **Schlacht bei L.** (16. 11. 1632) siegten die Schweden unter König Gustav II. Adolf über Wallenstein; Gustav Adolf fiel.

Lützow [-tso], Adolf Freiherr von, preuß. Generalmajor (seit 1822), *Berlin 18. 5. 1782, †ebd. 6. 12. 1834; bildete 1813 das **Lützowsche Freikorps** (»Schwarze Schar«), dem u. a. T. Körner, F. L. Jahn und J. von Eichendorff angehörten; am 17. 6. 1813 bei Leipzig von frz. Truppen aufgerieben, später neu gebildet, 1814 aufgelöst. Körners Gedicht »L.s wilde, verwegene Jagd« (1813) wurde von C. M. von Weber vertont. (→deutsche Farben)

Luv [niederdt., von niederländ. loef], *Schifffahrt:* die dem Wind zugekehrte Seite des Schiffs; die Richtung, aus der der Wind kommt. Ggs.: Lee.

Lux [lat. »Licht«] *das,* Einheitenzeichen **lx,** SI-Einheit der →Beleuchtungsstärke, 1 lx = 1 lm/m².

Luxation [lat.] *die, Medizin:* die →Verrenkung.

Luxemburg (amtlich frz. Grand-Duché de Luxembourg, luxemburg. Groussherzogtum Lëtzebuerg, dt. Großherzogtum L.), Staat in Westeuropa, grenzt im O an Dtl., im W an Belgien, im S an Frankreich.

Staat und Recht: Nach der Verf. von 1868 (mehrfach geändert) ist L. eine konstitutionelle Erbmonarchie. Staatsoberhaupt mit formalrechtlich starker Stellung (u. a. Recht auf Gesetzesinitiative und zur Parlamentsauflösung) ist der Großherzog. Er beruft die Reg. unter Vorsitz des Premiermin., die dem Parlament verantwortlich ist. Die Legislative liegt bei der Abg.kammer (60 Abg., auf fünf Jahre gewählt). Der Staatsrat (21 Mitgl., vom Großherzog auf Lebenszeit ernannt) fungiert als Beratungsorgan, das partiell legislative und jurist. Funktionen wahrnimmt. Einflussreichste Parteien: Christlich-Soziale Volkspartei (CSV), Sozialist. Arbeiterpartei (LSAP), Demokrat. Partei (DP).

Landesnatur: Der nördl. Teil L.s, Ösling oder Eisslek, ein Teil der Ardennen, ist von ausgedehnten Wäldern bedeckt, hat Grünflächen und Heiden (höchste Erhebung 559 m ü. M.). Der größere und niedrigere südl. Teil, das Gutland, gehört zum lothring. Schichtstufenland. Es ist fruchtbar und hat wertvolle Eisenerze (Minette). Hauptflüsse sind Sauer und Mosel (SO-Grenze). Das Klima gehört zum maritim-kontinentalen Übergangstyp.

Bevölkerung: Die Bevölkerung setzt sich aus Luxemburgern und Ausländern (27 % der Gesamtbev.) zusammen. – Allg. Schulpflicht besteht vom 7. bis 15. Lebensjahr. L. besitzt ein Centre Universitaire. – Über 90 % der Bev. sind kath.; sie gehören zur Diözese L., die 1870 als exemtes Bistum errichtet und 1988 zum Erzbistum erhoben wurde.

Wirtschaft, Verkehr: L. gehört zu den hoch entwickelten Ind.- und Dienstleistungsgesellschaften der EU. Mit den Niederlanden und Belgien ist L. in eine Zoll- und Wirtschaftsunion eingebunden (Benelux). Bei der Landwirtschaft überwiegt die Viehzucht (Rinder und Schweine) und daher auch das Dauergrünland sowie der Anbau von Futtergetreide u.a. -früchten. Wichtigste Sonderkultur ist der Weinbau im Moseltal. 34,5% der Landesfläche werden von Wald eingenommen. Eisenerze waren die einzigen abbauwürdigen Bodenschätze (im Minetterevier im S des Landes, der Abbau wurde 1981 eingestellt). Um der Exportabhängigkeit der Stahlwerke entgegenzuwirken, entstanden Kunststoff-, Kunstfaser-, Arzneimittelfabriken, Maschinen- und Fahrzeugbau, Nahrungsmittel-, Textil- und keram. Ind. sowie ein Reifenwerk; in Vianden arbeitet ein großes Pumpspeicherwerk (1120 MW). Dtl. und die anderen Nachbarländer sind die wichtigsten Handelspartner. – Das Eisenbahnnetz umfasst 275 km, davon 262 km elektrifiziert, das Straßennetz 5136 km (123 km Autobahn). Schiffbare Wasserstraße ist die Mosel mit dem Binnenhafen Mertert. Nahe der Hptst. der internat. Flughafen L.-Findel.

Geschichte: Das zunächst von Kelten besiedelte Gebiet geriet im 1. Jh. v.Chr. unter röm. Herrschaft und gehörte später zum Fränk. Reich (Austrasien); 843 Bestandteil des Reichs von Lothar I. Die im 10. Jh. entstandene Grafschaft der späteren →Luxemburger wurde 1354 Herzogtum. Dieses kam 1443 an Burgund, 1477 an die Habsburger, 1555 an deren span. Linie, die 1659 (Pyrenäenfrieden) Süd-L. von Diedenhofen bis Montmédy an Frankreich abtreten musste. 1684–97 war das Land infolge der Reunionen Ludwigs XIV. frz. Besitz; 1697–1794 gehörte es wieder den Habsburgern, 1794–1814 Frankreich. Durch den Wiener Kongress wurde L. 1815 Großherzogtum und dt. Bundesstaat, stand aber mit dem Königreich der Niederlande in Personalunion. 1830 schloss sich L. der belg. Revolution an; die wallon. Westhälfte wurde 1839 an Belgien abgetreten. 1842–1919 gehörte L. dem Dt. Zollverein an. 1866 wurde es durch Auflösung des Dt. Bundes selbstständig. Nach vergebl. Angliederungsversuchen Napoleons III. wurde L. durch den Londoner Vertrag von 1867 neutralisiert. Mit dem Tod Wilhelms III. (1890) endete die Personalunion mit den Niederlanden. 1919–64 war Großherzogin Charlotte Staatsoberhaupt. 1921 schloss L. mit Belgien eine Zoll- und Wirtschaftsunion. In den beiden Weltkriegen war das Land von dt. Truppen besetzt (1914–18 und 1940–44). 1945 wurde L. Mitgl. der UN. Nach Aufgabe der Neutralitätsverpflichtung (1948) schloss sich L. 1949 der NATO sowie dem Europarat an und war 1951 Gründungsmitgl. der Montanunion sowie 1957 der EWG. 1960 trat die Wirtschaftsunion mit Belgien und den Niederlanden in Kraft. 1964 wurde Großherzog Jean Staatsoberhaupt. Unter MinPräs. J. Santer (seit 1984, Christlich-Soziale Volkspartei) ratifizierte L. im Juli 1992 die Maastrichter Verträge. Im März 1993 verabschiedete das Parlament ein neues Banken-Ges. (Bekämpfung der Geldwäsche, Einschränkungen des Bankengeheimnisses). Nach dem Amtsantritt Santers als Kommissionspräs. der EU wurde J.-C. Juncker im Jan. 1995 dessen Nachfolger.

Luxemburg: Weinanbaugebiet im Moseltal

📖 ERBE, M.: *Belgien, Niederlande, L. Geschichte des niederländ. Raumes. Stuttgart u.a. 1993.* – *Benelux-Ploetz. Belgien, Niederlande, L. Geschichte zum Nachschlagen, bearb. v.* C. WITZ *u.* U. LAULE. *Freiburg im Breisgau 1997.*

Luxemburg, 1) Provinz in Belgien, 4440 km², (1995) 240300 Ew.; Hptst. ist Arlon.

Luxemburg 2) Stadtwappen

2) (frz. Luxembourg, luxemburg. Lëtzebuerg), Haupt- und Residenzstadt des Großherzogtums L., 230–380 m ü.M., an beiden Seiten der tief eingeschnittenen Täler von Alzette und Pétrusse, 76400 Ew. L. ist Amtssitz des Großherzogs, Sitz von Reg., Ministerien, zahlr. Behörden, diplomat. Vertretungen und EG- bzw. EU-Einrichtungen (Sekretariat des Europ. Parlaments, einige Dienststellen der Kommission der EU, Europ. Gerichtshof, Europ. Rechnungshof, Europ. Investitionsbank). Die Stadt ist Kultur-, Handels- und Finanzzentrum sowie Verkehrsmittelpunkt des Landes; kath. Erzbischofssitz. Univ.zentrum von L. (gegr. 1969), Konservatorium, Europaschule, Nationalbibliothek, Staatsarchiv, Staatsmuseum, naturgeschichtl. Museum und städt. Gemäldegalerie, mehrere Theater; private Rundfunkgesellschaft; internat. Messen. L. ist ein internat. Finanzzentrum mit Sitz von Niederlassungen multinat. Banken und Unternehmen; Maschinenbau, Brauerei, Metall-

Luzern 1) Stadt- und Kantonswappen

möbel-, Metallwaren-, Pumpen-, Porzellan-, Elektronikind.; internat. Flughafen Findel. – Auf der steil ansteigenden Hochfläche liegt die alte festungsartige Oberstadt mit dem großherzogl. Palais (16.–18. Jh.) und der Kathedrale (16. Jh.). – Ein kelt. Oppidum und eine röm. Siedlung standen an der Stelle des heutigen L. Die bei dem fränk. Kastell Lucilinburhuc nach 963 erbaute **Lützelburg** (kleine Burg) wurde Stammsitz des Hauses L. und Ausgangspunkt für die Entwicklung der Stadt, die 1224 Stadtrecht erhielt. 1815 wurde L. dt. Bundesfestung (1867–83 Schleifung eines Großteils der Festungsanlagen). Nach 1945 gewann L. Bedeutung als eines der europ. Zentren.

Luxemburg, Rosa, Politikerin, *Zamość (Polen) 5. 3. 1871, † (ermordet) Berlin 15. 1. 1919; 1893 Mitbegründerin der Sozialdemokrat. Arbeiterpartei des Königreichs Polen und Litauen; 1899 Übersiedlung nach Berlin und Eintritt in die SPD, entwickelte sich zur führenden Theoretikerin ihres

Rosa Luxemburg (um 1910)

linken Flügels (»Sozialreform oder Revolution«, 1899; »Die Akkumulation des Kapitals«, 1913); zus. mit K. Liebknecht Initiatorin der »Gruppe Internationale« (Spartakusbund), 1915–18 mit Unterbrechung inhaftiert; 1918 Mitbegründerin der KPD, kritisierte den Zentralismus der Bolschewiki und ihre diktator. Herrschaft (»Die russ. Revolution«, 1922); nach dem Spartakusaufstand in Berlin (Jan. 1919) verhaftet und von Freikorpsoffizieren erschossen. – In ihren Schriften lassen sich vier Schwerpunkte erkennen: 1) Die Revolution ist der einzige Weg zur Überwindung des Kapitalismus; 2) Militarismus und Kolonialismus sind radikal abzulehnen; 3) Imperialismus entsteht notwendigerweise aus dem Kapitalismus; 4) diktator. Tendenzen, etwa in Lenins Auffassung von einer straff gelenkten Partei und der »Diktatur des Proletariats«, sucht L. entgegenzuwirken.

📖 ETTINGER, E.: *R. L. Ein Leben. A. d. Amerikan. Bonn 1990.* – LASCHITZA, A.: *Im Lebensrausch, trotz alledem. R. L. Eine Biographie. Berlin 1996.*

Rosa Luxemburg

Freiheit ist immer Freiheit der Andersdenkenden

Dieser zum Schlagwort gewordene Satz findet sich als Randbemerkung in einer aus dem Nachlass herausgegebenen Schrift von Rosa Luxemburg. Ihr Titel ist »Die Russische Revolution. Eine kritische Würdigung«, herausgegeben von P. Levi, 1922. Rosa Luxemburg gibt darin ihrer Überzeugung Ausdruck, dass »politische Freiheit« nicht das Privileg einer Gruppierung, etwa einer Partei, sein kann, weil – wie sie in diesem Zusammenhang fortfährt – »all das Belebende, Heilsame und Reinigende der politischen Freiheit an diesem Wesen hängt und seine Wirkung versagt, wenn die ›Freiheit‹ zum Privilegium wird«. Das heißt, Widerspruch und Opposition der »Andersdenkenden« sind nötig.

Luxemburger, europ. Dynastie. Das ältere Haus **Lucilinburhuc,** nach 963 von Graf Siegfried I. begründet, erlosch 1136. Dem jüngeren Haus der L. gelang 1308 der Aufstieg zu den führenden Herrscherhäusern und zum Röm. Königtum/Kaisertum, 1310 der Gewinn der böhm. Wenzelskrone; es stellte die Könige (Kaiser) Heinrich VII., Karl IV., Wenzel und Sigismund; 1437 im Mannesstamm ausgestorben.

Luxemburgisch (Lëtzebuergesch), Amtssprache in Luxemburg (neben Französisch und Deutsch); entwickelte sich auf der Grundlage eines moselfränk. Dialekts zur Schrift- und Verkehrssprache; 1946 Orthographiereform mit stärkerer Differenzierung zum Deutschen.

Luxmeter *das, Lichttechnik:* Gerät zur Messung der Beleuchtungsstärke. Das auf einen photoelektr. Empfänger (Photoelement oder Photowiderstand) auffallende Licht erzeugt einen zur Beleuchtungsstärke proportionalen Photostrom, der von einem in Lux (lx) geeichten Milliamperemeter gemessen wird.

Luxor [arab. »die Paläste«] (Luksor, El-Uksur), Stadt in Oberägypten, am rechten Nilufer, 148 000 Ew.; bed. Museum. Fremdenverkehrszentrum; Hotelfachschule; Zuckerfabrik; Bahnstation, Flughafen. – Erhalten ist der Amuntempel, den Amenophis III. um 1380 v. Chr. erbauen ließ; von Ramses II. um 1280 v. Chr. erweitert. – L. liegt mit dem Nachbarort Karnak an der Stelle des alten Theben.

Luxus [lat. »Üppigkeit«] *der,* Bez. für die über das jeweils notwendige und sinnvolle Maß hinausgehenden Verhaltensweisen und Aufwendungen beim Gebrauch von Gütern und Dienstleistungen. Was unter L. verstanden wird, hängt ab von kulturellen und sozialen Standards, Einkommenshöhe, Konsumgewohnheiten sowie von den sich wandelnden sozialeth. Normen einer Gesellschaft oder Epoche.

Luzern, 1) Kt. der Schweiz, 1492 km^2, (1995) 340 500 Ew. (meist kath.), liegt teils im Mittelland, überwiegend im Voralpenland mit dem Brienzer Rothorn (2350 m ü. M.) als höchster Erhebung; umfasst die Bez. (Ämter) Entlebuch, Hochdorf, Luzern, Sursee und Willisau. Wichtige Erwerbszweige sind Obst- und Ackerbau, im Gebirge Almwirtschaft; Maschinenbau, Textil-, Nahrungsmittel-, Holz- und Papierind.; Fremdenverkehr.

2) Hauptstadt von 1), am Ausfluss der Reuß aus dem Vierwaldstätter See, 436 m ü. M., 58 800 Ew.; Sitz der Kantonsbehörden; Fach- und Kunstschulen, Museen, Galerien, Verkehrshaus mit Planetarium, internat. Musikfestwochen, Kunstausstellungen; Fremdenverkehrszentrum und Kongressort; bed. Handelsplatz; größter Ind.standort des Kt. (v. a. Maschinen-, Apparatebau, Textilind., graf. Gewerbe). – Gut erhaltenes histor. Stadtbild: Auf dem linken Ufer der Reuß liegen die got. Franziskanerkirche (um 1280), die Jesuitenkirche (1666–69), der Rittersche Palast (1556–61), das Kunst- und Kongresshaus (1930–33), auf dem rechten Ufer die Peterskapelle (im Kern 12. Jh.), das Rathaus (1602–06), die Hofkirche (1633–44), das Löwendenkmal (1821) nach Entwurf von B. Thorvaldsen, zahlr. Bürgerhäuser (seit dem 16. Jh.). Sechs Brücken, darunter zwei gedeckte Holzbrücken (die Kapellbrücke wurde 1993 durch Brand fast vollständig zerstört, 1994 rekonstruiert) verbinden die Altstadt mit der Neustadt. – L. entstand neben einem im 8. Jh. gegr. Benediktinerkloster; 1178 Stadtrecht. 1291 an die Habsburger verkauft, verbündete sich 1332 mit den Waldstätten; seit 1386 (Schlacht bei Sempach) unabhängig (1415 bestätigt); erwarb ein größeres Herrschaftsgebiet, das Kt. der Schweiz wurde; 1798–1803 Hptst. der Helvet. Rep.; danach Hptst. des Kt. Luzern. BILD Brücken

📖 *L., Vierwaldstättersee, Fotos v.* A. GERTH, *Text v.* PETER A. MEYER *u.* R. SCHNIEPER. *München 1994.*

Luzerne [lat.-frz.] *die* (Schneckenklee, Medicago), Gattung der Schmetterlingsblütler mit dreiteiligen Blättern und sichel- bis schneckenförmigen Hülsen. Die blau blühende **Saat-L. (Blaue L.,** Medicago sativa) mit tiefer Pfahlwurzel ist eine wichtige Futter- und Gründüngungspflanze mit hohem Eiweißgehalt.

Luzhou [ludʒɔʊ], früherer Name der chines. Stadt → Hefei.

Luzifer (Lucifer) [lat. »Lichtbringer«], **1)** der Morgenstern, → Abendstern.

2) ein sich gegen Gott auflehnender Engel, von Michael in die Hölle gestürzt; wurde mit dem wie ein Blitz vom Himmel fallenden → Satan (Luk. 10, 18) gleichgesetzt.

Luzk (poln. Łuck), Hauptstadt des Gebiets Wolhynien, Ukraine, am mittleren Styr, 218 000 Ew.; PH, Theater, Philharmonie; Landmaschinen-, Pkw-, Fernsehgerätebau. – War im 12. Jh. Hauptstadt eines Teilfürstentums.

Luxor: Der jüngere Teil des am Nilufer gelegenen Amuntempels wurde mit der von Kolossalstatuen des Pharaos und einem Obelisk gesäumten Toranlage (Pylon) unter Ramses II. 1280 v. Chr. erbaut; im Hintergrund links ist ein Teil des 52 m langen Säulenganges zu sehen, der zu dem tausend Jahre älteren, unter Amenophis III. geschaffenen Teil des Tempels führt

Luzon [lu'sɔn, span. lu'θɔn], Hauptinsel der Philippinen, 104 688 km², 23,7 Mio. Ew.; Hptst. ist Manila. L. ist von mehreren, bis 2928 m (Mount Pulog) hohen Gebirgsketten durchzogen, vulkanischen Ursprungs und erdbebenreich, trop. Klima; im O ehem. dichter Regenwald, im W Savannen. Das gebirgige Landesinnere, v. a. die Zentralkordillere ist Hauptrückzugsgebiet altindones. Stämme. Anbau und Gewinnung von Reis, Tabak, Kopra, Zuckerrohr; L. hat reiche Bodenschätze: Gold, Eisenerz, Manganerz, Chromerz.

LW, Abk. für → **Langwellen.**

Lwiw, Stadt in der Ukraine, → Lemberg.

Lwoff [vɔf], André, frz. Mikrobiologe, * Allier (Dép. Hautes-Pyrénées) 8. 5. 1902, † Paris 30. 9. 1994; arbeitete bes. über Zellphysiologie; für die

Luzerne: Saatluzerne (Höhe 30–80 cm)

Luzon: Reisanbau an schmal terrassierten Berghängen im Zentrum der Insel

Entdeckung von Genen, die die Aktivität anderer Gene steuern (fördern oder hemmen) erhielt er 1965 (mit F. Jacob und J. L. Monod) den Nobelpreis für Physiologie oder Medizin.

Lwow, Stadt in der Ukraine, →Lemberg.

Lwów [lvuf], poln. Name für →Lemberg.

Lwowski, Vera, geb. Caminneci, Bildhauerin, *Dattenfeld (heute zu Windeck) 10. 8. 1923; ihre Tierplastiken (Bronze) erfassen meisterhaft Wesen und Bewegung des Tieres.

lx, Einheitenzeichen für →Lux.

Lyallpur [ˈlaɪəlpʊə], pakistan. Stadt, →Faisalabad.

Lyck, Stadt in Polen, →Ełk.

Lycopin [grch.] *das,* dunkelroter Pflanzenfarbstoff aus der Gruppe der Carotinoide (→Carotin); u. a. in Tomaten und Hagebutten enthalten.

Lydilen, histor. Landschaft an der W-Küste Kleinasiens (heute W-Anatolien), Hptst. war Sardes. Der Wohlstand der Bevölkerung, der **Lyder,** beruhte u. a. auf den Goldvorkommen und dem Handel. L. war seit dem 7. Jh. v. Chr. von den Mermnaden beherrscht, deren letzter Herrscher Krösus 546 v. Chr. von Kyros II. besiegt und entthront wurde. Unter pers. Herrschaft bildete L. eine Satrapie. 324 von Alexander d. Gr. erobert, gehörte L. in hellenist. Zeit zum Seleukidenreich, seit 190 v. Chr. zum Pergamen. Reich; 133 v. Chr. Teil der röm. Provinz Asia. – Die Kunst aus der Zeit der Dynastie der Mermnaden ist im Wesentlichen seit den Ausgrabungen in der Königsstadt Sardes bekannt; stark griechisch beeinflusst.

Lydisch, die mit dem Hethitischen verwandte Sprache der Lyder, von der nur etwa 110 Inschriften des 7.–4. Jh. v. Chr. und Personennamen erhalten sind.

lydischer Kirchenton, auf dem Grundton f stehende →Kirchentonart (ÜBERSICHT).

Lydit [nach Lydien] *der,* schwarz gefärbter Kieselschiefer, dient als Probierstein bei der Strichprobe zum Erkennen von Gold- und Silberlegierungen.

Lykaonilen, antike Landschaft im mittleren Kleinasien mit der Hptst. Ikonion (heute Konya), wurde 25 v. Chr. röm. Provinz.

Lykeion [grch.] *das,* dem Apollon Lykeios geheiligter Hain in Athen mit Gymnasion (→Gymnasium), in dem Aristoteles und die Peripatetiker lehrten. (→Lyzeum)

Lykilen, antike Landschaft in SW-Kleinasien, zw. Karien und Pamphylien, bewohnt von den Lykiern oder Tremilen, wie sie sich selbst nannten. Um 540 v. Chr. wurde L. von den Persern erobert; im 5. Jh. v. Chr. schlossen sich die lyk. Städte dem 1. Att. Seebund an. In hellenist. Zeit gehörte der lyk. Städtebund (Hauptort: Xanthos) zum Seleukidenreich; wurde 43 n. Chr. röm. Provinz. – Die **lykische Kunst** ist reich an monumentalen Grabbauten (v. a. die Anlagen in Xanthos, das Harpyien- und das Nereidenmonument), die stilistisch stark von der ionisch-kleinasiat. Kunst beeinflusst sind.

Lykisch, die Sprache der Lykier in SW-Anatolien. Die Denkmäler (meist Grabinschriften und Münzlegenden) stammen aus dem 6.–4. Jh. v. Chr. L. gehört zum hethitisch-luw. Zweig der indogerman. Sprachen.

Lykurgos, 1) legendärer Gesetzgeber des antiken Sparta, auf den die meisten der zw. dem 9. und 6. Jh. v. Chr. entstandenen staatl. und sozialen Einrichtungen zurückgeführt werden. Plutarch schrieb über ihn eine Biographie.

2) athen. Staatsmann und Redner, *um 390, †324 v. Chr.; wirkte als Feind Makedoniens gegen König Philipp II.; leitete seit 338 die athen. Finanzen; ließ öffentl. Bauten (Stadion, Dionysostheater) in Athen errichten.

Lyly [ˈlɪlɪ] (Lilly), John, engl. Schriftsteller, *Weald (Cty. Kent) 1554, begraben London 30. 11. 1606; schrieb den ersten engl. Prosaroman (2 Tle., »Euphues, or the anatomy of wit«, 1578, »Euphues and his England«, 1580) in rhetorisch gekünstelter Sprache (Euphuismus). Seine Lustspiele sind Vorläufer der romant. Komödien Shakespeares.

Lyman [ˈlaɪmən], Theodore, amerikan. Physiker, *Boston (Mass.) 23. 11. 1874, †Cambridge (Mass.) 11. 10. 1954; entdeckte 1906 die nach ihm benannte, im Ultraviolett liegende tiefste Spektralserie des Wasserstoffatoms (Lyman-Serie).

Lyme-Borreliose [ˈlaɪm-], erstmals 1976 in Lyme (Conn., USA) beobachtete, durch Zeckenbiss übertragene bakterielle Infektionskrankheit (Erreger: Borrelia burgdorferi). Die Inkubationszeit beträgt Tage bis Wochen. Zu den Frühsymptomen zählen Muskel- und Gelenkschmerzen, auch Fieber, sowie Hautrötung (meist an der Bissstelle). Als Spätfolgen können Gelenk- **(Lyme-Arthritis),** Herzmuskel- und Nervenentzündung auftreten. Behandlung mit Antibiotika.

Lymphadenitis [lat.-grch.] *die,* entzündliche Lymphknotenschwellung, z. B. in der Nachbarschaft von Entzündungsherden oder bei bestimmten akuten und chron. Infektionskrankheiten, z. B. Mononukleose, Toxoplasmose.

Lymphangitis [lat.-grch.] *die,* Lymphgefäßentzündung nach Eindringen von Erregern in die Lymphspalten, sichtbar z. B. als roter Streifen am Arm; Gefahr einer allgemeinen Sepsis.

lymphatisch, zur Lymphe bzw. zum Lymphsystem gehörend.

lymphatischer Rachenring (lymphoepithelialer Rachenring), lymphozytenreiches Gewebe im Bereich der Mundhöhle und des oberen Schlundes; Teil des →Lymphsystems.

Lymphdrüsen, veraltet für Lymphknoten (→Lymphsystem).

Lymphe [lat. lympha »Quell-, Flusswasser«] *die,* eiweiß- und lymphozytenhaltige, klare, blutplasmaähnliche Gewebsflüssigkeit der Wirbeltiere (einschl. des Menschen), die durch Filtration aus den Blutkapillaren in die Zellzwischenräume gelangt und von dort durch das →Lymphsystem in das venöse Blut befördert wird (beim Erwachsenen täglich etwa 2 Liter). Die L. versorgt die Gewebe mit Nährstoffen und entfernt nicht verwertbare Substanzen; außerdem hat sie (durch die Lymphozyten) Schutzfunktion.

Lymphgefäße, die Gefäße des Lymphsystems.

Lymphknoten, →Lymphsystem.

Lymph|ödem, teigige Gewebsschwellung (Stauungsödem) infolge Verlegung der Lymphwege oder mangelnder Lymphresorption.

Lymphogranuloma inguinale [grch.-lat.] (Lymphopathia venerea, Durand-Nicolas-Favre-Krankheit, vierte Geschlechtskrankheit), seltene, durch Geschlechtsverkehr übertragbare, bes. in den Tropen vorkommende Infektionskrankheit des Menschen (Chlamydieninfektion). Die Ansteckung wird nach 5 bis 21 Tagen durch eine abheilende Erosion sichtbar. Später schwellen die Lymphknoten an und schmelzen eitrig ein mit Verödung der Lymphgefäße und Ausbildung einer →Elefantiasis. Die Behandlung erfolgt medikamentös mit Antibiotika (Tetracycline) oder Sulfonamiden.

Lymphogranulomatose [lat.-grch.] *die* (Hodgkin-Krankheit), chronisch fortschreitende, wahrscheinlich von den Lymphknoten ausgehende bösartige Erkrankung mit charakterist. Gewebewucherungen (Granulome); wird möglicherweise durch onkogene Viren verursacht. Kennzeichen sind Lymphknoten-, Milz-, Lebervergrößerung, Fieberschübe, Schweißausbrüche, Juckreiz und Anämie. Die Behandlung umfasst Strahlen- und mitunter auch Polychemotherapie.

Lymphographie [lat.-grch.] *die,* Röntgendarstellung der Lymphknoten und -gefäße nach Kontrastmitteleinbringung.

Lymphokine [lat.-grch.], spezif. Immunreaktionen auslösende, nicht zu den Immunglobulinen zählende Stoffe, deren Bildung von Lymphozyten ausgeht, v.a. Interferone, Interleukin.

Lymphome [lat.-grch.], Lymphknotenvergrößerungen unterschiedl. Ursache. **Gutartige (benigne) L.** entstehen durch Entzündung der Lymphknoten, z.B. bei Sarkoidose, Toxoplasmose, Lymphogranuloma inguinale u.a. Infektionskrankheiten, auch bei Speicherkrankheiten. Zu den Geschwülsten i.e.S. gehören die **bösartigen (malignen) L.;** ihr Anteil an der Gesamtheit der bösartigen Geschwülste liegt bei 5%. Nach der morpholog. Einteilung werden unterschieden die →Lymphogranulomatose und die versch. **Non-Hodgkin-L.;** zu Letzteren gehören v.a. die Formen der lymphat. Leukämie, der Burkitt-Tumor und das Retikulosarkom. Zu sekundären Geschwulstbildungen kommt es bei der Metastasierung von Organkrebsen, die sich meist über die Lymphbahnen vollzieht.

Lymphozyten [lat.-grch.] (Lymphzellen), zu aktiver Bewegung befähigte Gruppe der weißen Blutkörperchen (Größe 6–10 µm), die einen Teil des Immunsystems und der weißen Blutkörperchen (31%) bilden. Bildungsort der Stammzellen der L. ist das Knochenmark. Man unterscheidet zwei Hauptgruppen: **T-L.,** die im Thymus aus den Stammzellen gebildet werden und die je nach Spezialisierung unterschieden werden in Natural-Killer-Zellen (mit zytotox. Wirkung), T-Helferzellen (Produktion zirkulierender Antikörper, Aktivierung der B-L.) und T-Suppressorzellen (dämpfende Wirkung auf die Immunantwort). **B-L.** werden im sog. Bursa-Äquivalent gebildet, einem bei Säugetieren bisher hypothet., zentralen lymphat. Organ, dessen Lokalisation im Darm oder Knochenmark vermutet wird. Sie differenzieren sich nach Kontakt mit Antigen und Interaktion mit Makrophagen zu Plasmazellen, die spezif. Antikörper produzieren. Diagnostisch wichtig sind v.a. die Verhältnisse der versch. L.-Fraktionen untereinander, da sie Hinweise geben auf Störungen des Immunsystems, Infekte, Tumoren, Autoimmunerkrankungen und mögl. Abstoßungsreaktionen nach Transplantationen.

Lymphsystem, besteht aus dem Lymphgefäßsystem und den lymphat. Organen. Das **Lymphgefäßsystem** ist im Wesentlichen ein Abflusssystem zur Ableitung der Lymphe. Es stellt (neben dem Blutgefäßsystem) ein zweites Röhrensystem dar, das in der Körperperipherie mit einem dichten Netzwerk von Lymphkapillaren beginnt. Die peripheren Lymphgefäße führen die Lymphe in einer den Venen parallelen Richtung über Sammelgefäße, die zentralen Lymphstämme, in das Venensystem des Blutkreislaufs. Die Fortbewegung der Lymphe wird v.a. durch rhythm. Zusammenziehen der mit glatter Muskulatur versehenen Lymphgefäßwände bewirkt. Zu den **lymphat. Organen** gehören die Lymphknoten, die Milz, der Thymus und die Mandeln (lymphat. Rachenring). In das Lymphgefäßsystem sind die **Lymphknoten** eingebaut. Sie sind 0,2–2 cm groß, oft bohnenförmig und von einer bindegewebigen Kapsel umgeben. Lymphknoten sind Filter- und

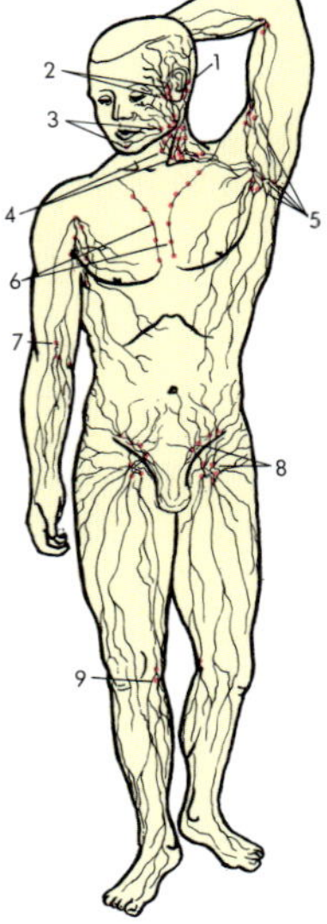

Lymphsystem: Lage der wichtigsten Lymphknoten im menschlichen Körper: 1 Lymphknoten des Hinterhaupts, 2 der Schläfe, 3 des Unterkiefers, 4 des Halses, 5 der Achselhöhle, 6 des Brustbeins, 7 der Ellenbeuge, 8 der Leistengegend, 9 der Kniekehle

Lyon: Blick auf den ältesten Siedlungskern Fourvière, das römische Forum vetus, mit zwei römischen Theatern im Vordergrund links, in der Bildmitte ist die aus dem 19. Jh. stammende Wallfahrtskirche Notre-Dame zu erkennen

Entgiftungsstationen für die Lymphe, mit der Fähigkeit zur →Phagozytose; sie produzieren →Lymphozyten.

Lyon
Stadtwappen

Lynchjustiz [engl.; namengebende Ableitung ungeklärt], gesetzwidriges Töten oder Misshandeln eines (vermeintl. oder tatsächl.) Täters ohne gerichtl. Verfahren, meist durch eine erregte Menge; urspr. ein Zeichen für fehlende Durchsetzungskraft staatl. Strafrechtspflege.

Lynen, Feodor Felix Konrad, Biochemiker, *München 6. 4. 1911, †ebd. 6. 8. 1979; arbeitete hauptsächlich über den Cholesterin- und Fettsäurestoffwechsel. 1951 gelang ihm die Isolierung der »aktivierten Essigsäure« (Coenzym A) aus Hefezellen. Er erhielt 1964 (mit K. Bloch) den Nobelpreis für Physiologie oder Medizin.

Feodor Lynen

Lyngbykultur ['løŋby:-], nach dem Fundort Nørre-Lyngby (Jütland) benannte Kulturgruppe der ausgehenden Altsteinzeit, umfasst die Hinterlassenschaft von Rentierjägern; kennzeichnend sind Speer- oder Pfeilspitzen aus Feuerstein mit Schäftungsstiel.

Lyngby-Tårbæk ['løŋby: 'tɔrbɛg], nördl. Nachbargemeinde von Kopenhagen; 49 400 Ew.; TH, Ingenieurakademie; Textilind.; Freilicht-, Landwirtschaftsmuseum, Schloss Sorgenfri (1705–06, im 18. und 19. Jh. umgebaut) mit engl. Landschaftsgarten.

Lynkeus, *grch. Mythos:* einer der beiden Söhne des Aphareus, Gegner der →Dioskuren, berühmt durch seine Sehschärfe, Vorbild für den Türmer in Goethes »Faust« (2. Teil).

Lynx [lat.] (Luchs), Sternbild des nördl. Himmels.

Lyon [ljɔ̃], Hptst. des frz. Dép. Rhône und der Region Rhône-Alpes, 422 400 Ew.; die Agglomeration ist mit 1,26 Mio. Ew. die zweitgrößte Stadt und das zweitgrößte Wirtschafts- und Kulturzentrum Frankreichs, am Zusammenfluss von Rhone und Saône; Sitz eines Erzbischofs; drei Univ., kath. Universitätsinst., Akademie der Wiss., Lit. und Kunst, weitere Hochschulen, Sitz des internat. Krebsforschungsinstituts, bed. Bibliotheken, Museen (u.a. Textilmuseum), Oper und mehrere Theater; seit 1989 Sitz von Interpol; **Lyoner Messe** (seit Anfang des 15. Jh.); vielseitige Ind. (u.a. Metall-, Bau-, pharmazeut., chem., Elektro- und elektron. Ind., Lokomotiv- und Kfz-Bau, Aluminiumwerke); die Textilind. hat ihr Schwergewicht von der Seidenverarbeitung auf die Kunstfaserherstellung verlegt. Kreuzungspunkt wichtiger Straßen und Bahnlinien, Binnenhafen, internat. Flughafen Satolas (TGV-Station von S. Calatrava); Börse. – Rechts der Saône liegt der älteste Siedlungskern Fourvière, das röm. **Forum vetus** (mit zwei röm. Theatern; Archäolog. Museum am Ausgrabungsgelände) mit Kathedrale Saint-Jean (12.–15. Jh.), Kirche Saint-Paul (12. Jh.), Renaissancehäuser, Justizpalast (1832–1842) und Wallfahrtskirche Notre-Dame auf dem Mont Fourvière (1872–96). Auf der Halbinsel zw. Saône und Rhone u.a. das Rathaus (1646–55) und das Palais Saint-Pierre (ehem. Benediktinerkloster des 17. Jh.; Museum); ferner die Kirchen Saint-Nizier (15./16. Jh.) und Saint-Bonaventure (14./15. Jh.), die Börse (1855–60) und das Hôtel-Dieu (1741 begonnen von J.-G. Soufflot; mit Museum). Südlich von der Place Bellecour (17. Jh.) die älteste Kirche L.s Saint-Martin d'Ainay (1107 geweiht; im Chor Mosaikfußboden des 12. Jh.). Zahlr. moderne Kirchen, Verwaltungsgebäude, Museen sowie die von J. Nouvel völlig umgebaute Oper (1993). – L., das gallisch-röm. **Lugdunum,** wurde unter Augustus die Hptst. der Provinz Gallia Lugdunensis und schon im 2. Jh. n. Chr. Bischofssitz. 1032/34 kam es mit dem Königreich Burgund an das Hl. Röm.

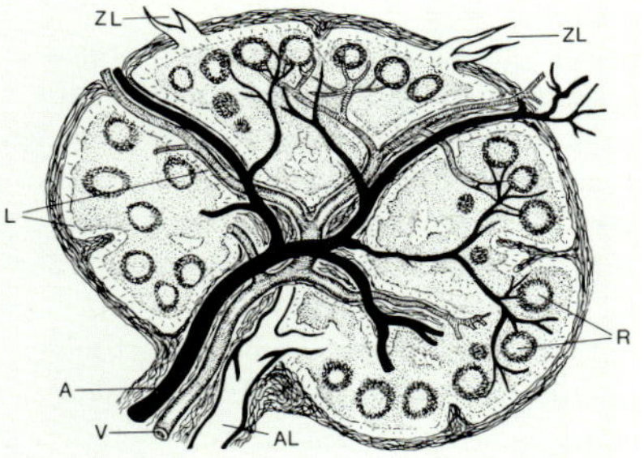

Lymphsystem: Schema eines Lymphknotens, A Arterie, AL abführendes Lymphgefäß, L Lymphbahnen, R Rindenknötchen, V Vene, ZL zuführendes Lymphgefäß

Reich, 1307 an Frankreich. Im späten MA. war L. einer der wichtigsten Messeplätze des Abendlandes. Ein Aufstand der Bürger 1793 gegen das revolutionäre Regime in Paris endete mit Massenhinrichtungen und Zerstörung großer Teile der Stadt.

Lyon, Konzile von [- - ljɔ̃], das 13. und 14. in Lyon abgehaltene →ökumenische Konzil. – Im Mittelpunkt des **1. Konzils von L.** (28. 6.–17. 7. 1245), einberufen durch Papst Innozenz IV., standen die Wirtschafts- und Verwaltungsreform des kirchl. Besitzes, die Kreuzzugsfrage und die Absetzung Kaiser Friedrichs II. Zentrale Themen des **2. Konzils von L.** (7. 5.–17. 7. 1274), einberufen durch Papst Gregor X., waren die Union mit der Ostkirche, die finanzielle Vorbereitung eines Kreuzzuges und Maßnahmen zur Kirchenreform.

lyophil [grch.], leicht löslich; Ggs.: lyophob, schwer löslich.

Lyot ['ljo], Bernard, frz. Astrophysiker, *Paris 27.2.1897, †Kairo 2.4.1952; Konstrukteur opt. Apparate mit bahnbrechenden Arbeiten zur Sonnenforschung, erfand 1930 den →Koronographen, 1933 den →Lyot-Filter und verschiedene Arten von →Polarimetern.

Lyotard [lɪɔ'ta:r], Jean-François, frz. Philosoph, *Versailles 10.8. 1924, †Paris 21. 4. 1998; 1954 bis 1966 Mitarbeit bei der Zeitschrift »Socialisme ou Barbarie«; seit 1966 Prof. der Philosophie in Paris. Beeinflusst von E. Husserl und L. Wittgenstein konzipiert L. seinen Begriff der »Postmoderne« (»Das postmoderne Wissen«, 1979). Nach L. hat das Systemdenken der »Moderne« seine Glaubwürdigkeit verloren (»Der Widerstreit«, 1983).

Lyot-Filter [ljo-; nach B. Lyot], opt. Filter mit spektral sehr schmalem Transmissionsbereich, das die Dispersion der Drehung der Polarisationsebene in doppelbrechenden Kristallen ausnutzt (Polarisationsinterferenzfilter).

Lyra [grch.] *die,* **1)** *Astronomie:* lat. Bez. für das Sternbild →Leier.

2) *Musik:* 1) ein Musikinstrument der grch. Antike aus der Familie der Leier, das urspr. aus einem mit Kuhhaut überspannten Schildkrötenpanzer oder Tierschädel bestand sowie zwei daran befestigten geschwungenen Tierhörnern und einem dazwischen angebrachten Querholz oder Joch, von dem aus 5–7 Saiten über den Korpus gespannt wurden. Später wurde die mit einem →Plektron gespielte L. auch aus Holz hergestellt; 2) volkstüml. Streichinstrument v.a. in Griechenland und Bulgarien mit halbbirnenförmigem Korpus, kurzem Hals und 3 oder 4 Saiten; die L. wird, vertikal auf ein Knie gestützt, mit einem Bogen angestrichen; 3) in Militärkapellen ein Stahlplattenspiel mit lyraförmigem Rahmen.

Lyriden [grch.], Meteorstrom mit dem Radianten im Sternbild Lyra, der jährlich am 21./22. April sein Maximum erreicht.

Lyrik [zu grch. lyrikós »zum Spiel der Lyra gehörend«] *die,* poet. Gattung, die am unmittelbarsten menschl. Stimmungen ausdrücken kann; seit dem 18. Jh. (J. C. Gottsched) wird sie neben Epik und Dramatik als dritte literar. Hauptgattung definiert. Hervorgegangen ist sie aus Gesängen, die in direkter Verbindung zum Mythos, aber auch zur Alltagswelt standen. Von allen literar. Äußerungen ist sie am engsten an die Muttersprache des Urhebers gebunden.

In Europa ist L. erstmals bei den Griechen als Lied, das mit Lyrabegleitung vorgetragen wurde, fassbar. Im Laufe ihrer Geschichte entfaltete sie einen Formenreichtum, der sich jeder exakten Begriffsbestimmung und Klassifizierung entzieht, aber nie ganz die ursprüngl. Bindung an die Musik verleugnet (→Lied).

Konstante Elemente der aus dem grch.-röm.-christl. Kulturkreis erwachsenen L. sind deshalb →Rhythmus, →Vers, →Metrum, teilweise auch →Reim und →Strophe. Aus der unterschiedl. Anwendung dieser Elemente ergeben sich – oft in fester Verbindung mit bestimmten Inhalten – die einzelnen lyr. Gattungen, die z. T. schon in der grch. Antike ausgebildet (Elegie, Ode, Hymne, Epigramm) und seit der Renaissance in Europa um neue Varianten bereichert wurden (Sonett, Madrigal, Kanzone, später auch Übernahme arab. Formen wie Ghasel und Kasside). Ebenso vielfältig wie die Formen der L. sind ihre Inhalte. Als älteste Beispiele sind Zaubersprüche, religiöse Hymnen, Fest-, Kriegs-, Klage- und Liebeslieder überliefert, frühzeitig auch L. mit belehrendem Charakter. Als Ausdruck subjektiver Stimmungen und Empfindungen begegnet L. seit der archaischen grch. Dichtung, nun auch unter dem Namen der Urheber: Alkaios, Sappho, Pindar. Im europ. MA. entstand schon früh religiöse L. in lat. Sprache, daneben entwickelte sich die volkssprachl. Dichtung, z. B. in →Minnesang und Kreuzzugsliedern. Ebenfalls seit dem MA. gestaltet L. als Gedanken-L. theolog. und philosoph. Themen.

Für die folgenden Jh. ist die Geschichte der L. in Europa nationalliterarisch bestimmt, wobei einzelne Persönlichkeiten oder Richtungen auch übernational wirkten (wie F. Petrarca, G. Marino, L. de Góngora y Argote, die Anakreontik). Mit der Aufwertung des Individuums durch die Aufklärung wuchsen in der dt. L. (Sturm und Drang) Maß und Anteil dichter. Subjektivität. Diese Erlebnisdichtung prägte in der Romantik auch andere europ. Literaturen (in Frankreich, England, Spanien, Russland, Polen). In der 2. Hälfte des 19. Jh. eröffnete das Prinzip des →L'art pour l'art und der darauf folgende →Symbolismus der L. neue Möglichkeiten, die in die →abstrakte Dichtung des 20. Jh. münden. Daneben werden die traditionellen Formen weiterhin gepflegt. – Eine Sonderform der L. ist die →Ballade, in der sich lyr. mit ep. und dramat. Elementen verbinden.

📖 AUSTERMÜHL, E.: *Poet. Sprache u. lyr. Verstehen. Studien zum Begriff der L. Heidelberg 1981.* – *Geschichte der dt. L. vom Mittelalter bis zur Gegenwart, hg. v.* W. HINDERER. *Stuttgart 1983.* – KILLY, W.: *Elemente der L. Neuausg. München 1983.* – STAIGER, E.: *Grundbegriffe der Poetik. Neuausg. München [5]1983.* – LAMPING, D.: *Das lyr. Gedicht. Definitionen zu Theorie u. Geschichte der Gattung. Göttingen 1989.* – LAMPING, D.: *Moderne L. Eine Einführung. Göttingen 1991.*

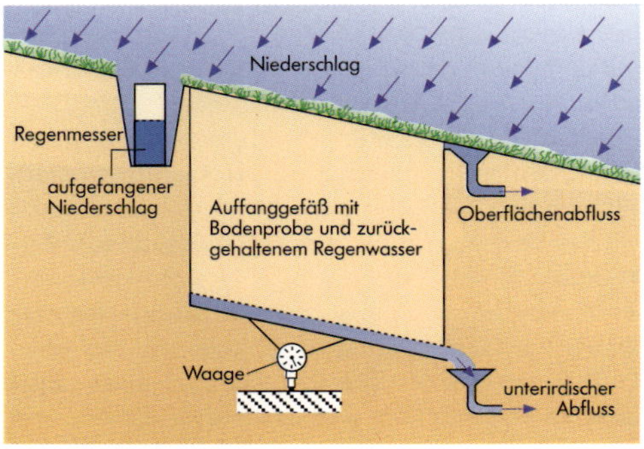

Lysimeter: schematische Darstellung

Lysander (grch. Lysandros), spartan. Feldherr und Staatsmann, †bei Haliartos (Böotien) 395 v. Chr. Sein Seesieg bei Aigospotamoi (405) und die Einnahme Athens (404) beendeten den Peloponnes. Krieg. Biographien des L. schrieben Plutarch und Cornelius Nepos.

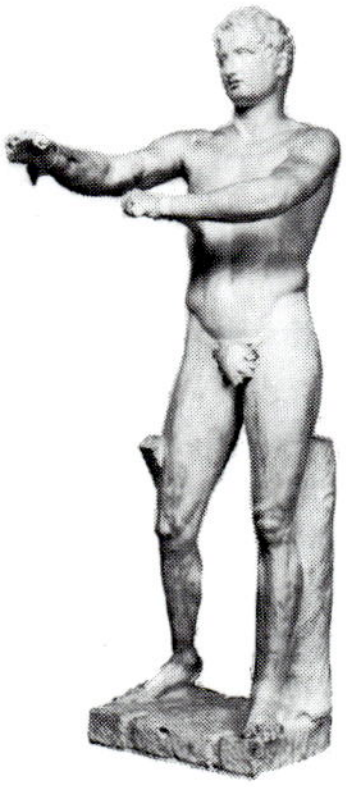

Lysipp: Apoxyomenos, römische Marmorkopie des um 325 v. Chr. entstandenen Originals (Rom, Vatikanische Museen)

Lyse [grch.] *die* (Lysis), Auflösung von Zellen (Bakterien, Blutkörperchen u. a.) nach Zerstörung ihrer Membran.

Lysergsäurediäthyl|amid, →LSD.

Lysias (grch. Lysias), att. Rhetor, *Athen um 445 v. Chr., †nach 380 v. Chr. Unter seinem Namen kursierten 425 Reden, von denen 35 Reden, Muster einfacher, klarer Sprache, erhalten sind; bes. bedeutend die Rede gegen Eratosthenes, einen der Dreißig Tyrannen.

Lysimeter [grch.] *das,* Messanlage zur Erfassung des Wasserhaushalts eines bewachsenen Bodenvolumens; die Erfassung erfolgt durch Wägung und Bestimmung der durch Niederschlag, Tau und Beregnung zugeführten sowie durch Abfluss und Verdunstung abgegebenen Wassermengen.

Lysin [grch.] *das,* Abk. **Lys** (L-2,6-Diaminocapronsäure), für den Menschen essenzielle Aminosäure (Tagesbedarf liegt bei etwa 1,6 g); fördert das Knochenwachstum und regt die Zellteilung und Nucleosidsynthese an; reichlich in tier. Eiweißstoffen vorhanden. L. wird künstlich hergestellt und als Zusatz zu Futtermitteln verwendet.

Lysine [grch.], körpereigene Abwehrstoffe, die Bakterien und Blutzellen auflösen können.

Lysipp (Lysippos von Sikyon), grch. Bronzebildner des 4. Jh. v. Chr., Hofbildhauer Alexanders d. Gr. Von L.s Götter- und Menschenstatuen sind nur kaiserzeitl. Marmorkopien, u. a. der Apoxyomenos (Vatikan, um 325 v. Chr.), der Farnes. Herakles (Neapel) und das Alexanderbildnis (»Azara Herme«, Louvre) überliefert. Mit seinem bewegten Stil wurde L. zum Wegbereiter der hellenist. Kunst.

Lysistrata (grch. Lysistrate), Titel und Heldin einer Komödie von Aristophanes (411 v. Chr.); ruft zum Ehestreik der Frauen auf, bis ihre Männer den Peloponnes. Krieg beendet haben.

Lysithea, ein Mond des Planeten →Jupiter.

lysogen [grch. »Auflösung hervorrufend«], bezeichnet einen Infektionszyklus (lysogener Zyklus) im Anschluss an eine Virusinfektion, der nicht unmittelbar zur Lyse (Auflösung) der befallenen Zelle führt (→Bakteriophagen).

Lysosomen [grch.], granuläre, membranumgebene Organellen zahlr. Zellen, die hydrolyt. Enzyme enthalten und an intrazellulären Abbauprozessen beteiligt sind.

Lysozym [grch.], *das* (Muramidase), in Speichel, Tränen und Schleimhäuten vorkommendes Enzym, das gegen Bakterien wirkt, indem es deren Zellwand (Proteoglykanmantel) hydrolytisch abbaut; wichtig für die Abwehr von Infektionen.

Lyssa [grch.] *die,* die →Tollwut.

Lyssenko, Trofim Denissowitsch, sowjet. Agrarbiologe und Agronom, *Karlowka (bei Poltawa) 29. 9. 1898, †Moskau 20. 11. 1976; entwickelte die Methode der →Vernalisation sowie Pläne zur gezielten Veränderung der Erbanlagen (eingeschlossen die Schaffung eines neuen Menschentyps durch Änderung der gesellschaftl. Verhältnisse) durch Änderung der Lebensbedingungen. Seine genet. Theorien erwiesen sich als unhaltbar, da sie auf Fehlinterpretationen, z. T. auch auf Fälschungen seiner wiss. Untersuchungen beruhten.

Lyttelton ['lɪtltən], Ort an der O-Küste der Südinsel Neuseelands, 3200 Ew.; Hafen von Christchurch (mit diesem durch einen 2 km langen Straßentunnel verbunden).

Lytton [lɪtn], engl. Schriftsteller, →Bulwer-Lytton.

Lyzeum [lat., von grch. lykeion] *das,* in einigen europ. Ländern die höhere Schule, vergleichbar dem Gymnasium; in Dtl. früher die höhere Mädchenschule.

LZB, Abk. für →**L**andes**z**entral**b**anken.